AF238047

ACCESO GRATIS *a la Lectura en la Nube*

Para visualizar el libro electrónico en la nube de lectura envíe junto a su nombre y apellidos una fotografía del código de barras situado en la contraportada del libro y otra del ticket de compra a la dirección:

ebooktirant@tirant.com

En un máximo de 72 horas laborales le enviaremos el código de acceso con sus instrucciones.

TRATADO DE DERECHO PENAL ESPAÑOL
PARTE ESPECIAL

V. Delitos contra el orden público (I). Delitos de traición y contra la paz o la independencia del Estado y relativos a la defensa nacional. Delitos contra la comunidad internacional

TRATADO DE DERECHO PENAL ESPAÑOL

PARTE ESPECIAL

V. Delitos contra el orden público (I). Delitos de traición y contra la paz o la independencia del Estado y relativos a la defensa nacional. Delitos contra la comunidad internacional

Director:

FRANCISCO JAVIER ÁLVAREZ GARCÍA

Coordinador:

ARTURO VENTURA PÜSCHEL

tirant lo blanch

Valencia, 2019

© Francisco Javier Álvarez García
Arturo Ventura Püschel y otros

© TIRANT LO BLANCH
EDITA: TIRANT LO BLANCH
C/ Artes Gráficas, 14 - 46010 - Valencia
TELFS.: 96/361 00 48 - 50
FAX: 96/369 41 51
Email:tlb@tirant.com
www.tirant.com
Librería virtual: www.tirant.es
DEPÓSITO LEGAL: V-3648-2018
ISBN: 978-84-1313-096-5

Si tiene alguna queja o sugerencia, envíenos un mail a: *atencioncliente@tirant.com*. En caso de no ser atendida su sugerencia, por favor, lea en *www.tirant.net/index.php/empresa/politicas-de-empresa* nuestro Procedimiento de quejas.

Responsabilidad Social Corporativa: http://www.tirant.net/Docs/RSCTirant.pdf

Listado de autores

ÁLVAREZ GARCÍA, FRANCISCO JAVIER
(Catedrático de Derecho Penal y Co-director del Instituto Alonso Martínez de Justicia y Litigación, Universidad Carlos III)

AYALA GARCÍA, JUAN MATEO
(Magistrado de la Audiencia Provincial de Bizkaia)

CABRERA MARTÍN, MYRIAM
(Prof. Colaboradora Asistente de Derecho Penal, Universidad Pontifica Comillas)

CARRASCO ANDRINO, MARÍA DEL MAR
(Catedrática de Derecho Penal, Universidad de Alicante)

FERNÁNDEZ RODERA, JOSÉ ALBERTO
(Magistrado de la Audiencia Nacional)

GARROCHO SALCEDO, ANA MARÍA
(Profesora Visitante de Derecho Penal, Universidad Carlos III)

HAVA GARCÍA, ESTHER
(Catedrática de Derecho Penal, Universidad de Cádiz)

LIÑÁN LAFUENTE, ALFREDO
(Prof. Ayudante Doctor de Derecho Penal, Universidad Complutense de Madrid)

MARTÍNEZ GUERRA, AMPARO
(Prof. Ayudante Doctora de Derecho Penal, Universidad Complutense de Madrid)

MOYA FUENTES, MARÍA DEL MAR
(Prof. Ayudante Doctora de Derecho Penal, Universidad de Alicante)

OTERO GONZÁLEZ, PILAR
(Catedrática acreditada de Derecho Penal, Universidad Carlos III)

VENTURA PÜSCHEL, ARTURO
(Prof. Colaborador de Derecho Penal, Universidad Complutense de Madrid)

A las universitarias españolas abusadas

Índice

Lección 1ª
DELITOS DE ATENTADOS, RESISTENCIA Y DESOBEDIENCIA*

Lección 2ª
DELITOS DE TENENCIA, TRÁFICO Y DEPÓSITO DE ARMAS, MUNICIONES O EXPLOSIVOS

Lección 3ª
DELITOS DE TRAICIÓN

Lección 4ª
DELITOS CONTRA LA PAZ Y LA INDEPENDENCIA DEL ESTADO*

Lección 5ª

**DELITOS DE DESCUBRIMIENTO Y REVELACIÓN DE SECRETOS E
INFORMACIONES RELATIVAS A LA DEFENSA NACIONAL**

Lección 6ª
DELITOS CONTRA EL DERECHO DE GENTES

Lección 7ª
DELITOS DE GENOCIDIO

Lección 8ª
DELITOS DE LESA HUMANIDAD

Lección 9ª
DELITOS CONTRA LAS PERSONAS Y BIENES PROTEGIDOS EN CASO DE CONFLICTO ARMADO

Lección 10ª

LA RESPONSABILIDAD DEL SUPERIOR POR OMISIÓN EN EL CÓDIGO PENAL ESPAÑOL

Lección 11ª
DELITOS DE PIRATERÍA

Lección 12ª
LOS TRIBUNALES ESPAÑOLES Y LA PERSECUCIÓN DE LOS DELITOS DE GENOCIDIO, LESA HUMANIDAD Y CRÍMENES DE GUERRA*

* Las Lecciones 1ª, 4ª y 12ª se han realizado en el marco del proyecto I+D DER2016-7728-P, concedido por el Ministerio de Economía, Industria y Competitividad, financiado por el Fondo Social Europeo y la Agencia Estatal de Investigación.

Abreviaturas

AAN	Auto de la Audiencia Nacional.
AAP	Auto de Audiencia Provincial.
ADPCP	Anuario de Derecho Penal y Ciencias Penales.
ADUM	Anales de Derecho de la Universidad de Murcia (http://www.um.es/facdere).
AFD	Anuario de Filosofía del Derecho.
AFDO	Anuario de la Facultad de Derecho de Ourense.
AFDUAH	Anuario de la Facultad de Derecho de la Universidad de Alcalá de Henares (http://www.uah.es/derecho).
AFDUAM	Anuario de la Facultad de Derecho de la Universidad Autónoma de Madrid.
AFDUC	Anuario da Facultade de Dereito da Universidade da Coruña.
AFDUE	Anuario de la Facultad de Derecho de la Universidad de Extremadura.
AFDUL	Anales de la Facultad de Derecho de la Universidad de La Laguna.
AIEA	Agencia Internacional de Energía Atómica.
AJA	Actualidad Jurídica Aranzadi.
AJCVP	Auto del Juzgado Central de Vigilancia Penitenciaria.
AJVP	Auto del Juzgado de Vigilancia Penitenciaria.
AN	Audiencia Nacional.
AP	Actualidad Penal.
Art.	Artículo.
ATC	Auto del Tribunal Constitucional.
ATS	Auto del Tribunal Supremo.
BFD	Boletín de la Facultad de Derecho de la UNED.
BIMJ	Boletín de Información del Ministerio de Justicia.
BOCCGG	Boletín Oficial de las Cortes Generales.
BOE	Boletín Oficial del Estado.
Cap.	Capítulo.
Cc	Código de Comercio.
CC	Código Civil.
CDJ	Cuadernos de Derecho Judicial.
CE	Constitución Española.
CEDH	Convenio Europeo de Derechos Humanos.
CGPJ	Consejo General del Poder Judicial.
CIDH	Comisión Interamericana de Derechos Humanos.
CLP	Comentarios a la Legislación Penal, Edersa, Madrid.

CP	Código Penal.
CP1973	Código Penal de 1973.
CPCri.	Cuadernos de Política Criminal.
CPI	Corte Penal Internacional.
CPM	Código Penal Militar.
CSNU	Consejo de Seguridad de Naciones Unidas.
DDHH	Derechos Humanos.
DJ	Documentación Jurídica.
DREA	Diccionario Real Academia de la Lengua Española.
DTU	Disposición Transitoria Única.
DUDH	Declaración Universal de Derechos Humanos.
EBEP	Estatuto Básico del Empleado Público.
ECPI	Estatuto de la Corte Penal Internacional.
EDJ	Estudios de Derecho Judicial.
EJB	Enciclopedia Jurídica Básica, Madrid, 1995.
EJMF	Estudios Jurídicos del Ministerio Fiscal.
EPB	Enciclopedia Penal Básica, Granada, 1992.
EPC	Estudios Penales y Criminológicos.
ET	Estatuto de los Trabajadores.
FGE	Fiscalía General del Estado.
InDret	Revista para el Análisis del Derecho (http:// www.indret.com).
JCI	Juzgado Central de Instrucción.
JGTS	Acuerdos No Jurisdiccionales de la Junta General de la Sala 2ª TS.
JP	Juzgado de lo Penal.
JpD	Revista de Jueces para la Democracia.
JVM	Juzgado de Violencia contra la Mujer.
JVP	Juzgado de Vigilancia Penitenciaria.
LCS	Ley de Contrato de Seguro.
LEC	Ley de Enjuiciamiento Civil.
LECri.	Ley de Enjuiciamiento Criminal.
LEN	Ley de Energía Nuclear.
LH	Ley Hipotecaria.
LH-Torío López	Libro Homenaje al Prof. Torío (todos los libros homenaje se citarán con este formato).
Lib.	Libro.
LISOS	Ley sobre Infracciones y Sanciones en el Orden Social.
LL	La Ley.
LL-Penal	La Ley Penal. Revista de Derecho Penal, Procesal y Penitenciario.
LO	Ley Orgánica.

LLOO	Leyes Orgánicas.
LOEx	Ley Orgánica sobre Derechos y Libertades de los Extranjeros en España y su Integración Social.
LOGP	Ley Orgánica General Penitenciaria.
LOLS	Ley Orgánica de Libertad Sindical.
LOPJ	Ley Orgánica del Poder Judicial.
LOTJ	Ley Orgánica del Tribunal de Jurado.
LPPNA	Ley Penal y Procesal de la Navegación Aérea.
LPRL	Ley de Prevención de Riesgos Laborales.
Mº F	Ministerio Fiscal.
MFC	Manuales de Formación Continuada, Ed. CGPJ, Madrid.
NEJ	Nueva Enciclopedia Jurídica.
OCDE	Organización para la Cooperación y el Desarrollo Económicos.
OIEA	Organismo Internacional de la Energía Atómica.
PIDCP	Pacto Internacional de Derechos Civiles y Políticos.
PIDESC	Pacto Internacional de Derechos Económicos, Sociales y Culturales.
PJ	Poder Judicial.
PLO	Proposición de Ley Orgánica.
RAD	Revista Aranzadi Doctrinal.
RCanCP	Revista Canaria de Ciencias Penales.
RCCP	Revista de Ciencias Penales.
RCJ	Revista de Ciencias Jurídicas (Universidad de Las Palmas de Gran Canaria).
RDCirc	Revista de Derecho de la Circulación.
RDP	Revista de Derecho Penal.
RDPC	Revista de Derecho Penal y Criminología.
RdPP	Revista de Derecho Penal y Procesal.
RDPriv	Revista de Derecho Privado.
RDPúb	Revista de Derecho Público.
RECPC	Revista Electrónica de Ciencia Penal y Criminología (http://criminet.ugr.es/recpc/).
REDUR	Revista Electrónica del Departamento de Derecho de la Universidad de La Rioja (http://www.unirioja.es/dptos/dd).
REDC	Revista Española de Derecho Constitucional.
REP	Revista de Estudios Penitenciarios.
RestP	Revista de Estudios Penales, Ed. Universidad cardenal Herrera-CEU.
RFDUCM	Revista de la Facultad de Derecho de la Universidad Complutense de Madrid.
RFDUG	Revista de la Facultad de Derecho de la Universidad de Granada.
RGD	Revista General del Derecho.

RGDP	Revista General de Derecho Penal.
RGID	Revista General Informática del Derecho (http://www.rgid.com, es continuación de RGD).
RGLJ	Revista General de Legislación y Jurisprudencia.
RICASV	Revista del Ilustre Colegio de Abogados del Señorío de Vizcaya.
RJCat	Revista Jurídica de Cataluña.
RJA	Repertorio de Jurisprudencia Aranzadi.
RJAst	Revista Jurídica de Asturias.
RJCan	Revista Jurídica de Canarias.
RJCat	Revista Jurídica de Cataluña.
RJC-LM	Revista Jurídica de Castilla-La Mancha.
RJCYL	Revista Jurídica de Castilla y León (http://www.jcyl.es).
RJCV	Revista Jurídica de la Comunidad Valenciana.
RJIB	Revista Jurídica de Les Illes Balears.
RMF	Revista del Ministerio Fiscal.
Rev.P	Revista Penal.
RP	Reglamento Penitenciario.
RXUSC Dereito	Revista Jurídica da Universidade de Santiago de Compostela.
SAN	Sentencia de la Audiencia Nacional.
SAP	Sentencia de la Audiencia Provincial.
STC	Sentencia del Tribunal Constitucional.
STEDH	Sentencia del Tribunal Europeo de Derechos Humanos.
STJCE	Sentencia del Tribunal de Justicia de las Comunidades Europeas.
STJUE	Sentencia del Tribunal de Justicia de la Unión Europea.
TC	Tribunal Constitucional.
TEDH	Tribunal Europeo de Derechos Humanos.
Tit.	Título.
TJCE	Tribunal de Justicia de las Comunidades Europeas.
TJUE	Tribunal de Justicia de la Unión Europea.
TPIR	Tribunal Penal Internacional para Ruanda.
TPIY	Tribunal Penal Internacional para la antigua Yugoslavia.
TS	Tribunal Supremo.
TSJ	Tribunal Superior de Justicia.
TTPPII	Tribunales Penales Internacionales.

Prólogo

El actual texto del Código Penal español es duramente criticable en no pocos de sus extremos, especialmente tras la reforma efectuada por la LO 1/2015. A esa operación de censura se han entregado con fruición los penalistas españoles, particularmente después de las modificaciones del Código Penal de 2003 y 2015, lo que me absuelve en líneas generales de acometerla de nuevo (en todo caso ya he formulado en publicaciones anteriores suficientes reproches a esa legislación).

Pero centrémonos ahora exclusivamente en los ilícitos que son objeto de este volumen del Tratado, en otros ya abordados en un anterior tomo y en unos terceros aún por analizar: me refiero con todos ellos a los delitos que pudiéramos denominar «políticos». Pues bien, digamos ante todo que el texto del CP1995 es heredero en sus preceptos «centrales» de los muchos trabajos legislativos efectuados desde finales de los años 70 del pasado siglo: del Proyecto de 1980 y el CP alternativo elaborado por el Grupo Comunista (Parte General), pasando por la reforma de 1983 y los numerosos proyectos, anteproyectos y propuestas que se elaboraron posteriormente. En los trabajos de todos esos textos participaron buena parte de los mejores penalistas españoles; y además lo hicieron en unos momentos de efervescencia de la doctrina penal. Todo se discutía en aquellos años, desde los presupuestos, y no se reconocían doctrinas «intocables». Las «importaciones alemanas» comenzaban, sólo comenzaban, a pasar por un filtro —la necesaria aduana; la mejor doctrina italiana, con las muy agudas propuestas democráticas de BRICOLA, llegaba a nuestras Facultades, y concretas modificaciones legislativas comenzaron a romper con la Dictadura y con los errores arrastrados (escándalo público, responsabilidad objetiva, regulación imposible para nuestro sistema de los delitos de lesiones, la pareja asociación ilícita y propaganda ilegal que a tantos españoles había llevado a la cárcel, despenalización de la blasfemia en un intento de empezar a controlar a la montaraz y oportunista iglesia católica —por más que paralelamente se firmara un Concordato humillante para el Estado—,..., y un largo etcétera).

Es en ese ambiente en el que se aprueba un nuevo Código Penal que, como apuntamos, refleja discusiones y críticas ya efectuadas en los treinta años anteriores, y también temores (seguramente las cosas hubieran sido distintas si la aprobación se hubiese efectuado sólo diez años antes, en plena euforia democrática, tras el encierro de los militares en sus cuarteles y el retraimiento —o al menos disfraz democrático— de las derechas). Quizá la nueva visión penal de aquellos años se pueda concretar en los primeros preceptos de la Parte Especial del Código del 95: el Libro II no comenzará ahora con los «delitos contra la seguridad exterior de Estado» seguidos de los correspondientes a la «seguridad interior del Estado» (donde todas las barbaridades represivas propias del régimen fascista estaban presentes), sino con los delitos contra la vida («del homicidio y sus formas»), poniendo de esta forma a la persona como primer referente, perdiendo lo colectivo su papel central en el sistema (el viejo lema: «tú no eres nada, tu patria lo es todo», quedaba así dejado de lado en el Código democrático).

Sin embargo, los autores del CP1995 o no leyeron todo lo que patrocinaron en el nuevo texto, lo leyeron mal o fueron extraordinariamente optimistas sobre el devenir patrio. En efecto, los que podríamos denominar «nuevos» (aunque en realidad eran muy viejos) delitos políticos seguían en buena medida sin modificarse, y mantenían la factura de los códigos penales de 1848 ó 1870, cuando no de las represivas leyes del primer franquismo, en especial de la Ley para la Seguridad del Estado (cuya aplicación llevó al paredón, o a la muerte por enfermedad o hambre, a muchos buenos españoles). Para corroborar la anterior afirmación basta con leer los artículos 589 y ss. CP («delitos contra la paz o la independencia del Estado») o los tipos de rebelión, sedición, contra las instituciones del Estado, traición y un largo etcétera. A la vista de estas tipicidades pareciera que el Legislador concluyó que no merecía la pena ponerse a pensar sobre todos estos delitos, pues no iban a ser aplicados; o, a lo mejor, el Legislador se sintió indolente y no quiso dedicar ni un segundo de reflexión a delitos que no estaban «trabajados» en absoluto, al menos en su mayor parte. Se dejaba todo —o casi todo— igual que un siglo y medio antes.

La cuestión es que me estoy refiriendo a no menos de cien artículos (posiblemente más) a contar desde el delito de rebelión —aunque de forma discontinua. En efecto, fijemos nuestra atención en este último delito. Pues bien, desde luego que en la descripción de esta conducta (que seguramente no debería seguir manteniendo el *nomen iuris* tradicional de «rebelión») no se ha tenido en cuenta que el sistema constitucional vigente exige, para su mejor protección (porque es evidente que hay que proteger penalmente el sistema constitucional frente a los más graves ataques), una tipicidad diferente, construida teniendo en cuenta, por un lado, el elenco de derechos fundamentales consagrados por todo tipo de textos nacionales e internacionales; por otro, ha de repararse en que el ataque a las instituciones democráticas puede venir desde dentro de las propias instituciones democráticas; en tercer lugar, que la violencia, el levantamiento, la insurrección, etc., no deben conformar el núcleo de lo injusto (quizá alguno de los referentes mencionados pudiera jugar como agravación); en cuarto término, que la tipicidad ha de ser menos casuística, que se debe «desmilitarizar» el delito, que el viejo lenguaje bélico ha de ser dejado de lado, que el levantamiento de tropas ha de ser tratado enteramente en otro lugar, que los «golpes de estado» pueden llevarse a cabo de forma «pacífica» y no por ello dejan de ser «golpes de estado»,..., etc., etc. Es decir: la disciplina entera de este precepto ha de ser modificada desde la misma base, desde su inicial comprensión. Pero lo mismo sucede con otras tipologías, por razones parejas a las acabadas de exponer y, también, porque a menudo algunos de los principios fundamentales del Derecho Penal resultan arrasados, singularmente el de legalidad (¿qué concreción presenta, por ejemplo, el pasaje «perturbar de forma grave» —artículo 505— el orden de los plenos de las corporaciones locales?, ¿y el «comprometer la dignidad o los intereses vitales de España»? del artículo 592).

Además, lo dicho en relación al delito de rebelión debe afectar también al de sedición; pues no basta haber trasladado este injusto a los delitos contra el orden público, sino que debe «romperse» con las razones —puesto que la realidad ha cambiado— que llevaron a introducirlo en el Código Penal de 1848 formando «conjunto» con otras figuras. En efecto, la cuestión proviene de la preocupación que desde los años 30 del siglo XIX había inundado a las clases pudientes y al Gobierno por el mantenimiento del orden público en una situación de ausencia de constitución democrática alguna (la primera que mereció este nombre aunque no sin tachas —el «problema de la esclavitud» no debe ser olvidado—, fue la de 1869), y al mismo tiempo de guerras civiles —las «carlistas»— y de extrema miseria en el campo (especialmente en el andaluz, pero no sólo) a la que habían contribuido las leyes desamortizadoras, particularmente la «Ley Madoz» (1855), posiblemente una de las más injustas de la historia de España. En un escenario en el que abundaron las sublevaciones y el bandidaje, en el que las clases rentista y burguesa denunciaban continuamente los asaltos de los miserables a sus bienes raíces, de búsqueda por el campesinado de medios de subsistencia que le eran negados —y aún usurpados— por la clase política, de creación de una «fuerza de choque» contra la pobreza como fue la Guardia Civil (1844), o de extrema «generosidad» del poder político en la aplicación de ejecuciones capitales, el poder reacciona en el Código Penal de 1848 —y las posteriores reformas de 1850— con una red de tipicidades que si no capaz de acallar sublevaciones y protestas, sí al menos de reprimirlas ejemplarmente. Ahí cobraba todo su sentido la construcción de los delitos de rebelión, sedición, atentado y atentado impropio (este último —introducido por el Real Decreto de 7 de junio de 1850, con anterioridad pues al texto refundido de Código Penal de 1850— funcionando a modo de «cláusula de recogida» de los tipos anteriores).

La cuestión, y de ello sólo se dio cuenta en pequeña parte, en muy pequeña parte, el Ministro Belloch, es que en 1995 no estábamos en 1848 (y esto hay que indicarlo por más que parezca de Perogrullo), que la norma fundamental de 1978 sí era una constitución democrática por más que preñada de defectos, y que el texto básico del Ordenamiento contenía un listado de derechos fundamentales además de integrarse en las declaraciones internacionales de derechos. En semejante contexto ¿cómo fue posible mantener un delito con la estructura —y las penas— del de sedición? ¿Acaso se había olvidado que durante la Dictadura fascista las acusaciones de sedición ante la realización de cualquier huelga —hasta de los escolares— era reiterada? Desde luego que a nadie se le escapa que una resistencia en el sentido del artículo 556 CP, por ejemplo, encajaría perfectamente en el delito de sedición, tal y como se encuentra ahora mismo configurado, si con ella se tratara de impedir determinaciones de la autoridad; verbigracia, cualquiera de los desalojos de viviendas impulsados por los bancos durante estos años de profunda crisis y desposesión de los más humildes, cuando los movimientos «anti desalojos» se concentraban (y lo siguen haciendo) para tratar de evitar que se arrojara a vivir a la calle a personas a las que se había privado de medios de subsistencia. ¿Tiene algún sentido democrático o meramente constitucional imponer a las personas que lleven a cabo tal conducta una pena máxima de ocho, diez o quince años de prisión? Desde luego que esa estructura típica responde a tiempos de sacralización de las decisiones de la autoridad, de ausencia de reconocimiento de derechos democráticos y de un autoritarismo inaceptable. Así las cosas, el delito de sedición —esa cadavérica tipicidad— está pidiendo a gritos un enterrador, y los de desórdenes públicos —muy recientemente reformados por el nefando Ministro Catalá— una completa reformulación para «leerlos» en sentido democrático (no hay que olvidar que la LO 1/2015, de 30 de marzo, de reforma del Código Penal, se dictó en unos momentos en los que las protestas sociales estaban alcanzando una gran importancia y repercusión tanto nacional como internacional, y que movimientos como los del «15-M» habían tenido una enorme difusión en todo el mundo).

Ciertamente que sería ya no injusto sino erróneo no reconocer que el texto de 1995 acaparó muchas virtudes, y que buena parte de los problemas que hoy presenta se deben a las reformas posteriores. En este sentido hay que mencionar la muy desgraciada de 2015, entre cuyos «logros» no puedo dejar de aludir —como pequeño «botón de muestra»— a que la falta absoluta del más elemental cuidado en la redacción del Proyecto de reforma llevó al Gobierno a proponer y aprobar definitivamente (y así apareció en el BOE núm. 77, de 31 de marzo de 2015) dos tipos distintos, con idéntica numeración, para regular la misma conducta —artículo 345 del CP: dos 345 para un solo Código. Aunque peor, ciertamente, y en materia de política criminal, fue el trasladar a la regulación del asesinato de nuestro Código Penal la ley alemana de 1941, elaborada por el jurista nacionalsocialista G. DAHM, mediante la cual se modificó en materia de asesinato el Código Penal alemán. Pero que nadie se equivoque en el juicio que efectúe al leer estos renglones: no estoy acusando de nacionalsocialistas a los autores de la reforma de 2015 —y a su cabeza el desgraciado Ministro—, sino simplemente de desconocer lo más elemental de la técnica legislativa y de los principios del Derecho Penal democrático.

Vayamos concluyendo: la «materia política» del Código Penal debe ser enteramente modificada, más aún tras la reforma autoritaria, e inculta, de 2015. Pero también han de ser alterados otros títulos del Código Penal como los referidos a la vida, trata de seres humanos (se tiene que empezar a pensar en «esclavitud»), libertad sexual, honor, relaciones familiares…, casi todo el Código. Pero en todo caso se tiene que «democratizar» el texto punitivo, con especial empeño en «levantar la prohibición» que hoy pesa sobre el ejercicio de no pocos derechos y libertades (expresión, información, manifestación); así: ¿por qué razón no se puede odiar —sin riesgo a ser etiquetado como autor de múltiples delitos— a quien cada uno quiera? ¿es que no existe el derecho a odiar? ¿dónde está la lesividad de negar la existencia de determinados genocidios? ¿por qué, como ahora se reclama por algún sector populista, se ha de castigar penalmente el enaltecimiento del franquismo? Quizá una deriva autoritaria de la izquierda política puede explicar alguno de los últimos interrogantes, y también la formulación de no pocas propuestas desafortunadas, incluso infelices, de organizaciones internacionales.

Pues bien, el tomo que hoy presentamos a los lectores acoge una buena cantidad de preceptos que deben ser profundamente reformados, por inconstitucionales algunos, por obsoletos otros y por inconvenientes casi todos. Hemos querido dejar para un tomo VI una serie de delitos que consideramos es mejor que tengan un tratamiento conjunto, y no diseminado como hubiera acaecido si se hubiese observado estrictamente el orden de los artículos en los tomos IV y V del Tratado. Me refiero a los delitos de asociaciones ilícitas, grupos y organizaciones criminales, terrorismo, desórdenes públicos y sedición. Buena parte de estos delitos —seguramente todos los acabados de nombrar— también tienen que ser profundamente reformados, pero antes de modificarlos resulta preciso «repensar el Estado» o parte de él, y sólo después decidir qué conductas merecen ser perseguidas penalmente.

Francisco Javier Álvarez García
Catedrático de Derecho Penal
Universidad Carlos III de Madrid

Bibliografía

MANUALES Y OBRAS GENERALES

ÁLVAREZ GARCÍA, F. J. y otros *Código Penal Comentado*, Madrid, 1990.

ÁLVAREZ GARCÍA, F. J. (dir.) *Doctrina Penal de los Tribunales Españoles*, 2ª ed., Valencia, 2007.

ÁLVAREZ GARCÍA, F. J. (dir.) *La adecuación del Derecho Penal español al Ordenamiento de la Unión Europea. La Política Criminal europea*, Valencia, 2009.

ÁLVAREZ GARCÍA, F. J. (dir.) *Derecho Penal Español. Parte Especial (I)*, 2ª ed., Valencia, 2011.

ÁLVAREZ GARCÍA, F. J. (dir.) *Derecho Penal Español. Parte Especial (II)*, Valencia, 2011.

ÁLVAREZ GARCÍA, F. J. (dir.) *Tratado de Derecho Penal Español. Parte Especial (III)*, Valencia, 2013.

ÁLVAREZ GARCÍA, F. J. (dir.) *Tratado de Derecho Penal Español. Parte Especial (IV)*, Valencia, 2016.

ÁLVAREZ GARCÍA, F. J. y GONZÁLEZ CUSSAC, J. L. (dirs.) *Comentarios a la Reforma Penal de 2010*, Valencia, 2010.

ÁLVAREZ GARCÍA, F. J. y GONZÁLEZ CUSSAC, J. L. (dirs.) *Consideraciones a propósito del Proyecto de Ley de 2009 de modificación del Código Penal*, Valencia, 2010.

BAJO FERNÁNDEZ, M. (dir.) *Compendio de Derecho Penal (Parte Especial). Volumen II*, Madrid, 1998.

BUSTOS RAMÍREZ, J., *Manual de Derecho Penal. Parte Especial*, Barcelona, 1986.

COBO DEL ROSAL, M. (dir.) *Comentarios al Código Penal*, varios tomos, Madrid, 1996-1999.

COBO DEL ROSAL, M. (dir.) *Compendio de Derecho Penal Español (Parte Especial)*, Madrid, 2000.

COBO DEL ROSAL, M. (dir.) *Curso de Derecho penal español. Parte Especial*, 2 vols., Madrid, 1996-1997.

COBO DEL ROSAL, M. (dir.) *Derecho Penal español. Parte Especial*, 2ª ed., Madrid, 2005.

COBOS GÓMEZ DE LINARES, M. A., y otros *Manual de Derecho Penal, Parte Especial, II*, Madrid, 1990.

CONDE-PUMPIDO FERREIRO, C. (dir.) *Código Penal comentado. Con concordancias y jurisprudencia*, 2 vols., Madrid, 2004.

CÓRDOBA RODA, J./GARCÍA ARÁN, M. (dirs.) *Comentarios al Código Penal. Parte Especial*, Madrid, 2004.

CUELLO CALÓN, J., *Derecho Penal. Parte Especial*, T. II, Barcelona, 1949.

DÍAZ y GARCÍA CONLLEDO, M., *Enciclopedia Penal Básica*, Granada, 2002.

FERRER SAMA, A., *Comentarios al Código Penal*, t. I-IV, Murcia, 1946-1956.

GROIZARD Y GÓMEZ DE LA SERNA, A., *El Código Penal de 1870, concordado y comentado*, 2ª ed., Madrid, 1902.

LAMARCA PÉREZ, C. (coord.) *Derecho Penal. Parte Especial*, 6ª ed., Madrid, 2011.

LÓPEZ GARRIDO, D/GARCÍA ARÁN, M., *El Código Penal de 1995 y la voluntad del legislador*, Madrid, 1996.

LUZÓN CUESTA, J. M., *Compendio de Derecho Penal. Parte Especial*, 21ª ed., Madrid, 2018.

MARCOS GUTIÉRREZ, J. F., *Práctica Criminal de España*, 2ª ed., Madrid, 1819.

MUÑOZ CONDE, F., *Derecho Penal. Parte Especial*, 21ª ed., Valencia, 2017.

NUEVA ENCICLOPEDIA JURÍDICA, Seix, Barcelona, 1950.

PACHECO, J. F., *El Código Penal. Concordado y comentado*, 3ª ed., Madrid, 1867.

QUERALT JIMÉNEZ, J. J., *Derecho Penal Español. Parte Especial*, 1ª ed., Valencia, 2015.

QUINTANO RIPOLLÉS, A., *Comentarios al Código Penal*, 2ª ed., renovada y puesta al día por Enrique Gimbernat Ordeig, Madrid, 1966.

QUINTANO RIPOLLÉS, A., *Curso de Derecho Penal II*, Madrid, 1963.

QUINTANO RIPOLLÉS, A., *Tratado de la Parte Especial del Derecho Penal. Tomo II. Infracciones patrimoniales de apoderamiento*, 2ª ed. puesta al día por C. García Valdés, Madrid, 1977 y *Tomo III. Infracción sobre el propio patrimonio, daños y leyes especiales*, 2ª ed. puesta al día por C. García Valdés, Madrid, 1978.

QUINTERO OLIVARES, G. (dir.) *Comentarios al Código Penal Español*, 7ª ed., 2016.

RODRÍGUEZ DEVESA, J. Mª., *Derecho Penal español. Parte Especial*, 18ª ed. (revisada y puesta al día por A. Serrano Gómez), Madrid, 1995.

RODRÍGUEZ RAMOS, L. y otros, *Derecho Penal. Parte Especial, II y III*, Madrid, 1997-1999.

SERRANO BUTRAGUEÑO, I. (dir.) *Código Penal de 1995. (Comentarios y Jurisprudencia), 3ª ed., 2 vols., Granada, 2001.

SILVA SÁNCHEZ, J. M. (dir.) *Lecciones de Derecho Penal. Parte Especial*, Barcelona, 4ª ed., 2015.

SUÁREZ-MIRA RODRÍGUEZ, C. (dir.) *Manual de Derecho Penal. Tomo II. Parte Especial*, 7ª ed., Navarra, 2018.

VIVES ANTÓN, T. S. (dir.) *Comentarios al Código Penal de 1995*, 2 vols. Valencia, 1996.

VIVES ANTÓN, T. S. y otros, *Derecho Penal. Parte Especial*, 5ª ed. revisada y actualizada a la Ley Orgánica 1/2015, Valencia, 2016.

VIZMANOS, T. M. y ÁLVAREZ MARTÍNEZ, C., *Comentarios al Código Penal. Tomo II*, Madrid, 1848.

LIBROS HOMENAJE

– *Constitución, derechos fundamentales y sistema penal (Semblanzas y estudios con motivo del setenta aniversario del Profesor Tomás Salvador Vives Antón)*, Valencia, 2009.

– *Criminología y Derecho penal al servicio de la persona, 1989. Libro-homenaje al profesor Antonio Beristain*, San Sebastián, 1989.

– *Derecho penal y criminología como fundamento de la política criminal. Estudios en homenaje al profesor Alfonso Serrano Gómez*, Madrid, 2007.

– *Derecho y justicia penal en el siglo XXI. En Homenaje al profesor Antonio González-Cuéllar García*, Madrid, 2006.

– *Dogmática y Ley Penal. Libro homenaje a Enrique Bacigalupo*, 2 vols., Madrid, 2004.
– *El nuevo Código Penal: presupuestos y fundamentos. Libro Homenaje al Profesor Doctor Don Ángel Torío López*, Granada, 1999.
– *El Nuevo Derecho Penal Español. Estudios Penales en Memoria del Profesor José Manuel Valle Muñiz*, Pamplona, 2001.
– *Estudios de Derecho ambiental: Libro homenaje al profesor Josep Miquel Prats Canut*, Valencia, 2008.
– *Estudios de Derecho penal y criminología. Homenaje al Prof. J. M. Rodríguez Devesa*, 2 vols., Madrid, 1989.
– *Estudios homenaje a María del Mar Díaz Pita. Problemas actuales del Derecho penal y de la Criminología*, Sevilla, 2008.
– *Estudios jurídico-penales sobre genética y bioética. Libro homenaje al Prof. Dr. Ferrando Mantovani*, Madrid, 2006.
– *Estudios jurídicos en honor del profesor Octavio Pérez-Vitoria*, 2 vols., Barcelona, 1983.
– *Estudios Jurídicos en Memoria de José María Lidón*, Bilbao, 2002.
– *Estudios jurídicos en memoria del profesor Dr. D. José Ramón Casabó Ruiz*, 2 vols., Valencia, 1997.
– *Estudios penales en homenaje a Enrique Gimbernat*, Madrid, 2008.
– *Estudios penales en Homenaje al Profesor Cobo del Rosal*, Madrid, 2005.
– *Estudios penales en memoria del profesor Agustín Fernández Albor*, Santiago de Compostela, 1989.
– *Estudios penales en recuerdo del profesor Ruiz Antón*, Valencia, 2004.
– *Estudios penales y jurídicos. Homenaje al Prof. Dr. Enrique Casas Barquero*, Córdoba, 1996.
– *Estudios penales. Libro homenaje al prof. J. Antón Oneca*, Salamanca, 1982.
– *Homenaje a Jiménez de Asúa, en Revista de la Facultad de Derecho de la Universidad Complutense de Madrid*, monográfico nº 11, junio 1986.
– *Homenaje al Dr. Marino Barbero Santos: in memoriam*, 2 vols., Cuenca, 2001.
– *Homenaje al Prof. José Antonio Sainz Cantero, en Revista de la Facultad de Derecho de la Universidad de Granada*, monográfico 12 y 13, 1987.
– *Homenaje al Profesor Dr. Gonzalo Rodríguez Mourullo*, Madrid, 2005.
– *La ciencia del Derecho penal ante el nuevo siglo. Libro Homenaje al Profesor Doctor Don José Cerezo Mir*, Madrid, 2002.
– *Los Derechos Humanos. Libro Homenaje al Excmo. Sr. D. Luis Portero García*, Granada, 2001.
– *Política Criminal y reforma penal. Homenaje a la memoria del Prof. Dr. D. Juan del Rosal*, Madrid, 1993.
– *Problemas actuales de las Ciencias Penales y de la Filosofía del Derecho. En homenaje al Profesor Jiménez de Asúa*, Buenos Aires, 1970.
– *Serta: In memoriam Alexandro Baratta*, Salamanca, 2004.
– *Universitas vitæ: Homenaje a Ruperto Núñez Barbero*, Salamanca, 2007.
– *Un Derecho Penal comprometido. Libro Homenaje al Prof. Dr. Gerardo Landrove Díaz,* Valencia, 2011.
– *Libro homenaje al Profesor Luis Rodríguez Ramos*, Valencia, 2012.

- *Derecho Penal para un Estado social y democrático de Derecho. Estudios penales en homenaje al Profesor Emilio Octavio de Toledo y Ubieto*, Madrid, 2016.
- *Estudios de Derecho Penal (Homenaje al Prof. Miguel Bajo)*, Madrid, 2016.
- *Liber amicorum. Estudios Jurídicos en homenaje al Prof. Dr. Dr. h.c. Juan Mª Terradillos Basoco*, Valencia 2018.
- *Estudios jurídico penales y criminológicos, en Homenaje al Prof. Dr. h.c. mult. Lorenzo Morillas Cueva*, Madrid, 2018.

Referencias legales generales

- Código Civil de 24 de julio de 1889 *(Tol 220310)*.
- Código Penal de 1973 *(Tol 962739)*.
- Código Penal de 1995 *(Tol 223185)*.
- Código Penal Militar *(Tol 988943)*.
- Constitución Española *(Tol 173304)*.
- Convenio Europeo de Derechos Humanos, de 4 de noviembre de 1950 *(Tol 164153)*.
- Convenio Europeo de Derechos Humanos *(Tol 164153)*.
- Convenio para la Protección de los Derechos Humanos y de las Libertades Fundamentales, hecho en Roma el 4 de noviembre de 1950 *(Tol 164153)*.
- Declaración Universal de los Derechos Humanos, de 10 de diciembre de 1948 *(Tol 147461)*.
- Ley de Enjuiciamiento Civil *(Tol 172336)*.
- Ley de Enjuiciamiento Criminal *(Tol 214466)*.
- Ley del Tribunal del Jurado *(Tol 230925)*.
- Ley Orgánica 1/1979, de 26 de septiembre, General Penitenciaria *(Tol 230920)*.
- Ley Orgánica 10/1995, de 23 de noviembre, del Código Penal *(Tol 4186)*.
- Ley Orgánica 6/1985, de 1 de julio, del Poder Judicial *(Tol 268267)*.
- Ley Penal del Menor *(Tol 110219)*.
- Ley 23/2014, de reconocimiento mutuo de resoluciones penales en la Unión Europea *(Tol 4549387)*.
- Pacto Internacional de Derechos Civiles y Políticos, de 19 de diciembre de 1966 *(Tol 163591)*.
- Pacto Internacional de Derechos Civiles y Políticos *(Tol 207988)*.

Lección 1ª
Delitos de atentados, resistencia y desobediencia

MARÍA DEL MAR CARRASCO ANDRINO
FRANCISCO JAVIER ÁLVAREZ GARCÍA

SUMARIO: I. ELEMENTO COMÚN: SUJETOS PASIVOS DE LA ACCIÓN. 1. Concreción de los sujetos pasivos. 2. Concepto de autoridad y funcionario público. 3. Concepto de «agente de autoridad». 4. Reconducción de los distintos sujetos aludidos en el artículo 550.1 CP al concepto de funcionario público. 5. La consideración de los funcionarios docentes o sanitarios. 6. Los sujetos recogidos en el artículo 550.3 CP. 7. Los sujetos recogidos en el artículo 554 CP. 8. El hallarse en el ejercicio de sus funciones o con ocasión de ellas. 9. El personal de seguridad privada. II. ATENTADOS. 1. Evolución histórica del delito de atentado. 2. Bien Jurídico. 2.1. Ubicación sistemática: el atentado como delito contra el orden público. 2.2. El bien jurídico en la Jurisprudencia del Tribunal Supremo. 2.3. Bien jurídico protegido según la Doctrina. 3. Conducta típica. 3.1. Los tipos de los artículos 550 y 554.1 CP. 3.1.1. Acometer. 3.1.2. Agredir. 3.1.3. Oponer, con intimidación grave o violencia, resistencia grave. a) Oponer resistencia. b) Resistencia grave. c) Medios comisivos: violencia e intimidación grave. 3.2. Los tipos del art. 554.2 y 3 CP. 4. Tipo subjetivo y error de tipo. 4.1. Dolo. 4.2. Ánimo de ofender. 4.3. Dolo eventual. 4.4. Error de tipo. 5. Justificación. 6. *Iter criminis*. 7. Autoría y participación. 7.1. Delito de propia mano. 7.2. Coautoría. 7.3. Participación. 8. Concursos. 8.1. Pluralidad de sujetos pasivos. 8.2. Concurrencia de resultados lesivos. 8.3. Concurrencia de daños. 8.4. Concurrencia con robo violento. 8.5. Concurso de normas. 8.6. Concurso con delito de terrorismo. 9. Tipos agravados. 9.1. Uso de armas u otros objetos peligrosos. 9.2. Acto de violencia potencialmente peligroso para la vida de las personas o que pueda causar lesiones graves. 9.3. Acometer haciendo uso de vehículo a motor. 9.4. Con ocasión de un motín, plante o incidente colectivo en el interior de un centro penitenciario. III. DELITOS DE RESISTENCIA Y DE DESOBEDIENCIA DE PARTICULARES. 1. Introducción. 1.1. La desobediencia funcionarial. 1.2. La desobediencia de particulares. 1.3. Exigencias en la conformación de la orden. 2. Delito de resistencia. 2.1. Antecedentes históricos. 2.2. La estructura del castigo de la resistencia en el Código Penal. 2.3. El castigo de la resistencia según la Jurisprudencia del Tribunal Supremo. 2.4. Diferencias entre resistencia y desobediencia. 3. Delito de desobediencia de particulares. 3.1. Bien jurídico protegido. 3.1.1. Objeto jurídico. 3.1.2. Bien jurídico principal y secundario. 3.1.3. Sujeto pasivo del delito. 3.2. La estructura dogmática del delito de desobediencia. 3.3. ¿Tipo común de un supuesto delito especial impropio de desobediencia funcionarial?. 3.4. ¿Es el delito de desobediencia de particulares uno de propia mano?. 3.5. Tipo objetivo. 3.5.1. Requisitos: la demanda de obediencia. 3.5.2. Concepto de orden. 3.5.3. Forma de la orden. 3.5.4. Notificación de la orden. 3.5.5. La representación ante el superior. 3.5.6. La orden procesal. 3.5.7. La orden legislativa. 3.5.8. La desobediencia grave y su delimitación de la infracción administrativa. 3.5.9. La desobediencia. 3.6. Tipo subjetivo. 3.7. Justificación. 3.8. *Iter criminis*. 3.9. Concursos de normas con tipos contentivos de desobediencias especiales. 3.10. Concursos de delitos. 3.11. Responsabilidad civil. 3.12. Cuestiones procesales. IV. FALTA DE RESPETO Y DE LA CONSIDERACIÓN DEBIDA A LA AUTORIDAD. 1. Introducción. 2. Bien jurídico protegido. 3. Conducta. 3.1. Concepto de «respeto y consideración». 3.2. En el ejercicio de sus funciones. 3.3. «Debida». 4. Tipo subjetivo. 5. Justificación. 6. Cuestiones procesales. V. BIBLIOGRAFÍA.

Artículo 550

1. Son reos de atentado los que agredieren o, con intimidación grave o violencia, opusieren resistencia grave a la autoridad, a sus agentes o funcionarios públicos, o los acometieren, cuando se hallen en el ejercicio de las funciones de sus cargos o con ocasión de ellas.

En todo caso, se consideran actos de atentado los cometidos contra los funcionarios docentes o sanitarios que se hallen en el ejercicio de funciones propias de su cargo, o con ocasión de ellas.

2. Los atentados serán castigados con las penas de prisión de uno a cuatro años y multa de tres a seis meses si el atentado fuera contra autoridad y de prisión de seis meses a tres años en los demás casos.

3. No obstante lo previsto en el apartado anterior, si la autoridad contra la que se atentare fuera miembro del Gobierno, de los Consejo de Gobierno de las Comunidades Autónomas, del Congreso de los Diputados, del Senado o de las Asambleas Legislativas de las Comunidades Autónomas, de las Corporaciones locales, del Consejo General del Poder Judicial, Magistrado del Tribunal Constitucional, juez, magistrado o miembro del Ministerio Fiscal, se impondrá la pena de prisión de uno a seis años y multa de seis a doce meses.

Artículo 551

Se impondrán las penas superiores en grado a las respectivamente previstas en el artículo anterior siempre que se el atentado se cometa:

1º Haciendo uso de armas u otros objetos peligrosos.

2º cuando el acto de violencia ejecutado resulte potencialmente peligroso para la vida de las personas o pueda causar lesiones graves. En particular, están incluidos los supuestos de lanzamiento de objetos contundentes o líquidos inflamables, el incendio y la utilización de explosivos.

3º Acometiendo a la Autoridad, a su agente o al funcionario público haciendo uso de un vehículo de motor.

4º Cuando los hechos se lleven a cabo con ocasión de un motín, plante o incidente colectivo en el interior de un centro penitenciario.

Artículo 552

(Dejado sin contenido).

Artículo 553

La provocación, la conspiración y la proposición para cualquiera de los delitos previstos en los artículos anteriores, será castigada con la pena inferior en uno o dos grados a la del delito correspondiente.

Artículo 554

1. Los hechos descritos en los artículos 550 y 551 serán también castigados con las penas expresadas en ellos cuando se cometieren contra un miembro de las Fuerzas Armadas que, vistiendo uniforme, estuviera prestando un servicio que le hubiera sido legalmente encomendado.

2. Las mismas penas se impondrán a quienes acometan, empleen violencia o intimiden a las personas que acudan en auxilio de la autoridad, sus agentes o funcionarios.

3. También se impondrán las penas de los artículos 550 y 551 a quienes acometan, empleen violencia o intimiden gravemente:

a) los bomberos o miembros del personal sanitario o equipos de socorro que estuvieran interviniendo con ocasión de un siniestro, calamidad pública o situación de emergencia, con la finalidad de impedirles el ejercicio de sus funciones.

b) Al personal de seguridad privada, debidamente identificado, que desarrolle actividades de seguridad privada en cooperación y bajo el mando de las Fuerzas y Cuerpos de Seguridad.

Artículo 555

(Dejado sin contenido).

Artículo 556

1. Serán castigados con la pena de prisión de tres meses a un año o multa de seis a dieciocho meses, los que, sin estar comprendidos en el artículo 550, resistieren o desobedecieren gravemente a la autoridad o sus agentes en el ejercicio de sus funciones, o al personal de seguridad privada, debidamente identificado, que desarrolle actividades de seguridad privada en cooperación y bajo el mando de las Fuerzas y Cuerpos de seguridad.

2. Los que faltaren al respeto y consideración debida a la autoridad, en el ejercicio de sus funciones, serán castigados con la pena de multa de uno a tres meses.

I. ELEMENTO COMÚN: SUJETOS PASIVOS DE LA ACCIÓN

1. *Concreción de los sujetos pasivos*

Estos tipos penales han venido designando históricamente, aunque con las correspondientes vicisitudes que ahora se expondrán, como posibles sujetos pasivos de estos delitos a la autoridad, los agentes de la misma, y los funcionarios públicos cuando se hallaren, todos ellos, en el ejercicio de sus funciones, los miembros del Gobierno, de los Consejos de Gobierno de las Comunidades Autónomas, del Congreso de los Diputados, del Senado o de las Asambleas Legislativas de las Comunidades Autónomas, de las Corporaciones locales, del Consejo General del Poder Judicial, Magistrado del Tribunal Constitucional, Juez, Magistrado, del Ministerio Fiscal, de las Fuerzas Armadas, quienes acudan en auxilio de la autoridad o sus agentes, bomberos, personal sanitario, equipos de socorro y personal de seguridad privada.

Hablamos, como con razón señala BENÍTEZ ORTUZAR, de sujetos pasivos de la acción, pues si construimos el objeto jurídico, como se verá a continuación, en referencia a un bien supra-individual resultará imposible identificar sujetos pasivos del delito y de la acción.

Se trata de un universo de sujetos cuya inclusión en el tipo obedece a muy distintos criterios: desde funcionarios públicos constituidos en autoridad o asimilados a ellos, a empleados públicos que son meros ejecutores de instrucciones superiores o terceros que logran protección penal por desempeñar unas determinadas funciones, pasando por meros particulares cuya implicación típica obedece a que están involucrados en una determinada situación bien como actores principales de la misma bien como ayudantes o auxiliares de estos últimos, o, en fin, otros sujetos que aun siendo particulares realizan funciones que habiendo estado reservadas a los funcionarios se han abierto a su participación, y en virtud de ello se les confiere una protección asimilada a la de los funcionarios.

¿En qué estructuras típicas se contempla la actuación de los sujetos acabados de referenciar? ¿Cómo ha evolucionado la incorporación de sujetos pasivos en los delitos de atentado, resistencia y desobediencia a lo largo de la codificación? Pues bien, prescindiendo ahora de la legislación anterior al Código Penal de 1848, que poco aclararía a efectos hermenéuticos sobre el actual tipo penal, debe decirse que en este último Código, que «de alguna manera» continuó vigente hasta el de 1995, no se contemplaban los delitos de atentado, resistencia y desobediencia con la estructura que pasó a los códigos posteriores y que en buena medida se ha mantenido hasta hoy.

En efecto, el tipo de atentado, en el CP1848, se recogía en el Capítulo III («De la resistencia, soltura de presos y otros desórdenes públicos») del Título III («Delitos contra la seguridad interior del Estado y el orden público») del Libro II, y tenía la siguiente redacción (artículo 189): «*Los que con violencia acometieren o resistieren a la Autoridad pública o a sus agentes en el acto de ejercer su oficio, serán castigados…*». El resto de los preceptos de este Capítulo tenían —como señala JAVATO MARTÍN— las características propias de los delitos de desórdenes públicos, aunque además incluía delitos de quebrantamiento y evasión de presos, contra las Cortes y desacatos. Es decir: se trataba de un Capítulo en el que se habían introducido, sin mayores distinciones, todo lo que podía considerarse globalmente como actos significativos de «oposición a la autoridad» no constitutivos de rebelión o sedición o lesa majestad; y por supuesto, no se contemplaba un tipo genérico de desobediencia.

Las figuras de atentado, resistencia y desobediencia fueron construidas, en el sentido actual, por el Real Decreto de 7 de junio de 1850, por el que se reformaron distintas disposiciones del Código Penal de 1848 y se incorporó, en lo que ahora interesa, un nuevo texto en los artículos 189 y ss., en los que se recogía el que los autores denominaron atentado impropio (artículo 189.1: «*Los que, sin alzarse públicamente, emplean fuerza o intimidación para alguno de los objetos señalados en los delitos de rebelión y sedición*»), al lado del atentado propio (artículo 189.2: «*Los que acometen o resisten con violencia, o emplean fuerza o intimidación contra la autoridad o sus agentes cuando aquella o estos ejercieren las funciones de su cargo, y también cuando no las ejercieren, siempre que sean conocidos o se anuncien como tales*»). Diferencia esencial, en lo que se refiere a los sujetos, entre atentado impropio y propio, era que en aquel no hay especialidad en cuanto a los sujetos en el tipo básico; sin embargo, en el atentado propio los sujetos pasivos únicamente podían ser «la autoridad o sus agentes».

Se trataba, el de atentado impropio, de un tipo de fácil manipulación política y que podía ser utilizado sin mayores problemas para reprimir el ejercicio de derechos básicos, especialmente en el mundo laboral. En este sentido, CUELLO CALÓN se refería a que este delito fue apreciado por el Tribunal Supremo en delincuencia «de tipo social», aseverando que cometían «…este delito en relación con los números 2º y 4º del artículo 245 del Código penal, y no la infracción del art. 21 de la ley de huelgas y paros, los obreros del campo que cesan su trabajo y se dedican a coaccionar a los que practican la recolección de la cosecha declarada servicio público nacional y a cometer actos de odio y venganza contra la clase social de propietarios y contra obreros que no secundaron el movimiento…». Esta apreciación ya se había hecho realidad en numerosas sentencias dictadas en relación a sucesos acaecidos durante la Segunda República española, especialmente en el año 1934 durante el período de la CEDA; en este sentido se pueden invocar —entre otras muchas— las siguientes resoluciones del Alto Tribunal: 2 de septiembre de 1939, 27 de julio de 1934 y 22 de septiembre de 1934.

Unas notas sobre todos estos tipos: Primera, los delitos de rebelión, sedición y atentado se diferenciaban con claridad en atención a medios y objetivos (la rebelión frente a la sedición, en que en aquella se exigía «alzamiento público y abierta hostilidad» y en la sedición solo alzamiento; además, en la rebelión se requerían unos objetivos en todo diferentes a la sedición —artículos 167 y ss. y 174 y ss.) y exclusivamente en los medios (el de atentado respecto de los de rebelión y sedición, porque en aquel la conducta no consistía en «alzarse»). En cierta forma el atentado del artículo 189.1 actuaba a modo de cláusula de recogida de los delitos de rebelión y sedición. Segunda, en todos estos tipos se subrayaba la diferencia entre las personas que tenían la consideración de «autoridad» y las que no, fueran estas últimas, o no, empleados públicos o particulares. Tercera, claramente el objeto jurídico era el principio de autoridad, lo que se evidenciaba en el hecho de que no era preciso que la autoridad o el agente de la misma estuvieran ejerciendo las funciones de su cargo, sino que bastaba con que el sujeto activo conociera la condición del sujeto pasivo. Cuarta, en los tipos de rebelión, sedición y atentado se distinguía únicamente entre autoridad y agente de la misma (solo en un supuesto se aludía a los «empleados públicos» como categoría que aunaba a la autoridad y a los agentes de la misma —artículo 482, I).

Esto tenía su lógica, ya que no es hasta Bravo Murillo en 1852 cuando se dicta el primer estatuto general de la función pública (debe tenerse en cuenta que la doctrina liberal rechazaba la burocracia permanente, y que no es hasta la obra de Oliván en 1842 —según afirma GARCÍA DE ENTERRÍA— cuando se lleva a cabo en España —en donde el Estado había desaparecido durante la Guerra de la Independencia— la primera obra sistemática en la materia). Antes de aquel Estatuto únicamente se conocían obras parciales referidas a concretos ramos de la Administración, como el Estatuto de López Ballesteros concerniente a la Real Hacienda (véanse PARADA VÁZQUEZ, CARRASCO CANALS, y NIETO GARCÍA). En realidad (y más allá del Estatuto de O'Donell de 1866, que tuvo una aplicación breve en el tiempo, aunque introdujo principios muy avanzados como el de la estabilidad en el empleo aunque con ciertos límites) no se dispuso de una nueva regulación, aunque según los autores no fue la necesaria, hasta la Ley de Bases de los Funcionarios del Estado de 22 de julio de 1918 (por más que hasta ese momento se realizaron reformas que afectaron a los funcionarios de algunos ministerios; en todo caso la Ley de 1918, y al decir de GARCÍA DE ENTERRÍA, no supuso más que el viejo Decreto de Bravo Murillo apenas retocado). Teniendo en cuenta todo esto, no es de extrañar que el sistema se edificara alrededor de «la autoridad», siendo considerados los demás empleados públicos como agentes de la misma; de ahí que solo muy excepcionalmente se empleara en el Código Penal una denominación distinta a la de «agente» (en el Estatuto de O'Donell se utilizaron como sinónimos las denominaciones «empleado público» y «funcionario público»). La relación entre autoridad y «su» agente es parecida a la que existía con la técnica de los «comisarios regios», estos no tenían voluntad sino que ejecutaban la del Rey; por ello precisamente, y según veremos más adelante, los autores caracterizaban a los «agentes de la autoridad» como unos funcionarios «meramente ejecutores» de las instrucciones de la «autoridad». Esta idea estaba ínsita en el Estatuto de López Ballesteros de 1827, en el que se distinguía con claridad entre una capa de funcionarios (autoridades) cuyo nombramiento correspondía al Rey y expresaba, por tanto, su voluntad, y los subalternos que no eran nombrados por el Rey sino por las autoridades de las que dependían.

Quinta, el ostentar la dignidad de «autoridad» implicaba una mayor sanción si se trataba del sujeto activo del delito (tanto en rebelión como en sedición o atentado). Sexta, asimismo se diferenciaba entre autoridad y agente de la misma como sujetos pasivos a efectos de la imposición de la pena.

RODRÍGUEZ DEVESA apuntaba que «La utilidad de este tipo [el atentado impropio] resulta de la ausencia de una "sedición sin alzamiento" paralela a la rebelión del artículo 271, 1°...» (véanse también, CÓRDOBA RODA, SANDOVAL y GARCÍA RIVAS). Pero ¿por qué este tipo penal de atentado impropio? Desde luego algunos acontecimientos históricos «recomendaron» su inclusión; en efecto, no debe olvidarse que las masas campesinas estaban siendo empobrecidas aceleradamente, primero con la desamortización de Mendizabal y más tarde lo serían aún más con la publicación, en el llamado «bienio progresista», de una de las leyes más injustas dictadas en la Historia de la legislación española, nos referimos a la Ley Madoz de 1855 (SAIZ ofrece un claro cuadro sobre el ambiente político en el que se dictó esta Ley) que dispuso la venta de los bienes de propios y comunes (para disminuir la deuda pública originada en el Estado en provecho de «otros», aunque decisiones de este tipo —quizá no con tanta dureza— ya se habían adoptado tanto por los Austrias —tal y como apunta CEPEDA ADÁN— como por los primeros Borbones —verbigracia, los «Decretos desamortizadores» de Carlos IV de 19 de septiembre de 1798— y aun en las Cortes de Cádiz —Decreto de 4 de enero de 1813— y se han vuelto a producir a finales del siglo XX y principios del XXI), formando enormes propiedades improductivas al contradecir —según apunta GARCÍA SANZ— los consejos de CAMPOMANES, OLAVIDE y JOVELLANOS, y arrojando así a la miseria a los campesinos más pobres que hasta ese momento sobrevivían gracias al buen uso de las tierras comunales (sobre las desamortizaciones, con carácter general, ilustra suficientemente TOMÁS Y VALIENTE en alguno de sus trabajos). De hecho la Guardia Civil, su fundación (1844), responde a la necesidad expuesta por los terratenientes de proteger sus tierras tras la desamortización de 1836 (a lo acabado de referir debe unirse lo que constituía la tradicional y secular miseria de los campesinos que, en expresión de CAMPOMANES, vivían sin poder trabajar la mayor parte del año y veían cómo sus mujeres e hijos morían de hambre —las leyes agrarias de Carlos III algo abundaron en esa situación—, siendo proclives, por lo tanto, a revueltas y levantamientos —por ejemplo los producidos, andando el tiempo, entre los años 30 y 50 del siglo XIX en ciudades del suroeste de Andalucía—, como, por otra parte, atestiguó la historia del anarquismo agrario andaluz, y también las sublevaciones producidas por toda España en distintos momentos como las abundantes de 1836 o los muy graves movimientos campesinos de 1857 en Sevilla que concluyeron con numerosas ejecuciones). Por lo dicho, y desde el punto de vista de las élites, la inclusión del delito de atentado impropio constituía una previsión «razonable» de las élites en aquellos tiempos cuando, además y casi constantemente en términos históricos, se sucedían pronunciamientos, insurrecciones, etc., pero que no siempre se expresaban con violencia o con un claro alzamiento. Este tipo venía, así, a cubrir una laguna evidenciada por la realidad de los hechos, aunque posiblemente hubiera sido mejorable su encaje en relación a los delitos de rebelión y sedición mediante una más acertada tipificación de esta última. En todo caso hubiera sido preferible que los legisladores de 1995 hubiesen pensado mejor todas estas tipicidades (y en estos días de políticas independentistas se ponen más de manifiesto las necesidades de una correcta previsión legislativa, pero desgraciadamente nuestro Legislador se caracteriza, como bien demostró con la destipificación y «retipificación» del delito de piratería, por su falta de conocimientos y escasa capacidad de análisis de la realidad... además de su sordera).

En todo caso no debe olvidarse que el Código Penal de 1848 es de 19 de marzo, y, posteriormente a su promulgación, llegaron a España, aunque muy débiles, los ecos de las revoluciones europeas de 1848; en concreto, no fue hasta el 26 de marzo cuando las primeras barricadas se elevan en Madrid y posteriormente, durante el mes de mayo, hubo levantamientos en distintas provincias. Todos ellos fueron sofocados con contundencia por el General Narváez (que a la vista de lo que había ocurrido en febrero con Luis Felipe de Francia, presentó en el

Congreso el 28 de febrero un «plan de represión», con suspensión de garantías constitucionales, por si llegaba a España el contagio revolucionario), del partido moderado, que fue quien
finalmente realizó las reformas al Código Penal de 7 de junio de 1850 (del 48 al 50, por otra
parte, se vivió el final de la 2ª Guerra Carlista y las Cortes estuvieron disueltas).

El texto refundido de Código Penal de 1850 no modificó la redacción de los
preceptos relativos a estos delitos.

En el CP1870 los delitos de atentado, resistencia y desobediencia se incluyen
en el Título III («Delitos contra el orden público»), Capítulo IV («De los atentados contra la Autoridad y sus agentes, resistencia y desobediencia»), artículos 263
y ss. Respecto de la redacción dada a estos preceptos en el CP1848 —y además de
dedicar un Capítulo exclusivamente a estos delitos, diferenciándolos claramente
de los desórdenes públicos— debe decirse que: a) No hay diferencia, más allá de
un tiempo verbal, en lo referente al atentado impropio; b) En lo que afecta al delito de atentado en sentido propio, sí se producen cambios en la redacción, pero no
en lo que se refiere a los sujetos que continúan siendo la autoridad y sus agentes;
c) Si el sujeto activo del delito de atentado fuera autoridad, la pena se verá considerablemente agravada por aplicación de una Disposición Común (artículo 278);
d) Sí constituyó novedad la inclusión, en el Capítulo de Disposiciones Comunes
(artículos 277 y ss. CP1870) que afectaban a los delitos que se estudian, de una
definición de «autoridad» (artículo 277, I):

> *«Para los efectos de los artículos comprendidos en los tres capítulos precedentes,*
> *se reputará Autoridad al que por sí solo, o como individuo de alguna corporación*
> *o Tribunal, ejerciere jurisdicción propia».*

El que solo se incluyera una definición de «autoridad» y no de «agente de la
autoridad» se debe, como hicimos notar más atrás, a que se consideraba obvio
que este último no era más que mero ejecutor de aquella, y que la «autoridad»
era la que ostentaba el papel central en el sistema. En puridad solo en el CP1928,
artículo 213, II, se ha contenido una definición de «agente de la autoridad».

En el CP1928 se incluía, además de la definición de agente de la autoridad
a la que acabamos de aludir, la de «autoridad» (artículo 213, I) en los mismos
términos que en el CP1870. En el tipo de atentado propio, artículo 318 (el de
atentado impropio desapareció, como atentado, en el CP1928 y pasó a ser una
modalidad de la rebelión o la sedición) los sujetos se incrementaron por referencia
a los «funcionarios públicos», lo que no es de extrañar a la vista de que esa era la
denominación genérica que en la Ley de 1918 se otorgaba al «personal técnico y
auxiliar» que estaba a cargo de la Administración civil del Estado.

El artículo 301, incluso en el Capítulo III (Disposiciones comunes) del Título III, disponía:
*«Los que sin alzarse públicamente emplearen fuerza o intimidación o por cualquier otro medio
cometieren alguno de los delitos comprendidos en los dos capítulos anteriores [rebelión y sedi-*

ción], *serán castigados…*». Esta ubicación de lo que hasta ese momento se consideraba como «atentado impropio» parecía más adecuada para guardar la naturaleza de los delitos de atentado. En todo caso algún autor ha justificado la eliminación de este tipo de atentado impropio como especie de «atentado» habida cuenta de su escasa utilización hasta el CP1928 (ALTÉS SALAFRANCA); en concreto, hasta este Código solo se invocan las SSTS de 20 de noviembre de 1876 y 17 de diciembre de 1889.

En fin, en este Código de 1928, desconcertante en muchos sentidos, se incluía un tipo atenuado de atentado, toda una oda a la proporcionalidad, que poseía el siguiente tenor: «*Cuando la agresión tuviere lugar tan solo poniendo manos en la Autoridad o sin la concurrencia de las demás circunstancias señaladas en los números anteriores, será castigada con la pena de seis meses a dos años de prisión y multa de 1.000 a 3.000 pesetas*». Esta escalada de las penas en atención a la menor entidad permanece, con otra redacción, en el CP1944 (no así, paradójicamente, en el de 1932, Código que se elaboró demasiado apresuradamente) en su artículo 235, aunque con un claro acogimiento del Derecho Penal de autor: «En los casos de los artículos anteriores, los Tribunales, atendiendo a la menor gravedad y circunstancia del hecho y al móvil y condiciones del culpable, podrán rebajar en uno o dos grados las penas señaladas». Estos tipos atenuados, que permanecieron en el Código Penal hasta 1995, no se acogen en el CP elaborado en esta última fecha, donde únicamente se atiende, por el contrario, a la creación de tipos agravados. Conclusión: si atendemos a las penas resultan más progresistas los códigos de las dictaduras que las de los periodos democráticos.

El CP1932 supuso, como es sabido, una vuelta al CP1870 con toda una serie de excepciones que se relacionan en el Preámbulo de la Ley de aprobación, pero por lo que a los delitos de atentado, resistencia y desobediencia se refiere (artículos 258 y ss.) implicó un verdadero retorno al último Código citado, con lo que otra vez se integró el delito de atentado impropio y de nuevo se dejó al intérprete sin una definición de «agente de la autoridad», aunque introdujo el concepto de «autoridad» —en su artículo 270— en los mismos términos en que hoy se contempla, por más que con efectos exclusivamente referidos a los delitos de atentados, desacatos y desórdenes públicos: «*…se reputará Autoridad al que por sí solo o como individuo de alguna Corporación o Tribunal tuviere mando o ejerciere jurisdicción propia*»; de esta forma añadió el referente «mando» a la definición de «autoridad» junto a la idea del «ejercicio de la jurisdicción».

El CP1944 incluyó la definición de autoridad que ha pasado a los códigos posteriores —tomándolo del CP1932— pero ya no con las limitaciones de alcance de este último Código sino que incorporó la cláusula definitoria a la Parte General («*A los efectos penales, se reputará Autoridad al que por sí solo o como individuo de alguna Corporación o Tribunal tuviere mando o ejerciere jurisdicción propia*»), e incorporó una de funcionario que es la que rige en el CP vigente:

> «*Se considerará funcionario público todo el que por disposición inmediata de la Ley o por elección o nombramiento de autoridad competente participe del ejercicio de funciones públicas*».

En lo que importa a los delitos de atentado, se integraron en el Título II («Delitos contra la seguridad interior del Estado»), Capítulo VI («De los atentados contra la Autoridad, sus agentes y los funcionarios públicos, y de la resistencia y desobediencia»), donde se mantuvo la tipicidad del CP1870, aunque se añadieron no pocos casos particulares de atentados en atención a la calidad de los sujetos pasivos (ministros, autoridad o funcionario en el desempeño de misión de especial trascendencia, cónyuge del Jefe del Estado, etc. etc.; esta previsión fue alabada por algún autor como ALTÉS SALAFRANCA, y desde posiciones claramente autoritarias, al decir: «La dignidad y personalidad sagrada de la suprema Magistratura de la nación, la tradición jurídica de la *lesa majestatis*, impone comprender bajo un mismo enunciado de "delito contra el Jefe del Estado" la protección penal de su consorte, ascendientes y descendientes cuando la agresión tenga motivación en aquella suprema jerarquía del familiar»), con lo que al final se inundó de casuismo la regulación, técnica esta a la que también se acudió para construir no pocos casos de tipos agravados.

RODRÍGUEZ DEVESA señalaba que el Legislador, en la previsión típica, había cometido un error monumental al olvidarse de señalar una pena al atentado impropio. De esta forma, «Prohibida la analogía en materia de penas, está fuera de toda duda la imposibilidad de castigar estos delitos», idea esta que ya había sido expuesta por ALTÉS SALAFRANCA. En todo caso, si el empleo de los medios a los que se refería el tipo (la fuerza o la intimidación) se hubieran dirigido contra funcionarios cabría la posibilidad de aplicar la pena correspondiente al atentado propio.

Los códigos penales de 1963 y 1973 no incluyeron cambios especialmente reseñables en la descripción de estas conductas, más allá de alguna mejora en la redacción o el incremento de penas, lo que se había hecho especialmente necesario no solo por el mero paso del tiempo sino por el radical cambio de coyuntura económica producida en España a finales de los años 50 (Plan de Estabilización).

Con posterioridad a 1973 se engendraron, como es lógico en momentos de radical cambio político y más allá de alteración en la cuantía de las penas, distintas reformas; en concreto las llevadas a cabo por las Leyes Orgánicas: 14/1985, de 9 de diciembre (que incorpora, en un auténtico canto al casuismo, un artículo 235 bis al CP, referido a los malos tratos, resistencia y desobediencia a fuerza armada), y 3/1989, de 21 de junio (centrada, por lo que ahora interesa, en el artículo 233, I CP, referido al atentado contra un Ministro). Mas no fue hasta el CP1995 cuando se produjeron las modificaciones más importantes en estos tipos, en concreto: 1ª) Se suprime el delito de atentado impropio. 2ª) Se prescinde en el elenco de los sujetos pasivos expresamente nominados (y en algún supuesto en todo caso) de algunos de los que habían sido incorporados a los delitos de atentados en la reforma del CP de 1944 (artículos 233 y 234), en concreto: del cónyuge, ascendiente o descendiente del Jefe del Estado (debe tenerse en cuenta, no obstante, que en los «Delitos contra la Corona», artículos 485 y ss., figuran diversos tipos referidos a privar de la vida, de la salud o de la libertad personal a los ascendientes, descendientes o cónyuge del Rey, pero no una infracción equivalente a la del viejo artículo 234 CP1973, consistente en el mero atentar o acometer a los referidos sujetos), y también de los Ministros (aunque, obviamente, la protección de estos se sigue produciendo con el tipo genérico referido a la autoridad, por más que no con una pena tan sumamente agravada como era la prevista en el artículo 233 CP1944 —reclusión mayor).

El Dictador había, así, equiparado su figura y la protección que correspondía a la misma, a la que hasta entonces se había reservado exclusivamente para el Rey y sus parientes, aunque superándola en ciertos aspectos. En efecto, los tipos especiales referidos al heredero de la Corona (un «cuasi Rey»), al consorte y al regente estaban construidos en el CP1870 (artículos 157 y ss.) contemplando la causación de la muerte, lesiones graves, ejercicio de la violencia o intimidación graves con el resultado de cambiar su voluntad, privación de la libertad personal, injurias, amenazas y allanamiento de morada; sin embargo, Franco en el CP1944 (art. 234) extendió esa protección: a) los ascendientes y descendientes; b) en cuanto a la conducta castigada se refería exclusivamente al acometimiento y la amenaza. Obviamente este último Código contemplaba también (en los artículos 142 y ss.) los injustos paralelos (efectuando en la redacción las modificaciones inevitables derivadas del cambio de régimen político) a los «delitos contra la Corona» recogidos en los citados artículos 157 y ss. CP1870.

Debe señalarse, no obstante, que en el CP1995 se amplían considerablemente, en relación al CP1870, los sujetos pasivos protegidos en los «Delitos contra la Corona» (artículos 485 y ss.), ya que se incluyen, también —con lo que se pone de manifiesto la influencia del «Código franquista» en la redacción del «Código de la democracia»— los ascendientes y descendientes.

3ª) Se reduce el casuismo o, mejor dicho, la dispersión de casos, agrupándose y clasificándose más acertadamente en los nuevos artículos 551.2, 554 y 555 CP1995 los sujetos pasivos que estaban desperdigados en los diferentes tipos agravados que contenían los viejos artículos 233, 234, 235 bis y 236 CP1973); 4ª) Se suprime el tipo atenuado del artículo 235 CP1973.

Con posterioridad al CP1995 se han producido toda una serie de modificaciones que se comentarán en lo que continúa más abajo.

2. Concepto de autoridad y funcionario público

Por lo que se refiere a los abstractos conceptos de «autoridad» y «funcionario público» a los efectos del tipo, señalar que se trata de elementos normativos cuya definición se recoge en el artículo 24 CP que introduce un concepto autónomo de los mismos a efectos penales (en lo que la Jurisprudencia coincide abrumadoramente, véanse por todas, SSTS 447/2016, de 25 de mayo; 358/2016, de 26 de abril —pronunciamiento que remite a la STS 421/2014, de 16 de mayo, en donde, con cita de la STS 1590/2003, de 22 de abril, se afirma que el concepto penal de funcionario público: «…es un concepto de Derecho Penal independiente de las categorías y definiciones que nos ofrece el Derecho administrativo, en el que lo verdaderamente relevante es proteger de modo eficaz la función pública, así como también los intereses de la Administración en sus diferentes facetas y modos de operar» —y 186/2012, de 14 de marzo). Pues bien, en relación a los dichos conceptos nos adherimos, *in toto,* a lo magistralmente precisado por ROCA AGAPITO en el Tomo III de este mismo Tratado en el sentido siguiente: en lo que importa al funcionario acogemos un concepto material y no meramente formal, exigiendo, coherentemente con el dictado del artículo 24 CP, la efectiva participación del sujeto en funciones públicas (último aspecto este del que se hablará más abajo, no sin antes subrayar el dato de que en los últimos años el sector público español ha adquirido una enorme complejidad, lo que dificulta la precisión de lo que deba entenderse por «funciones públicas»), pero sumando a ello —tal y como requiere el precepto acabado de citar— la habilitación de un título determinado aunque ello no signifique una incorporación definitiva y permanente del sujeto a la función pública [muy aclaradora en este sentido, reflejando lo que es el sentir absolutamente mayoritario de la Jurisprudencia del Tribunal Supremo, es la STS 358/2016, de 26 de abril, al decir, reiterando Jurisprudencia anterior: «nada importan en este campo ni los requisitos de selección para el ingreso, ni la categoría por modesta que fuere, ni el sistema de retribución, ni el estatuto legal y reglamentario ni el sistema de previsión, ni aun la estabilidad o temporalidad (SSTS de 4 de diciembre de 2001 y 11 de octubre de 1993), resultando suficiente un contrato laboral o incluso el acuerdo entre el interesado y la persona investida de facultades para el nombramiento (STS de 27 de enero de 2003)»], es decir, disposición inmediata de la Ley, elección o nombramiento de la autoridad competente (ROCA AGAPITO). El expresado es, también, el concepto utilizado mayoritariamente por la Jurisprudencia, y en este sentido valga por todas la STS 83/2017, de 14 de febrero (y en el mismo sentido, entre otras muchas, SSTS 149/2015, de 11 de marzo y 166/2014, de 28 de febrero), para la cual:

«Como dice la STS 1608/2005 de 12-12 el concepto de funcionario público es propio del orden penal y no vicario del derecho administrativo, ello tiene por consecuencia que dicho concepto es más amplio en el orden penal, de suerte que abarca e incluye a todo aquel que "…*por disposición inmediata de la Ley, o por elección o por nombramiento de autoridad competente participe en el ejercicio de funciones públicas*…", art. 24.2º y 2, el factor que colorea la definición de funcionario es precisamente, la participación en funciones públicas. Por ello se deriva que a los efectos penales, tan funcionario es el titular, o de "carrera" como el interino o contratado temporalmente, ya que lo relevante es que dicha persona esté al servicio de entes públicos, con sometimiento de su actividad al control del derecho administrativo, aunque carezca de las notas de incorporación definitivas ni por tanto de permanencia (SSTS 1292/2000, de 10-7; 4.12.2002, 1344/2004, de 23.12). Se trata, en definitiva, como señalan tanto la doctrina como la jurisprudencia (SSTS 22.1.2003 y 19.12.2000) de un concepto nutrido de ideas funcionales de raíz jurídico-política, acorde con un planteamiento político-criminal que exige, por la lógica de la protección de determinados bienes jurídicos, atribuir la condición de funcionario en atención a la funciones y fines propios del derecho penal y que, solo eventualmente coincide con los criterios del derecho administrativo».

En cuanto a la definición de autoridad presente en el artículo 24 CP, y siguiendo siempre a ROCA AGAPITO (también a LÓPEZ-FONT MÁRQUEZ), consideramos que se trata, al igual que el de funcionario, de un concepto autónomo operativo exclusivamente «a los efectos penales», tal y como reza el precepto citado.

La resolución de referencia en este sentido es la STS 1065/1992, de 12 de mayo. En todo caso, y sobre este concepto de autoridad, hay que decir con MORELL OCAÑA que «Una vez más EL Derecho Penal —como señalara PARADA— realiza el papel de garantía de las previsiones establecidas en otros ámbitos del ordenamiento. Aunque, como en este caso, para erigirse en garantizador haya debido ir precisando a quién dispensa su protección; y de ese modo, construir la noción jurídica que, en líneas generales, está por perfilar en otras dimensiones, a fin de que logre su plena funcionalidad».

Se caracteriza en el texto penal a la autoridad como aquel sujeto que «por sí solo o como miembros de alguna corporación, tribunal u órgano colegiado»: a) tiene «mando», es decir: que posee originariamente la capacidad de determinar conductas ajenas (ÁLVAREZ GARCÍA), lo que no es más que un derivado de la potestad ordenatoria de la que está investido el actor. En este último sentido hay que decir que las potestades no se generan en relación jurídica ninguna, antes bien, como ya se ha indicado, aquellas preexisten a estas y su atribución corresponde a la Ley. Es decir, únicamente pueden ser ejercitadas aquellas potestades que previamente hayan sido atribuidas por la Ley y dentro de los límites y con los fines determinados por esta (atribución que puede realizarse a la Administración Pública como persona jurídica o, más concretamente, a los distintos órganos que la componen, los cuales se encargarían de actuarla). Se trata, por tanto y en relación a la autoridad, de bastante más que de la mera capacidad de reclamar obediencia tal y como afirman algunos autores —por todos DÍAZ Y GARCÍA CONLLEDO—, sino más bien del reconocimiento de todo un poder de acción, y que se extiende —o puede hacerlo— más allá del ámbito interno de la Administración Pública. En todo caso, y a pesar de que no se mencione expresamente aunque se deduce del contexto —y de los tipos de la Parte Especial a los que sirve como instrumento hermenéutico—, se exige que la persona esté al servicio de la Administración Pública con sometimiento de su actividad al Derecho Administrativo (de otra forma entendido se estaría atribuyendo la caracterización de «autoridad» a los que en el ámbito privado tuvieren la aludida capacidad de mando). Debe en todo caso precisarse que en el caso de órganos colegiados la referencia que se realiza en el precepto es a atribución de potestades *intuitu personae*, como integrante de una corporación o de un órgano colegiado, que también puede ser un Tribunal de Justicia; b) ejerce «jurisdicción propia», concepto amplio —según la Doctrina más cualificada, por todos MUÑOZ CONDE y TORO MARZAL— que abarca la capacidad de resolución atribuida por el Derecho tanto en asuntos judiciales como administrativos (ROCA AGAPITO).

Hay autores que, equivocadamente a nuestro criterio, consideran que «jurisdicción» es sinónimo de «jurisdiccional» como expresión referida a los tribunales de justicia (en este erróneo sentido LÓPEZ BARJA DE QUIROGA). Pues bien, al hacer esas aseveraciones no se tiene en cuenta que en nuestra legislación histórica, y en la correspondiente costumbre administrativa, se utilizaba la expresión «jurisdicción» para referirse al ámbito sobre el que se ejercían determinadas competencias. Véase, por ejemplo y entre innumerables referencias, las *Actas de las Cortes de Castilla publicadas por acuerdo del Congreso de los Diputados a propuesta de su Comisión de Gobierno Interior* (Cortes de Madrid, enero de 1599, Juramento de Felipe III «…y como por las leyes de las Partidas y los otros de estos Reynos, especialmente la ley del señor Rey D. Juan, fecha en Valladolid, está proveído y ordenado, y que contra el tenor y forma y lo dispuesto en las dichas leyes, no enagenarán las ciudades, villas y lugares, términos ni jurisdicciones, rentas, pechos ni derechos dé los que pertenecen á la dicha Corona y Patrimonio Real»). Véanse también las correspondientes referencias en la Real Pragmática de 9 de julio de 1500, «Capítulos de 1500 para corregidores y jueces de residencia», publicada por GONZÁLEZ ALONSO.

Incidiendo en esa orientación ya GROIZARD dejo dicho que: «La existencia de un orden determinado de atribuciones y la facultad propia de ejercerlas, he aquí las dos condiciones características de la Autoridad».

Remachando la anterior argumentación, y de la mano de la Jurisprudencia del Tribunal Supremo dictada sobre el texto y definición de «autoridad» en el Código Penal de 1870 (artículo 277, I) la cual se refería exclusivamente a la «jurisdicción» (porque la alusión al «mando» no se introdujo hasta el CP1944), hay que citar las SSTS de 14 de julio de 1886, 11 de enero de 1894 y 12 de noviembre de 1896 para las cuales «autoridad» eran los Alcaldes, o las de 13 de marzo de 1884 y 16 de enero de 1901 para las que los Delegados de Hacienda tenían la consideración de «autoridad», o en el mismo sentido los catedráticos (12 de junio y 16 de noviembre de 1889) y un largo etcétera; con lo dicho queda «desmontado», al menos jurisprudencialmente, el argumento de que por «jurisdicción» debe entenderse exclusivamente la función realizada por los jueces.

También la doctrina administrativa viene a apoyar el sentido que nosotros damos a la expresión «jurisdicción»; así, POSADA DE HERRERA entiende que Jurisdicción es «la facultad de conocer y decidir de asuntos determinados…De manera que en la voz jurisdicción entran precisamente dos ideas: el conocimiento del asunto de que se trata y la facultad de resolver…en el uso común se dice que tienen jurisdicción propia todos los que la tienen por mandato expreso de la ley; de modo que diremos, en adelante. Que los jueces y las autoridades administrativas ejercen dentro del círculo de sus atribuciones una jurisdicción que les es propia».

En fin, finalmente apuntar a que hoy en día se habla de «conflictos jurisdiccionales» para aludir a los que se suscitan entre la Administración Pública y los Tribunales de Justicia (véase en este sentido la Ley Orgánica 2/1987, de 18 de mayo, de Conflictos Jurisdiccionales).

Por lo tanto, no constituye ejercicio de función pública la actividad de Derecho privado de la Administración Pública, y la actividad, siempre en régimen de Derecho privado, de las entidades de este carácter vinculadas o dependientes de una Administración Pública (sociedades y fundaciones públicas, singularmente).

A lo anterior deben incorporarse, no obstante, las siguientes puntualizaciones:

a) En los últimos años se ha animado en España una polémica en referencia al «blindaje» de ciertos funcionarios que por estar en contacto con el público (médicos y maestros, fundamentalmente) son objeto con una cierta frecuencia de agresiones por parte de alumnos y familiares de estos. Esta situación es lo que ha provocado, en el orden penal, la introducción en el delito de atentado de la cláusula recogida en el artículo 550.1, II, CP, tras la reforma de 2015: *«En todo caso, se considerarán actos de atentado los cometidos contra los funcionarios docentes o sanitarios que se hallen en el ejercicio de las funciones propias de su cargo, o con ocasión de ellas».* Pero también ha dado lugar a que algunas comunidades autónomas emitieran normas mediante las cuales, presuntamente, se «fortaleciera» el estatus de los dichos funcionarios; así, por ejemplo, en la Comunidad de Castilla y León la Ley 3/2014, de 16 de abril, que lleva la evocadora denominación de «autoridad del profesorado», establece en su artículo 5: *«El profesorado, en el ejercicio de las funciones de gobierno, docentes, educativas y disciplinarias que tenga atribuidas, tendrá la condición de autoridad pública y gozará de la protección reconocida a tal condición por el ordenamiento jurídico».*

Muy orientador de la voluntad del Legislador es el siguiente pasaje perteneciente a la, sorprendentemente, denominada Exposición de Motivos de la Ley acabada de citar: «Se incorpora el refuerzo de la autoridad del profesorado como uno de los ejes de esta norma y se ofertan diversas herramientas disciplinarias que el profesorado puede y debe utilizar en el mismo momento en el que tiene lugar una conducta perturbadora de la convivencia. Al mismo tiempo se ha previsto la adopción de las medidas oportunas para garantizar la debida protección y asistencia jurídica del personal docente».

Preceptos con similar alcance han sido dictados en otras comunidades como Madrid —Ley 2/2010, de 15 de junio—, Valencia —Ley 15/2010, de 3 de diciembre— o Castilla-La Mancha —Ley 3/2012, de 10 de mayo, entre otras; incluso la Ley Orgánica 2/2006, de 3 de mayo, de Educación, tras las modificaciones efectuadas por la LO 8/2013, de 9 de diciembre, ha incorporado una norma de alcance semejante.

El espíritu de la reforma de la LO acabada de citar queda mucho más claro con la lectura del nuevo artículo 124.3: *«En los procedimientos de adopción de medidas correctoras, los hechos constatados por profesores, profesoras y miembros del equipo directivo de los centros docentes tendrán valor probatorio y disfrutarán de presunción de veracidad "iuris tantum" o salvo prueba en contrario, sin perjuicio de las pruebas que, en defensa de los respectivos derechos o intereses, puedan señalar o aportar los propios alumnos y alumnas».* Es decir, al lado del «blindaje» penal aparece uno procesal no menos importante, pero que en todo caso adelanta una nueva concepción del espacio docente como «uno de batalla», lo que demuestra errores, mil veces advertidos, en el diseño docente, y anticipa también lo que va a ocurrir con esta norma: que va a fracasar. Ello porque, como constantemente anunciamos los penalistas, de poco o nada sirve una norma penal (al menos respecto a su función principal, que es la de prevenir ataques a bienes jurídicos y no la de mera represión) sin que previamente se hayan establecido los correspondientes mecanismos de control informales; si estos, y es lo que sucede en España, están mal diseñados por incompetentes pedagogos el resultado final será nefasto en todos los órdenes normativos.

En fin, en relación a todos los preceptos autonómicos acabados de citar, ya ROCA AGAPITO advirtió que «las normas autonómicas no pueden modificar lo dispuesto en el art. 24.1 CP..., la autonomía y exclusividad que tiene este concepto hace que estas normas no sean vinculantes a efectos de determinar si los profesores tienen o no la condición de autoridad pública».

b) Algo parecido a lo sucedido legislativamente con los docentes ha comenzado a ocurrir en el caso de los sanitarios, así la Ley 11/2015, de 8 de abril, de Autoridad de profesionales del Sistema Sanitario Público y centros socio sanitarios de Extremadura, dispone en su artículo 7: «1. *En el desempeño de las funciones que tengan asignadas, los profesionales que se detallan en el anexo único de esta ley tendrán la consideración de autoridad pública y gozarán de la protección reconocida a tal condición por la legislación vigente. 2. La autoridad de tales profesionales es inherente al ejercicio de su función pública y a su responsabilidad a la hora de desempeñar su profesión en todos aquellos aspectos recogidos en la Ley 10/2001, de 28 de junio, de Salud de Extremadura*», o el artículo 16.3 de la Ley 10/2014, de 29 de diciembre, de Salud de la Comunidad Valenciana («*Sin perjuicio de lo previsto en el título VIII, los profesionales sanitarios del Sistema Valenciano de Salud en el ejercicio de las funciones propias de su categoría tendrán la consideración de autoridad pública y gozarán de la protección reconocida a tal condición por la legislación vigente*»).

c) Hay otros muchos supuestos, en realidad multitud, en los que, *ex lege*, se considera —con fundamento o no— a ciertos funcionarios de muy diverso pelaje, y con independencia de las funciones que desempeñan, «autoridad pública»; sirvan como ejemplos los siguientes: en lo que importa a inspectores de sanidad, artículos 65.2 de la Ley 5/2014, de 26 de junio, de Salud Pública de Aragón o 33.1 y 37.1 de la Lei 8/2008, do 10 de xullo, de Saúde de Galicia; por lo que se refiere a Secretarios Judiciales (ahora llamados Altos Letrados de la Administración de Justicia), artículo 440 de la Ley Orgánica del Poder Judicial; en lo que compete a inspectores de trabajo, artículo 13, párrafo introductorio, de la Ley 23/2015, de 21 de julio, Ordenadora del Sistema de Inspección de Trabajo y Seguridad Social, y en lo que importa a los subinspectores laborales, el artículo 14.4 de la misma Ley; en fin, para los funcionarios de la Agencia Estatal de Seguridad Aérea, artículo 25.2 a) de la Ley 21/2003, de 7 de julio, de Seguridad Aérea, y un interminable etcétera.

d) Pues bien, es evidente que a través de normas penales en blanco puede integrarse en el tipo penal normativa estatal con rango inferior al propio de la ley orgánica, así como reglas jurídicas no estatales (municipales o autonómicas). No obstante lo acabado de expresar, alguna Doctrina se ha manifestado en el sentido de estimar que carecen de cobertura constitucional las «figuras delictivas de ámbito aplicativo exclusivamente territorial y subestatal» (MESTRE DELGADO; también CUELLO CONTRERAS). Pues bien, se trata esta última de una opinión con la que no coincidimos porque: 1°) La invocación por los tipos penales de normas de rango inferior ha sido una cuestión clásica en nuestro Código Penal y en el de otros países, recuérdese a ese respecto, por ejemplo, cómo en el antiguo delito de «inhumaciones ilegales de cadáveres» se reclamaban, para integrar el tipo, hasta normativas municipales.

Véase el viejo artículo 339 CP1973: «*El que practicare o hiciere practicar una inhumación, contraviniendo lo dispuesto por las leyes o reglamentos respecto al tiempo, sitio y demás formalidades prescritas para las inhumaciones, incurrirá en las penas de arresto mayor y multa de 5.000 a 25.000 pesetas*». Este precepto, y más allá de la discusión de si se trataba o no de un contenedor de meros injustos administrativos criminalizados (ORTS BERENGUER), lo cierto es que atraía una enorme cantidad de normativa administrativa de muy diverso rango (véanse a este respecto OCTAVIO DE TOLEDO Y UBIETO, E y ÁLVAREZ GARCÍA).

2°) Porque la apuesta constitucional por el «estado de las autonomías» determina la pluralidad jurídica en muchos aspectos de la vida y también en el penal. Ello va a significar —por ejemplo, en delitos referidos a la protección del patrimonio y dada la competencia autonómica en la materia— distinto ámbito punitivo en las diferentes comunidades autónomas, pero tal hecho no implica conculcación del principio de igualdad, en sentido jurídico, porque se trata de una legítima opción constitucional; 3°) Debe, además, tenerse en cuenta que el principio de igualdad resulta conculcado solamente en aquellos supuestos en los que se establezcan distinciones en identidad de situaciones, o cuando el diverso trato se haya fundamentado en criterios específicamente prohibidos —raza, sexo, etc. En este sentido estaría justificado el distinto ámbito de la norma penal cuando esta tenga su asentamiento en peculiaridades geográficas, de debilidad del bien jurídico, u otras similares, ya que lo que contrasta con el principio de igualdad es la discriminación, pero no la desigualdad si esta se encuentra provista de una justificación objetiva razonable. En este mismo sentido se ha afirmado por el Tribunal Constitucional, desde su lejana Sentencia 120/1998, de 15 de junio, que: «*el órgano judicial puede seleccionar como complemento válido de la ley penal las normas de las Comunidades Autónomas dictadas en el marco de sus respectivas competencias. En tal caso será preciso que dichas normas autonómicas se acomoden a las garantías constitucionales dispuestas en el art. 25.1 de la CE y que no introduzcan divergencias irrazonables y desproporcionadas al fin perseguido respecto al régimen jurídico aplicable en otras partes del territorio... Puesto que de acuerdo con nuestra doctrina acerca de las leyes penales en blanco... el núcleo del delito ha de estar contenido en la ley penal remitente, la función de la norma autonómica remitida se reduce simplemente a la de constituir un elemento inesencial de la figura delictiva»*; 4°) En todo caso resulta incluso deseable que las peculiaridades de los objetos de la legislación incidan sobre las técnicas de tutela, de esta forma el principio de intervención mínima tendrá una mejor observancia (en efecto, territorios que padecen una alta contaminación ambiental de origen industrial, o que tienen kilómetros de costa o un patrimonio histórico muy debilitado, es razonable que diseñen la correspondiente legislación protectora en términos distintos de cómo lo hacen otros territorios en los que los dichos factores no se hallan presentes).

Pues bien, en el caso que estamos contemplando, y como apuntara ROCA AGAPITO, no estamos ante una regla mediante la cual se reclame a otras fuentes normativas un complemento para fijar el concepto de autoridad (al contrario de lo que sucede en la definición de «funcionario» recogida, también, en el artículo 24 CP, que en su número 2, al remitirse a «la ley» como origen para la consideración de funcionario, el Ordenamiento penal está «invitando» a cualquier normativa mediante la cual sea posible realizar semejantes incorporaciones —aunque en este punto se plantea una controversia acerca del rango normativo admisible al respecto— a colaborar con la norma penal; en este sentido sería posible que una norma autonómica de determinado rango contribuya a «componer» el precepto penal a través de la consideración de unos ciertos sujetos como funcionarios —y siempre con respeto a la normativa general sobre la materia, como lo es el Texto Refundido de la Ley del Estatuto Básico del Empleado Público aprobado por RD Legislativo 5/2015, de 30 de octubre). En efecto, en un supuesto en el que es el propio Código Penal el que establece una definición cerrada de «autoridad», no basta con que cualquiera otra norma quiera, sin más, considerar a alguien autoridad a efectos administrativos, disciplinarios o cualesquiera otros, para entender que esa concreta clase de sujetos integra el concepto penal de autoridad, pues ello sería lo mismo que: 1) Admitir que cualquier clase de norma, con independencia de su rango y fuente de emisión, es capaz de modificar el Código Penal (así lo ha entendido, equivocándose obviamente y por ejemplo, la Comunidad Valenciana en el artículo 40.1 de la Ley 1/2011, de 22 de marzo, por la que se aprueba el Estatuto de los consumidores y usuarios de la Comunidad Valenciana: *«1. El personal de la inspección de consumo de la Generalitat, o acreditado por la misma, cuando actúe en el ejercicio de su función inspectora, tendrá la consideración de autoridad a todos los efectos, particularmente respecto de la responsabilidad administrativa y penal de quienes ofrezcan resistencia o cometan atentados o desacato contra ellos, de hecho o de palabra, en actos de servicio o con motivo del mismo»*); 2) Asimilar lo que se preceptúa únicamente a unos efectos (puramente administrativos, verbigracia, como ha sucedido en el caso de la modificación de la Ley de Educación antes citada) a otros completamente distintos (los penales). 3) Desconocer que solo una norma con rango de Ley Orgánica puede incorporar a determinados sujetos, prescindiendo del cumplimiento de los requisitos generales exigidos en el artículo 24 del CP, como autoridad o funcionarios a efectos penales.

En el último sentido indicado se pronuncia no poca Jurisprudencia de Audiencia; véase en esta dirección la SAP, Barcelona, Sección 6ª, 66/2015, de 16 de enero: «Las leyes administrativas carecen de aptitud para definir lo que deba considerarse autoridad, agente de la autoridad o funcionario público a efectos penales. Solo una ley orgánica podría modificar el contenido del único precepto aplicable a tales efectos: el artículo 24 CP».

En conclusión: no basta con denominar en una norma cualquiera a un sujeto «autoridad» para que lo sea a efectos penales, sino que resulta preciso que el individuo «tenga mando o ejerza jurisdicción propia». Estos son los criterios y, ahí sí, los que deben ser incorporados por las disposiciones administrativas, procesales, etcétera de que se trate (todo ello más allá, desde luego, de los sujetos que *nominatim* considera el artículo 24 CP que se constituyen en autoridad: «miembros del Congreso de los Diputados, del Senado, de las Asambleas Legislativas...»).

También sucede que en algunos supuestos el Código Penal «decide» que a ciertos sujetos se les tratará «como si fueran funcionarios públicos» a la hora de considerarles sujetos activos o pasivos de determinados delitos. Es el caso, por ejemplo, de los artículos 423 («*Lo dispuesto en los artículos precedentes será igualmente aplicable a los jurados, árbitros, mediadores, peritos, administradores o interventores designados judicialmente, administradores concursales o a cualesquiera personas que participen en el ejercicio de la función pública*»), 427 («*Lo dispuesto en los artículos precedentes será también aplicable cuando los hechos sean imputados o afecten a: a) Cualquier persona que ostente un cargo o empleo legislativo, administrativo o judicial de un país de la Unión Europea o de cualquier otro país extranjero, tanto por nombramiento como por elección. b) Cualquier persona que ejerza una función pública para un país de la Unión Europea o cualquier otro país extranjero, incluido un organismo público o una empresa pública, para la Unión Europea o para otra organización internacional pública. c) Cualquier funcionario o agente de la Unión Europea o de una organización internacional pública*»), 435, 554.2 a) —en ciertos supuestos— y c), 556.1, último inciso, etcétera, todos del CP.

Hay que llamar la atención sobre el hecho de que los criterios utilizados en el artículo 423 para la ampliación de los sujetos activos son: o bien la mención individual de ciertas personas, o la fórmula genérica utilizada en el último inciso de «cualesquiera personas que participen en el ejercicio de la función pública»; en este último caso se prescinde de título alguno de incorporación a la función, en claro contraste con lo dispuesto en el artículo 24 CP.

En lo que afecta al artículo 427 CP, en su apartado a), lo decisivo es el título de incorporación perdiendo toda relevancia el ejercicio de la función, aunque en relación a aquel, y a diferencia de lo previsto en el artículo 24 CP, la «disposición inmediata de la ley» carece de toda relevancia. En lo que afecta al apartado b) la referencia es al ejercicio de la función pública en alguna de las administraciones extranjeras u organizaciones internacionales públicas citadas, sin ninguna referencia al título de incorporación. En fin, en el apartado c) basta el criterio puramente administrativo de ser funcionario o agente de la UE o de una organización internacional pública, sin referencia alguna al ejercicio de la función.

Problemas similares se presentan en el resto de los artículos mencionados, con el añadido, en algún caso, de que los sujetos contemplados ya estarían revestidos de la condición de funcionarios de acuerdo con lo preceptuado en el artículo 24 CP (caso curioso en este sentido se plantea en el artículo 416 CP en relación a los delitos de infidelidad en la custodia de documentos y violación de secretos, al preceptuar: «*Serán castigados con las penas de prisión o multa inmediatamente inferiores a las respectivamente señaladas en los tres artículos anteriores los particulares encargados accidentalmente del despacho o custodia de documentos, por comisión del Gobierno o de las autoridades o funcionarios públicos a quienes hayan sido confiados por razón de su cargo, que incurran en las conductas descritas en los mismos*».

En definitiva, el Legislador ha hecho nuevamente alarde de su absoluta incapacidad para elaborar un Código, es decir: para utilizar unos mismos criterios que sean de aplicación a las distintas situaciones. Por el contrario, ha ido «espolvoreando» el Código de improvisaciones, lo que da lugar —entre otras cosas— a una aplicación desigual de la ley penal.

3. Concepto de «agente de autoridad»

El precepto se refiere también a los «agentes de la autoridad», que, al contrario de lo que sucede con la autoridad o los funcionarios públicos, no están definidos en el CP.

Sí lo estaban en el CP1928, artículo 213, II, que tenía el siguiente tenor: «*Se considerarán agentes de la Autoridad no solo los funcionarios que con tal carácter dependan del Estado, de la Provincia o el Municipio, sino los de otras entidades que realicen o coadyuven a fines de aquellos y los que tengan a su cargo alguna misión general o determinada y, en disposición reglamentaria o nombramiento expedido por Autoridad competente o delegado de esta, se exprese el carácter de tal agente*».

A decir verdad en este precepto se recogían dos tipos de «agente de la autoridad», el primero el que podríamos denominar auxiliar o subordinado de quien es Autoridad, y el segundo el que se pudiera nombrar como «agente especial» designado al respecto por la Autoridad.

Pues bien, GROIZARD Y GÓMEZ DE LA SERNA definía a los «agentes de la autoridad» como «los funcionarios o empleados encargados de ejecutar las órdenes» de la autoridad; así, para el comentarista, reunían aquella condición los dependientes de orden público, los encargados de la policía urbana, policía rural y forestal, policía judicial, los encargados del cobro de las contribuciones y, en general, «todos los que tienen la misión de llevar a debido cumplimiento» las determinaciones u órdenes de la autoridad. CUELLO CALÓN, siguiendo a VIADA a quien cita expresamente y transcribe, entiende que agentes de la autoridad son aquellos encargados de «mantener el orden público y proteger la seguridad de las personas y de las propiedades» (muy anteriormente a CUELLO CALÓN algún autor y cierta Jurisprudencia habían defendido como concepto de «agente de la autoridad» lo ya señalado por GROIZARD y adelantado lo que expresara setenta años más tarde CUELLO CALÓN; nos referimos a VICENTE Y CARAVANTES para el cual eran agentes los que por razón del cargo están encargados de conservar el orden público y de proteger la seguridad de las personas y propiedades, y tienen deber de auxiliar a las autoridad y ejecutar sus providencias —en este sentido STS de 27 de mayo de 1878). La concepción de «agente de la autoridad» acabada de exponer resultó avalada por la Jurisprudencia al decir esta (STS 2500/1992, de 18 de noviembre; en el mismo sentido distintas resoluciones de Audiencia, como la SAP, Bilbao, Sección 6ª, 1161/2009, de 1 de diciembre):

> «...los agentes de la autoridad son personas que, por disposición legal o nombramiento de quien para ello es competente, se hallan encargados del mantenimiento del orden público y de la seguridad de las personas y de las cosas, cometido reservado fundamentalmente a los Cuerpos de Seguridad del Estado (en su caso también las Policías Municipales y Autonómicas)».

Más restrictivamente aún, las SSTS 2178/1993, de 8 de octubre, y 2785/1993, de 13 de diciembre, atribuían la condición de «agentes de la autoridad» únicamente a los funcionarios de los Cuerpos y Fuerzas de Seguridad cuando actúen en el ejercicio de sus funciones. Esta doctrina, se apoyaba en los siguientes argumentos para negar el carácter de «agentes de la autoridad» a los miembros de la seguridad privada: a) El principio de reserva de ley; b) El carácter privado de la función que realizan; c) Las disposiciones de la Ley 23/1992 de 30 de julio, de Seguridad Privada, que establece la competencia exclusiva de la seguridad pública para las Fuerzas y Cuerpos de Seguridad, estando los miembros de la «seguridad privada» subordinados a la seguridad pública (en el mismo sentido SSAP, Palma de Mallorca, Sección 1ª, 153/2015, de 29 de abril, y Barcelona, 9ª, 129/2015, de 28 de enero, y 36/2015, de 12 de enero, entre otras). Ciertamente este último criterio ha dejado de tener vigencia, como se explica más adelante, a consecuencia del proceso de privatización de la seguridad pública y de la gestión de derechos fundamentales, donde la relación entre seguridad pública/seguridad privada ya no es de subordinación sino de complementariedad.

En fin, para CEREZO MIR «agente» «es solo aquel funcionario público que sirve a la autoridad mediante actos de índole ejecutiva, es decir, que está encargado de aplicar o hacer cumplir, las disposiciones de la autoridad».

Un aval jurisprudencial claro a este planteamiento se contiene en la SAP, Burgos, Sección 1ª, 181/2016, de 6 de mayo, donde se manifiesta: «no cabe duda en el presente supuesto de la condición de agentes de la autoridad, de los funcionarios de prisiones intervinientes en los hechos enjuiciados (pese a que la parte recurrente trata de cuestionarlo), toda vez que el concepto de agente de la autoridad viene incluyéndose dentro del concepto más amplio de funcionario público». Y conforme se indica por la Audiencia Provincial de Valencia, sec. 1ª, sentencia de 5 de marzo de 2001, nº 88/2001, rec. 47/2001 Pte: Ferrer Gutiérrez, Antonio «Tampoco cabra admitir su alegación en torno a que los funcionarios de prisiones carecen de la consideración de agentes de la autoridad, ya que al respecto debe tenerse en cuenta que no ofrece duda que los directores de prisiones ostentan la condición de autoridad (Ssts. TS. 15-2-1986 y 24-2-98), por lo que actuando en este caso los funcionarios como delegados de esa autoridad, encargados materialmente de ejecutar sus órdenes, en atención al mantenimiento del orden y la seguridad del establecimiento, los debemos entender como tales, y por tanto merecedores de la protección especial que en tal concepto les dispensa nuestro Código Penal».

En conclusión: los agentes de la autoridad son ejecutores de órdenes que precisan reunir la condición de funcionarios públicos (véase, entre otras, SAP, San Sebastián, 465/2012, de 23 de noviembre). Se trata esta de una idea (la de que los agentes de las autoridad son ejecutores de las previsiones efectuadas por la autoridad) que se repite en la Doctrina, y en este sentido se han pronunciado FERRER SAMA, DEL TORO MARZAL y JIMÉNEZ DÍAZ.

De la misma forma que ocurre con la «autoridad», y tal y como hemos expuesto más arriba, no poca normativa administrativa confiere a determinados personajes la condición de «agentes de la autoridad»; pues bien, aquí hay que aplicar los mismos criterios que hemos empleado para descartar esas ampliaciones típicas en el caso de la autoridad (de otra opinión TORRES FERNÁNDEZ). La Jurisprudencia avala este criterio, y en este sentido es muy significativa la SAP, Barcelona, Sección 9ª, 815/2016, de 26 de octubre, que refiriéndose a una ley administrativa que confiere a determinados sujetos el carácter de «agentes de la autoridad» señala:

> «como ya dijo esta Sala en su sentencia de fecha 12 de enero del año en curso…, que sigue el mismo criterio expuesto por la sentencia de fecha 19/6/14 de la Sección décima de la Audiencia Provincial de Barcelona ROJ, SAPB 5562/14, ponente Ilma. Sra. C. Sánchez Albornoz ambos preceptos —artículo 161 y DA 7, ley 10/2011— son contrario al principio de legalidad penal, por hacer una interpretación extensiva y contra reo del concepto de la autoridad y agente de la autoridad, que forma parte de la definición del sujeto pasivo del delito, regulado en la actualidad por el articulo 24 CP, y el concepto de agentes de autoridad que está definido en el artículo 7 de la LO 2/1986 de 13 de marzo, de fuerzas y cuerpos de seguridad del Estado. La calificación de la acusación formulada…debe ser rechazada en igual sentido que lo hizo la Juzgadora de Instancia, establece que los artículos 550 a 556 del CP, que tienen en común la condición de agente de la autoridad del sujeto pasivo y protege con diferente intensidad el mismo bien jurídico, no se configuran como leyes penales en blanco, a diferencia de otros tipos penales que requieren su complementación por leyes extrapenales —véase delitos relativos a la protección de la flora, artículo 334 CP—, por lo tanto el concepto de agente de la autoridad debe venir dado por el bloque de desarrollo de Código Penal, y por tanto esa norma, por afectar a la definición de un tipo penal y en consecuencia a la imposición de una pena, debe tener carácter de Ley Orgánica» (también, en este sentido, SSAP, Barcelona, Sección 3ª, 151/2016, de 23 de marzo, y Sección 10ª, 838/2015, de 23 de octubre).

Pues bien, en este último caso, como en otros muchos, hay que diferenciar el concepto de «agente de la autoridad» a efectos sancionadores administrativos del propio del Derecho Penal. En lo que se refiere a lo primero, la Ley 5/2014, de 4 de abril, de Seguridad Privada, se dicta siguiendo esa corriente de privatización de todo lo rentable que hubiera en el Estado (aunque se trate de derechos fundamentales), pero para que ese objetivo resultara plenamente alcanzado, y dando la vuelta a la Ley de Seguridad Privada 23/1992, había que «fortalecer» a los integrantes de esa seguridad, y ello no solo se lograba otorgándoles (casi) las mismas competencias que a los miembros de las Fuerzas y Cuerpos de la Seguridad del Estado, sino «dotándoles de la misma o similar autoridad» frente a los ciudadanos que a los componentes de la seguridad pública, quienes ya tienen la consideración de agentes de la autoridad (Artículo 7°.1 de la LO 2/1986, de 13 de marzo, de Fuerzas y Cuerpos de Seguridad, que reza como sigue: «*En el ejercicio de sus funciones, los miembros de las Fuerzas y Cuerpos de Seguridad tendrán a todos los efectos legales el carácter de agentes de la autoridad*»). Esta voluntad quedaba clara en el Preámbulo de la Ley, donde se dice: «Otra de las novedades que se incorpora en materia de personal, largamente demandada por el sector, es la protección jurídica análoga a la de los agentes de la autoridad del personal de seguridad privada frente a las agresiones o desobediencias de que pueden ser objeto cuando desarrollen, debidamente identificados, las actividades de seguridad privada en cooperación y bajo el mando de las Fuerzas y Cuerpos de Seguridad».

La declaración de intenciones manifestada en el Preámbulo alcanzaba su concreción en el artículo 31 de la Ley:

«*Protección jurídica de agente de la autoridad. Se considerarán agresiones y desobediencias a agentes de la autoridad las que se cometan contra el personal de seguridad privada, debidamente identificado, cuando desarrolle actividades de seguridad privada en cooperación y bajo el mando de las Fuerzas y Cuerpos de Seguridad*».

Desde luego este precepto podría llegar a dar paso a aplicar las sanciones administrativas previstas en la Ley Orgánica 4/2015, de 30 de marzo, de Protección de la Seguridad Ciudadana, equiparando en ciertos supuestos al personal de seguridad privada con los miembros de las Fuerzas y Cuerpos de Seguridad del Estado. Pero ese expediente no es válido para conseguir idénticos efectos en materia penal, y no solo por motivos de jerarquía —lo que ya sería suficiente— sino porque el propio Legislador lo ha excluido al querer incorporar expresamente al referido personal de seguridad privada en los artículos 554.3 b) y 556.1 CP; siendo evidente que si hubiera estimado que los miembros de esa seguridad integraran el concepto de «agentes de la autoridad» a efectos penales no los hubiera mencionado expresamente en los referidos preceptos.

En fin, este entendimiento resulta avalado por la Jurisprudencia, como es el caso de la SAP, Barcelona, Sección 10ª, 838/2015, de 23 de octubre, al decir: «Por lo tanto, la Ley 10/2011, de 29 de diciembre, cuando añade el artículo 161 a la Ley 4/2006, y equipara al personal de seguridad privada a los agentes de la autoridad, lo es en el sentido objetivo de policía administrativa pero no en el subjetivo de actuación policial, pues no puede ampliar el concepto de agentes de autoridad —parte subjetiva del tipo penal— que dan los artículos 24, 550 a 556 y 634 del

CP y la LO 2/86 FCSE, pues conforme al artículo 149.1.6 CE, la legislación penal es competencia exclusiva del Estado».

Aunque el tenor de la resolución citada avala lo que se sostiene en el texto, lo hace con una confusión conceptual que es preciso corregir; en efecto, «policía administrativa» es sinónimo de función o potestad administrativa de control en un sentido amplio (véase, entre muchos otros, el trabajo clásico de JORDANA DE POZAS referido al ensayo de una teoría del fomento en el Derecho Administrativo; también GARRIDO FALLA, MONCADA LORENZO y REBOLLO PUIG, autor este último que estudia la evolución del concepto y su posible sustitución), no, por tanto, sinónimo de «policía de seguridad». En todo caso, la seguridad privada no es policía administrativa, aunque pudiera eventualmente calificarse la suya de «función policial».

4. *Reconducción de los distintos sujetos aludidos en el artículo 550.1 CP al concepto de funcionario público*

Como conclusión decir que nos encontramos en este 550 CP con la referencia expresa a tres tipos de sujetos: autoridad, agente de la autoridad y funcionario público. En verdad hubiera sido bastante con aludir expresamente a los funcionarios públicos (como en tantos preceptos de la Parte Especial del Código), pues las autoridades son siempre funcionarios a efectos penales —esta valoración se venía a reconocer expresamente en el artículo 320, I del CP1928 que decía: «Los que atentaren: contra los agentes de la Autoridad, u otros funcionarios públicos...»— (por más que no todos los funcionarios sean autoridad, y en ello es conteste la doctrina al menos desde VIADA) y el agente de la autoridad para serlo ha de reunir también la cualidad de funcionario (por ejemplo, QUINTANO RIPOLLÉS), por lo tanto, y como dijera FERRER SAMA, es superflua la referencia a los agentes («...como quiera que dichos agentes son siempre funcionarios públicos, no resulta preciso esforzarse en encontrar su noción exacta, como tampoco hubiera sido necesario que el tipo penal se hubiese referido a los mismos, empleando, como emplea, un término genérico que los comprende, cual es el de funcionario público»; en el mismo sentido RODRÍGUEZ DEVESA señala que «La contraposición de agentes y funcionarios es reiterativa, porque dentro del campo de los funcionarios públicos cabe distinguir los que ejercen mando o ejercen jurisdicción propia de los que no los tienen, los cuales genéricamente se pueden calificar, si así se prefiere, de agentes, sin que por eso dejen de estar también comprendidos en la genérica denominación de funcionarios»). Se trata esta de una aseveración que se lleva realizando desde antiguo por más que nuestros sordos legisladores no la hayan acogido, guiados, suponemos, por la primitiva idea de que cuanto más se repita, cuanto más casuismo, mejor. CEREZO MIR insistía, magistralmente tal y como le era propio al llorado penalista, en esta cuestión al decir: «Dado el amplio concepto de funcionario público que utiliza el Código, todas las autoridades y sus agentes lo son. La distinción solo puede tener sentido a efectos de medición de la pena».

5. La consideración de los funcionarios docentes o sanitarios

Aspecto especialmente problemático es el que se plantea, tras la reforma del CP de 2015, con la intelección del párrafo segundo del artículo 550.1 CP. Dice así este precepto:

> «*En todo caso se considerarán actos de atentado los cometidos contra los funcionarios docentes o sanitarios que se hallen en el ejercicio de las funciones propias de su cargo, o con ocasión de ellas*».

Las agresiones a docentes (tanto en la enseñanza media como en la básica) y sanitarios no han hecho más que aumentar desde hace ya años por causas que no es este el lugar apropiado para analizar, no obstante lo cual si es adecuado dejar aquí alguna referencia a estos hechos. En este sentido no es inoportuno referirse al Observatorio que la Organización Médica Colegial de España ha puesto en marcha, que incluso ha llegado a identificar una jornada al año como «Día Nacional contra las Agresiones a Sanitarios», o los registros de agresiones a sanitarios que se han creado en diferentes comunidades autónomas (por todas, artículos 13 y ss. de la Ley 11/2015, de 8 de abril, de Autoridad de profesionales del Sistema Sanitario Público y centros sociosanitarios de Extremadura), o los protocolos puestos en funcionamiento en Andalucía, Alicante, etc. (en cuanto a la Doctrina proporciona un detallado análisis de las agresiones en el ámbito sanitario, entre otros, GASCÓN SANTOS).

a) Una primera cuestión a despejar en esta materia es la de establecer si los funcionarios docentes y sanitarios, y haciendo abstracción del párrafo segundo del artículo 550 CP tras la reforma producida por la Ley Orgánica 1/2015 (es decir, situándonos en la anterior redacción de este precepto —«*Son reos de atentado los que acometan a la autoridad, a sus agentes o funcionarios públicos, o empleen fuerza contra ellos, los intimiden gravemente o les hagan resistencia activa también grave, cuando se hallen ejecutando las funciones de sus cargos o con ocasión de ellas*») o fijándonos exclusivamente en el párrafo primero del artículo 550.1 CP vigente, tendrían acogimiento como sujetos pasivos de los delitos de atentado y resistencia grave.

Ya el artículo 102 de la hoy derogada Ley 14/1970, de 4 de agosto, General de Educación y Financiamiento de la Reforma Educativa, recogía las diversas tipologías de docentes. Posteriormente, y de forma más fragmentada, las múltiples leyes de educación universitaria y no universitaria han venido a, además de arruinar el sistema educativo español, plasmar las distintas categorías de funcionarios docentes. El problema surgirá en aquellos casos en los que funcionarios de otro carácter (por ejemplo de cuerpos técnicos de la Administración) desempeñan eventualmente funciones docentes en el ámbito de las administraciones públicas (por ejemplo en cursos de especialización); pues bien, en estos supuestos y cumplidos los requisitos exigidos por el artículo 24 CP, nada obsta para que sean considerados como funcionarios docentes a efectos del artículo 550 CP. Es decir: lo que prima es, cumplidos los requerimientos del artículo 24 CP, el ejercicio material de la función docente, que no tiene por qué suponer una asunción completa del servicio docente sino que puede abarcar una mera participación, incluso temporal, en las funciones docentes desarrolladas por un tercero.

En cuanto al concepto de «sanitarios» debe decirse que por tal debe entenderse no los que materialmente «sanan», sino que —tratándose de una profesión tan reglamentada— solo lo serán los que pertenezcan a alguna de las tipologías recogidas en los artículos 2 y 3 de la Ley 44/2003, de 21 de noviembre, de Ordenación de las Profesiones Sanitarias. Asimismo hay que atender a lo dicho en la Disposición Adicional Séptima de la Ley 33/2011, de 4 de octubre, General de Salud Pública.

Hay que observar, igualmente, que frente a los profesionales sanitarios, y en razón de su actividad, es difícilmente concebible la resistencia como conducta típica (en este mismo sentido URRUELA MORA).

En el análisis de la cuestión, seguramente, no es inconveniente partir de la siguiente perspectiva: la atribución de la calidad de funcionario público plantea idénticos problemas tanto si se contempla a los funcionarios docentes como sujetos activos como si de sujetos pasivos de delitos especiales se tratara. Este mismo enfoque fue adoptado, muy acertadamente a nuestro entender, por la STS 1030/2007, de 4 de diciembre, para la cual: «...se trata de proteger el ejercicio de la función pública en su misión de servir a los intereses generales, de manera que la condición de funcionario a efectos penales se reconoce con arreglo a los criterios expuestos tanto en los casos en los que la correcta actuación de la función pública se ve afectada por conductas delictivas desarrolladas por quienes participan en ella, como en aquellos otros casos en los que son acciones de los particulares las que, al ir dirigidas contra quienes desempeñan tales funciones, atacan su normal desenvolvimiento y perjudican la consecución de sus fines característicos». Así, pues, veamos si los funcionarios docentes y sanitarios cumplen los requisitos establecidos en el artículo 24.2 CP («Se considerará funcionario público todo el que por disposición inmediata de la Ley o por elección o por nombramiento de autoridad competente participe en el ejercicio de funciones públicas») para su consideración como funcionarios públicos a efectos penales, ya sea como víctimas de delitos de atentado, resistencia o desobediencia, como de sujetos activos de delitos de prevaricación, cohecho o malversación: toda esa Jurisprudencia nos servirá para fijar el contenido de los conceptos cuyo esclarecimiento perseguimos (en el mismo sentido véase la Consulta de la Fiscalía General del Estado 2/2008).

Pues bien, obviamente el «funcionario docente o sanitario» (distinta, como veremos más abajo, es la cuestión de los docentes y sanitarios «privados») es en todo caso funcionario, y como consecuencia de su nombramiento por autoridad competente y la correspondiente toma de posesión participa del ejercicio de las actividades docentes o sanitarias. La clave, así, de la cuestión está en desentrañar el concepto de «funciones públicas», y precisar si las docentes o sanitarias pueden considerarse tales.

Ciertamente que, como es conocido, no es preciso ser funcionario desde el punto de vista administrativo para serlo penal; en este sentido la STS 342/2015, de 2 de junio, afirma: «aunque el recurrente sea un contratado laboral participa del ejercicio de funciones públicas, *por lo que desde el punto de vista del Derecho penal es funcionario público. Nada importa por ello la doble condición que la sentencia le atribuye: es tanto contratado laboral, desde el prisma administrativo, como funcionario público desde la óptica del DP»*. No debe olvidarse en este sentido que el concepto penal de funcionario público es uno autónomo respecto de su correspondiente administrativo (véanse en este sentido, OCTAVIO DE TOLEDO Y UBIETO y ROCA AGAPITO).

En todo caso y como se ha puesto de manifiesto reiteradamente por la Jurisprudencia (véase el ATS de 29 de julio de 2015, ROJ ATS 6767/2015, con cita de abundantes resoluciones de la Sala 2ª del Tribunal Supremo; también en el mismo sentido SSTS 421/2014, de 16 de mayo, y 166/2014, de 28 de febrero, entre otras muchas): el concepto de funcionario público contenido en el artículo 24 del CP, *«es un concepto aplicable a efectos penales, como se desprende del mismo precepto, que es diferente del característico del ámbito administrativo, dentro del cual los funcionarios son personas incorporadas a la Administración pública por una relación de servicios profesionales y retribuidos, regulada por el derecho administrativo. Por el contrario, se trata de un concepto más amplio que este, pues sus elementos son exclusivamente el relativo al origen del nombramiento, que ha de serlo por una de las vías que el artículo 24 enumera, y de otro lado, la participación en funciones públicas, con independencia de otros requisitos referidos a la incorporación formal a la Administración Pública o relativos a la temporalidad o permanencia en el cargo»* (STS 83/2017, de 14 de febrero). Remachando esta última idea, la STS 508/2015, de 27 de julio, asevera: *«[D] icho concepto se extiende tanto a las funciones públicas propias del Estado, como de las entidades locales, comunidades autónomas y administración institucional, no importando en relación con el acceso al ejercicio de tales funciones ni los requisitos de selección para el ingreso, ni la categoría, ni el sistema de retribución, ni el estatuto legal y reglamentario, ni el sistema de previsión, ni aún la estabilidad o temporalidad, resultando suficiente un contrato laboral o incluso el acuerdo entre el interesado y la persona investida de facultades para el nombramiento»* [véase también ATS de 18 de marzo de 2015 ROJ ATS 3454/2015, para el cual: *«Hay que acudir a la materialidad más que al revestimiento formal del cargo ostentado. Se impone en este punto, más que en otros, un ponderado "levantamiento del velo": estar a la realidad esencial, y no al ropaje formal. La huida del derecho administrativo, fenómeno bien conocido y teorizado por la doctrina especializada, no puede ir acompañada de una "huida del Derecho Penal", sustrayendo de la tutela penal reforzada bienes jurídicos esenciales, por el expediente de dotar de apariencia o morfología privada a lo que son funciones propias de un organismo público desarrolladas por personas que han accedido a su cargo en virtud de la designación realizada por una autoridad pública, aunque la formalidad jurídica externa (contrato laboral de Alta Dirección, elección por el órgano de gobierno de una mercantil) encubra o se superponga de alguna manera a esa realidad material»*; véanse en este mismo sentido SSTS 149/2015, de 11 de marzo y 166/2014, de 28 de febrero y el ATS de 4 de diciembre de 2014 ROJ: ATS 9857/2014].

No obstante, lo dicho no significa que prescindamos de la relevancia del título de incorporación a la función pública (ley, elección o nombramiento), pues no en vano los elementos que definen al funcionario a efectos penales son título y ejercicio de la función; lo que sucede es que en el caso de los funcionarios docentes y sanitarios esa cuestión no suele plantear mayores problemas (sobre esta cuestión véanse VALEIJE ÁLVAREZ y RAMÓN RIBAS). En todo caso rechazamos esa tendencia que se manifiesta tanto en Jurisprudencia (véase ATS de 18 de marzo de 2015 ROJ ATS 3454/2015, más arriba reproducido en parte) como en Doctrina (QUINTERO OLIVARES) que tiende a prescindir de los títulos de incorporación y optan por un concepto «material» o «funcional» de empleado público a efectos penales, que a nuestro entender termina dejando de lado las exigencias del principio de legalidad plasmadas en el artículo 24 CP (en este sentido, véanse también DE LA MATA BARRANCO y OLAIZOLA NOGALES).

Se trata, el de «funciones públicas», de un concepto que según constante Jurisprudencia de la Sala 2ª de nuestro más Alto Tribunal está *«nutrido de ideas funcionales de raíz jurídico-política, acorde con un planteamiento político-criminal que exige, por la lógica de la protección de determinados bienes jurídicos, atribuir la condición de funcionario en atención a las funciones y fines propios del derecho penal y que, solo eventualmente coincide con los criterios del derecho administrativo»* (STS 358/2016, de 26 de abril, que recuerda, y reitera, la doctrina de las SSTS 37/2003, de 22 de enero, y 1952/2000, de 19 de diciembre).

A este respecto la STS 1030/2007, de 4 de diciembre (lo que se recuerda por otras muchas resoluciones posteriores del Tribunal Supremo, como es el caso de la Sentencia 447/2016, de 25 de mayo) afirma: «[E] *n cuanto al concepto de función pública, la doctrina ha utilizado diversos criterios para su identificación. Desde un punto de vista formal se ha entendido que se calificarán como funciones públicas las actividades de la Administración sujetas al Derecho público; teniendo en cuenta las finalidades con las que se ejecuta la actividad, se ha sostenido también que serán funciones públicas las orientadas al interés colectivo o al bien común, realizadas por órganos públicos. La jurisprudencia ha empleado un criterio de gran amplitud y en general ha entendido que son funciones públicas las realizadas por entes públicos, con sometimiento al Derecho Público y desarrolladas con la pretensión de satisfacer intereses públicos. Así, en la STS nº 1292/2000, se dice que "lo relevante es que dicha persona esté al servicio de entes públicos, con sometimiento de su actividad al control del derecho administrativo y ejerciendo una actuación propia de la Administración Pública". En la STS nº 68/2003, luego de referirse a las funciones públicas del Estado, entidades locales y administración institucional, afirma que "cualquier actuación de estas entidades donde exista un interés público responde a ese concepto amplio de función pública"». También en este sentido la STS nº 1590/2003, de 22 de abril de 2004. También en la STS nº 866/2003, de 16 de junio, se entendió que lo «verdaderamente característico y lo que les dota de la condición pública, es la función realizada dentro de un organigrama de servicio públicos».*

Véase también STS 186/2012, de 14 de marzo. También la STS 876/2006, de 6 de noviembre, según la cual: *«Para una correcta determinación del carácter público de la actuación ha de partirse, necesariamente, de la concurrencia de una finalidad dirigida a satisfacer los intereses generales, el criterio teleológico al que hemos hecho referencia con anterioridad, esto es, a las potestades de la administración, legislativa, jurisdiccional y ejecutiva, y dentro de estas las dirigidas a la satisfacción del bien común, enseñanza, justicia, hacienda, fomento, comunicaciones, seguridad, agricultura, sanidad, abastecimientos, etc. Criterio que ha de ser delimitado, a su vez, por el requisito subjetivo, en cuya virtud el órgano del que emane sea público, y otro objetivo, por el que se exige que la actividad sea regida por normas de carácter público, aunque la relación entre el sujeto que la realiza y el órgano pueda ser regulada por normas no públicas».*

Como puede comprobarse con tan solo una somera lectura de la STS 1030/2007, la falta de precisión de la Sala a la hora de depurar el concepto de «función pública» y el ejercicio de la misma es más que evidente, lo que provoca una considerable inseguridad pues equipara el ejercicio de «función pública» a cualquier cosa: lo orientado al bien común, al colectivo, lo desarrollado con la pretensión de satisfacer intereses públicos, lo realizado dentro de un organigrama de servicios públicos..., y también, lo que entendemos más correcto, la realización de una actividad al servicio de una Administración Pública con sometimiento al Derecho Administrativo.

Desde luego este último es el concepto de «función pública» del que partiremos, pues los construidos exclusivamente sobre la finalidad ya expresaron suficientemente sus debilidades durante la crisis de la doctrina del «servicio público». Me separo, pues, de planteamientos como el utilizado por QUINTERO OLIVARES para quien del concepto forma parte la persecución de fines públicos; y nos alejamos de esta perspectiva tanto porque resulta verdaderamente difícil caracterizar lo que son «finalidades públicas», como porque la paulatina intromisión de la iniciativa privada incluso en los reductos que parecían exclusivamente gestionados por las administraciones (véase, por ejemplo, lo ocurrido con la seguridad pública tras la Ley 5/2014, de 4 de abril, de Seguridad Privada, mediante la cual se entrega la gestión de derechos fundamentales a las empresas privadas), hace cada vez más difícil diferenciar con claridad entre finalidades públicas y privadas (sobre la crisis de la doctrina del «servicio público» y los trabajos de DUGÜIT y JEZE, véase MARTÍN REBOLLO). Tampoco la realización de alguna tarea integrado en un organigrama de servicios públicos es suficiente, pues esa labor puede suponer, dada la pluralidad de empeños de las administraciones públicas, ejercicio de funciones estrictamente privadas. Como dijera el administrativista francés Jean RIVERO, «el entrecruzamiento de técnicas de Derecho público y de Derecho privado no hace sino traducir al plano jurídico el fin del liberalismo y la confusión, en el terreno económico, de actividades públicas y privadas que hace inútil toda búsqueda tendente a restaurar zonas exclusivamente reservadas a cada disciplina» (pasaje tomado de MARTÍN REBOLLO). El giro económico actual levantado sobre las bases de un neoliberalismo agresivo que está arrinconando al propio Estado nacional y a los principios democráticos y sociales, y en donde el Estado ha sido reducido a una mínima expresión que ya no está claro dónde se encuentra (pero que desde luego no se halla ni en la seguridad pública ni en la defensa ni siquiera en la legislación, como bien se han encargado de poner de manifiesto los «tratados de libre comercio» que están liquidando a los Estados en sus expresiones básicas

—o qué decir de la enseñanza, la sanidad o las pensiones), convierte en absolutamente inviable referirnos a supuestas «finalidades públicas».

De ahí que la caracterización de la función pública como una relación de servicio a una Administración Pública con sumisión al Ordenamiento característico de esta —el Derecho Administrativo—, sea el criterio más adecuado y seguro que nos pueda servir para delimitar lo que deba entenderse por ejercicio de funciones públicas (para los distintos conceptos de función pública usados en doctrina, véanse por todos: JAVATO MARTÍN y ROCA AGAPITO).

Como señala la STS 166/2014, de 28 de febrero: «Puede presentarse la participación en el ejercicio de funciones públicas tanto en las del Estado, entidades locales y comunidades autónomas, como en las de la llamada administración institucional que existe cuando una entidad pública adopta una forma independiente, incluso con personalidad jurídica propia, en ocasiones de sociedad mercantil, con el fin de conseguir un más ágil y eficaz funcionamiento, de modo que cualquier actuación de estas entidades donde exista un interés público responde a este concepto amplio de función pública (STS de 27 de enero de 2003)».

Dicho lo anterior debe añadirse que no es preciso que la relación que vincula al sujeto con la Administración Pública sea administrativa, cupiendo también una vinculación de otra naturaleza como la laboral. Así, la STS de 27 de enero de 2003 considera funcionario a una persona nombrada por la Administración Pública aunque con un contrato laboral: lo fundamental es que haya existido una designación pública para el ejercicio de la función. Por ello, y como se señala en la Consulta de la Fiscalía General del Estado 2/2008, de 25 de noviembre de 2008: «No existiendo tal designación pública en el nombramiento de aquellas personas que prestan sus servicios como empleados de empresas o instituciones privadas, aunque estas —en concierto o mediante cualquier otra fórmula de relación con la Administración— participen en el ejercicio de funciones sociales, los trabajadores contratados por las mismas no ostentan la condición de funcionarios públicos a efectos penales, toda vez que su designación no responde a ninguna de la tres formas expresadas en el art. 24.2 CP —disposición inmediata de la Ley o por elección o por nombramiento de autoridad competente» (véase la Consulta 2/2008, de 25 de noviembre, de la Fiscalía General del Estado).

b) Desde luego no cabe duda de que los docentes (maestros y profesores) y sanitarios, que sean funcionarios para el Derecho Administrativo, lo son, también, funcionarios, a efectos penales cuando ejercen funciones públicas (véanse, en general, SSTS 1125/2011, de 2 de noviembre, y 2052/2001, de 7 de noviembre; así como las SSAP Badajoz, Sección 1ª, 87/2016, de 26 de septiembre; Palma de Mallorca, Sección 1ª, 151/2015, de 27 de mayo, y Sevilla, Sección 1ª, 185/2008, de 3 de abril). Esto se deriva de su título de incorporación a la función y de que su actividad profesional, vinculada a diversos entes públicos, está regulada por el Derecho Administrativo. Así lo ha venido entendiendo nuestra Jurisprudencia desde hace muchos años tal y como veremos a continuación.

Entrando en lo particular, y por lo que se refiere a los médicos, avalan esta idea las siguientes resoluciones: SSTS 15 de noviembre de 1973, ROJ: STS 791/1973; 15 de junio de 1979 ROJ: STS 3986/1979; 7 de abril de 1981 ROJ: STS 4597/1981;

1739/1993 y 1183/1993, ambas de 20 de mayo; 2361/2001, de 4 de diciembre y 1030/2007, de 4 de diciembre. En contra solo nos ha sido posible encontrar una resolución, se trata de la STS 677/1998, de 18 de mayo.

Dice así la última resolución citada: «... *la condición funcionarial de los médicos de la sanidad pública no está perfectamente definida ya que existe una relación con un organismo público pero no se ajusta estrictamente a las líneas fundamentales que establecen la relación funcionarial sino que tiene rasgos propios a mitad de camino entre una relación laboral y una sujeción administrativa, constituyendo personal estatutario. La actividad que desempeñan los médicos de la sanidad pública no puede ser equiparada a la de la función pública porque no desempeña una competencia estatal o pública sino que presta servicios cualificados que no permiten homologarlos con los funcionarios admini*strativos».

De todas formas esta posición ha sido contestada por otras resoluciones como es el caso de la STS 1125/2011, de 2 de noviembre: «*Las objeciones que pueden hacerse es que aún aceptando que el personal sanitario del servicio del 061 tenga la condición de funcionario, se niega que participe en el ejercicio de funciones públicas, principalmente porque considera que la prestación sanitaria del Sistema Nacional de Salud, constituye un servicio público, pero no una función de esta clase. Y en segundo lugar porque el dolo exige que el sujeto debe conocer el carácter funcionarial de la víctima, conocimiento que difícilmente puede inferirse cuando dicha acción típica se dirige contra un sujeto cuya función no exterioriza ninguna manifestación de autoridad*».

También a favor de la consideración de los médicos como funcionarios a efectos penales se pueden citar las siguientes recientes resoluciones de la Jurisprudencia de Audiencia (sin voz alguna discrepante, que conozcamos): SSAP, Madrid, Sección 30ª, 540/2016, de 18 de julio; Madrid, Sección 15ª, 871/2015, de 30 de diciembre; Málaga, Sección 3ª, 296/2015, de 29 de junio; Toledo, Sección 1ª, 28/2015, de 5 de marzo; Cuenca, Sección 1ª, 19/2015, de 10 de febrero; Sevilla, Sección 3ª, 401/2014, de 11 de septiembre. En todas estas resoluciones se enjuician hechos constitutivos del delito de atentado y acaecidos con anterioridad a la reforma del artículo 550.1 CP, llevada a cabo por la LO 1/2015, de 30 de marzo.

En cuanto a otros profesionales de la sanidad cabe citar las siguientes resoluciones: referidas a los farmacéuticos, SSTS 657/2014, de 29 de septiembre; 2052/2001, de 7 de noviembre; 7 de abril de 1981 ROJ: STS 4597/1981, y 15 de junio de 1979 ROJ: STS 3986/1979; en lo que importa a los enfermeros: SSTS 7 de abril de 1981 ROJ: STS 4597/1981, y 15 de junio de 1979 ROJ: STS 3986/1979, también SAP, Pontevedra, Sección 5ª, 302/2016, de 23 de mayo; en lo que interesa a los auxiliares de clínica, véase STS 560/2015, de 30 de septiembre.

En la citada SSTS 657/2014, de 29 de septiembre, se asevera en relación a los farmacéuticos: «*Esta Sala también se ha pronunciado sobre la condición de funcionario público de los farmacéuticos que cumplimentan recetas para la seguridad social. Así, en la Sentencia 576/2002, de 3 de septiembre, se declara que también un farmacéutico titular ha de considerársele como funcionario a los efectos penales en cuanto siempre está en relación con los correspondientes Organismos Públicos del área de salud respecto a los asegurados, situación de confianza que le facilitó indudablemente la comisión del delito de estafa al prevalerse de ese carácter público. Es decir, el título de farmacéutico titular, sobre todo en su relación con la Seguridad Social, procede de un nombramiento de la autoridad competente en la materia que le permite el ejercicio de funciones públicas y, por ende, está comprendido en el concepto de funcionario público del párrafo tercero del artículo 119 del Código derogado (hoy, artículo 24.2)».*

En lo que importa a los auxiliares de clínica, se afirma en la ya citada STS 560/2015, de 30 de septiembre, que: «...*el cargo de auxiliar de clínica en un Centro penitenciario, aunque sea en virtud de contrato laboral, cumple los dos presupuestos establecidos en el artículo 24: el nombramiento por autoridad competente, la administración penitenciaria; y la participación en el desempeño de funciones públicas, como es su actividad sanitaria en relación con las personas ingresadas en el Centro, que se encuentran en situación especial de dependencia con la Administración».*

Por lo que importa a los docentes suele citarse por toda la Jurisprudencia, en primer lugar y como resolución de referencia, la STS 780/1991, de 26 de febrero, alusiva a un estudiante que agredió y causó lesiones a un catedrático de anatomía tras un examen fallido por aquel. Pero son muchas las resoluciones que inciden en la idea de que los funcionarios docentes lo son también a efectos penales, valgan como referencia las siguientes: SSTS 837/2016, de 4 de noviembre; SAP, Tarragona, Sección 2ª, 192/2017, de 21 de abril, y SAP, Burgos, Sección 1ª, 61/2007, de 1 de febrero, entre otras.

Por su interés, pues contempla hechos desgraciadamente frecuentes en nuestros centros escolares desde que los reformadores de la enseñanza despojaron a los profesores de su autoridad en las aulas, reproducimos algún pasaje de la Sentencia de la AP, Córdoba, Sección 2ª, 99/2006, de 12 de abril, que consideró atentado la agresión que un alumno produjo a un profesor de un centro oficial de enseñanza: «...*el sujeto pasivo es profesor titular de un centro oficial de enseñanza, teniendo en tal calidad la condición de funcionario público; se hallaba impartiendo la clase que le correspondía y, a tal efecto, es indiferente el momento en que los hechos pudieron producirse, pues se mantiene esa circunstancia hasta que el profesor la da por finalizada; tuvo lugar una alteración de su normal desarrollo que hizo necesario el restablecimiento de la disciplina mediante la conminación al apelante a que abandonara el aula, orden legítima que emanaba de las facultades atribuidas al docente por el ordenamiento jurídico en cuanto permite remover los obstáculos que impidan el ejercicio de su autoridad académica en pro del interés colectivo de los demás alumnos; frente a la desobediencia inicial del menor, y desasistido de cualquier otra ayuda de que intentó valerse, ejerció por sí mismo la coerción necesaria para lograr el acatamiento de aquella orden de expulsión, siendo entonces cuando el recurrente reaccionó con violencia, propinando dos golpes al profesor en el pecho en presencia del resto de los alumnos, que le causaron lesiones leves.*

A juicio de la Sala, la tipicidad de la conducta es evidente. Se trata de un delito de atentado en su modalidad de resistencia grave y a ello no empece la intencionalidad específica del sujeto activo en cuanto que no reconoce más autoridad que la suya propia y se erige en juez y parte de sus propias situaciones, sin considerar en lo más mínimo la existencia del bien colectivo, fundamento de la autoridad que pretende salvaguardar las condiciones que propician el desarrollo de los derechos de todos.

De esta forma, le es ajena la autoridad del profesor, de la que no puede decirse, en contra de lo que sostiene el recurrente, que es meramente académica, sino que se extiende, como no puede ser de otra manera, a los aspectos materiales mínimos imprescindibles para que la docencia pueda desarrollarse con normalidad y provecho, lo que incluye, desde luego, atribuciones para el mantenimiento de la disciplina».

En fin, resumiendo, hay que señalar que la Jurisprudencia viene considerando de manera reiterada que tanto el personal sanitario como el docente al servicio de las administraciones públicas, tienen la consideración de funcionario cuando están ejerciendo sus funciones; y así, cabe citar, entre otras muchas, las siguientes resoluciones: SSAP, Badajoz, 87/2016, de 26 de septiembre; Tarragona, Sección 4ª, 269/2016, de 19 de julio; Madrid, Sección 4ª, 589/2015, de 30 de diciembre; Albacete, Sección 2ª, 422/2015, de 19 de noviembre; Málaga, Sección 9ª, 596/2015, de 30 de octubre; Las Palmas, Sección 6ª, 138/2015, de 26 de junio, y un larguísimo etcétera que se plasma en la Jurisprudencia de Audiencia desde muy antiguo, sirvan como ejemplos las SSAP Córdoba, Sección 2ª, 99/2006, de 12 de abril; Cuenca, Sección 1ª, 42/2005, de 2 de mayo, y 9/2005, de 19 de mayo; Cádiz, Sección 7ª, 231/2000, de 9 de noviembre, y Murcia de 27 de noviembre de 1995. Por todo lo anterior debe concluirse que la decisión de incorporar el vigente párrafo segundo del artículo 550.1 CP carece de toda racionalidad legislativa, puesto que tanto la Doctrina como la Jurisprudencia han concluido desde hace muchos años que tanto los funcionarios docentes como los sanitarios están protegidos por el tipo de atentado.

Esto último no quiere decir, sin embargo, que la decisión de incluir expresamente a los funcionarios docentes o sanitarios como sujetos pasivos de estos delitos carezca de relevancia, y ello porque los preceptos penales tienen que ser interpretados, analizados, contextualmente, y con ese criterio darles sentido. Esta idea ha sido tenida en cuenta por nuestra Jurisprudencia y es lo que le ha llevado (y de ahí la importancia de lo contextual, lo sistemático) a concluir, a nuestro modo de ver muy correctamente como explicaremos a continuación, que la inclusión expresa de esa clase de funcionarios en el artículo 550 CP no es inane, sino que se trata de una resolución legislativa que se proyecta sobre otros preceptos y determina el ámbito típico de estos. Partiendo de esta idea, la Audiencia Provincial de Valladolid, Sección 2ª, manifiesta en su Sentencia 155/2016, de 30 de junio:

«En los artículos 550 a 556 del Código Penal se distinguen los conceptos de autoridad, de funcionario docente o sanitario y de funcionario público. Si el personal docente o sanitario tuviera la consideración de autoridad no tendría sentido esa mención diferenciada y el Código hablaría exclusivamente de autoridad. Así pues los profesores de los colegios aparecen protegidos penalmente frente a los atentados cometidos contra ellos no por reputarlos autoridad a estos efectos sino funcionarios docentes, al incluirlos bajo tal denominación específica en los artículos 550 a 555, pero no se extiende tal protección a las conductas del artículo 556 del Código Penal donde ya no aparece la designación de los funcionarios docentes. No resulta irrazonable entender que la finalidad de tal diferenciación reside en proteger a esos funcionarios docentes y sanitarios frente a los hechos más graves (atentado en sus diferentes formas) no así en las faltas de respeto y consideración, al igual que ocurre con los agentes de la autoridad que tampoco vienen incluidos en el artículo 556-2 del Código Penal» (en el mismo sentido, SAP, Burgos, Sección 1ª, 61/2007, de 1 de febrero). En esta misma dirección la AP de Murcia, Sección 2ª, 396/2015, de 11 de septiembre:

«Así las cosas, resulta que el legislador de 2015 ha querido proteger especialmente al personal educativo y sanitario, cuando se trata de los hechos agresivos o acometimientos violentos más graves, y por tal razón, los ha introducido expresamente en el art. 550 del CP; y ahora, no hay duda de que deben considerarse sujetos pasivos del delito de atentado.

Por el contrario, esta previsión concreta y específica no se ha visto reproducida en delito de resistencia (art. 556.1 del CP); aunque sí se ha encargado el legislador de tener en cuenta el personal de seguridad privada.

Y, finalmente, tampoco se ha introducido el personal sanitario o educativo en el delito leve del apartado segundo del art. 556 del CP.

Por tanto, aquellas actuaciones en contra del personal educativo o sanitario que no reúnan las características típicas del delito de atentado, quedan al margen del Derecho Penal, y se considera que el derecho administrativo sancionador es suficiente respuesta social» (véase también SAP, Badajoz-Mérida, Sección 3ª, 235/2015, de 15 de octubre, para la cual «Si para el atentado los profesores se citan expresamente y, sin embargo, para la falta de respeto se omiten (como se omiten también ahora los agentes), la voluntad de la ley es dejar fuera al profesorado del tipo penal del artículo 556.2 del Código Penal. De ahí viene que, al interpretar el antiguo artículo 634, no podamos incluir entre los sujetos pasivos a los funcionarios docentes, máxime el carácter retroactivo de las leyes penales favorables al reo (artículo 2 del Código Penal)».

Pero no solo es un problema de interpretación sistemática, que ya es argumento suficiente para avalar la solución hermenéutica que se sugiere, sino que criterios de intervención mínima y *ultima ratio* nos tienen que conducir a idéntica conclusión —respetando en todo caso la letra de la Ley. En efecto, desde luego que en el ámbito docente, ante conductas de desobediencia, existen otros muchos instrumentos para superar el conflicto, y son los disciplinarios de larga tradición en nuestro país (unos formalizados y otros no) los eficaces, y solo con una radical excepcionalidad se ha podido plantear una denuncia por desobediencia del artículo 556 CP; es decir: que en este caso la sanción penal no solo es ilegítima (por razones hermenéuticas) sino también ineficiente. En cuanto a los funcionarios pertenecientes a la sanidad ciertamente la conclusión no puede ser la misma al no existir en este caso —al contrario de lo que ocurre en la docencia— relaciones de sujeción especial; así pues, las únicas medidas factibles son las de orden general, que pueden incluir las administrativas, civiles o penales, dependiendo del supuesto concreto.

En esta dirección debe citarse, en primer lugar, la Ley 14/1986, de 25 de abril, General de Sanidad, que en su artículo 35 C), 6ª, considera infracción muy grave: «*La resistencia, coacción, amenaza, represalia, desacato o cualquier otra forma de presión ejercida sobre las autoridades sanitarias o sus agentes*»; este precepto, obvio es, resultará aplicable en muy pocos casos ya que se exige que el sujeto pasivo sea autoridad o agente de la misma, con lo que en la mayor parte de los supuestos de los funcionarios sanitarios este precepto será inane. Sin embargo, la legislación autonómica en la materia sí resultará de aplicación [aunque en algún caso se limita a reiterar lo afirmado por la legislación estatal, con los mismos defectos de esta, es el caso de los artículos 39 b) de la Ley 8/2000, de 30 de noviembre, de Ordenación Sanitaria de Castilla-La Mancha, o 69 h) de la Ley 18/2009, de 22 de octubre, de salud pública de Cataluña], sirva de ejemplo en este sentido el artículo 79.3 i) de la Ley 7/2002, de 10 de diciembre, de Ordenación Sanitaria de Cantabria.

c) En el mismo sentido que el ya indicado se pronuncia el texto de la ya citada Consulta de la Fiscalía General del Estado 2/2008, de 25 de noviembre, para la cual:

«Tanto el derecho a la educación como el derecho a la salud, se han ido configurando progresivamente como derechos básicos, habiendo asumido el Estado su provisión como servicios públicos esenciales, por ello, sin perjuicio de las consideraciones que correspondan en otras profesiones, a los efectos exclusivos de la presente Consulta, las actividades realizadas por funcionarios públicos en el ámbito del derecho a la educación reconocido en el art. 27 CE y del derecho a la salud regulado en el art. 43 CE, y desarrollados en la legislación básica vigente, constituidas por la Ley Orgánica 2/2006, de 3 de mayo, de Educación, y la Ley 14/1986, de 25 de abril, General de Sanidad, están referidas a materias que afectan a principios básicos de convivencia en una sociedad democrática.

En definitiva, cuando se produzca una de las agresiones descritas en el tipo penal —acometimiento, empleo de fuerza, intimidación grave o resistencia activa también grave— contra un profesional sanitario o de la educación, cuya designación haya sido realizada por alguna de la tres formas expresadas en el art. 24.2 CP —disposición inmediata de la Ley o por elección o por nombramiento de autoridad competente—, y aquella tenga lugar en el ejercicio de su función pública o con ocasión de la misma —sea de carácter puramente administrativo, científico, técnico, educativo, o de cualquiera otra relacionadas con los principios básicos de convivencia proclamados en la Constitución Española—, los hechos deberán recibir la calificación jurídico-penal de atentado, siempre que concurran los demás elementos expresados supra que configuran tal delito».

d) ¿Qué sucede con los profesionales privados que ejercen sus funciones en la sanidad o en la docencia? Pues que aunque desarrollen funciones de tolerancia pública su nombramiento para la función no se ha llevado a cabo por una persona pública sometida en su actividad al Derecho Administrativo, por lo que no tendrán la consideración de funcionarios.

En este mismo sentido se ha pronunciado la Consulta de la Fiscalía General del Estado 2/2008, de 25 de noviembre, al decir: «no quedan amparados por la protección penal que otorga el delito de atentado, sin perjuicio, en su caso, de la valoración de otras circunstancias que puedan afectar a la responsabilidad penal, los profesionales de la salud o de la educación que aún prestando servicios públicos o sociales, los realicen como empleados de empresas o instituciones privadas relacionadas con la Administración en régimen de concierto o mediante cualquier otra fórmula de relación jurídica similar, toda vez que los mismos no ostentan la cualidad de funcionarios públicos en los términos expresados en el art. 24 CP».

Insiste en el anterior punto de vista la SAP, Palma de Mallorca, Sección 1ª, 151/2015, de 27 de mayo, que introduce, además, algunas consideraciones de prudencia en el ejercicio de la actividad judicial que son de alabar. Dice así la citada resolución en uno de sus pasajes: «Respecto a la desproporción invocada, puede legítimamente discutirse si cualquier acción agresiva a un funcionario público integrar el delito de atentado previsto en el artículo 550 del Código Penal, pues ello supone una extensión del tipo penal por una interpretación amplia del bien jurídico protegido que incrementa considerablemente la respuesta penal. Ciertamente, consideramos que no compete a los Tribunales considerar delictivas conductas que no tienen un perfecto encaje en el tipo aplicado, pues es el legislador quien, en todo caso, por razones de política criminal, debe incluir en el ámbito penal aquellas conductas que, por su relevancia, tengan la entidad suficiente para merecer reproche en esta sede, todo ello sin entrar a valorar *la posible desigualdad de trato que puedan merecer situaciones idénticas por la sencilla razón que, dentro de áreas tan importantes como lo son la sanidad o la educación, el sujeto pasivo de la agresión realice funciones privadas o públicas, pues únicamente en este último supuesto la conducta será subsumible en el delito de atentado».*

Véase también en esta misma dirección las interesantes reflexiones que se realizan en la SAP, Ciudad Real, Sección 1ª, 4/2012, de 16 de febrero: «*...si no puede predicarse de la educadora la condición de funcionaria pública, en menor medida puede entenderse incardinada dentro del concepto de autoridad pública que establece el art. 24 del código penal (que por sí solo o como miembro de alguna corporación, tribunal u órgano colegiado tenga mando o ejerza jurisdicción propia.) La pretensión del Ministerio Público, quien en su informe en el acto del juicio ya parte de la ausencia de condición de funcionario público de la educadora —presupuesto básico de partida para ser considerada autoridad pública por sus funciones— de entender extensivo el concepto de autoridad del tipo de atentado (y consecuentemente admitiríamos, de resistencia o desobediencia) a quien desempeña funciones que en el concepto etimológico y semántico del término de autoridad pudieran ser incardinadas, pues ayudan al crecimiento personal de los jóvenes en acogimiento, no puede en absoluto compartirse, so pena de extender el tipo penal desde su propio concepto, sujeto pasivo y bien jurídico que protege, para abarcar situaciones diversas respondiendo a las demandas de ciertos sectores en equiparación a la tutela de los funcionarios públicos (por ejemplo, docentes de centros privados), y cuya reflexión, en todo caso, si se considerara oportuno su mayor tutela, es propia de la política legislativa, como decisión de política criminal y en modo alguno tal valoración es función de los Tribunales, que aplican la ley, bajo los principios tan básicos como la improcedencia de sancionar por un tipo penal hechos no contemplados en el mismo. Este Tribunal no deja de reconocer el servicio de las organizaciones no gubernamentales y las dificultades que pueden encontrar en el trato con los menores no acompañados, ni la conflictividad del menor en este supuesto, más dicho reconocimiento no puede llevar a estimar punibles los hechos por el delito de atentado».*

Debe hacerse notar, sin embargo, que la intención de los elaboradores de la Enmienda (PP) que en el Senado patrocinaron y lograron introducir el nuevo número 2 en el artículo 550 CP, era muy otra: «*...carecen de protección específica aquellos ataques a personal sanitario o docente por razón del ejercicio de su cargo y profesión que, por pertenecer a la sanidad o enseñanzas privadas, no tengan la consideración de funcionario público. Actualmente los ataques a los mismos carecen de protección especial al margen del resultado contra la integridad o libertad producidos, generalmente simples faltas de lesiones o amenazas. Las funciones tan relevantes que desarrollan ambos grupos profesionales tanto en la salud como en la educación de los ciudadanos, exigen un amparo específico. Aunque su encuadre en el ámbito de los delitos de atentados contra los funcionarios públicos pueda ser discutible, es lo cierto que participan en el ejercicio de funciones de relevancia pública, por lo que no se aprecia especial dificultad de incluirlos en este capítulo del Código Penal».* En esta ocasión, la avalancha de privatizaciones que se han producido en los últimos decenios de sectores como la sanidad y la enseñanza no recibió el «premio» de la protección penal de sus servidores, pero todo se andará ¿o acaso el Código Penal no se ha caracterizado históricamente por dar una mayor y mejor protección a los intereses privados frente a los públicos?

6. *Los sujetos recogidos en el artículo 550.3 CP*

Dice así este precepto:

«No obstante lo previsto en el apartado anterior, si la autoridad contra la que se atentare fuera miembro del Gobierno, de los Consejos de Gobierno de las Comunidades Autónomas, del Congreso de los Diputados, del Senado o de las Asambleas Legislativas de las Comunidades Autónomas, de las Corporaciones locales, del Consejo General del Poder Judicial, Magistrado del Tribunal Constitucional, juez, magistrado o miembro del Ministerio Fiscal, se impondrá...».

Históricamente, como se ha dejado ver más atrás en algún caso, se han ido incorporando tipos agravados en atención a la calidad del sujeto pasivo, eso sí, no en los códigos más antiguos. En efecto, en el Código Penal de 1870 no se contemplaba ningún tipo agravado en función de la calidad del sujeto pasivo; tampoco en los de 1928 y 1932. Fue el CP1944 el que en su artículo 233 comenzó a introducir tipos agravados en atención al rango del sujeto pasivo, primero en relación a los Ministros (pena de reclusión mayor —pero si como consecuencia del atentado se produjeren muerte o lesiones graves la pena sería de reclusión mayor a muerte), y en el artículo 234 la referencia se efectuaba a los cónyuges, ascendientes y descendientes del Jefe del Estado, los Ministros, autoridades o funcionarios.

Por cierto, no deja de resultar muy llamativo que mientras que se contemplan tipos agravados —en lo que importa a la pena de prisión— cuando el sujeto pasivo ostenta una determinada cualidad, no hay una previsión pareja para aquellos casos en los que el sujeto activo es autoridad, lo que, sin embargo, sí se hacía en los códigos históricos de 1870 (artículo 278) y 1928 (artículo 330). En este sentido la agravación prevista en el CP vigente se refiere exclusivamente a la pena de inhabilitación: *«Artículo 562. En el caso de hallarse constituido en autoridad el que cometa cualquiera de los delitos expresados en los capítulos anteriores de este Título, la pena de inhabilitación que estuviese prevista en cada caso se sustituirá por la inhabilitación absoluta por tiempo de diez a quince años, salvo que dicha circunstancia esté específicamente contemplada en el tipo penal de que se trate».*

Por cierto, que en el Informe del Consejo General del Poder Judicial al Anteproyecto de la Ley de Reforma se incluyó una curiosa sugerencia «corporativa clasista»: «En relación con el número tres, se valora positivamente la inclusión de los Jueces, Magistrados y miembros del Ministerio Fiscal, pero se echa en falta la específica mención de los Magistrados del Tribunal Supremo como categoría específica».

Se trata, como es evidente, de una serie de sujetos a quienes se les quiere conceder una protección reforzada mediante un incremento de la amenaza de pena a los autores de los delitos de atentado o resistencia grave, lo que se pretende conseguir mediante la elevación de la amenaza de la pena que debería corresponder a quienes actuaran típicamente contra los referidos sujetos. Debe tenerse en cuenta, a todo esto, que las personas nominadas tienen todas ellas carácter de autoridad de acuerdo a lo preceptuado en el artículo 24.1 CP, excepto los miembros del Consejo General del Poder Judicial (al menos no la mayoría de ellos) y tampoco, al menos no expresamente, todos los miembros de las Corporaciones locales. Por lo anterior, la pena de prisión a imponer a los sujetos activos que atentaran o se resistieran en el sentido del artículo 550, tendría un marco que abarcaría de uno a cuatro años. Sin embargo, parece que la sanción le debe haber parecido escasa al Legislador pues la eleva para esos sujetos hasta los seis años.

Obviamente es autoridad el Alcalde, lo que desde antiguo ha venido afirmando el Tribunal Supremo (SSTS 2340/2001, de 10 de diciembre y 2053/2001, de 5 de enero), incluso los pedáneos (STS 303/1997, de 11 de marzo) aunque sean de pueblos pequeños y con pocos medios (STS 654/2004, de 25 de mayo); también se ha considerado autoridad al Teniente de Alcalde (STS 141/2005, de 11 de febrero; aunque a nuestro entender esta imputación solo es aceptable cuando el dicho Teniente de Alcalde ejerce de Alcalde por las razones que procedan). En cuanto a los concejales, no hay unanimidad en la Jurisprudencia, para alguna resolución no son autoridades (STS 1065/1992, de 12 de mayo, en la cual se citan multitud de antiguas resoluciones en las que se mantenía este criterio, como las SSTS 30 de junio de 1876, 26 de mayo de 1884, 6 de abril de 1885, 16 de diciembre de 1893 y 24 de enero de 1911, e incluso más recientes como las de 13 de diciembre de 1983, 17 de noviembre de 1987 y 21 de febrero de 1989) sin embargo para otras, actualmente mayoritarias, sí (SSTS 1150/2016, de 30 de junio, 797/2015, de 24 de noviembre, 141/2005, de 11 de febrero, pero también más antiguas como las de 5 de abril de 1991 o la de 8 de octubre de 1990); en todo caso, y más allá de lo que se afirma en una u otra resolución judicial y a la vista de que los miembros de las corporaciones locales no están nominados expresamente en el artículo 24 CP, lo definitorio es si en el caso particular el concejal en cuestión tiene «mando o ejerce jurisdicción propia», elemento que concurrirá en algunos concejales y en otros no, unos serán, por tanto, autoridad y otros no (a la misma conclusión hay que llegar en relación a los miembros del Consejo General del Poder Judicial). Pero en todo caso no debe olvidarse que un Ayuntamiento no es un foro de mera deliberación sino que lo es, esencialmente, de toma de decisiones, por lo tanto todos los concejales (y lo mismo cabría decir de los consejeros del Consejo General del Poder Judicial) serán autoridades cuando ejerzan funciones resolutorias como miembros del órgano de que se trate: Pleno del Ayuntamiento, Comisión de Gobierno (en este sentido, STS 21 de junio de 1989), Comisión Permanente, etc. En todo caso se entiende que no es «autoridad» el Secretario del Ayuntamiento (por todas, STS 857/2003, de 13 de junio).

Por lo que se refiere a los Jueces y Magistrados es obvio que cumplen las condiciones para ser autoridad exigidas con carácter general en el artículo 24 CP. Algunas dudas se han planteado en relación a los Magistrados del Tribunal Constitucional, que creemos sin sentido porque es obvio que ejercen jurisdicción propia, y así lo ha venido considerando el Tribunal Supremo, al menos, desde la STS de 15 de febrero de 1986.

Pues bien, ciertamente que en atención al bien jurídico protegido en este precepto (el buen funcionamiento de las funciones públicas, en cuanto que ejercicio pacífico de las mismas, libre de interferencias o perturbaciones por parte de los ciudadanos) no entendemos el porqué del aumento de sanción para los casos acabados de referir, como tampoco comprendemos el que haya que diferenciar en la cuantificación de la pena entre autoridad y simple funcionario (en este sentido DE LA CUESTA AGUADO). Más aun, en nuestro criterio esa diferenciación en la cantidad de pena entre los casos referidos a la autoridad y a los funcionarios obedece a una concepción ya superada del bien jurídico (el principio de autoridad), y difícilmente compatible con los preceptos constitucionales (en este sentido ya se han pronunciado con anterioridad otros autores como CUERDA ARNAU y OLLOQUIEGUI SUCUNZA). Además, no debe olvidarse que no son precisamente los sujetos a los que nos acabamos de referir los más expuestos a sufrir ataques, sino justamente los que son denominados meros «agentes de la autoridad» —policías, guardia civiles—, entre otras razones porque estos últimos suelen realizar funciones de protección de aquellos, por lo que no se comprende por qué a los más expuestos se les otorga menor protección, y al contrario. Desde luego el Legislador ha sido consciente de esta desproporción, y por ello introdujo en la Ley de Fuerzas y Cuerpos de Seguridad, en su artículo 7.1: «*En el ejercicio de sus funciones, los miembros de las Fuerzas y Cuerpos de Seguridad tendrán a todos los efectos legales el carácter de agentes de la autoridad*».

Referencia indispensable para diseccionar el significado, en su aplicación al Derecho Penal, del «principio de autoridad», es la obra de ÁLVAREZ VIZCAYA *Libertad de expresión y principio de autoridad: el delito de desacato*, también la reiterada opinión de OCTAVIO DE TOLEDO Y UBIETO sobre el bien jurídico protegido en estos delitos.

Aunque aquí se critique el elevar el principio de autoridad a la categoría de bien jurídico protegido, es lo cierto que se sigue haciendo amplia y mayoritariamente por la Jurisprudencia; así, SSAP, Valencia, Sección 10ª, 496/2017, de 18 de julio; Burgos, Sección 1ª, 325/2017, de 4 de octubre; de la misma Audiencia y Sección, 315/2017, de 26 de septiembre, o Madrid, Sección 30, 572/ 2017, de 26 de septiembre, entre otras muchas. Se cita la anterior resolución de Audiencia por ser la más reciente al respecto, pero también el Tribunal Supremo ha seguido manteniendo semejante criterio acerca del bien jurídico protegido en estos delitos de atentados, así SSTS 431/1994, de 3 de marzo, 602/1995, de 27 de abril, 231/2001, de 15 de febrero. Ciertamente hay otras sentencias del Tribunal Supremo en las que se reniega de esta línea, véase, por ejemplo, STS 108/2015, de 10 de noviembre (evocando la 260/2013, de 22 de marzo), aunque esto debe decirse con una matización: mientras, como hemos dicho, reniega en alguna Jurisprudencia el Tribunal Supremo del principio de autoridad a la hora de concretar el bien jurídico protegido, en el momento de manifestarse sobre el dolo preciso en el delito de atentado afirma: «…que quien, aun persiguiendo otras finalidades distintas de la de oponerse a una actuación policial de control, agrede, resiste o desobedece conociendo la condición de agente de la autoridad o funcionario del sujeto pasivo, acepta la ofensa al principio de autoridad que representan como consecuencia necesaria cuando este quede vulnerado por causa de su proceder»; de esta forma se pone de manifiesto una contradicción insalvable en la Jurisprudencia del Tribunal Supremo, y una pervivencia en sus resoluciones del «principio de autoridad» como caracterizador del delito de atentado. En este mismo sentido, y entre otras muchas, véanse SSTS 338/2017, de 11 de mayo, 193/2017, de 24 de marzo, y un largo etcétera; pero en todas estas recientes sentencias el Tribunal Supremo cae, una y otra vez, en la misma contradicción, véase en este sentido un pasaje de la última sentencia citada (donde se atrae la doctrina de la STS 260/2013, de 22 de marzo): «…debiendo igualmente subrayarse que hoy en día el bien jurídico protegido, más que el tradicional principio de autoridad, lo constituye la garantía del buen funcionamiento de los servicios y funciones públicas…Ejerció cierta violencia y, aunque su finalidad primordial no fuera la de atacar a los guardias civiles sino la de eliminar los rastros de una actividad delictiva, ese ánimo, equivalente al de huir para ponerse a salvo, no excluye el de desprestigiar el principio de autoridad representado por aquellos y el buen funcionamiento del servicio público por ellos prestado, que es el injusto de este delito. El elemento subjetivo integrado por el dolo de ofender, denigrar o desconocer el principio de autoridad, va ínsito en los actos desplegados cuando no constan circunstancias concurrentes que permitan inferir otra motivación ajena a las funciones públicas del ofendido. Y así ha entendido esta Sala (SSTS 431/1994 de 3 de marzo; 328/2014 de 28 de abril; 199/2015 de 30 de marzo o 44/2016 de 3 de febrero) que quien, aun persiguiendo otras finalidades, agrede, resiste o desobedece conociendo la condición de agente de la autoridad o funcionario del sujeto pasivo, acepta la ofensa al principio de autoridad que representan como consecuencia necesaria cuando este quede vulnerado por causa de su proceder». Aquí se condensa muy bien la actual doctrina del Tribunal Supremo al respecto: el «principio de autoridad» no es el bien jurídico protegido en los delitos de atentado...pero sí lo es.

7. Los sujetos recogidos en el artículo 554 CP

Los sujetos contemplados expresamente en este precepto deben ser divididos en dos grupos: al primero pertenecen aquellos a los que se pueden considerar en todo caso funcionarios públicos a efectos penales, de acuerdo con la previsión del artículo 24 CP. Es el caso de los militares, respecto de los cuales este precepto cumple, en realidad, función de restricción de la tipicidad (obviamente el Legislador no ha querido, seguramente por razones políticas, proteger en todo caso a los militares con los delitos de atentados, de ahí que exija en el caso concreto unos requisitos para otorgar esa protección que exceden el *status* funcionarial: es el caso de la exigencia de «vestir uniforme»). Se trata de funcionarios públicos que en unos casos, además, pueden revestir carácter de «autoridad» (muchos de los empleos militares se refieren a sujetos que cumplen el requisito de «tener mando o ejercer jurisdicción propia», y ya no solo quienes ejercen como Jueces o Magistrados en la Jurisdicción Militar, sino también en destinos propiamente militares al frente de unidades o buques de la Marina de Guerra) y en otros el de simples «agentes de la autoridad».

Incluso distintas disposiciones otorgan expresamente este carácter a algunos militares —aunque este reconocimiento debe sujetarse a los criterios que más atrás hemos fijado en relación a los «agentes de la autoridad»; es el caso de lo reflejado en la Disposición Adicional Tercera de la Ley 39/2007, de 19 de noviembre, de la carrera militar, del Real Decreto 194/2010, de 26 de febrero, por el que se aprueban las Normas sobre seguridad en las Fuerzas Armadas, y la Orden DEF/316/2015, de 23 de febrero, por la que se aprueban los medios de identificación que sobre el uniforme deben portar los miembros de las Fuerzas Armadas que tengan carácter de agente de la autoridad en el ejercicio de sus funciones (véase a este respecto, VARGAS CAMACHO).

También pertenecen a este grupo —pero en un escenario típico completamente diferente que en el caso de los militares— los bomberos [artículo 574.3 a)], aunque, como en el supuesto de los docentes y sanitarios a los que se refiere el artículo 550.2 CP, no siempre reunirán la condición de funcionarios (la externalización de los servicios públicos ha llegado también a la extinción de incendios, de forma que la figura del «bombero privado» se ha extendido en España, y estos son contratados por las empresas privadas adjudicatarias como trabajadores privados. Obviamente, y ateniéndonos a lo que se ha significado más atrás en relación al concepto de funcionario público, estos «bomberos privados» no reúnen semejante naturaleza); lo mismo que en el caso anterior debe decirse del personal sanitario o de los integrantes de los equipos de socorro que estén actuando en las situaciones a las que se refiere el artículo 554.2 a) CP.

El segundo grupo está integrado por unos sujetos que siempre ostentan la condición de particulares, pero a quienes se les ha querido otorgar una mayor protección, bien en atención a una especial y concreta situación típica (los particulares que acuden en auxilio de los funcionarios), bien en consideración a su función (los miembros de la seguridad privada en ciertas condiciones).

Se trata de los siguientes: a) miembros de las Fuerzas Armadas que, vistiendo uniforme, estuvieran prestando un servicio que les hubiera sido legalmente encomendado; b) personas que acudan en auxilio de la autoridad, sus agentes o funcionarios; c) bomberos o miembros del personal sanitario o equipos de socorro que estuvieran interviniendo con ocasión de un siniestro, calamidad pública o situación de emergencia, con la finalidad de impedirles el ejercicio de sus funciones; d) personal de seguridad privada, debidamente identificado, que desarrolle actividades de seguridad privada en cooperación y bajo el mando de las Fuerzas y Cuerpos de Seguridad.

Pero todos los sujetos a los que nos hemos referido en los dos párrafos anteriores están unidos por un mismo criterio en la protección penal que se les otorga: se quiere tutelar el ejercicio de la función, que, en ocasiones, se expresa desde el punto de vista subjetivo no solo a través de funcionarios sino también de los particulares que, de una forma u otra, cooperan en el ejercicio de funciones públicas. En este mismo sentido había dicho LÓPEZ-FONT MÁRQUEZ: «Es la función de autoridad lo protegido, con independencia de las personas que la ejerzan, ya sean autoridades, sus agentes, los funcionarios públicos o los particulares que les auxilien en ella».

a).1. Por «miembros de las Fuerzas Armadas» (según el artículo 8.1 CE, las Fuerzas Armadas están constituidas «...*por el Ejército de Tierra, la Armada y el Ejército del Aire*»; precepto este que se desarrolla en el artículo 10 de la LO 5/2005, de 17 de noviembre, de la Defensa Nacional) se entiende, de acuerdo a lo dispuesto en el artículo 1.2 de la Ley 39/2007, de 19 de noviembre, de la carrera militar, todos los individuos «*que adquieren condición militar desde su incorporación a las mismas* [a las Fuerzas Armadas] *y que, con el juramento o promesa ante la Bandera, asumen la obligación de defender a España y de contribuir a preservar la paz y la seguridad*»; y conforme al artículo 3 de la Ley acabada de citar esa «adquisición de la condición de militar» puede darse en alguno de los siguientes conceptos: «*como militares de carrera, como militares de tropa y marinería y también como militares de complemento*» (asimismo se entiende que son miembros de las Fuerzas Armadas los alumnos que ingresan en las academias militares —aunque su relación con las Fuerzas Armadas no sea de servicios profesionales—, y los reservistas cuando se incorporen a las Fuerzas Armadas, según lo previsto en el título VI de la Ley —artículo 3.7 de la Ley 39/2007). En cuanto a la Guardia Civil, presenta peculiaridades que trataremos más abajo.

Los conceptos de militares de carrera, complemento, tropa y marinería se definen en el artículo 3, apartados 2, 3 y 4 de la Ley 39/2007, de la siguiente forma: «2. *Son militares de carrera quienes mantienen una relación de servicios profesionales de carácter permanente. Les corresponde asegurar la continuidad y estabilidad de la estructura, el funcionamiento y los valores esenciales de las Fuerzas Armadas en el marco constitucional. 3. Los militares de complemento son oficiales que establecen su relación de servicios profesionales mediante compromisos de carácter temporal para atender necesidades específicas de las Fuerzas Armadas. 4. Los militares de tropa y marinería, que constituyen la base de las Fuerzas Armadas, establecen su relación de servicios profesionales mediante compromisos de carácter temporal y podrán acceder a la condición de militar de carrera en la forma que se especifica en esta ley».*

Requisitos, pues, para adquirir la condición de militar son los de efectiva incorporación o integración en las Fuerzas Armadas y la «Jura de Bandera». Por lo que importa a esa integración puede revestir las distintas formas a las que se refiere el citado artículo 3 de la Ley, que implicará en unos casos incorporación indefinida o permanente (militares de carrera, artículo 3.2 de la Ley 39/2007) y en otros, temporal (militares de complemento, artículo 3.3 de la Ley); la vinculación de la tropa y la marinería también posee carácter temporal (artículo 3.4 de la Ley 39/2007).

En cuanto a la Jura de Bandera, se regula como requisito para adquirir la condición de militar en el artículo 7.1 en los siguientes términos: «*Todo militar tiene el deber de prestar ante la Bandera juramento o promesa de defender a España. Este juramento o promesa se efectuará durante la enseñanza de formación de acuerdo con lo que se establece en este artículo y será requisito previo e indispensable a la adquisición de la condición de militar de carrera, de militar de complemento y de militar de tropa y marinería*».

De lo anterior se deduce que a pesar de que el sujeto se haya integrado ya en las Fuerzas Armadas (por ejemplo, los alumnos de las academias militares) y vista uniforme (según el artículo 24.1 de la Ley Orgánica 9/2011, de 27 de julio, de derechos y deberes de los miembros de las Fuerzas Armadas, los militares tienen la obligación de utilizar el uniforme cuando se hallaren de servicio), si no ha jurado la bandera no podrá ser considerado sujeto pasivo a efectos del delito recogido en el artículo 550 por remisión del 554, ambos del CP.

En todo caso es procedente realizar una advertencia en relación a los miembros de las Fuerzas Armadas, y es que en determinadas ocasiones pueden ser también considerados como «agentes de la autoridad» con las limitaciones y las exigencias vistas más atrás.

A este propósito no debe olvidarse que el ejército puede, en determinadas circunstancias y en concreto cuando se alcance el nivel 5 de alarma antiterrorista, realizar tareas de policía, lo que es habitual en otros ejércitos europeos (véase la Instrucción 3/2015, de la Secretaria de Estado de Seguridad del Ministerio del Interior, por la que se actualizó el Plan de Prevención y Protección Antiterrorista).

a).2. La Guardia Civil tiene sus orígenes en el RD de 28 de marzo de 1844 (Gaceta de Madrid de 31 de marzo) que disponía en su artículo 1º: «*Se crea un cuerpo especial de fuerza armada de infantería y caballería, bajo la dependencia del Ministerio de la Gobernación de la Península, y con la denominación de Guardias civiles*»; y en su artículo 12: «*El cuerpo de guardias civiles en cuanto a la organización y disciplina depende de la jurisdicción militar*». En el mismo sentido el RD de 13 de mayo de 1844, tenido como el «Decreto Fundacional», aseveraba en su artículo 1º: «*La Guardia Civil depende del Ministerio de la Guerra por lo concerniente a su organización personal, disciplina, material y percibo de haberes, y del Ministerio de la Gobernación por lo relativo a su servicio peculiar u movimientos*». La cuestión queda definitivamente aclarada, por si aún hubiera alguna duda, por el artículo 22 de la Ley constitutiva del Ejército de 29 de noviembre de 1878, y la posterior Ley de 15 de marzo de 1940, de reorganización del benemérito Cuerpo de la Guardia Civil.

Sobre los orígenes de la Guardia Civil es muy interesante la obra de LÓPEZ GARRIDO, y en cuanto a su naturaleza las de MARTÍN DELPON y SEDANO LORENZO, FERNÁNDEZ SEGADO, ALZAGA VILLAAMIL y BARCELONA LLOP).

Así pues el punto de partida está en considerar a la Guardia Civil como un Instituto Armado de carácter militar, y así aparece dibujado en los artículos 28 y 29 CE. Coherentemente con ello, el RD 1437/2010, de 5 de noviembre, dispuso que a sus miembros les fuera de aplicación el Real Decreto 96/2009, de 6 de febrero, por el que se aprueban las Reales Ordenanzas para Fuerzas Armadas. Dice así el artículo 2.2 de las dichas Reales Ordenanzas:

> «*Dada su naturaleza militar y la condición militar de sus miembros, estas Reales Ordenanzas serán de aplicación a todos los miembros de la Guardia Civil, excepto cuando contradigan o se opongan a lo previsto en su legislación específica*».

Al análisis de ese texto debe añadirse el de la Disposición Adicional Única de las citadas Reales Ordenanzas, incorporada por el RD 1437/2010, que posee el siguiente tenor:

> «*Limitaciones a la aplicación de las Reales Ordenanzas para las Fuerzas Armadas a los miembros de la Guardia Civil.*
> *Sin perjuicio de lo que dispone el artículo 2.2 de las Reales Ordenanzas para las Fuerzas Armadas que se aprueban en este real decreto, los capítulos I, II, III y V del título IV de estas reales ordenanzas solo serán de aplicación a los miembros de la Guardia Civil en tiempo de conflicto bélico, durante la vigencia del estado de sitio, en cumplimiento de misiones de carácter militar o cuando se integren en unidades militares*».

Pues bien, a la vista de la legislación reguladora de la Guardia Civil, desde su misma fundación, parece evidente que su actividad, y por más que orgánica y disciplinariamente dependan de lo militar, se desarrolla en el ámbito de la seguridad pública, puramente policial, por lo que no quedan integrados en su actividad cotidiana en el ámbito de las Fuerzas Armadas a efectos de la aplicación del artículo 554.1 CP. Desde luego la cuestión tiene trascendencia porque no debe olvidarse que en el caso de los miembros de las Fuerzas Armadas la tipicidad exige que para ser sujetos pasivos idóneos vistan el uniforme, lo que nos llevaría a la conclusión de que si no lo llevaran aun cuando estuvieran en el ejercicio de sus funciones, carecerían de la protección dispuesta en el citado precepto. No entendiéndoles como integrantes de las Fuerzas Armadas el tipo penal de aplicación será el del artículo 550 CP.

Esta idea queda reforzada en el Preámbulo de la LO 2/1986, de 13 de marzo, de Fuerzas y Cuerpos de Seguridad, al decir:

> «Con fundamentación directa en el artículo 104 e indirecta en el artículo 8, ambos de la Constitución, la Ley declara, a todos los efectos, la naturaleza de Fuerzas y Cuerpos de Seguridad que corresponde al Cuerpo Nacional de Policía —nacido de la integración de los Cuerpos Superior de Policía y de Policía Nacional— y al Cuerpo de la Guardia Civil. De la necesidad de dar cumplimiento al artículo 104.2 de la Constitución, se deduce que el régimen estatutario de la Guardia Civil debe ser regulado en la Ley Orgánica de las Fuerzas y Cuerpos de Seguridad. Ello significa que la Guardia Civil, como Cuerpo de Seguridad, sin perjuicio de realizar en determinadas circunstancias misiones de carácter militar, centra su actuación en el ejercicio de funciones propiamente policiales, ya sea en el ámbito judicial o en el administrativo. En consecuencia, sin perjuicio del estatuto personal atribuible a los miembros del Cuerpo de la Guardia Civil —por razones de fuero, disciplina, formación y mando—, debe considerarse normal su actuación en el mantenimiento del orden y la seguridad pública, función en la que deben concentrarse, en su mayor parte, las misiones y servicios asumibles por la Guardia Civil. Con todo ello, se pretende centrar a la Guardia Civil en la que es su auténtica misión en la sociedad actual: garantía del libre ejercicio de los derechos y libertades reconocidos por la Constitución y la protección de la seguridad ciudadana, dentro del colectivo de las Fuerzas y Cuerpos de Seguridad»;

y en el artículo Séptimo.3 de la Ley acabada de mencionar: «*La Guardia Civil solo tendrá consideración de fuerza armada en el cumplimiento de las misiones de carácter militar que se le encomienden, de acuerdo con el ordenamiento jurídico*» (véanse también los artículos noveno, trece, catorce y quince.1 de la Ley de Fuerzas y Cuerpos de Seguridad; los artículos 23 y ss. de la Ley Orgánica 5/2005, de 17 de noviembre, de la Defensa Nacional, y la Ley 42/1999, de 25 de noviembre, de Régimen del Personal del Cuerpo de la Guardia Civil).

a).3. Exige también el tipo que para considerar a un miembro de las Fuerzas Armadas como sujeto pasivo de la acción de este delito es preciso que esté «vistiendo uniforme, [y] estuviera prestando un servicio que le hubiera sido legalmente encomendado».

Sobre la uniformidad en las Fuerzas Armadas véase la Orden DEF/1756/2016, de 28 de octubre, por la que se aprueban las normas de uniformidad de las Fuerzas Armadas.

En cuanto a las misiones encomendadas a las Fuerzas Armadas, establece lo siguiente el artículo 15 de la LO 5/2005, de 17 de noviembre, de la Defensa Nacional:

«1. *Las Fuerzas Armadas, de acuerdo con el artículo 8.1 de la Constitución, tienen atribuida la misión de garantizar la soberanía e independencia de España, defender su integridad territorial y el ordenamiento constitucional. 2. Las Fuerzas Armadas contribuyen militarmente a la seguridad y defensa de España y de sus aliados, en el marco de las organizaciones internacionales de las que España forma parte, así como al mantenimiento de la paz, la estabilidad y la ayuda humanitaria. 3. Las Fuerzas Armadas, junto con las Instituciones del Estado y las Administraciones públicas, deben preservar la seguridad y bienestar de los ciudadanos en los supuestos de grave riesgo, catástrofe, calamidad u otras necesidades públicas, conforme a lo establecido en la legislación vigente. 4. Las Fuerzas Armadas pueden, asimismo, llevar a cabo misiones de evacuación de los residentes españoles en el extranjero, cuando circunstancias de inestabilidad en un país pongan en grave riesgo su vida o sus intereses».*

Vaya en todo caso por delante una aclaración: la contemplación expresa de este supuesto supone un obstáculo —la cláusula tiene efectos obstativos— a que, en el caso de que el integrante de las Fuerzas Armadas no estuviera vistiendo uniforme o no se hallara prestando un servicio «legalmente encomendado» (la contemplación de este requisito es paralela a la exigencia contemplada en el artículo 550.1, II, último inciso, CP de que el funcionario público se hallare «… en el ejercicio de las funciones de sus cargos o con ocasión de ellas»), se pudiera considerar la conducta llevada a cabo por el sujeto activo como realizadora del tipo básico de atentados (la contemplación expresa del supuesto de los integrantes de las Fuerzas Armadas solo puede justificarse por la voluntad del Legislador de excluirlos del precepto general —otras interpretaciones que no consideramos acertadas en TORRES FERNÁNDEZ—, y en consonancia con ello es por lo que se exigen mayores requisitos —forma y competencia— para entenderles como sujetos pasivos del delito; además de lo anterior debe tenerse en cuenta que en este apartado la remisión se efectúa al artículo 550 no solo a efectos de pena sino también de conducta típica, constituyendo la única peculiaridad la de los sujetos pasivos —sin embargo, y como veremos más abajo, en el caso de los números 2 y 3 de este artículo 554 CP, la remisión lo es solo a efectos de pena, pues la conducta resulta descrita en estos últimos ordinales y no hay, por tanto, remisión al 550 en este aspecto). Obviamente lo anterior (es decir, la falta de uniforme o ausencia de competencia en el caso) no impediría que los miembros de las Fuerzas Armadas, y si se cumplen los requisitos típicos, pudieran resultar amparados por lo previsto en el artículo 554.2 CP.

a).4. En cuanto a la pena sucede algo parecido a lo que ocurre, lo que es lógico ya que a ellas se remite, con las dispuestas en el párrafo segundo del artículo 550.2 (y de forma idéntica a lo que sucede en el siguiente apartado): la mayor sanción de una determinada calidad de funcionarios (la autoridad, los diputados, etc.) sobre el «simple empleado público» únicamente puede encontrar explicación en la acentuación del principio de autoridad, lo que no deja de resultar llamativo al venir ese entendimiento de la mano de un Código Penal elaborado con una democracia ya asentada.

a).5. En materia de error es difícilmente concebible uno sobre la cualidad de uniformado del miembro de las Fuerzas Armadas, por obvias razones. Sí pudiera plantearse uno sobre el hecho de que el uniformado estuviera «prestando un servicio que le hubiera sido legalmente encomendado», no obstante, entendemos que existe una presunción favorable (la misma que juega en todo el Derecho Administrativo a favor de la legalidad de los actos) a que las acciones de cualquier uniformado están encomendadas legalmente —esto es, pertenecen a su ámbito de competencia.

b) Las personas que acudan en auxilio de la autoridad, sus agentes o funcionarios. Esta previsión proviene del Código Penal de 1870 (artículo 264, III) y se ha mantenido en los códigos posteriores con escasos cambios, ni siquiera en la redacción. Históricamente en estos supuestos la pena a imponer estaba agravada, tal y como referimos más abajo; sin embargo, en el Código Penal de 1944 —artículo 236, II— resultaba ser la misma que la del tipo básico; lo mismo sucedió con el CP1963 —en idéntico numeral— y con el CP1973; el Código Penal vigente sigue el mismo criterio.

En todo caso, y por lo que se refiere a la previsión sancionadora efectuada en el CP de 1995 tras la desventurada reforma de 2015 —aunque debe señalarse que el inconveniente que indicaremos a continuación se arrastra desde la versión original del CP1995—, nos plantea el problema de que, en realidad, la pena no está determinada en el artículo 554.2 CP. En efecto, en el supuesto de los particulares que acuden en ayuda de las personas referidas en el artículo 550 CP, el tipo remite a las penas del 550 CP, pero ¿a cuál de ellas? Es decir: en el artículo 550 CP se prevén tres penas distintas dependiendo de la calidad del sujeto pasivo (prisión de uno a cuatro años en el caso del sujeto pasivo autoridad, prisión de seis meses a tres años «en los demás casos», y prisión de uno a seis años si el sujeto pasivo fuera «miembro del Gobierno, de los Consejos de Gobierno de las Comunidades Autónomas...»); pues bien, es evidente que no habría que aplicar la recogida en el artículo 550.3 CP (a no ser que el sujeto pasivo fuera miembro del Gobierno, diputado, etc., en cuyo caso la última norma aludida desplazará a la contenida en el artículo 554.2 CP), con lo que quedan dos posibilidades: o entender que la pena que corresponde es la señalada a la autoridad o, por el contrario, la prevista para los agentes o los funcionarios; y desde luego no existe criterio para optar por una u otra, porque es evidente que el particular no es autoridad, pero también lo es que tampoco reúne la cualidad de agente de esta o funcionario público en general. Es cierto que suele darse por sobreentendido que la pena ha de ser la más moderada, la prevista para los funcionarios, pero ¿por qué?, la bondad no suele ser criterio acertado para determinar la pena que en abstracto pudiera corresponder por una conducta. Pues bien, el principio de legalidad de las penas exige que la pena sea cierta, que esté prevista con claridad para el supuesto típico de que se trate, y desde luego no lo está en este caso, por lo que la conclusión solo puede ser una: se conculca el principio de legalidad de las penas en el artículo 554.2 CP, con lo que hay que concluir que al no estar prevista una pena no hay delito; o por mejor decir: la previsión del artículo 554 colisiona de forma grosera con la Constitución.

El mismo problema nos encontramos en el caso del artículo 554.3 b) CP, pues aquí la referencia es al «personal de seguridad privada» respecto del cual cabe hacerse la misma pregunta que en relación a los «particulares» del artículo 554.2 CP ¿Qué pena se impone?, ¿la correspondiente a la autoridad o a los funcionarios públicos? Nuevo caso, pues, de «delito sin pena».

Este problema no se planteaba en los códigos históricos, y ello por una potísima razón: que no se distinguía entre autoridad y simple funcionario a la hora de imposición de la sanción, con lo cual ya se dispusiera una pena agravada (como ocurrió en los códigos penales de 1870, 1928 y 1932) o la misma pena (códigos penales de 1944, 1963 y 1973), la cantidad de sanción estaba perfectamente determinada; pero al diferenciarse —paradójicamente en el llamado «código de la democracia»— entre «autoridad» y «funcionario», la distorsión aparece por seguir empleando idéntica fórmula —la de la remisión al tipo básico.

En segundo término, hay que preguntarse ¿por qué habría de imponerse a los particulares a los que se acometiera la misma pena que a los funcionarios o a la autoridad? A este respecto CUERDA ARNAU y OLLOQUIEGUI SUCUNZA dicen: la equiparación punitiva «no guarda coherencia sistemática con la penalidad general, pues, si se distingue entre funcionarios y autoridades —y, a su vez, entre estas— en atención a la relevancia de las funciones, es obvio que la que desempeña un particular no es equiparable a la de un funcionario o agente, ya que se limita a auxiliar a estos en el ejercicio de sus funciones». Es razonable lo que apuntan las dos autoras citadas, pero es verdad que existen otras perspectivas; en este sentido debe recordarse que —y como ya se indicó— en el CP1870 (también en los de 1928 —artículo 321— y 1932 —artículo 259, II) la previsión consistía, lo que tiene cierta lógica, en la imposición de mayor pena a los que acometieran a particulares que hubieran acudido a auxiliar a la autoridad o a los funcionarios, que si atacaran a estos últimos (artículo 264 último párrafo: «*Se impondrá la pena señalada en el párrafo anterior en su grado máximo a los culpables, cuando hubieren puesto manos en las personas que acudieren en auxilio de la Autoridad...*»).

En este sentido no le asiste la razón, a nuestro entender, a CUERDA ARNAU cuando afirma, reclamando una pena menor a los particulares que a los funcionarios, que «Nuestra tradición legislativa apoya el que se extienda la protección a los particulares que acuden en auxilio de la autoridad, agentes o funcionarios, pero no que se castiguen los atentados contra ellos con la misma pena».

Desde luego el planteamiento del CP1870 (y, tal y como se ha hecho anotar, los de 1928 y 1932), como se acaba de indicar, no está privado de razonabilidad, pues ¿acaso no están los particulares en situación de mayor debilidad que los funcionarios cuando acuden a auxiliar a la autoridad, sus agentes o los funcionarios? ¿No es cierto que los particulares, al realizar la intervención de que se trate, exceden con mucho sus «obligaciones generales»? Es decir, se trataría no de poner el acento en los auxiliados ni en la relevancia de las funciones de estos, sino, cambiando de perspectiva, en el auxiliador, lo que consideramos más adecuado.

En cualquier caso, ya sea aceptando la posición de CUERDA ARNAU y OLLOQUIEGUI SUCUNZA o la que desde aquí se patrocina, es razonable afirmar que la construcción de la pena que ha efectuado el Legislador es, justamente, la menos afortunada.

c) Bomberos o miembros del personal sanitario o equipos de socorro que estuvieran interviniendo con ocasión de un siniestro, calamidad pública o situación de emergencia, con la finalidad de impedirles el ejercicio de sus funciones.

No debe olvidarse que en este caso no se trata, de la misma forma que sucede en el anterior y al contrario de lo que ocurre con el contenido del artículo 554.1, de una mera remisión a las penas del artículo 550 CP, sino que la misma conducta se separa de la prevista en este último artículo citado. En efecto, en este precepto [artículo 554.3 a) CP] el comportamiento sancionado consiste en acometer, emplear violencia o intimidar gravemente (en el artículo 554.2 no se exige gravedad en la intimidación), mientras que en los atentados del artículo 550 la conducta es la que realizaren «los que agredieren o, con intimidación grave o violencia, opusieren resistencia grave a la autoridad, a sus agentes o funcionarios públicos, o los acometieren».

El análisis de estos sujetos resulta más compleja por lo siguiente: 1°) Porque al estar delimitados los sujetos no solo por el hecho de ser o no bomberos sin exigir la condición de funcionarios, etc., sino también por estar desarrollando una determinada actividad, resultará que sujetos pasivos lo serán no solo, y a diferencia de lo que sucede en el artículo 550 CP, los funcionarios sino cualquier profesional de los señalados en el tipo que esté realizando las funciones mencionadas en la figura delictiva. 2°) Si un bombero, funcionario público (y con las limitaciones derivadas de la descripción de la conducta en el precepto) resulta intimidado mientras interviene con ocasión de un siniestro, etc., quedará cubierto por el tipo del artículo 554.3 CP; sin embargo, si el acometimiento se produce fuera de ese marco pero con ocasión de su pasada intervención en él, se integrará la conducta en el artículo 550.1, II CP, mas si el acometido es, en las mismas últimas circunstancias mencionadas, un bombero no funcionario, no quedará tutelado por norma penal especial alguna (debiendo derivarse la calificación, en su caso, a lo previsto en el artículo 147 y ss. CP).

c). 1. Los servicios de extinción de incendios (e intervención en otro tipo de siniestros, catástrofes o calamidades públicas) pueden ser prestados tanto por las Administraciones Públicas con su propio personal (empleados públicos), como por empresas privadas a las que se haya encomendado la gestión del servicio público de extinción (la corriente privatizadora llegó también —tal y como se indicó más atrás— a este esencial servicio, especialmente, pero no solo, en el ámbito forestal), por voluntarios que han llegado a constituir servicios de bomberos con tal carácter (no obstante, en el caso de «bomberos espontáneos» que hubieran acudido a prestar auxilio a funcionarios-bomberos que estuviesen desempeñando las funciones propias del cargo y fueren agredidos, se aplicará el artículo 554.2 CP) o bomberos de empresa. Pues bien, a diferencia de lo que sucede en otros países, en España no existe una regulación general de los servicios de extinción de incendios al no tratarse esta de una competencia estatal, hallándose su reglamentación en normas autonómicas (verbigracia, Ley 5/1994, de 4 de mayo, de regulación de los servicios de prevención y extinción de incendios y de salvamentos de Cataluña, y Ley 3/2010, de 18 de febrero, de prevención y seguridad en materia de incendios en establecimientos, actividades, infraestructuras y edificios, de Cataluña) o, sobre todo, municipales (véase en este último sentido, y por todos, el Reglamento del Cuerpo de Bomberos del Ayuntamiento de Madrid, de 27 de julio de 1984, en la medida en que se trata de un servicio municipal obligatorio para determinados municipios en razón de su población ex artículo 26 de la Ley 7/1985, de 2 de abril, de Bases de Régimen Local). Ello, desde luego, no impide la delimitación conceptual de quién sea bombero, pues tendrán este carácter aquellas personas cuya función, y más allá de la naturaleza de su vinculación con el empleador y de quién sea este, consista en atender, por lo que importa a la norma penal, siniestros, calamidades colectivas o situaciones de emergencia que requieran su especializado trabajo (desde un punto de vista puramente lingüístico la Real Academia define al bombero como «Persona que tiene por oficio extinguir incendios y prestar ayuda en otros siniestros». Con carácter general, sobre el fuego como problema jurídico puede verse TOLIVAR ALAS). Es decir, que la definición se verá acotada por la función y no por la calidad funcionarial tal y como sucede en otros supuestos en los delitos de atentado.

En materia de bomberos voluntarios está especialmente reconocido —por ser, además, el primero— el denominado en su fundación «Cuerpo de Bomberos Voluntarios de Santander», creado tras la tragedia ocasionada por la explosión del vapor «Cabo Machichaco» (que trasladaba, en navegación de cabotaje, explosivos —que no declaró como estaba preceptuado en el amarre— para actividades mineras), el 3 de noviembre de 1883, que causó cerca de seiscientos muertos, entre ellos buena parte de las autoridades civiles y militares de Santander —incluido el Gobernador Civil—, y un número elevadísimo de heridos, amén de cuantiosísimos daños materiales en las edificaciones cercanas al puerto de amarre y que hizo desaparecer el centro histórico de Santander. En fin, son numerosas las normas autonómicas que contienen regulación de los cuerpos de bomberos voluntarios, pero valga por todas la cita del artículo 10 de la Ley 1/2007, de 1 de marzo, de Protección Civil y Gestión de Emergencias de Cantabria.

En todo caso y más allá de los cuerpos de voluntarios, no debe olvidarse que diferente normativa, tanto estatal como autonómica e incluso municipal, establece para los simples ciudadanos la obligación, en determinados casos, de auxiliar a los miembros de los servicios de extinción de incendios en la realización de sus labores (en este sentido, véase el artículo 10 de la Ley 1/2013, de 7 de marzo, de Regulación y Coordinación de los Servicios de Prevención, Extinción de Incendios y Salvamento de Aragón, o 3 de la Ley 5/1994, de 4 de mayo, de regulación de los servicios de prevención y extinción de incendios y de salvamentos de Cataluña). Desde luego que el cumplimiento de esta obligación no convierte a los particulares en «bomberos», pero explica convincentemente la previsión normativa a la que se refiere el artículo 554.2 CP.

El problema se puede plantear cuando «bomberos espontáneos» acuden en ayuda no de «bomberos funcionarios» sino de bomberos voluntarios, privados o de empresa, y aquellos son agredidos. En esos casos no es de aplicación el artículo 554.2 CP, por no pertenecer ninguno de los integrantes de estas categorías de bomberos a la función pública, con lo que se produce un evidente sinsentido.

Con diferentes denominaciones, dependiendo de las autonomías, se suelen denominar a las personas que ejercen labores de bomberos de empresas; véase, por ejemplo, el artículo 48 de la Ley 2/2002, de 11 de noviembre, de Gestión de Emergencias en Andalucía, en donde se les denomina «agentes de emergencia de empresa» (sin embargo, en el Decreto 158/2014, de 6 de octubre, del Gobierno de Aragón, por el que se regula la organización y funcionamiento de los Servicios de Prevención, Extinción de Incendios y Salvamento de la Comunidad Autónoma de Aragón, se les denomina «bomberos de empresa», y se les define —artículo 4— como «… aquellos empleados ligados laboralmente a las empresas del ámbito industrial y, en general, aquellos que tengan como finalidad prestar un servicio de prevención y extinción de incendios en el marco de un plan de prevención o autoprotección»).

Dicho lo anterior, el ejercicio de competencias estatales en la regulación de otros sectores de actividad puede provocar el dictado de normas estatales que afecten a la materia; véanse, a título únicamente de ejemplo, las siguientes: Ley 38/1999, de 5 de noviembre, de ordenación de la edificación; Ley 21/1992, de 6 de julio, de Industria; Real Decreto 2267/2004, de 3 de diciembre, por el que se aprueba el Reglamento de seguridad contra incendios en los establecimientos industriales; Real Decreto 1942/1993, de 5 de diciembre, por el que se aprueba el Reglamento de las instalaciones de protección contra incendios; Real Decreto 314/2006, de 17 de marzo, por el que se aprueba el Código técnico de la edificación, y un interminable etc.

c).2. «Personal sanitario». Resulta habitual partir para definir esta expresión del concepto que proporcionara, ya hace más de una década, la Organización Mundial de la Salud: «la expresión "trabajador sanitario" se aplica a toda persona que lleva a cabo tareas que tienen por principal finalidad promover la salud» (*Colaboremos por la salud. Informe sobre la salud en el mundo. Organización Mundial de la Salud. 2006*). Pues bien, a efectos puramente formales la legislación española ha venido diferenciando tradicionalmente entre «personal no sanitario» al servicio de las instituciones sanitarias [Véase Orden de 5 de julio de 1971, del

Ministerio de Trabajo, por la que se aprueba el Estatuto de Personal no Sanitario al Servicio de las Instituciones Sanitarias de la Seguridad Social (norma derogada por la Disposición Derogatoria Única de la Ley 55/2003, de 16 de diciembre, del Estatuto Marco del personal estatutario de los servicios de salud)], que estaría compuesto por sujetos cuya labor no inciden directamente, aunque sí indirectamente, en la salud, y personal sanitario que, a su vez, se diferenciaba en personal médico [Decreto 3160/1996, de 23 de diciembre, del Ministerio de Trabajo, por el que se aprueba el «Estatuto Jurídico del Personal Médico de la Seguridad Social» (norma derogada por la Disposición Derogatoria Única de la Ley 55/2003, de 16 de diciembre, del Estatuto Marco del personal estatutario de los servicios de salud)] y de enfermería y auxiliares de clínica [Orden de 26 de abril de 1973 por la que se aprueba el Estatuto del personal Auxiliar sanitario titulado y Auxiliar de clínica de la Seguridad Social (norma derogada por la Disposición Derogatoria Única de la Ley 55/2003, de 16 de diciembre, del Estatuto Marco del personal estatutario de los servicios de salud)]. La Ley 55/2003, de 16 de diciembre, diferenció, más sencillamente, entre «personal estatutario sanitario» y «personal estatutario de gestión y servicios» (artículos 6 y 7 de la citada Ley). Pero más allá de estas clasificaciones administrativas que se concibieron a otros efectos, se han de tener en cuenta dos consideraciones: 1º) Que la actividad médica se ha ido, en los últimos tiempos, tecnificando, y hoy inciden directamente en la salud profesionales que eran considerados «no sanitarios» hasta hace escaso tiempo, al punto de que poco a poco los ingenieros y otro personal técnico similar van a ir poblando cada vez más los quirófanos; 2º) Que la decisión sobre lo que sea «personal sanitario» a efectos del tipo hay que tomarla teniendo en cuenta otros criterios hermenéuticos, como el contextual o el teleológico (aunque siempre con la mordaza de la letra de la ley, que no debe ser sobrepasada).

Pues bien, en atención a lo anterior por «personal sanitario» debe entenderse todos aquellos sujetos encargados de «llevar ayuda sanitaria» en las situaciones a las que se refiere el tipo: siniestro, calamidad pública o situaciones de emergencia. En este sentido, «personal sanitario» no será únicamente el facultativo sanitario (o, también, personal de enfermería o auxiliares de clínica), sino también todos aquellos integrados en un equipo sanitario encargado de hacer llegar el auxilio necesario a los lugares donde se precise; es decir: lo sería también el conductor de la ambulancia o el del helicóptero que tiene la encomienda de hacer llegar personal o equipamiento al lugar de la emergencia. De otra forma entendido resultaría que los que realizaran una labor absolutamente impeditiva —a través de la fórmula típica— en relación al auxilio (obstaculizando, por ejemplo, que el conductor de un vehículo sanitario transporte a donde resulte preciso bolsas de sangre absolutamente necesarias para el salvamento de vidas humanas) no fueran castigados a tenor de este precepto (con independencia de que realizaran otros tipos penales), y el que llevara a cabo una obstaculización menor (acometimiento a uno de los miembros del equipo que esté «actuando sobre el terreno» pero que no constituya un obstáculo insalvable para que por este mismo u otros miembros del equipo sanitario se preste el auxilio necesario) sí resultara penado. Esa conclusión, teniendo en cuenta el bien jurídico protegido, que incluye particularmente la prestación de ayuda por los sujetos pasivos reclamados en el tipo, no sería admisible.

Ciertamente cabe una interpretación alternativa que nos llevaría a los mismos resultados: se trataría de imponer un concepto estricto, restrictivo, de personal sanitario (adhiriéndonos a uno según el cual personal sanitario solo es aquel que lleva a cabo tareas que inciden directamente en la salud), y acoger a todas aquellas personas que indirectamente inciden sobre la salud (los conductores de vehículos sanitarios, por ejemplo) en el de «equipos de socorro». No obstante, considero preferible la interpretación que hemos proporcionado anteriormente, y ello porque en la expresión «equipos de socorro» no solo se integran los que realizan actividades tendentes a proteger la salud, sino también los que llevan a cabo acciones dirigidas a la protección de otros bienes jurídicos como puede ser el patrimonio.

Tampoco en este caso, al igual que sucedía con los bomberos, existe limitación de los sujetos pasivos a los que sean funcionarios públicos, y por idénticos motivos que en aquel caso.

c).3. «Equipo de socorro». Por «socorrer» se entiende «ayudar, favorecer en un peligro o necesidad» (RAE), «ayudar a o auxiliar a alguien que se encuentra en un peligro o necesidad apremiante» (MARÍA MOLINER), y, obviamente, «equipo de socorro» significa «grupo de personas que ayudan en situaciones de peligro o necesidad». La referencia no es a personas que individualmente estén ayudando, auxiliando, sino que la expresión utilizada en el tipo llama a lo estructural, a lo conformado grupalmente, lo que significa que el individuo aislado que presta socorro ante alguno de los acaecimientos a los que más abajo haremos referencia, no se constituye en sujeto pasivo idóneo de la acción de este tipo delictivo, con las mismas consecuencias que apuntamos más atrás referidas al «bombero individual».

Lo relevante en este caso es que ese «socorrer», y como ya apuntamos más arriba, no solo se dirige al auxilio a la salud de las personas sino también a cualquiera otra prestación, patrimonial o de otro tipo (es equipo de socorro el que auxilia a una persona que está viendo inundada su casa por una calamidad pública —inundación, por ejemplo—); y como en el caso de los bomberos o personal sanitario, sujetos pasivos pueden ser tanto los que revisten la condición de funcionario como los que no, y también en este supuesto hay que anotar que equipos de socorro se pueden conformar tanto desde el ámbito público (la Unidad Militar de Emergencia es, actualmente, el más caracterizado y respetado en nuestro país) como del privado, tal cual es la empresa (es habitual que en determinado tipo de industria existan equipos de socorro específicos, y así se contempla, incluso, en convenios colectivos —por todos, sirva el de la empresa Alstom Transporte,

SA. Unidad TLS, correspondiente al período 2013-2017), o también eventuales «equipos de socorro» (es decir, agrupación de personas que tienen una finalidad) conformados voluntariamente. Pues bien, solo podrán ser sujetos pasivos del delito las personas que formen parte de esas características agrupaciones.

c).4. Se exige en el tipo que los dichos sujetos pasivos estuvieran interviniendo en un «siniestro, calamidad pública o situación de emergencia». La referencia a «siniestro o calamidad colectiva» es la habitual en las reglamentaciones de bomberos cuando se refieren a los casos en los que está justificada la actuación de estos últimos; así, por ejemplo, en el artículo 1°.4 del Reglamento del Cuerpo de Bomberos del Ayuntamiento de Madrid de 27 de julio de 1984. Sin embargo, no es habitual una definición de lo que pueda entenderse por «siniestro o calamidad pública», y tampoco por «situación de emergencia», que es el tercero contemplado en el tipo del artículo 554.3 a) CP.

En todo caso debe adelantarse la justificación de esta tipología que responde a la mayor debilidad que, en las circunstancias a las que se refiere la figura delictiva, presentan los sujetos pasivos frente a acciones externas de agresión, ello unido a la sensación de inseguridad colectiva que se desata en situaciones de calamidad pública (hay muchos relatos de semejantes situaciones, valga por todos el de FERNÁNDEZ BASURTE en el que se refleja correctamente la aludida situación de inseguridad colectiva), emergencia o siniestro. Ciertamente, y dejando de momento a un lado las diferencias en la conducta típica entre el delito de atentado del artículo 550 CP y este del artículo 554.3 a) CP, debe decirse que del mismo modo que en el viejo, y ahora derogado, artículo 432 CP la realización de la conducta en situación de calamidad pública habría debido de llevar a la agravación de la pena, y la misma consideración debe hacerse en relación a los siniestros o a las situaciones de emergencia.

Debe significarse, además, que para ser sujeto pasivo el sujeto debe estar «interviniendo» en las situaciones (siniestro, calamidad o emergencia) a las que nos estamos refiriendo. La exigencia típica nos plantea el problema de qué sucede si el sujeto no está aún interviniendo materialmente (no está auxiliando, por ejemplo, en el caso concreto) sino que simplemente se «dirige» a intervenir (el supuesto de interceptación de un vehículo de socorro antes de llegar al lugar donde se le reclama). Pues bien, se entiende que intervenir constituye una acción que no solo abarca el hecho material de estar actuando sobre personas o cosas, sino que «intervenir» también implica dirigirse hacia el punto «de conflicto», tanto es así que, incluso, la mera distribución de efectivos hacia una zona o un punto determina que los efectivos sobrantes sean desviados hacia otro lugar.

Por lo que se refiere a la expresión «siniestro», la RAE lo define, en la acepción que nos interesa, como «suceso que produce un daño o una pérdida material considerables». Se trata de una acepción muy influida por su utilización en el ámbito de los seguros, que lo refieren a esa producción de acaecimientos (sucesos, pues) que se concretan en la producción de daños o pérdidas (en su caso garantizados en las pólizas) «que dan lugar a la reclamación», que es lo propio de la rama del seguro (STS, Sala 1ª, 4 de junio de 2008). En todo caso, y si nos atenemos a su etimología (siniestro viene del latín *sinister*, que significa izquierda, siniestra), y tomando a su contrario, «diestra», como lo pertinente, lo correcto, resultará que «siniestro» identifica lo negativo, lo in-correcto; y ese es el significado de «siniestro», el acaecimiento negativo, perjudicial, dañino, en referencia a cualquiera cosa. Sin embargo, está claro que en el caso del Diccionario de la RAE los daños o pérdidas están limitados en cuanto a su objeto, pues tienen un carácter claramente material que podríamos identificar con lo patrimonial; más en el mundo de los seguros, por el contrario, el siniestro tendrá una naturaleza material, personal o de otro carácter dependiendo del riesgo que se haya asegurado, que puede ser de cualquier índole sin más limitaciones que las contempladas en la Ley 50/1980, de 8 de octubre, del Contrato de Seguro.

En el artículo 554.3 a) CP no existe ningún término incorporado a la conducta típica que nos lleve a considerar que el siniestro deba referirse a un campo particular, de lo que se deduce que podrá referirse a cualquiera contingencia con la única limitación de lo que pueda deducirse de los significantes «calamidad pública» o «situación de emergencia».

c).5. Por lo que importa a la dicción «calamidad pública», se trata de un concepto ya empleado en otras ocasiones en el CP, en concreto, y dejando al margen referentes más remotos, en el viejo delito de malversación del artículo 432.2 CP con anterioridad a la reforma de 2015, en el que se disponía una agravación si lo malversado estuviera destinado a aliviar alguna calamidad pública. Se trata de un término de difícil definición pero que se ha intentado conceptualizar en algún texto normativo, así en la Exposición de Motivos de la, ya derogada, Ley 2/1985, de 21 de enero, de Protección Civil, se hablaba de «calamidad pública o catástrofe extraordinaria, en la que la seguridad y la vida de las personas pueden peligrar y sucumbir masivamente». La Ley Orgánica 4/1981, de 1 de junio, de los estados de alarma, excepción y sitio, nos permite acercarnos más al concepto al analizar su artículo 4: «*Catástrofes, calamidades o desgracias públicas, tales como terremotos, inundaciones, incendios urbanos y forestales o accidentes de gran magnitud*». En este mismo sentido el Real Decreto 1673/2010, de 4 de diciembre, por el que se declara el estado de alarma para la normalización del servicio público esencial del transporte aéreo, se refiere a «*calamidad pública de enorme magnitud por el muy elevado número de ciudadanos afectados, la entidad de los derechos conculcados y la gravedad de los perjuicios causados*». Por otro lado, el Diccionario de la RAE se refiere a: «desgracia o infortunio que alcanza a muchas personas» (a «infortunio y desdicha grande» se refiere Sebastián COVARRUBIAS en su *Tesoro de la lengua castellana o española*). Pues bien, pareciera que elemento común a todas estas caracterizaciones es la idea de múltiples afectados y gran magnitud del hecho en sí mismo considerado; de ahí, precisamente, las alusiones a terremotos, incendios o inundaciones. Pero, además, la misma ejemplificación a la que se acude en la LO 1/1981 (terremotos, inundaciones, etc.) pone de relieve no solo la excepcionalidad de los hechos, sino también lo sorpresivo (o inhabitual o infrecuente) de los mismos, por ello esta nota debe incorporarse, también, a la posible definición. Finalmente, la dicción del tipo (la exigencia de que la calamidad sea «pública») determina que resulte afectado un numeroso grupo de personas.

De todo lo anterior puede deducirse que «calamidad pública» es aquel acaecimiento imprevisto originado por cualquier causa que tiene virtualidad para alterar gravemente las condiciones de vida, sociales, económicas o medioambientales, con posible afectación a un elevado número de personas.

De todas formas, el entendimiento como sinónimos de los términos «calamidad pública» y catástrofe es común en no pocos textos normativos. Véanse en este sentido, los artículos: 1.2 del Decreto 130/2012, de 31 de mayo, por el que se establecen los precios públicos por los servicios de rescate prestados por la Consellería do Medio Rural e do Mar, de Galicia; 27 f) de la Ley del Parlamento Vasco 4/1992, de 17 de julio, de policía del País Vasco; 11.1 i), 38.3 b) y 53.1 f) de la Ley 2/1986, de 13 de marzo, de Fuerzas y Cuerpos de Seguridad, etc. En el caso de la Ley 1/2007, de 1 de marzo, de Protección Civil y Gestión de Emergencias de Cantabria, los dichos términos se utilizan en algún caso con contenido distinto [artículos 1.2 y 2ª)], en otros como sinónimos [artículo 2 b) y 3 c)], en otros terceros el de calamidad pública como sinónimo, pero de «grave riesgo» (artículo 1.2) …, en fin, que la precisión conceptual no parece uno de los objetivos de los redactores de las leyes sobre la materia.

c).6. Por «emergencia» se entiende, según el Diccionario de la RAE, «suceso, accidente que sobreviene» y «situación de peligro o desastre que requiere una acción inmediata»; para MARÍA MOLINER se trata de un «accidente o caso imprevisto» (otra cosa son los «códigos de emergencia» de los cuales, históricamente, los más conocidos son CQD —Come Quickly, Distress—, posteriormente sustituido por el SOS —siglas que no tienen un significado concreto— y MAYDAY —que proviene de la expresión francesa *m'aidez*). Dos notas se extraen, pues, de lo anterior: lo imprevisto (accidente) y la necesidad de acción rápida para neutralizar o aminorar la situación.

Esta definición se compadece perfectamente con la recogida en los planes de, precisamente, emergencia preparados en las comunidades autónomas; valga por todas la proporcionada por el Servicio Vasco de Salud https://www.osakidetza.euskadi.eus/contenidos/informacion/hd_publicaciones/es_hdon/adjuntos/GuiaSL05c.pdf): «Emergencia es una situación imprevista que por la posibilidad de producir daños a personas, instalaciones y/o procesos, requiere una acción inmediata y urgente para prevenir, paliar o neutralizar las consecuencias que se pudieran ocasionar».

Particularmente interesante es la definición de «emergencia» que se contiene en el artículo 2 de la Ley 30/2002, de 17 de diciembre, de protección civil y atención de emergencias de Aragón: «suceso o accidente que sobreviene de modo imprevisto, afectando a la integridad física de las personas o a los bienes, de modo colectivo o individual, y que, en ocasiones, llega a constituir una catástrofe o una calamidad» (la conexión o proximidad semántica de este concepto con los de «catástrofe» o «calamidad» resulta especialmente interesante).

En realidad, las diferencias entre «siniestro», «calamidad pública» y «emergencia» son muy lábiles, de modo que estas voces podrían englobarse en un solo término, pero al esfuerzo del Legislador hay que responder también con uno similar de conceptuación. Así podemos decir que mientras «siniestro» y «emergencia» se refieren más a ocurrencias concretas, individuales o afectantes a un número limitado de personas (o bienes), «calamidad pública» obedece más a la antigua terminología de «grandes estragos», con afectación a una multitud de personas y que puede gravitar sobre la vida, la situación económica, social, etc.; por otra parte «emergencia» abarca no solo hechos sucedidos sino, y a diferencia del «siniestro», situaciones de peligro para personas o bienes; además los siniestros y las situaciones de emergencia pareciera que poseen un ámbito de afectación menor que la «calamidad».

8. El hallarse en el ejercicio de sus funciones o con ocasión de ellas

Esta exigencia aparece por primera vez en la modificación introducida en el CP1848 por el RD de 7 de junio de 1850, aunque con algunas diferencias respecto al texto del vigente artículo 550.1, I CP. En efecto, el artículo 189.1 incorporado al CP1848 decía:

> «...cuando aquella o estos ejercieren las funciones de su cargo, y también cuando no las ejercieren, siempre que sean conocidos o se anuncien como tales...».

Cuando RODRÍGUEZ DEVESA comenta la fórmula empleada en el CP1973, en todo idéntica a la actual (hallarse «...en el ejercicio de las funciones de sus cargos o con ocasión de ellas»), decía: «[N] o imprimiendo carácter la condición de funcionario es obvio que no es tal cuando no se halla en el ejercicio de sus funciones» (en el mismo sentido, pero a finales del siglo XIX, ya había dicho GARCÍA ROMERO DE TEJADA que el tipo exige que la acción se realice en el ejercicio del cargo para evitar un injusto privilegio). Este criterio interpretativo, sobre el que volveremos más adelante, no era aplicable a la reforma de 1850, pues es obvio que en ese momento se entendía que el ser funcionario imprimía carácter, pues no de otra manera se podría entender que el delito de atentado se cometiera por el mero hecho de realizar la conducta típica sobre persona cuya condición de funcionario fuera conocida; por ello más atrás suscribíamos la idea de que el principio de autoridad era objeto de protección típica en aquel Código.

Sin embargo, y a partir del CP1870, la observación del último autor citado cobra toda su actualidad, ya que en este último Código la referencia es, exclusivamente, a «*...cuando se hallaren ejerciendo las funciones de sus cargos o con ocasión de ellas*», y así ha llegado al vigente artículo 550 CP. Pues bien, por hallarse «en el ejercicio de las funciones» debe entenderse, como hizo prontamente la Jurisprudencia del Tribunal Supremo en la interpretación del CP1870, estar tomando acuerdos o realizando actos comprendidos en el orden de atribuciones que a cada autoridad o agente les corresponda (SSTS 6 de noviembre de 1888, 2 de abril de 1890, 10 de diciembre de 1896, 13 y 15 de noviembre de 1900, 25 de febrero de 1903, y un largo etcétera).

En realidad, la verdadera clave de este inciso está en la interpretación de lo que deba entenderse por «*o con ocasión de ellas*». Pues bien, para la STS 338/2017, de 11 de mayo, esa expresión significa: «que el hecho haya sido motivado por una actuación anterior en el ejercicio de tales funciones» (o «en consideración a las mismas», apunta la STS 57/2010, de 2 de febrero); y en el mismo sentido abundan las siguientes resoluciones del Alto Tribunal: SSTS 199/2015, de 30 de marzo; 580/2014, de 21 de julio; 328/2014, de 28 de abril, y 1010/2009, de 27 de octubre, entre otras muchas.

En alguna resolución, es el caso de la STS 153/2012, de 2 de marzo, sin embargo, esa expresión se entiende como que «es el correcto ejercicio de sus funciones y de lo que representan lo que preocupa al legislador al tipificar estas conductas». Pues bien, entendemos que en esta ocasión la interpretación de la Sala 2ª no es la más acertada, y que en realidad está mezclando erróneamente distintas perspectivas; en efecto, una cosa es que el Legislador conceda la protección únicamente a cuando el sujeto esté ejerciendo las funciones del cargo, y otra muy diferente que esa tutela solo actúe cuando el funcionario se mantenga en la corrección del ejercicio de las funciones (cuestión sobre la que volveremos más abajo). Por lo que se refiere a la alusión de que la protección se extienda a «lo que representa» el funcionario, baste con indicar que eso era así, tal y como hemos señalado, en el CP1848 tras la reforma de 1850, pero que desde el CP1870 tal interpretación no es acogible.

RODRÍGUEZ DEVESA apunta que «La razón de que se prolongue la tutela penal más allá de la esfera de la función estriba en que de lo contrario sería prácticamente inútil, porque bastaría esperar a que el funcionario concluyera para poder satisfacer el resentimiento. Por eso es indiferente que haya cesado definitivamente en el cargo o continúe en él: fuera del ejercicio de sus funciones no es funcionario más que cuando el móvil arranca de ellas».

Algún comentarista de este precepto, como HIERRO, al tiempo de su introducción en el Código, justificaba la redacción diciendo que con la expresión «o con ocasión de ellas» se querían cubrir los casos en los que aún continuando el sujeto siendo autoridad, no la estuviera ejerciendo en el momento en el que se produjo el atentado contra su persona.

Esta idea ha sido acogida por el Tribunal Supremo en su Sentencia 57/2010, de 2 de febrero, que asumiendo la doctrina plasmada en la resolución del Alto Tribunal de 31 de enero de 1990, afirma: «también alcanza el término "con ocasión de ellas" a la protección *post officium*, siempre que las acciones que lesionan el bien jurídicamente protegido se hayan producido *in contemplatione offici*, o sea, por venganza o resentimiento de los actos realizados en cumplimiento de la función, aun cuando hubiese cesado en el desempeño de la misma».

Se trata esta de una doctrina ya asentada en el Alto Tribunal, lo que se refleja en la STS de 5 de junio de 1981, en la que se asevera: «[Y] a que nuestro Derecho, hipervalorando la protección penal de la función, admite el atentado *"post officium vel in contemplatione offici"* para extenderla a aquellos supuestos en que las agresiones, producto de la venganza o del resentimiento que surge de la actuación legítima de un agente de la autoridad, se producen cuando este ha cesado en el servicio (Sentencia de 5 de febrero de 1981)».

Mas para que la protección abarque al funcionario resulta razonable exigir que la actuación de este sea «legítima» (que no se «extralimiten en sus funciones», exige no poca Jurisprudencia —por todas SSAP, Madrid, Sección 2ª, 802/2015, de 29 de septiembre, y 15ª, 707/2014, de 22 de septiembre, asimismo Córdoba, Sección 2ª, 107/2008, de 7 de mayo—, pero es esta una invocación con poco contenido pues la cuestión es determinar cuándo puede considerarse que se «extralimitan» en sus funciones, lo que no siempre es sencillo, por ejemplo en los casos de los funcionarios de hecho), lo que se desprende directamente del redactado del tipo, al requerirse que el sujeto actúe «*en el ejercicio de las funciones*» (algún precepto del Código Penal utiliza otra fórmula para referirse al mismo hecho, es el caso del artículo 544 —sedición— que usa la fórmula: «...el legítimo ejercicio de sus funciones...». Pues bien, a nuestro modo de ver la apelación a lo «legítimo» no añade nada, en casos como estos, a la exigencia de que el sujeto se hallara en el ejercicio de las funciones, pues o ese ejercicio es «legítimo» o, sencillamente, no existe el dicho «ejercicio de las funciones»), y es que únicamente actúa en ese «ejercicio» quien observa el título habilitante para la realización de la actividad. En este sentido debe tenerse en cuenta que los poderes públicos han de actuar siempre bajo la cobertura del principio de legalidad (artículos 9.3 y 103 CE), con una norma habilitante, puesto que todas las actuaciones administrativas tienen que ser ejercicio de una potestad normativamente establecida.

Al «título habilitante» pertenece el que el sujeto hubiera realizado, si así se exigiere legalmente, la toma de posesión, promesa, etc., lo que se afirma por la Jurisprudencia ya desde muy antiguo (SSTS de 6 de noviembre de 1888 y 2 de abril de 1890). Hasta el punto de que, si comenzara a ejercer las funciones correspondientes al cargo sin cumplir los requerimientos acabados de aludir, no solo el acto que estuviera realizando el sujeto sería «inexistente» desde el punto de vista administrativo (y no estaría cubierto el sujeto por el delito de atentado), sino que, a su vez, podría estar realizando un ilícito.

En este precepto y a diferencia de lo que sucede en otros supuestos del CP1995, la ley penal no establece criterios para determinar cuándo se está, o cuándo no, en el ejercicio de las funciones.

La cláusula aludida integra un elemento del tipo, debiendo indicarse que una posición distinta nos llevaría a la teoría de los tipos abiertos que ha sido rechazada mayoritariamente por la doctrina. En efecto, en España, y salvo contadas excepciones, se parte de la afirmación de que al tipo han de corresponder todos los elementos que fundamentan positivamente la antijuridicidad, de otra forma entendido se quebrarían las funciones garantizadoras del tipo penal. Esta, creemos, es la posición dogmática correcta y, por lo tanto, la que también se mantiene en estas páginas.

Siguiendo esta dirección sería sencillo descartar, por atípicas, las actuaciones llevadas a cabo en supuestos reconducibles a la nulidad de pleno derecho en el sentido del artículo 47 (aunque se referencia exclusivamente este precepto, debe tenerse en cuenta que otras normas tanto estatales como autonómicas pueden incorporar supuestos de nulidad de pleno derecho) de la Ley de Procedimiento Común de las Administraciones Públicas, puesto que se trata de casos de imposible sanación y por ello la acción de nulidad puede ser ejercida sin límite de plazo.

Decimos que sería «sencillo» en el sentido de, abstractamente, determinar qué actuaciones de un funcionario pueden no considerarse propias del ejercicio de sus funciones, por más que no se nos escapa que la concreta determinación de si estamos o no ante supuestos de nulidad puede ser sumamente dificultosa en no pocos casos. Pero más allá de esto hay que tener en cuenta que la nulidad ex artículo 47 de la Ley de Procedimiento no significa necesariamente la inexistencia del acto administrativo; cuestión distinta sería cuando se acude a las vías de hecho actuando al margen de cualquier potestad administrativa o con grosera prescindencia de sus más elementales exigencias, es decir: actuaciones materiales de la Administración Pública sin la necesaria cobertura jurídica; pues bien, incluso en este caso, en el de las vías de hecho, el artículo 30 de la Ley de la Jurisdicción Contencioso Administrativa establece un régimen particular de impugnación: «*En caso de vía de hecho, el interesado podrá formular requerimiento a la Administración actuante, intimando su cesación. Si dicha intimación no hubiere sido formulada o no fuere atendida dentro de los diez días siguientes a la presentación del requerimiento, podrá deducir directamente recurso contencioso-administrativo*» (sobre las vías de hecho véase, por todos, LÓPEZ-NIETO Y TRUYOLS). Cuestión distinta es la que afecta a los llamados «actos inexistentes» en los que, por sus peculiaridades, ni siquiera gravita sobre ellos la presunción de legalidad (A. NIETO).

Evidentemente, en el caso de que el ataque al sujeto pasivo no esté cubierto por el tipo de atentado porque aquel no se encuentre en el «ejercicio de las funciones de su cargo», se tratará al funcionario como particular, aplicándose, en su caso, los tipos de lesiones, coacciones, etc.

El problema más agudo se planteará respecto a los actos anulables y otros que sin calificarse ni como nulos ni como anulables, supongan abuso de la función (por ejemplo, un comportamiento irrespetuoso), es decir las meras irregularidades.

La ya vetusta STS de 22 de diciembre de 1970, decía: «...pero no pierden su carácter [las autoridades] ni se deja de cometer delito de atentado o desobediencia contra ellos, como en añeja doctrina ha venido estableciendo esta Sala, cuando al ejercitar su función, cometan meras extralimitaciones, excesos o hagan livianamente mal uso de sus atribuciones, pero que le privan o despojan de él, las agresiones ilícitas contra los derechos de los particulares, con uso de la fuerza o violencia innecesarias, sin causa legítima que las justifique, pues en este último supuesto, y solo en él, desafueran, y entonces la fuerza o resistencia empleada contra los mismos no es legítima, pues la grave extralimitación autoritaria constituye una violencia injustificada contra el ciudadano, permitiendo a este la reacción inmediata o sin solución de continuidad y proporcionada en su legítima defensa».

Pues bien, estas «meras irregularidades» no implican que el funcionario no esté en el ejercicio de sus funciones, puesto que no pueden originar en ningún caso una resolución con efectos de invalidez de lo actuado. El funcionario, así, estará actuando «en el ejercicio de sus funciones» en el sentido del artículo 550.1, I CP1995, y por lo tanto puede ser sujeto pasivo idóneo de la acción del delito de atentado.

Si podrían, sin embargo, estas situaciones alimentar un error del sujeto activo sobre si el sujeto pasivo se encontraba en el ejercicio legítimo de sus funciones, que podría llegar a ser, incluso y dependiendo de la concreta situación, error invencible sobre un elemento del tipo.

Esta idea de que las meras irregularidades (simples extralimitaciones) en el ejercicio de las funciones no privan a la autoridad de la protección que le confiere el delito de atentado, viene siendo sostenida desde antiguo por la Jurisprudencia del Tribunal Supremo, véanse en este sentido las resoluciones de este Tribunal de 7 de noviembre de 1879 y 30 de mayo de 1945; siendo en este sentido muy gráficas las sentencias del Tribunal Supremo de 25 de octubre de 1901 y 28 de octubre de 1903 cuando aluden a lo inane, a los efectos que estamos señalando, de que las autoridades ejercieran sus funciones «en términos descompuestos».

En el caso de los actos anulables nos encontramos ante supuestos que no padecen vicios que hagan imposible su convalidación por el simple consentimiento (falta de impugnación) del sujeto interesado (al contrario de lo que sucede con los actos anulables, y como es conocido, en los nulos de pleno derecho la declaración de nulidad puede realizarse de oficio por ser de orden público, con lo que el consentimiento del sujeto interesado no producirá los mismos efectos que en el caso de los actos anulables), de forma que transcurrido un determinado plazo se convierten en inatacables y habrán de ser considerados como ejercicio legítimo de la potestad de que se trate (en cambio, los actos nulos de pleno derecho no se hacen inatacables por falta de impugnación en un determinado plazo, tal y como se extrae de lo preceptuado en el artículo 106 de la Ley 39/2015, de 1 de octubre, de Procedimiento Administrativo Común de las Administraciones Públicas). A este argumento, a favor de considerar que la anulabilidad no empece para declarar que se está en el ejercicio de las funciones, debería unirse —según el criterio tradicional que ha sido impugnado con razón por la doctrina administrativa moderna— el dato de que así como en el supuesto de la nulidad los efectos de la declaración producirían efectos *ex tunc*, en el de la anulabilidad las consecuencias tendrían lugar únicamente a partir de la declaración (*ex nunc*), por lo que las actuaciones impugnables por anulables tendrían siempre la posibilidad (dependiendo de la impugnación de las mismas) de ser consideradas, a la postre, como (presunción de legalidad de los actos) pertenecientes al ejercicio legítimo de las funciones del empleado público.

De todas formas debe señalarse, y con independencia de lo que se expresará más abajo, que en relación a los posibles efectos *ex tunc* de una declaración de nulidad de un acto, el aumento de la complejidad de la actividad administrativa no solo hace en ocasiones difícilmente alcanzable el desiderátum de retroacción absoluta de los efectos que hubiera podido originar el acto nulo (lo que es fácilmente imaginable), sino que en otras lo hace inconveniente (véase, por ejemplo, la STS, Sala de lo Contencioso, de 14 de julio de 2015 en materia de subvenciones). A lo anterior habría que unir las consecuencias de la primacía del Derecho de la UE (en este sentido STS, Sala de lo Contencioso, 3879/2012, de 33 de mayo).

Y en cuanto a los efectos *ex nunc* ligados a la anulabilidad, y como en el caso anterior, hay que tener en cuenta que la declaración de invalidez de un acto no conlleva automáticamente siempre y en todo caso la cesación en la eficacia del mismo, por más que teóricamente ello sea así.

En cualquier caso entendemos que en este supuesto (y al contrario de lo que mantiene algún autor como JAVATO MARTÍN), es decir: tratándose de acometimientos de particulares a funcionarios, no son aplicables los mismos criterios que en materia de los llamados «mandatos antijurídicos obligatorios» (que a nuestro modo de ver no existen por constituir una verdadera contradicción en los términos, véase en este sentido ÁLVAREZ GARCÍA; en esta misma dirección, aunque con una argumentación y enfoque diferente, señalaba el Diputado D. Cirilo Álvarez durante los debates habidos en 1869 en el Congreso en el trámite de aprobación de la Constitución de 1869: «La obediencia es debida o no es debida: si es debida, exime de responsabilidad, porque si no eximiera de ella sería una verdadera iniquidad: si no es debida, no exime ni en el caso previsto en el artículo constitucional, ni en otro caso cualquiera. Por lo tanto, yo considero un contraprincipio el escribir en la Constitución que la obediencia debida no exime de responsabilidad»). Ello por distintos motivos, en primer término porque en materia de desobediencia de funcionarios (que es el delito donde se plantea expresamente la cuestión de los «mandatos antijurídicos obligatorios») de lo que se trata es de evitar que se integren en el tráfico jurídico administrativo actos ilícitos con esta naturaleza, y por ello se autoriza/obliga a los funcionarios a no ejecutar órdenes manifiesta, clara y terminantemente infractoras de una disposición general; sin embargo, en el caso de los delitos de atentado de lo que se trata es de oponerse a un funcionario que ya está ejecutando el presunto acto ilícito. Esa diferencia entre hacer surgir a la vida un acto administrativo y oponerse al funcionario que ya lo está ejecutando (o lo ha ejecutado), tiene que tener una relevante significación jurídica (especialmente cuando estamos ante la agresión por la pasada realización de actos en el ejercicio de la función —«o con ocasión de ellas»). En segundo lugar, porque en el caso de la desobediencia se está jugando en el ámbito de las relaciones de superioridad (jerárquica o no —competencial), lo que no sucede en materia de atentado. En tercer término, porque fuera de supuestos de legítima defensa o cumplimiento de un deber (lo que deja al margen de contemplación las reacciones por lo que ya ocurrió —«o con ocasión de ellas»— lo que obliga en determinados supuestos a una construcción dogmática diferenciada), es decir: al margen de casos en los que se trata de evitar la consumación de hechos ilícitos, la agresión siempre será típica y antijurídica, sin embargo en los casos de la desobediencia a órdenes contrarias a Derecho en el sentido del artículo 410.2 CP, la conducta será atípica (algunos autores opinan, erróneamente a nuestro parecer, que la desobediencia a órdenes manifiestamente antijurídicas está cubierta por una causa de justificación, pero desde esta posición resulta imposible explicar por qué el Ordenamiento puede considerar típico el desobedecer una orden contraria al Ordenamiento mismo; es decir: por qué se admiten «cláusulas suicidas» en el Ordenamiento Jurídico por lo menos a efectos de tipicidad).

Consecuentemente con todo lo anterior, un error del sujeto sobre el ejercicio de las funciones por parte del sujeto pasivo, constituirá error sobre un elemento típico.

De todas formas, no debe olvidarse que las situaciones pueden llegar a ser muy complejas desde el punto de vista subjetivo. Es decir: puede ocurrir que el sujeto activo agreda al pasivo motivado por la realización por este de actos que aquel cree ha realizado en el ejercicio (legítimo) de sus funciones, cuando posteriormente se declara la invalidez (que provocaría la ineficacia en los términos que correspondieran) de lo actuado; en estos supuestos, y con un juzgamiento posterior a la declaración de invalidez del acto, habrá de concluirse que no había tal ejercicio legítimo de las funciones y, por tanto, tampoco delito de atentado (con independencia de que hubiera podido llegar a haber, verbigracia, delitos de lesiones, malos tratos o coacciones). Pero podría suceder lo contrario, que el sujeto activo de la acción creyera, erróneamente, que el funcionario no estuviera actuando en el ejercicio legítimo de sus funciones sino extralimitándose, cuando sin embargo era así; en este supuesto nos hallaríamos ante un caso de error sobre un elemento típico.

En realidad esa diferenciación en los efectos de la declaración de invalidez —en la ineficacia— de los actos administrativos constituye más un tópico que otra cosa, pues lo trascendental es que se haya expulsado o no un determinado acto del tráfico jurídico, y teniendo siempre en cuenta que el principio de autotutela de la Administración Pública y el de presunción de legalidad de los actos administrativos, van a tener como consecuencia una eficacia inmediata de los dichos actos en cuanto sean dictados; la cuestión será, a continuación, ver cómo se plasma en la práctica y en cada caso esa declaración de invalidez, pues algunos de los efectos de esos actos declarados a posteriori nulos no van a poder ser, sin más, eliminados, por más que toda declaración de invalidez debería tener efectos desde el mismo momento que se haya observado un contraste entre el acto dictado y la norma.

Negar la eficacia ex tunc de la invalidez, con independencia del vicio que dio lugar a su declaración, sería lo mismo que denegar el derecho a la justicia y volver a consagrar las inmunidades del poder (véase en este sentido GARCÍA TREVIJANO GARNICA).

Es decir: la diferencia entre actos nulos de pleno derecho y anulables o de nulidad relativa va a incidir más en el origen y procedimiento para la declaración de su invalidez, su sanación o no, en quién puede impugnarlos, la existencia o no de plazos para hacerlo, etc., que en la ineficacia, a posteriori, de los mismos, y es que el Derecho no puede dar cobertura (principio de legalidad obliga) a actos que contrarían el Ordenamiento Jurídico una vez que la declaración de invalidez haya sido pronunciada.

Como ejemplo de la confusión —y necesaria impugnación— de los efectos tradicionalmente utilizados por la doctrina (ex tunc y ex nunc) para distinguir los actos nulos de los anulables, véase el tenor del artículo 73 de la Ley de la Jurisdicción Contencioso Administrativa (en este sentido ALEGRE ÁVILA).

De ahí que la única diferencia por lo que se refiere a la eficacia entre unos y otros actos es la que se produce entre la invalidez original y la sobrevenida, y en esta última, solo en esta última, la ineficacia no se produce desde que el acto se dictó sino desde el momento en que sobrevino la ilicitud.

Quizá la cuestión principal consiste en precisar si, a efectos penales, en los delitos de atentado hay que sujetarse, en la determinación de si el funcionario se encontraba o no en el ejercicio legítimo de sus funciones, a planteamientos administrativos o a otros propiamente penales. Es decir: si cabe en este caso remitirse a un expediente como el que está en vigor en el caso del delito de desobediencia de funcionarios. En efecto, en el artículo 410 CP se condiciona el surgimiento de la obligación de obediencia a que la orden se hubiera impartido con observancia de los requisitos de forma, competencia y no fuera manifiesta, clara y terminantemente contraria a la norma. En definitiva, la ejecutividad del acto administrativo —esa es la naturaleza de una orden— está sometida por el precepto penal a alguna condición —forma, por ejemplo— que en la teoría de las nulidades administrativas solo podría llegar a dar lugar, en el mejor de los casos, a un vicio que determinara la anulabilidad. Sin embargo, tal diferencia de tratamiento no se presenta en los delitos de atentado, pues el precepto penal ninguna caracterización incorpora a la exigencia de que el funcionario, sujeto pasivo de la acción, «se halle en el ejercicio de las funciones de sus cargos o con ocasión de ellas». En definitiva, la determinación de si el funcionario se encuentra o no en el ejercicio de las funciones del cargo habrá de realizarse de acuerdo, tal y como se hace en este texto, a la normativa administrativa.

Como conclusión de todo lo anterior hay que decir: una resolución de los tribunales de lo contencioso administrativo que fallara en el sentido de concluir que el concreto acto llevado a cabo por el funcionario fuera inválido, implicaría que este no se encontraba en el ejercicio de sus funciones en el sentido del tipo cuando, en relación a ese acto, fue sujeto pasivo de agresión, acometimiento, etc.; ciertamente la consecución de esa declaración de invalidez estaría sometida a distinto régimen dependiendo de que el acto en cuestión fuera nulo o anulable. Pues bien, obviamente el orden jurisdiccional penal no está sometido al régimen administrativo en cuanto al procedimiento para la declaración de invalidez de los actos, más aún: en el análisis de los elementos del tipo tampoco corresponde a esta jurisdicción penal declarar o no, *erga omnes*, inválidos esos actos administrativos, sino que el objeto del proceso en este punto consistiría exclusivamente en resolver sobre si el funcionario en cuestión se hallaba o no en el ejercicio (legítimo) de sus funciones en un particular momento, y ello para decidir si era sujeto pasivo idóneo en el sentido del artículo 550 CP. Todo ello en el bien entendido de que para dilucidar ese aspecto material habría de someterse el Tribunal penal a las normas administrativas, excepto a los límites establecidos en el Ordenamiento administrativo respecto del plazo de impugnación del acto, prescripción, etc., y ello es así, precisamente, porque el objeto de la declaración judicial no es el mismo que en el procedimiento administrativo.

Ciertamente podría ocurrir que en el momento de producirse la agresión el funcionario estuviera excediendo el ejercicio de sus funciones, pero sin embargo el acometimiento trajera causa de un acto anterior realizado, este sí, en el ejercicio de las mismas; pues bien, en este supuesto, evidentemente, no habría problemas para afirmar la realización del tipo.

9. El personal de seguridad privada

9.1. Por tal debe entenderse, y de acuerdo con lo que se preceptúa en el artículo 2.8, de la Ley 5/2014, de 4 de abril, de Seguridad Privada: «*las personas físicas que, habiendo obtenido la correspondiente habilitación, desarrollan funciones de seguridad privada*»; pues bien, la misma Ley en su artículo 2.4 define «funciones de seguridad privada» las «...facultades atribuidas al personal de seguridad privada». Para salir de este «enroque» legal, debe acudirse al artículo 2.1 de la misma disposición que enuncia: Se entiende por seguridad privada: «...*el conjunto de actividades, servicios, funciones y medidas de seguridad adoptadas, de forma voluntaria u obligatoria, por personas físicas o jurídicas, públicas o privadas, realizadas o prestados por empresas de seguridad, despachos de detectives privados y personal de seguridad privada para hacer frente a actos deliberados o riesgos accidentales, o para realizar averiguaciones sobre personas y bienes, con la finalidad de garantizar la seguridad de las personas, proteger su patrimonio y velar por el normal desarrollo de sus actividades*». Conclusión: personal de seguridad privada en el sentido del tipo son las personas físicas integradas en empresas de seguridad, despachos de detectives privados y personal de seguridad privada, que realizan las funciones de seguridad a las que se refiere el artículo 2.1 de la Ley 5/2014.

Pues bien, la primera cuestión a dilucidar es la de si los miembros de la seguridad pueden ser considerados, o no, «agentes de la autoridad».

El precedente histórico de los Vigilantes de Seguridad se encuentra en la RO de 8 de noviembre de 1849 (Gaceta de Madrid de 10 de noviembre), en cuyos artículos 29 y ss. se recoge la creación y disciplina de los «guardas particulares de campo no jurados» y en los 32 y ss. la de los «guardas particulares de campo jurados».

Algunos autores se remontan en antecedentes hasta la Real Ordenanza, dictada por Fernando VI, para el aumento y conservación de montes y plantíos, de 7 de diciembre de 1748 (especialmente en su artículo 25), pero a nuestro entender no es acertada la cita histórica, pues estos «guardas de campo y monte» tenían naturaleza pública y no privada y su objeto era otro. El nacimiento de estos «guardas particulares» estuvo vinculado a la cada vez más apremiante, para los propietarios, defensa de sus fincas, respecto de los campesinos que buscaban el aprovechamiento de tierras no pocas veces incultas, y de las que en no pocos casos habían sido expulsados por la obra desamortizadora.

En todo caso hay que subrayar cómo se ha producido un cambio en el interés económico presente en la creación de esta «vigilancia particular». En efecto, en el origen el objeto de interés radicaba en lo que había que proteger, las tierras, las casas el patrimonio rural, actualmente el objeto económico se ha desplazado a la existencia misma de las empresas de seguridad privada. El negocio está ahí, en la pura generación de empresas de seguridad cuya gestión se ha constituido en una importante fuente de riqueza (y de posibilidad de control del orden público por parte de las élites económicas), especialmente desde que el Gobierno ha decidido continuar con este tipo de actividad su «tarea privatizadora», lo que está suponiendo el progresivo apartamiento de las Fuerzas de Seguridad del Estado de su monopolio en la gestión de derechos fundamentales.

En cuanto a la evolución de la Jurisprudencia sobre la consideración de agente de la autoridad al personal de la seguridad privada, y como señala ROCA AGAPITO, se ha venido negando tal carácter en una evolución que se muestra con claridad en la siguiente resolución de la Sala 2ª de nuestro más Alto Tribunal:

«La jurisprudencia de esta Sala ha venido de antiguo reconociendo la condición de agentes de la autoridad a los guardas jurados (por ejemplo Sentencias de 9 de mayo de 1917, 26 de septiembre de 1969 y 18 de diciembre de 1990), lo que encontró un inicial apoyo en el art. 283.6 de la Ley de Enjuiciamiento Criminal (que los incluía entre los componentes de la Policía Judicial cuando estaban confirmados por la Administración) y aun posteriormente en el art. 18 del Real Decreto de 10 de marzo de 1978, que expresamente les confiere tal carácter, cuando estén en el ejercicio de sus funciones y vistan el uniforme. Sin embargo, más recientemente, ante la proliferación del personal de guardería jurado al servicio de empresas y personas privadas, se puso en duda el valor de la norma últimamente citada y la procedencia de considerar en todo caso a los guardas jurados como agentes de la autoridad, entendiendo que el Real Decreto citado carecía de eficacia, por su inferior jerarquía normativa, para integrar en ese aspecto la norma pena del art. 236 del Código Penal. Cuestión ya resuelta por la última jurisprudencia de esta Sala que, en sus Sentencias de 20 de octubre de 1991 y 6 de mayo y 18 de noviembre de 1992 ha venido a negar el carácter de agentes de la autoridad a los vigilantes jurados de seguridad en base a un triple orden de argumentos: Primero, el de reserva de Ley, según el que el Poder Legislativo puede acordar extender la protección penal, en lo que se refiere al delito de atentado, al personal de la seguridad privada, pero lo que no se puede es suplir la omisión de una ley expresa sobre la cuestión mediante la potestad reglamentaria de la Administración (argumento que hay que utilizar con cautela, en cuanto los preceptos en blanco pueden ser llenados por disposiciones reglamentarias, sin vulnerar ni el principio de legalidad ni el de reserva de Ley, como tiene declarado el Tribunal Constitucional en su Sentencia de 14 de julio de 1987); segundo, el carácter privado de la función realizada, pues si aún sería admisible que tal personal de guardería gozara de tutela penal como agente de la autoridad, por reflejo de la que ostenta quien ejerce jurisdicción y dirige el lugar público donde prestare sus servicios y a cuyas órdenes actúan, no lo es cuando a quien sirven es a una entidad privada, que no posee poderes especiales de organización de orden o policía pública, por lo que ya la Sentencia del Tribunal Constitucional de 29 de octubre de 1979 sentaba que "si los vigilantes se hallaban al servicio de una entidad privada, no puede afirmarse ni reconocérseles la condición de agente de la autoridad"; y tercero y ya definitivo, la Ley de 30 de julio de 1992 sobre Seguridad Privada viene a esclarecer la cuestión y a confirmar lo fundado de los anteriores argumentos al establecer la competencia exclusiva de la Seguridad pública para las Fuerzas y Cuerpos de Seguridad del Estado, mientras las actividades de vigilancia y seguridad de personas o bienes realizadas privadamente por vigilantes de seguridad, escoltas privados, guardas particulares y detectives privados se efectúan fuera de toda consideración como agentes de la autoridad, sin perjuicio de su prestación de servicios complementarios o auxiliares de las Fuerzas de la Seguridad estatal, autonómica o local» (STS de 8 de octubre de 1993). Sentencia que ha sido posteriormente confirmada por otras muchas resoluciones tanto de salas penales (2178/1993, de 8 de octubre; 2785/1993, de 13 de diciembre; 307/2000, de 22 de febrero, etc.) como de lo Contencioso (en este último sentido puede verse la STS de 17 de junio de 2008).

Es a partir de la introducción del texto del artículo 283.Sexto de la Ley de Enjuiciamiento Criminal cuando puede comenzar a cuestionarse si los guardas jurados son o no agentes de la autoridad (hay opiniones que anticipan ese reconocimiento a la RO de 9 de agosto de 1876, por la que se modifica el Reglamento de la Guardia Civil —aprobado por Real Decreto de 2 de agosto de 1852— e introduce una contemplación específica de los «guardas particulares jurados»; sin embargo, nosotros no hemos hallado en la dicha disposición ningún precepto que justifique aquella creencia). Posteriormente, y además de lo citado en un pasaje de la sentencia que en parte reproducimos, otras disposiciones reconocieron expresamente a los Vigilantes Jurados su carácter de «agentes de la autoridad»: en este sentido, Decreto de 4 de mayo de 1946 (BOE 130, de 10 de mayo), por el que se establece un servicio de vigilancia en los establecimientos bancarios (artículo tercero); Decreto 2.488/1962, de 20 de septiembre (BOE 240, de 6 de octubre), por el que se crea el Servicio de Vigilantes Jurados de Industria y Comercio [artículos primero d) y quinto]; Decreto 289/1969, de 13 de febrero (BOE 53, de 3 de marzo), por el que se establece el Servicio de Vigilantes Jurados en las Cajas de Ahorros, Monte de Piedad y Entidades similares (artículo tercero); Ley 1/1970, de 4 de abril, de Caza (donde la referencia es a agentes auxiliares de la Guardia Civil —artículo 40); Decreto 554/1974, de 1 de marzo (BOE 53, de 2 de marzo), sobre medidas de seguridad en Bancos, Cajas de Ahorro y Entidades de Crédito (artículo séptimo); Decreto 1583/] 974, de 25 de abril (BOE 141, de 13 de junio), por el que se crea el Servicio de Guardapescas Jurados Marítimos (artículos 3 y 29); Real Decreto 2113/1977, de 23 de julio (BOE 196, de 17 de agosto), por el que se modifican las normas de seguridad en Bancos, Cajas de Ahorro, Entidades de crédito y establecimientos Industriales y de comercio (artículo tercero); Real Decreto 629/1978, de 10 de marzo (BOE 80, de 4 de abril), por el que se regula la función de Vigilantes Privados de Seguridad (artículos cuarto, séptimo y dieciocho), y el Real Decreto 780/1983. de 30 de marzo (BOE 90, de 15 de abril), por el que se regula el nombramiento y el ejercicio de las funciones de los Guardas Jurados de Explosivos (artículo 9°).

La Ley 23/1992, de 30 de julio BOE 186, de 4 de agosto), de Seguridad Privada, acabó con todo el régimen anterior y habilitó, únicamente, a las empresas de seguridad para prestar ese tipo de servicios, y, además, dejó de considerar agentes de la autoridad al personal de seguridad; en este sentido se expresaba el artículo 1.2 del referido texto legal: «*A los efectos de la presente Ley, únicamente pueden realizar actividades de seguridad privada y prestar servicios de esta naturaleza las empresas de seguridad y el personal de seguridad privada, que estará integrado por los vigilantes de seguridad, los jefes de seguridad y los escoltas privados que trabajen en aquellas, los guardas particulares del campo y los detectives privados*». Desde luego que lo acabado de decir se refiere a la legislación estatal, porque es notorio que en las comunidades autónomas no poca normativa imputa a diversos sujetos el carácter de «agentes de la autoridad» (esto es especialmente notorio en relación a la legislación de caza —véanse, por ejemplo, los artículos 68 y 82.5 de la Ley 4/1996, de Caza, de Castilla y León—, respecto de la cual debe señalarse que sigue en vigor, con obvias modificaciones desde su publicación, la Ley 1/1970, de 4 de abril, de Caza); en todo caso, y en relación a estas calificaciones, debe repetirse lo que ya hemos anotado más atrás: la consideración de agente de la autoridad depende de que el particular sujeto cumpla las exigencias del precepto penal, no bastando —ni por razones de jerarquía normativa ni por materia— la satisfacción de las condiciones que imperen en el precepto administrativo.

Esta consideración, la de negar a los vigilantes de seguridad el carácter de «agentes de la autoridad», se ha mantenido sin fisuras en la Jurisprudencia hasta la actualidad, incluso la lamentable reforma del Código Penal de 2015 no ha hecho más que fortalecer esta idea. En efecto, la decisión del Legislador de mencionar expresamente al personal de la seguridad privada tanto en el artículo 554.3 b) como en el artículo 556.1, último inciso, ambos del Código Penal, pone de manifiesto que no lo considera incluso en el concepto de funcionario, pues de otra forma no hubiera sido preciso citarlo expresamente.

Es oportuno señalar en este momento la falta de corrección de lo afirmado en un pasaje del Preámbulo de la Ley 5/2014, según el cual: «*Otra de las novedades que se incorpora en materia de personal, largamente demandada por el sector, es la protección jurídica análoga a la de los agentes de la autoridad del personal de seguridad privada frente a las agresiones o desobediencias de que pueden ser objeto cuando desarrollen, debidamente identificados, las actividades de seguridad privada en cooperación y bajo el mando de las Fuerzas y Cuerpos de Seguridad*». En efecto, la afirmación de que se equipara en protección jurídica al personal de seguridad privada con los agentes de autoridad, no es de recibo, y no lo es por, entre otras razones, motivos de rango normativo, pues, como ya se ha expuesto reiteradamente más atrás, una Ley ordinaria no puede modificar una Ley Orgánica (cosa distinta es lo ocurrido cuando con la reforma del CP de 2015 se han modificado los artículos 554 y 556).

En todo caso el precepto penal no se limita a mentar expresamente al personal de seguridad privada, sino que exige que se cumplan determinados requisitos para acoger en el tipo a ese personal como sujetos pasivos: 1°) que estén debidamente identificados, y 2°) que estén desarrollando sus funciones en cooperación y bajo el mando de las Fuerzas y Cuerpos de Seguridad.

El artículo 31 de la Ley 5/2014, de 4 de abril, de Seguridad Privada, tiene una redacción del todo idéntica, en este sentido, al referido precepto penal: «*Se considerarán agresiones y desobediencias a agentes de la autoridad las que se cometan contra el personal de Seguri-*

dad privada, debidamente identificado, cuando desarrolle actividades de Seguridad privada en cooperación y bajo el mando de las Fuerzas y Cuerpos de Seguridad». Debe reiterarse en este punto algo que ya se dijo más atrás: la citada disposición administrativa solo tiene incidencia en el ámbito administrativo, y carece de capacidad normativa para modificar el Código Penal.

Sobre la identificación, el Reglamento de la ya citada Ley 5/2014 (aprobado por Real Decreto 2364/1994, de 9 de diciembre —declarado expresamente en vigor por la Disposición Derogatoria de la Ley 5/2014, en todo lo que no se oponga a esta Ley) dice en su artículo 68: «*Identificación. 1. El personal de seguridad privada habrá de portar su tarjeta de identidad profesional y, en su caso, la licencia de armas y la correspondiente guía de pertenencia siempre que se encuentre en el ejercicio de sus funciones, debiendo mostrarlas a los miembros del Cuerpo Nacional de Policía, de la Guardia Civil, y de la Policía de la correspondiente Comunidad Autónoma o Corporación Local, cuando fueren requeridos para ello. 2. Asimismo deberá identificarse con su tarjeta de identidad profesional cuando, por razones del servicio, así lo soliciten los ciudadanos afectados, sin que se puedan utilizar a tal efecto otras tarjetas o placas*»; y el artículo 87 de la misma disposición establece: «*Uniforme y distintivos. 1. Las funciones de los vigilantes de seguridad únicamente podrán ser desarrolladas vistiendo el uniforme y ostentando el distintivo del cargo que sean preceptivos, que serán aprobados por el Ministerio de Justicia e Interior, teniendo en cuenta las características de las funciones respectivas de las distintas especialidades de vigilantes y que no podrán confundirse con los de las Fuerzas Armadas ni con los de las Fuerzas y Cuerpos de Seguridad (artículo 12.1 de la LSP)*».

En todo caso véanse los artículos 22 y ss. de la Orden INT/318/2011, de 1 de febrero, sobre personal de seguridad privada, que poseen la siguiente redacción:

«*Artículo 22. Uniformidad.*

1. La uniformidad de los vigilantes de seguridad se compondrá de las prendas establecidas en el anexo VIII de la presente Orden, que podrá ser modificada por Resolución del Director General de la Policía y la Guardia Civil, ámbito del Cuerpo Nacional de Policía.

2. La composición del uniforme de los vigilantes de seguridad, en cuanto a la combinación de las distintas prendas de vestir, se determinará por cada empresa de seguridad, en función de su conveniencia o necesidades, de las condiciones de trabajo, de la estación del año y de otras posibles circunstancias de orden funcional, laboral o personal. En todo caso, el uniforme, como ropa de trabajo, estará adaptado a la persona, deberá respetar, en todo momento, su dignidad y posibilitar la elección entre las distintas modalidades cuando se trate de prendas tradicionalmente asociadas a uno de los sexos.

3. La posible utilización de otro tipo de prendas de uniformidad deberá ser previamente comunicada a la Dirección General de la Policía y de la Guardia Civil, ámbito del Cuerpo Nacional de Policía, que podrá denegar su utilización.

4. En la uniformidad, en cualquiera de sus modalidades, siempre estarán visibles, al menos, los elementos relativos al distintivo de identificación profesional referido en el artículo 25 de esta Orden, la indicación de la función de seguridad y el escudo-emblema o anagrama de la empresa de seguridad contemplado en el artículo 24 de esta Orden.

5. El color y la composición general del uniforme de los vigilantes de seguridad de cada empresa o grupo de empresas de seguridad privada, con la finalidad de evitar que se confunda con los de las Fuerzas Armadas y con los de las Fuerzas y Cuerpos de Seguridad, necesitará estar aprobado previamente por la Dirección General de la Policía y de la Guardia Civil, ámbito Cuerpo Nacional de Policía, a solicitud de la empresa o empresas interesadas.

6. Todas las solicitudes de autorización y comunicaciones referidas a la uniformidad de los vigilantes de seguridad serán dirigidas a la Unidad Orgánica Central de Seguridad Privada del Cuerpo Nacional de Policía.

Artículo 23. Excepciones al deber de uniformidad.

1. La Dirección General de la Policía y de la Guardia Civil, ámbito del Cuerpo Nacional de Policía, en aquellos servicios que hayan de prestarse en determinados lugares de trabajo que así lo aconsejen, en específicas condiciones laborales que lo requieran, o en circunstancias climatológicas o de especial peligrosidad o riesgo, podrá autorizar el uso de prendas específicas, accesorias o adecuadas al puesto de trabajo, según lo dispuesto en las normas sectoriales o legislaciones especiales en las que se vele por la salud, seguridad o prevención de riesgos en los puestos de trabajo.

2. La solicitud será efectuada por la empresa de seguridad y el distintivo del cargo siempre será visible conforme a lo establecido en el artículo anterior de la presente Orden.

Artículo 24. Escudo-emblema.

Todas las prendas de la parte superior del uniforme, llevarán, en la parte alta de la manga izquierda, el escudo-emblema o anagrama específico de la empresa de seguridad en la que se preste servicio.

Artículo 25. Distintivo.

1. El distintivo de vigilante de seguridad se ajustará a las características determinadas en el anexo IX de la presente Orden.

2. En la parte superior del anverso del distintivo figurará la expresión vigilante de seguridad, o la de vigilante de explosivos, según corresponda, debiendo constar en la parte inferior el número de la habilitación.

3. El distintivo se llevará permanentemente en la parte superior izquierda, correspondiente al pecho, de la prenda exterior, sin que pueda quedar oculto por otra prenda o elemento que se lleve».

En cuanto al desarrollo de las funciones «en cooperación y bajo el mando de las Fuerzas y Cuerpos de Seguridad» (en el mismo sentido se pronuncia el artículo 32 de la Ley de Seguridad Privada), hay que decir que la expresión recogida en el tipo no es puramente programática (en el sentido que recoge el Preámbulo de la Ley 5/2014, cuando dice que la relación entre Fuerzas de Seguridad del Estado y la Seguridad Privada es de cooperación) sino que exige concreción en el caso particular (los tipos penales —los tipos de delitos— no contienen meros principios abstractos, sino que definen particulares comportamientos). Por lo tanto, estuvieran o no presentes en el concreto espacio físico de desarrollo de la conducta miembros de esas Fuerzas de Seguridad, lo fundamental es que las labores que estuvieran realizando los integrantes de la seguridad privada se desarrollaran, en el caso dado, en cooperación con las Fuerzas de Seguridad del Estado y bajo el mando de estas (en este sentido, SAP, Ciudad Real, Sección 1ª, 88/2017, de 12 de junio).

Finalmente subrayar que, en todo caso, el personal de seguridad privada solo podrá ser considerado sujeto pasivo de la acción, y al margen de otros requisitos, cuando desarrollan realmente «actividades de seguridad privada», por lo tanto no se trata de cualquiera de las actividades que pueda estar desarrollando el personal de una empresa de seguridad privada, sino exclusivamente lo que se consideran actos de «seguridad privada», que son «...*el conjunto de actividades, servicios, funciones y medidas de seguridad...para hacer frente a actos deliberados o riesgos accidentales, o para realizar averiguaciones sobre personas y bienes, con la finalidad de garantizar la seguridad de las personas, proteger su patrimonio y velar por el normal desarrollo de sus actividades*». Subrayamos especialmente esta idea porque con cierta frecuencia, y para «escapar» del ámbito más riguroso de la Ley de Seguridad Privada y abonar menor salario al personal implicado, empresas del sector de la seguridad simulan que una determinada actividad no es de seguridad (o sí) cuando en realidad posee otra naturaleza. A este respecto se han pronunciado reiteradamente las salas de lo contencioso, pero por lo que ahora nos interesa valga por todas la argumentación que figura en la SAN, Sala de lo Contencioso, Sección 5ª, de 3 de febrero de 2016, en la que se afirma, remitiéndose a otras resoluciones: «La Sala de lo Contencioso-administrativo de la Audiencia Nacional ha declarado con reiteración, entre otras, en sentencias de 5 de octubre de 2008, Recurso de apelación 52/08, y 28 de octubre de 2009, recurso 91/09, que: "Si bien es cierto que en el plano estrictamente teórico es clara la diferencia entre prestación de servicios de seguridad y tales actividades de la Disposición Adicional Tercera de la Ley 23/1992, de 30 de julio, excluidas del ámbito de aplicación de la Ley, tal diferenciación no es tan sencilla a la hora de verificar en la práctica su contraste, puesto que la mayoría de las veces aquellas actividades se pretenden simular con otras no sometidas a los rigores de la legislación de seguridad privada, entrando en el mercado en una clara competencia desleal con empresas legalmente habilitadas para prestar ese tipo de servicios". Procediéndose, además, a alterar los condicionamientos exigidos por la norma jurídica para que las entidades privadas ejerzan una función, que *prima facie*, es exclusiva del Estado, y en los que el control administrativo ha de ser de especial intensidad como decíamos más arriba. Por ello, la valoración del interprete en orden a la calificación de sí una determinada conducta enjuiciada se incardina o no en el ámbito de la Ley de Seguridad Privada, procede realizar un examen de los elementos fácticos aportados en el expediente administrativo, tales, como lugar y hora de la prestación de servicios, características propias del local o inmueble en que se realizan y actividad a la que se dedica, y por ello, la intensidad de la naturaleza de control y vigilancia que dimana de su propio destino, uniformidad de quienes desarrollan la actividad, y valoración del marco jurídico suscrito entre las partes intervinientes en la conducta enjuiciada».

En conclusión, y como señala la SAP, Málaga, Sección 8ª, 18/2017, de 10 de enero, siendo cierto que todos los vigilantes de seguridad están obligados a colaborar con las Fuerzas y Cuerpos de Seguridad del Estado, tal y como se dispone por los artículos 30 y 31 de la Ley 5/2014, de Seguridad Privada, la existencia de tan abstracta obligación normativa no convierte, automáticamente, a esos vigilantes en agentes de la autoridad a los efectos del artículo 554.3 b) CP, sino que habrá que estar a la concreta tarea que se desenvuelve para dirimir si se están desarrollando o no «actividades de seguridad privada», tal y como establece el precepto legal.

II. ATENTADOS

1. Evolución histórica del delito de atentado

La primera vez que en la codificación española se usa el término «atentado» para designar un determinado tipo de delito es en el Código penal de 1822. Concretamente en el Capítulo VI del Título III «De los delitos contra la seguridad interior del Estado y contra la tranquilidad y el orden público», dentro de su Parte Primera «De los delitos contra la Sociedad», se agrupan una serie de injustos bajo la rúbrica «*De los atentados contra las autoridades establecidas o contra los funcionarios públicos cuando proceden como tales, y de los que usurpan o impiden el libre ejercicio de sus funciones o les compelen en ellas con fuerza o amenaza*». La construcción compleja de la rúbrica del Título evidencia su configuración como delitos de lesa majestad en sentido propio, esto es, en los que se persigue preservar tanto la *dignitas* como la *potestas* estatal (OCTAVIO DE TOLEDO Y UBIETO). Se aprecian así, bajo este enunciado, tres grupos de delitos: los atentados, las usurpaciones de funciones públicas y las conductas que mediatizan la función pública. Mientras en los primeros los ataques se dirigen contra el funcionario, en las dos últimas categorías recaen sobre la función pública misma.

El atentado abarca distintas conductas violentas contra la autoridad y funcionarios públicos —civiles, militares, incluso eclesiásticos— cuando se hallen ejerciendo sus funciones o por razón de su ministerio, a saber:

- El acometimiento con el designio de matar, o alguna otra tentativa contra la vida (art. 326).

- Sin el designio de causar la muerte, atropellar, herir, ultrajar o maltratar de obra o cualquier otra violencia material en la persona (art. 327).

- Amenazar con alguna fuerza o violencia, injuriar, usar o tomar contra ellos algún arma, incluyendo el uso de la fuerza para obligar o compeler a la autoridad pública a que haga alguna cosa (art. 328 CP).

- Faltar al respeto debido (art. 330).

- Causar daño en sus propiedades o allanar violentamente, escalar o asaltar la habitación del funcionario para intimidarle en el ejercicio de su ministerio o para vengarse de algún acto que como tal haya ejecutado (art. 331).

Esta variedad de conductas típicas, que integra un concepto amplio de atentado, se simplifica en el CP de 1848 que tan solo alude a dos modalidades —el acometimiento y la resistencia con violencia—, limitando también los sujetos pasivos de la acción, a la autoridad y sus agentes, y el momento en que aquellas pueden tener lugar. Lo que se explica por su configuración como delito contra el orden público. Así el Capítulo III, del Título III, del Libro Segundo reza «*De la resistencia, soltura de presos y otros desordenes públicos*», desapareciendo toda mención al atentado. En concreto, su artículo 189 sancionaba a «*los que con violencia acometieren ó resistieren á la Autoridad pública ó á sus agentes en el acto de ejercer su oficio*». Hace así acto de aparición la conducta de resistencia junto al acometimiento.

Pero es con la modificación introducida por el RD de 7 de junio de 1850, poco antes de que se publicara el llamado CP 1850, en el que el atentado adquiere una configuración más próxima a la actual, incluyendo las cuatro conductas tradicionales, que se reiterarán en los sucesivos textos históricos: el acometimiento, la resistencia con violencia, el empleo de fuerza y la intimidación. El vocablo «atentado» se usa no solo en el enunciado del Capítulo III, del Título III del Libro II, que dice «*De los atentados y desacatos contra la autoridad, y de otros desordenes públicos*», sino también dentro del articulado para denominar el delito. Expresamente el art. 189 establece «*cometen atentado contra la Autoridad: 1º (…). 2º los que acometen ó resisten con violencia, ó emplean fuerza ó intimidación contra la Autoridad pública ó sus agentes cuando aquella ó estos ejercieren las funciones de su cargo, y también cuando no las ejercieren, siempre que sean conocidos ó se anuncien como tales*». El atentado se configura, así, como una acción violenta contra la autoridad o sus agentes, desapareciendo las referencias al honor, al domicilio, etc. que se recogían en el CP 1822. La tipificación de acciones violentas contra la autoridad o sus agentes, por el solo hecho de serlo, sin necesidad de que se vincule al ejercicio de funciones propias del cargo, como se deduce del último inciso de este número 2 del art. 189, remite a la tutela del principio de autoridad o la dignidad del cargo como si de una prerrogativa personal se tratara, más que a la función pública en sí.

El número 1 tipificaba lo que se denominó como atentado impropio, porque, aunque el Legislador lo calificara de atentado, en realidad era una sedición o rebelión sin alzamiento. Se trataba de ataques contra el Estado y la organización estatal y no de ataques directos, inmediatos y personales a la autoridad o sus agentes. En este sentido, el Legislador de 1850 parece configurar el atentado como delito contra el orden público.

Como novedad también, el artículo 190 introduce una serie de agravaciones: verificar la agresión a mano armada, la condición de funcionario público del reo, poner manos en la Autoridad o en las personas que acudieren a su auxilio, y haber accedido la Autoridad a las exigencias del delincuente como consecuencia de la coacción ejercida.

Rompiendo la ordenación sistemática de los textos legales precedentes, el CP de 1870 divide el tradicional Título «*Seguridad interior del Estado y orden público*», en el que se ubicaban los atentados, en dos distintos: uno dedicado a los delitos contra la Constitución —Título II— y otro a los «*Delitos contra el orden público*» —Título III de su Libro II—, en cuyo Capítulo IV se acogen «*De los atentados contra la Autoridad y sus agentes, resistencia y desobediencia*». La configuración del atentado como delito contra el orden público se justificaba en atención a que las acciones violentas prohibidas se dirigían contra las personas encargadas de su conservación (GROIZARD).

Si bien, a pesar de esta configuración, el Legislador de 1870 sigue incluyendo entre los atentados las conductas violentas —empleo de fuerza o intimidación—, sin alzamiento, para conseguir algunos de los fines señalados en la rebelión y sedición —atentado impropio—. A la par limita el alcance del atentado propio, al requerir que los ataques violentos a la autoridad o sus agentes tuvieran que ver con el ejercicio de sus funciones o con ocasión de ellas, lo que sitúa nuevamente el bien jurídico protegido más próximo a la tutela de la función asociada al cargo, que a la dignidad del mismo y a la idea de privilegio vinculada a ello. En concreto, según el artículo 263: «*cometen atentado…2º Los que acometieren á la Autoridad ó á sus agentes, ó emplearen fuerza contra ellos, ó los intimidaren gravemente, ó los hicieren resistencia también grave, cuando se hallaren ejerciendo las funciones de sus cargos ó con ocasión de ellas*». Aunque el tipo sanciona las mismas conductas del Código Penal de 1850, restringe su ámbito típico, exigiendo que tanto la intimidación como la resistencia sean graves.

Se mantienen, en su artículo 264, las agravaciones introducidas en el CP anterior, si bien estableciendo una gradación entre ellas. Así, en un primer estadio se sitúa el poner manos en las personas que acuden en auxilio de la autoridad o en sus agentes o en los funcionarios públicos, suponiendo una mayor agravación el hacerlo en la Autoridad, o que la agresión se verifique con armas, o que la Autoridad haya accedido a las exigencias de los delincuentes como consecuencia de la coacción o, en fin, que los reos sean funcionarios públicos.

El CP de 1928 dedica a los atentados la sección primera «*De los atentados, resistencia y desobediencia graves*», dentro del Capítulo V, del Título III relativo a «*Delitos contra el orden público*», del Libro II. Se suprime del concepto de atentado el llamado atentado impropio, que se había introducido en el CP 1850, declarando el art. 318 que «*son reos de atentado los que en cualquier momento acometieren a la persona constituida en Autoridad, o emplearen fuerza contra ella o la intimidaren gravemente y los que ejecutaren estos actos contra agentes de la Autoridad o funcionarios públicos cuando se hallaren ejerciendo las funciones de su cargo o con ocasión de ellas».* Se amplía el círculo de sujetos pasivos, incluyendo a los funcionarios, junto a la Autoridad y sus agentes. El tipo marca una distinción entre los ataques a la Autoridad, que pueden realizarse en cualquier momento, y los que recaen sobre sus agentes o los funcionarios públicos, necesariamente vinculados al ejercicio de sus funciones o con ocasión de ellas, lo que aparte de distorsionar el fundamento de la prohibición, conduce a conclusiones absurdas aunque comprensibles en un Código producto de una Dictadura, donde la exaltación a la autoridad es continua. Así, parece que a la Autoridad se la protege por el hecho de serlo, lo que situaría el interés protegido más en la dignidad del cargo que en la función pública a él asociada, mientras que a sus agentes y demás funcionarios públicos se les tutelaría en tanto que ejecutores de funciones públicas, dado que las acciones violentas que sufren se vinculan al ejercicio de las funciones de su cargo o con ocasión de ellas.

Este entendimiento dejaría sin protección a la Autoridad que, cesada en el cargo, sufriera una agresión en razón de su actuación como tal, lo que no ocurre cuando un hecho semejante se plantea respecto de sus agentes u otros funcionarios públicos. Para ALTÉS SALAFRANCA esta incongruencia se desvanece, pues, toda autoridad es a la par funcionario público. Sin dejar de ser esto cierto, no parece que esta sea la conclusión más acertada, pues el tratamiento expresamente diferenciado obliga a buscar un distinto ámbito aplicativo. Quizás lo que subyace a la regulación es la idea de que las funciones de la Autoridad tienen un cierto carácter de permanencia, lo que faltaría en los funcionarios públicos que no reúnen esta condición. De esta manera se explicaría el que, en las Disposiciones Generales al Capítulo V, en su art. 332, se contemplase una extensión de la tipicidad del atentado, aunque atenuando la pena, a los hechos que tuvieren lugar una vez que la Autoridad, agente o funcionario hubieren cesado en el cargo, *«siempre que sea con ocasión del ejercicio del mismo».* También se recogía una atenuación de la responsabilidad para los atentados que se produjeran *«fuera de la provincia en que ejerzan su cargo».* Se evidencia así que, aunque el fundamento de la protección penal parece seguir siendo la función que se desempeña, entra también en juego la dignidad, autoridad del cargo que ostentan, lo que explica la atenuación de la pena ante la falta de permanencia en el ejercicio de aquella o por la ausencia de competencia en el territorio en el que se encuentra. Pues, desde el punto de vista de la función, no tiene sentido la atenuación si la razón del ataque a estos sujetos está en las funciones desempeñadas. Solo considerando la falta de «autoridad» en el tiempo y en el espacio se comprende esta minoración de la pena. Una visión del interés protegido que resulta acorde con el momento histórico en el que se encuadra este texto legal: la Dictadura de Primo de Rivera.

En cuanto a las conductas típicas, en el texto de 1928 se suprime toda alusión a la resistencia, que pasa a castigarse junto con la desobediencia grave en un tipo distinto en el art. 323, con lo que se eliminan las dificultades de tener que distinguir entre una resistencia grave que constituya atentado y una simple que integre un delito de menor gravedad.

Se incluyen, asimismo, las mismas agravaciones de los textos históricos precedentes, relativas a que la agresión se verifique *«con armas o con objetos o instrumentos capaces de producir lesiones»*, a la condición de funcionario público del sujeto activo y a que la Autoridad hubiere accedido a las exigencias de los culpables por consecuencia de la coacción; siempre con una pena mayor cuando los atentados se dirigen contra la Autoridad que contra sus agentes y demás funcionarios públicos. De esta regulación lo que resulta llamativo era que se agravase la responsabilidad cuando se maltrataba de obra a las personas que acudían en auxilio de la Autoridad o sus agentes (art. 321), de manera que se acababa castigando con más pena en estos casos que en los del atentado propiamente dicho. Aunque ello pudiera parecer chocante en un primer momento, no está exento de justificación si se tiene en cuenta que los particulares, al obrar de esta manera, exceden con mucho lo que son sus «obligaciones generales»; aparte de que evidentemente se encuentran en situación de mayor debilidad que los funcionarios que acuden a auxiliar a la autoridad.

El Código penal republicano de 1932, en tanto que tomó como modelo el texto de 1870, reproduce la regulación del atentado contenida en este precedente.

Por su parte, el texto refundido de 1944 mantiene la definición de atentado de los textos correlativos de 1870 y 1932, pero endureciendo la regulación para adaptarla al nuevo contexto autoritario. Así, de una parte, se incrementan las penas de forma desproporcionada, que empezaban en prisión menor y podían llegar hasta la muerte. El Legislador consciente de ello prevé una atenuación facultativa, atendiendo a la menor gravedad y circunstancias del hecho en el art. 235; y de otra, se introducen una serie de tipos agravados (art. 233), procedentes de la Ley de Seguridad del Estado de 1941, en atención al cargo desempeñado por la persona atacada (Ministro, cargo o misión de especial trascendencia para la seguridad pública). Además, se vuelven a fundir en un mismo Título, dedicado a los *«Delitos contra la Seguridad interior del Estado»*, lo que antes se había dividido en dos: Delitos contra la Constitución y contra el orden público.

Pero quizás lo más novedoso es la introducción de un tipo anómalo de atentado, denominado «atentado indirecto» (RODRÍGUEZ DEVESA), porque la tutela de la autoridad o de las funciones públicas se encuentra muy alejada, y que consistía en acometer o amenazar gravemente al cónyuge, ascendientes o descendientes del Jefe del Estado, de los Ministros, Autoridades o funcionarios por él nombrado, siempre que la agresión o la amenaza tuviere relación con las funciones, misión o carga desempeñados por aquellos (art. 234). Se convertía en delito de atentado lo que en puridad no podía conceptuarse como tal, pues las conductas violentas recaían sobre personas que ninguna función pública ejercían, aparte de que provocaba algún otro dislate valorativo al referirse el tipo a las amenazas y no a la intimidación, pues la misma conducta respecto del titular del cargo llevaba al desacato, un delito de menor gravedad que el atentado.

2. Bien Jurídico

2.1. Ubicación sistemática: el atentado como delito contra el orden público

Siguiendo la tradición histórica acabada de referir el atentado se sitúa entre los delitos contra el orden público, dentro del Título XXII, en su Capítulo II, junto a la sedición, los desórdenes públicos, la tenencia y tráfico de armas, municiones y explosivos, las organizaciones y grupos criminales y el terrorismo. Precisar el significado del «orden público» no es una tarea fácil, pues aparte de que el ordenamiento jurídico no ofrece una definición del mismo, su sentido ha venido condicionado por la realidad social y política del momento histórico al que se refería. A lo que se une el que tampoco tenga un sentido unívoco.

En otros momentos históricos el ordenamiento sí ofrecía una definición. Así en la primera Ley de Orden Público de 23 de abril de 1870, el orden público tenía un carácter excepcional, pues solo se quebraba en situaciones graves como asonadas, motines, levantamientos populares, etc. La segunda Ley de Orden Público se dicta durante la Segunda República, el 28 de julio de 1933. Aquí el concepto de orden público se amplía, dando cabida a situaciones que no comportaban tal gravedad. La definición amplia empleada en esta Ley quedaba contenida, a decir de MAR-TÍN-RETORTILLO BAQUER, por la amplia legalidad de la Segunda República. Este proceso de trivialización del orden público se consolida con la tercera Ley de Orden Público de 30 de julio de 1959, ya bajo la Dictadura, en la que se contiene también una amplia definición de orden público, pero ya sin los límites de legalidad de la época republicana. Concretamente, su artículo 1, se refería al «normal funcionamiento de las instituciones públicas y privadas, el mantenimiento de la paz interior y el pacífico ejercicio de los derechos individuales, políticos y sociales, reconocidos en las leyes». La amplitud del concepto quedaba patente en la enumeración que el art. 2 hacía de los actos que se consideraban contrarios al orden público, que culminaba con una cláusula general en su apartado i), en la que se incluían «los que de cualquier otro modo no previsto en los párrafos anteriores faltaren a lo dispuesto en la presente Ley o alterasen la paz pública o la convivencia social». La consecuencia inevitable era que cualquier hecho contrario al orden establecido podía convertirse en una alteración del orden público. Una vaguedad e imprecisión incompatible con el principio de legalidad, como declaró la STC 120/1994, 25 abril, al conceder el amparo frente a la sanción de clausura del local, cuya cobertura legal última radicaba en estos preceptos de la Ley de orden público. Manifiesta así el Alto Tribunal que «*Es cierto —hemos dicho ya— que el concepto de "paz pública" o de orden público puede comprender, en un sentido amplio, el de "tranquilidad pública" y que el principio de reserva material de ley no impide la utilización de conceptos jurídicos indeterminados como el que nos ocupa en la tipificación de infracciones. Ahora bien, como pone de manifiesto la STC 69/1989 (RTC 1989\69) y reitera la 116/1993 (RTC 1993\116), para que resulte aceptable este criterio desde su perspectiva constitucional "la concreción del citado concepto" ha de ser razonablemente factible en virtud de criterios lógicos, técnicos o de experiencia, de tal forma que permitan prever, con suficiente seguridad, la naturaleza y las características esenciales de las conductas constitutivas de la infracción tipificada*» (SSTC 69/1989 y 116/1993). Con anterioridad, ya se había pronunciado en el mismo sentido en las SSTC 305/1993, 25 octubre, y 333/1993, 15 noviembre, respecto de los problemas de convivencia que generaban algunos locales que permanecían abiertos hasta altas horas de la noche, y que habían sido sancionados por ello.

En cualquier caso, nuestro TC ha declarado que el «*concepto de orden público ha adquirido una nueva dimensión a partir de la vigencia de la Constitución de 1978. Aunque los derechos fundamentales y libertades públicas que la Constitución garantiza solo alcanzan plena eficacia allí donde rige el ejercicio de la soberanía española, nuestras autoridades públicas, incluidos los Jueces y Tribunales, no pueden reconocer ni recibir resoluciones dictadas por autoridades extranjeras que supongan vulneración de los derechos fundamentales y libertades públicas garantizados constitucionalmente a los españoles o, en su caso, a los españoles y extranjeros*» (FJ 4, STC 43/1986, 15-4). Reconoce también esta nueva dimensión del orden público tras la Constitución de 1978, STC 59/1990, 29-3, FJ 4.

Tradicionalmente se distingue entre un concepto amplio o formal y otro restrictivo o material de orden público (IZU BELLOSO). Mientras el primero, de creación doctrinal y jurisprudencial, se ha identificado con el «orden general de la sociedad», bien como una construcción metajurídica en la que se dan cabida los valores o principios éticos y sociales que la mayoría de la sociedad reconoce como vinculantes, o bien equiparándolo con el orden jurídico establecido; el orden público material limita su sentido a «una situación de orden exterior o tranquilidad de la comunidad; es decir, el mero orden en la calle».

En el ámbito constitucional, tan solo se menciona el orden público en dos normas de la CE: la relativa a la libertad religiosa, ideológica y de culto (art. 16.1 CE) y la que reconoce el derecho de reunión y manifestación (art. 21.2 CE), respecto de los que actúa como límite. En su desarrollo legislativo y en la interpretación del TC se observa una distinta concepción, más amplia cuando incide en la libertad ideológica o religiosa, y restringida cuando el límite se aplica al derecho de reunión. En concreto, la LO 7/1980, 5-7, de Libertad Religiosa, identifica en su art. 3.1 como elementos constitutivos del orden público «*el derecho de los demás al ejercicio de sus libertades públicas y derechos fundamentales, así como la salvaguardia de la seguridad, de la salud y de la moralidad pública*». Un contenido que ha sido ratificado por el TC. Concretamente la STC 62/1982, 15-10, avala que «*el concepto de moral puede ser utilizado por el legislador y aplicado por los Tribunales como límite del ejercicio de los derechos fundamentales y libertades públicas, como así lo ha hecho el legislador posconstitucional al regular en la Ley Orgánica 7/1980, de 5 de julio, la libertad religiosa (artículo 3.1) y señalar como límite de su ejercicio la protección del derecho de los demás al ejercicio de sus libertades y derechos fundamentales, así como la salvaguardia de la Seguridad, de la salud y de la moralidad pública, elementos constitutivos del orden público protegido por la Ley en el ámbito de una sociedad democrática*» (FJ 3). La STC 19/1985, 13-2, declara «*el respeto a los derechos fundamentales y libertades públicas garantizados por la Constitución es un componente esencial del orden público*» (FJ 1). A este mismo contenido, se refieren otras sentencias posteriores, exigiendo la acreditación de un peligro cierto para la seguridad, la salud y la moralidad pública (STC 46/2001, 15-2), aclarando que la salud a la que se refiere el límite del orden público no es la individual, sino la pública, esto es, «los riesgos para la salud en general» (STC 154/2002, 18-7), o incluyendo también el principio de interés superior del menor respecto a la libertad de manifestación de las propias creencias mediante su exposición a terceros, incluidos los progenitores respecto de sus hijos (FJ 5, STC 141/2000, 29-5). Más recientemente, en la STC 90/2007, 19-4, se declara que «*en todo caso han de operar las exigencias inexcusables de indemnidad del orden constitucional de valores y principios cifrado en la cláusula del orden público constitucional*». En consecuencia, se está manejando un concepto de orden público, muy próximo al de principios y normas imperativas e inderogables del sistema jurídico, del que forma parte el respeto a los derechos y libertades públicas constitucionalmente reconocidos.

Significativamente en el art. 104 CE, dedicado a las Fuerzas y Cuerpos de seguridad, no se menciona el orden público, sino que se les atribuye la misión de proteger el libre ejercicio de los derechos y libertades y garantizar la seguridad ciudadana. A este respecto el TC ha manifestado que la noción de «seguridad pública» es más precisa que la de orden público, y que comprende la actividad dirigida a proteger personas y bienes y al mantenimiento de la tranquilidad y orden ciudadano (SSTC 33/1982, 8-6; 117/84, 5-12; 123/1984, 18-12; 104/1989, 8-6). Lo que ha llevado a CARRO FERNÁNDEZ-VALMAYOR, J. L. a interpretar que la seguridad pública es el concepto más amplio, comprensivo del orden público y de la seguridad ciudadana. El orden público (tranquilidad y orden ciudadano) se identificaría con el orden exterior protector del libre ejercicio de derechos y libertades. La seguridad ciudadana se encaminaría a la protección de personas y bienes frente a acciones violentas, agresiones, situaciones de peligro o calamidades públicas. Lo que parece corroborarse en otras sentencias del Alto Tribunal, en las que ha precisado el concepto de seguridad pública, advirtiendo que no abarca cualquier norma que se proponga la protección de personas y bienes, pues este entendimiento abocaría a que casi cualquier norma del ordenamiento jurídico fuera materia de seguridad pública, sino que tiene un carácter más instrumental, refiriéndose a las organizaciones y medios instrumentales, en especial los cuerpos de seguridad a que se refiere el art. 104 CE (SSTC 59/1985, 6-5; 148/2000, 1-6; 25/2004, 26-2; entre otras), sin que se agote en la actividad de estos cuerpos, pues también comprende por ejemplo, protección civil o lo relativo a productos estupefacientes o psicotrópicos (STC 25/2004, 26-2).

En lo atinente al derecho de reunión, la LO 9/1983, que regula este derecho, faculta a la autoridad gubernativa para suspender y disolver las reuniones y manifestaciones cuando se produzcan alteraciones del orden público, con peligro para personas y bienes (art. 5), así como prohibir la reunión o manifestación o modificar la fecha, lugar, duración o itinerario de la reunión o manifestación, si existen razones fundadas de que esta alteración del orden público puede producirse (art. 10). ¿Cómo se ha interpretado esta cláusula de orden público por el TC? Se dice que es equivalente a «*una situación de hecho, el mantenimiento del orden en sentido material en lugares de tránsito público, no al orden como sinónimo de respeto a los principios y valores jurídicos y metajurídicos que están en la base de la convivencia social y son fundamento del orden social, económico y político*», de manera que solo pueden prohibirse las manifestaciones o reuniones en lugares públicos «*cuando existan razones fundadas para concluir que de llevarse a cabo se producirá una situación de desorden material en el lugar de tránsito público afectado, entendiendo por tal desorden material el que impide el normal desarrollo de la convivencia ciudadana en aspectos que afectan a la integridad física o moral de personas o a la integridad de bienes públicos o privados. Estos son los dos elementos que configuran el concepto de orden público con peligro para personas y bienes consagrado en este precepto constitucional*» (FJ 3 STC 66/1995, 8-5). En consecuencia, no cualquier corte de tráfico o invasión de la calzada constituye una alteración del orden público, sino que hay que ponderar los peligros para personas y bienes que pueden derivar de la celebración pacífica de la concentración (ATC 45/2017, 6-3; SSTC 163/2006, 22-5; 42/2000, 14-2; 31/2007, 12-2), así como la afectación a otros derechos constitucionalmente protegidos, particularmente la libre circulación de personas, que pueden modular el ejercicio concreto de este derecho a manifestarse. Concretamente, el TC estima que la exclusiva invocación del derecho a la libertad de circulación no puede legitimar la negación del derecho de manifestación, pues toda concentración pública incidirá inevitablemente en la libre circulación de los ciudadanos. Se requiere que dicha alteración suponga peligro para personas o bienes, lo que se estima cumplido «*cuando de la conducta de los manifestantes pueda inferirse determinada violen-*

cia "*física*" o, al menos, "*moral*" con alcance intimidatorio para terceros» (STC 59/1990, 29-3) o cuando se imposibilita la realización de actividades dirigidas a evitar o paliar estos riesgos como puede ser los servicios de bomberos, policías, urgencias médicas, ambulancias, etc. (STC 66/1995, 8-5). Se trata, por tanto, de un concepto restrictivo de orden público, material, aunque no se identifica con un mero orden en la calle, sino que se relaciona con el ejercicio de la libertad y de los demás derechos y libertades públicas constitucionalmente reconocidos.

En el ámbito penal, la Doctrina ha tratado desde antiguo de restringir el amplio alcance dado por la Jurisprudencia a la noción de orden público y de la que —como hemos visto— partía el Legislador histórico, cuyas raíces se anudaban al principio de la «*maiestas*» o soberanía, escindido en la «*potestas*» o poder de imperio y la «*dignitas*». Así, se ha equiparado al derecho que tiene todo ciudadano a la tranquilidad pública (GROIZARD), pero la noción que se ha consolidado ha sido la que lo asimila con «la tranquilidad o paz en las manifestaciones colectivas de la vida ciudadana» (MUÑOZ CONDE), si bien lo cierto es que el concepto de orden público era uno cuando se trataba de dar contenido al *nomen* del Título (estricto) y otro (amplio), cuando se abordaba la cuestión del concreto bien jurídico protegido en estos delitos (OCTAVIO DE TOLEDO Y UBIETO).

Esta dicotomía se mantiene en la actualidad, aunque de forma distinta. Se distingue entre el objeto jurídico concretamente protegido en el delito de atentado y el concepto de orden público del Título. Así algunos autores (LÓPEZ GARRIDO, GARCÍA ARÁN, ROIG TORRES) optan por dotar de amplitud a la rúbrica del Título, que se equipara de forma genérica con el «sometimiento al ordenamiento jurídico o a la autoridad estatal, lo que, en cierta forma, se relaciona con la acepción de "orden público" que se aplica a disposiciones imperativas, inderogables y de contenido no renunciable ni disponible»; o con «el normal funcionamiento de las instituciones públicas, la hegemonía de la propia institución estatal frente a cualquier otra, el mantenimiento del conjunto de condiciones externas que permiten el normal desarrollo de la convivencia social, y por último, la tutela de la paz pública» (CUERDA ARNAU, BENÍTEZ ORTUZAR), si bien reconociendo que configurado de forma tan amplia, la noción deja de tener utilidad práctica, de manera que lo interesante es precisar el interés concretamente tutelado en el delito de atentado, aunque no responda a la idea de tranquilidad en las manifestaciones de la vida colectiva.

Por su parte, MUÑOZ CONDE sostiene un concepto restrictivo de orden público como criterio de sistematización del Título, al que después se conectarán de una forma u otra los bienes jurídicos específicamente protegidos en cada una de las figuras delictivas. De manera que en los atentados la vinculación reside en el ejercicio correcto de un cargo que, la mayoría de las veces, afecta a personas que ejercen su autoridad para preservar la paz pública en las manifestaciones colectivas de la vida ciudadana. El único inconveniente —que no se le oculta al citado autor— es que no puede predicarse esa función de preservación del orden público respecto de todos los posibles sujetos pasivos, por lo que la conexión con el orden público en sentido estricto fallaría para dicho grupo. Algo que se trata de salvar acudiendo a una interpretación restrictiva, que deja fuera del tipo las agresiones hechas a tales individuos si carecen de vinculación con la función que desarrollan (por motivos personales o fuera de servicio).

LORENTE VELASCO, en un intento por superar el carácter difuso e indeterminado del orden público y de las connotaciones que arrastra la trivialización de su uso en épocas pasadas, propone su sustitución por el concepto de seguridad ciudadana, al que sí se refiere la CE en su art. 104 para aludir a las funciones que corresponden a las fuerzas y cuerpos de seguridad, junto con la tutela del libre ejercicio de los derechos y libertades. Pero la autora acaba desembocando en un concepto extremadamente amplio, que se identifica a la postre con el orden jurídico establecido, pues incluye bajo esa denominación «cualquier agresión al sistema constitucional establecido o a sus principios, tipificando las agresiones o puestas en peligro del mismo, protegiendo a los operadores o autoridades encargados de velar por el orden vigente, por la paz pública y por el normal desarrollo de la estructura democrática». No vemos, por tanto, qué beneficio aportaría reemplazar una expresión por otra, más allá de eliminar lo que CARRO FERNÁNDEZ VALMAYOR denominaba «la expresión odiosa». Por otra parte, no es esta la noción de seguridad ciudadana que maneja el Legislador ni tampoco la Doctrina.

La LO 4/2015, 30 de marzo, de protección de la seguridad ciudadana, equipara seguridad ciudadana a seguridad pública y ambas las identifica con la actividad dirigida a la protección de personas y bienes y al mantenimiento de la tranquilidad ciudadana (véase el preámbulo, apartado I y el art. 1 de la referida LO). La Ley regula no solo las actividades de las Fuerzas y Cuerpos de Seguridad, sino además otras actividades que competen a otros organismos y autoridades administrativas como la identificación de personas, el control administrativo de armas, explosivos, etc., medidas de seguridad en establecimientos, etc.

El problema es delimitar los tres conceptos que se emplean en nuestro texto constitucional: orden público (art. 16 y 22 CE), seguridad ciudadana (art. 104, 1ª CE) y seguridad pública (art. 149.1-29º). CARRO FERNÁNDEZ-VALMAYOR considera que no son equivalentes la seguridad pública y la seguridad ciudadana. La seguridad pública sería el concepto más amplio, comprensivo a su vez del orden público y de la seguridad ciudadana. El primero se asimila a la protección del ejercicio de los derechos fundamentales, mientras que la seguridad ciudadana se circunscribe a la protección de personas y bienes frente a acciones violentas, agresiones y situaciones de peligro o calamidades públicas.

A nuestro parecer, el orden público al que se refiere el Código penal no puede ser una noción de corte metajurídico, difícil de aprehender y concretar, sino que ha de tratarse de una noción estricta, material, que se sustente en normas jurídicas, esencialmente constitucionales, y que a la vez permita aglutinar a las distintas figuras delictivas amparadas bajo su rúbrica. En este punto, es necesario traer a colación la Jurisprudencia constitucional examinada más atrás, en la que el elemento común denominador se cifraba en el respeto a los derechos y libertades constitucionalmente reconocidos, cuyo ejercicio forma parte esencial del contenido del orden público (por todas, la STC 19/1985, 13-2). Esta idea es la que permite dotar de contenido al tradicional concepto estricto de orden público. No basta, así, con el orden en la calle o la tranquilidad ciudadana en las manifestaciones de la vida colectiva, sino que hay que preservar —como ha dicho ÁLVAREZ GARCÍA— más que la «quietud» de los ciudadanos «la participación activa de estos en la totalidad del Ordenamiento». De manera que lo determinante para la alteración del orden público no es si se alteran las condiciones en que habitualmente se ejerce la convivencia, sino si se incide sobre las condiciones mínimas de participación de los ciudadanos en la vida jurídica. Este entendimiento del orden público se corresponde con el mandato que se impone a los poderes públicos por el art. 9.2 CE en aras a promover condiciones y a remover obstáculos, tanto para la consecución de la libertad e igual reales de los individuos y grupos, como para la participación de todos los ciudadanos en la vida política, económica, cultural y social. En palabras de CARRO FERNÁNDEZ-VALMAYOR «solo será constatable una perturbación del orden público si efectivamente ha existido violación de derechos, bienes jurídicos o libertades de los particulares o si se ha visto afectado el ejercicio de las competencias públicas reguladas por el Ordenamiento jurídico».

2.2. El bien jurídico en la Jurisprudencia del Tribunal Supremo

Desde antiguo el TS ha identificado el bien jurídico protegido en el delito de atentado con el principio de autoridad, una noción que ha ido variando con el tiempo, aunque como veremos siga conservando algunas de las reminiscencias del pasado. Así la Jurisprudencia de la etapa preconstitucional afirmaba que «*el delito de atentado definido en el número segundo del artículo 231 del Código Penal propende, como otros similares, a conceder una especial protección punitiva a quienes, siendo Autoridades, Agentes de la misma o funcionarios públicos, encarnan y representan el principio de Autoridad emanado del "imperium" característico de los poderes públicos, y que por ello merecen acatamiento y respeto*» (530/1978, 2-6), o que «*el objeto del delito de atentado es la ofensa al principio de autoridad, que ha de presumirse cuando se conozca directamente o pueda sospecharse el carácter de la víctima*» (STS 744/1970, 2-6). Se identifica el principio de autoridad con la «*potestas*» o poder de *imperium* del que estaban revestidos los sujetos pasivos como representantes de la Autoridad, pero también con la «dignitas» como honorabilidad que acompañaba al cargo, pues se aludía en las sentencias a la vulneración del prestigio (STS 596/1962, 23-5), al desprestigio o desprecio de la autoridad (STS 458/1970, 15-4).

Tras la entrada en vigor de la CE, este enfoque personalista del principio de autoridad empieza a desvanecerse poco a poco, dejando paso a una concepción funcional que lo trata de vincular al ejercicio de funciones públicas. Así en una primera etapa coexisten sentencias en las que todavía se identifica el principio de autoridad con el respeto debido a quienes lo encarnan (STS 2556/1991, 10-7), con otras en las que se afirma que «*es la "función pública" —y no el funcionario como tal— lo que resulta protegido por estas figuras jurídico-penales*» —desacato y atentado— (STS 1959/1990, 31-5), o en fin, con resoluciones que, aunque tratan de supeditar el principio de autoridad al ejercicio de las funciones públicas, siguen conservando reminiscencias del antiguo poder de *imperium* y de la dignitas a él asociado. Así, en la STS 295/1990, 31-1, se concibe el principio de autoridad «*como exigencia de la dignidad de la función pública por la transcendencia que para el cumplimiento de los fines del Estado tiene el respeto debido a sus órganos*», lo que se equipara en la STS 416/1982, 30-3, con la disciplina social y política.

A partir de aquí en la Jurisprudencia posterior se aprecian tres líneas de opinión. Una, en la que el bien jurídico se define por referencia a la tutela de la función pública que desempeñan los sujetos pasivos. Representativa de esta visión es la STS 950/2000, 4-6. En ella se afirma que «*en una sociedad democrática, en la que rigen una jerarquía de valores distinta a las de un régimen autoritario, no es adecuado identificar el bien jurídico protegido con el principio de autoridad, sino en la necesidad de que los agentes públicos, que actúan al servicio de los ciudadanos, gocen de la posibilidad de desempeñar sus funciones de garantía y protección sin interferencias ni obstáculos, siempre que actúen en el ejercicio legítimo de su cargo*» (también, entre otras, las SSTS 193/2017, 11 de mayo; 199/2015; 30 de marzo; 328/2014; 28 de abril; 607/2006, 4 de mayo; 1575/2004, 25 de noviembre; 370/2003, 15 de marzo, respecto del delito de atentado; y las SSTS 260/2013, 22 de marzo; 108/2015, 10 de noviembre, respecto del de resistencia).

Una segunda corriente, que sigue refiriéndose al principio de autoridad como bien jurídico protegido, identificado ahora con la «dignidad funcional» «*en cuanto constituye una exigencia de la garantía del buen funcionamiento y ejercicio de las facultades inherentes al cargo que se desempeña, dada la trascendencia que para el cumplimiento de los fines del Estado tiene el respeto debido a sus órganos*» (STS 1183/2001, 13-6; también SSTS STS 794/2007, 26-9; 567/2008, 24-9; 57/2010, 10-2; 22/2018, 17-1).

Finalmente, una tercera línea de opinión, en la que se equipara el interés objeto de protección en los atentados con el orden público, «*entendido como aquella situación que permite el ejercicio pacífico de los derechos y libertades públicas y el correcto funcionamiento de las instituciones y organismos públicos, y consiguientemente, el cumplimiento libre y adecuado de las funciones públicas, en beneficio de intereses que superan los meramente individuales. En definitiva, se sancionan a través de esos preceptos los hechos que atacan al normal funcionamiento de las prestaciones relativas al interés general que la Administración debe ofrecer a los ciudadanos, esto es, la garantía del buen funcionamiento de los servicios y funciones públicas»* (SSTS 1030/2007, 4-12; 1125/2011, 2-11).

Pero, a pesar de que se advierte este cambio de orientación en la configuración del bien jurídico protegido en el delito de atentado, lo cierto es que persiste en la Jurisprudencia la huella del vetusto principio de autoridad. No solo, porque en ocasiones el contenido de injusto se acaba describiendo como «un menoscabo del respeto que merecen los agentes en el ejercicio de dichas funciones» (STS 22/2018, 17-1) o como «un plus» del que están revestidos los agentes de la autoridad en el ejercicio de sus funciones (SSTS 607/2006, 4-5; 1575/2004, 25-11; 370/2003, 15-3), sino también por las manifestaciones que se vierten en sede de tipo subjetivo, con alguna excepción (entre otras, SSTS 368/2014, 6 de mayo, 652/2009, 9 de junio). Así no son pocas las sentencias en las que se alude a un dolo o ánimo de ofender, denigrar o desconocer el principio de autoridad (SSTS 338/2017, 11 de mayo; 3/2014, 21 de enero de 2014; 328/2014, de 28 de abril; 79/2010, 3 de febrero; 981/2010, 16 de noviembre). Se entra así en una contradicción evidente entre lo que parece que se quiere formular como bien jurídico protegido y lo que en realidad se considera el objeto jurídico en los delitos de atentado y resistencia. Ilustrativo a este respecto son los siguientes pasajes de la STS 193/2017, 24 de marzo, que en sede de bien jurídico manifiesta «*hoy en día el bien jurídico protegido, más que el tradicional principio de autoridad, lo constituye la garantía del buen funcionamiento de los servicios y funciones públicas*», pero cuando llega al tipo subjetivo explica que «*Ejerció cierta violencia y, aunque su finalidad primordial no fuera la de atacar a los guardias civiles sino la de eliminar los rastros de una actividad delictiva, ese ánimo, equivalente al de huir para ponerse a salvo, no excluye el de desprestigiar el principio de autoridad representado por aquellos y el buen funcionamiento del servicio público por ellos prestado, que es el injusto de este delito*». En el mismo sentido, entre otras, las SSTS 199/2015, 30 de marzo; 328/2014, 28 de abril.

2.3. Bien jurídico protegido según la Doctrina

En la Doctrina son varias las posturas que se han mantenido en torno al bien jurídico protegido en el delito de atentado. Original resulta la de CEREZO MIR, para quien el bien jurídico se situaba en «la libertad de decisión y de realización de la voluntad del Estado, frente a determinadas formas de agresión». Ello le permitía —en un ejercicio de paralelismo con las coacciones— incluir en el concepto de agresión corporal la utilización de narcóticos o drogas, el suministro de bebidas alcohólicas y la hipnosis.

Por su parte, OCTAVIO DE TOLEDO Y UBIETO, en la etapa preconstitucional y también ya vigente la CE, abogó —de *lege data*— en favor del orden público en sentido estricto como objeto directamente protegido en los delitos de atentado y desacato (también PRATS CANUT, LLOBET ANGLÍ, GARCÍA RIVAS). Buscaba con ello superar la arcaica concepción del principio de autoridad, que venía siendo manejada por la Jurisprudencia y también por la Doctrina de entonces (entre otros, RODRÍGUEZ DEVESA), en la que el respeto a la dignidad o al poder de mando de quienes ejercían funciones públicas se consideraba parte integrante del orden público (en sentido amplio), de manera que tales hechos se acaban convirtiendo en ataques contra los mismos cimientos del sistema social.

Promulgado el Código penal vigente, CARBONELL MATEU/VIVES ANTÓN retoman la idea de la tutela de la dignidad, pero ahora no referida a la persona del funcionario o de la autoridad, sino predicada respecto de los poderes públicos. Se habla de una dignidad funcional para aludir al respeto que debe presidir las actuaciones de los poderes públicos como requisito imprescindible o garantía para el buen funcionamiento de los poderes públicos. Se inaugura, así, una línea de pensamiento que trata de dotar al principio de autoridad de un nuevo significado, en clave funcional, no autoritario, como la herramienta necesaria para que los poderes públicos puedan cumplir con las funciones que se les han encomendado, sin interferencias (entre otros, DÍAZ Y GARCÍA CONLLEDO, GARCÍA ARÁN, LÓPEZ GARRIDO, CUERDA ARNAU, ROIG TORRES). Desde este pensamiento no se trata de proteger la autoridad en sí, sino en relación al ejercicio de funciones públicas.

La última corriente de opinión despoja al bien jurídico protegido de cualquier connotación autoritaria que pueda provenir de una definición que aluda al poder mismo del Estado, inscribiéndolo en la tutela de las funciones públicas que corresponde desempeñar a los sujetos pasivos. En este sentido, QUERALT JIMÉNEZ considera que el interés tutelado es la capacidad de prestar servicios (función pública) como elemento definitorio del Estado actual que se ha definido como Estado prestacional. TORRES FERNÁNDEZ lo identifica también con el buen o correcto funcionamiento de la Administración pública en orden al cumplimiento de sus fines, destacando que la función de los poderes públicos en un Estado social y democrático de Derecho no es la de ser control y límite o represión de los derechos de los ciudadanos, sino —como indica el art. 9 CE— promover las condiciones y remover los obstáculos para la libertad e igualdad real y efectiva de los ciudadanos, actividad que despliega con sometimiento a la ley y el Derecho (art. 103 CE) (también MIRANDA ESTRAMPES, LORENTE VELASCO, BENÍTEZ ORTUZAR, QUINTERO OLIVARES). Por su parte, JAVATO MARTÍN parece adscribirse a esta visión, al considerar como bien inmediatamente protegido el correcto, normal desenvolvimiento de funciones públicas, que se concreta en la libertad de decisión y de acción de los poderes públicos. A partir de aquí propone dos opciones, bien configurar el atentado como delito pluriofensivo, en el que el orden público en sentido estricto, entendido como tranquilidad o paz en las manifestaciones de la vida ciudadana, sería el bien jurídico mediato, respecto del cual bastaría el peligro hipotético; o bien conformarlo como delito uniofensivo, en el que dicho orden público se presenta como la *ratio legis* del precepto.

Pues bien, a nuestro modo de ver el bien jurídico protegido en los delitos de atentado se encuentra más próximo al pacífico ejercicio de la función pública por parte de los sujetos pasivos que al principio de autoridad o dignidad funcional o del orden público en sentido estricto. En primer lugar, porque, a diferencia de lo que ocurre en los desórdenes públicos —art. 557 CP—, no hay ningún elemento en el tipo que conecte las conductas típicas con la alteración efectiva del orden público material, ni siquiera como peligro concreto. A lo sumo, en las distintas modalidades puede apreciarse una cierta peligrosidad potencial que derivaría de la imposibilidad de desempeñar las funciones que corresponden a los poderes públicos, si dichas acciones proliferasen, lo que evidentemente tendría consecuencias en el ejercicio de derechos y libertades por los ciudadanos. Tampoco parece, en segundo lugar, que el interés tutelado sea el principio de autoridad, aunque sea concebido en su dimensión funcional o como garantía del buen funcionamiento de los poderes públicos, y ello por la potísima razón de que no puede predicarse que este ejercicio de autoridad sea el que se compromete respecto de todos los sujetos pasivos ni de todas las situaciones. Porque ¿qué ejercicio de autoridad puede predicarse de un acto médico? En este sentido la inclusión expresa de los funcionarios médicos y docentes veda una interpretación restrictiva que limite el ámbito de aplicación de los delitos de atentado a solo el ejercicio de funciones públicas que tengan que ver con la seguridad ciudadana o el orden público. Más bien, lo que parece aquí que hay es un ejercicio de competencias, de superioridad por razón de las funciones que desempeña el sujeto pasivo y que hacen posible la prestación de un servicio público o el ejercicio de una función pública. Ciertamente como indica MUÑOZ CONDE el ejercicio de un cargo público «*implica siempre el ejercicio de alguna forma de autoridad, pero no el principio de autoridad en sí mismo considerado*».

Por otra parte, como ha puesto de manifiesto ÁLVAREZ GARCÍA en relación con el delito de desobediencia, la referencia a deberes de fidelidad —aquí serían de obediencia o, si se quiere una expresión más neutra, de respeto— acaba vaciando de lesividad material el hecho, al ocultar el verdadero valor digno de protección en un Estado social y democrático de Derecho, que se ha de conceptuar teniendo en cuenta el por qué resulta necesario ese acatamiento o esa autoridad. En este punto, es claro que el ejercicio de la autoridad y la demanda de respeto y acatamiento a la ciudadanía solo puede estar justificada en la consecución de los fines institucionales que le están constitucionalmente asignados a la Administración Pública.

Así las cosas, el bien jurídico protegido en los delitos de atentado es el buen funcionamiento de las funciones públicas, en cuanto que ejercicio pacífico de las mismas, libre de interferencias o perturbaciones por parte de los ciudadanos. Bien entendido que ello no exige que se impida el ejercicio de la actuación concreta del funcionario público, lo que podrá o no acontecer en el caso concreto, sino que es suficiente con el peligro de que esto pueda ocurrir. Un peligro que entendemos es concreto cuando la agresión, acometimiento o resistencia grave se efectúa en el momento en que los sujetos pasivos están ejerciendo sus funciones; y abstracto, cuando tiene lugar «con ocasión de ellas», pues la extensión típica obedece a la trascendencia que estos hechos podrían tener en futuras actuaciones del mismo o de otro funcionario público en el ejercicio de sus funciones. Se trata así de blindar el libre y pacífico ejercicio de funciones públicas por los sujetos pasivos. Lo que nos lleva a afirmar que la peligrosidad del bien jurídico colectivo se configura en el tipo a partir del peligro que para la libertad de actuación y de decisión del sujeto pasivo supone la realización de las conductas típicas.

3. Conducta típica

La estructura típica del delito de atentado se corresponde con la de un tipo mixto alternativo, de manera que para su realización es suficiente con que se dé una de las modalidades típicas, sin que la concurrencia de varias de ellas suponga más que un solo delito de atentado.

En los tipos de los artículos 550 y 554.1 CP estas conductas son tres: agredir, acometer y, con intimidación grave o violencia, oponer resistencia grave, siempre que se lleven a cabo cuando los sujetos pasivos se hallen en el ejercicio de las funciones de sus cargos o con ocasión de ellas. En los de los números 2 y 3 del art. 554 CP las conductas son acometer, emplear violencia o intimidación, que ha de ser grave en el 554.3 CP.

Hasta la LO 1/2015 el atentado abarcaba cuatro modalidades, a saber: el acometimiento, el empleo de fuerza, la intimidación grave y la resistencia activa grave, que no solo planteaban dificultades de distinción entre sí, sino también con respecto a lo que constituía resistencia y desobediencia del art. 556 CP. Esta reforma ha supuesto, por un lado, la introducción de una nueva conducta en el art. 550 CP —agredir—, extraña a la terminología hasta ahora empleada por el Legislador y difícil de deslindar del tradicional acometimiento; y por otro, la desaparición del empleo de fuerza y de la intimidación grave como conductas autónomas en los tipos del art. 550 y 554.1 CP, al pasar a integrarse como medios comisivos de la resistencia grave. El problema sigue siendo el mismo: determinar el ámbito propio de cada conducta típica. Una tarea a la que no se puede renunciar como intérprete, aunque la naturaleza de tipo mixto alternativo nos lleve a la conclusión de que en nada cambia la calificación de atentado la subsunción de unos hechos en una u otra modalidad típica. Sí que, en cambio, será más transcendente esta delimitación cuando de lo que se trata es de su distinción con el delito de resistencia y desobediencia del art. 556 CP.

3.1. Los tipos de los artículos 550 y 554.1 CP

3.1.1. *Acometer*

El acometimiento constituye la forma tradicional de atentado, y como tal está presente en todos los códigos penales históricos.

Concretamente en el Código penal de 1822 se configuraba como el inicio de un ataque contra la vida. Así su art. 326 castigaba a «*el que con el designio de matar (...) le acometiere, ó hiciere alguna otra tentativa contra la vida de cualquiera de estas personas (...)*». Junto a esta conducta se sancionaban otras formas de violencia física sin designio de causar la muerte (atropellar, herir, ultrajar o maltratar de obra u otra forma de violencia material a la persona, art. 327), de fuerza para obligar o compeler a la autoridad pública a que haga algo (art. 328), o incluso de hacer daño a las propiedades del funcionario o de allanamiento violento (art. 331). Esta identificación desaparece en el Código penal de 1848, que tan solo exige, de forma redundante, que el acometimiento se realice con violencia («*con violencia acometieren ó resistieren*»), si bien el texto original del CP de 1848 no se refería al atentado como tal. En concreto el Capítulo III se denominaba «De la resistencia, soltura de presos y otros desórdenes públicos», sin mencionar el término atentado tampoco en la redacción original del art. 189. Es en la Reforma de 7 de junio de 1850 —un mes antes de que se publicara el CP 1850, el 30 de junio—, cuando se introduce el término atentado tanto en la nomenclatura del referido Capítulo III, que pasa a denominarse «De los atentados y desacatos contra la autoridad, y de otros desórdenes públicos», como en el texto del artículo 189, que comienza declarando «cometen atentado...». En el Código penal de 1850 —en realidad una refundición del texto de 1848, con sus reformas y con la ley provisional de su ejecución— se mantiene esta misma redacción. No será hasta el cuerpo legislativo de 1870 que se borre toda mención a la violencia para caracterizar al acometimiento o la resistencia, conservándose así en los sucesivos códigos históricos hasta el texto actualmente vigente.

Desde el punto de vista lingüístico, acometer proviene del latín *commitere*, «emprender una lucha» y significa «atacar físicamente a alguien» (Mª MOLINER), «embestir con ímpetu y ardimiento» (RAE).

Tanto la Jurisprudencia (SSTS 1084/1982, 16 septiembre; 1346/1984, 11 octubre; 328/2014, 28 abril; 580/2014, 21 julio; 199/2015, 30 marzo; 338/2017, 11 mayo) como la Doctrina (entre otros, CÓRDOBA RODA, DÍAZ Y GARCÍA CONLLEDO, CARBONELL MATEU/VIVES ANTÓN, ROIG TORRES, CUERDA ARNAU) habían identificado esta modalidad típica con el ejercicio de una acción de violencia física dirigida a lesionar la vida, la integridad física o la salud de la persona atacada, ya fuera directamente o a través de instrumentos, objetos o animales; y sin que fuera necesario que se produjera ningún resultado lesivo, bastando únicamente con la iniciación del ataque o con un movimiento revelador del propósito lesivo (CEREZO MIR). Ciertamente una cosa es que no se requiera ningún resultado lesivo para la perfección del tipo, y otra que se equipare el acometer con el disponerse a acometer. Sobre ello volveremos al tratar del *iter criminis*.

Así las cosas, el elemento distintivo del acometimiento estaba en que la acción violenta tenía una determinada finalidad e idoneidad lesiva, lo que permitía diferenciarlo del «empleo de fuerza». Una de las tesis que gozaba de más predicamento consideraba que esta otra modalidad típica acogía acciones violentas que no se dirigían a lesionar dichos bienes jurídicos, sino a doblegar la voluntad del sujeto pasivo, a «obligarle a hacer o a padecer lo que no desea» (JASO ROLDÁN, FERRER SAMA, CARBONELL MATEU/VIVES ANTÓN), a modo de una especie de coacciones, de la que se excluía forzosamente la fuerza que se ejerce para impedir ejecutar algo al funcionario, pues ahí ya estaríamos ante la conducta de «resistencia» (FERRER SAMA). La Doctrina ofrece como ejemplos el arrancar el uniforme o las insignias propias de su cargo (CÓRDOBA RODA, CARBONELL MATEU/VIVES ANTÓN). En la Jurisprudencia podemos encontrar otros supuestos como arrebatar la pistola de la funda que lleva el agente (STS 1418/1988, 7 junio), agarrar por la guerrera, arrancándole algunos botones y la galleta del galón (SSTS 544/1989, 21 febrero; 2226/1987, 19 noviembre), o privarle de la libertad ambulatoria también de forma violenta (STS 3191/1994, 8 noviembre, en la que valiéndose de un objeto punzante se encierra a funcionarios de prisiones en una celda durante cinco minutos, aunque aquí parece más bien tratarse de una intimidación).

Efectivamente la interpretación doctrinal del acometimiento hasta la citada Reforma de 2015 estaba condicionada por la necesaria delimitación de otras modalidades típicas, esencialmente del empleo de la fuerza, y tras esta reforma se mantiene esta dualidad en los tipos de los números 2 y 3 del art. 554 CP.

En este sentido, algunos ponían el acento en si la acción violenta suponía o no un contacto físico entre agresor y agredido, entendiendo que el acometimiento no lo exigía, bien porque se configuraba como un acto que preludiaba el empleo de la fuerza o que iniciaba el ataque (GROIZARD), o bien porque se presentaba como una particular forma de ejercicio de la violencia (CÓRDOBA RODA). Para otros, la distinción residía en sobre qué se ejercía la fuerza: mientras en el acometimiento el ejercicio de violencia recaía sobre el sujeto pasivo, en «el empleo de fuerza» se trataba de una acción violenta sobre las cosas que solo de modo indirecto acababa teniendo repercusión sobre el cuerpo de aquel (CEREZO MIR, también DÍAZ Y GARCÍA CONLLEDO, CUERDA ARNAU). Así, como ejemplos de «empleo de fuerza» se consideraban el arrebatar al funcionario público algo que hubiese cogido en el ejercicio de sus funciones, el arma que llevaba, arrancarle las insignias o el uniforme o incluso encerrarle, privándole de su libertad de movimientos, etc. En esta misma dirección, no faltaba quien, a pesar de la dicción legal que exigía que la fuerza se ejerciera «contra ellos» —los sujetos pasivos—, circunscribía la modalidad de empleo de fuerza solo a la que recaía sobre cosas materiales para doblegar la voluntad del funcionario (RODRÍGUEZ DEVESA, LORENTE VELASCO). Finalmente, otra postura interpretativa equiparaba ambas modalidades típicas con agresiones o ataques físicos sobre los sujetos pasivos (MUÑOZ CONDE, MIRANDA ESTRAMPES), si acaso apreciando en el acometiendo un ejercicio de la violencia en el que el sujeto activo tomaba la iniciativa, mientras que el empleo de fuerza se reservaba para una situación violenta ya iniciada, en donde la fuerza se emplea para doblegar la voluntad del sujeto pasivo (JAVATO MARTÍN).

La Jurisprudencia, por su parte, ha identificado el acometimiento con la «*embestida o arrojamiento con ímpetu sobre una persona*» (STS 338/1999, 8 marzo), lo que puede llevarse a cabo:

a) Directamente, con la realización de actos corporales violentos como agarrar del cuello al agente y estamparlo contra la pared (STS 773/2016, 19 octubre), propinar un cabezazo al agente en el momento que se solicita la identificación del sujeto (STS 366/2017, 19 mayo), golpear (SSTS 558/2016, 24 junio; 245/2016, 30 marzo); puñetazos y patadas (STS 1010/2009, 27 octubre), bofetadas, empujones violentos (STS 1033/2005, 15 septiembre, en la que cae el agente al suelo, al ser empujado tras identificarse como policía), etc.

b) Indirectamente, a través de medios materiales agresivos como lanzar piedras, botellas de vidrio (SAP Navarra, Sección 3ª, 22/2014, 27 febrero), cócteles molotov (SSTS 338/1999, 8 marzo; 987/2009, 13 octubre), arrojar lejía por una pequeña ventana que se encontraba en la puerta y que dañó la ropa de los policías y produjo otras lesiones en ojos y brazos (STS 1427/2004, 10 diciembre), arrojar un tiesto a policía municipal (STS 549/1981, 22 abril), con palos (STS 652/2009, 9 junio; agresión a concejal); embestir con vehículos (SSTS 187/2009, 3 marzo; 901/2009, 24 septiembre), azuzar a un perro de raza pitbull contra policías (ATS 1431/2001, 27 junio), etc.

Esta variada casuística suscita la cuestión acerca de si la acción violenta propia del acometimiento ha de tener una determinada entidad lesiva, de manera que queden fuera del tipo acciones de mínima gravedad como un empujón, una bofetada, un pisotón, etc. Es cierto que hay resoluciones judiciales que excluyen, con base en el principio de proporcionalidad, «*conductas de menor entidad que ni gramatical ni racionalmente pueden ser calificadas de atentado sin forzar exageradamente el sentido del término*» (STS 920/1996, 25 noviembre, en la que una de las mujeres de los trabajadores de altos hornos que se manifestaba dio una bofetada a un Concejal del Ayuntamiento de Sestao). Más recientemente, en el mismo sentido se pronuncia la STS 328/2014, 28 abril, que enjuicia el manotazo en la cara al agente que iba a proceder a cachear al sujeto. También la STS 77/2009, 5 febrero, excluye la calificación de atentado para la patada que propina el sujeto al agente tras ser detenido; o la STS 883/2008, 17 diciembre, que no considera atentado el forcejeo con codazo en el estómago cuando al sujeto le están poniendo los grilletes. Sin embargo, también encontramos otras resoluciones, en las que, a pesar de la mínima entidad lesiva de la conducta, esta se califica de atentado. Así, por ejemplo, en la STS 589/2006, 1 junio, se condena por este delito el hecho de agarrar al concejal por la corbata y comenzar a darle patadas cuando se encuentra esperando en un semáforo para cruzar la calle. También en la STS 153/2012, 2 marzo, se calificó de atentado el dar un fuerte codazo en el estómago al agente, derribándolo al suelo, cuando este trataba de engrilletar al sujeto. Más recientemente, en el ámbito de las Audiencias Provinciales, la SAP de las Islas Baleares Sección 1º, 151/2015, 27 mayo, castiga como atentado el pisotón que propina un padre a la directora de un colegio público; la SAP Madrid, Sección 29,119/2016, 3 marzo, condena por atentado agredir al funcionario tramitador del juzgado con una bofetada en la cara, tirándole las gafas, y un empujón a la secretaria judicial. También la SAP de Madrid, Sección 15, 15/2016, 11 enero, aprecia acometimiento en la bofetada que propina una mujer al agente, que está haciendo una intervención ante un altercado a las puertas de una discoteca; la SAP León, Sección 3ª, 191/2016, 26 abril, en la patada en la mano derecha a un agente y el codazo en el pómulo izquierdo a otro, cuando ambos se interesan por el sujeto que deambula sangrando por la cabeza; o en fin, la SAP Madrid, Sección 23, 168/2017, 22 marzo, en las patadas y puñetazos que reciben los agentes de policía cuando dan el alto a sujetos sospechosos.

Estas divergencias valorativas, a nuestro modo de ver, son fruto de la ausencia de una distinción clara entre las modalidades típicas del atentado, generando confusión en cuanto a las conductas que pueden integrar un acometimiento. Así, en muchas de las resoluciones citadas se alude indistintamente al acometimiento o al empleo de fuerza, aunque, en realidad, estamos ante resistencias que superan el ejercicio de una violencia impeditiva o neutralizadora de la actuación del agente, y en las que se aprecia un propósito lesivo, bien en razón de la intensidad de la fuerza empleada o bien porque se ejerció de manera inopinada, abrupta o sorpresiva. Un ejemplo claro de esto último lo ofrece la SAP Islas Baleares, Sección 1, 6/2016, 25 enero, en la que un acto de violencia mínima como dar patadas en la rodilla del agente cuando estaba siendo introducido en el vehículo policial se califica como un «acto de agresión activa en la que predomina el acometimiento», porque lo hizo de «forma súbita, inesperada y repentina», sin que hubiera un forcejeo previo. También, SAP Barcelona, Sección 6, 4/2011, 30 diciembre 2010, en la que no solo se alude a la reacción sorpresiva del acusado que propina un empujón que hace caer al suelo al agente que le había solicitado que se identificase, sino que además rechaza el que se trate de *un acto de oposición y resistencia, siquiera entendida como activa, pues no estaba precedida de acción alguna violenta por parte del agente*. Sobre este punto volveremos al analizar la conducta de resistencia grave.

Así las cosas, lo cierto es que pueden distinguirse dos grupos de casos: uno, de verdadero acometimiento, en el que cualquier acto de violencia, por mínimo que sea, queda cubierto por el tipo de atentado, siempre que signifique esa embestida o arrojamiento sobre la autoridad, agente o funcionario público; y otro, en el que se está ante conductas de resistencia, de oposición a la actuación del agente que se ejercen por medio de la fuerza, y en las que solo acciones violentas de una determinada entidad tienen cabida en el tipo de atentado, dado que como veremos también sanciona la resistencia grave. Lucidamente, la citada STS 328/2014, 28 abril, advierte esta realidad cuando manifiesta lo siguiente: «*En cuanto al acometimiento tanto vale como embestida, ataque o agresión, equiparándose los actos corporales (puñetazos, patadas) con la utilización de medios agresivos materiales (...). No obstante la actual jurisprudencia (...), ha estimado atenuado la radicalidad del criterio anterior en la distinción entre los delitos de atentado (Art. 550) y resistencia y desobediencia grave, (Art. 556) y que entendía que la resistencia se caracterizaba por un elemento de naturaleza obstativa, de no hacer, de pasividad, contrario al delito de atentado que exigía, por el contrario, una conducta activa, hostil y violenta, dando entrada en el tipo de resistencia no grave "a comportamientos activos al lado del pasivo que no comportan acometimiento propiamente dicho (...)"*». Esta misma idea, aunque no de forma tan nítida, se aprecia en alguna sentencia anterior como la también mencionada STS 77/2009, 5 febrero, al aludir a que «*El riguroso tratamiento penal del delito de atentado impone una interpretación del tipo sujeto al fundamento material de su incriminación, contando con la perspectiva del principio de proporcionalidad, lo que obliga a excluir aquellas conductas de menor entidad que ni gramatical ni racionalmente pueden ser calificadas de atentado sin forzar el sentido del término (...)*, de modo que "*en el delito de resistencia del art. 556 tiene cabida, junto a los supuestos de resistencia pasiva, otros de resistencia activa que no estén revestidos de dicha nota de gravedad*" (...). *En definitiva, se produce "una ampliación del tipo de la resistencia (...) que es compatible (...) con actitudes activas del acusado; pero ello solo cuando estas sean respuesta a un comportamiento del agente o funcionario, por ejemplo (...) cuando la policía trata de detener a un sujeto y este se opone dando manotazos o patadas contra aquel*", pero no en los casos "*en que sin tal actividad previa del funcionario, es el particular el que toma la iniciativa agrediendo*" (STS 819/2003, de 6 de junio*»*). Sobre estos aspectos volveremos al abordar la conducta de resistencia grave.

Así, pues, el ámbito propio del acometimiento sería el de una acción violenta de carácter físico y activo, que se dirige contra el sujeto pasivo, embistiéndole, abalanzándose o arremetiendo contra él, que no tiene porqué concretarse en un propósito lesivo concreto de matar o lesionar, sino únicamente de producir la agresión física. Lo que no obsta a que el sujeto pudiera tener un dolo eventual de causar algún resultado lesivo, algo que no es requerido por el tipo de atentado y que se considerará en un posible concurso. Lo que no puede admitirse como acometimiento son aquellas actuaciones que, aunque pueden suponer un cierto contacto corporal, carecen de entidad lesiva alguna, como por ejemplo manchar el traje del funcionario con pintura, etc. Por ello no parece que pueda constituir delito de atentado el estampar en la cara y cabeza de la Presidenta de la Comunidad Autónoma tres tartas, caso enjuiciado por la SAN, Sección 1ª, 68/2013, 27 noviembre (confirmada por STS 687/2014, 10 octubre), en la que, a pesar de reconocer que aquellas no son objetos peligrosos, ni aptas para causar lesiones, ni tampoco que fuera esa la finalidad perseguida, condena por acometimiento porque aprecia en ese hecho una violencia corporal.

La duda, ahora, es si los casos de intimidación grave —que no se vinculan con una resistencia— pueden llegar a tener cabida como acometimiento, porque supongan ya un movimiento revelador del propósito agresivo, o que incluso puedan calificarse como agresión, en cuanto que ataque violento, en el que no solo quedaría abarcada la violencia física, sino también la psíquica, al modo en que se hace por ejemplo en los delitos contra la libertad e indemnidad sexuales o en el concepto de agresión en la legítima defensa (LUZÓN PEÑA). De esta manera casos como el de la STS 399/2013, 8 mayo, en el que un individuo encañona con su pistola a varios agentes, que entran en la habitación al grito de «policía», podrían quedar cubiertos por el tipo, si es que en realidad no estamos ante una resistencia o una agresión.

A este respecto, la Fiscalía General del Estado en la consulta 1/2007 ha concluido que tales supuestos, en los que la intimidación grave preludia una agresión física inminente, encajan en la modalidad de acometimiento. Esta visión, avalada también por alguna Doctrina (CUERDA ARNAU, en contra LLOBET AN-GLÍ), se corresponde con Jurisprudencia anterior a la reforma, en la que se había equiparado algunos casos de intimidación grave al acometimiento, precisamente aquellos que, por suponer el anuncio o la conminación de un mal inminente, concreto, grave, constituían ya el inicio de un acto formal de ataque o un movimiento revelador del propósito agresivo (STS 1084/1982, 16 septiembre, embestida con el vehículo a agente que le da el alto; STS 1598/1990, 7 mayo, revolverse empuñando una pistola semiautomática al ser alcanzado por dos agentes; STS 731/1999, 6 mayo, amenaza con una navaja al agente; STS 660/2001, 18 abril, abalanzarse tratando de entrar en el despacho del juez, a la par que se profieren amenazas de muerte, etc.). Se trataba de casos en los que el sujeto activo empuña un arma —normalmente de fuego—, contra los agentes de la autoridad, directamente sobre su cuerpo o a una escasa distancia, pero siempre con una finalidad intimidatoria, o de casos en los que no se produce el resultado lesivo, aunque hubo embestida. En consecuencia, a nuestro modo de ver, esta equiparación no supone en realidad una inclusión de tales casos en el acometimiento, sino a efectos valorativos de parificar dos de las modalidades típicas de entonces: el acometimiento y la intimidación grave. Son casos de intimidación grave que se estiman equivalentes al acometimiento. Así, cuando se trata de apreciar la agravante de uso de armas, no es suficiente con el «movimiento revelador del propósito lesivo», sino que se requiere un acto de violencia física propio del acometimiento (véase STS 87/2001, 29 enero, en la que se encañona al policía en el pecho; STS 1872/2000, 5 diciembre, en la que se esgrime un cuchillo de cocina que se saca en el forcejo; STS 456/1999, 23 marzo, en la que se coloca el arma de fuego a la altura del estómago del guardia urbano, entre otras; voto particular del magistrado Jorge Barreiro en

STS 664/2010, 4 junio, oponiéndose al criterio mayoritario manifestado en la citada resolución que, abandonando la doctrina jurisprudencial acuñada, aplica el tipo agravado en un caso de uso intimidatorio del arma).

En consecuencia, si falta el acto de violencia física no puede haber acometimiento, a lo sumo, podrá hablarse de una tentativa de acometimiento. Ejemplo de esta Jurisprudencia es la STS 294/2012, 26 abril, en la que el detenido en el hospital «*cogió uno de los tubos metálicos que forman el apartado portasueros y al acercarse la enfermera la agarró por el cuello de forma súbita y colocó el referido tubo metálico contra la parte posterior de un cuello, manifestando el agente policial que "o tiraba la pistola o la mataba"*», se equipara a un acto de acometimiento físico que permite, además, aplicar la agravante de uso de arma, que en la regulación anterior solo podía aplicarse a esta modalidad típica. En concreto el Tribunal argumenta: «*Hubo por consiguiente riesgo para la integridad física de la acometida. El hecho de que no se clavara el tubo metálico en el cuello no quita que durante el acometimiento con tal instrumento no estuviera en condiciones de hacerlo, sobre todo porque el sujeto se lo colocó en el cuello en una acción que no es solo intimidatoria sino que se inscribe en una acción de agresión física*». Aunque, aquí, en realidad, el acometimiento ya se había producido, al agarrar a la víctima por el cuello, si bien es la intimidación posterior con el tubo metálico la que perfila el dolo de matar o lesionar gravemente al sujeto. También la SAP Jaén, Sección 2º, 77/2010, 4 mayo, equipara el sacar una navaja cuando iban a detenerlo y esgrimirla contra los agentes con un acometimiento. En realidad, como se verá más adelante, este último supuesto es una resistencia grave que se realiza mediante intimidación grave, pues se trata de una acción de oposición a la detención.

Lo cierto es que habría que espiritualizar mucho el concepto de acometimiento para llevar a él también la intimidación grave. Más acertado nos parece que tales supuestos puedan constituir una «agresión», pues como veremos seguidamente, tiene un significado distinto al acometimiento, más próximo a la idea de ataque.

En cualquier caso, quedarían fuera del tipo de atentado aquellas intimidaciones graves que no pudieran ser calificadas ni como acometimiento ni como agresión —según las opciones interpretativas—, porque la conminación del mal no es tan inmediata o inminente, sin perjuicio de que pudieran tener encaje en un delito de amenazas (CUERDA ARNAU). Por ejemplo, el caso de la STS 368/2014, 6 mayo, que juzgaba el envío de un paquete a la esposa del Director del centro penitenciario que contenía un corazón de cerdo putrefacto. El Tribunal manifiesta que «*no cabe duda de que es una advertencia al más puro estilo mafioso, su mensaje era claro: tomar represalias contra el destinatario, en este caso contra el Director, quien había abierto varios expedientes a Pablo a raíz de los cuales se descubriría fácilmente el ilícito negocio que tenía en la prisión. En otras palabras le advertía y le avisaba de que no siguiera adelante con los expedientes disciplinarios so pena de sufrir un mal él o su familia».*

Algo que ya fue advertido por el Consejo Fiscal en su informe al Anteproyecto y también por algunos autores, que señalaban la incidencia que estas conductas intimidatorias podían tener en zonas rurales con dotaciones reducidas de fuerzas de seguridad (DE LA CUESTA AGUADO, GARCÍA RIVAS), y de lo que participa la Fiscalía General del Estado en la consulta 1/2017.

3.1.2. Agredir

Desaparecida la modalidad de empleo de fuerza en los tipos de los arts. 550 y 554.1 CP, el problema de delimitación persiste ahora respecto de la nueva conducta de agresión. Si bien la distinción se hace más difícil por cuanto tanto la Doctrina (GROIZARD, CARBONELL MATEU/VIVES ANTÓN, etc.) como la Jurisprudencia habían identificado el acometimiento con el ataque o agresión física o corporal. Así la STS 1205/1988, 10 mayo, manifiesta que *«acometer equivale a agredir y basta para que tal conducta se dé con una acción directamente dirigida a atacar a la autoridad, a sus agentes o los funcionarios»*, en el mismo sentido STS 256/2004, 25 febrero, que declara que *«una de las modalidades es el acometimiento, equivalente a ataque, agresión, violencia física»*; más recientemente, las SSTS 328/2014, 28 abril; 580/2014, 21 julio; 245/2016, 30 marzo, entre otras. Precisamente esta equiparación es la que lleva a la Jurisprudencia a restringir el ámbito de aplicación del tipo agravado del antiguo art. 552.1 CP —que la agresión se verifique con armas u otro instrumento peligroso— a solo la modalidad típica de acometimiento, excluyendo la de intimidación grave y la de resistencia grave. Así la STS 664/2010, 4 junio, manifiesta en su fundamento de derecho 1°: *«El subtipo del n° 1 del art. 552 no es de aplicación a todas las modalidades comisivas del atentado previsto en el art. 550, sino a la primera de ellas, es decir al atentado por acometimiento, quedando excluida la modalidad intimidatoria, y la de resistencia grave, con las que no resulta compatible la exigencia de que el empleo del arma o instrumento peligroso se de en "la agresión", concepto este que restringe la aplicabilidad del subtipo a la modalidad de atentado por acometimiento: la doctrina de esta Sala señala que agredir equivale a acometer (Sª 25 de octubre de 2002) pues acometimiento significa embestida o arrojamiento con ímpetu sobre una persona, o sea un ataque o agresión (Sª 8 de marzo de 1999). Si hay acometimiento aunque sea leve existe atentado, apreciable por consiguiente por el hecho de abalanzarse el particular contra el funcionario (Sª 6 de junio de 2003)»*. En el mismo sentido, también STS 294/2012, 26 abril. No compartimos, sin embargo, la exclusión de la resistencia grave, pues esta como veremos puede realizarse a través de un acometimiento.

Así las cosas se abren dos posibilidades interpretativas: una, entender que la mención típica a la agresión es redundante, pues el acometimiento ya constituye agresión, con lo cual, en realidad, solo habría dos modalidades típicas de atentado; otra, buscar un contenido propio y distinto a la agresión. A favor de lo primero, se ha manifestado el Consejo General del Poder Judicial al informar el texto del Anteproyecto CP y también un autorizado sector doctrinal (CUERDA ARNAU, GARCÍA RIVAS, MUÑOZ CONDE, QUINTERO OLIVARES, BENÍTEZ ORTÚZAR, LLOBET ANGLÍ, etc.). Una visión que parece venir avalada por el propio significado literal del término. Agredir se identifica con «acometer a alguien para matarlo, herirlo o hacerle daño» (RAE), «atacar», «lanzarse contra alguien para herirle, golpearle o causarle cualquier daño» (Mª MOLINER). Aunque esta última referencia a la causación de cualquier daño, o la de atacar permitiría ampliar el concepto a acciones violentas que no supongan necesariamente un acometimiento. Por otra parte, el uso que se hace del término «agresión» en otros lugares del Código penal aboca a una significación amplia, comprensiva tanto del empleo de la vis física como de la psíquica, como ocurre en las agresiones sexuales o en el mismo concepto de agresión ilegítima en la legítima defensa (LUZÓN PEÑA).

Para QUERALT JIMÉNEZ ambos términos son sinónimos, identificándose con un comportamiento violento sobre la persona de los agentes, un ejercicio de fuerza física sobre ellos. De manera que —para el citado autor— la introducción de la agresión supone una transformación del delito de atentado, desde un delito de tendencia a uno de resultado, en la medida en que no bastará con el inicio de la agresión. No compartimos esta identificación del acometimiento con la agresión, pues supone un recorte injustificado de su significado literal.

Precisamente dentro de las posturas diferenciadoras, DE LA CUESTA AGUADO —quizás ajustándose más al significado literal ofrecido por la RAE de los términos típicos— considera que la agresión es algo más que un acometimiento, pues se trataría de un acometimiento que persigue originar un resultado lesivo. Su distinción radicaría en la violencia y finalidad como características de las que carece el acometimiento. Esta interpretación obligaría obviamente a una redefinición del acometimiento, que le despojaría del significado tradicional dado por la Doctrina y la Jurisprudencia, y que la autora no llega a perfilar, pero que parece apuntar hacia el ademán o inicio de un acto violento de menor entidad. No se comparte este entendimiento, pues además de chocar con la tradición interpretativa, no se cohonesta con el sentido del mismo término en la agravante 3ª del art. 551, que se refiere al acometimiento haciendo uso de un vehículo de motor.

En esta línea diferenciadora, otro sector doctrinal se ha decantado por identificar la agresión con el antiguo empleo de la fuerza, con lo que estaría así referida a aquellas actuaciones violentas sobre el sujeto pasivo para obligarle a hacer lo que no quiera o para soportar algo (TERRADILLOS BASOCO/GALLARDO GAR-

CÍA, VÁZQUEZ GONZÁLEZ, SERRANO, CORCOY). Esta parece ser la visión del Consejo Fiscal en el informe al Anteproyecto de CP cuando manifiesta que «*En el nº 1 de este artículo se realiza una descripción más exhaustiva de las conductas integradoras del delito de atentado en relación a la redacción actualmente vigente. Así, manteniéndose el acometimiento como una de las acciones que dan lugar a dicha figura delictiva, se emplea el verbo "agredir" en lugar de "emplear fuerza". Debe valorarse positivamente tal expresión ante las dificultades interpretativas que la misma planteaba*».

A nuestro modo de ver la inclusión del término agredir junto al acometimiento obliga al intérprete a hacer un esfuerzo para tratar de dotarlo de un contenido propio, diferenciado (principio de vigencia). Aquí bien puede decirse, igual que ocurriera en la regulación anterior respecto de la relación entre el acometimiento y el empleo de la fuerza (DÍAZ Y GARCÍA CONLLEDO), que todo acometimiento es siempre un acto de agresión, pero no parece que toda agresión suponga necesariamente un acometimiento.

Por otra parte, es evidente que el propósito del Legislador ha sido el de ampliar el ámbito del delito de atentado, pues en el propio Preámbulo de la Ley se afirma ofrecer una nueva definición del atentado, omnicomprensiva de «*todos los supuestos de acometimiento, agresión, empleo de violencia o amenazas graves de violencia sobre el agente*»; justificándose además la ampliación del marco penal de este delito, por reducción del límite mínimo de la pena, en el hecho de que el tipo abarcará «*conductas muy diferentes cuya gravedad puede ser muy desigual*». Desde ya desechamos cualquier interpretación del término agresión que suponga dar cabida a acciones violentas escasamente relevantes, que no resulten equiparables en gravedad a las otras modalidades típicas, tanto por razones de proporcionalidad como de insignificancia.

Así las cosas, si se quiere dotar de un contenido propio al término «agresión», diferente al del acometimiento, habría que identificarlo con su acepción de «ataque», que es más amplia y comprensiva de otras formas de comisión que no constituyen acometimiento en cuanto que embestida, como los ejercicios de violencia sobre cosas que acaban teniendo repercusión sobre los sujetos pasivos, la intimidación, los ataques a distancia, por autoría mediata, o por medio de sustancias o medios inmateriales como los ultrasonidos (piénsese en los ataques sufridos por el personal diplomático estadounidense en Cuba), etc. y siempre que no se trate de una oposición violenta a una previa pretensión —resistencia—. Así, por ejemplo, agarrar de forma violenta por el cuello de la camisa, quedándose su cara a escasos centímetros de la del agente (SAP Murcia, Sección 2, 78/2008, 1 octubre). De otra manera, habría que concluir que estos casos no constituyen ya atentado, a no ser que integren una resistencia grave, y sin perjuicio de que puedan constituir delitos de coacciones. La verdad es que es difícil encontrar supuestos de agresión física que no constituyan en realidad una resistencia. Este es el caso de la STS 558/2016,

24 junio, en la que el sujeto trata de impedir la entrada en su domicilio cerrando la puerta, aprisionando con ella la pierna de un agente.

Este entendimiento permite salvar la inexplicable falta de simetría en la definición de los ataques típicos que recaen sobre los diversos sujetos pasivos. Así respecto de la autoridad, sus agentes y los funcionarios públicos (art. 550.1 CP) y los miembros de las Fuerzas Armadas (art. 554.1 CP) desaparece la conducta de empleo de la fuerza y se introduce la de agresión, que, sin embargo, no está presente respecto de las personas que acuden en auxilio de aquellos (art. 554.2 CP), los bomberos o miembros del personal sanitario, equipos de socorro y personal de seguridad privada (art. 554.3 CP), pero a los que sí se aplican las tradicionales de empleo de la fuerza, acometimiento e intimidación. No obstante, la técnica legislativa es muy deficitaria, pues nuevamente respecto de esta última conducta, el Legislador establece una nueva diferencia: la intimidación ha de ser grave solo respecto de los bomberos, personal sanitario o equipos de socorro y personal de seguridad privada, pero no, en cambio, si se trata de personas que acuden en auxilio de la Autoridad o sus agentes.

En consecuencia, de aceptarse que la agresión es equivalente al acometimiento, habría de concluirse que la protección dispensada a la autoridad, agentes y funcionarios públicos tiene un alcance más restringido que la que reciben los sujetos que ocasionalmente les auxilian.

No obstante, esta asimetría en la definición de los tipos también podría tener otra explicación: la que se deriva de la distinta posición de los sujetos pasivos de la acción respecto al bien jurídico protegido. Así la conducta de resistencia grave, por medio de violencia o intimidación grave, parece solo posible frente a la autoridad, agente y funcionario público, en cuanto que sujetos hábiles para formular la orden o la actuación coactiva; mientras que respecto de quienes ocasionalmente intervienen en auxilio de aquellos en el ejercicio de funciones públicas solo puede contemplarse directamente el empleo de fuerza y la intimidación grave, junto al acometimiento.

Ciertamente, si la literalidad del tipo no empleara la conjunción disyuntiva «o» —que obliga a considerar tres modalidades típicas—, la interpretación del término agresión podría ser la de agrupar como género lo que no son más que dos medios comisivos concretos: el acometimiento, por un lado, y el empleo de violencia o intimidad grave cuando el sujeto opone resistencia grave, por otro.

En conclusión, agredir y acometer no son equivalentes. Cada verbo típico tiene un significado propio. Acometer es equivalente a embestir, esto es, la conducta tiene un indudable componente físico, que no admite por ello la intimidación. Agredir se identifica con atacar, teniendo cabida, por tanto, tanto la violencia como la intimidación y ampliando el tipo a otras formas de ataque mucho más variadas que el «acometer».

3.1.3. *Oponer, con intimidación grave o violencia, resistencia grave*

a) Oponer resistencia

i) La última de las modalidades típicas consiste en oponer, con intimidación grave o violencia, resistencia grave. Oponerse significa «poner algo contra otra cosa para entorpecer o impedir su efecto» (RAE). Será necesario, pues, que exista una previa pretensión o actuación contra la que se resiste el sujeto activo, con unos determinados medios (intimidación grave o violencia) y con una concreta intensidad (grave). Los casos más frecuentes en la Jurisprudencia se refieren a la práctica de una detención, de un cacheo, de una entrada y registro, de una identificación, etc.

Este elemento del requerimiento, como presupuesto de la resistencia, es la clave para distinguir esta modalidad típica de las otras formas de atentado con las que comparte el ejercicio de violencia (JASO ROLDÁN, CUERDA ARNAU, LORENTE VELASCO). Será posible, así, que la resistencia se verifique a través de un acometimiento o una agresión, lo que no cambiará su calificación como tal. No compartimos por ello la posición de quienes, aunque parten de la existencia de un requerimiento previo como presupuesto de esta conducta, acaban poniendo el acento en el ánimo del sujeto para determinar si estamos ante una u otra modalidad. En concreto, afirman que, si se supera una intencionalidad meramente obstructiva en el ejercicio de la violencia, apreciándose un *animus necandi o laedendi*, entonces se abandonaría la resistencia para entrar en el ámbito del acometimiento (ROIG TORRES). A nuestro modo de ver, si hubo un requerimiento previo estaremos en el ámbito propio de la resistencia —no del acometimiento—, lo que exigirá después valorar si aquella es o no grave, a los efectos de aplicar el delito de atentado del art. 550 CP o el de resistencia del art. 556 CP.

Por su parte la Jurisprudencia también se ha decantado por fijar la diferencia entre estas modalidades típicas en la existencia o no de una actuación previa de la autoridad, agente o funcionario. Así la STS 819/2003, 6 junio, casa la de la Audiencia Provincial que había calificado como delito de resistencia del art. 556 CP los golpes que, con sus manos, propina una mujer a un agente, manifestando que «*No cabe aplicar el delito de resistencia en los casos, como el presente, en que sin tal actividad previa del funcionario, es el particular el que toma la iniciativa agrediendo. En estos supuestos no cabe decir que el acusado se resistió de modo activo, sino que acometió, uno de los supuestos previstos al definirse el atentado en el art. 550*». En el mismo sentido la SAP Barcelona, Sección 5ª, 363/2009, 30-4, que mantiene la condena por atentado de la mujer que empuja, da patadas y golpea con el puño cerrado a las agentes que tratan de calmarla, después de ver como golpea la puerta y ventanas del vehículo policial que se encuentra vacío y estacionado en el arcén de la carretera. Concretamente, se argumenta que «*el comportamiento de la acusada no es encuadrable en el delito de resistencia, por-*

que el empleo de fuerza física de la acusada hacia los Agentes tal como explica la sentencia (...) no fue producido en el curso de una intervención policial previa a la que se opuso activamente la acusada, (por ejemplo, debido a una detención policial) sino que fue generado por una actuación primera de la acusada». También la STS 607/2006, 4-5, casa la SAP Vizcaya y aprecia una resistencia simple, y no un acometimiento, considerando que *«La resistencia consiste, en primer lugar, en oponerse a ser esposado, para después hacerla extensiva a la forma de hacerlo, por ello más que acometimiento concurre oposición, ciertamente activa, a la orden policial».* No obstante, en otras muchas resoluciones se califica de acometimiento o de empleo de la fuerza, lo que son auténticas resistencias, lo que obedece a la enorme confusión con la que se aplica este delito por la Jurisprudencia.

QUERALT JIMÉNEZ restringe el concepto de resistencia a las oposiciones que se realizan a la ejecución de una actividad, no de una orden, que integrarían la desobediencia. No compartimos esta visión, que nos llevaría a adoptar conceptos distintos de resistencia en el atentado y en el tipo del art. 556 CP. A nuestro modo de ver ambas suponen una inobservancia del mandato, solo que de distinta forma. En la Jurisprudencia también se ha planteado la necesidad, no ya de que exista un requerimiento previo de la autoridad, agente o funcionario, sino de que estos hayan comenzado a desplegar alguna intervención física sobre el sujeto, tratando de detenerlo, cachearlo, etc., pues de otra manera entienden no se da la acción de oposición que requiere la resistencia (entre ellas, SAP Madrid, Sección 3ª, 514/2009, 26 noviembre; SAP Barcelona, Sección 6, 4/2011, 30 diciembre 2010). Esto significaría que aquellos casos —muy abundantes en la práctica— en los que se demanda, por ejemplo, la identificación del sujeto y este responde, no con una negativa, sino de forma violenta con una patada, un empujón o un golpe con los puños, etc. pasaran a considerarse como acometimiento. Esta conclusión no nos parece correcta, porque el tipo tan solo exige oponer resistencia grave con unos determinados medios, de lo que no cabe deducir que sea necesario que la autoridad, agente o funcionario tenga que haber iniciado el ejercicio de fuerza coactiva para conseguir lo demandado (también CEREZO MIR). Otra cosa será si la violencia ejercida en esa oposición es suficiente para configurar una resistencia grave. Pero, adviértase, que la incardinación de la conducta violenta del sujeto en el ámbito de la resistencia y no del acometimiento, abre la posibilidad a la atipicidad de la conducta y su correspondiente sanción por vía administrativa (art. 36.1 LO 4/2015, de 30 de marzo, de protección de la seguridad ciudadana), una vez que tras la reforma de la LO 1/2015, la resistencia del art. 556 CP también ha de ser grave, como veremos después.

ii) Además, la dinámica comisiva de la resistencia supone una limitación temporal que no está presente en las otras modalidades típicas, dado que solo podrá llevarse a cabo mientras la actuación de la Autoridad, agente o funcionario se halle en curso (CEREZO MIR); no, en cambio, cuando cesó o si no hubiera comenzado todavía. Así —indica CÓRDOBA RODA— si la detención ya se hubiera practicado, no podrá hablarse de resistencia. Pero ¿cuándo finaliza la detención? ¿En el momento que se le ponen los grilletes? ¿En el que se le introduce en el vehículo policial? ¿Cuándo llega a dependencias policiales? El dato tendrá relevancia para determinar si el ejercicio de violencia es constitutivo de un acometimiento o de una resistencia. Los ejemplos abundan en la práctica: individuo que da una patada al agente después de haber sido detenido (STS 77/2009, 5 febrero), acusado que propina patadas una vez detenido e introducido en el vehículo policial (STS 581/1999, 21 abril); individuo que propina una patada en la pierna y un cabezazo en el pecho al agente que lo custodia en el hospital, donde se le va a prestar asistencia médica y una vez que la detención ya se practicó (SAP Madrid, Sección 30, 402/2016, 10 junio). En estos casos, estaremos ante acometimientos, no resistencia.

A nuestro modo de ver, la clave estaría en si la autoridad, agente o funcionario está realizando una actuación concreta respecto de uno o varios sujetos concretos, que es precisamente la que se trata de impedir u obstaculizar con la acción de oponer resistencia. En consecuencia, en los casos examinados no importará tanto que la detención haya concluido, cuanto que exista una actuación en curso que involucre al sujeto, como la de traslado a dependencias policiales, una vez detenido, contra la que el sujeto se revuelve. Se trataría de una posibilidad actual de oponer resistencia, de manera que si ya no hay nada frente a lo que resistirse, la acción violenta que despliegue el sujeto no podrá calificarse de resistencia. Así, en el caso de la última de las sentencias citadas, tiene razón el Tribunal en rechazar la existencia de una resistencia y condenar por atentado bajo la modalidad de acometimiento, dado que la acción violenta del sujeto no se desarrolla en respuesta u oposición a la que estuviera desplegando en ese momento el agente. También en la STS 261/2013, 27-3, la acusada muerde la mano de la agente policial, después de que ha sido esposada, por lo que no realiza realmente una conducta de oposición, que el Tribunal califica de acometimiento.

Así las cosas, los supuestos en los que el funcionario es agredido sin haber llegado todavía a formular pretensión alguna, porque simplemente tan solo se ha identificado como tal o porque se dirige hacia el sujeto y este sospecha, por ejemplo, que van a detenerle, cachearle, etc. no se puede decir que el ejercicio de violencia suponga una oposición a nada, de manera que deberán entrar en la modalidad de acometimiento o agresión. Este es el caso de la SAP Cáceres, Sección 2, 208/2015, en la que se golpea al agente que tan solo ha llegado a identificarse y sin que haya advertido todavía que viene a practicar una entrada y registro. Pero si el funcionario ha formulado ya la pretensión concreta que requiere del sujeto y este responde violentamente, entraremos en el ámbito de la resistencia. Así en el supuesto de la STS 1427/2004, 10 diciembre, en el que se arroja lejía a la ropa y ojos del agente por una pequeña ventana que había en la puerta, después de que el agente se hubiera identificado y hubiera demandado la apertura de la puerta para una entrada y registro.

iii) Otra cuestión que se discute en la modalidad de resistencia es si solo puede hablarse de resistencia respecto de los que han sido personalmente requeridos o se puede incluir a terceros que actúen en oposición a lo pretendido por el funcionario. Así, por ejemplo, cuando el agente, que trata de detener a un sujeto, es agredido por un tercero para evitar que realice la detención. La cuestión tiene transcendencia, pues si los terceros no son sujetos hábiles para realizar la conducta de resistencia, tampoco será posible apreciar, en su caso, la resistencia del art. 556 CP. La mayoría de la Doctrina (JAVATO MARTÍN, CUERDA ARNAU, LORENTE VELASCO, RODRÍGUEZ-CANO GIMÉNEZ-LA CHICA) ha venido admitiendo la posibilidad de que los terceros también realicen la modalidad de resistencia grave, bien porque se aduce que ni el concepto de resistencia ni el texto de la ley exigen que solo pueda resistirse —ahora oponer resistencia— aquel a quien va dirigida la pretensión (CUERDA ARNAU); bien porque de esta manera se restringe el ámbito del delito de atentado en favor del más benévolo de resistencia del 556 CP (LORENTE VELASCO). En contra de esta visión ya se manifestó CÓRDOBA RODA, para quien solo «hace resistencia» aquel que recibe la pretensión; los demás que tratan de obstaculizarla o impedirla podrán cometer otra modalidad distinta de atentado.

Por su parte la Jurisprudencia parece incluir a los terceros como sujetos hábiles para esta modalidad típica. Así, la SAN, Sección 4º, 17/20013, 11 mayo, considera acto de resistencia no grave el propinar varios golpes en el rostro del agente con la intención de impedir la retención de su esposa a efectos identificativos. También la SAP Sevilla, sección 4ª, 144/1998, 14 julio, en la que se condena por resistencia al padre que trata de impedir la detención de sus hijos, tirando de uno de ellos que se encuentra agarrado por los agentes. En cambio, en la STS 328/2014, 28 abril, se aprecia resistencia no grave respecto del manotazo que el sujeto propina en la cara del agente cuando este trata de cachearle, y estima acometimiento —y no resistencia activa y grave— el abalanzarse sobre los agentes, para impedir que estos finalmente detuvieran a su amigo, retorciendo el brazo de uno de ellos y golpeándolos. Ello, a pesar de que en los hechos probados se alude a la acción de resistencia que este último individuo llevó a cabo. No obstante, la SAP Madrid, Sección 2º, 342/2013, 26 julio, que juzgó en primera instancia el caso, había calificado ambos hechos como resistencia activa grave del delito de atentado.

A nuestro modo de ver, tiene razón CÓRDOBA RODA cuando limita los sujetos que pueden resistirse a los que se ha dirigido la pretensión y ello por varias razones. Primero, porque el requerimiento previo es el elemento distintivo de esta conducta frente a las otras formas de atentado. De no ser así, todo se acabaría convirtiendo en resistencia a la actuación de la Autoridad, agente o funcionario, en la medida en que el tipo requiere que estos sujetos pasivos se hallen en el ejercicio de sus funciones cuando se produce la conducta típica del sujeto. Segundo, porque no se puede construir un concepto de resistencia que parta de la existencia de mandatos abstractos y generales de obediencia. El Ordenamiento Jurídico solo contempla la existencia de mandatos particulares y concretos. El suponer un deber general de obediencia de terceros, al que se opone resistencia, en realidad oculta una concepción decimonónica de las relaciones entre los poderes políticos y el ciudadano, de tintes autoritarios, en la que este no es tal, sino un súbdito en cuanto que sometido al mandato de aquellos. Implica, en fin, desconocer la idea moderna del ciudadano como sujeto que ostenta derechos de participación política y que se encuentra solo sometido a la Ley. No compartimos por ello la reflexión de CUERDA ARNAU de que no existe tal limitación de los posibles sujetos activos en el concepto de resistencia. Tercero, porque la resistencia y la desobediencia se presentan como conductas en progresión en una escala de gravedad frente a lo demandado, indicado u ordenado por la autoridad, agente o funcionario. De aquí que no podamos decir que opone resistencia aquel al que no se dirigía la pretensión, más que como participación en el hecho de otro, de aquel al que se dirigió la pretensión y sin el cual no podríamos hablar de resistencia.

b) Resistencia grave

La resistencia para que constituya atentado debe ser grave y realizarse por alguno de los medios típicos: la intimidación grave o la violencia.

Hasta la entrada en vigor de la reforma de la LO 1/2015, el tipo exigía cumulativamente que la resistencia fuera activa y grave, de la que ahora solo ha quedado la exigencia de que sea grave. La resistencia activa se identificaba con un comportamiento violento de oposición a lo demandado, que para algunos solo podía ser corporal o físico (JASO ROLDÁN, FERRER SAMA), mientras que otros incluían también la violencia psíquica o intimidación (CEREZO MIR, CÓRDOBA RODA, CUERDA ARNAU). Para el TS «*la resistencia típica, consiste en el ejercicio de una fuerza eminentemente física, que supone el resultado exteriorizado de una oposición resuelta al cumplimiento de aquello que la autoridad a sus agentes conceptúan necesario, en cada caso, para el buen desempeño de sus funciones*» (STS 432/2000, 18-3), que califica de «*oposición violenta, abrupta*», de «*una conducta activa, hostil y violenta*» (STS 901/2009, 24 septiembre), «*que presenta una carga de acometividad*» (STS 136/2008, 6 febrero; ATS 670/2016, 21 abril).

La distinción entre la resistencia grave constitutiva de atentado y la que no lo es, propia del delito del art. 556 CP, se cifró inicialmente por la Jurisprudencia en el carácter activo de la primera y pasivo de la segunda. Se identificaba la resistencia activa con la grave. En realidad esta primera línea de interpretación resultaba equivocada, porque en principio toda resistencia debe suponer un comportamiento activo de oposición, de otra manera resulta muy difícil distinguirla de la desobediencia dado que ambas parten de la inobservancia del mandato. De aquí que la Doctrina criticase esta nomenclatura, admitiendo el término pasivo para aludir a la falta de iniciativa, de acometividad frente a la Autoridad, agente o funcionario público (CÓRDOBA RODA). Una idea que fue asumida por la Jurisprudencia, pero —como veremos— ya como un criterio que incide en la valoración de la gravedad del comportamiento. Así, se identifica la resistencia pasiva con una *«oposición a la actuación de la autoridad o de sus agentes, pasiva e inerte aunque manifiesta y tenaz, es decir, (...) se patentiza y materializa de un modo renuente u obstativo»* (STS 17 noviembre 1982), *«por la rebelde actitud simbolizada por un no hacer, es decir, en una es agresiva y acometedora, aunque siempre resistencia, la segunda es meramente pasiva»* (STS 28 enero 1983).

Lo interesante es que, al admitir que la resistencia simple se puede integrar también por comportamientos activos, es posible que el ejercicio de una violencia menor, moderada, como la de los forcejeos en detenciones, tenga cabida en la resistencia simple del art. 556 CP. Con lo que, en realidad, la nota última de distinción la proporciona la gravedad de la oposición violenta ejercida. Pero esta, a su vez, se hace depender del carácter ofensivo, agresivo o defensivo y neutralizador de la actuación del agente. En el primer caso siempre se califica de atentado, el segundo queda fuera de este delito.

Así, ya en la STS 581/1999, 21 abril, se consideraba que los comportamientos activos —como dar patadas— también tenían cabida en la resistencia simple, siempre que no fueran graves. La idea de acometimiento o de agresión se aprecia en la STS 1807/2002, 4 noviembre, que argumenta la existencia de atentado de la siguiente forma: hay atentado *«por cuanto los sujetos activos no se limitan a una actitud pasiva de resistencia o desobediencia, sino que toman la iniciativa acometiendo físicamente, con actos violentos, a los agentes de policía local, en momento en que aquellos se hallaban cumpliendo con sus cometidos profesionales, con lo que supone de ofensa al principio de autoridad»*. En fin, más claramente la STS 912/2005, 8-7: *«la utilización agresiva de la fuerza real frente a la actuación del agente es lo propio de la resistencia grave o activa, del art. 550 (atentado), que presenta una cierta carga de acometividad, frente a la resistencia no grave del art. 556, de carácter pasivo y donde no existe agresión o acometimiento sino una oposición al mandato o actuación de la autoridad, de sus agentes o de los funcionarios públicos, una traba u obstrucción persistente y declarada porfía, una tenaz y resuelta rebeldía, una actitud de contrafuerza física o material contrarrestadora o debilitante, sin alcanzar la beligerante agresividad y la formal iniciativa violenta, patente en su hostilidad y resolvente en sus consecuencias, características de la resistencia grave. Sin perjuicio de que pueda concurrir en la primera (resistencia del art. 556 CP) alguna manifestación de violencia, de tono moderado y de características más bien defensivas y neutralizadoras, como sucede en los supuestos de forcejeos del sujeto con los agentes»*.

A este respecto, CUERDA ARNAU pone el acento en el hecho de que la fuerza opositora se dirija directamente contra el funcionario —resistencia activa—, o no, limitándose el sujeto a ser un obstáculo material a su actuación —resistencia pasiva. A partir de aquí, solo podrá constituir atentado el forcejeo en el que se emplea fuerza material directamente contra el funcionario, que revista además el carácter de ser grave. Entiende, pues, que el mero desasirse del agente constituye resistencia pasiva, al igual que el agarrarse a un objeto o arrastrarse para impedir la detención. A nuestro modo de ver esta referencia al ejercicio directo oculta la consideración de la finalidad de la conducta, pues si la violencia recae sobre el funcionario no puede decirse que el ejercicio de la fuerza sea indirecto más que considerando cuál es su finalidad primaria: impeditiva de la actuación del agente o lesiva, y en algunas acciones ambas van de la mano. Así, por ejemplo, el mordisco fuerte que propina en la mano para desasirse del funcionario que trata de detenerlo, ¿no es violencia que se dirige directamente contra el funcionario? ¿Es solo un obstáculo porque le está asiendo? ¿Y el empujón fuerte que provoca caída?

En cualquier caso, en la nueva configuración típica del atentado ha desaparecido la referencia al carácter activo de la resistencia. Lo importante ahora es determinar si esta se ha realizado por los medios típicos y si se califica o no como grave. Esto inevitablemente supone dejar fuera del tipo actuaciones como la mera huida o el empleo de medios engañosos (simular ser una tercera persona para eludir la detención, CÓRDOBA RODA) o incluso la privación de libertad del funcionario. Así cuando se encierra al comisionado de apremio y a un alguacil en la bodega de la casa (STS 16 febrero 1891, citada por CEREZO MIR). Este supuesto sí que podía tener cabida en la regulación anterior a la reforma, ya que no había limitación de los medios típicos (lo admite LORENTE VELASCO).

En cuanto a la gravedad de la resistencia, el Legislador, ahora igual que antes, no proporciona ningún criterio de valoración, más allá de la limitación de los medios típicos. Como elemento normativo necesitado de valoración es eminentemente circunstancial. Para su interpretación la Doctrina se ha referido al medio empleado para resistirse, a la reiteración en el ataque, a la mayor o menor intensidad de la agresión, a su duración, al momento y lugar en que se produce (CARBONELL MATEU/VIVES ANTÓN, JAVATO MARTÍN, CUERDA ARNAU, etc.). En cuanto al medio empleado la STS 364/2013, 25 abril considera que es grave la resistencia que se realiza al iniciar la marcha del vehículo cuando el agente tenía parte de su cuerpo introducido en su interior para intentar retirar la llave de contacto; la brevedad también puede determinar la calificación de resistencia simple, así en la SAP Madrid, Sección 30, 829/2014, 31-10, exhibir una navaja que deja caer al suelo cuando el agente hace amago de sacar su arma reglamentaria; la levedad del ataque consistente en unos mínimos forcejeos en un clima de tensión emocional también determina la aplicación de la resistencia simple (SAP Murcia, Sección 2ª, 127/2014, 24 abril); en cambio, un forcejeo violento con varios agentes, que los hace caer al suelo y requiere incluso la intervención de dos personas que acuden en auxilio de estos se califica de resistencia grave (STS 946/2013, 16 diciembre).

Para QUERALT JIMÉNEZ la gravedad de la resistencia viene determinada por la naturaleza del acto que se trata de impedir: en el atentado serán las actuaciones judiciales forzosas, mientras que en el ámbito del delito de resistencia simple del art. 556 CP serían las de índole administrativo. La verdad es que no existe fundamento legal para tal limitación del tipo de atentado.

En nuestra opinión la gravedad de la resistencia tendrá que venir determinada por la *idoneidad ex ante* que tenga la concreta conducta de oposición que se llevó a cabo para impedir la realización de lo demandado por la autoridad, agente o funcionario, esto es, la gravedad ha de conectarse con el bien jurídico protegido. Si hay una mayor peligrosidad de que lo perseguido con la actuación del funcionario no se realice, la resistencia será grave. Si, en cambio, ese peligro es menor entonces estaremos ante resistencia simple.

c) Medios comisivos: violencia e intimidación grave

i) Violencia. El medio tradicional de resistencia es la violencia. Esta ha de ser entendida en un sentido puramente descriptivo. Comprensiva, por tanto, solo del ejercicio de fuerza física, dado que la moral o vis psíquica está presente en el tipo a través de la intimidación. Son dos las cuestiones que se plantean. Por un lado, si el tipo solo abarca la violencia corporal, esto es, la que se ejerce sobre la persona del funcionario público o incluye también la empleada sobre las cosas. Por otro, si el tipo abarca los casos de autolesiones como medio de oponerse a lo demandado por el funcionario.

En relación con la primera de las cuestiones, antes de la reforma de 2015, la Doctrina limitaba la resistencia típica a la que se ejercía sobre la autoridad, agente o funcionario público, aunque fuera de forma mediata o indirecta, porque, aunque se aplicase a cosas, acababa repercutiendo en aquellos sujetos (entre otros, CÓRDOBA RODA, JASO ROLDÁN, ROIG TORRES). Así cerrar la puerta violentamente, atrapando la pierna o el pie del funcionario para evitar la entrada y registro (SAP Teruel, Sección 1ª, 15/2015, 1 octubre). Pero se excluía del tipo la fuerza ejercida exclusivamente sobre las cosas como, por ejemplo, destruir la cosa que va a ser embargada o secuestrada, la rotura de precintos, etc. (CEREZO MIR, en contra CUERDA ARNAU). La Doctrina italiana (ANTOLISEI, CERQUA) se manifiesta partidaria de incluir estos casos de fuerza en las cosas propiamente dicha dentro del tipo de resistencia violenta del art. 337 CP italiano, siempre que esta se dirija a impedir u obstaculizar lo demandado por el funcionario público.

Aunque no hay limitación típica que obligue a restringir el elemento a la violencia ejercida sobre las personas, lo cierto es que una interpretación sistemática nos lleva a esta conclusión. Primero, porque junto al delito de atentado, que recoge las conductas más graves que pueden perturbar el que los funcionarios públicos ejerzan de la mejor manera posible las funciones que tienen encomendadas, están los de resistencia y desobediencia del art. 556 CP e incluso las infracciones administrativas de la Ley de Seguridad Ciudadana, estableciéndose así una escala de gradación. Segundo, por equiparación valorativa con el resto de modalidades típicas del atentado —acometimiento y agresión—, que suponen ataques dirigidos al funcionario público por el ejercicio de sus funciones, en los que hay una peligrosidad para su vida, integridad física o salud. Finalmente, porque cuando el CP se quiere referir también a la fuerza sobre las cosas lo dice expresamente, como se ha puesto ya de manifiesto por ÁLVAREZ GARCÍA en este Tratado (tomo IV) al examinar el término «fuerza» del art. 493 CP (invasión de las cámaras legislativas). Parece, por ello, más razonable y adecuado dejar la fuerza sobre cosas fuera del ámbito del atentado (también QUINTERO OLIVARES).

Por lo que se refiere a las autolesiones, también la Doctrina italiana (CERQUA) considera abarcados estos casos por el delito de resistencia del art. 337 CP italiano, siempre que tengan la finalidad de obstaculizar o impedir el ejercicio del acto requerido por el funcionario público. El ejemplo que se pone es el de una persona que se realiza lesiones leves en un brazo para no cumplir con la exhibición de la documentación de identificación requerida, de la que carece. En nuestra Jurisprudencia hay también algunos ejemplos. Así la STS 361/2002, 4 marzo, no aprecia delito de atentado porque «*los hechos descritos no constituyen propiamente acometimiento ni resistencia activa equivalente frente a los agentes, sino que la acción perseguida no es otra que la de autolesionarse y precisamente la actividad de los agentes enderezada a evitarlo es lo que ocasiona los golpes y lesiones superficiales referidas. La violencia ejercida por el ahora recurrente contra sí mismo constituye la causa del forcejeo entre este y los agentes que tratan de evitar aquella. La reacción ante la detención no se da propiamente frente a aquellos sino contra sí mismo ocasionándose varios cortes en el antebrazo izquierdo y dándose cabezazos contra la mampara de seguridad del vehículo. No se trata de un supuesto de resistencia activa, nítida y diáfana, sino de una reacción de impotencia contra sí mismo y por ello debe ser subsumido en el artículo 556, inciso 1º, CP*». De igual forma en la Jurisprudencia de las Audiencias se encuentran ejemplos: la SAP Tarragona, Sección 4ª, 92/2007, 5 marzo, rechaza que pueda constituir delito de atentado el resistirse esgrimiendo un cristal a agentes de policía y manifestando su intención inminente de autolesionarse, porque dicha intimidación «*no se presenta como un mecanismo primario y directo de afección del sentimiento de seguridad de los agentes de especial gravedad*»; considerando que «*el comportamiento significativo en el delito de atentado reclama identificar un particular ánimo de menoscabo que no radica en la mera desatención a la orden legítima de la autoridad o de sus agentes sino en una reacción violenta, mediante acometimiento, resistencia activa o intimidación grave, directamente dirigida, por un lado, a negar el fundamento legal que presta legitimación a la intervención de los agentes y, por otro, a menoscabar su integridad física o lesionar de forma intensa su sentimiento de seguridad».*

Se distinguen, así, dos grupos de casos: uno, en los que la autolesión tiene una repercusión física sobre el agente, consecuencia del forcejeo empleado para evitarla; y otro, en que la autolesión se configura como el medio intimidatorio de oposición a lo pretendido por el funcionario público, lo que nos lleva en realidad a una resistencia por intimidación. En relación con el primer grupo, lo cierto es que la autolesión no se presenta como una verdadera oposición o resistencia a la actuación del agente. Más bien, al contrario, va a fomentar su intervención directa. Serán los forcejeos, ahora sí con naturaleza de resistencia, los que habrá que valorar para determinar si constituyen resistencia grave o no. En cuanto a la autolesión como mal con el que se intimida al funcionario para evitar su intervención, la cuestión —como veremos— estriba en si dicha intimidación puede calificarse de grave y si siéndolo representa una resistencia grave, en cuanto que tenga la suficiente virtualidad disuasoria para impedir o neutralizar la actuación del agente.

A diferencia de lo que ocurre en la intimidación, el tipo no exige que la violencia ejercida sea grave, lo que puede llevar erróneamente a considerar que el empleo de cualquier violencia suponga una resistencia grave (así MUÑOZ CUESTA). La lectura debe ser otra distinta: dado que la resistencia típica ha de ser grave, no cualquier ejercicio de violencia corporal o física merecerá esta calificación. La gravedad de la oposición violenta puede residir en su potencialidad lesiva, en lo desproporcionado de la respuesta a lo demandado por el funcionario, en su intensidad, persistencia, número de sujetos a los que afecta, etc. De manera que los meros forcejeos en los que se despliega una fuerza moderada deberían quedar fuera del tipo de atentado. En este sentido, se ha manifestado ya el TS en la Sentencia 534/2016, 17 junio, en donde se dice que «*el hecho de que esta última —la violencia— no se califique de grave no implica que se incorporen en la nueva tipificación del atentado los supuestos de resistencia activa menos grave, que con arreglo a la jurisprudencia de esta sala quedaban hasta ahora relegados al artículo 556 CP. La violencia es una actitud susceptible de presentar distintas magnitudes, y la intensidad de la que prevé el nuevo artículo 550 CP no puede desvincularse de la entidad que se exige a la resistencia calificada en este contexto de grave. De otro modo llegaríamos a la desproporcionada conclusión de que cualquier resistencia con un componente violento, por mínimo que este sea, integraría un atentado».*

ii) Intimidación grave. La intimidación ha sido definida por el TS como «*el anuncio o la conminación de un mal inminente, grave, concreto y posible, susceptible de despertar un sentimiento de angustia o temor ante el eventual daño, provocando una coacción anímica intensa*» (SSTS 1183/2001, 13 junio; 660/2001, 18 abril; 18-10-1990). La referencia a la producción de un efecto coactivo en el sujeto pasivo no es admisible, pues se hace depender la tipicidad de la mayor o menor fortaleza psíquica que tenga el funcionario público concretamente afectado, lo que no resulta adecuado para la seguridad jurídica y se opone al principio de culpabilidad. Llevaría a proteger más a las personas más temerosas y a dejar más desprotegidas a las más valerosas (CARBONELL MATEU/VIVES ANTÓN). Es suficiente, por tanto, con que el mal sea idóneo ex ante para presionar psicológicamente al agente de forma suficiente (idoneidad, gravedad), sin que sea necesario que se despierte un sentimiento de miedo en el sujeto pasivo, y con independencia de las posibilidades reales que *ex post* se constate que tiene el sujeto para llevar a cabo su amenaza. Como advierte ÁLVAREZ GARCÍA en el tomo II de este Tratado, tampoco es necesario que el mal sea concreto, sino que basta con que el inespecífico temido por la víctima sea suficiente para conseguir el efecto de compeler su voluntad.

Tradicionalmente no se ha considerado equivalente la intimidación a la amenaza. Esta distinción tenía sentido cuando se trataba de delimitar el tipo de desacato, en el que se castigaba la amenaza al funcionario público, y el de atentado, que se refería a la intimidación grave. Así, al igual que hacía la Jurisprudencia, algunos autores (JASO ROLDÁN, CÓRDOBA RODA) ponían el acento en la producción del mencionado efecto coactivo en el sujeto pasivo, propio de la intimidación, que faltaba en la amenaza. En la actualidad, quienes siguen diferenciando la intimidación de la amenaza se remiten al carácter inminente o más próximo del mal en la primera, mientras que la amenaza se reserva para un mal futuro o menos próximo (QUINTERO OLIVARES, CUERDA ARNAU, SERRANO GÓMEZ).

Por su parte, la Jurisprudencia ha seguido este último criterio, rechazando la calificación de atentado y condenando por amenazas cuando el mal es futuro. Así en la STS 1183/2001, 13 junio, se manifiesta: «*Es cierto también que de las cuatro conductas nucleares típicas, contenidas en el art. 550, tres de ellas (acometimiento, empleo de fuerza, o hacer resistencia activa grave), suponen el despliegue de un ataque coactivo inmediato a la autoridad o a sus agentes. La intimidación grave debe estar más próxima, en una interpretación lógica, a las conductas equivalentes entre las que se halla, que respecto a las amenazas, reguladas en otro título del Código, por cuanto mereciendo el mismo reproche legislativo, deberá participar de una similar caracterización conductual*». Pero, en cambio, la STS 368/2014, 6 mayo, apreció intimidación grave aun cuando se trataba de un mal futuro e indeterminado. Se juzgaba el envío de un paquete a la esposa del Director del centro penitenciario que contenía un corazón de cerdo putrefacto. El Tribunal manifiesta que «*no cabe duda de que es una advertencia al más puro estilo mafioso, su mensaje era claro: tomar represalias contra el destinatario, en este caso contra el Director, quien había abierto varios expedientes a Pablo a raíz de los cuales se descubriría fácilmente el ilícito negocio que tenía en la prisión. En otras palabras le advertía y le avisaba de que no siguiera adelante con los expedientes disciplinarios so pena de sufrir un mal él o su familia*».

En las Audiencias se mantiene la distinción entre el atentado y las amenazas en función de la mayor o menor proximidad del mal. Así se califica de falta de amenaza el hecho de manifestar ante dos agentes de la Policía local que iba a pegar dos tiros al Alcalde si firmaba algo en contra de él, pues aquel le había abierto un expediente sancionador (SAP León, Sección 3ª, 304/2014, 11 junio). En el mismo sentido, la AP La Rioja rechaza la calificación de atentado, al no considerar grave la intimidación que se manifiesta en las siguientes palabras del detenido hacia uno de los agentes de policía: «tú te estás metiendo en un lío gordo conmigo y te va a costar caro; te vas a llevar un buen pepino; ¿sabes los pepinos que tira esa pistola? —señalando el arma reglamentaria del agente— pues el que te vas a llevar tú es más gordo que esos» (SAP La Rioja, Sección 1, 6/2013, 23 enero). En cambio, la SAP Huelva, Sección 1ª, 177/2012, 10 julio, sí aprecia intimidación grave, aunque supone un mal futuro, en las palabras vertidas inmediatamente después de celebrarse la comparecencia para resolver sobre la prisión provisional del acusado, quien manifestó al juez de instrucción: *«de la prisión tengo que salir, no se te ocurra meterme en prisión»*. Asimismo, considera que es atentado por intimidación grave, aunque el mal es futuro, la SAP Cáceres, Sección 2, 365/2015, 2 septiembre, por manifestar ante médico forense la intención de *«matar a alguien, al Juez si pudiera, cuando salga de prisión»*; también la SAP Albacete, Sección 2°, 422/2015, 19 noviembre, por esgrimir una navaja de grandes dimensiones ante el profesor de su hijo, diciendo que como le pasara algo a su hijo lo iba a rajar; o la SAP Palencia, Sección 1ª, 4/2016, 18 enero, en la que se llama por teléfono al agente encargado del cobro de los tributos, que un día antes había realizado una visita a la atracción de su hijo para cobrar la tasa municipal, diciéndole *«voy a por ti, mañana mismo voy a ir a buscarte y te llevo por delante, te arranco la piel, te voy a matar, no te metas con mi familia»*.

A nuestro modo de ver, desaparecido el desacato, intimidar y amenazar deben considerarse términos equivalentes (DÍAZ Y GARCÍA CONLLEDO, ROIG TORRES, QUERALT JIMÉNEZ, BENÍTEZ ORTUZAR), máxime cuando el marco penológico de los atentados y las amenazas se ha equiparado. Ahora bien, al configurarse la intimidación como un medio de oponer resistencia será necesario que la amenaza, ya sea de un mal presente o futuro, sea idónea para rechazar o impedir la actuación del funcionario en ese momento. Lo que no podrá configurarse como resistencia serán aquellos casos en los que, sin existir una previa pretensión o demanda de la autoridad, agente o funcionario público, se anuncia un mal futuro que persigue limitar la libertad de decisión de estos sujetos —no impedir o rechazar una concreta actuación en curso— en la resolución de un proceso administrativo o judicial en el que el sujeto está inmerso. Aquí estaremos ante amenazas.

Así, casos como el ya citado de la STS 368/2014, 6 mayo, en el que se envía un paquete con un corazón de cerdo en estado de putrefacción a la esposa del

Director de un centro penitenciario como aviso intimidatorio ante el expediente sancionador abierto contra el sujeto por haber realizado determinados comportamientos irregulares en la prisión en la que trabajaba; o el de la SAP Huelva, Sección 1°, 177/2012, 10 julio en que el detenido, una vez concluido el acto de comparecencia judicial, y cuando está siendo conducido por los agentes fuera del despacho judicial, se giró y hablando al Sr juez sin hacer amago de aproximarse a él, dado que estaba esposado y sujeto por dos agentes de la Guardia Civil, a gritos le dijo: «de la prisión tengo que salir, no se te ocurra meterme en prisión»; o el de la SAP Isles Baleares, Sección 2°, 174/2015, 19 noviembre, en el que se rocía con gasolina el coche del alcalde, haciéndolo estallar fuera de su casa, con el propósito de atemorizarlo por su acción política y la línea de gestión que llevaba, quedan fuera de esta modalidad típica, pues no hay oposición a una previa pretensión de la autoridad, agente o funcionario público, sin perjuicio de su valoración como «agresión» o como amenazas genéricas. Concretamente la Jurisprudencia más reciente de las Audiencias, en la que se aplica ya el texto reformado se decanta por aplicar los tipos de amenazas. Este es el caso de la SAP Madrid, Sección 29, 104/2016, 25 febrero, en la que el sujeto increpó a la doctora diciéndole «eres una hija de puta, voy a traer a mis amigos y te voy a matar», a raíz de la negativa de esta a extenderle unas recetas, golpeando algunos muebles. El Tribunal rechaza la calificación de atentado, porque la intimidación no se puede conectar con una resistencia, pues viene motivada por la negativa de la doctora a extender la receta que quería el acusado, decantándose por unas amenazas.

El mal con el que se conmina ha de ser de una cierta gravedad, concreto o determinable, aunque no necesariamente serio o real, pues basta con la apariencia de seriedad, con que sea percibido como de posible realización (CEREZO MIR). Se trata de incidir en la formación de voluntad del funcionario, por lo que es indiferente que, por ejemplo, el arma no tenga munición o sea una de juguete. Lo que importa es que *ex ante* sea objetivamente idónea para influir en el ánimo del sujeto. Así, la STS 262/2003, 19 febrero, aprecia intimidación grave, aunque se trataba de una pistola de fogueo, en base a que generó un verdadero estado de temor en los agentes de policía. También, SAP Sevilla, Sección 4, 335/2015, 19 junio, en la que se exhibe una pistola de aire comprimido con apariencia de arma de fuego real.

Los medios por los que se realiza la intimidación no se encuentran limitados, pueden ser de palabra, gestos, actuaciones, etc. En este sentido, el mal con el que se conmina puede recaer sobre la autoridad, agente o funcionario o sobre un tercero, siempre que sea la forma de oponerse a la actuación de dichos sujetos. Aquí se plantea también si estarían abarcadas las autolesiones como medio intimidatorio. Así, por ejemplo, en el caso de la SAP Granada, Sección 1ª, 651/2002, 28 octubre, en el que el sujeto esgrime un plato, que previamente había roto, con el que se realizó varios cortes. El Tribunal entiende que es resistencia simple porque el propósito del acusado no era el de agredir a los agentes, sino el de autolesionarse y la intervención de los agentes era para que no lo hiciera. En realidad, lo que no hay es una verdadera actuación de oposición, que es lo que requiere el tipo de atentado como confrontación directa con la intervención del funcionario.

También puede conformarse una intimidación a través de violencia sobre cosas, de la que se desprenda razonablemente la posibilidad de males mayores contra las personas. Así, por ejemplo, en el caso citado de prender fuego al vehículo del Alcalde (SAP Islas Baleares, Sección 2, 174/2015, 19 noviembre). Más difícil nos parece que queden incluidos en el tipo de atentado cuando el mal con que se intimida sea el dañar cosas (de otra opinión, CEREZO MIR, CUERDA ARNAU), pues, parece que en los atentados se trata de preservar la función pública que puede verse perturbada por los ataques personales que se dirigen contra quienes tienen que desempeñarla. En este sentido, hay que tener en cuenta que constituye un tipo agravado de daños (art. 263.2. 1ª CP) los que se realizan a las cosas para impedir el libre ejercicio de la autoridad o como consecuencia de acciones ejecutadas en el ejercicio de sus funciones. De otra parte, tampoco resultaría coherente excluir —como hemos hecho más atrás— los daños en las cosas de la modalidad de oposición de resistencia por violencia, e incluir, sin embargo, la amenaza de causarlos en la modalidad de intimidación grave. Nos parece más acertado aquí recurrir a los tipos de amenazas.

La intimidación ha de ser grave. La gravedad es un elemento valorativo eminentemente circunstancial. Para su determinación será relevante la entidad del mal con el que se amenaza, el medio empleado y las demás circunstancias de tiempo y lugar que rodean a la intimidación (CARBONELL MATEU/VIVES ANTÓN, CUERDA ARNAU, ROIG TORRES, etc.). Así, en razón del medio se ha estimado grave esgrimir un cuchillo de cocina (STS 1872/2000, 5 diciembre), también una navaja abierta de 8,5 cm (STS 470/2004, 6 abril); entre las Audiencias, verter gasolina contra los agentes de policía, mientras en la otra mano se sujetaba un mechero, advirtiendo que si intentaban sacarlo de la casa prendería fuego con todos dentro (SAP Santa Cruz de Tenerife, Sección 2ª, 218/2010, 10 mayo; también, encañonar a agente con escopeta de dos cañones (SAP Castellón, Sección 2, 522/2012, 14 diciembre; por la gravedad del mal y la persistencia, la SAP Madrid, Sección 4, 209/2015, 20 abril, que juzga la exhibición persistente de varios cuchillos, mientras se anuncia la intención de lanzárselos a la policía si se acercaba, acompañada de amenazas de muerte.

Pero no lo será —como propone CÓRDOBA RODA— el mayor efecto coactivo producido en la víctima. En este sentido, por ejemplo, no se comparte la valoración realizada en la SAP León, Sección 3ª, 150/2011, 29 junio, en la que se califica de grave el anuncio de «pegar dos tortas» a una psiquiatra, acompañado de violencia verbal y gestos de fuerza —aporrear la puerta—, durante un cierto tiempo —dos episodios sucesivos—, en base a que provocaron «*en la victima un sentimiento de temor y grave intimidación que la desencadenó un trastorno adaptativo con predominio de ansiedad que precisó tratamiento médico*», calificado como lesiones del art. 147.1 CP. Tampoco parece que la gravedad de la intimidación deba hacerse depender de la mayor preparación profesional que tengan los policías frente a este tipo de actos (QUERALT JIMÉNEZ), de manera que lo que se valora como grave para otros funcionarios, no se estima como tal para aquellos. Aunque, ciertamente a la vista de la práctica jurisprudencial, parece que este fuera un dato que tácitamente consideran nuestros Tribunales. No hay más que mirar la distinta vara de medir, si tenemos en cuenta la entidad del mal con el que se amenaza, cuando estamos ante funcionarios que se dedican al ejercicio de la medicina o a la educación, y ante los que prestan sus servicios en el ámbito del orden público.

Por su parte la Jurisprudencia, ya antes de la Reforma de 2015, había admitido que la resistencia, tanto la grave como la simple, pudiesen tener lugar por medio de la intimidación. En concreto, se apreció intimidación grave en el hecho de exhibir un cuchillo a escasa distancia de los agentes, obligándoles a retroceder (SAP Burgos, Sección 1ª, 74/2007, 20 marzo); amenazar a un agente con una piedra para impedir su detención (SAP Ciudad Real, Sección 1ª, 4/2002, 13 marzo); esgrimir un destornillador cuando iba ser detenido (SAP Barcelona, Sección 5º, 15 mayo 2000). No se consideró, en cambio, resistencia grave esgrimir una navaja de pequeñas dimensiones (SAP Sevilla, Sección 1, 133/2003, 1 abril); o un trozo de cristal con forma de puñal que se abandona cuando los agentes desenfundan sus armas reglamentarias (SAP Madrid, sección 16, 77/2014, 6 febrero); tampoco exhibir los utensilios empleados para forzar el vehículo —un cuchillo y una navaja—, arrojando uno de ellos cuando el policía le conminó y siendo privado de la otra por el propio agente de forma rápida y sencilla (STS 740/2001, 4 mayo).

3.2. Los tipos del art. 554.2 y 3 CP

Como ya hemos puesto de manifiesto la conducta típica en el delito de atentado no es uniforme para todos los sujetos pasivos. Así, en los tipos de los números 2 y 3 del art. 554 CP se contemplan como modalidades típicas: el acometimiento, el empleo de violencia y la intimidación, esta última ha de ser grave respecto de los sujetos del art. 554.3 CP. De manera que se comparte con los tipos de los arts. 550 y 554.1 la conducta de acometimiento y también en cierta forma la de intimidación —grave o no—, si bien con la particularidad de que ahora no se presenta como una forma de oponer resistencia grave. Nos remitimos por ello a lo ya dicho sobre estas conductas en dicha sede.

Restaría únicamente por considerar la modalidad de «empleo de la fuerza». Como ya hemos indicado más atrás, su interpretación ha venido condicionada por la necesidad de distinguirla del «acometimiento». A ello nos hemos referido más atrás. Sucintamente, una de las tesis que gozaba de más predicamento consideraba que «el empleo de la fuerza» acogía acciones violentas que no se dirigían a lesionar la vida o la integridad física, sino a doblegar la voluntad del sujeto pasivo, a «obligarle a hacer o a padecer lo que no desea» (JASO ROLDÁN, FERRER SAMA, CARBONELL MATEU/VIVES ANTÓN), a modo de una especie de coacciones. Otra corriente ponía el acento en la existencia o no de contacto físico entre agresor y agredido, considerando que «el empleo de la fuerza» sí lo requiere (GROIZARD, CÓRDOBA RODA). Otros se fijaban en sobre qué se ejercía la fuerza: mientras en el acometimiento la violencia recaía sobre el sujeto pasivo, en «el empleo de fuerza» se trataba de una acción violenta sobre las cosas que solo de modo indirecto acababa teniendo repercusión sobre el cuerpo de aquel (CEREZO MIR, también DÍAZ Y GARCÍA CONLLEDO, CUERDA ARNAU). Algunos incluso circunscribían esta modalidad de empleo de la fuerza a la que recaía sobre cosas materiales para doblegar la voluntad del sujeto pasivo (RODRÍGUEZ DEVESA, LORENTE VELASCO). Finalmente, otra corriente doctrinal identificaba tanto el acometimiento como el empleo de la violencia con agresiones o ataques físicos sobre los sujetos pasivos (MUÑOZ CONDE, MIRANDA ESTRAMPES), si acaso apreciando en el acometiendo un ejercicio de la violencia en el que el sujeto activo tomaba la iniciativa, mientras que el empleo de fuerza se reservaba para una situación violenta ya iniciada, en donde la fuerza se emplea para doblegar la voluntad del sujeto pasivo (JAVATO MARTÍN).

Lo cierto es que la falta de simetría en la definición de las conductas típicas que recaen sobre los distintos sujetos pasivos obliga a hacer una interpretación distinta, si es que no se quiere llegar a la conclusión de que la protección dispensada al funcionario público y autoridad es de menor alcance que la que reciben los sujetos que ocasionalmente les auxilien. Como ya indicamos, se trataría de considerar las distintas modalidades típicas teniendo en cuenta la distinta posición de los sujetos pasivos de la acción respecto del bien jurídico protegido. Desde esta perspectiva, la conducta de resistencia grave, por medio de violencia o intimidación grave, parece solo posible frente a la autoridad, agente y funcionario público, en cuanto que sujetos hábiles para formular la orden o la actuación coactiva; mientras que respecto de quienes ocasionalmente intervienen en auxilio de aquellos en el ejercicio de funciones públicas solo puede contemplarse directamente el empleo de fuerza y la intimidación grave, junto al acometimiento. En consecuencia, el empleo de la fuerza tendría el mismo contenido que la violencia a la que se refiere el art. 550 CP como medio de oponer resistencia grave.

4. Tipo subjetivo y error de tipo

4.1. Dolo

El atentado es un delito doloso en el que, como en cualquier otro, el dolo debe abarcar todos los elementos típicos: la condición de autoridad, agente o funcionario público, o la exigida, en general, a cualquiera de los peculiares sujetos pasivos recogidos en los muy distintos tipos de atentado, y el que el ataque se produzca en relación al ejercicio de las funciones o con ocasión de ellas. El sujeto debe conocer, por tanto, la cualidad y la actividad del sujeto pasivo y querer dirigir el ataque contra ellas. En cuanto al ejercicio de funciones públicas no es necesario un conocimiento exacto o preciso sobre estas, sino que basta con el que se tiene desde la esfera del profano, con los especiales conocimientos del autor.

La acreditación del conocimiento de la cualidad del sujeto pasivo se apoya en la constatación de los siguientes datos por la Jurisprudencia: que el sujeto pasivo vaya de uniforme, aunque esta es una peculiaridad exigida por el tipo del art. 554.1 y referida por el Legislador solo a los miembros de las Fuerzas Armadas (entre otras, SSTS 24-2-1989; 399/2013, 8-5; SAP Zaragoza, Sección 1, 336/1997, 19-9), o cuando no es así, es suficiente con que se haya identificado verbalmente o haya mostrado sus credenciales (STS 580/2014, 21-7); en otros casos ni siquiera esto, si la condición era conocida por el sujeto activo en base a un previo contacto por haber estado en su despacho oficial (STS 1305/2011, 28-11), o porque la víctima y el acusado eran oriundos del mismo pueblo (STS 38/1999, 25-10); o porque el ataque tiene lugar en el despacho de la autoridad (STS 2712/1992, 9-12). También cuando la condición del sujeto es deducible racionalmente por medios indirectos como el uso de vehículo policial que enciende el «dispositivo centelleante» (STS 18-5-1987), un brazalete con la identificación «ertzaina» (STS 948/2000, 29-5), el chaleco reflectante con las letras mayúsculas «guardia civil» (SAP Toledo, Sección 2°, 15/2016, 1-2; también STS 981/2010, 16-11).

En consecuencia, si no se puede acreditar que el sujeto sabía, ni directa ni indirectamente, nada de esta cualidad de la víctima, no habrá atentado por falta de dolo (error de tipo). Este fue el caso de la STS 983/2016, 11-1-2017, en el que unos representantes de extrema derecha irrumpen en un acto cultural de celebración de la Diada catalana, desconociendo que quien se encontraba en el atril era el Delegado del Gobierno catalán, pues el folleto informativo del acto no recogía quién presentaría el acto musical, a lo que se unía el hecho de que acababa de ser nombrado para el cargo, aprovechándose dicho acto para su presentación. También la SAP Toledo, Sección 1ª, 71/2001, 15-11, excluye el dolo, porque de la dinámica de los hechos no se deduce un efectivo conocimiento de la condición de agente de la autoridad. Se trataba de un policía uniformado quien, con intención de parar una pelea, que estaba acaeciendo de noche ante una multitud de personas, aborda al acusado por la espalda para separarlo del contrincante, dándose aquel la vuelta con gran rapidez agarrando al agente por el cuello y propinándole un puñetazo en la cara.

4.2. Ánimo de ofender

La cuestión más controvertida en Doctrina y Jurisprudencia en materia de tipo subjetivo en el delito de atentado, una vez que se abandonó el sistema de clausula general en la incriminación de la imprudencia, característico del CP 1973, es si ha de darse un elemento subjetivo del injusto distinto del dolo, que la Jurisprudencia identifica con el ánimo de ofender, vilipendiar, dañar o menoscabar el principio de autoridad, y la Doctrina con el motivo o finalidad del ataque en algunos supuestos de atentado.

En efecto, bajo la vigencia del CP 1973 se cuestionaba la posibilidad de que el atentado pudiera cometerse por imprudencia. Concretamente CEREZO MIR distinguía entre los atentados que tenían lugar en el momento en que se ejercían funciones públicas y los que sucedían «con ocasión de su ejercicio». Respecto de estos últimos la modalidad imprudente no era posible, porque dicha cláusula exigía constatar que el motivo de la agresión residiera en el ejercicio pasado o futuro de la función pública, lo que implicaba apreciar una finalidad conectada con esa función (venganza, coacción, etc.). En cambio, cuando el sujeto pasivo se hallaba ejerciendo sus funciones era posible la imprudencia, porque, por ejemplo, el sujeto sufriera un error vencible que le llevara a desconocer la condición de funcionario público o el que se estuvieran ejerciendo funciones públicas, o incluso porque el acometimiento o uso de fuerza se realizase de forma imprudente: arrollando, por ejemplo, culposamente a un guardia de circulación. Sin embargo, el citado autor acababa desechando en todos los casos la punición de la imprudencia (también QUINTANO RIPOLLÉS, JASO ROLDÁN, CUELLO CALÓN, CASARES VILLANUEVA) por considerar consustancial al concepto de atentado el que el ataque fuera doloso, remitiéndose a la vía administrativa para sancionar las posibles perturbaciones imprudentes. En la Jurisprudencia también hay algunos ejemplos de ataques no dolosos a funcionarios públicos. Así la SAP Barcelona, Sección 6, de 18 de octubre de 2002, rechaza la calificación de atentado porque la embestida no es inequívocamente dolosa, argumentando que «*el hecho de acelerar a pesar del "alto" del agente al observar la anómala conducción, aun cuando el policía nacional se apartara para esquivarlo, no supone en sí mismo el acometimiento típico del atentado, sino la continuación de una conducción irregular, no pudiendo inferir, a falta de otros elementos, que el acusado dirigiera el coche de forma dolosa contra el cuerpo del agente para atentar contra su vida o integridad física, sino tan solo que con su acción siguió conduciendo de la forma anómala descrita*». También el caso de la SAP Sevilla, Sección 7ª, 216/2009, 29-4, en el que la acusada «barre» con el brazo los objetos que había sobre la mesa de la doctora, provocando la caída de la pantalla del ordenador sobre la mano de esta, pues «no se deduce de ese relato fáctico que tirara la pantalla del ordenador hacia su cuerpo», sino que la lesión se produjo porque intentó sujetar la pantalla con la mano. Recientemente la STS 22/2018, 17-1, ha enjuiciado un caso de lo que se ha calificado como arrollamiento imprudente de un mosso d'Esquadra, que estaba realizando un control de alcoholemia, en base a que no ha podido acreditarse que el individuo se apercibiera del mencionado control policial con tiempo suficiente para reaccionar, dada la velocidad a la que iba, el grado de embriaguez en que se encontraba, y la ubicación del control en un tramo de carretera que dibuja una suave curva. Una calificación que sorprende pues el sujeto se comportó con absoluta indiferencia hacia la producción del resultado (dolo eventual), pues, según consta en los hechos probados, el carril izquierdo por el que venía circulando el acusado estaba libre y tras impactar el automóvil con el cuerpo del agente, que se encontraba en el carril derecho y que fue proyectado 58,5 metros más allá, no solo no se detuvo —obligando a otro agente, situado en el mismo carril derecho unos metros más adelante, a retirarse para no ser arrollado también— sino que aceleró de nuevo, prosiguiendo su marcha a gran velocidad. No parece que pueda afirmarse, en lo que al delito de atentado se refiere, que no llegara a apercibirse de la condición y presencia, no ya del primer agente atropellado, sino del segundo, que logra esquivar el automóvil que contra él se dirige.

Dicha realidad jurídica es seguramente la que explica que la Jurisprudencia del TS exigiera desde antiguo un ánimo específico de ofender o menospreciar a la autoridad que, como elemento subjetivo del injusto, hacía inviable la sanción de la versión imprudente (SSTS 1470/1973, 26 de noviembre; 947/1973, 26 de junio; entre otras). Así por ejemplo, la STS 961/1987, 1-6, manifestaba *«aunque, el precepto referido, no alude para nada a la necesidad de un "animus" especial o elemento subjetivo del injusto típico, consistente en el propósito, por parte de los Agentes, de escarnecer y vilipendiar el principio de autoridad, que de ordinario encarnan y representan no solo las autoridades, sino sus Agentes y los funcionarios públicos, es lo cierto que, tanto doctrinal como jurisprudencialmente, para la perfección del delito de atentado, se exige no solo la concurrencia de elementos cognoscitivo y volitivo del dolo, sino también la de ese propósito específico de desdoro y mengua del mentado principio de autoridad».* También la STS 2955/1988, 28-11, se refiere a *«un ánimo tendencial y específico de menospreciar, menoscabar o vilipendiar el principio de autoridad, de herir o socavar el respeto debido».* En el mismo sentido, STS 28-10-1991. En otros casos se alude a un dolo específico de menosprecio, escarnecimiento o vilipendio al principio de autoridad, junto al dolo genérico, que abarca la calidad del sujeto pasivo y la circunstancia de hallarse en el ejercicio de las funciones del cargo (STS 948/2000, 29-5).

La Jurisprudencia más moderna, aunque se refiere a un dolo de ofender, denigrar o desconocer el principio de autoridad (STS 338/2017, 11-5), lo hace, en muchas ocasiones, de una manera imprecisa, refiriéndose de manera indistinta al dolo específico y al ánimo del sujeto (STS 193/2017, 24-3) o incluyendo, junto a un dolo de ofender o denigrar, el conocimiento de los elementos objetivos del tipo (condición y actividad pública del sujeto pasivo). En concreto, las SSTS 199/2015, 30-3; 328/2014, 28-4; 1010/2009, 27-10, enumeran los elementos subjetivos que deben concurrir en el delito de atentado:

> «a) conocimiento por parte del sujeto activo de la cualidad y actividad del sujeto pasivo cuya protección no puede depender del uso del uniforme en el momento en que se ejerce la autoridad, dado que el uniforme solo permite el inmediato reconocimiento del agente, siendo indiscutible que habiéndose identificado el agente como tal y haber tenido conocimiento de ello el acusado, se cumplieron todas las exigencias del elemento cognitivo del mismo.
>
> b) el elemento subjetivo del injusto, integrado por el dolo de ofender, denigrar o desconocer el principio de autoridad, cuya concurrencia en el caso presente no puede ser cuestionada.
>
> En efecto, el dolo es un elemento intelectivo, supone la representación o conocimiento del hecho, que comprende el conocimiento de la significación antijurídica de la acción y el conocimiento del resultado de la acción.
>
> El elemento subjetivo del injusto integrado por el dolo de ofender, denigrar o desconocer el principio de autoridad, que "va ínsito en los actos desplegados cuando no constan circunstancias concurrentes que permitan inferir otra motivación ajena a las funciones públicas del ofendido"».

La confusión es evidente. Primero se menciona el conocimiento de la cualidad y actividad del sujeto pasivo sin expresar si esto forma parte del dolo. Suponemos que con ello se quiere referir a lo que sería el dolo genérico, pues abarca los elementos objetivos del tipo, pero se omite la referencia al aspecto volitivo. Segundo, se refiere al dolo de ofender, denigrar o desconocer el principio de autoridad como elemento subjetivo del injusto. Sin dejar de ser cierto que el dolo es un elemento subjetivo del tipo, esta nomenclatura —como es de todos sabido— se reserva precisamente para otros elementos subjetivos distintos del dolo. Pero es que nuevamente identifica este dolo de ofender únicamente con la parte cognoscitiva, configurándolo además como dolo malo, al incluirse la significación antijurídica del hecho, y con un alcance que va más allá del tipo objetivo, pues abarca «el resultado de la acción», esto es, los posibles resultados lesivos que se deriven de la acción violenta; a no ser que con dicha desafortunada expresión se quiera aludir al resultado (jurídico) de la acción como afectación del bien jurídico protegido.

Además, el reconocimiento de esta variedad de elementos subjetivos trae aparejado el problema de su prueba. Algo que el TS resolvió inicialmente estableciendo presunciones a partir del conocimiento del carácter público de la víctima, «salvo que se acredite en la causa la existencia de un móvil distinto» (SSTS 961/1987, 1 de junio; 2955/1988, 28 de noviembre; 1863/1989, 16 de junio; 371/2004, 25 de marzo; críticamente, exigiendo la voluntad de acometer, STS 14 de febrero de 1992, ponente Marino Barbero), y posteriormente con la tesis del dolo ínsito en la conducta. Así manifiesta que «*va ínsito en los actos desplegados cuando no constan circunstancias concurrentes que permitan inferir otra motivación ajena a las funciones públicas del ofendido»* (SSTS 1710/1999, 10 de febrero; 65/2002, 11 de enero; 306/2010, 5 de abril; 338/2017, 11 de mayo). Si bien, se admite la compatibilidad de este ánimo de desprestigiar el principio de autoridad con otra finalidad. Así la STS 592/2005, 25 de abril, manifiesta que el *«delito de atentado requiere además del "dolo genérico" el ánimo de atacar el ejercicio (correcto) de un cargo que implica el desarrollo de alguna modalidad de autoridad. Pero la intención de auxiliar a la madre frente a la actuación policial es compatible con aquel ánimo, al menos de necesarias consecuencias».* En el mismo sentido, más recientemente SSTS 193/2017, 24 de marzo; 534/2016, 17 de junio, respecto de la finalidad de eliminar los rastros de una finalidad delictiva, o de la finalidad de huir (SSTS 44/2016, 3 de febrero; 981/2010, 16 de noviembre; 2012/2004, 8 de octubre; 1421/2003, 3 de noviembre). En estos casos, se estima que estos propósitos tan solo eliminan el dolo directo de primer grado, pero no el de segundo grado o de consecuencias necesarias (STS 2012/2004, 8 de octubre).

No obstante, esta corriente convive con otra Jurisprudencia que acertadamente rechaza la existencia de un elemento subjetivo del injusto distinto del dolo. Así la STS 702/1991, 22 de febrero, declara que *«el propósito de atentar contra la autoridad no requiere una especial decisión del autor de atentar contra la autoridad, diferente a la decisión de realizar la acción. Es decir, no es un elemento volitivo especial, sino un elemento cognitivo, que se da con el conocimiento del carácter de autoridad de la persona intimidada o acometida. El que sabe que intimidar o acometer a una persona que ejerce como autoridad tiene, por lo tanto el propósito de atentar contra la misma. Por lo tanto, es erróneo considerar a dicho propósito como un elemento diferente del elemento cognitivo del dolo».* Más recientemente las SSTS 368/2014, 6 de mayo; 3/2014, 21 de enero; 466/2013, 4 de junio; 180/2013, 1 de marzo; 79/2010, 3 de febrero; 652/2009, 9 de junio, manifiestan que *«tal ánimo de ofender o causar daño al principio de autoridad no es un elemento del delito diferente al dolo: no se trata de un elemento subjetivo del injusto a añadir al dolo. En este delito de atentado solo existe como requisito subjetivo el dolo, sin más».*

Por su parte la Doctrina tampoco es conteste. Unos autores separan los ataques en el ejercicio de las funciones públicas, en los que estiman suficiente con el dolo, de los que tienen lugar con ocasión del ejercicio de dichas funciones, donde entienden que es preciso un elemento subjetivo adicional para constatar la vinculación de la conducta típica con el bien jurídico protegido. Así, la consideración del motivo o finalidad permite delimitar los ataques por motivos privados que no vulneran el bien jurídico protegido, quedando por ello fuera del tipo (ROIG TORRES, LORENTE VELASCO, MUÑOZ CONDE). En otra línea se sitúan quienes consideran que no hay base legal para un elemento subjetivo del injusto distinto del dolo, ni tampoco se requiere acudir al motivo de la agresión para determinar si esta tiene lugar «con ocasión del ejercicio de funciones públicas». Así

JAVATO MARTÍN sostiene que basta con que el ejercicio de la función pasada o futura sea la circunstancia que favorece la realización de la conducta (también CUERDA ARNAU).

En cualquier caso, se rechaza el ánimo de vejar o menospreciar a la autoridad (entre otros, QUINTERO OLIVARES, QUERALT JIMÉNEZ, CUERDA ARNAU), aunque algunos se refieren a la finalidad de impedir la ejecución o realización del acto, bien limitado a algunas modalidades típicas —todas menos el acometimiento— (QUERALT JIMÉNEZ), o bien como manifestación del dolo (BENÍTEZ ORTUZAR).

A nuestro modo de ver el tipo de atentado no requiere ningún elemento subjetivo adicional distinto del dolo, tanto para los casos de ataque en el ejercicio de las funciones públicas como respecto de los que se suceden «con ocasión de ellas», porque lo que determina su tipicidad es la conexión con el bien jurídico protegido, y esto es lo que tiene que conocer y querer el sujeto cuando realiza el acometimiento, la agresión o la resistencia grave, sin que importe cuál es la finalidad del sujeto (huir, ocultar el hecho, vengarse, auxiliar, etc.). En este sentido, recordamos que los ataques a funcionarios públicos por razones privadas pueden tener cabida en el tipo —por la vía de «con ocasión»— cuando se busca producirlos en el ejercicio de las funciones del cargo para amplificar el efecto.

4.3. Dolo eventual

De lo dicho hasta aquí se comprende que sea admisible el dolo eventual (CEREZO MIR, JASO ROLDÁN, ROIG TORRES, JAVATO MARTÍN; lo rechaza CÓRDOBA RODA, al requerir que la conducta se realice «a sabiendas»). Pero bien entendido que el dolo eventual no se refiere a la producción de un ulterior resultado lesivo (así parece entenderlo LORENTE VELASCO), sino al hecho mismo del ataque o agresión al sujeto pasivo. Este es el caso de la STS 676/2005, 16 de mayo, en la que se manifiesta que «*hubo, sin duda, dolo eventual: el conductor del coche que dio marcha atrás contra el vehículo oficial que le obstaculizaba su maniobra de huida, forzosamente tuvo que prever y aceptar la posibilidad (o probabilidad) de que, de alguna manera, atropellara a alguno de los varios agentes de la autoridad que allí se encontraban*». También se ha apreciado dolo eventual en relación con la condición de funcionarios públicos de agentes de paisano que reducen al acusado en un evento público en el que intentó causar un disturbio (SAP Navarra, Sección 2, 123/2005, 6 de junio).

4.4. Error de tipo

Como ya hemos visto más atrás, el desconocimiento de la condición de servidor público del sujeto pasivo elimina el dolo. Se produce un error de tipo que, tanto si fuere invencible como vencible, lleva a la no punición del atentado, dado que no está prevista la comisión imprudente. La SAP de Ciudad Real, Sección 1ª, 49/2012, 8 de marzo, apreció un error invencible de tipo ante la imposibilidad de acreditar si el sujeto tenía conocimiento de la condición de los agentes que iban de paisano y en vehículo camuflado, pues no pudo constatarse en qué momento se identificaron estos. Rechaza la existencia de error de tipo, porque el acusado dispuso de tiempo y campo visual para ver el uniforme, que no quedó oculto por el hecho de que el agente se agachara (SAP Barcelona, Sección 7ª, 507/2014, 2 de junio).

Si el error recae sobre la condición concreta que, como servidor público, ostenta el sujeto pasivo, porque, por ejemplo, se desconoce que es autoridad, la consecuencia será la no apreciación de la agravación, tal y como se dispone en el art. 14.2 CP.

Mayor problema suscita el error que recae sobre el ejercicio de funciones públicas, más concretamente sobre la legalidad de la actuación del sujeto pasivo. CUERDA ARNAU considera que, en estos casos, en realidad, se produce un error sobre los presupuestos del derecho de resistencia (error de prohibición), cuya vencibilidad dará lugar a la atenuación prevista en el art. 14.3 CP (también LORENTE VELASCO). En nuestra opinión, sin embargo, la creencia errónea del sujeto activo de que el funcionario no estuviera actuando en el ejercicio legítimo de sus funciones es un error sobre un elemento del tipo, con las consecuencias que esto conlleva en caso de vencibilidad del error. De la misma forma, cuando el sujeto activo agrede al pasivo por la realización de actos que aquel cree que este está realizando en el ejercicio de sus funciones, cuando no es así, no podrá dar lugar a la apreciación del delito de atentado, con independencia de hubiera delitos de lesiones, malos tratos o coacciones.

5. *Justificación*

Cuando examinamos la exigencia típica de hallarse en el ejercicio de las funciones de sus cargos o con ocasión de ellas, concluimos que quedaban abarcadas por el tipo de atentado tanto las meras actuaciones irregulares del funcionario público, que no pueden originar en ningún caso una resolución con efectos de invalidez de lo actuado, como las que puedan integrar actos anulables, en tanto no hayan sido todavía expulsados del Ordenamiento jurídico y sigan, por ello, siendo válidos. Pues bien, es en este ámbito donde se plantea ahora si el ejercicio de la violencia por el particular, en respuesta a tales actuaciones, puede quedar justificado en base al ejercicio de lo que se ha denominado «un derecho del particular a resistir» (VIVES ANTÓN/CARBONELL MATEU, CUERDA ARNAU), y que, en nuestra opinión, no constituye sino un supuesto de estado de necesidad (también LÓPEZ GUERRA, MUÑOZ CONDE, etc.), en el que habrá que efectuar la correspondiente ponderación de males y examen de los demás requisitos.

Es claro que en tales casos no tendrá cabida la legítima defensa (de otra opinión FERRER SAMA), porque, como ya apreciara CEREZO MIR, no puede hablarse de una agresión ilegítima del funcionario público, si su actuación constituye un ejercicio legítimo del cargo. Por otra parte, tampoco constituirá un problema de justificación en el atentado la reacción del particular frente a actuaciones del funcionario público que sean reconducibles a la nulidad de pleno derecho, pues aquí —como ya indicamos— faltará la misma tipicidad del atentado al no haber ejercicio de las funciones del cargo (también CARBONELL MATEU/VIVES ANTÓN, CUERDA ARNAU, ROIG TORRES, etc.), sin perjuicio de la justificación a que hubiere lugar respecto del delito común cometido por el funcionario público (lesiones, coacciones, detenciones ilegales, etc.).

Así las cosas, la cuestión estriba en determinar si ante actuaciones del funcionario público como las señaladas más arriba, es legítima la resistencia violenta del particular. En este sentido, una corriente doctrinal (VIVES ANTÓN/CARBONELL MATEU, PRATS CANUT,) estima que si existen medios legalmente previstos para oponerse a la actuación del funcionario público, no podrá justificarse la reacción violenta del particular, pues la existencia de esas vías legales veda el empleo de la violencia. Algo que compartimos, y que entendemos impediría tanto la exención completa como incompleta por falta de situación de necesidad (de otra opinión BENÍTEZ ORTUZAR, que considera posible la exención incompleta).

Además, CUERDA ARNAU incluye dentro del derecho a resistirse del particular los casos en que tales actuaciones supongan la vulneración de un derecho fundamental respecto de los cuales una ulterior resolución judicial, que apreciase la infracción del mismo, nunca permitiría su pleno restablecimiento, porque por ejemplo se tratase de practicar una entrada y registro cuyo destinatario ya no fuera el morador de la vivienda, o de la detención de quien fuera confundido con un peligroso criminal, etc. En tales supuestos, como la misma autora reconoce, habría que examinar en el caso particular si concurren todos los requisitos del estado de necesidad para justificar el uso de la fuerza por el particular.

Por su parte, el Tribunal Supremo sitúa estas cuestiones dentro del examen del ejercicio de las funciones del cargo, distinguiendo entre lo que son meras irregularidades o extralimitaciones leves, que no eliminan la tipicidad del atentado y las notoriamente graves que comportan la atipicidad por no constituir ejercicio de funciones públicas conforme a Derecho. Así se aprecia extralimitación grave por falta absoluta de competencia en la actuación del Secretario de la Administración local que «*ante la simple presencia de las tres personas que justificadamente pretendían personarse en el Ayuntamiento para esclarecer el asunto, comienza ya por expresarse en una forma airada, y como tal recusable, en un lugar inadecuado, cual el portal de acceso a la Casa Consistorial, descendiendo a discutir violentamente con su interlocutor y a forcejear con él, por discrepar acerca de quien debía penetrar en el edificio, como presuntamente responsable del comportamiento motivador del episodio, esto es, de la aceptación y acatamiento o desobediencia a la orden de suspensión de trabajos de extracción de arena, misión aquella de compeler física y violentamente a una persona a que comparezca ante la autoridad municipal o funcionarios de ella dependientes, o incluso, de efectivizar una orden de detención, totalmente alejada de las que están atribuidas a los Secretarios de la Administración Local, cuyas entidades, y sus órganos rectores, medios tienen, tanto de orden inmaterial, como ya puramente físicos y coercitivos, para que los legítimos mandatos que profieran sean acatados y cumplidos, sin necesidad de que tan destacados funcionarios se vean precisados a mantener en la vía o lugares públicos airadas y violentas discusiones con persona alguna, a ejecutar órdenes de detención y menos todavía a impedir por la fuerza el acceso a las dependencias municipales de determinada persona, obligando, por contra, a que lo haga otra»* (STS 697/1972, 3 mayo).

Asimismo, la STS 794/2007, 26 septiembre, considera extralimitación grave el apartamiento de los presupuestos constitucionales que legitiman cualquier acto de injerencia de los poderes públicos en los derechos fundamentales del ciudadano. En el caso se trataba del quebrantamiento de la inviolabilidad del domicilio sin que se dieran los presupuestos del art. 553 LECri para practicar una detención de quien pretende eludir la acción de la justicia refugiándose en su domicilio, dado que los agentes *«no cuentan con dato de identificación alguno que permita concluir que la persona que en ese momento atendió la llamada y luego reaccionó intentando cerrar la puerta, era la misma que con anterioridad había realizado la transacción clandestina de droga. De ahí que los agentes no contaran con elemento de juicio que les permitiera ver en el cierre de la puerta por parte de Luis Andrés algo más que la reacción de cualquier ciudadano ante lo que considera una intromisión injustificada de los poderes públicos en su espacio de privacidad».*

Más recientemente, la Sentencia del Juzgado de lo Penal nº 2 Alicante, 240/2017, de 1 de julio, aprecia extralimitación grave en la actuación de un policía en una manifestación, que queda plasmada en una fotografía del periódico y de la que se extrae la siguiente información: *«la enérgica descarga, por parte de un policía uniformado, de un porrazo en la cabeza o espalda de una persona que sostiene con otras una pancarta; el carácter sorpresivo y por la espalda de la actuación del agente, de la que por el momento ni siquiera se han apercibido el resto de portadores de la pancarta, que siguen mirando al frente; la actuación en solitario del agente, ya que se ve a un grupo de compañeros, ya a cierta distancia de la pancarta y alejándose de ella».*

En cambio, sostiene STS 87/1987, 23-1, *«que no se queda despojado, el sujeto pasivo, de su condición pública y de la especial protección a ella inherente, cuando se trate de extralimitaciones leves, de inobservancia de formalidades inesenciales, de actuación enérgica o de empleo de vocabulario, no refinado o académico, pero exento de denuestos, de improperios o de imprecaciones insultantes*». Así se considera extralimitación leve la frase grosera y despectiva proferida por el Alcalde como respuesta a los graves insultos manifestados por el acusado, justo antes de que este le golpeara, ello teniendo en cuenta que «*en una localidad rural, en que el trato entre los vecinos, autoridades incluidas, suele tener un carácter horizontal y escasamente formalizado, el empleo de una palabra malsonante o una expresión brusca, sobre todo si es en respuesta a otra de parecido signo o claramente ofensiva, no constituye un fenómeno tan inusual y grave como para determinar, si es una autoridad quien la profiere, que la misma pierda su condición de tal a los efectos de la tutela especial que la ley penal le otorga*» (STS 747/1998, 28 mayo). Ni siquiera se aprecia extralimitación de ningún tipo en el uso por el Alcalde de una pequeña localidad de la expresión «*y tú de qué vas*» dirigida a quien había arrojado comida a su automóvil, después de que aquel le llamara la atención por haberse detenido con las puertas abiertas del automóvil en la plaza del mercado, obstaculizando el tráfico (STS 3/2014, 21 enero); ni en el cruce de palabras habidas con el acusado en relación con una infracción de tráfico, pues la atribución de esperanzas de impunidad que encierra la expresión «*que si te crees que tienes comprada a la Guardia Civil por un conejo o por la caza*», no suponía un agravio para el acusado, sino solo para el Sargento Jefe del Puesto al que atribuyó connivencias con el acusado (STS 23 enero de 1987).

Tampoco se elimina la protección del atentado cuando se trata de irregularidades contra las que se puede actuar por vías jurídicas, como sucede en la STS 3539/1992, 13 noviembre, que manifiesta que «*la reacción de los acusados se produjo directamente contra un acuerdo del Pleno municipal, que consideraban contrario a sus intereses, por las circunstancias en que el mismo fué adoptado, precipitadamente y sin haberse respetado lo acordado previamente en un Pleno anterior. Mas, semejantes "irregularidades" no pueden justificar, en ningún caso, la reacción de los acusados, objeto de enjuiciamiento en esta causa. Las decisiones y acuerdos de las autoridades deben tener otros cauces de impugnación por parte de quienes se consideren injustamente agraviados o perjudicados por ellas distintos de las vías de hecho*».

Asimismo no se aprecia exceso en el uso de fuerza proporcionada a la agresividad desplegada por el acusado, que había sido previamente reconvenido (STS 946/2013, 16 diciembre; STS 988/1974, 11 junio); ni en el requerimiento de identificación de los ocupantes de un vehículo, que tras reventar o pinchar una rueda, pretendían alejarse del mismo, desentendiéndose aparentemente de lo ocurrido, ni en las medidas coactivas que tuvieron que adoptar ante la negativa del sujeto y el posterior cacheo superficial como medida preventiva y de control, pues se encontraban en una zona conflictiva por razón del tráfico de estupefacientes (STS

466/2013, 4 junio). Tampoco bajar del vehículo policial con la pistola desenfundada: «*no puede considerarse como* **extralimitación** *en la actuación policial que uno de los agentes —tal como se afirma en el motivo— al bajarse del vehículo llevara en la mano una pistola, por cuanto la mera exhibición de un arma de fuego con objetivos, como puede ser el intimidatorio para facilitar la detención de un sospechoso en tráfico de droga no cabe confundirla con su uso o utilización efectiva en sentido propio mediante el disparo, intimidar con armas no puede parangonarse a agredir con armas*» (STS 901/2009, 24 septiembre); ni «tomar del brazo sin violencia para salir del bar» a quien había sido inicialmente requerido para que retirará el vehículo mal aparcado que obstaculizaba el tráfico, pues «la conducta de los agentes está mucho más cerca de la admonición o reconvención que de la coacción y menos a su especie física de violencia» (STS 3039/1992, 6 de octubre). Pero sí, el golpear la mano del acusado que tenía un porro, tirándoselo al suelo, sin que hubiera ni una identificación previa de su condición de agentes de policía ni requerimiento alguno, pues representó una invasión desmesurada en «*el marco de una actividad privada de dos personas mayores de edad que carece de ilicitud en el orden penal, cual es la de liar y disponerse a fumar un porro de hachís, realizada en un lugar propicio por su semi-intimidad a evitar la publicidad de un acto que parte de la sociedad puede considerar moralmente reprobable, pero que el legislador no lo entiende merecedor de reproche penal alguno, circunstancia esta que sin duda conocían —o decían conocer— los referidos policías por su propia condición de tales. No solo es, repetimos, la evidencia de esa abusiva e injustificada injerencia en la esfera de la privacidad de dos adultos, sino que el modo en que se produce esa intromisión pone de manifiesto una auténtica provocación que excede todos los límites a que debe someterse todo funcionario policial, sobre todo cuando, como aquí ocurrió, la provocación se tiñe de agresión al emplearse las vías de hecho que describe la sentencia, con la carga de humillación y afrenta que tal hacer lleva ínsito*» (STS 1345/1998, 5 noviembre).

6. *Iter criminis*

El atentado es un delito de mera actividad. Se consuma con la realización de la agresión, el acometimiento o la resistencia grave, sin necesidad de que se produzca ningún menoscabo de la integridad física, salud o vida del servidor público. Esta es una opinión unánime, tanto en la Doctrina (entre otros CEREZO MIR, ROIG TORRES, CUERDA ARNAU, LORENTE VELASCO, LLOBET ANGLÍ) como en la Jurisprudencia (SSTS 2176/1987, 16 de noviembre; 338/1999, 8 de marzo; 660/2001, 18 de abril; 369/2003, 15 de marzo; 652/2004, 14 de junio; 146/2006, 10 de febrero).

La discusión se plantea en torno a la posibilidad de la tentativa. Aunque alguna sentencia, como la de AP Álava, Sección 2ª, 7-4-1998, declare que «*no resultan aplicables las formas imperfectas de ejecución*» al delito de atentado, la Jurisprudencia sí la ha apreciado en algunos casos. Así, respecto del CP 1973, se calificó como frustración (STS 116/1994, 26 de enero) o como tentativa (STS 2106/1992, 1 de octubre) colocar unos explosivos para que estallen al paso del vehículo que transporta al funcionario público, sin que ello finalmente llegase a producirse por distintas razones. En particular, en la STS 116/1994, se refiere que los dichos explosivos no estallaron debido al defectuoso funcionamiento de las pilas colocadas en la carga, rechazando el Alto Tribunal la calificación de tentativa inidónea —con una desafortunada redacción— en base a que «*el resultado no se produjo no porque los medios utilizados fuesen inapropiados, que sí que lo eran, sino que dicho resultado no tuvo realidad por causas independientes de la voluntad del agente, en este caso el defectuoso funcionamiento de las pilas*». En realidad, los medios empleados eran relativamente inidóneos, pues, aunque esos explosivos eran en general adecuados para producir el resultado, no llegaron a explosionar en el caso concreto por el defecto aludido (se mantiene una cierta peligrosidad para el bien jurídico). Se trataba, por tanto, de un claro caso de tentativa inidónea punible.

En la STS 2106/1992, 1 de octubre, los artefactos explosivos no llegan tampoco a explotar, pues «*no pueden realizar el ataque a los vehículos de la Guardia Civil porque no pasan aquel día*». El caso difiere del anterior, pues aquí no puede decirse que se haya iniciado la ejecución del acometimiento con la sola colocación de los explosivos, sin que los sujetos pasivos llegaran a estar en su radio de acción. Este pensamiento, de que estamos ante actos preparatorios, se desliza en la sentencia, que aun así condena por tentativa, argumentado que «*se han llevado a cabo los actos de preparación que no han podido culminar por circunstancias ajenas a su voluntad. Para que el desistimiento actúe antes de la consumación ha de ser voluntario, personal y definitivo y no puede quedar impune el sujeto que desiste porque surjan obstáculos relativos ajenos a su voluntad*».

En la Jurisprudencia posterior, ya vigente el Código penal de 1995, también encontramos casos en los que se califica de tentativa de atentado con la sola colocación de un coche con lanzagranadas, que debía haber explotado al paso del vehículo en el que iría una Alta Autoridad del Estado, pero que no lo hace, a pesar de que se intenta en distintas ocasiones, bien porque no aparece el vehículo de la víctima, bien por ser la calle demasiado estrecha o bien por quedarse dormidos los acusados que tenían que activar la carga (SAN, Sección 3ª, 11/2002, 14 de junio). Se trata, al igual que el caso anterior, de un supuesto de preparación del ataque, en el que los sujetos pasivos tampoco acaban estando en el escenario del crimen.

En estas situaciones está claro que, tanto antes como ahora, la mera colocación del explosivo no puede constituir comienzo de la ejecución del acometimiento, que se caracteriza por una acción de embestida, en la que se ha de dar una cierta proximidad espacial entre sujeto activo y pasivo (presencia física) en el momento en que aquella se inicia (también ROIG TORRES). Ello con independencia de su punición como acto preparatorio punible, por ejemplo, una conspiración prevista en el art. 553 CP.

Pero la cuestión de fondo es si conceptualmente es posible la tentativa en el delito de atentado, lo que, como es sabido, dependerá de si es fraccionable la conducta típica. CEREZO MIR niega esta posibilidad (también ROIG TORRES), porque el acometimiento se consuma «con el ademán dirigido inmediatamente a la agresión corporal»; aunque sí admite la tentativa imposible, por ejemplo, por inidoneidad en el medio, algo que —como acabamos de ver— es factible. CUERDA ARNAU, por su parte, aunque considera consumado también el atentado con un «acto violento de iniciación del ataque», admite la tentativa ampliando los actos ejecutivos a aquellos que, sin ser necesariamente típicos, se encuentran unidos a ellos naturalmente, lo que la permite valorar como tentativa el hecho de dirigirse al automóvil para coger el arma o el instrumento con el que piensa atacar al funcionario o, en el ejemplo que se atribuye a Roxin, de matar al guardaespaldas como paso previo para atentar contra el político. Aunque partimos de la misma configuración respecto del comienzo de la ejecución, no compartimos esta conclusión. No puede decirse que en tales casos haya dado comienzo el ejercicio de violencia sobre el servidor público, a no ser que —en el ejemplo de Roxin— se haya de matar al guardaespaldas que, cumpliendo su cometido, se interponga en el ataque que se dirige al político; esto es, solo en el caso de que aquel sea elemento obstativo en la agresión al funcionario, pues de otra manera no parece que la peligrosidad para el bien jurídico pueda constatarse.

En este punto, se quiere llamar la atención sobre las desacertadas formulaciones que con cierta reiteración se encuentran en nuestra Jurisprudencia y que pueden generar no poca confusión. Así se afirma que «*el atentado se perfecciona incluso cuando el acto de acometimiento no llega a consumarse, calificando este delito como de pura actividad, de forma que, aunque no se llegue a golpear o agredir materialmente al sujeto pasivo como tal delito, se consuma con el ataque o acometimiento*» (entre otras, SAP Madrid, Sección 16ª, 649/2013, 20 de septiembre; SAP Madrid, Sección 1ª, 407/2017, 10 de octubre; SAP Jaén, Sección 2ª, 171/2017, 11 de julio). Si para el acometimiento basta con el movimiento revelador del propósito agresivo, sin necesidad de que se produzca resultado lesivo alguno para el funcionario público o de que siquiera se le alcance, no puede decirse que el acometimiento «no llega a consumarse» y luego afirmar que el delito de atentado se ha perfeccionado. Es cierto que hay supuestos de ataques fallidos, en los que no se alcanza al sujeto pasivo, porque la agresión se impide en su mismo comienzo. El ejemplo nos lo proporciona la SAP Madrid, Sección 16ª, 649/2013, 20 de septiembre en el que el acusado «sacó un abrecartas y esgrimiéndolo, procedió, levantando el brazo, a acometer con el mismo a ambos agentes, quienes de forma inmediata procedieron a bloquear el ataque, razón por la que no llegaron a sufrir lesiones». Es cierto que solo hay un inicio de la acción violenta que se dirige contra los agentes, que finalmente no se llega a completar, pero esto constituye ya un acto de acometimiento. De otro modo, habría que acabar apreciando en tales casos una tentativa de atentado, una conclusión desacertada si lo ponemos en relación con las otras modalidades típicas, en particular con la agresión. Pues, si tal y como hemos sostenido, esta puede abarcar los supuestos de intimidación grave, admitir la tentativa del acometimiento en el ejemplo propuesto supondría que, cuando el sujeto solo esgrime el arma, habría agresión consumada, mientras que, si da un paso más, iniciando el movimiento de la acción violenta que dirige contra el funcionario público, estaríamos ante tentativa de acometimiento al ser neutralizado en ese mismo momento. En consecuencia, hay que entender perfeccionado el acometimiento con el inicio de la acción violenta que se dirige contra el sujeto pasivo allí presente.

Surge ahora la cuestión de si lo dicho sirve también para la modalidad típica de «agresión». Al haber adoptado una noción de agresión, comprensiva de ataques personales al sujeto pasivo que pueden realizarse a distancia o por medios incorpóreos e incluso intimidatorios, la determinación del comienzo de la ejecución puede variar, y en particular dependerá del medio empleado en el caso concreto. Así, en relación con la colocación de explosivos, el comienzo de la ejecución puede venir determinado por el momento en que, colocado el dispositivo, el sujeto se encuentra a la espera de la víctima para activar el explosivo, o por la finalización de la colocación y activación retardada del mismo. Si solo se hubiera perfeccionado la colocación del dispositivo sin más, pero todavía no se hubiera dispuesto su activación, se estaría en fase preparatoria del delito, solo punible por la vía de la conspiración, proposición o provocación (art. 553 CP).

En cualquier caso, la consumación del atentado no requiere ni la causación de un resultado lesivo en la persona del sujeto pasivo, ni tampoco que la acción violenta suponga poner manos en la autoridad, agente de la misma o funcionario público. Basta con que se inicie el ataque dirigido hacia ellos. Tampoco es necesario que la función pública llegue a impedirse, obstaculizarse o perturbarse de alguna manera, sino que es suficiente con que el acto sea idóneo para ello.

En cuanto a la posibilidad de tentativa inidónea, compartimos la opinión de CEREZO MIR. Ya hemos visto más atrás como esta tiene cabida por inidoneidad de los medios. Sirva también de ejemplo, además del mencionado sobre el defectuoso funcionamiento de las pilas, el de la SAP Guipúzcoa, Sección 3ª, 53/2006, 2 de junio, en que el acusado arrebata el arma al ertzaina, apuntándolo y accionando el gatillo dos veces, pero sin que llegase a producirse detonación alguna, porque no había bala en la recamara, y el seguro además estaba puesto.

El art. 553 CP sanciona además la conspiración, proposición y provocación de los delitos previstos en los artículos anteriores, con lo que queda excluida la sanción de estos actos preparatorios respecto de los tipos contenidos en el art. 554 CP.

7. Autoría y participación

7.1. Delito de propia mano

Aunque, en principio, los tipos de atentado se presentan como delitos comunes, que pueden ser cometidos por cualquiera, al no requerir especiales características de autoría, la configuración de alguna de sus modalidades típicas obliga a matizar esta afirmación. Así, respecto de la conducta de «oponer resistencia grave» ya se indicó que solo incide sobre quien previamente ha sido requerido por la autoridad, sus agentes o el funcionario público, limitando así la posibilidad de ser sujeto activo a estos individuos, aunque sin perjuicio de que los terceros puedan ser autores de otra modalidad distinta —acometimiento o agresión—. La cuestión es si este entendimiento convierte esta modalidad típica en un delito de propia mano, en el que no tiene cabida la autoría mediata (CUERDA ARNAU). En nuestra opinión esto no es necesariamente así, pues una cosa es que respecto de los terceros que no hayan sido requeridos, no pueda decirse que oponen resistencia —más que en cuanto participación en la conducta de otro— y otra es que el requerido tenga que ejercitar esta conducta personalmente. Distinto es el caso del «acometimiento» en el que, de acuerdo con el significado que aquí se le ha dado, exige una conducta de violencia corporal ejecutada personalmente por el sujeto, lo que vetaría la admisión de esta forma de autoría, frente a la modalidad típica de «agresión», en la que sí tendría cabida la realización del atentado de forma mediata.

Admiten, en cambio, la posibilidad de autoría mediata en el acometimiento DÍAZ Y GARCÍA CONLLEDO y CUERDA ARNAU. En particular esta última autora pone dos ejemplos, que en realidad son casos de resistencia: uno, el de quien, habiendo sido requerido para acompañar al policía, pide el auxilio de su guardaespaldas, ocultándole la condición de este y motivando un enfrentamiento violento entre ellos; y el del abogado que hace creer al sujeto que acompaña y al que se le va a practicar un cacheo, que sabe legítimo, que no tiene que consentirlo y que puede resistirse de forma violenta.

7.2. Coautoría

También ha sido cuestionada la coautoría en el atentado en base a su naturaleza de delito de mera actividad (ROIG TORRES). En concreto, se rechaza la calificación de coautoría cuando son varios sujetos los que acometen a la autoridad, a sus agentes o a los funcionarios públicos, propinándoles, por ejemplo, patadas y empujones, al entender que la conducta típica se ha realizado de forma completa ya con la sola intervención de uno de ellos, por lo que, aunque la ejecuten al mismo tiempo, no cabe hablar de ejecución conjunta (CUERDA ARNAU), de manera que se aboga por la calificación de mera autoría para cada uno de los sujetos intervinientes. No compartimos esta visión, porque, desde la perspectiva del bien jurídico protegido no es lo mismo una agresión individual que una colectiva. De manera que, aunque es cierto que la actividad desplegada por cada sujeto, aisladamente considerada, puede representar una ejecución completa del tipo de atentado, no lo es menos que el ataque en grupo o de forma colectiva supone un mayor peligro para el bien jurídico protegido, en cuanto que incrementa su capacidad impeditiva respecto del ejercicio de la función pública que se quiere preservar. Es más, un ataque de estas características puede integrar el tipo agravado del art. 551.2 CP, si llega a constituir un acto de violencia potencialmente peligroso para la vida de las personas o que pueda causar lesiones graves.

Por su parte, la Jurisprudencia aprecia una coautoría cuando en la agresión intervienen dos o más sujetos. Así la STS 838/1992, 8 abril, en la que son dos individuos agreden a un policía; también la STS 597/2001, 3 abril, en la que, mientras uno de los sujetos se abalanza sobre el agente de policía y lo empuja, otro le propina una patada en el antebrazo. En la Jurisprudencia menor se observa la misma tendencia en los casos de ataques protagonizados en grupo, así la SAP Barcelona, Sección 8ª, 131/2008, 15 enero, apreció una coautoría al concertarse los acusados para acometer a los agentes policiales, hacia los que se dirigen portando piedras, palos y botellas, y lanzándoles una piedra; también la SAP Madrid, Sección 17ª, 1374/2013, 31 octubre, argumentó la existencia de una coautoría en una agresión grupal, manifestando que *«en la agresión en grupo, cuando todos sus miembros emplean contra el agredido una violencia de análoga intensidad aunque utilicen instrumentos de distinta peligrosidad —tan instrumento lesivo es un "puño inglés" como una bota de las que llevaban los procesados— de todos debe ser predicado el condominio funcional del hecho porque, de un lado, la actuación de cada uno contribuye por igual a anular o disminuir la resistencia del agredido y, de otro, la iniciativa de cualquiera de ellos podría determinar el cese de la agresión»*; en el mismo sentido, SAP Cádiz, Sección 4ª, 333/2013, 26 noviembre; SAP Sevilla, Sección 3ª, 110/2006, 1 marzo (golpear con patadas y puñetazos a agentes de la policía); SAP A Coruña, Sección, 1ª, 55/2003, 11 junio. Recientemente, SAN, Sección 1ª, 17/2018, 1 de junio, aprecia también coautoría en la agresión conjunta y sucesiva que realizan los acusados a dos guardias civiles, *«pues cada uno participó en el modo y en la forma que quiso en la agresión a los cuatro denunciantes, no pudiendo en este caso, por las singularidades circunstancias en las que se produjeron los hechos, separar y "diseccionar" de forma autónoma e independiente la realización de cada uno de los actos llevados a cabo por los acusados, pues entre ellos existía simultáneamente y desde que empezó la agresión una voluntad clara y consciente de sumarse a lo que otros ya iniciaron, esto es, querer agredir y lesionar a los dos Guardia Civiles y a sus parejas sentimentales».*

Ahora bien, respecto de la modalidad de «oponer resistencia» solo podrá admitirse la coautoría respecto de quienes hayan sido requeridos por la autoridad, agente de la misma o funcionario público, no de los terceros que acuden en auxilio de estos para impedir, por ejemplo, la detención. Las opciones son dos, bien calificar a los terceros como autores de un «acometimiento», lo que planteará problemas en aquellos casos en que la conducta desplegada por el requerido no alcance la gravedad requerida para constituir un delito de atentado; o bien, considerar que aquellos terceros son partícipes de la resistencia desplegada por el requerido, visión que estimamos más acertada. En este caso, la actuación conjunta podrá servir para valorar la gravedad de la resistencia desplegada.

En relación con los acometimientos realizados con un vehículo de motor (art. 551.3 CP) se plantea si el copiloto u ocupante del mismo puede ser considerado un coautor. Acertadamente la STS 950/2000, 4 de junio, excluía esta consideración así como la partícipe —inductor o cooperador necesario—, indicando que «*la decisión de actuar activamente contra determinados bienes jurídicos protegidos que se interponían en su camino hacia la huida, nace del otro acusado que es el que decide, al manejar los mandos, acelerar el vehículo y lanzarlo contra el agente de la autoridad, sin que haya constancia fáctica de que fue incitado por su acompañante y sin que le sea exigible al recurrente y acompañante, una acción impeditiva que supusiese un peligro incluso para su integridad física*». En cambio, en la STS 370/2007, 23 de abril, se llega a la conclusión contraria, afirmándose que «*el hecho de que no condujera el vehículo no es impedimento para afirmar esa conducta delictiva en el ahora recurrente, ya que los hechos que se declaran probados evidencian un co-dominio de la situación y de la decisión por ambos acusados, acorde con la doctrina de esta Sala sobre el dominio del hecho, en razón a cada aportación, basado en la división del trabajo o de funciones entre los intervinientes, pudiéndose afirmar, por consiguiente, en este caso, un dominio funcional del hecho*». No puede compartirse esta argumentación, a la vista de los hechos probados, de los que se desprende que los procesados, estando a bordo del vehículo, fueron sorprendidos por una patrulla de la Guardia Civil, emprendiendo la huida hasta que llegan a una calle cerrada por obras, y en la que son obstaculizados por el coche de la Guardia Civil que le impide el paso por la zona por al que habían accedido, momento en el que los agentes, desde dentro del vehículo, proceden a darles el alto, ante lo que los procesados empezaron a embestir el vehículo contra el de los agentes, golpeándole varias veces hasta que logran desplazarlo y salir huyendo. Más bien, lo que parece es que el Tribunal ha hecho un uso interesado de la doctrina del dominio del hecho para ocultar la antigua teoría del acuerdo de voluntades, pues no se precisa cuál ha sido la intervención del copiloto en el acometimiento ni en qué forma ha dominado el hecho.

En la Jurisprudencia menor es mayoritaria la exclusión de la coautoría para el sujeto que no conduce el vehículo a motor con el que se embiste a los sujetos pasivos. Así, SAP Madrid, Sección 3ª, 442/2012, 5 septiembre; SAP Guadalajara, Sección 1ª, 196/2005, 9 diciembre; SAP Alicante, Sección 2°, 306/2005, 11 de mayo; SAP Málaga, Sección 2ª, 10/2003, 30 enero; SAP Barcelona, Sección 5ª, 13 febrero de 1997. Aunque también hay excepciones como la SAP Guadalajara 75/1999, 14 octubre, en la que se sustenta la coautoría entre el conductor y el copiloto en el acuerdo de voluntades en la sustracción del vehículo y en el acometimiento, sin que se acredite ruptura de la acción conjunta. Ciertamente el problema en este caso fue que no pudo acreditarse quién de los dos procesados condujo el vehículo en ese momento.

Distinto es el caso de quien conduce el vehículo, con el que se está huyendo de la policía, y durante esta huida, uno de los ocupantes, sacando medio cuerpo por la ventanilla, dispara al vehículo policial que les perseguía. Estos son los hechos de la STS 2459/1993, 27 octubre, en la que se califica como coautor del atentado a quien está conduciendo el vehículo, en base a su condición de coejecutor del hecho (antiguo art. 14.1 CP de 1973), pues se dice «*la autoría directa comprende, no solo a quien realiza personalmente el delito, sino, en general, a quienes de otra manera efectiva toman parte directa en la ejecución del hecho*», lo que se sustenta en la existencia de un acuerdo de voluntades: «huir y hacer frente a los policías perseguidores»; la confusión entre quienes son autores y quienes son considerados autores, lleva finalmente al Tribunal a otorgar al conductor el papel de cooperador necesario, calificándolo como coautor. Así se dice «*pero, en este supuesto, aun aceptando por vía de hipótesis que el comportamiento de la acusada no fuera incluible en el núm. 1.° del art. 14 del Código Penal, lo que, en algún sentido, habría de identificarse en principio y por regla general con la conjugación del verbo en que el delito consiste, con las observaciones ya anotadas, lo sería incuestionablemente en el núm. 3.°, lo que a efectos de punición es absolutamente indiferente. La recurrente tenía, además y con toda evidencia, el dominio del hecho y su cooperación a la ejecución de este fue decisiva, teniendo en cuenta que sin su actuación el hecho no se hubiera cometido en los términos generales en que se llevó a cabo (dentro de la relatividad de todas estas afirmaciones en el seno del campo penal, en el que nada o casi nada alcanza la naturaleza de lo absoluto), especialmente a partir del primer disparo, cuya circunstancia situaba a la acusada en una incuestionable situación de solidaridad respecto a la acción de sus acompañantes o, al menos, del que hizo los disparos*».

7.3. Participación

En cuanto a la participación no se presenta ninguna problemática particular en los delitos de atentado. En la Jurisprudencia son varios los supuestos analizados. Como cooperación se ha valorado el hecho de facilitar información sobre la persona contra que después se atenta. Así erróneamente se calificó en la STS

628/1997, 7 de mayo, como complicidad el proporcionar información que permite identificar a la víctima, su domicilio y el vehículo que conducía habitualmente y con la que se preparó la muerte de la víctima, colocando un artefacto explosivo adosado a los bajos de su automóvil, lo que en realidad constituye una cooperación necesaria. En cambio, la STS 1473/1997, 28 noviembre, condenó por cooperación necesaria en el atentado a la mujer que informó de la condición de Policía Nacional de la víctima, de sus movimientos habituales y que, por coincidir en el autobús en que viajaba, se puso a su lado para señalar quien era a los miembros del comando. Como cooperación necesaria también se ha estimado el proporcionado el material explosivo para el atentado (SAN, Sala de lo penal, Sección 3ª, 34/2003, 6 octubre).

Como complicidad se ha condenado el hecho de trasladar con su vehículo a la localidad donde se encuentra la víctima, y esperar a que se cometa el crimen, sirviéndoles de «lanzadera», conduciendo su coche delante del que los otros utilizan, para facilitarle la huida (SAN, Sala de lo penal, Sección 3ª, 20/2003, 19 mayo). La misma calificación ha recibido el hecho de levantar los brazos, mientras sus compañeros hubieran estampado cada uno una tarta en la cara y la cabeza de la Presidenta de la Comunidad Autónoma, llamando la atención sobre lo ocurrido (SAN Sección 1ª, 68/2013, 27 noviembre). No se acierta a ver en qué modo esta actividad supone una cooperación a la ejecución del «acometimiento» que lo haya favorecido o facilitado.

Como inducción se ha calificado el pagar a un tercero un dinero por «dar un susto» a un Concejal (STS 1065/1992, 12 mayo).

8. Concursos

8.1. Pluralidad de sujetos pasivos

En principio, la existencia de una pluralidad de sujetos pasivos de la acción solo dará lugar a un solo delito de atentado, pues el bien jurídico protegido es de carácter colectivo, por lo que solo hay una única ofensa a este (por todas, STS 1437/2000, 25 de septiembre). No obstante, la Jurisprudencia distingue los casos en que, aunque el ataque a los varios sujetos se produzca en un mismo contexto, se les agrede de manera sucesiva, con una cierta separación espacial y temporal, apreciando un delito continuado de atentado. Ejemplo de ello son la STS 153/2012, 2 de marzo, en la que se trata de practicar la detención del sujeto, quien primero agrede al agente que intenta ponerle los grilletes, y después a otros que le persiguen en la huida. También se aprecia la continuidad delictiva en relación con quien dispara al agente, golpea a otro, le clava una navaja mientras los agentes le acompañan a su domicilio para que se identifique (STS 1557/1989, 17 de mayo); o en la STS 434/1998, 20 de marzo, en la que el sujeto con un martillo en la mano va golpeando sucesivamente a diversos agentes. Sin embargo, la STS 14 de junio de 1993, parece rechazar la posibilidad de continuidad delictiva en el atentado cuando manifiesta que «*se ha de descartar tal figura delictiva si se arremete contra alguno de dichos bienes (individuales), ya en sí mismos, ya estando las ofensas a la vida, a la integridad, a la seguridad o a la libertad como formando parte o en conexión con otras infracciones*».

Para CUERDA ARNAU la aplicación o no de la continuidad delictiva dependerá de si la excepción prevista en el art. 74 CP va referida exclusivamente al bien jurídico protegido, en cuyo caso es claro que sería posible un delito continuado de atentado, pues el bien jurídico protegido no tiene carácter personalísimo; o en cambio, esta expresión incluye también lo que es objeto de la ofensa, una opción que deja sin resolver. A nuestro modo de ver, el enfoque ha de ser otro: no cabe continuidad delictiva porque en los supuestos examinados, aunque el ataque a los sujetos pasivos de la acción se suceda en el espacio y en el tiempo, no responde a un distinto ejercicio de la función pública, de manera que la ofensa al bien jurídico es una sola.

8.2. Concurrencia de resultados lesivos

En relación con los eventuales resultados de muerte o lesiones, hasta la reforma de la LO 1/2015 se apreciaba un concurso ideal con el delito de resultado correspondiente, ya fuera lesiones, homicidio o asesinato, con las salvedades que indicaremos al analizar los tipos agravados, pues los bienes jurídicos protegidos son distintos: por un lado, la vida o salud y por otro, el pacífico ejercicio de las funciones públicas. Aunque en alguna sentencia se apreció un concurso real (SAP León, Sección 3ª, 194/2014, 25 de marzo), la opinión más extendida es la de concurso ideal, que es la que estimamos más acertada. Así la STS 497/2006, 3 de mayo, en la que, además del atentado, se causaron unas lesiones graves se manifiesta: «*al supuesto actual, en el que la acción es única y da lugar a un único hecho, aunque afecte a bienes jurídicos distintos y dé lugar a dos delitos diferentes. El protegido por el delito de atentado, para cuya consumación basta la acción, y el de lesiones, que requiere un determinado resultado. Los elementos del tipo objetivo de la infracción consistente en el ataque y la lesión inferida a un agente de la autoridad en el ejercicio de sus funciones, comprenden también los propios del delito de atentado, por lo que no es posible distinguir dos hechos distintos*» (también SSTS 74/2006, 24 de enero; 1011/1993, 30 de abril; SAP León, Sección 1ª, 133/1999, 22 de julio; SAP Asturias, Sección 8ª, 184/2015, 14 de septiembre; SAP Santa Cruz de Tenerife, Sección 5ª, 66/2015, 3 de febrero y SAP Barcelona, Sección 2ª, 400/2013, 25 de abril, en relación con la falta de lesiones del art. 617.1 CP; de otro parecer, SAP Tarragona, Sección 2ª, 365/2014, 10 septiembre, apreciando la consunción en el delito de resistencia de la falta de lesiones del art.

617.1 CP); concurso ideal entre atentado y homicidio en STS 18 de marzo 1988; concurso ideal entre atentado y asesinato SSTS 26 de octubre de 1989, 183/2018, 17 de abril, y SAP Navarra, Sección 3ª, 131/2008, 24 de julio.

La reforma de la LO 1/2015 obliga ahora a otra conclusión respecto del delito de homicidio, en el que expresamente se agrava la responsabilidad penal cuando los hechos sean constitutivos de un delito de atentado del art. 550 CP (art. 138.2 b CP). En primer lugar, llama la atención la limitación de esta agravación a solo el art. 550 CP, cuando los tipos agravados del art. 551 CP suponen —como veremos— un incremento del peligro para la vida o integridad de los sujetos pasivos, lo que hace más probable que se produzca este resultado lesivo. Ciertamente, podrá decirse que en la medida en que el tipo agravado comprende la realización del básico con unos elementos adicionales, se consideran también abarcados estos supuestos por el tipo complejo de homicidio, pero ello supone en realidad un exceso proscrito por el principio de legalidad. Tampoco se explica por qué el Legislador ha construido un delito complejo solo con el homicidio y no con los delitos de lesiones.

Así las cosas, cuando se produce un único resultado de muerte, sin que se haya generado peligro para otros sujetos pasivos, se aplicará el tipo agravado del homicidio, que desplaza al concurso ideal de delitos. El problema surge cuando son varios los fallecidos o cuando han sido varios sujetos los atacados, además del fallecido, pues el *bis in ídem* impide valorar dos veces lo que constituye una sola ofensa al ejercicio pacífico de la función pública. En consecuencia, no parece posible establecer un concurso real entre los varios tipos agravados de homicidio, cuando son varios los fallecidos. Parece más correcto montar el complejo solo con uno de los homicidios y valorar las restantes muertes como homicidios simples en concurso real todos ellos. De la misma forma, si uno es el fallecido, parece que la calificación que tendría en cuenta todo el desvalor producido sería la de concurso ideal entre el tipo de homicidio —el básico, no el agravado— y el de atentado.

Cuestión diversa es si la puesta en peligro de la vida o la integridad física de los sujetos pasivos de la acción ha de valorarse también como tentativa del delito de resultado correspondiente (homicidio, asesinato, lesiones). A este respecto, estamos de acuerdo con ROIG TORRES, quien distingue entre las lesiones y los delitos contra la vida: mientras el peligro para la integridad física o salud de los sujetos pasivos es un desvalor que estima ya presente en el atentado, en la medida que la conducta típica requiere una actuación violenta sobre aquellos sujetos, y que incluye por tanto, hasta el maltrato de obra (antiguo 617.2 CP, actual art. 147.3 CP); en el homicidio o el asesinato ello no es así, porque la actuación violenta del atentado no requiere un ánimo de matar, sino solo un propósito lesivo. Todo ello, sin perjuicio de lo que más adelante matizaremos en relación con la aplicación de los tipos agravados.

La Jurisprudencia ha adoptado también este enfoque, apreciando concurso ideal con tentativa de homicidio: STS 764/2014, 19 de noviembre; SAP Castellón, Sección 1ª, 3/2008, 12 de febrero (intento de apuñalamiento); SAP Guipúzcoa, Sección 3ª, 53/2006, 2 junio (apuntar a la altura del pecho, accionando en dos ocasiones, sin producir el resultado porque está puesto el seguro); SAP Madrid, Sección 16ª, 375/2014, 19 de mayo (agredir con cuchilla de afeitar a funcionario produciéndole un corte de lado a lado del cuello); AP Sevilla, Sección 7º, 50/2000, 2 de mayo (intento de apuñalamiento y disparos fallidos).

Distinto es cuando el atentado produce varios resultados lesivos a sujetos distintos (varias lesiones, lesiones y homicidio o asesinato, etc.). De una parte, entre los varios resultados producidos no existe unidad de hecho, pues la valoración típica exige considerar tanto la acción como el resultado; y de otra, no se puede valorar más de una vez el atentado, si no se quiere caer en un *bis in ídem*, por lo que la solución que estimamos más acertada es apreciar un concurso ideal entre el atentado y uno de los resultados lesivos, complejo que a su vez, entraría en concurso real con los restantes tipos de lesiones u homicidio que se hubieran cometido. En este sentido se ha pronunciado la STS 308/2011, 19 de abril: «*existen dos delitos de homicidio en grado de tentativa ya que dos eran las víctimas contra las que se dirigió el arma de fuego y a las que se pretendía matar. En cambio, existe un solo delito de atentado aunque fueran varios los agentes que lo sufrieron, de ahí que el concurso [ideal] se produzca con uno de los delitos de homicidio en grado de tentativa*». Si bien, en otras sentencias se ha optado por el concurso real (STS 1730/1999, 7 diciembre, apreció un concurso real entre robo, atentado y dos faltas de lesiones) o por el concurso ideal (STS 468/2000, 11 de abril, estimó concurso ideal entre el atentado y dos faltas de lesiones).

8.3. Concurrencia de daños

También como consecuencia de la acción violenta que se despliega contra los sujetos pasivos de la acción se pueden producir daños en las cosas, entrando en juego el delito de daños agravados del art. 263.2. 1ª CP con el que el atentado entrará en relación de concurso ideal de delitos. En este sentido, la STS 673/2014, 15-10 (embestir con la patera la embarcación de la guardia civil) declara «*hay dos bienes jurídicos protegidos. El total desvalor de la acción solo se abarca con la doble tipificación penal. Están comprometidos por un lado el principio de autoridad; por otro, el patrimonio. El móvil de impedimento del ejercicio de la autoridad solo representa un subtipo agravado (263.2. 1º) que también debe considerarse compatible con el delito de atentado. El atentado supone un menoscabo del principio de autoridad pero no exige un propósito específico en el autor como el de doblegar la voluntad de la autoridad o sus agentes. Sancionando conforme*

al art. 263 ese móvil especial con una agravación no se afecta al non bis in ídem».
También SAP Navarra, Sección 2ª, 181/1998, 3 septiembre.

8.4. Concurrencia con robo violento

En relación con el robo violento, cuando la acción violenta desplegada sobre los sujetos pasivos sirve de medio para apropiarse de cosas muebles, la relación es de concurso ideal de delitos. La STS 678/2002, 13 de abril, argumenta esta calificación: «*el delito de atentado y el de robo tienen partes del tipo que coinciden, dado que el empleo de fuerza contra agentes de la autoridad, propia del atentado, es equivalente conceptualmente a la violencia en las personas del robo. En el presente caso este elemento es producto de una única acción que se subsume tanto bajo el tipo del art. 551, como bajo el tipo del art. 242 CP. Se trata de una unidad natural de acción, pues ha sido llevada a cabo mediante un único movimiento corporal del autor que ejerció la violencia, aprovechada sin solución de continuidad para la sustracción del arma y del coche policial»* (con anterioridad, también STS 22 mayo 1993). Apreció, sin embargo, un concurso real entre atentado y robo violento agravado del art. 242.3 CP por ataque a los perseguidores, la STS 1289/2003, 11 de octubre, en una interpretación del tipo agravado del robo violento que no compartimos, y sobre la que se da cuenta en este mismo Tratado por ÁLVAREZ GARCÍA al estudiar este delito. Sí, que procede, en cambio, el concurso real cuando una vez consumado el robo violento, se produce posteriormente un atentado (STS 1730/1999, 7 de diciembre).

8.5. Concurso de normas

En concurso de normas está el delito atentado con el de desobediencia y resistencia del art. 556 CP, a resolver en favor del primero por consunción de los hechos menos leves en los más graves (STS 764/2014, 19 noviembre. No, en cambio, con el de desórdenes públicos con el que entra en concurso ideal de delitos, pues el delito de atentado no contempla la alteración de la paz pública (así STS 987/2009, 13 de octubre; aprecia, sin embargo, un concurso de normas, la SAP Barcelona, Sección 5ª, 210/2008, 11 de marzo).

8.6. Concurso con delito de terrorismo

Con respecto a los delitos de terrorismo, la cláusula del art. 573.2 bis CP, en la que se agrava la pena de estos delitos cuando recaen sobre los sujetos mencionados en el apartado 3 del art. 550 CP o sobre los miembros o fuerzas de los cuerpos de seguridad o de las fuerzas armadas o empleados públicos que presten servicio en instituciones penitenciarias, absorbe el delito de atentado.

9. *Tipos agravados*

Además de las agravaciones por razón del sujeto pasivo, contenidas en el art. 550 CP, a las que se hizo referencia en sede de sujetos, el art. 551 CP impone la pena superior en grado cuando el atentado se cometa con alguna de estas circunstancias: haciendo uso de armas u otros objetos peligrosos; cuando el acto de violencia ejecutado sea potencialmente peligroso para la vida de las personas o pueda causar lesiones graves; cuando se acometa haciendo uso de vehículo de motor y cuando los hechos se lleven a cabo con ocasión de un motín, plante o incidente colectivo en el interior de un centro penitenciario.

9.1. Uso de armas u otros objetos peligrosos

i) La LO 1/2015 ha modificado esta agravante, que ha pasado de requerir que «la agresión se verificara con armas u otro medio peligroso» a que el atentado se cometa «haciendo uso de armas u otros objetos peligrosos». Esta nueva dicción amplía el ámbito de aplicación de la agravante. Antes de la citada reforma la identificación del acometimiento con la agresión llevaba a la Jurisprudencia a limitar su aplicación solo a esta modalidad típica (STS 664/2010, 4 de junio), excluyendo el mero uso intimidatorio del arma, pues la agresión debía verificarse —realizarse— con esos medios. Así, encañonar con pistola al agente (SSTS 87/2001, 29 de enero; 264/2000, 21 de febrero; 113/2018, 12 de marzo) o intimidarlo gravemente con arma de fuego (456/1999, 23 de marzo); esgrimir cuchillo de 13 cm frente a policía (STS 1872/2000, 5 diciembre); arrebatar la pistola y apuntar con ella a los agentes (STS 210/2004, 23 febrero); hacer gestos con la navaja anunciando la intención de herir (STS 1318/1998, 5 noviembre), entre otros, quedaban fuera de la agravación. Es más, expresamente se advertía que esta agravación no era equivalente a la de uso de armas en el robo violento (art. 242.3 CP), en donde sí que se estima que la mera exhibición o uso intimidatorio es un posible uso que colma la agravación (SSTS 1828/2001, 16 octubre; 87/2001, 29 de enero; 294/2012, 26 de abril).

El nuevo texto abre la posibilidad de apreciar esta agravación respecto de las otras modalidades comisivas, particularmente en una resistencia grave por medio de intimidación (también informe del CGPJ, CUERDA ARNAU). Este pensamiento es el que parece latir en la reciente STS 113/2018, 12 de marzo, en la que se estima que, en el caso de autos, en el que se acaba encañonando con un arma al agente (uso intimidatorio), no le resulta más favorable la nueva redacción dada a la agravante. Así, se manifiesta que «*la conducta constitutiva de delito de atentado se compone en el caso de varios actos ejecutados en un mismo marco espacio-temporal por lo que integran un solo delito, y consisten en forcejeos, intimidación con un arma y agresión. Pero en ningún momento se ejecuta una agresión con el arma. De manera que el riesgo inherente al acto agresivo no se ve incrementado por el uso de un arma o medio peligroso, que solamente se utilizó para intimidar al agente».* Expresamente, admitiendo que la nueva dicción de la agravante permite acoger los supuestos de intimidación haciendo uso de armas o de objetos peligrosos, como encañonar al agente con una pistola, SAP Barcelona, Sección 9ª, 975/2015, 23 diciembre.

En cualquier caso, el uso intimidatorio que se hiciera del arma no podría considerarse para agravar el hecho si fue elemento determinante de la gravedad de la resistencia, pues ello implicaría un *bis in ídem* prohibido.

No obstante, cabe otro entendimiento más restrictivo y acorde con su fundamento: confinar el uso de arma u objeto peligroso al que deriva de su propia función, lo que requiere una utilización efectiva en un acto de violencia física. De esta manera se elimina el mero uso intimidatorio, que puede servir para calificar de grave la resistencia, pero no para apreciar la agravación (VÁZQUEZ GONZÁLEZ, BENÍTEZ ORTUZAR). Asimismo, se habilita para su aplicación tanto en un acometimiento o en una agresión como en la resistencia grave por medio de violencia grave (en contra QUERALT JIMÉNEZ). Se justifica de esta manera el salto de pena que supone la subida en grado y que tiene su fundamento en el mayor desvalor de acción que representa el incremento de riesgo para la vida o salud de los sujetos pasivos por la utilización de estos medios agresivos. En este sentido, el informe del Consejo Fiscal no aprecia cambio en el ámbito de aplicación de la agravante con la nueva redacción, pues considera que la referencia al «uso» incorpora la interpretación jurisprudencial que se venía haciendo del precepto, por la que este quedaba reservado para situaciones en las que se apreciara una peligrosidad en concreto. La STS 1828/2001, 16 de octubre, resume esta doctrina: *«el mayor riesgo que para la integridad física del acometido se origina cuando la agresión se verifique con tales instrumentos, y en ese riesgo está el mayor desvalor de la acción, **sin necesidad de que se causen resultados lesivos ni haya propósito directo a lesionar mediante un uso eficaz del arma dirigido a tal fin**. En el subtipo agravado no se exige el delito de lesiones consumadas ni en grado imperfecto de ejecución. Basta el acometimiento verificado con armas ya sean estas más o menos eficazmente manejadas para lesionar o simplemente esgrimida o empañadas durante la agresión en condiciones de causar lesión al acometido porque esta inmediata posibilidad origina un riesgo para la integridad física del acometido mayor que el que representa el acometimiento sin armas; y el riesgo es lo que en este subtipo justifica el incremento de la pena. Por consiguiente en el delito de atentado del <u>art. 550</u> CP cuando el empleo del arma o del instrumento **peligroso** exceda de una exhibición realizada como medio comisivo en la modalidad típica del atentado intimidatorio y se empuña o esgrime peligrosamente en el atentado de acometimiento físico, la agresión que esta representa debe considerarse verificada con armas, en la medida que origine riesgo físico y de aplicación entonces el subtipo agravado del <u>art. 552.1</u> CP, sin necesidad de exigir el concreto empleo* *eficaz del arma por el sujeto con la directa intención de lesionar»*. En el caso no se apreció el uso de arma en el abalanzamiento del sujeto con un destornillador en la mano sobre un policía, sin que resulte finalmente alcanzado porque se interpone otro agente en el camino a un metro de distancia del primero, en base a que se requiere *«una mayor concreción y proximidad en la puesta en peligro grave de la integridad del agredido»*.

En cualquier caso, el uso excluye el porte de armas, siendo indiferente que el arma que se use haya sido llevada por el sujeto pasivo o se la encuentre en el lugar de los hechos, por ejemplo, porque consigue sustraer la que porta el agente.

ii) Para la conceptuación de lo que sea arma y medio peligroso —ahora objeto— la Jurisprudencia se sirve del mismo sentido que emplea en otros delitos en los que se contempla esta agravación, especialmente del robo violento (art. 242.3 CP). A este respecto nos remitimos a lo expuesto en este Tratado sobre estos delitos. Por «arma» se entiende un instrumento destinado a atacar o a defenderse (RAE, STS 602/1995, 27 de abril), esto es, aquel cuya función genuina es la defensa o la agresión (CÓRDOBA RODA, PRATS CANUT) como, por ejemplo, armas de fuego o las blancas: acometer con una navaja (STS 1351/2000, 21 de julio); golpear con arma a guardia civil en la frente (STS 392/2001, 16 de marzo). En cuanto al «objeto peligroso», se define por dos notas: una, que no sea un arma, esto es, que su destino originario no sea el de agredir o defenderse, y la otra, por «ser objetivamente peligroso para la vida e integridad física, aumentando o potenciando la capacidad agresiva del autor» y además manifestarse en la situación concreta, por las circunstancias o por la forma de uso, dicha peligrosidad (STS 60/2008, 23 de enero; 656/2009, 12 de junio; 294/2012, 26 de abril). Esta interpretación ha permitido negar esta condición a una cayada de tamaño considerable, porque no se apreció gran peligro en su concreta utilización (STS 2003/2000, 20 de diciembre); o a una piedra de compacto asfáltico por no precisarse ni la distancia ni la intensidad del lanzamiento (STS 1604/2000, 21 de octubre). Como hemos visto, esta peligrosidad en concreto es lo que fundamenta la agravación y por tanto, ha de predicarse de las armas, lo que significa que si estas no pueden desplegar esa eficacia porque, por ejemplo, el seguro está puesto (caso de la STS 2516/2001, 31 de diciembre, que aplica el tipo agravado) o no tienen munición o son simuladas, no podrá apreciarse la agravación (también CUERDA ARNAU), a no ser que se utilicen como instrumento contundente (golpear con el arma a un guardia civil en la frente, STS 392/2001, 16 de marzo) y con ello entren en la categoría de «objeto peligroso». En este sentido, ya GROIZARD manifestaba que *«pueden muy bien hacer el papel de un palo ó de una piedra y producir iguales ó parecidos efectos»*. Lo que no parece adecuado es que la valoración de la peligrosidad concreta del instrumento se decida a partir de la lesión efectivamente causada a la víctima, lo que ocurre en no pocas resoluciones. Así, por ejemplo, en la STS 2003/2000, 20 de diciembre, se argumenta que *«aunque la callada fuera de tamaño considerable, su empleo fue con escasa intensidad dado las leves lesiones que produjo en el brazo, una contusión que pudo ser evitada mediante la interposición del brazo».* En la Jurisprudencia menor, SAP A Coruña, Sección 1ª, 78/2002, 30 de mayo, en la que se considera que arrojar ácido clorhídrico en la cara del agente no integra la agravación, pues *«la menor peligrosidad de la sustancia o solución concreta empleada en este caso resulta también avalada por los resultados producidos, ya que las lesiones sufridas por el agente requirieron únicamente una primera asistencia facultativa, no restando secuelas».* Tampoco se comparte la posición de algunas comentaristas (CUERDA ARNAU, LOREN-TE VELASCO) de valorar la peligrosidad del arma solo desde una perspectiva *ex ante*, sin considerar los conocimientos que se tienen *ex post*, pues ello lleva a apreciar una peligrosidad concreta donde *de facto* no ha existido, por ejemplo, disparar un arma con el seguro puesto o sin munición. Solo desde el punto de vista de la peligrosidad abstracta del arma puede sostenerse la agravación, pero no en su uso concreto.

Sí se estima «medio peligroso» el abalanzarse con unas tijeras de 15 centí-metros (STS 664/2010, 4 de junio); el lanzamiento de cohetes o cócteles molo-tov o botella incendiaria (SSTS 652/2004, 14 de mayo; 338/1999, 8 de marzo; 258/1998, 28 de febrero); embestir con el vehículo de motor (SSTS 653/2013, 18 de julio; 180/2013, 1 marzo); golpear la cabeza con un gato metálico (STS 404/2007, 8 mayo), etc. La reforma de la LO 1/2015 ha convertido algunos de estos supuestos en agravaciones independientes, como examinaremos seguida-mente. Además, en la agravante en examen, se ha sustituido el término «medio» por el de «objeto», restringiendo su alcance a cosas corpóreas, lo que deja fuera del tipo formas de ataque que no pueden calificarse como tales como, por ejem-plo, el empleo de artes marciales (LLOBET ANGLÍ), sin perjuicio de su encaje en el número 2 del art. 551 CP. Lo cierto es que tampoco con la dicción anterior podían incluirse en el ámbito de la agravante estas formas de ataque que no supu-sieran el empleo de una cosa, medio u objeto. Así, por ejemplo, la STS 614/2006, 2 de junio, no aprecia la agravación en el atentado y sí en las lesiones producidas, cuando se emplea *«un método de agresión, que engloba una acusada brutalidad, y que pone en riesgo su misma vida o salud»*, como es patear a la víctima en la cabeza por varios individuos. De la misma forma, la SAP Islas Baleares, Sección 1ª, 139/2015, 9 de noviembre, condena por tentativa de homicidio en concur-so ideal con atentado —no agravado— el hecho de propinar un puñetazo en el cuello, a la altura de la nuez, de gran violencia, hasta el punto de que la víctima sufrió fractura del esqueleto laríngeo, siendo este un golpe mortal en artes mar-ciales. Ello era así, porque entendemos que la expresión «otro medio peligroso» obligaba a una equiparación con una cosa corpórea como lo era el arma, aunque sin que necesariamente fuera sólida. Así, la SAP A Coruña 78/2002, 30 mayo, baraja la aplicación de la agravante por arrojar ácido clorhídrico sobre el agente, lo que descarta porque la concentración no alcanza niveles de peligrosidad. En cambio, la STS 1427/2004, 10-12, no se plantea la aplicación de la agravante de medio peligroso en el atentado, aunque sí condena por lesiones agravadas del art. 148.1 CP, en el hecho de arrojar lejía a la cara del agente a través del hueco de la puerta. La mención en el texto vigente a «objeto» sí que es más limitadora, en cuanto lo restringe no ya a cosas corpóreas o materiales, sino además sólidas. En estos casos, se habrá de acudir al número 2 del art. 551 CP.

iii) La producción de un resultado lesivo —muerte o lesiones— por estos medios comisivos suscita la cuestión de si puede apreciarse la agravación de uso de arma o medio peligroso tanto en el delito de lesiones (art. 148.1 CP) como en el de atentado (art. 551.2 CP) o ello constituye una vulneración de la prohibición de *bis in ídem*. La Jurisprudencia sostiene la existencia de un concurso ideal entre ambos tipos agravados de lesiones y de atentado, manifestando únicamente que no hay tal doble valoración en base a que se protegen bienes jurídicos distintos, y a pesar de que el fundamento de la agravación, en ambos casos, estriba en el peligro concreto para la vida o la salud de la víctima. Así específicamente la STS 731/2009, 18 de junio, dictada como consecuencia de la STC 121/2009, 18 de mayo, que otorgó el amparo por vulneración de la tutela judicial efectiva, porque no se había dado respuesta a esta cuestión en la sentencia impugnada. Con anterioridad, el TS también sostuvo este criterio en las SSTS 2003/2000, 20 de diciembre; 392/2001, 16 de marzo; 404/2007, 8 mayo. En la Jurisprudencia menor, por ejemplo, sostiene esta compatibilidad, la SAP Alicante, Sección 3ª, 525/2007, 27 septiembre (embestir a agentes con un todoterreno); la SA Huelva, Sección 1ª, 146/2008, 27 de junio (golpear con un vaso roto la cabeza del agente); la SAP Asturias, Sección 8ª, 184/2015, 14 de septiembre (embestir con ciclomotor al agente), etc. En cambio, considera que el principio de *non bis in ídem* impide aplicar conjuntamente el tipo agravado de lesiones y el de atentado por uso de arma, SAP Segovia, Sección 1ª, 5/2015, 19 de marzo.

Dejando aparte los casos en los que el resultado de lesiones no recoja todo el peligro generado con el hecho, porque sean varios los agentes puestos en peligro o porque el peligro sea mayor que el daño que produjo, no parece que sea esta la solución más correcta a la vista del fundamento atribuido a esta agravante — tanto en el atentado como en las lesiones—: la mayor peligrosidad para la vida o salud de la víctima del ataque, que se produce con estos medios, lo que nos lleva a un *bis in ídem*. Tiene razón, por ello, CUERDA ARNAU cuando indica que este inconveniente se obviaría si el fundamento de la agravante del uso de armas se vinculara a la mayor idoneidad, que tiene el ataque por estos medios, para afectar el correcto desempeño de la función.

La misma cuestión se suscita respecto de los delitos de homicidio y asesinato, en los que el peligro concreto para la vida que exige la agravación del atentado ya se valora también como tentativa del delito contra la vida. Así, la STS 300/1982,

8 marzo, apreció un concurso ideal entre un homicidio frustrado y el atentado agravado por uso de armas, en un caso en que un inspector de policía fue tiroteado —sin llegar a ser alcanzado por ninguna de las balas—, cuando perseguía al delincuente. También en este sentido la SAP Islas Baleares, Sección 1ª, 127/1994, 29 de junio. En cambio, la STS 135/1981, 9 de febrero, no aplicó el tipo agravado de uso de armas junto con el homicidio a un hecho semejante, en que fallece el agente de policía, no porque aprecie un *bis in ídem*, sino porque la regulación entonces vigente limitaba aquella agravación solo a la autoridad. Más recientemente en la STS 2516/2001, 31 de diciembre, se aborda esta cuestión en relación con un disparo fallido, porque el arma llevaba puesto el seguro, apuntando al estómago del agente con la pistola reglamentaria, sustraída durante el forcejeo a otro de los agentes. El Alto Tribunal desestima el *bis in ídem*, no sin manifestar que «*ello inicialmente podría ser cierto en cuanto la pistola se empleó para intentar la muerte de uno de los agentes, pero no lo es si nos fijamos que los sujetos pasivos del delito de atentado fueron dos y no uno solo, de tal forma que respecto al otro si es apreciable ese plus agravatorio del uso de armas*». Con ello se está reconociendo implícitamente la existencia de un *bis in ídem* entre la agravación y el tipo de resultado. Lo que llama la atención es que en el caso en cuestión el uso de arma recae únicamente sobre uno de los agentes, al que se apunta al estómago y al que no se consigue alcanzar porque el seguro está puesto. Es más, si es que el otro agente también estuvo en peligro por el uso de arma, se debería haber apreciado otra tentativa de homicidio. Solo en el caso en que se hubiera producido la muerte de uno y puesto en peligro la vida de otro, podríamos admitir el concurso ideal entre el tipo agravado de atentado y el homicidio consumado.

En conclusión, si el fundamento de la agravación se cifra en la mayor peligrosidad que para la vida o salud de los sujetos pasivos tiene un ataque así perpetrado, hay que considerar subsumido ese peligro en el tipo agravado, y no apreciar la tentativa de homicidio o de lesiones. Si se produjera el resultado de muerte o lesiones por el uso de armas, entendemos que solo cabría el concurso ideal con el tipo agravado de atentado si todo el peligro generado no hubiera sido abarcado por el resultado producido. En otro caso, solo cabe el concurso ideal entre el tipo de resultado —lesiones, homicidio, asesinato— y el tipo de atentado que corresponda sin la agravante.

iv) Un problema común a esta agravación y a las de los nº 2 y 3 del art. 551 CP es la equiparación, que hace el art. 7.2 de la LO 2/1986, de 13 de marzo, de Fuerzas y Cuerpos de Seguridad del Estado, de la protección de los agentes de la autoridad a la que se dispensa a la autoridad, cuando aquellos sean objeto de un delito de atentado en el que se hayan empleado en su ejecución «*armas de fuego, explosivos u otros medios de análoga peligrosidad que puedan poner en peligro la integridad física*». En consecuencia, la aplicación de esta medida supone que el atentado estaría más gravemente penado, pues se aplicaría la pena correspondiente a la autoridad (prisión de 1 a 4 años y multa de 3 a 6 meses) en lugar de la establecida en el art. 550.2 CP para los restantes casos en que el sujeto pasivo no es autoridad (prisión de 6 meses a 3 años). Ahora bien, como acertadamente han entendido Doctrina (entre otros, PRATS CANUT, TORRES FERNÁNDEZ, CUERDA ARNAU, LORENTE VELASCO) y Jurisprudencia (SSTS 1896/1994, 31 octubre; 861/1997, 11 junio; 338/1999, 8 marzo; en contra, STS 30/1998, 16 de enero), la apreciación conjunta de esta norma y del tipo agravado por uso de armas o medio peligroso constituiría un *bis in ídem* prohibido. Por lo que se plantea un concurso de normas entre el tipo básico de atentado contra funcionarios o agentes de la autoridad agravado por el uso de armas o medios peligrosos (prisión 3 años y un día a 4 años y 6 meses) y el tipo básico de atentado a la autoridad, al aplicar el art. 7.2 de la LO 2/1986 (pena de prisión de 1 a 4 años y multa de 3 a 6 meses), que se resuelve en favor del primero por el principio de alternatividad.

v) En cuanto a la posible concurrencia del tipo del atentado agravado por uso de armas con el delito de tenencia ilícita de armas, su relación es de concurso real, pues, aparte de tutelar bienes jurídicos diversos, la conducta típica también es distinta: mientras en el atentado se valora el concreto uso realizado con el arma, en el art. 564 CP se sanciona por la mera tenencia, dado que es un delito de peligro abstracto. En este sentido, SAP Cádiz, Sección 6ª Ceuta, 103/2006, 5 de mayo, rechazando también la posibilidad de concurso medial.

9.2. Acto de violencia potencialmente peligroso para la vida de las personas o que pueda causar lesiones graves

Como indicó el Consejo General del Poder Judicial, en su informe de enero de 2013 al Anteproyecto de Código penal, esta agravación da entrada a otras dinámicas comisivas, distintas del empleo de un instrumento u objeto, «*que supongan un grave peligro para la vida o integridad física del sujeto pasivo, tales como la agresión multitudinaria, el empleo de artes marciales, etcétera*». Estos serían, por ejemplo, los casos ya comentados de la STS 614/2006, 2 de junio, que se refiere al hecho de patear entre varios individuos la cabeza de un agente tendido en el suelo, y de la SAP Islas Baleares, Sección 1ª, 139/2015, 9 de noviembre, en la que se causa la muerte al agente con un puñetazo en el cuello, a la altura de la nuez, de gran violencia, que fractura el esqueleto laríngeo. Pero también incluiría formas de violencia que suponen el empleo de medios líquidos o gaseosos que no pueden calificarse como objetos peligrosos.

Ahora bien, lo que resulta innecesario es la mención al lanzamiento de objetos contundentes o líquidos inflamables, el incendio y la utilización de explosivos, pues estas formas de comisión ya tienen cabida, y así se había entendido por el TS, en la agravante de uso de arma u otros objetos peligrosos, si es que realmente lo son (también el Consejo General del Poder Judicial). Si bien es cierto que —como hemos visto— para la aplicación de la agravante del número 1 la Jurisprudencia viene exigiendo la existencia de una peligrosidad concreta por el modo en que se ha utilizado el arma o el medio peligroso. Así, por ejemplo, la STS 1604/2000, 21 de octubre, manifiesta que «*es necesario valorar en cada caso, la consistencia, entidad y capacidad de los objetos lanzados para constituir una agresión, en el sentido que exige el tipo básico del atentado. En el caso presente el objeto que se dirige contra el agente de la autoridad, sin precisar la distancia y la intensidad del lanzamiento, es una piedra formada por compacto de alquitrán que causa en el agente "una ligera tumefacción en la zona mandibular del lado izquierdo", lo que sugiere la existencia de un propósito de emplear la fuerza contra la actuación del agente de la autoridad obstaculizando su capacidad de restablecer el orden conculcado, por lo que estimamos que la calificación más adecuada para el caso presente, es la de considerar los hechos como constitutivos de un delito de atentado. En consecuencia y por las mismas razones expuestas anteriormente, no cabe la aplicación de la modalidad agravada de atentado configurada por el empleo de armas o medios peligrosos*».

En cambio, el número 2 del art. 551 CP alude a «que resulte potencialmente peligroso», lo que puede hacer pensar en un peligro abstracto como idoneidad general del acto de fuerza, y en particular, del lanzamiento de estos objetos o de la utilización de explosivos (CORCOY BIDASOLO). Ello conllevaría la aplicación automática de la agravación siempre que se produjese el ataque de esta forma o por estos medios, sin necesidad de acreditar más circunstancias que concretasen el peligro en el caso particular (distancia, indeterminación de los sujetos pasivos, etc.). Pero este entendimiento ha de rechazarse por lo que implica de quiebra de la proporcionalidad, al sancionarse con la misma pena hechos de distinta gravedad. Se prefiere, por ello, considerar que lo «potencialmente peligroso» es lo que no ha desembocado necesariamente en una lesión, pero sí constituye un peligro próximo, real, de lesión en el caso concreto (también el informe de la Fiscalía General al Anteproyecto de 2012). La consecuencia es que la mención al lanzamiento de estos objetos resulta redundante o reiterativa respecto del art. 551.1 CP.

La referencia al «acto de violencia» limita el ámbito de la agravación a las modalidades típicas que suponen un ejercicio de fuerza física: la agresión, el acometimiento y la resistencia grave por medio de violencia grave.

9.3. Acometer haciendo uso de vehículo a motor

Esta agravación resulta redundante respecto de la contenida en el número 1 del art. 551 CP, pues la Jurisprudencia ya había estimado en numerosas sentencias que el vehículo a motor constituía «medio peligroso» cuando se lanzaba contra una persona: embestir con el vehículo (entre otras, SSTS; 950/2000, 4 junio; STS 2251/2001, 29 noviembre; 2188/2001, 24 noviembre; 369/2003, 15 de marzo; 1312/2004, 10 noviembre; 984/2006, 13 de octubre; 672/2007, 19 de julio; 60/2008, 23 de enero; 901/2009, 24 de septiembre; 472/2010, 3 mayo; 981/2010, 16 de noviembre; 653/2013, 18 de julio; 180/2013, 1 marzo; 310/2017, 3 mayo); también con el ciclomotor (STS 79/2010, 3 febrero); dar volantazos con el vehículo cortando la trayectoria de motocicleta pilotada por policía (STS 656/2000, 11 abril).

La agravante limita su ámbito de aplicación al acometimiento, como tal o como forma de resistencia grave por medio de violencia grave. Se trata de ataques en los que el vehículo se dirige contra el agente, que se encuentra en su trayectoria de movimiento. Por lo que el empleo del vehículo de motor en otras actuaciones violentas, en las que solo de forma indirecta se ejerce fuerza sobre el sujeto pasivo, deberían encuadrarse en el número 1 ó 2 del art. 551 CP, bien porque constituya «objeto peligroso» o bien porque se trate de un «acto de violencia potencialmente peligroso para la vida de las personas o que pueda causar lesiones graves». Un ejemplo de esta situación puede apreciarse en la STS 60/2008, 23 de enero, en donde el agente queda con la mitad superior de su cuerpo dentro del habitáculo del coche, iniciando este la marcha y dando bandazos con el volante hasta que el agente finalmente cae y es arrastrado varios metros por la inercia. También el caso de la STS 1421/2003, 3 de noviembre, en la que el acusado arranca el vehículo, arrastrando en su huida al agente, que previamente se había engrilletado a la muñeca del acusado.

En cualquier caso, la finalidad de huir es compatible con el dolo del atentado. Como ya indicamos más atrás la Jurisprudencia se refiere aquí a un dolo de consecuencias necesarias (SSTS 381/2016, 4 de mayo; 468/2015, 16 julio). Compartimos la visión de CUERDA ARNAU de excluir del ámbito de esta agravación los casos en que la colisión con otro vehículo policial se produce de forma fortuita e imprevisible, porque, por ejemplo, en la persecución del sujeto el coche patrulla irrumpa intempestivamente en su camino provocando la colisión. No, en cambio, cuando el ataque contra el agente de la autoridad o la colisión, aunque previsible, no es directamente querido por el sujeto, ni siquiera como una consecuencia ineludible de su actuación.

En cualquier caso, el tipo agravado también puede concurrir con el delito de conducción temeraria, con el que entrará en concurso ideal de delitos en la medida en que se protegen bienes jurídicos distintos. En este sentido, STS 8/2015, 22 de enero, también SJP nº 1 de Teruel, 15/2018, 8 de febrero; SAP Madrid, Sección 1ª, 36/2013, 31 de enero. Ahora bien, ello será así siempre que el peligro generado en la conducción exceda del que ha recaído sobre los sujetos pasivos del atentado. En este punto, hay que tener en cuenta que el delito de conducción temeraria del art. 380 CP es un delito de peligro concreto, mientras que el tipo del art. 381 CP se sanciona tanto si se produce un peligro concreto para la vida de las personas como si no. Así, por ejemplo, cuando durante la persecución que tiene lugar por una autovía u otra vía pública se dan bandazos a un lado y a otro contra los coches patrulla, generándose peligro no solo para los agentes sino también para otros conductores. En cambio, la STS 950/2000, 4 de junio, valora como dos acciones distintas la conducción temeraria que tiene lugar en la persecución del delincuente y la embestida que hace a la moto pilotada por el agente de la autoridad, olvidando que el delito contra la seguridad vial tiene carácter permanente y que, por tanto, no deja de consumarse hasta que no se cesa en dicha conducción (a favor del concurso real, también CUERDA ARNAU). En el mismo sentido que la anterior, la STS 226/2009, 26 de febrero, sanciona en concurso real la conducción temeraria y el atentado; también SAP Madrid, Sección 3ª, 43/2017, 27 de enero; SAP Almería, Sección 3ª, 11/2017, 13 de enero; SAP Las Palmas, Sección 6ª, 41/2014, 3 de febrero.

9.4. Con ocasión de un motín, plante o incidente colectivo en el interior de un centro penitenciario

Esta agravante ha sido incorporada *ex novo* en la reforma de la LO 1/2015. Su introducción ha sido calificada como Derecho penal simbólico (QUERALT JIMÉNEZ), pues la experiencia de los casos enjuiciados hasta la fecha lleva a pensar que, normalmente, en un atentado en un centro penitenciario estarán presentes los requisitos de peligrosidad que habilitan para aplicar la agravante del número 1 o del número 2 del art. 551 CP, máxime, si como es el caso, el motín, plante o incidente ha de ser colectivo. Precisamente el fundamento de la agravante se cifra en el mayor peligro que para la integridad física de los funcionarios de prisiones representa una agresión colectiva (GARCÍA RIVAS, QUINTERO OLIVARES, BENÍTEZ ORTUZAR). La misma razón que fue aducida por el Grupo del Partido Popular para defender la enmienda presentada en el Senado, origen de este tipo agravado. Sin embargo, tiene razón CUERDA ARNAU cuando llama la atención sobre el hecho de que el tipo no exige que la agresión sea colectiva, sino que basta *«con que se produzca un "incidente" y uno de los implicados atente contra el funcionario, al margen de que nadie más lo haga»*, por lo que en su opinión no resulta convincente. Efectivamente, estamos de acuerdo con la citada autora en que el texto legal no requiere que la agresión se produzca por un colectivo, sino solo que tenga lugar en el interior de un centro penitenciario en una situación concreta: «con ocasión de un motín, plante o incidente colectivo», supuestos que están contemplados en el Reglamento Penitenciario (art. 108 RD 787/1984, 26 de marzo, en vigor por la Disposición Derogatoria Única del RD 190/1996, 9 de febrero) como infracciones muy graves del régimen disciplinario: instigar o participar en motines, plantes o desordenes colectivos. Situaciones de alteración del orden de carácter colectivo en las que un acto violento puntual sobre el funcionario eleva la peligrosidad de una reacción violenta del colectivo. Lo que ha sido expresado por la SAP Córdoba, Sección 1ª, 637/2012, 13 de julio, en estos términos: «*pese a la gravedad que comporta, por la patente posibilidad de que la violencia se desborde en un medio, como el carcelario, en el que la intimidación con tales instrumentos puede derivar con mayor facilidad en la ejecución de la amenaza o la comisión de delitos más graves, por la imposibilidad de los intimidadores de eludir la acción de las fuerzas de orden público*».

Al concepto de motín ya se ha referido CUGAT MAURI en este Tratado, en su aplicación al tipo del art. 469 CP, dentro de los delitos de quebrantamiento de condena, al que nos remitimos, y del que se extrae la necesidad de que sea colectivo y de que constituya una actuación desordenada de oposición a la autoridad constituida. En cuanto al plante, según la RAE, es la «*protesta colectiva, con abandono de su cometido habitual, de personas que viven agrupadas bajo una misma autoridad o trabajan en común, para exigir o rechazar enérgicamente algo*». Participa, por tanto, también del carácter colectivo y de la nota de oposición, aquí con un matiz de protesta frente a lo establecido. Esta gran similitud lleva a considerar que la distinción reside en que el motín supondría un comportamiento activo, mientras que el plante se materializaría mediante la dejadez o el abandono de los cometidos habituales, esto es, de forma omisiva (RENART GARCÍA). El incidente, según la RAE, alude a una «disputa, riña o pelea entre dos o más personas». Desaparece toda connotación de oposición a la autoridad o protesta al orden establecido. El incidente, además, ha de ser colectivo, lo que aboca a la necesidad de que intervengan, más de dos personas, aunque no sea necesario que todas ellas estén agrediéndose entre sí, siendo suficiente con que participen de algún modo en el hecho (por ejemplo, jaleando a los contrincantes, etc.).

Así las cosas, no tienen cabida en este tipo agravado:

a. Los atentados que, aunque tengan lugar en el centro penitenciario, no se produzcan en un contexto de alteración colectiva del orden. Estos serían los casos de, por ejemplo, la SAP Madrid, Sección 16ª, 375/2014, 19 de mayo, relativa a la agresión con una cuchilla de afeitar al funcionario de prisiones que se encuentra en la enfermería produciéndole un corte en el cuello de lado a lado; o de la SAP Segovia, Sección 1ª, 5/2015, 19 de marzo, en la que se juzga la agresión del interno contra el funcionario de prisiones, que de forma inopinada golpea con la bandeja de comida en la cabeza del funcionario usando también un pincho carcelario cuando yace caído en el suelo. En ambos se aplicó el tipo agravado de uso de arma o medio peligroso.

b. Los atentados sobre funcionarios de prisiones que no tengan lugar en el interior del recinto penitenciario, por ejemplo, en la conducción o traslado a un centro hospitalario, a los juzgados, etc. Este es el caso de la STS 294/2012, 26 de abril, en el que la agresión tiene lugar en el hospital al que se había llevado al detenido para su curación.

En cambio, la referencia a que «los hechos se llevan a cabo…» permite apreciar este tipo agravado respecto de cualquiera de las modalidades típicas del tipo básico, incluyendo, por tanto, también la intimidación grave como forma de resistencia grave o como forma de agresión. Así, por ejemplo, en la SAP Córdoba, Sección 1ª, 637/2012, 13 de julio, en la que se juzgó un enfrentamiento entre varios internos y los funcionarios de prisiones, motivado por la previa agresión que uno de los internos causa a otro con un pincho carcelario, posteriormente usado también para intimidar a los funcionarios, a los que también se golpea. En este caso el uso intimidatorio del pincho carcelario impidió la apreciación del tipo agravado de uso de arma o medio peligroso.

III. DELITOS DE RESISTENCIA Y DE DESOBEDIENCIA DE PARTICULARES

1. Introducción

Le asiste la razón a LÓPEZ-FONT MÁRQUEZ cuando asevera: «Estudiar en el marco de la cultura jurídica occidental, surgida del postulado de la igualdad jurídica, los mecanismos a través de los cuales los ciudadanos asumen cualidades jurídico-públicas con la consiguiente facultad de vincular obligatoriamente las conductas de los particulares aun de forma colectiva, es una de las tareas más apasionantes y arduas que puedan presentarse al investigador del Derecho Público». Se trata de la obligación política, de la que tiene el individuo para con el Estado, que llevó a SÓCRATES a afirmar: «El que de vosotros se quede aquí viendo de qué modo celebramos los juicios y administramos la ciudad en los demás aspectos, afirmamos que este, de hecho, ya está de acuerdo con nosotras en que va a hacer lo que nosotras ordenamos, y decimos que el que no obedezca es tres veces culpable, porque le hemos dado la vida, y no nos obedece, porque lo hemos criado y se ha comprometido a obedecernos, y no nos obedece ni procura persuadirnos si no hacemos bien alguna cosa. Nosotras proponemos hacer lo que ordenamos y no lo imponemos violentamente, sino que permitimos una opción entre dos, persuadirnos u obedecernos; y el que no obedece no cumple ninguna de las dos». Menos radicalmente que SÓCRATES, RAWLS apunta: «Asumiré como premisa y no como argumento que, al menos en sociedades como las nuestras, hay una obligación moral de obedecer al derecho aunque, evidentemente, esta puede ser superada en algunos casos por otras obligaciones más exigentes. También asumiré que esta obligación debe basarse en algunos principios morales generales, esto es, depende de algunos principios de justicia, o de principios de utilidad social, o de bien común, o de otros similares». Poner condiciones, o no, a la obediencia, al acatamiento de las leyes o, más ampliamente, a la misma génesis de la ley, se convirtió hace ya siglos en uno de los principales problemas no solo de la filosofía política o de la teoría del Estado, sino también, por lo que ahora nos importa, del Derecho Penal.

¿Es la *voluntas,* como dijera OCKHAM (dios es pura volición), o la conformidad de la norma a valores (*praecepta quia bona, prohibita quia mala*) el aspecto determinante? ¿y en qué contexto histórico? ¿en el del Radbruch de la 4ª edición de su *Filosofía del Derecho* —1959—, o en el de la *Introducción a la Ciencia del Derecho* de 1930?

La obediencia al Derecho se nos presenta, así, como una especie de la obligación política, pero mientras que, como indica FERNÁNDEZ GARCÍA, «[L] a obligación política cuenta con una prueba clara y sencilla como es la obediencia al Derecho, la propia obediencia al Derecho puede derivarse exclusivamente de una obligación jurídica sin más aceptada así por el destinatario de las normas jurídicas; pero también es cierto que ese destinatario tiende a preguntarse por las razones o motivos por los que tiene que obedecer, y ello le sitúa ya en el ámbito de la obligación política».

Pues bien, a la postre es el criterio de la legitimidad del poder el que condicionará la existencia de esa obligación de obediencia, el modo de producirse esta y sus límites; y como destilado de todo lo anterior las reacciones del poder ante los hechos de desobediencia. En este último sentido es muy demostrativo el modo en el que el Derecho, en este caso el Derecho Penal, ha ido reaccionando frente a los actos de desobediencia tanto de los funcionarios como de los ciudadanos, que es lo que pasaremos a examinar a continuación.

Aunque se trate esta de una Lección sobre desobediencia de particulares creemos necesario referirnos también a la de funcionarios para que se pueda comprender más correctamente lo que, en realidad y en esencia, es un solo fenómeno: el sometimiento a la obediencia, a las órdenes de la autoridad, bien en el ámbito interno bien en el externo a la Administración. En este sentido si bien, como es conocido, durante la Monarquía Absoluta los funcionarios eran empleados del Rey y los habitantes del reino súbditos, poco a poco estos últimos van tomando —en una progresión histórica con muchos altibajos— el estatus de ciudadanos, y la Administración se verá sometida poco a poco a la Ley y a la Jurisdicción; pero esa evolución afecta, con distintos ritmos, tanto a una como a otra desobediencia, en el caso de los funcionarios más condicionado por los principios de la «soberanía compartida», pero incluso en este último supuesto progresa hacia la limitación de los contenidos de la obediencia (Constitución de 1869). Hoy en día la limitación de la obediencia (olvidada hace muchos años, además, la «obediencia ciega» y cada vez más constreñida la «debida») lleva a que los perfiles de ambos delitos sean cada vez más coincidentes, y que las reflexiones de fondo utilizadas para el análisis de la desobediencia funcionarial sean perfectamente aplicables a la de particulares.

1.1. La desobediencia funcionarial

Por lo que importa a la desobediencia de los funcionarios a las órdenes de sus superiores, el momento más significativo en nuestra Historia Moderna se produce con la aprobación de la Constitución española, generalmente denominada «democrática», de 1869.

Se trató, la de 1869, según SOLÉ TURA y AJA, de «...la primera Constitución democrática de nuestra historia». Hasta ese momento la Constitución tenía, al decir de SÁNCHEZ AGESTA, el valor de un pacto «entre el Rey o la Reina y las Cortes, como representación del pueblo», idea esta que quedó reflejada en el mismo Preámbulo de la Constitución de 1845.

De todas formas la afirmación de SOLÉ TURA y AJA debe matizarse, al menos, en un sentido: se trata de una Constitución que siguió permitiendo la permanencia de la esclavitud (por más que comenzara su abolición con la llamada «ley de libertad de vientres» en 4 de julio de 1870, y más tarde, en 25 de marzo de 1873, con la libertad de los esclavos en Puerto Rico, pero no en Cuba, lo que tiene un profundo significado, precisamente, esclavista, pues los grandes intereses económicos en relación al sometimiento de estos seres humanos estaba en Cuba dado que en esta isla había 400.000 esclavos y solo 30.000 en Puerto Rico), y esclavitud y democracia son difícilmente compatibles; y en lo que al Derecho Penal importa continuamos sufriendo la vergüenza histórica de haber visto reflejado el esclavismo en nuestras leyes penales incluso del último tercio del siglo XIX, en este sentido, ya con la Restauración, el Código Penal para las Provincias de Cuba y Puerto Rico, aprobado por RD de 23 de mayo de 1879, incluía cláusulas como la siguiente (artículo 8.6°, legítima defensa): *El esclavo que obra en defensa de su amo, y el liberto manumitido graciosamente en la de su patrono, y uno y otro cuando obran también en defensa de los cónyuges, ascendientes, descendientes ó hermanos de los expresados amo y patrono, siempre que en todos los casos concurran la primera y segunda circunstancias prescritas en el núm. 4.° de este artículo, y la de que, en caso de haber precedido provocación de parte del acometido, no hubiere en ella tenido participación el defensor*.

De este texto constitucional el precepto que en este momento nos interesa es el incluso en el párrafo segundo del artículo 30: *El mandato del superior no eximirá de responsabilidad en los casos de infracción manifiesta, clara y terminante de una prescripción constitucional. En lo demás, solo eximirá a los agentes que no ejerzan autoridad*.

El Dictamen de la Comisión (presidida por Salustiano de Olózaga) que elaboró el Proyecto de Constitución había dado a este precepto una redacción en algún punto distinta: *La obediencia debida no eximirá de responsabilidad en los casos de infracción manifiesta, clara y terminante, de una prescripción constitucional. En los demás solo eximirá a los agentes que no ejerzan autoridad*. Se suprimió la referencia a la «obediencia debida» y se aceptó la redacción que al final se plasmó en el artículo a propuesta de D. Cirilo Álvarez quien argumentó diciendo: «La obediencia es debida o no es debida: si es debida, exime de responsabilidad, porque si no eximiera de ella sería una verdadera iniquidad: si no es debida, no exime ni en el caso previsto en el artículo constitucional, ni en otro caso cualquiera. Por lo tanto, yo considero un contra principio el escribir en la Constitución que la obediencia debida no exime de responsabilidad».

Este precepto venía a impugnar las que hemos denominado en otro lugar «cláusulas suicidas» en el interior del Ordenamiento (ÁLVAREZ GARCÍA), que permitían, por aplicación jurisprudencial de la eximente de la obediencia debida, dispensar de responsabilidad penal a los subordinados que obedecieran cualquier orden de sus superiores al margen de la juridicidad de la misma.

Lo que determinaba estados de impunidad de esos ejecutores y fracaso de la prevención general negativa como finalidad de la pena. Esta idea fue contemplada muy gráficamente por el Diputado Sánchez Yago en su intervención durante los debates de la Constitución de 1869: «…, yo he comprendido, no sé si equivocada ó acertadamente, que si en la primera parte del artículo se impugna la previa autorización para procesar ante los tribunales de justicia á los funcionarios públicos, esto mismo, aun cuando de un modo indirecto, es lo que se procura á mi juicio en el párrafo segundo. Porque en efecto, no solamente va á proscribirse la previa autorización como abuso que podía engendrar la impunidad, sino que tampoco va á quedar á los funcionarios procesados el medio indirecto de conseguir, alegando la obediencia á sus jefes, el propio fin que lograban con aquel privilegio que la comisión ha echado abajo. No sufrirá, pues, en adelante la administración de justicia esa traba tan opuesta á su libre acción y á su decoro de no poder incoar ningún proceso por ciertos delitos de los empleados sin la venia de la administración, ni tampoco se harán ilusorios los procedimientos por la excusa de la obediencia debida».

Desde luego que ese estado de la cuestión obedecía a una concepción de la soberanía «arrastrada» del Absolutismo —ajena a la consagrada en la Constitución del 69—, en la que el rey se erigía en titular del Poder Ejecutivo y compartía con las Cortes el Legislativo.

La jefatura del Ejecutivo la siguió ostentando el rey incluso en la Constitución de 1869: «*El Poder ejecutivo reside en el Rey, que lo ejerce por medio de sus Ministros*» (artículo 35). Ciertamente que la cláusula «*que lo ejerce por medio de sus Ministros*» constituía una «adición importante», al decir de TOMÁS VILLARROYA. De todas formas, y aunque de manera menos explícita, el artículo 64 de la Constitución de 1845 ya había dispuesto lo mismo: «*Todo lo que el Rey mandare o dispusiere en el ejercicio de su autoridad, deberá ser firmado por el Ministro a quien corresponda, y ningún funcionario público dará cumplimiento a lo que carezca de este requisito*», por más que esto no hubiera impedido el que en algún momento la reina Isabel II asumiera, *per se*, funciones de gobierno. Precisamente esta consideración del monarca como «jefe del Ejecutivo» es lo que permitiría la elaboración —en toda Europa— de toda una serie de doctrinas que abogarían por liberar al rey de su sujeción a la Ley, contraponiéndose así el «principio monárquico» al «principio democrático», lo que terminaría plasmándose, en el caso de España, en la Ley de la Jurisdicción de 1888 y en la sustracción del control por el contencioso-administrativo de los actos dictados en ejercicio de una potestad discrecional (debe indicarse, sin embargo, que las ambiciones de los partidarios del «principio monárquico» no eran excluyentes, sino que «Dado que no se podían hacer desaparecer ni la Revolución Francesa ni las Guerras de Independencia, con toda su ideología subyacente, y que tanto la integración de los Estados de nuevo cuño como las necesidades financieras requerían la participación de la burguesía y la existencia misma de instituciones representativas, incluso el Monarca y sus partidarios eran conscientes de que no era posible el retorno a los dogmas absolutistas de la soberanía exclusiva del Monarca. Por ello el objetivo de la propagación del principio monárquico era más bien comedido y defensivo. Este principio solo debía ser el dominante o, en todo caso, el "preponderante", y solo a condición de admitir una cierta "mixtura" con el principio democrático» (HEUN).

Esa participación del rey en las tareas del Legislativo se reflejó perfectamente en el Estatuto Real de 1834 («carta otorgada», según SÁNCHEZ AGESTA) según el cual, y de acuerdo con lo preceptuado en el artículo 31, las Cortes no podían «...*deliberar sobre ningún asunto que no se haya sometido expresamente a su examen en virtud de un decreto Real*». Este modelo de elaboración de las leyes fue el seguido por el artículo 12 de la Constitución progresista de 1837 y por la de 1845, y según algún diputado —Sánchez Ruano— a las Cortes de 1869 volvía a ocurrir en el Dictamen de la Comisión de la Constitución de 1869, lo que sucedería incluso en mayor medida como consecuencia de haberse dejado en manos del rey la sanción y promulgación de las leyes. En este último sentido señalaba el Diputado Cánovas del Castillo: «¿Cómo puede decirse que no forma parte del poder legislativo, como se ha observado ya en este debate, quien libremente sanciona o no sanciona, quien libremente promulga o no promulga las leyes? No, no puede, decirse que aquel sin cuya voluntad, sin cuyo acto una cosa no es, deje de contarse cuando llega á ser, entre sus autores».

En ese esquema, las órdenes impartidas por «sus» funcionarios no eran más que realización de una voluntad (co) soberana («La presunción es que toda persona constituida en autoridad obra dentro de los límites de esta, y por consiguiente que le es debida la obediencia de sus subordinados... No compete a sus subalternos el ir a buscar razones más o menos especiosas, para eludir o negarse a obedecer lo que contienen», PACHECO), por lo que gozaban de la cualidad de juridicidad y desplegaban, en consonancia, eficacia. Pero ello permitía, como se apuntó más arriba, a los jerárquicamente superiores dirigir al Estado contra el propio Estado (al no pasar la capacidad de mando por el filtro de la ley), lo que no dejó de ser frecuente en un tiempo en el que los pronunciamientos e insurrecciones (y las guerras civiles) fueron moneda de todos los días. Es decir: con ese precepto se quería salir al paso de un grave problema político, de soberanía pero también de derechos individuales. En este último sentido se expresó el Diputado Romero Girón durante los debates habidos en el trámite de aprobación de la Constitución de 1869 (y contestando a una intervención del Diputado, y penalista, D. Cirilo Álvarez):

«..., el Sr. Alvarez iba, como he dicho antes, estudiando el artículo solo bajo el punto de vista jurídico, cuando la comisión ha tenido el pensamiento de establecer con este artículo una garantía más de los derechos individuales. La comisión tenia presente, al redactar este artículo, otra esfera de acción; tenia presente el que ciertas autoridades han venido por ese medio de la gerarquía de unos á otros y otros agentes, á hacer imposible en muchos casos la responsabilidad de aquellos que realmente eran los autores o promovedores de la falta, o ya que no sus autores, los ejecutores. Contra este peligro que se ha establecido en la esfera administrativa es contra el que la comisión ha querido introducir esta cortapisa del artículo. Bajo este punto de vista, pues, la comisión no puede aceptar en el fondo las observaciones del Sr...».

En el mismo sentido, y si se quiere aún más contundentemente, se expresó el Diputado Sánchez Yago durante los mismos debates a los que nos acabamos de referir:

«Consultando lo que dice el Diccionario de la lengua para dar á conocer la acepción de la palabra obediencia, he visto que el verbo *obedecer* se define "hacer la voluntad del superior que manda". He buscado el verbo *mandar*, y he leído esta explicación: "ordenar el superior al súbdito que ejecute alguna cosa". He mirado la palabra *superior,* porque todos estos conceptos entran en la obediencia, y dice el Diccionario que "es la persona que manda, gobierna o domina á algún súbdito", y he buscado, por último, la palabra *súbdito,* y advierto que dice: "el que está sujeto á la disposición de algún superior con obligación de obedecerle". Según, pues, este criterio, el súbdito tiene siempre la obligación de obedecer al superior; pero yo declaro por mi parte que no estoy conforme con esta apreciación. Yo considero que obedecer es acomodar las acciones al precepto de la ley, trasmitido por órgano competente, que es la autoridad. Por consiguiente, creo que todo lo que no sea precepto de la ley, todo lo que no sea emanación de la justicia, no merece obediencia, y por lo mismo, según este y según aquel criterio, *obedecer,* para mí, es un acto obligatorio, porque ó debe obedecerse todo, que es el sistema del absolutismo, o debe obedecerse solo aquello que sea justo, que es el criterio liberal».

Este es el paso fundamental de la modernidad, tal y como sugirió BOBBIO (BARCELLONA): de la sujeción personal a la vinculación exclusiva a la norma (Este apego a la juridicidad y la diferencia con la sujeción al superior lo expresó genialmente F. LASALLE en un conocido ejemplo en su obra *¿Qué es una Constitución?*). Alrededor de esta idea se posicionan las instituciones: el Estado contemporáneo (entendido como Estado de Derecho) forma del lado de la democracia y constituye a la norma aprobada por los representantes «de la Nación» (en la Constitución de 1869) como el único referente sobre el que se puede exigir obediencia. Otras instituciones, como la iglesia católica, nutren las filas del autoritarismo, y siguen edificando sobre la «autoridad personal» sus pretensiones de obediencia, en realidad de sumisión.

Sin embargo, y como hemos expuesto en otro lugar (ÁLVAREZ GARCÍA), no siempre esto ha sido así para la iglesia católica. En efecto, en el cristianismo primitivo, y tal y como afirma FOUCAULT, tras un primer momento en el que la confesión no era un acto sino que constituía un *status* —el de penitente, *ordo penitentium*, otorgado por el obispo a solicitud del sujeto, por lo que la «pena» era «auto infligida»— que se adquiría sin necesidad teórica de explicación de los «pecados», se pasó —más o menos en el siglo VI— a la penitencia «tarifada» (lo que vino de la mano de los libros, de los códigos, «penitenciales», entre los que destacó el de Finiano). Se produce en ese momento, pues, un cambio radical de modelo en el que el régimen de la «satisfacción» por la infracción cometida (por el pecado), introduce un sistema en el que el acento fundamental se pone en el acto de la aceptación de la infracción; a partir de ese momento la penitencia es la, en cada caso, precisamente determinada en los códigos penitenciales. Pues bien, es evidente que en un sistema como este el papel del «confesor» puede terminar siendo muy escaso, pues se llega, con la penitencia «tarifada», a una espiritualización considerable del acto de la confesión, de forma que, cada vez más, esta dependerá, como ya he indicado, de la misma admisión de la culpa por parte del confesante; a continuación solo había que aplicar la «tarifa», que conocía el penitente ya que se encontraba fijada de antemano y cuyo cumplimiento suponía, automáticamente, la remisión de los pecados. Esta fue la razón por la que, poco a poco, el sacerdote vería, repito, como su papel se reducía cada vez más, limitándose a «trasladar» el *quantum* de la penitencia. Esa «espiritualización» de la confesión provocó la acentuación de la mera accesoriedad del papel del sacerdote, hasta el punto de llegar a plantearse la prescindencia del mismo en relación a la confesión. Así pues, «…el ritual de la penitencia o, mejor, esa tasación casi jurídica de la penitencia, tiende a desfasarse poco a poco en formas simbólicas. Al mismo tiempo, el mecanismo de la remisión de los pecados, esa especie de pequeño elemento operador que asegura que estos se condonen, se cierra cada vez más en torno de la confesión misma. Y a medida que ese mecanismo se cierra alrededor de la confesión, el poder del sacerdote, y con mayor razón el del obispo, se aflojan otro tanto» (FOUCAULT). A partir del siglo XII se comenzará a producir la reacción de la iglesia frente a un estado de cosas que amenazaba seriamente su dominio, y esa revuelta se va a centrar en la constitución de la confesión como el gran instrumento de plasmación de poder de la iglesia católica, esta recobra el mecanismo de la confesión instituyendo al sacerdote como el necesario mediador para alcanzar la remisión de los pecados, lo que exige el terminar con la penitencia «tarifada» y recobrar el cumplimiento de la penitencia para la centralidad del sistema (en lo que colaboraron las órdenes de predicadores fundadas a principios del siglo XIII y los correspondientes concilios). La inmediata consecuencia del cambio de tecnología es que el hombre, el «fiel», pierde automáticamente autonomía y pasa a una dependencia personal, del sacerdote, más acusada: la eliminación de la «tarifa» y la consagración de la libertad en la imposición de la sanción causa el efecto de someter al sujeto al poder personal del mediador, lo que lleva, también, consigo la ampliación del ámbito de la investigación que pasará a abarcar —para lograr una medición aquilatada de la pena—, más allá del hecho concreto, las circunstancias personales del sujeto; es decir, el objeto de la investigación se amplía a toda la vida, a todos los actos del penitente. Así pues, frente a la impersonalidad que representa la «tarifa» encuadrada en la norma, emerge el poder directo del intermediario, lo que supone un cambio obvio en el orden de la sumisión; el feligrés ya no podrá evaluar por sí mismo su merecimiento de sanción —aunque sea referida a una tabla previamente establecida por los círculos que ostentan el poder de la iglesia—, esa es una potestad reservada al sacerdote —con poder de confesión autorizado por el obispo—, el cual la ejercerá libérrimamente, con lo cual la participación del que confiesa sus pecados quedará limitada a la revelación de su conducta, él ya no «participará» en la tasación de la penitencia (ni como status, ni como acto concreto), y quedará sometido al poder personal del sacerdote; este nuevo desarrollo de la confesión fortalecerá el aparato entero de la iglesia católica (más aún tras la Reforma y Trento, lo que tuvo clara expresión en los «Comentarios» de San Carlos Borromeo a este Concilio). La Iglesia, primero con las modificaciones aludidas llevadas a cabo a partir del siglo XII (el Concilio Lateranense IV en 1216 fue clave en este sentido) y más tarde en Trento, toma una decisión fundamental: anclarse en la idea del gobierno del hombre por el hombre, de la sumisión personal a un sujeto, y por esa vía decide renunciar a la modernidad.

Pues bien, el párrafo segundo del artículo 30 de la Constitución de 1869 se terminó plasmando en el artículo 380 CP1870 (lo que no es extraño, pues como decía ANTÓN ONECA uno de los objetivos del Código Penal de 1870 consistía en proteger la Constitución, es decir: el nuevo Ordenamiento que se había dado la Nación), con la siguiente redacción:

«Artículo 380. Los funcionarios judiciales o administrativos que se negaren abiertamente a dar el debido cumplimiento a sentencias u órdenes de la Autoridad superior, dictadas dentro de los límites de su respectiva competencia y revestidas de las formalidades legales, incurrirán en las penas de inhabilitación temporal espe-

cial en su grado máximo a inhabilitación perpetua especial y multa de 150 a 1500 pesetas.

Sin embargo de lo dispuesto en el párrafo anterior, no incurrirán en responsabilidad criminal los funcionarios públicos por no dar cumplimiento a un mandato administrativo que constituya una infracción manifiesta, clara y terminante de un precepto constitucional.

Tampoco incurrirán en responsabilidad criminal los funcionarios públicos constituidos en Autoridad que no den cumplimiento a un mandato de igual clase, en el que se infrinja manifiesta, clara y terminantemente cualquiera otra ley».

Tres comentarios a este precepto y por lo que ahora nos importa: primero, que la realización del delito de desobediencia de funcionarios (y por lo tanto también de su contrario: la exigencia de obediencia) se condicionaba a una apariencia (o no) de conformidad a la norma del mandato impartido, apariencia que se concretaba en la observancia de los requisitos de forma de la orden (compárese con lo que preceptúan los vigentes artículos 34 y 36 de la Ley de Procedimiento Administrativo) y competencia del superior que la impartió, al margen de los cuales no surgiría el deber de obediencia (la desobediencia será atípica —no constitutiva de una causa de justificación como tradicionalmente se mantuvo— pues no concurrirían los elementos que harían exigible una concreta conducta en el subordinado). Segundo, que para evitar incorporar al tráfico el contenido de mandatos inválidos (que de exigirse por el Ordenamiento obediencia a los mismos bajo la amenaza de castigo penal, implicaría la representación de un ejercicio de mera sujeción de los subordinados a la voluntad de los superiores al margen de la juridicidad de lo ordenado), se reconocía a los funcionarios ejecutores un derecho/deber de examen sobre la conformidad a Derecho de la orden, que sería más amplio en el caso de las autoridades (en relación a todo el Ordenamiento Jurídico), más restringido en el de los simples funcionarios (contraste con la norma constitucional). Tercero, mientras que en el párrafo primero del artículo 380 CP1870 la obligación de obediencia era referida tanto a órdenes de naturaleza procesal como administrativa, el derecho/deber de examen de la juridicidad de la orden se dirige solo a los mandatos administrativos y no a los contenidos en sentencias; es decir: la conformidad o no a derecho de las sentencias queda fuera de la inspección de los funcionarios ejecutores.

Prestemos ahora atención a este último punto y comparemos la redacción del precepto arriba reproducido con el vigente artículo 410 CP1995:

«1. Las autoridades o funcionarios públicos que se negaren abiertamente a dar el debido cumplimiento a resoluciones judiciales, decisiones u órdenes de la autoridad superior, dictadas dentro del ámbito de su respectiva competencia y revestidas de las formalidades legales, incurrirán en la pena de multa de tres a doce meses e inhabilitación especial para empleo o cargo público por tiempo de seis meses a dos años.

2. No obstante lo dispuesto en el apartado anterior, no incurrirán en responsabilidad criminal las autoridades o funcionarios por no dar cumplimiento a un mandato que constituya una infracción manifiesta, clara y terminante de un precepto de Ley o de cualquier otra disposición general».

Resulta llamativo que el precepto penal en su apartado 2 refiera el derecho/deber de examen no solo a los mandatos administrativos sino también a los judiciales. Esta modificación se introdujo en el Código Penal de 1944, en su artículo 369, y se corresponde perfectamente con las pretensiones de control absoluto de un Estado dictatorial y, en este sentido, con la desconfianza que Franco tenía respecto de cualquiera, lo que sucedía también en relación a los jueces, por más que el Tribunal Supremo observará una fidelidad perruna con el Dictador: él quería gobernar el Estado disponiendo de todos los poderes, y en ese sentido también quería contar con la posibilidad de «suspender» las resoluciones judiciales sometiéndolas a contraste con su «juridicidad», con la del Estado nacional-católico. Así pues, el elemento «mandato», ya sin el calificativo de «administrativo», abarcaba las referencias al contenido decisorio de todas las «sentencias, decisiones u órdenes» (ÁLVAREZ GARCÍA; téngase en cuenta, por otra parte, que en el párrafo primero del artículo 380 CP1870 la referencia era exclusivamente a las «sentencias», sin embargo la alusión en el artículo 410 CP1995 es a las resoluciones judiciales, a todas).

Obviamente, tras la instauración del régimen democrático, y a pesar de la dicción del párrafo segundo del artículo 410 CP, no es posible sostener que las resoluciones judiciales estén también sometidas a lo dispuesto en el párrafo segundo del artículo 410 CP, y ello por una potísima razón: son los jueces quienes dicen el Derecho en un Estado democrático, lo que viene avalado en nuestro caso por el tenor del artículo 118 CE. Ello significa que, insistimos, a pesar de que el elemento «mandato» recogido en el párrafo segundo del artículo 410, tal y como acabamos de referir y en una interpretación sistemática de los artículos 410 y 411 CP, abarcaría las «resoluciones judiciales, decisiones u órdenes» del párrafo primero del artículo 410 CP, el intérprete debe hacer una hermenéutica de los elementos típicos que se compadezca con la Constitución, y en ese sentido excluir del control de juridicidad a las resoluciones judiciales (lo que no se entiende es que los legisladores de 1995 no aprovecharan la excelente ocasión para reformar el precepto en el sentido que se indica).

Una última consideración: en el artículo 30, II de la Constitución de 1869 se consagraba el derecho/deber de todo funcionario de no obedecer un mandato que infringiera de manera manifiesta, clara y terminante un precepto constitucional, pero en el caso de las autoridades el contraste de juridicidad estaría referido a todo el Ordenamiento Jurídico. ¿Qué razón hubo para tal distinción que contagió a los códigos penales hasta el de 1995? El portavoz, en este caso, de la Comisión

Constitucional encargada de preparar el Proyecto de Constitución de 1869, justificó ese diferente trato de la siguiente manera: «Porque no hay ley de ningún género que no permita que todo funcionario que ejerza autoridad pueda en virtud de ella llamar la atención, antes de ejecutar, antes de cumplir la orden superior, sobre los efectos y la injusticia de esa misma orden» (Diputado Romero Girón). Pareciera que este Diputado estuviera invocando la posibilidad de que los funcionarios constituidos en autoridad acudieran a la *remonstratio* (institución esta que se encuentra en el fundamento del artículo 411 del vigente Código Penal).

Institución a la que, en la caracterización original de GÖNNER se confería una gran amplitud en su formulación, pues no solo podía referirse a contradicción con el Ordenamiento sino asimismo al «bien de Estado» (véase también en este sentido RODRÍGUEZ DEVESA).

Nos hemos referido a la formulación de GÖNNER aunque esta institución tiene un origen mucho más antiguo y se ha estado refiriendo históricamente, también, a actos legislativos. Por lo que importa al Derecho castellano (aunque lo que se va a referir también se aplicó en Vascongadas o en el Derecho aragonés), algunos han tratado de ver en el «se obedece pero no se cumple» (derecho que pasó incluso a la Novísima Recopilación, Libro III, Título IV, Ley IV) la posibilidad de oponerse a los requerimientos reales, pero en verdad eso no es así. Ciertamente, las autoridades encargadas de la ejecución, en el caso de que vieran en lo ordenado determinados defectos, podían suspender la aplicación de la orden, pero si se insistía en lo mandado la obediencia era obligada (sobre la fórmula se pronunció el Diputado Sr. Orense en la sesión de las Cortes Constituyentes de 7 de mayo de 1869). En realidad se trató de una fórmula de múltiples aplicaciones referidas tanto a actos como a normas y que en Derecho indiano encontró, también, su aplicación en el ámbito del recurso de suplicación (TAU ANZOÁTEGUI), asimismo se llegó a utilizar para «adaptar» las normas de la metrópoli a las colonias (LEDDY PHELAN).

La *remonstratio* fue excluida expresamente del ámbito de lo punible en el artículo 484 del CP1822 dentro de un determinado ámbito material, precepto que no se reiteró en su contenido sustantivo en los códigos penales posteriores.

La distinción entre simples funcionarios y autoridades a la hora del examen de la juridicidad de la orden, y más allá de las palabras de Romero Girón, estaba también basada en dos ideas: en el respeto a la autoridad y en la mayor protección que pudiera tener esta —en comparación con el simple funcionario— frente a reacciones de desagrado del superior por el incumplimiento de la orden. Obviamente, el armazón jurídico construido alrededor de la función pública y de sus servidores convierte actualmente en innecesaria la distinción; en este sentido hay que destacar la dicción del artículo 54.3 —que recoge los «principios de conducta»— del Estatuto Básico del Empleado Público (RD Legislativo 5/2015, de 30 de octubre, por el que se aprueba el texto refundido de la Ley del Estatuto Básico del Empleado Público): «*Obedecerán las instrucciones y órdenes profesionales de los superiores, salvo que constituyan una infracción manifiesta del ordenamiento jurídico, en cuyo caso las pondrán inmediatamente en conocimiento de los órganos de inspección procedentes*», y también el artículo 95.2 i) del mismo texto legal al tipificar como falta disciplinaria muy grave: «*La desobediencia abierta a las ór-*

denes o instrucciones de un superior, salvo que constituyan infracción manifiesta del Ordenamiento jurídico».

Un último comentario antes de pasar al análisis de la desobediencia de particulares del artículo 556 del CP: la exigencia de una apariencia de legalidad formal en el mandato (forma y competencia) sumada a una ausencia de manifiesta contrariedad con el Derecho (en el caso de los actos administrativos) es lo que permite afirmar que estamos ante una orden vinculante para el funcionario subordinado. Es decir, es la juridicidad (la validez jurídica) de lo ordenado lo que permite afirmar la sujeción del subordinado a la conducta reclamada por el superior, no el mero hecho de que este se encuentre supra ordenado respecto de aquel.

Esta última idea es, precisamente, la que impugna la existencia, equivocadamente sostenida por no pocos autores, de los llamados «mandatos antijurídicos obligatorios», pues tal invocación constituye verdaderamente una contradicción en los términos y entierra su justificación en el Estado Absoluto (o en el liberalismo doctrinario) antes que en el Estado democrático, pues nada puede ser fuera de la norma (para el estudio de esa problemática remitimos a lo dicho en el Tomo III de este Tratado, en la Lección referida a la desobediencia funcionarial).

1.2. La desobediencia de particulares

El vigente artículo 556 del CP hunde sus raíces inmediatamente en el tenor del artículo 265 del Código Penal de 1870:

> «Los que sin estar comprendidos en el artículo 263 resistieren a la Autoridad o a sus agentes, o los desobedecieren gravemente en el ejercicio de las funciones de sus cargos, serán castigados...».

Este texto, con escasísimas modificaciones y ninguna sustancial, es el que —como veremos más adelante— ha permanecido en nuestro Código Penal hasta la desgraciada reforma llevada a cabo por la LO 1/2015, de 30 de marzo. En lo que afecta al delito de desobediencia de particulares (y lo mismo hay que decir en relación a los de atentado y resistencia) la equiparación en la protección penal de funcionarios y trabajadores de empresas privadas de seguridad llevada a cabo en la citada reforma nos parece especialmente desacertada, por ello participamos en la crítica que al respecto formula CANCIO MELIÁ en el sentido de considerar que semejante igualdad tuitiva entre empleados de «cualificación dudosa» para las funciones de seguridad y funcionarios públicos «..., se sitúa completamente al margen de la ordenación de un Estado de Derecho». Pero incluso tras esta metamorfosis —y ahora aludiremos exclusivamente al tipo de desobediencia prescindiendo de otras referencias— la conducta continúa siendo descrita de la misma forma que en los códigos penales anteriores: desobediencia grave a la autoridad o a sus agentes en el ejercicio de sus funciones.

Incluso en el «extraño Código» de 1928 la conducta —y prescindiendo de algún resabio lógicamente autoritario, como el que consistió en incorporar al simple funcionario entre los sujetos pasivos— se mantuvo este delito en los mismos términos desde el punto de vista material: «*Los que, sin estar comprendidos en los artículos anteriores, resistieren a la autoridad o a sus agentes o a los funcionarios públicos, o los desobedecieren gravemente en el ejercicio de las funciones de sus cargos, serán castigados...*».

Lo primero que hay que señalar con carácter general, y como ya hemos indicado en otro lugar (ÁLVAREZ GARCÍA), es que en una democracia, con mayor razón a nuestro entender que en las dictaduras, el principio de autoridad debe ser especialmente protegido. Ello es así porque a diferencia de lo que sucede en los regímenes autoritarios, en las democracias existe suficiente legitimidad para poder establecer normas de conducta, imposiciones que no pueden ser interpretadas como iniquidades —tal y como sucede siempre en las dictaduras por su falta de legitimidad— sino como plasmación de la voluntad general expresada en normas de conducta generadas en los Parlamentos. Por ello, lo progresista no es «desarmar» al Estado de Derecho privando de fuerza concreta de obligar a las resoluciones que se dicten en el ejercicio de los poderes ejecutivo o judicial, sino, por el contrario, lo progresista es rodear estas decisiones —llámense administrativas o judiciales— de suficientes instrumentos de coacción para garantizar su ejecución, puesto que en su imposición se refleja la fuerza del Estado democrático. Así las cosas, no es de ningún modo aceptable que a los ciudadanos se les envíe un mensaje que consista en hacerles creer que desobedecer una resolución judicial o una orden de la autoridad es posible sin temor a sanción; no es aceptable transmitir la idea de que atentar contra la autoridad o los funcionarios en el ejercicio de sus funciones no lleva consigo incurrir en responsabilidad penal; no es aceptable el dejar de castigar esos comportamientos que se dirigen, en definitiva, contra el «fruto» del funcionamiento mismo del Estado de Derecho. La dejadez en cualquiera de esos casos supone la causación de un daño persistente y difícilmente reparable en las instituciones, en todo tipo de instituciones; este hecho se pone diariamente de manifiesto en el ámbito judicial, donde frecuentemente aparece una resistencia, contumaz en muchos supuestos, al cumplimiento de las resoluciones de los jueces y tribunales y a despecho de lo ordenado en el artículo 118 de la Constitución, lo que no es admisible en términos democráticos.

Lo acabado de expresar no implica que consideremos que la obediencia sea con carácter general un bien, ni mucho menos; en este sentido estamos de acuerdo con lo manifestado por OCTAVIO DE TOLEDO Y UBIETO cuando dice: «La obediencia en sí misma no es un "bien", sino todo lo contrario: un ataque a la libertad del que obedece», y únicamente esta puede ser lícitamente sacrificada cuando un interés prevalente lo exija; aquí reside, precisamente, el fiel de la balanza: desde un punto de vista puramente anarquista se puede afirmar que la obediencia no es deseable, pero en el contexto de una sociedad política la desobediencia a la norma (con carácter individual, pues si fuera colectiva la existencia de la propia norma resultaría impugnada por esa «voluntad general» expresada informalmente) pone en crisis los principios y procedimientos en los que se sustenta la constitución misma de la sociedad de referencia. En todo caso y a este respecto es interesante la posición de Erich FROMM para el cual la desobediencia ha constituido un factor esencial en la evolución humana. En este sentido afirma: «Su desarrollo [el del hombre] espiritual solo fue posible porque hubo hombres que se atrevieron a decir no a cualquier poder que fuera, en nombre de su conciencia y de su fe, pero además su evolución intelectual dependió de su capacidad de desobediencia —desobediencia a las autoridades que trataban de amordazar los sentimientos nuevos, y a la autoridad de acendradas opiniones según las cuales el cambio no tenía sentido». La razón por la que es difícil desobedecer, decir no a la autoridad se explica, según FROMM, en que «Durante la mayor parte de la historia humana la obediencia se identificó con la virtud y la desobediencia con el pecado». Pero esto no significa que desobedecer sea siempre «bueno» y obedecer «malo»; por el contrario, hay que comprender adecuadamente la relación dialéctica entre obediencia y desobediencia. Por ello FROMM distingue entre autoridad «racional» e «irracional»; así dice: «Un ejemplo de autoridad racional es la relación que existe entre alumno y maestro; uno de autoridad irracional es la relación entre esclavo y dueño. Ambas relaciones se basan en el hecho de que se acepta la autoridad de la persona que ejerce el mando. Sin embargo, desde el punto de vista dinámico son de naturaleza diferente. Los intereses del maestro y del alumno, en el caso ideal, se orientan en la misma dirección. El maestro se siente satisfecho si logra hacer progresar al alumno; si fracasa, ese fracaso es suyo y del alumno. El dueño del esclavo, en cambio, desea explotarlo en la mayor medida posible. Cuanto más obtiene de él, más satisfecho está. Al mismo tiempo, el esclavo trata de defender lo mejor que puede sus reclamos de un mínimo de felicidad. Los intereses del esclavo y del dueño son antagónicos, porque lo que es ventajoso para uno sobre otro tiene una función diferente en cada caso; en el primero, es la condición de progreso de la persona sometida a la autoridad, y en el segundo es la condición de su explotación». En el mismo sentido indica Harold LASKI «...las sociedades de tipo estacionario se distinguen de las progresistas en el grado con que se aferran a códigos de conducta tradicionales. El salvaje no osa sacudir el yugo de la costumbre; y se conocen casos donde la violación completamente ocasional e involuntaria de algún tabú sagrado ha sido seguida de la muerte por terror del infortunado transgresor. Sin embargo, la civilización occidental debe sus mayores triunfos a su afición iconoclasta. Debe sus descubrimientos a hombres que, en algún campo determinado, se han mostrado deliberadamente escépticos frente a verdades tenidas hasta entonces por axiomáticas».

Pues bien, en un Estado democrático la obediencia a la autoridad se constituye, acogiendo la diferenciación de FROMM, en «racional», y más aún en «necesaria», por más que las reacciones frente a la desobediencia del ejercicio racional y necesario de la autoridad deban ser convenientemente «escaladas» o proporcionales. En este último sentido la SAP, Madrid, Sección 5ª, 10/2005, de 7 de marzo, manifestaba:

> «En efecto, la inejecución voluntaria de una sentencia tiene por respuesta su ejecución forzosa. Si el deudor no paga, se le embarga, o si ya se ha embargado, se subastan sus bienes; si el condenado no entra voluntariamente en prisión, entrará tras su captura; y si la Administración no cumple una sentencia, el Tribunal tomará las medidas necesarias para su ejecución. Pero nunca la primera respuesta del ordenamiento jurídico al incumplimiento es la calificación de la conducta como delito de desobediencia. En el caso del orden jurisdiccional contencioso, la renuencia de la Administración a ejecutar una resolución judicial puede ir seguida del requerimiento a hacerlo acompañado del apercibimiento de incurrir en delito de desobediencia. Téngase en cuenta que hacer ejecutar lo juzgado, también en el orden Contencioso-Administrativo, es competencia exclusiva de los Tribunales (art. 117.3 de la Constitución y 103-1 de la Ley 29/98 de 13 de julio reguladora de la Jurisdicción Contencioso-Administrativa) y las partes están obligadas a cumplir dichas resoluciones judiciales (art. 134 en relación con el 103-2 de la citada Ley) y, si las incumplieran, el Tribunal podrá ejecutar la resolución por sus propios medios o requiriendo la colaboración de las autoridades y agentes de las distintas Administraciones Públicas, y adoptar las medidas necesarias para que el fallo adquiriera la eficacia que, en su caso, sería inherente al acto omitido (Arts. 134 y 108 de la LJCA). Solo cuando esto no baste se deducirá el tanto de culpa por delito de desobediencia, pues solo entonces se pasa del incumplimiento a la negativa abierta a cumplir, qué es lo que exige el tipo penal del art. 410 del Código Penal, y es que la desobediencia requiere un conflicto entre dos voluntades con predominio inicial de aquella contraria a lo legítimamente ordenado por quien tiene la atribución de decidir; conflicto que exige que la negativa a cumplir siquiera se plasme en actos concluyentes y una mínima recepción o noticia de esa negativa por quien emite el mandato legítimo, que pueda requerir al cumplimiento y verificar la abierta rebeldía a dicho mandato, y es impensable que exista cuando ni siquiera consta que el Tribunal tuviera conocimiento del incumplimiento de lo acordado en el auto de 16.7.97».

Esa necesidad de i) requerir obediencia solo cuando un interés prevalente a la concreta libertad del individuo lo exija; ii) sancionar la desobediencia para evitar el envío a los ciudadanos de mensajes equívocos sobre la obediencia al Derecho y su aplicación; iii) proporcionar la reacción sancionadora a la gravedad de la infracción…, debe informar no solo la construcción del tipo penal de desobediencia sino también la interpretación del mismo.

En todo caso, y en particular, hay que plantearse ¿por qué debe obedecerse a la concreta orden que se imparte por la autoridad? La respuesta es clara y terminante desde la perspectiva del Estado democrático: porque a través de la ley la orden precisa, determina, la voluntad general, correspondiendo su naturaleza jurídica a la del acto administrativo como producto de la Administración, acto administrativo que (en cuanto reúna elementales requisitos) se encuentra cubierto por la presunción de legalidad. A la hora de profundizar en esta última idea, y no obstante lo anterior, VILLAR PALASÍ, remitiéndose a FORSTHOFF, afirma que «el acto de la Administración debe ser acatado y obedecido, no porque participe de la superior autoridad de la ley, sino en cuanto es producido por la Administración», lo que en su opinión constituye una consecuencia del principio general de la *praesumptio pro se* «que afectaba en el Derecho regio a las decisiones del Príncipe», siendo múltiple el fundamento de esta presunción: desde que el Príncipe no comete acto injusto, a equiparaciones al Pontífice o al Juez (cosa juzgada). Pues bien, a pesar de lo autorizado de la opinión anterior entendemos que en un régimen constitucional-democrático la vinculación a los actos de la Administración encuentra su fundamento, exclusivamente, en la autoridad de la Ley (hasta el punto de que el principio de vinculación a los actos propios cede en el caso de que haya una norma que establezca lo contrario, según doctrina jurisprudencial absolutamente mayoritaria —véase por todas STS, Sala de lo Contencioso, de 4 de julio de 2012) y no en referente subjetivo alguno, y ello porque, como afirmara GARCÍA DE ENTERRÍA, «...la Administración no puede obrar sin que el ordenamiento expresamente lo autorice», siendo la figura de la potestad, continúa el último autor citado, la que explica «esa especial relación entre el ordenamiento y la Administración». El autor salía al paso con estas afirmaciones de las doctrinas que profundizaban en la idea de la «vinculación negativa» de la Administración, y por ello abraza el planteamiento de que para la Administración (y a diferencia de lo que sucede con los ciudadanos) ha de entenderse prohibido todo lo que no está permitido.

Muy clara es, también, en este punto la Jurisprudencia de la que es paradigma la siguiente resolución, al decir: «..., la actuación de la Administración Pública está sometida a la Ley y al derecho, por lo que no hay acto administrativo sin norma específica que lo autorice...» (STSJ, País Vasco, 748/2005, de 27 de octubre). A la ejecución, pues, de la Ley (y el Derecho, ya que el reconocimiento de poder normativo al Gobierno —artículo 128.1 LPC— obliga a ello —artículo 103.1 CE) limita la Administración sus posibilidades de actuación, sin existir espacio alguno que carezca de inmediato referente legal y que deje de estar sometido —al contrario de lo que sucedía con la vieja Ley de Santamaría de Paredes que excluía de control a la entera actividad discrecional— al examen por parte de la Jurisdicción de esa vinculación a la legalidad. Todas estas ideas estaban suficientemente explicitadas, desde el punto de vista político, en el artículo 3 de la Constitución revolucionaria de 1791:

«No hay en Francia autoridad superior a la de la Ley. El Rey no reina más que por ella y solo en nombre de la Ley puede exigir obediencia».

Así, pues, cuando el artículo 556 del Código Penal considera delictivo desobedecer *«gravemente a la autoridad o sus agentes en el ejercicio de sus funciones»*, ha de entenderse que ese ejercicio de las funciones es un «ejercicio legítimo de sus funciones», dado que no hay ejercicio de funciones por una autoridad o agente de esta que no sea legítimo, que no esté vinculado al «bloque de la legalidad» (HAURIOU), y es que de otra forma no existe para el Derecho (hay tipos de desobediencia en los que sí se exige que si no el mismo requerimiento sí la ejecución del mismo sea «legítimo»; es el caso del contenido en el artículo 383 CP: *«El conductor que, requerido por un agente de la autoridad, se negare a someterse a las pruebas legalmente establecidas...»*). Así lo entiende también la Jurisprudencia que directamente se refiere, cuando analiza los elementos del tipo de la desobediencia de particulares y a despecho del tenor del precepto, al «ejercicio legítimo de las funciones» ¡como si este pasaje formara parte del texto del precepto! (SSTS 837/2017, de 20 de diciembre; 531/2017, de 11 de julio; 495/2017, de 29 de junio; 419/2017, de 8 de junio, y un largo etcétera; asimismo ATS 1280/2017, de 14 de septiembre).

Tanto, pues, en los tipos de desobediencia de funcionarios como en los de particulares el hecho fundante está en la legalidad de la orden; sin embargo, y a pesar de esta semejanza, los presupuestos mismos de una y otra regulación difieren sustancialmente. En efecto, ya hemos puesto de manifiesto más atrás, a través de la transcripción de las intervenciones de los diputados durante las discusiones habidas en el trámite de aprobación de la Constitución de 1869, cómo en el caso de las relaciones internas a las administraciones se trataba de imponer (aunque con la atribución al rey de la jefatura del Ejecutivo se entraba en buena medida en contradicción) el principio de que toda autoridad proviene de la Ley, de que no hay poderes exentos de sujeción a la legalidad entendida como emanación de la voluntad de la Nación.

Esta idea se muestra con claridad en alguno de los preceptos de la Constitución del 69; en este sentido resulta paradigmático (y «atornilla» la redacción e interpretación del tipo del artículo 380 CP1870) el texto del artículo 8º, III: *«Los agentes de la Autoridad pública estarán asimismo sujetos a la indemnización que regule el juez, cuando reciban en prisión a cualquiera persona sin mandamiento en que se inserte el auto motivado, o cuando la retengan sin que dicho auto haya sido ratificado dentro del término legal».* En este texto queda suficientemente clara la existencia de la vinculación a la legalidad —y el reconocimiento de un ámbito de examen al funcionario ejecutor— precisamente en uno de los aspectos que siempre ha sido —y continúa siendo— más sensible a las actuaciones arbitrarias del poder: la libertad personal. Nadie, pues, quedará al margen de la Ley, ni quien ordena ni quien ejecuta mandatos; en este sentido, el inciso segundo del artículo 7º de la Declaración de 1789 halló eco en nuestra Constitución de 1869: *«Quienes soliciten, cursen, ejecuten o hagan ejecutar órdenes arbitrarias deben ser castigados».* Los subordinados ya no pueden «descansar» en el superior para justificar sus acciones, pues si este tiene que responder por la orden arbitraria impartida dada aquellos han de hacerlo por la ejecutada.

Así, lo que los constituyentes franceses percibieron en 1791 con radical claridad, trataron de imponerlo los españoles casi ochenta años más tarde: las autoridades en el ejercicio de sus funciones no pueden situarse al margen del Derecho (artículo 30, II CE). Esto que estaba claro en las relaciones entre la Administración y los ciudadanos (todo poder proviene de la Ley), resultaba ligeramente enturbiado por la presencia del rey como Jefe del Ejecutivo (artículo 35 CE de 1869, lo que implicaba extender su competencia sobre el desarrollo reglamentario ya que a tenor del artículo 75 CE: «*Al Rey corresponde la facultad de hacer reglamentos para el cumplimiento y aplicación de las leyes, previos los requisitos que las mismas señalen*»), por más que los artículos 67 y 87 de la Constitución condicionaran el ejercicio de sus facultades a la intervención de los ministros (aunque tampoco hay que olvidar que al rey le estaba atribuida por el artículo 34 CE la sanción y publicación de las leyes, lo que ya había sido advertido durante las discusiones del texto constitucional en el Pleno del Congreso por el Diputado SÁNCHEZ RUANO al entender que suponía otorgar al rey unas facultades que excedían lo que demandaba una constitución democrática).

Obviamente este clima cambió con la Restauración y la Constitución de 1876 (construida bajo el principio de la soberanía compartida; refieren en este sentido SOLÉ TURA y AJA que ese principio del cual se partió para elaborar el texto fundamental, llevó a la comisión redactora, que actuaba bajo presión del Gobierno de Cánovas, a la decisión de no someter a discusión los artículos referidos al monarca bajo el pretexto de que la monarquía era anterior y superior a la Constitución). El texto constitucional fue dictado en un clima presidido por el empeño de los juristas reaccionarios (entre los cuales hay que citar a Friedrich Julius STAHL) por prolongar, con inmunidades de jurisdicción el «principio monárquico» (el juego del artículo 1°.2° en relación con el párrafo segundo del artículo 2° de la Ley de 13 de septiembre de 1888 y la Jurisprudencia correspondiente sobre estas normas, dejaba, tal y como hemos apuntado ya más atrás, al margen de control jurisdiccional a los actos discrecionales de la Administración; y en esta construcción se siguen reflejando de alguna manera los poderes exorbitantes que le correspondían al Monarca Absoluto, que se fundamentaban en esa concepción subjetiva para la cual la voluntad real era el título legitimador). Incluso el propio sistema de control de los actos de la Administración —una vez que la revolución de septiembre de 1868 acabara con la jurisdicción retenida, y en este sentido abunda GARRIDO FALLA— se terminó encomendando a un órgano mixto —véanse artículos 8 y 12 y ss. de la Ley de Santamaría de Paredes; todo lo cual no empece para afirmar, con MARTÍN REBOLLO, que la Ley de 1888 se haya constituido en hito fundamental en la historia de nuestro contencioso-administrativo.

Es este contexto, el de la lucha contra la pervivencia de las estructuras del Absolutismo, de la concepción subjetiva de la legalidad, se hacía necesaria una configuración del delito de desobediencia de funcionarios en el que se insistiera en la atipicidad de todas las conductas desobedientes en relación a órdenes que no guardaran una cierta apariencia de legalidad (forma y competencia) o que infringieran manifiestamente el Ordenamiento; e insistimos en la idea de que las dichas conductas son atípicas pues el deber de obediencia solo surge cuando la orden se expresa, al menos aparentemente, como un crisol de juridicidad, por lo que a falta de este requisito no se puede construir el delito de omisión pura. Sin embargo es evidente, como se indicaba más atrás, que en el caso de las relaciones de los ciudadanos con la Administración no resultaba precisa semejante «aclaración», y en este sentido casi un siglo antes el artículo 5 de la Declaración de 1789 había dejado suficientemente aclarado este aspecto: «*La Ley no tiene el derecho de prohibir más que las acciones perjudiciales para la sociedad. Todo lo que no está prohibido por la Ley no puede ser impedido, y nadie puede ser forzado a hacer lo que la Ley no ordena*».

Una segunda diferencia, más allá de lo obvio, que hay que destacar entre los delitos de desobediencia de funcionarios y de particulares: en el caso de la desobediencia funcionarial, con el examen de juridicidad de las órdenes se trata de evitar posteriores actuaciones de la misma Administración Pública (que pueden llegar a consistir en la emisión de nuevos actos administrativos o en otras formas de expresión de la acción administrativa) que, de manera general, puedan considerarse «abusivas» en cuanto que, de una u otra forma, prescindan de la Ley (el que la Administración sea esa «*potentior persona*» a la que se refiere la Doctrina la somete a especiales requisitos de sujeción a la legalidad); en el caso de la desobediencia de particulares, sin embargo, estamos al final de la cadena, es decir: ante el sometimiento directo de los ciudadanos a la Administración, ante la sujeción a mandatos emitidos por esta. Tal diferencia entre «las desobediencias» debe suponer también un desplazamiento del punto de atención: de poner el foco en la observancia de la estricta legalidad en el ejercicio de potestades administrativas (en definitiva, un problema de legitimidad vinculado a una creación artificial —*ex lege*— de poderes), a dirigirlo a la limitación de la libertad ciudadana originaria que no ha sido creada por la norma sino únicamente limitada excepcionalmente por ella (sobre el planteamiento kantiano de la libertad, véase BEADE), planteamiento este que en su origen, y como apuntara GARCÍA PELAYO, está vinculado a la doctrina de los derechos naturales (por ello, y para los ciudadanos y al contrario de lo que sucede con la Administración, todo está permitido excepto lo que expresamente se encuentra prohibido).

Esta idea, que posee un profundo significado constitucional, obliga (y con independencia de que haya o no una referencia expresa en el tipo) a concluir que no surge el deber de obediencia (atipicidad, pues, de la posible conducta desobediente) si el mandato no es un destilado de juridicidad, y a otra conclusión no puede llegarse en un Estado constitucional.

Por lo tanto, la referencia no debe ser hecha, como algunos autores patrocinan de contrario, a una formulación parecida a la del párrafo segundo del artículo

410 CP1995: «*infracción manifiesta, clara y terminante de un precepto de Ley o de cualquier otra disposición general*», sino, simplemente, a una «mera» infracción de cualquier disposición general, y ello por una potísima razón: la falta de expresión de la voluntad general en una disposición no autoriza la limitación de la libertad de los ciudadanos.

1.3. Exigencias en la conformación de la orden

A partir de las anteriores ideas deben solucionarse todos los supuestos conflictivos referidos al artículo 556 CP: 1) La orden impartida debe guardar la apariencia de ser conforme a la legalidad, es decir: han de observarse los requisitos de forma y competencia (el que los agentes que tratan de determinar la conducta de los ciudadanos deban publicitar su condición de tales —a través del uniforme que visten o la muestra de las insignias que los acreditan—, no es más que una demostración de la necesidad de mostrar su competencia en la materia); 2) La orden, además, está sometida a un examen de su juridicidad por parte del sujeto a quien se dirige; en este sentido la desobediencia se emparenta con la resistencia y se aleja del atentado, pues con la conducta de no obedecer/resistir se intenta evitar el tener que soportar limitaciones injustificadas de la libertad, como sujeto pasivo de la acción del funcionario. Por el contrario, en los atentados se trata de reaccionar activamente, de «castigar» al funcionario, de ahí las diferencias en el examen de la legalidad de las actuaciones de este en una u otra situación, y de la tipicidad en las respectivas conductas, y de la estructura misma de los delitos: de omisión en la desobediencia y de acción en los atentados; 3) El reconocimiento de un deber/derecho de examen de la orden impartida no tiene por qué suponer dificultad o entorpecimiento de la actividad de la Administración, sino justo lo contrario pues no hay mayor estorbo que incorporar al tráfico jurídico actuaciones incompatibles con el Ordenamiento o, sobre todo, que perturben la libertad de los ciudadanos; 4) El examen al que nos acabamos de referir es un examen de juridicidad (y podría ser también de oportunidad en el caso de que tanto la especie del mandato como las circunstancias de hecho lo permitieran), pero no de adhesión personal a esa legalidad, pues en una sociedad democrática (calificación que implica la existencia de vías efectivas y reales de participación política, es decir: de motivos que fundamenten desde el punto de vista democrático la obligación de obediencia) los cambios en la configuración legal deben ser realizados por las vías destinadas al efecto (lo que recuerda al delito de ejercicio arbitrario del propio derecho); 5) La obligación de obedecer las leyes es algo no contestable ni bajo el prisma de la obligación legal ni tampoco de la obligación política, y mucho más en un Estado como el actual cuya complejidad ha ido aumentando de forma muy considerable (GARCÍA PELAYO).

2. Delito de resistencia

2.1. Antecedentes históricos

Como ya hemos indicado más arriba no es hasta la reforma del CP1848 producida por el Real Decreto de 7 de junio de 1850 cuando se introducen en nuestro Ordenamiento sustantivo los precedentes históricos de los delitos de atentado y resistencia, y no es hasta el mismo CP de 1850 cuando aparece el de desobediencia, aunque con algunas peculiaridades respecto a la regulación actual; 1ª) Lo hace encuadrado en el Título VIII del Libro II rubricado como «De los delitos de los empleados públicos en el ejercicio de sus cargos», en un Capítulo (el V) en el que estaría acompañado de los delitos de desobediencia de funcionarios; 2ª) La única referencia a la «resistencia» aparece en la rúbrica del Capítulo que se denomina, precisamente, «Resistencia y desobediencia», de lo que cabía deducir que la tal resistencia se concebía como una simple modalidad de la desobediencia (no obstante lo dicho, en el delito recogido en el artículo 189.2 del CP1848 tras la mentada reforma de 7 de junio de 1850, se castigaba junto con el atentado la resistencia: «*Los que acometen o resisten con violencia, o emplean fuerza o intimidación contra la autoridad o sus agentes cuando aquella o estos ejercieren las funciones de su cargo, y también cuando no las ejercieren, siempre que sean conocidos o se anuncien como tales*»). Rezaba así el artículo 285 CP1850:

> «*Los que desobedecieren gravemente a la Autoridad o a sus agentes en asuntos del servicio público serán castigados con la pena de arresto mayor a prisión correccional, y multa de 20 a 200 duros*».

A nuestro modo de ver el castigo de la resistencia tenía que hacerse atendiendo a los dos preceptos del CP: el 189.2 y el 285 CP1848, partiendo del dato del valor normativo de las rúbricas de los capítulos y los títulos del Código Penal. Así, si la resistencia se expresaba con violencia el precepto aplicable sería el del mencionado artículo 189.2; en el resto de los supuestos el del artículo 285, ambos del CP.

Es el CP1870 el que concede a este delito de resistencia y desobediencia a la autoridad las características principales con las que ha llegado hasta hoy en día. En efecto, el artículo 265 del nuevo Código preceptuaba:

> «*Los que sin estar comprendidos en el artículo 263, resistieren a la Autoridad o sus agentes, o los desobedecieren gravemente en el ejercicio de las funciones de sus cargos, serán castigados con las penas de arresto mayor y multa de 125 a 1250 pesetas*».

Dos consideraciones a efectuar sobre este enunciado: 1ª) Cambia de ubicación el precepto y pasa a situarse entre los delitos contra el orden público (Título III), en el Capítulo IV («De los atentados a la autoridad y sus agentes, resistencia y desobediencia»); 2ª) Incluye una referencia expresa a la resistencia. 3ª) Aquí ya no se plantean los mismos problemas interpretativos que en el Código anterior, ya que en el artículo 263.2º CP se integra la resistencia grave, lo que permite castigar por el artículo 265 únicamente la resistencia menos grave y la leve; 4ª) Se incorpora en el artículo 589.5ª y 6ª del CP un precepto que recoge la desobediencia leve y la falta de respeto y consideración a la Autoridad, con la siguiente redacción: «*Los que faltaren al respeto y consideración debida a la Autoridad o la desobedecieren levemente, dejando de cumplir las órdenes particulares que les dictare, si la falta de respeto o la desobediencia no constituyeran delito*», y «*Los que ofendieren de un modo que no constituya delito a los agentes de la Autoridad cuando ejerzan sus funciones y los que en el mismo caso los desobédecieren*».

El Código Penal de 1928, y más allá de alguna incorporación en materia de sujetos pasivos y de modificación de la pena, presenta como novedad la de que en el delito de atentado desaparece la «resistencia grave», de forma que cualquier forma de resistencia (grave, menos grave y leve) pasará a castigarse por el artículo 323:

«Los que, sin estar comprendidos en los artículos anteriores, resistieren a la Autoridad o a sus agentes o a los funcionarios públicos, o los desobedecieren gravemente en el ejercicio de las funciones de sus cargos, serán castigados con la pena de dos meses y un día a un año de prisión».

El CP1932 vuelve a la configuración que a estos delitos les había otorgado el CP1870, redacción que permanece en el CP1944 y sus reformas (con la excepción de la pena); y lo mismo ocurre con el CP1995 (más allá de cuestiones secundarias de redacción y de pena). Es decir: hasta la reforma del Código Penal de 2015, que lo revisó profundamente, puede decirse que en sus líneas esenciales ha permanecido la redacción del CP1870. Pues bien, dice así el nuevo artículo 556 CP:

«*1. Serán castigados con la pena de prisión de tres meses a un año o multa de seis a dieciocho meses, los que, sin estar comprendidos en el artículo 550, resistieren o desobedecieren gravemente a la autoridad o sus agentes en el ejercicio de sus funciones, o al personal de seguridad privada, debidamente identificado, que desarrolle actividades de seguridad privada en cooperación y bajo el mando de las Fuerzas y Cuerpos de Seguridad.*
2. Los que faltaren al respeto y consideración debida a la autoridad, en el ejercicio de sus funciones, serán castigados con la pena de multa de uno a tres meses».

Las novedades de esta norma respecto del contenido del antiguo precepto consisten, fundamentalmente, en: 1ª) Se ha atraído hacia el delito (artículo 556.2 CP), como consecuencia de la desaparición del Libro III, parte del contenido de la antiguas falta (artículo 634 CP1995), justamente lo que no ha sido llevado a infracción administrativa; 2ª) En materia de sujetos pasivos, y como consecuencia de la decidida política privatizadora de —también— la gestión de derechos fundamentales desplegada por el Gobierno del Partido Popular entre 2011 y 2018, se incorpora el «personal de seguridad privada» equiparándolo a la autoridad o sus agentes; 3ª) Únicamente se castiga —como argumentaremos más abajo— la resistencia si es grave, en caso contrario debe acudirse a la sanción administrativa.

2.2. La estructura del castigo de la resistencia en el Código Penal

Se agrupan en el artículo 556 CP los delitos de desobediencia y de resistencia, y en este último caso solo aquella resistencia grave que no encuentre acogida en el artículo 550 CP como modalidad de atentado a la autoridad.

Comenzando por el estudio de esta última figura, recordar ante todo que hemos caracterizado la resistencia típica del artículo 550 CP como aquella resistencia grave, llevada a cabo con violencia o intimidación grave y subsiguiente a un requerimiento de la autoridad (sus agentes o funcionarios públicos). Respetando, pues, el ámbito típico del artículo 550 CP (lo que resulta obligado por la dicción del artículo 556: «...*los que, sin estar comprendidos en el artículo 550...*»), y atendiendo a la redacción del artículo 556 CP, la resistencia en este último precepto se refiere, en primer lugar —y como se acaba de señalar— a aquella no recogida en el artículo 550 CP, pero además que sea «grave». En este sentido hay que recordar que el tipo penal se refiere a «*resistieren o desobedecieren gravemente*», lo que inmediatamente lleva consigo el que las resistencias menos graves o leves resultan atípicas (así, STS 45/2016, 3-2, y SAP, Madrid, 15ª, 234/2018, 16-4; en sentido contrario, JAVATO MARTÍN), hecho este que no crearía laguna de punibilidad alguna sino un deseable escalonamiento de la represión. En efecto, el artículo 36.1 de la LO 4/2015, de 30 de marzo, de protección de la seguridad ciudadana, considera infracción grave:

> «La desobediencia o la resistencia a la autoridad o a sus agentes en el ejercicio de sus funciones, cuando no sean constitutivas de delito...».

Un segundo precepto de esta misma Ley se refiere a la resistencia, se trata del artículo 16.5:

> «En los casos de resistencia o negativa a identificarse o a colaborar en las comprobaciones o prácticas de identificación, se estará a lo dispuesto en el Código Penal, en la Ley de Enjuiciamiento Criminal y, en su caso, en esta Ley».

Este último mandato normativo está englobado en un artículo que se refiere, todo él, a la «*Identificación de personas*» —rótulo que constituye el epígrafe del artículo—, pero en todo caso de la dicción del precepto hay que considerar que cualquier resistencia que no sea referida a la identificación no encajaría en aquel. En todo caso, y además, cualquier supuesto de resistencia a la identificación —o con cualquiera otra finalidad— que quedara abarcada en la tipicidad de los artículos 550 o 556 CP, resultaría inclusa en estos últimos tipos, y todo ello al margen de la posibilidad de imponer o no la doble sanción, administrativa y penal respetando las exigencias a las que se refiere el Tribunal Constitucional sobre la configuración de la prohibición del «*bis in ídem*».

Lo definitorio en la interpretación de si la resistencia a la que se refiere el tipo del artículo 556 CP es solo la grave o no, viene constituido, como no podía ser de otra forma, por la redacción típica, por el ámbito gramatical posible del que el intérprete no debe exceder. En este sentido, y como hemos referido más arriba, la expresión legal es «resistiere o desobedeciere gravemente», no «resistiere, o desobedeciere gravemente». Desde luego que si la redacción hubiera sido esta última, sería posible «desconectar» el adverbio de modo «gravemente» del «resistiere» (futuro de subjuntivo), pues así lo habría querido el Legislador con la introducción de un signo ortográfico que en este caso tendría la función de separar distintos elementos de una misma serie. Pero no es el caso. El Legislador ha unido «resistiere» a «desobedeciere» con una conjunción disyuntiva, «o», que implica alternativa (resistir o desobedecer), y ambas han sido abarcadas por el adverbio «gravemente». En conclusión, el tipo abarca exclusivamente, y además de las desobediencias, únicamente las resistencias que sean «graves».

Pero sobre la anterior —que no hay que olvidar constituye la descripción típica— gravitan otras razones: en efecto, en el artículo 550 CP únicamente se han querido castigar aquellas resistencias graves que hubiesen sido llevadas a cabo «con intimidación grave o violencia»; en este caso el Legislador ha querido limitar a la intimidación la calificación de grave, y por eso ha antepuesto el adjetivo al sustantivo «violencia». De esta forma hay que concluir que cualquier tipo de violencia (significativa) que incidiera sobre una resistencia grave sería típica a estos efectos, y ello por más que resulte difícilmente imaginable una violencia no grave en un contexto de resistencia grave. Además, con esta interpretación se lleva a cabo un escalonamiento que permite graduar la represión penal de las conductas: intimidación grave o violencia más resistencia grave, hace surgir el tipo del artículo 550 CP; resistencia grave sin intimidación grave (es decir, se excluirían tanto la intimidación menos grave o leve como su inexistencia) ni violencia, dará lugar al tipo del artículo 556 CP. Todo lo que esté por debajo de esto dará entrada a la sanción administrativa, lo que a efectos de política criminal parece lo más correcto.

No desconocemos, sin embargo, que parece un dislate valorativo declarar atípica la resistencia menos grave y, sin embargo, considerar delito (aunque sea leve) la mera falta de respeto y consideración debida a la autoridad. Este hecho ha llevado a alguna resolución (por todas, SAP, Las Palmas de Gran Canaria, 1ª, 74/2017, 8-3), «haciendo unos equilibrios» muy loables en cuanto a su finalidad pero incompatibles con el principio de legalidad, a considerar que la resistencia menos grave encaja en el tipo de resistencia grave del artículo 556.1 CP. Sin embargo entendemos que ello no es posible pues no lo permite en ningún caso el ámbito gramatical de la norma que supone, como es conocido, un límite infranqueable para el intérprete. Mal lo ha hecho el Legislador (como casi todo en la reforma de 2015), pero ello no permite sustituirle por el intérprete.

2.3. El castigo de la resistencia según la Jurisprudencia del Tribunal Supremo

Los Magistrados de la Sala 2ª del Tribunal Supremo no interpretan igual que nosotros los delitos de desobediencia (ya se analizó, de mano del artículo 550 CP, la evolución del concepto de resistencia desde la redacción original del CP1995 a la que ha resultado tras la reforma penal de 2015, por lo que a lo allí dicho nos remitimos).

En efecto, se afirma en la STS 837/2017, 20 diciembre (en el mismo sentido la 234/2018, 17 mayo y el ATS 398/2018, 22 febrero):

> «En consecuencia, cabe concluir lo siguiente: 1) La resistencia activa grave sigue constituyendo delito de atentado del art. 550 CP. En la nueva redacción del precepto se incluye como modalidad de atentado la resistencia grave, entendido como aquella que se realiza con intimidación grave o violencia. 2) La resistencia activa no grave (o simple) y la resistencia pasiva grave siguen siendo subsumibles en el delito de resistencia art. 556 CP. Aunque la resistencia del art. 556 CP es de carácter pasivo, puede concurrir alguna manifestación de violencia o intimidación, de tono moderado y características más bien defensivas y neutralizadoras, cual sucede, por ejemplo en el supuesto del forcejeo del sujeto con los agentes de la autoridad. 3) La resistencia pasiva no grave (o leve) contra la autoridad supone un delito leve de resistencia. 4) La resistencia pasiva no grave (o leve) contra agentes de la autoridad ha quedado despenalizada (y puede ser aplicable la LO. 4/2015 de 30.3 de Protección a la Seguridad Ciudadana)».

Desde luego nuestra discrepancia con esta Jurisprudencia no puede ser mayor, y ello por lo siguiente: 1) A efectos típicos, y a la vista de la nueva redacción otorgada al precepto por la reforma de 2015, carece de sentido diferenciar entre resistencia activa y pasiva por más que el Tribunal Supremo siga aferrado a ese antiguo planteamiento en sus resoluciones (véase en ese sentido, también y entre otras, ATS 1182/2017, 27 julio; en cambio la STS 260/2013, 22 marzo, admitía que en la otrora llamada «resistencia no grave» se pudieran incardinar determinados comportamientos de resistencia activa «moderada»); cosa distinta es que sea difícilmente imaginable una resistencia grave con violencia o intimidación también grave que no sea activa, pero si cupiera fácticamente una resistencia pasiva grave llevada a cabo con los medios comisivos a los que se refiere el tipo, no habría inconveniente en considerarla en el ámbito del artículo 550 y no en el 556 ambos del CP; 2) Toda resistencia que no sea grave no es típica a los efectos del artículo 556 CP, sencillamente porque este precepto, y tal y como hemos señalado más arriba, solo considera típica la resistencia grave («...*resistieren o desobedecieren gravemente...*» dice el precepto), por lo que la interpretación del Tribunal excede con mucho el ámbito típico conculcando frontalmente el principio de legalidad penal; no obstante lo acabado de expresar y a pesar de la contundencia de la dicción legal, no pocas resoluciones siguen en el empeño —es el caso de la STS

193/2017, 24-3, y en el mismo sentido de la 141/2017, 7 marzo— de afirmar que el nuevo 556 CP no «adjetiva la resistencia», lo que es claramente incierto como hemos demostrado más arriba; 3) No es exacto tampoco que en el nuevo tipo del artículo 550, tal y como afirma la Sentencia examinada, se entienda por «resistencia grave» «aquella que se realiza con intimidación grave o violencia». No, no es así. El tipo lo que exige es que haya una resistencia grave y que esta se ejerza con violencia o intimidación grave, es decir: que previamente a la utilización de la violencia o intimidación la resistencia sea calificable ya como grave («*Son reos de atentado los que agredieren o, con intimidación grave o violencia, opusieren resistencia grave a la autoridad...*»); 4) Resulta muy difícil imaginarse el supuesto al que se refiere el Tribunal Supremo en el que concurran contemporáneamente: pasividad, forcejeo, violencia o intimidación de tono moderado, defensivo y neutralizador y resistencia; 5) La resistencia activa no grave no es subsumible en el artículo 556 (al contrario de lo que se asevera, también, en STS 156/2018, 4 abril), porque como ya hemos precisado esta figura exige para ser considerada típica que la resistencia sea grave, y es irrelevante a esos efectos que sea activa o pasiva pues en ambos casos se exige la calificación de grave; 6) Tanto la resistencia pasiva como la activa graves que no estén comprendidas en el artículo 550 CP, pueden ser típicas a los efectos del artículo 556; 7) La resistencia pasiva (igual que la activa) no grave es siempre atípica penalmente (no está muy clara la posición de la Jurisprudencia en este punto en tanto que en la resolución examinada —y en alguna otra— se afirma, al mismo tiempo, que este es un caso que encaja en el «delito leve de resistencia» —si lo es a la autoridad— y contemporáneamente que es atípica —si lo es a «agentes de la autoridad»—, cuando lo cierto es que la resistencia o desobediencia que han quedado despenalizadas son las graves referidas a simples funcionarios públicos no constituidos en autoridad o agentes de la misma, y además siempre todas las no graves o leves).

2.4. Diferencias entre resistencia y desobediencia

Mientras que la resistencia —en el ámbito del artículo 565 CP— se refiere al impedimento interpuesto por el sujeto a que la autoridad (sus agentes o el personal de seguridad privada) realice por ella misma sus determinaciones, la desobediencia implica la negativa del particular a llevar a cabo aquellas actuaciones (ya sean de acción u omisión en sentido estricto) que le sean ordenadas por la dicha autoridad, por lo que la desobediencia siempre implica la negativa a una colaboración requerida, mientras que la resistencia se agota en una oposición a las pretensiones ajenas (de la autoridad) de llevar a cabo por sí misma una cierta actividad. Por ello, constituirá resistencia (refiriéndonos al ámbito estricto de la tipicidad y no de lo injusto) la oposición de un grupo de ciudadanos a que la Policía efectúe un desahucio mediante el acordonamiento físico de un inmueble y tras haberles requerido para que dejaren libre el paso (requerimiento previo), en cambio, estaremos ante una desobediencia (por más que sea «especial») cuando el particular se niega a prestarse (a contribuir con su conducta) a la realización de pruebas de alcoholemia. Mientras que en la resistencia, pues, lo definitorio es la oposición (violenta, intimidatoria o de cualquiera otra forma, puesto que si bien en el artículo 550 CP se limita el delito de resistencia a esas dos modalidades, no sucede lo mismo en el artículo 556 CP) a las determinaciones de la autoridad para impedir a esta la realización de aquellas, en la desobediencia lo que prima es la negativa del particular a participar con la autoridad en el ejercicio de sus funciones: oposición frente a negativa a la colaboración, ahí reside la diferencia entre las dos figuras (por ello, entre otras razones, en el caso del particular que está colaborando, a petición y mediante nombramiento de la autoridad, en la realización de funciones públicas —regulación del tráfico, asistencia en una calamidad pública, etc.—, le puede terminar alcanzando la protección debida a los funcionarios —y ser, por ejemplo, sujeto pasivo de un delito de atentado—, lo que nunca sucederá con el ciudadano que se limite a no oponerse a la actividad de la autoridad).

Hay toda una línea jurisprudencial, sin embargo, en la que se insiste en que la diferencia entre resistencia y desobediencia radica en lo físico; así en la SAP, Pontevedra, 2ª, 177/2015, 21 julio, se recoge este planteamiento —haciéndose eco de cierta Jurisprudencia del Tribunal Supremo— y se afirma: la diferencia entre estas dos figuras, y en contraste con la relativa a la resistencia grave y no grave que es circunstancial, «es mucho más radical y conceptual pues en la mente de todos está lo que es la acción de resistencia, de índole eminentemente física (vis física) tiñendo con ella la dinámica del acto de oposición, resuelta y eficaz, al cumplimiento de aquello que la Autoridad o sus agentes conceptúan necesario en cada caso para el buen desempeño de sus funciones, en tanto que el concepto de desobediencia es más bien omisión espiritual, pura inercia ante el mandato autoritario pero sin llegar a oposición material o de contrafuerza física que lo neutralice (SSTS de 28 febrero 1976, 2 de mayo de 1980, 3 diciembre 1982, 8 de marzo y 31 de octubre de 1983, 4 marzo 1985, 20 mayo 1986, 7 julio y 19 octubre 1987 y 21 diciembre 1988)» (véanse en el mismo sentido, y entre otras, SSAP, Castellón de la Plana, 2ª, 540/2011, 28 noviembre, y 402/2010, 11 octubre, y Tarragona, 2ª, 143/2005, 2 febrero). Lo cierto es que esta doctrina jurisprudencial se fija, a nuestro entender, en lo periférico y, además, desacertadamente, pues ¿acaso la intimidación o la amenaza de violencia, no pueden constituir la «acción de resistencia» a la que se refiere el tipo? ¿y el miedo? No, esta doctrina jurisprudencial es desacertada. La cuestión para establecer la diferenciación entre resistencia y desobediencia está en donde hemos apuntado más arriba, en contrastar oposición con negativa a la colaboración.

Solo algún comentario final en este punto en lo que importa a la posición de la Doctrina sobre el problema de la diferenciación entre resistencia y desobediencia: la mayoría de los principales autores que han trabajado esta cuestión (como CEREZO MIR, RODRÍGUEZ DEVESA, CÓRDOBA RODA, VIVES ANTÓN, MUÑOZ CONDE) parten, como es lógico, de la definición de la resistencia en los artículos correspondientes a los atentados y a la resistencia y desobediencia. El problema de estos esfuerzos de diferenciación conceptual consiste en que, como hemos apuntado, la resistencia ha cambiado de características típicas tanto en la equiparable, penológicamente, al atentado como a la desobediencia, con lo que los esfuerzos hermenéuticos desarrollados esforzadamente por los citados autores solo son aplicables «*cum grano salis*» al actual texto penal. No obstante, la posición que nosotros mantenemos está cercana, prescindiendo de los aludidos problemas de las concretas tipicidades (la imputación que realiza a una modalidad o a otra —a resistencia o a desobediencia— en virtud de que haya fuerza física o sobre las cosas, o su entendimiento de que no cabe resistencia pasiva —sí la admite MUÑOZ CONDE), de la sostenida por CÓRDOBA RODA, en tanto que este autor refiere la resistencia a oponer a una pretensión del funcionario una conducta dirigida a evitar esa realización.

3. Delito de desobediencia de particulares

3.1. Bien jurídico protegido

3.1.1. Objeto jurídico

Son numerosos los autores que se remiten al orden público a la hora de concretar el bien jurídico protegido en este delito de desobediencia de particulares. Especialmente interesantes al respecto son los trabajos de OCTAVIO DE TOLEDO Y UBIETO en los que critica la tendencia jurisprudencial anterior a la Constitución de ubicar el bien jurídico en el «principio de autoridad», «entendiendo estos tipos —decía el autor acabado de citar— como la consagración penal de una especie de fuero que diferencia la clase funcionarial del resto de los mortales»; una Jurisprudencia que se refería a la «idea de sancionar la irrespetuosidad, la falta de acatamiento, de sumisión y de subordinación...» (STS de 18 de febrero de 1975), y que tuvo inmediata continuidad en parecidos términos tras la aprobación de la Constitución de 1978; así se refería el Alto Tribunal al «menosprecio del principio de autoridad» (STS de 15 de febrero de 1984), o a la «merma del prestigio de la función» (STS de 8 de junio de 1984), al «desprecio al principio de autoridad» (STS de 22 de enero de 1985), y otras muchas en el mismo sentido. Desde luego que hubo autores que se identificaron con este planteamiento de defensa del principio de autoridad, tal fue el caso de RODRÍGUEZ DEVESA que lo vinculó con un amplio concepto de defensa del orden público (entendimiento que fue duramente criticado por OCTAVIO DE TOLEDO Y UBIETO). Fue la situación de la Jurisprudencia y la doctrina entonces dominante (con alguna notable excepción como MUÑOZ CONDE, que interpretó en sentido democrático la referencia a la «dignidad de la función pública» introduciendo criterios claramente limitadores a las concepciones expansivas del principio de autoridad que manejaba la Jurisprudencia) la que llevó a aquel autor a aceptar «tácticamente», como «mal menor» o coyunturalmente al «orden público» como bien jurídico protegido, aunque en un concepto estricto muy limitante del ejercicio autoritario del poder. En realidad

OCTAVIO DE TOLEDO Y UBIETO entendía que el bien jurídico a proteger en el tipo de desobediencia de particulares debía ser el correcto desenvolvimiento de la actividad administrativa.

Dejada atrás la discusión de los años 70 y 80 marcada por la necesidad de superación del franquismo jurídico en la que hay que enclavar el apasionante debate mantenido por MUÑOZ CONDE y OCTAVIO DE TOLEDO Y UBIE-TO, la Doctrina ha evolucionado con claridad aunque no así la Jurisprudencia. En efecto, por lo que importa a esta última las dudas de todo tipo y las contra-dicciones se acumulan, así para la línea mayoritaria se continúa insistiendo en el «principio de autoridad» como bien jurídico (SSTS 163/2018, 6-4; 794/2017, 11-12; 1923/2016, 11-7); otras resoluciones, aunque minoritarias, se refieren, en cambio, a la garantía «del buen funcionamiento de los servicios y funciones públicas» (STS 156/2018, 4-4). Es curioso, sin embargo, que cuando el Tribunal Supremo aborda el estudio del delito de resistencia del artículo 556 CP, una y otra vez, moderna y mayoritariamente, afirma (citando en no pocos casos la STS 260/2013, 22-3): «... [H]oy en día el bien jurídico protegido, más que el tradi-cional principio de autoridad, lo constituye la garantía del buen funcionamiento de los servicios y funciones públicas...» (SSTS 117/2017, 23-2 y 534/2016, 17-6; y en el mismo sentido 981/2010, 16-11 y 883/2008, 17-12, entre otras muchas). Es decir: no hay dirección clara en el Tribunal Supremo en lo que importa al bien jurídico protegido en el delito de desobediencia, y las resoluciones manifiestan opiniones cambiantes sin mucho criterio.

Pareciera, así, que la remisión al «principio de autoridad» es al tradicional entendimiento de ese principio. Debe señalarse, no obstante, que alguna resolu-ción del Alto Tribunal viene a interpretar el contenido material del «principio de autoridad» de la siguiente forma:

«En cuanto a la ofensa al bien jurídico, que suele referirse al "principio de auto-ridad", tal expresión genérica e inconcreta debe entenderse en el sentido de atacar el normal desenvolvimiento de las funciones públicas por las personas encargadas de ellas, pero en el bien entendido de que ello no supone acatamiento o sumisión a la autoridad o funcionario en su consideración personal, sino a la función pública que desarrollan, cuya garantía y dignidad quiere proteger el art. 556 C. Penal» (STS 138/2010, 2-3).

Lo que ya supone la pirueta definitiva, pues se pretende conceder al aludido concepto un contenido que no le es propio, manifestando de esta forma la Sala 2ª una falta de precisión más que preocupante en el uso de los referentes conceptua-les lo que redunda en una alarmante inseguridad jurídica: no sabemos así a qué se está refiriendo el Tribunal Supremo en cada momento.

Y creemos que la propia Sala tampoco lo sabe, pues en otras resoluciones, y en una gran ceremonia de la confusión mezclando bien jurídico con elementos típicos, argumenta como sigue: «el bien jurídico protegido por el delito de desobediencia es el principio de autoridad consistente en desatender de forma abierta y reiterada una orden administrativa, notificada personalmente y dictada legítimamente que subsiste y frente a lo que no es legítimo hacer caso omiso» (ATS 17-6-2008).

Pero esta confusión conceptual que se detecta en la Jurisprudencia del Tribunal Supremo se encuentra también presente en la del Tribunal Constitucional. Sirva como ejemplo la STC 161/1997, 2-10, en la que se afirma:

> *«La punición de la desobediencia trata, por una parte, de proteger el "orden público", tal como indica el título en el que se ubica el delito. Dicho orden público se entiende en la doctrina y en la jurisprudencia del Tribunal Supremo bien como orden jurídico, bien como paz social, o como clima de tranquilidad en la esfera no íntima o privada de los ciudadanos, o como coexistencia social, pacífica y adecuada de las relaciones interindividuales. Si bien este primer aspecto del objeto de protección puede verse como una mera abstracción del ya definido como seguridad del tráfico, que sería el orden y el sector concreto de lo público que se trata de asegurar, debe destacarse una segunda finalidad protectora propia del tipo penal de desobediencia, cual es la constituida por la dignidad y las condiciones de ejercicio de la legítima función pública —también llamado principio de autoridad—, aspecto este de protección que acentúa el Abogado del Estado en el presente proceso».*

Esta sentencia del Tribunal Constitucional es un verdadero constructo de defectos y paradigma de cómo no se deben redactar unos fundamentos de Derecho. En efecto, en materia de bien jurídico, y si se nos permite la expresión, los magistrados constitucionales «se apuntan a todo»: orden público en cualquier concepto posible (orden jurídico, paz social, tranquilidad...) sin tener en cuenta la muy diferente trascendencia que tienen esos diferentes contenidos; dignidad y condiciones de ejercicio de la legítima función pública (a las que rellena con el principio de autoridad) ..., en fin, todo (resulta «curiosa» también la STC 234/1997, 18-12, pues se refiere a la existencia de un «elemento subjetivo de lo injusto», que desde luego no está recogido en el tipo del viejo artículo 380 CP —desobediencia a la orden de la autoridad de someterse a las pruebas de alcoholemia—, que consistiría en actuar con «ánimo de desprestigiar a la autoridad», y que deja entrever dónde se residencia el bien jurídico protegido, en los delitos de desobediencia, en la opinión del Tribunal Constitucional. En todo caso la existencia de ese presunto «elemento subjetivo de lo injusto» en el delito de desobediencia ha sido rechazada por la Sala 2ª del Alto Tribunal, en ese sentido la STS 778/2007, 9-10-2007 ha dejado establecido que: «...*tal ánimo se presume y que "el dolo de este delito, en tanto conocimiento de los elementos del tipo objetivo contiene ya todos los elementos que demuestran que el autor quiso obrar contra un agente de la autoridad, pues quien atenta contra quien sabe que se está desempeñando como tal, quiere también hacerlo contra la autoridad que el agente representa"*, sin que se *requiera "una especial decisión del autor de atentar contra la autoridad, diferente a la decisión de realizar la acción" de modo que el dolo consistirá en agresión, resistir o desobedecer a los agentes de la autoridad en el desempeño de sus funciones y deberes, con conocimiento de esa condición y voluntad de ejecutar la acción típica (STS. 743/2004 de 9.6)»* (en este mismo sentido aunque con una redacción tortuosa, STS 199/2015, 30-3).

A nuestro modo de ver el bien jurídico a proteger no puede residenciarse en el principio de autoridad (concepto de complicado acotamiento que llevaría al bien jurídico a una indeterminación indeseable), por más que, y como dijimos atrás, la autoridad puede ser defendida con más ahínco en un régimen democrático que en uno dictatorial, y ello es así por su fuente de legitimación. Pero la protección debe ir referida no a la «autoridad en sí» sino a sus realizaciones que es lo único que la justifica en un sistema político constitucional. Por lo tanto, ni prestigio, ni dignidad, ni decoro (términos de muy difícil identificación), sino correcto desenvolvimiento de la actividad de la Administración (que nos remite a un panorama normativo de fácil concreción); es decir: el objeto de protección es la actividad administrativa misma, no las personas (funcionarios) que la llevan a cabo ni las virtudes que se supone deben atesorar —ni siquiera en los términos muy matizados a los que se refiere VIVES ANTÓN como «dignidad funcional»— ni, por las mismas razones, el Estado-persona. En verdad, el empeño en continuar centrados en el «principio de autoridad» o en la dignidad de la Administración o de sus funcionarios, tiene mucho de autoritarias reminiscencias injustificadas vinculadas con la *maiestas* romana (véase a ese respecto el comentario al artículo 496 CP en el Tomo IV de este Tratado), y de la «obsesión de prestigio» a la que se refería PEDRAZZI.

3.1.2. Bien jurídico principal y secundario

Una tendencia presente en la doctrina italiana (más acusadamente) y en no poca de nuestra Jurisprudencia estima que junto al bien jurídico (orden público, principio de autoridad, etc.): «*En todas las infracciones concretas de desobediencia indirectamente se pueden estar violando otros bienes jurídicos. Así si la desobediencia lo es frente a una orden judicial estarán afectado también el buen funcionamiento de la Administración de Justicia; si es ante requerimientos de la Administración encargada de la tutela del medio ambiente también se estará repercutiendo probablemente en este; y si se produce frente a agentes en el ámbito del tráfico rodado, se ataca a la ordenada circulación vial*» (SSTS 163/2018, 6-4; 794/2017, 11-4, y 531/2017, 11-7). Como indicamos esta jurisprudencia está influenciada por un planteamiento que en Italia llegó a puntos más extremos, pues se llegó a sostener que los delitos de desobediencia (en los supuestos de las llamadas «normas de tutela genérica» que estructuralmente se corresponderían con normas penales en blanco) no protegían en sí ningún objeto jurídico, y que en cada caso concreto de aplicación tutelarían un bien jurídico diferente dependiendo de la norma reclamada. Pues bien, entendemos (y ya en su momento formulamos una crítica al respecto) que semejante planteamiento infringiría el principio de *ultima ratio* y configuraría al Derecho Penal como un Derecho meramente sancionador, tributario de otras ramas del Ordenamiento, lo que ha sido desde antiguo rechazado por la mayoría de la Doctrina (por todos, MUÑOZ CONDE). Ciertamente que la posición de la Jurisprudencia española no es tan extrema como la doctrina recién señalada, pero con el planteamiento reflejado en la sentencia más arriba transcrita termina acogiendo, en parte, la argumentación acabada de criticar, lo que no es aceptable; y es que el contenido de lo injusto del tipo genérico de desobediencia se halla constituido exclusivamente por ese incumplimiento del deber de obedecer acompañado de un impedimento al correcto desenvolvimiento de la actividad de la Administración, siendo absolutamente indiferentes cuál sea esa Administración.

3.1.3. *Sujeto pasivo del delito*

Falta claridad en la Jurisprudencia, al menos en alguna Jurisprudencia, en relación a este punto, lo que es consecuencia de las dudas acerca del bien jurídico protegido. Sirva como ejemplo de lo que apuntamos la Sentencia del Juzgado de lo Penal, Orense, 2ª, 407/2016, 2-12:

> «[H]emos de partir de la consideración de que el denunciante no es el sujeto pasivo del delito o titular del bien jurídico lesionado por la conducta típica (pues tal condición la ostenta la autoridad cuya orden no se obedece), sin embargo, es evidente que sí ostenta la condición de perjudicado, en cuanto persona física que sufre algún daño o perjuicio derivado de la comisión del delito, y por tanto, tiene también derecho a ser resarcido por el daño padecido. En este sentido, aparte de que esta conducta desobediente de la acusada supuso una lesión del correcto funcionamiento de la administración de justicia y el debido respeto a las resoluciones judiciales, en lo que al progenitor se refiere, supuso también, ya no solo la imposibilidad de poder ejercer la custodia que sobre su hija le había sido atribuida por resolución judicial plenamente ejecutiva, sino que incluso se vio totalmente privado de la posibilidad de entablar el más mínimo contacto con su hija desde, al menos, el 30 de marzo de 2013, fecha en que se presentó en Ourense para recoger a su hija con el fin de hacer efectiva la sentencia, desconociendo totalmente el progenitor durante todo ese intervalo de tiempo que va desde esa fecha (30 de marzo) hasta el 17 de junio, momento en el que la que madre finalmente sí entregó a la menor…».

Como puede leerse en la resolución, por una parte se designa como sujeto pasivo del delito la autoridad judicial cuya orden no se obedeció, para a continuación concretar el bien jurídico protegido en el correcto funcionamiento de la Administración de Justicia y el «debido respeto a las resoluciones judiciales». Pues bien, prescindiendo de entrar a criticar el bien jurídico designado pues ya en los apartados anteriores hemos fijado posición, es llamativa la falta de coherencia entre la determinación de un bien jurídico colectivo y el establecimiento de la titularidad del mismo en un cierto sujeto. En el sentido de designar como sujeto pasivo a la autoridad o agente de la misma a quien se ha desobedecido (aunque entendemos que a esa conclusión se ha llegado sin suficiente reflexión de las implicaciones dogmáticas de semejante parecer), pueden también verse las siguientes resoluciones: AAP, Las Palmas de Gran Canaria, 6ª, 573/2009, 2-11; SAP, Alicante, 2ª, 628/2009, 29-10; SAP, Alicante, 3ª, 489/2009, 17-9, y SAP, Zaragoza, 1ª, 149/2001, 5-4.

A pesar de lo señalado por la Jurisprudencia la cuestión de la designación del sujeto pasivo del delito (no de la acción, categoría dogmática diferenciada de la anterior) está absolutamente determinada a partir del momento en que se ha señalado como bien jurídico uno colectivo. Desde ese mismo instante no es posible designar a la concreta autoridad que impartió la orden como sujeto pasivo del delito, sino que es necesario remitirse, también, a un ente colectivo: la Administración.

3.2. La estructura dogmática del delito de desobediencia

De antiguo ha habido una polémica en torno a si estructuralmente los «tipos de desobediencia» lo son de acción o de omisión, dependiendo del contenido de la orden dictada, o solo de omisión en todo caso. FERRER SAMA es de los que afirmaban que «La desobediencia tanto puede presentarse en forma activa como omisiva, según la naturaleza de la orden desobedecida, de tal manera, que cuando esta consista en el mandato de hacer algo, su incumplimiento revestirá los caracteres de un delito de omisión, mientras que si dicha orden es prohibitiva, el delito será de los llamados de acción, puesto que se consumará cuando el sujeto ejecute aquello que venía obligado a no ejecutar» (en el mismo sentido, y entre otros, CÓRDOBA RODA). RODRÍGUEZ DEVESA coincidía también con este planteamiento aunque argumentando desde la estructura de la norma: «La desobediencia consiste, por lo tanto, en la infracción de una norma preceptiva o prohibitiva dimanante de un órgano de la Administración a través del cual se concreta la voluntad de la ley, y se agota con el puro hacer o no hacer lo que el funcionario ha ordenado que no se haga o que se haga»; así pues, y para este autor, estaremos ante un delito de acción o de omisión dependiendo del contenido de la orden en particular que dicte el funcionario al particular.

Pues bien, hace ya treinta años rechazamos (ÁLVAREZ GARCÍA) el anterior planteamiento entonces hegemónico (el delito de desobediencia será —se decía— de acción u omisión dependiendo del contenido de la concreta orden), y construimos los delitos de desobediencia atendiendo al dato de que en estas tipologías nos hallamos ante normas prescriptivas en las que la contrariedad se podía expresar únicamente con una omisión a lo ordenado. Así, pues, el delito de desobediencia será siempre de omisión independientemente del concreto contenido de la orden (para ampliar la argumentación en este punto, véase en el Tomo III de esta obra la Lección 8ª correspondiente al delito de desobediencia de funcionarios), pues lo fundamental es que el sujeto obligado (que será el activo del delito) someta o no su conducta a lo requerido por el ordenante; y se tratará de una omisión pura o propia, pues bastará para la consumación delictiva —otra cosa no se exige en el tipo— con que el sujeto no se atenga a lo ordenado.

3.3. ¿Tipo común de un supuesto delito especial impropio de desobediencia funcionarial?

Se ha sostenido en la Doctrina desde antiguo (véase, por ejemplo, CEREZO MIR) que el delito de desobediencia de funcionarios (artículo 410 CP) es especial impropio y que el correspondiente delito común sería el de desobediencia de particulares.

La resolución de este tema exige alguna precisión previa: se suele sostener por la Doctrina (véase REBOLLO VARGAS) que delito especial impropio es aquel que tiene un delito común correspondiente al que remitir, precisamente, la autoría de los *extranei*. Pues bien, más allá de que este planteamiento haya sido rechazado enérgicamente por algunos autores (COBO DEL ROSAL y VIVES ANTÓN) por considerar inasumible el mero dato formal de que ciertas figuras se hallen más o menos estrechamente conectadas a una común, entendemos que «delitos especiales impropios» son aquellos que poseen una identidad de lo injusto con el denominado «común» con la excepción de los elementos de autoría. Pues bien, partiendo de este dato debe tenerse en cuenta: a) Que el bien jurídico protegido en uno y otro precepto es distinto; b) Que mientras la conducta típica en el artículo 556 CP consiste en «desobedecer gravemente» (ya veremos más abajo cómo se valora la «gravedad»), en el artículo 410 CP el tipo no exige gravedad en la desobediencia (si una mínima significatividad a efectos de cumplimentar las exigencias del principio de lesividad); y esa falta de requerimiento de «gravedad» en el delito de funcionarios se fundamenta en la relación de superioridad que concurre entre el que imparte la orden y el llamado a obedecerla en el artículo 410 CP (ello, además, conduciría a que de estimarse —lo que sería erróneo— que el artículo 410 CP es especial impropio teniendo como referente común la desobediencia de particulares, este último elemento debería estar constituido tanto por el artículo 556.1 como por el 556.2, ambos del CP, dado que la desobediencia del artículo 410 puede ser tanto grave como leve); c) Que en tanto que en el artículo 410 CP se requiere una determinada forma de manifestarse la desobediencia: precisamente la «negativa abierta», en el artículo 556 CP no se exige una forma cierta de escenificar la conducta (alguna resolución entiende que se requiere también en el artículo 556 CP «negativa abierta», con lo que se termina «fabricando» un tipo de desobediencia a base de mezclar elementos de la desobediencia de funcionarios y de particulares, es el caso —y no solo— de la SAP, Madrid, 3ª, 40/2013, 2-1, o de la Sentencia de la misma Audiencia, 17ª, 1563/2013, 29-11). Coincidimos en este sentido, en parte de la argumentación, con OCTAVIO DE TOLEDO Y UBIETO cuando rechazaba esa relación entre «las desobediencias» de la siguiente forma: «... [N] o puede decirse de modo general que los artículos 369 y 370 [numeración que en el CP1973 acogía los artículos correspondientes a los delitos de desobediencia de funcionarios] reduzcan el total ámbito del 237 [igual indicación que en el caso anterior]; efectivamente, reducen la esfera de los sujetos activos, más amplían la de la acción: frente a la incriminación de solamente las desobediencias graves en el 237, nada dice respecto a la gravedad de la desobediencia el 369...».

Conclusión: el delito de desobediencia de funcionarios recogido en el artículo 410 CP es uno especial propio, y en consecuencia el tipo del artículo 556 CP no efectúa el papel de delito común en relación a aquel.

No es este el entendimiento que el Tribunal Supremo tiene de las relaciones entre los artículos 410 y 556 CP, y así, con fundamentos que ya hemos rechazado en las líneas anteriores, se asevera en la STS 8/2010, 20-1: «El art. 410 es especial respecto al art. 556 Cp, dado los elementos especiales de autoría que prevé la tipicidad, por lo tanto de aplicación a los aforados ante el Tribunal Superior de Justicia del País Vasco. Además ambas figuras delictivas son homogéneas y presentan una estructura típica similar, por la que la exigencia de orden expresa, susceptible de ser desobedecida, forma parte de ambas tipicidades».

3.4. ¿Es el delito de desobediencia de particulares uno de propia mano?

Aunque esta categoría ha sido puesta muy autorizadamente en cuestión (MAQUEDA ABREU) no son pocos los autores que mantienen su existencia (verbigracia ROXIN y CUELLO CONTRERAS) y desde luego también lo hace la Jurisprudencia patria (por todas STS 267/2017, 18-4, referida a falsedades documentales sobre lo que la Jurisprudencia es muy abundante, también en relación a delitos contra la seguridad vial por más que esta conclusión sería discutible al menos en alguna de las tipologías), y otros que entienden de aplicación la citada categoría dogmática a este delito de desobediencia de particulares (y la Jurisprudencia de Audiencia, así SSAP, Vizcaya, 2ª, 90622/2012, 13-11; Guadalajara, 1ª, 71/2012, 24-5; Madrid, 29ª, 257/2011, 17-10; Cáceres, 2ª, 29/2011, 21-1, y un largo etcétera).

El delito de desobediencia debe ser considerado como uno de aquellos que solamente pueden ser cometidos en autoría personal e inmediata, siempre que lo entendamos como uno de omisión pura en el que el contenido de lo injusto se agota con la desobediencia de la orden impartida por parte del sujeto obligado, afectando con ello el bien jurídico protegido. En este sentido como solo el directamente constreñido a la obediencia puede infringir el deber particular que le afecta con su omisión, la conclusión necesariamente ha de ser que únicamente él, personalmente, puede realizar el tipo (ROXIN ha denominado a estos supuestos «delitos de propia mano impropios», designación que nosotros no podemos aceptar en la construcción del autor alemán en tanto que este edifica tal categoría sobre la aceptación de los denominados «delitos de infracción de un deber», tipología que hemos rechazado —al igual que otros muchos autores como OCTAVIO DE TOLEDO Y UBIETO o RODRÍGUEZ MOURULLO— en diferentes escritos).

El que solamente el sujeto llamado por el tipo pueda ser autor lleva consigo, como es de sobra conocido, que no cabe la autoría mediata; pero ello no impide el castigo de las diferentes formas de participación pues el Ordenamiento no solo prohíbe al sujeto obligado el prescindir del cumplimiento de la orden sino a todos los ciudadanos inducir o colaborar con el sujeto activo en su propósito (argumento que sirve tanto para fundamentar la participación en delitos de propia mano como de *extranei* en los delitos especiales).

Debe tenerse en cuenta a todo esto que no infrecuentemente las órdenes (y prescindimos ahora de determinados tipos especiales de desobediencia) son giradas a personas jurídicas. Pues bien, obviamente este delito no es comisible por una persona jurídica (no hay que olvidar que esa clase de responsabilidad está limitada a determinados injustos previstos expresamente) pero ello no debería impedir el surgimiento, en su caso, de responsabilidad del que actúe como representante ex artículo 31 CP.

3.5. Tipo objetivo

3.5.1. *Requisitos: la demanda de obediencia*

El artículo 556.1 CP castiga a quienes «desobedecieren gravemente a la autoridad o sus agentes en el ejercicio de sus funciones». Obviamente para poder afirmar que alguien haya desobedecido resulta preciso —es un *prius* lógico— un previo requerimiento de obediencia; en este sentido, tanto Jurisprudencia como Doctrina entienden, acertadamente, que el primer elemento del delito consiste en la emisión de una orden, una orden que tiene que ser concreta y determinada y que prescriba con claridad la conducta esperada del llamado a ejecutarla; no se exige, al contrario de lo que sí ocurría con una antigua Jurisprudencia (por ejemplo, STS 120/1997, 11-3) que se advierta de la posible comisión de un delito de desobediencia en caso de no ejecutar lo resuelto (y ello al margen de las formalidades exigibles en determinadas órdenes procesales a las que nos referiremos más abajo). En este sentido se afirma en la STS 1095/2009, 6-11, que el delito de desobediencia a una orden exige: «...*un requerimiento para ser acatada aunque sin llegar a la necesidad del apercibimiento respecto de la posible comisión del delito*» (en el mismo sentido SSTS 865/2015, 14-1-2016; 1219/2004, 10-12, y 1215/2003, 1-12; y de la «jurisprudencia menor» véanse, entre otras: SJP, Orense, 2, 407/2016, 2-12; SSAP, Orense, 2ª, 79/2014, 26-2, y Las Palmas de Gran Canaria, 1ª, 43/2015, 26-2).

No obstante lo acabado de señalar que expresa el sentir mayoritario de la Jurisprudencia, y siguiendo la Sala 2ª su inveterada tradición de dictar resoluciones perfectamente contradictorias referidas al mismo aspecto, la STS 177/2017, 22-3, señala:

> «*En efecto, es entendible que en aquellas ocasiones en las que el delito de desobediencia se imputa a un particular (cfr. arts. 556, 348.4.c, 616 quater CP), el carácter personal del requerimiento adquiera una relevancia singular. Solo así se evita el sinsentido de que un ciudadano sea condenado penalmente por el simple hecho de desatender el mandato abstracto ínsito en una norma imperativa. De ahí que el juicio de subsunción exija que se constate el desprecio a una orden personalmente notificada, con el consiguiente apercibimiento legal que advierta de las consecuencias del incumplimiento*» (alguna Jurisprudencia de Audiencia también sigue esta equivocada línea, en ese sentido véase SAP, Almería, 3ª, 166/2015, 18-5).

El que se exija un requerimiento personal al obligado al cumplimiento, no es incompatible con la emisión de órdenes generales dirigidas a un cierto colectivo requiriendo a todos sus integrantes un determinado comportamiento.

Es el caso de la orden impartida por un policía local y dirigida a un número indeterminado de peatones, para que todos y cada uno de ellos se abstenga de pasar a una determinada parte de un vial público. La orden, en este caso, si bien colectiva en el sentido de dirigirse a un grupo indeterminado de personas, vincula a cada uno de los integrantes del dicho colectivo y desde ese punto de vista debe considerarse personal, dirigida y vinculante para cada individuo en particular.

Pero estas órdenes colectivas no deben confundirse con los abstractos imperativos contenidos en cualquier norma; en efecto, para exigir responsabilidad por el delito de desobediencia a consecuencia del incumplimiento de uno de estos mandatos normativos habrá sido necesario que se haya producido la concreción del imperativo genérico contenido en la norma en una orden determinada, dirigida a una persona también determinada o a un cierto colectivo.

En segundo término quien dicta la orden debe encontrarse en el ejercicio de sus competencias, y en este sentido nos remitimos a lo ya dicho más atrás sobre el desenvolvimiento legítimo de las funciones del cargo.

En tercer lugar la orden debe haber sido comunicada al obligado al cumplimiento, desobedecida por su destinatario y la desobediencia debe revestir —desde el punto de vista valorativo— la cualidad de «grave», que es lo que diferencia la figura delictiva de la mera infracción administrativa (véanse SSTS 865/2015, 14-

1-2016; 800/2014, 12-11, y 8/2010, 20-1). Estos requisitos los estudiaremos más abajo.

3.5.2. Concepto de orden

Sentado lo anterior debemos preguntarnos: ¿qué es una orden? Desde luego entendemos que para definirla debemos acudir a un concepto jurídico de la misma abandonando cualquier veleidad de establecerlo mediante un punto de vista naturalístico (supremacía de hecho), lo que es especialmente obligado en las relaciones entre Administración y administrados, ya que, como recordamos más atrás en palabras de GARCÍA DE ENTERRÍA, la Administración no puede actuar sin permiso del Ordenamiento: la Ley tiene que autorizar positivamente en cada caso la actuación de la Administración, pues a la ejecución de la Ley limita aquella sus posibilidades de acción. De todo lo anterior se deduce necesariamente que la orden constituye imposición de una conducta singular en virtud de una potestad que habilita a un sujeto para dictar un mandato que se constituye en obligación para el otro sujeto (SANTORO). La orden es, en definitiva, manifestación de voluntad expresada por un sujeto con potestad ordenatoria que crea un deber en otro sujeto que está legalmente habilitado para la ejecución, con el fin de satisfacer un interés público.

Sobre la naturaleza jurídica de la orden impartida por la autoridad administrativa no hay duda en afirmar que estamos ante un acto administrativo («[D]eclaración de voluntad, de juicio, de conocimiento o de deseo realizada por la Administración en ejercicio de una potestad administrativa distinta de la potestad reglamentaria», GARCÍA DE ENTERRÍA), que es aplicativo, de acuerdo con lo acabado de señalar, de una norma general. Ciertamente en no pocas ocasiones se pueden plantear problemas para la distinción entre acto y norma; a este respecto la Jurisprudencia, ya de antiguo y acogiendo criterios elaborados por la Doctrina, ha dejado establecido que «... [H]ay que tener presente que el calificativo de disposición general queda reservado a las actuaciones administrativas que tengan una finalidad normativa y se integren en el ordenamiento jurídico. Por el contrario, los actos administrativos —ya tengan por destinatario una, o una pluralidad indeterminada de personas (acto plúrimo)— persiguen una finalidad particularizada. Dos son los criterios utilizados para calificar de disposición general la actuación administrativa: que contenga una regulación con voluntad de permanencia (criterio de la consunción), y que innove el ordenamiento jurídico preexistente (criterio ordinamentalista)» (STS, Sala de lo Contencioso, 4ª, 17-7-2012; en el mismo sentido Sentencia de la misma Sala de 8-5-2014, o ya de la «jurisprudencia menor» puede verse por su claridad, aunque insistiendo en los mismos referentes, la STSJ, Cataluña, 2ª, 294/2018, 16-4).

Hay supuestos, sin embargo, en los que se han originado dudas acerca de la naturaleza jurídica de unos singulares instrumentos; nos referimos en este caso a las llamadas «instrucciones y circulares». El Tribunal Constitucional ha venido a establecer, sin excesivos matices, que: «es conveniente referir aquí [que] las denominadas instrucciones (al igual que las circulares) no alcanzan propiamente el carácter de fuente de Derecho, sino tan solo el de directivas de actuación que las autoridades superiores imponen a sus subordinados en virtud de las atribuciones propias de esa jerarquización, no siendo una especial manifestación de la potestad reglamentaria, cuyos efectos jurídicos consisten en su cumplimiento por los destinatarios, incurriendo en responsabilidad disciplinaria caso contrario, y sin que sea menester su publicación, como se requiere si de verdaderas normas reglamentarias se trata, bastando que la Instrucción llegue a conocimiento del inferior jerárquico al que se dirige. Insistiendo en el punto relativo a la publicación, hay que recordar también que la misma se exige, en el "Boletín Oficial del Estado", para que produzcan efectos jurídicos las disposiciones de carácter general, ya que así está previsto en el art. 132 de la Ley de Procedimiento Administrativo» (STC 26/1986, 19-2). Según nuestra opinión esta declaración del Tribunal Constitucional debe ser, al menos, matizada en algún sentido. En efecto, y refiriéndonos exclusivamente a las circulares (lo que es aplicable, *mutatis mutandi*, a las instrucciones), ha de aclararse que el origen de este instrumento se encuentra en el ámbito militar donde era costumbre, para hacer conocer una orden a los destinatarios, el hacer llegar la misma por turnos a los sujetos de que se tratara, quienes iban firmando en la misma el «enterado»; así, cuando se acaba de «circular» la orden volvía a su emisor quien de esta forma se aseguraba la mayor eficacia de lo ordenado (por el conocimiento habido de la misma).

A las anteriores órdenes se les confirió el nombre de «órdenes circulares» o más abreviadamente «circulares». Pero no cabe duda de que al lado de esas circulares (que dependiendo de su contenido material podían ser, verbigracia, simplemente informativas —cuando se limitaban a transmitir a los destinatarios conocimiento de la proximidad de un acaecimiento festivo—, ilustradoras de la forma más adecuada de manipulación de un arma, o eran portadoras de una orden en sentido estricto —actos administrativos), concurría otra tipología de circulares que sí aportaban un contenido innovador del Ordenamiento, y en este sentido evidenciaban su naturaleza de «norma» (véanse BAENA DEL ALCAZAR, MOROTE SARRIÓN, DÍEZ SÁNCHEZ, FUERTES, MORENO REBATO). Pues bien, a pesar de que la denominación de «circulares» ha «casi» desaparecido de nuestra normativa administrativa [sí figuraba, junto con la de «instrucciones», en los artículos 7 de la Ley de Procedimiento de 1958 y 21 de la Ley de Procedimiento de 1992; más se siguen refiriendo a ellas los artículos 7 de la Ley de transparencia, acceso a la información pública y buen gobierno y el 125 de la Ley de Puertos del Estado y de la Marina Mercante] sí permanece la de «instrucciones» [por ejemplo en los artículos 6, 61 j), 62 b), etc., de la Ley de Régimen Jurídico del Sector Público o 2 m) de la Ley del Gobierno, y en un largo etcétera de preceptos de legislación administrativa], por más que la equiparación entre unas y otras (circulares e instrucciones) no resulta siempre necesariamente clara (ROYO VILLANOVA) Es decir: que tanto las «circulares» como las «instrucciones» constituyen un «cajón de sastre» que pueden presentarse ora como actos ora como normas (véase MARTÍN RETORTILLO), y que, por tanto, en su vertiente de «orden» puede ser integrada en el delito de desobediencia.

3.5.3. Forma de la orden

El tipo no exige una determinada pues con ello se debilitaría enormemente la cobertura del bien jurídico protegido, de lo que se deduce que esta puede ser expresa o tácita, oral o escrita, acústica, gestual o visual. Desde luego que estas últimas tienen una gran tradición tanto en el ámbito militar (las intimaciones, por ejemplo, en delitos de rebelión, mediante el sonar de trompetas o a través del agitar de banderas, o en la Marina de Guerra mediante las señales con, precisamente, banderas o con luces) como en el tráfico rodado (silbatos o gestos de los que gobiernan el tráfico constituyen la forma más común de comunicación de órdenes entre los agentes de tráfico y los participantes en el mismo), por más que la forma normal de expresarse la Administración sea la escrita (artículo 36.1 Ley de Procedimiento Administrativo: «*Los actos administrativos se producirán por escrito a través de medios electrónicos, a menos que su naturaleza exija otra forma más adecuada de expresión y constancia*»); y esto último es así porque, siguiendo nuevamente al Maestro GARCÍA DE ENTERRÍA: a) Los actos recepticios —y la orden lo es— deben notificarse o publicarse; b) En los supuestos de procedimiento —informes, actos de control, etc.—, especialmente cuando intervienen en el mismo una pluralidad de sujetos, solo la forma escrita puede asegurar la efectividad de su producción; c) En los actos que requieren motivación, la forma escrita resulta ineludible, y d) La necesidad de la permanencia de una «memoria» administrativa hace necesaria la forma escrita. Todo lo acabado de decir debe sostenerse con carácter general, excepción hecha de que determinados actos exijan una determinada y concreta forma de expresión (lo que nos reconduce a la diferenciación entre formas esenciales y no).

3.5.4. Notificación de la orden

El que la orden sea un acto administrativo recepticio plantea de inmediato el problema de la comunicación de este peculiar acto administrativo (condición, evidentemente, para su validez y eficacia). Desde luego el criterio general es el de la notificación personal que preferentemente adoptará la forma electrónica (véanse los artículos 40 y ss. de la LPC). El problema se plantea especialmente con las órdenes verbales que son las que predominan en el ámbito interno de la Administración (lo que afecta más al delito de desobediencia de funcionarios), aunque se trata de una forma de adopción de la orden que tampoco es ajena a las relaciones entre Administración y ciudadanos. La dificultad de esta tipología radica en las dificultades de prueba tanto de su emisión como de su contenido (aunque es regla general la de que «*la existencia y el contenido de los actos administrativos puede probarse por cualquier medio que dé constancia de ellos*», STS, Sala de lo Contencioso, 6ª, 24-3-2009); pues bien, a este respecto debe indicarse que tradicionalmente en esos casos podía exigirse una posterior (si no podía ser inmediata) confirmación escrita. Actualmente la cuestión ha quedado mejor solucionada (aunque restarían problemas de prueba en algún caso lo que podría hacer más conveniente el procedimiento tradicional) con el tenor del artículo 36.2 LPC: «*En los casos en que los órganos administrativos ejerzan su competencia de forma verbal, la constancia escrita del acto, cuando sea necesaria, se efectuará y firmará por el titular del órgano inferior o funcionario que la reciba oralmente, expresando en la comunicación del mismo la autoridad de la que procede. Si se tratara de resoluciones, el titular de la competencia deberá autorizar una relación de las que haya dictado de forma verbal, con expresión de su contenido*».

3.5.5. *La representación ante el superior*

Una ulterior precisión: no debe olvidarse que en la orden, a diferencia de otras manifestaciones de voluntad, el sujeto emisor no obra materialmente por sí mismo sino que impulsa el obrar ajeno. Se trata, pues, de una declaración meramente intelectual que excluye de su ámbito las actividades puramente materiales. Esto último nos hace plantearnos si en el caso de desobediencia de particulares, y de la misma forma que en la desobediencia de funcionarios, cabe la *remonstratio* (véase sobre esta institución el Tomo III de este Tratado en la Lección 8ª relativa a la desobediencia de funcionarios). Pues bien, a nuestro modo de ver la representación ante quien dictó la orden (si no implica de por sí una desobediencia, lo que ocurriría en los supuestos en que la falta de cumplimiento inmediato de la orden equivale a la imposibilidad de su cumplimiento) es posible en el artículo 556 CP y no implica desobediencia, y ello por los siguientes motivos: a) Tratándose de un delito de omisión pura el «tiempo consumativo de lo ilícito» excede (véase la excepción más arriba expresada) al necesario para hacer la representación ante el superior, para que este rechace la paralización de la orden o la modificación de la misma y aquel lleve a cabo el cumplimiento del mandato (excepto casos excepcionales en los que la brevedad en la ejecución de la orden determina la posibilidad del cumplimiento); es decir: el sujeto obligado posee capacidad temporal para obedecer la orden tras haber el superior reiterado su requerimiento de obediencia, y en ese sentido el haber suspendido la ejecución de la orden para exponer al superior los reparos que tuviera a su cumplimiento ni objetiva ni subjetivamente podía llegar a ser entendida como un ilícito pues no impide el cumplimiento de la orden y tampoco concurre el dolo de desobedecer; por lo tanto, no hay tipo; b) No habría en tal caso, tampoco, ataque al bien jurídico, pues el correcto desenvolvimiento de la función no ha sido comprometido; c) Asimismo no sería posible proceder a la imputación objetiva, pues la conducta del obligado a la obediencia no aumenta ni crea riesgo alguno de lesión del bien jurídico, al contrario: la reconsideración de la orden puede crear la ocasión de proteger más y mejor los intereses administrativos en juego con la ejecución de la orden.

Obviamente lo anterior implica reconocimiento de la capacidad de examinar la juridicidad de la orden por parte del obligado al cumplimiento. Es cierto que esa posibilidad no está expresamente prevista en el artículo 556 CP (al contrario de lo que ocurre en el artículo 410 CP), pero el rechazo a la «obediencia ciega» (cuya existencia convertiría en inexistente el error sobre la juridicidad de la orden por parte del llamado a obedecer, en este sentido RUEDA GARCÍA) y el cambio de residencia del bien jurídico del «principio de autoridad» al correcto desenvolvimiento de la actividad de la Administración, en el que participa no solo esta sino también los administrados, lleva necesariamente a esta conclusión.

3.5.6. *La orden procesal*

Pero la vinculación de conductas ajenas no se hace exclusivamente mediante órdenes administrativas. En efecto, en el ejercicio de otras potestades —la jurisdiccional, verbigracia— se pueden tener pretensiones de determinar conductas ajenas, es el caso de la mal llamada «orden procesal», que se emite a través de distintas tipologías de resoluciones (artículo 245 de la Ley Orgánica del Poder Judicial) por Jueces, Magistrados, Tribunales o Secretarios Judiciales (ahora llamados, estos últimos, «Altos Letrados de la Administración de Justicia»). En este tipo de órdenes no existe problemas ni en cuanto a la forma (siempre por escrito —con la excepción a la que se refiere el artículo 245.2 LOPJ— y reuniendo las correspondientes resoluciones contentivas de las mismas los requisitos a los que se refiere el artículo 248 LOPJ) ni por lo que se refiere a la notificación (absolutamente reglada sean o no transmisibles por medio de representantes, artículos 270 y ss. LOPJ).

Sobre la aplicación del artículo 556 CP a la desobediencia a mandatos judiciales no cabe ninguna duda (por más que su ámbito material ha observado importantes cambios como consecuencia de las modificaciones del artículo 468 CP); en este sentido véase, entre innumerables resoluciones, la STS 62/2000, de 23-1-2001 para la cual: *«El delito de desobediencia sanciona el incumplimiento pasivo a la orden dictada por la autoridad o sus agentes en el ejercicio legítimo de su función. Dicha orden debe de ser directa y expresa y reconocida como tal por quien ha de acatarla. Tal orden puede emanar de la Autoridad o de sus agentes, y entre las primeras las autoridades judiciales a través de las resoluciones que dictan en el ejercicio de su función jurisdiccional. Si el bien jurídico protegido es el concreto ejercicio de la Administración al servicio de los ciudadanos, pocas cosas agreden más a ese servicio como el incumplimiento de los mandatos judiciales, la oposición a la ejecución de una resolución judicial firme».*

Obviamente en el caso de las órdenes procesales la *remonstratio* no se puede manifestar en los mismos términos que en el supuesto de la orden-acto administrativo, sino que la representación se formaliza a través de los remedios procesales existentes.

Ciertamente no hay que olvidar que tanto los jueces como los tribunales pueden realizar funciones que no se corresponden a su típica actuación jurisdiccional, sino que estos órganos pueden dictar resoluciones en ejercicio de potestades administrativas y no judiciales (el caso de las Salas de Gobierno sería uno de los escenarios a los que nos referimos; en el supuesto del Consejo General del Poder Judicial —órgano constitucional según se desprende de lo preceptuado por el artículo 73 de la LOTC, véanse ALBACAR LÓPEZ y RON LATAS— se ejercen funciones de naturaleza administrativa, por lo que sus resoluciones en lo que importa al gobierno de jueces y magistrados son recurribles ante la jurisdicción contenciosa —otra cuestión es la que se plantea en relación a la gestión de su patrimonio, etc.).

Debe hacerse mención especial a algunos tipos de órdenes expresamente contempladas en las leyes de procedimiento. Es el caso del artículo 283 bis h).1 de la Ley de Enjuiciamiento Civil:

Consecuencias de la obstrucción a la práctica de las medidas de acceso a fuentes de prueba. 1. Si el destinatario de la medida destruyese u ocultase las fuentes de prueba, o de cualquier otro modo imposibilitase el acceso efectivo a estas, sin perjuicio de lo dispuesto en el apartado 3 del artículo anterior y de la responsabilidad penal en la que en su caso se pudiera incurrir por desobediencia a la autoridad judicial, el solicitante podrá pedir al tribunal que imponga alguna o algunas de las siguientes medidas....

En este caso, y a diferencia de otros que trataremos a continuación, el Legislador se limita a indicar que la obstrucción realizada por el destinatario de determinadas medidas podrá implicar para este incurrir en responsabilidad penal por desobediencia, pero, tácitamente, se desprende que ello será así en el caso de concurrir los elementos del correspondiente delito de desobediencia (que no solo tiene que ser el contemplado en el artículo 556 CP, sino que también podría referirse a algún otro precepto del Código que contemple una conducta «desobediente»). A la misma conclusión habrá de llegarse en el caso del artículo 283 bis k).1 de la misma Ley.

El caso del artículo 292.2 (y en el mismo sentido los artículos 297.2, 381.2) de la LEC resulta peculiar por el tenor del precepto:

«Al tiempo de imponer la multa a que se refiere el apartado anterior, el Tribunal requerirá, mediante providencia, al multado para que comparezca cuando se le cite

de nuevo por el Letrado de la Administración de Justicia, bajo apercibimiento de
proceder contra él por desobediencia a la autoridad».

En este caso hay un simple anuncio de que «se procederá» (es decir: «se debe proceder») contra el sujeto por desobediencia, pero no hay estimación de que la conducta en cuestión constituya o no desobediencia, lo que se deberá liquidar en el correspondiente procedimiento (y ello al margen de que de encontrársele culpable de desobediencia sería en aplicación de lo previsto en el artículo 556 CP, porque si la incomparecencia lo fuera en proceso criminal con reo en prisión provocando la suspensión del juicio —es decir, en principio una conducta más grave— se le aplicaría el artículo 463 CP que prevé una pena mucho más leve, lo que es completamente absurdo).

Distinto es el caso del artículo 441.4 (en el mismo sentido 589.2, 701 y 710) LEC, pues según este precepto:

«En el caso del número 10.º del apartado 1 del artículo 250, admitida la demanda, el tribunal ordenará la exhibición de los bienes a su poseedor, bajo apercibimiento de incurrir en desobediencia a la autoridad judicial,…».

En este caso el Legislador «tipifica» la conducta que describe, directamente, como de delito de desobediencia. Pues bien, entendemos que en este supuesto sucede lo mismo que ya ha ocurrido a lo largo de nuestra historia con casos similares; así, recuérdese lo sucedido con el artículo 12 de la Ley 50/1965, de 17 de julio, de venta a plazos de bienes muebles, donde se remitía directamente a los delitos de apropiación indebida o daños si se cumplían determinadas previsiones («*El comprador que dolosamente, en perjuicio del vendedor o de un tercero que haya financiado la operación, dispusiera de la cosa o la dañare, será castigado con las penas previstas en el Código penal para los delitos de apropiación indebida o de daños, respectivamente, persiguiéndose el hecho solamente a denuncia del perjudicado»*). Pues bien, el Tribunal Supremo determinó en este caso que: «…*el artículo 12 viene a completar la definición legal genérica del artículo 535 del Código Penal al precisar que el comprador que dolosamente en perjuicio del vendedor o de un tercero, que haya financiado la operación dispusiera de la cosa será castigado con la pena prevista en el Código Penal para los delitos de apropiación indebida, lo que viene a suponer y significar que el legislador en una Ley extra penal ha querido predeterminar legalmente que el acto de disposición doloso de disponer aquello que se había recibido solo en posesión con reserva de dominio en favor del transmitente, se encuadra en el tan citado artículo 535*» (STS 4363/1978, 10-11; en el mismo sentido, y entre otras, SSTS 1404/1976, 10-11, o 933/1976, 16.3). Ciertamente la Doctrina impugnó con sólidas razones esta Jurisprudencia, y así…

En todo caso actualmente la solución no podría ser la que la Jurisprudencia aplicó en los años sesenta y setenta del pasado siglo (al margen de la discusión de fondo sobre si la disposición de un bien sobre el cual gravitara reserva de dominio es constitutivo o no del delito de apropiación indebida), y ello —además de por lo en su momento expresado por la Doctrina— por un obvio problema de jerarquía normativa. Así pues, lo dispuesto en el artículo 441.4 LEC (y los demás citados en idéntico sentido) debe entenderse en el sentido de mero apercibimiento sobre la posibilidad de incurrir en delito de desobediencia, lo que solo sucederá si concurren los elementos del correspondiente tipo.

Remisiones como las recogidas en la LEC se encuentran en otras leyes procesales, como es el caso de los artículos 215, 420 o 569 de la LECri.

3.5.7. La orden legislativa

Dejando de lado la vieja y fructífera polémica acerca de la atribución de personalidad jurídica al Estado en su conjunto (doctrina con claras reminiscencias autoritarias «armada» teóricamente en Alemania), únicamente a la Administración Pública o también a Las Cortes u otros órganos constitucionales no administrativos (véase la polémica mantenida con ardor hace más de treinta años por GARCÍA TREVIJANO Y FOS, GARCÍA DE ENTERRÍA, GARCÍA DE ENTERRÍA y FERNÁNDEZ RODRÍGUEZ, SANTAMARÍA PASTOR, ÁLVAREZ GARCÍA, LEGUINA VILLA, GARRIDO FALLA, PAREJO ALFONSO, LÓPEZ GUERRA), lo cierto es que para el correcto desarrollo de sus funciones típicas (legislar, control, etc.) el Congreso y el Senado precisan tener, por lo que ahora nos importa, capacidad de mando, y atraer coactivamente personas o expedientes que precisen para el desempeño de aquellas funciones (véanse artículos 52.2 del Reglamento del Congreso, 60.2 del Reglamento del Senado y 502 CP). Pues bien, partiendo de la idea —que ya expusimos en otro lugar— de que las Cámaras legislativas, igual que el Gobierno, cumplen una doble misión: por un lado han de entenderse como organismos estatales no administrativizados cuya función típica es la legislativa, y por otro como una Administración Pública de carácter especial en atención a las peculiaridades de los intereses a los que sirve, se puede afirmar que los actos que realiza esa «administración servicial» de las Cámaras son típicamente administrativos, y en ese sentido que están sometidos a la jurisdicción contencioso administrativa. Por lo tanto la naturaleza jurídica de las órdenes que se impartan por los órganos de Congreso y Senado para procurar lo preciso para que estas cámaras desarrollen su función típica, es administrativa.

3.5.8. La desobediencia grave y su delimitación de la infracción administrativa

La malhadada reforma del Código Penal de 2015 suprimió, como es conocido, el Libro III del Código Penal, atrayendo hacia el artículo 556.2 CP lo que hasta ese momento era el contenido del artículo 634 CP («*Los que faltaren al respeto y consideración debida a la autoridad o sus agentes, o los desobedecieren levemente, cuando ejerzan sus funciones, serán castigados con la pena de multa de diez a sesenta días*») aunque no plenamente, pues la desobediencia leve (y la desobediencia menos grave) fue desterrada a la Ley de Seguridad Ciudadana (artículo 36.1). Todo ello nos obliga a precisar qué puede entenderse por «gravedad», pues la desobediencia que no alcance ese grado deberá ser considerada atípica y susceptible, en su caso, de ser calificada como infracción administrativa.

Desde luego no vamos a insistir en las dificultades que existen para caracterizar lo que es «grave» [o «notoriamente grave o importante», verbigracia artículos 74, 189.2 e), 282 bis, etc.] y lo que no lo es, y los problemas de taxatividad que se plantean, no obstante lo cual el Legislador —en ocasiones inevitablemente y en otras no tanto— acude a semejantes elementos de valor para delimitar la conducta típica. En esa indefinición del término no es extraño que los autores den «una larga cambiada» —que quizá es la «única faena que tiene ese toro»— y remitan sin más al caso concreto, a la Jurisprudencia (por todos CEREZO MIR y CÓRDOBA RODA).

La Jurisprudencia maneja una multitud de criterios para establecer la diferencia. Ejemplos claros lo proporcionan las siguientes resoluciones del Alto Tribunal:

> *«Es indudable que la línea divisoria entre delito y falta es tenue y sutil, aunque la jurisprudencia de esta Sala ha afirmado que la desobediencia delictiva debe ser reiterada, mostrando una clara actitud de oposición y rebeldía, persistencia en la negativa a cumplir voluntariamente lo ordenado, y en fin, contumaz y recalcitrante»* (STS 138/2010, 2-3).

> *«La desobediencia grave equiparable a la resistencia no grave (STS 04/06/93) supone una oposición al mandato de la Autoridad o de sus Agentes acompañada de una obstrucción o traba permanente y decidida a los propósitos de la autoridad que se ve imposibilitada de llevar a efecto sus mandatos sin utilizar una fuerza encaminada a neutralizar y eliminar el decidido propósito de los sujetos que, —conocedores del carácter de Agentes de la Autoridad—, se oponen obstinadamente a que estos lleven a efecto sus mandatos o hagan ejecutar las órdenes recibidas (STS 18/11/91)»* (ATS 2511/1999, 19-11).

> *«…para que aparezca acreditado que existe este delito de desobediencia grave a la Autoridad del art. 237 CP, es necesario que haya un mandato persistente y reiterado de modo que, frente a él, quede de manifiesto una actitud de oposición tenaz y rebelde, obstinada y terminante, que es lo que constituye la esencia de esta infracción penal»* (STS 4412/1994, 7-6).

A la vista de estas resoluciones esa «línea divisoria» entre delito e infracción administrativa, es decir, la caracterización de la desobediencia como grave exige: 1°) Mandato persistente y reiterado (esta exigencia de la STS 4412/1994, es dejada de lado en la Jurisprudencia posterior); 2°) Reiteración en la desobediencia; 3°) Manifestación de obstinación, rebeldía, en el sujeto activo.

Desde luego ninguno de estos dos criterios nos parece aceptable, y ello por las siguientes razones: 1ª) Porque el tipo no exige entre sus elementos reiteración alguna en el mandato, y ese criterio además de ser extraño al precepto debilitaría la protección del bien jurídico; 2ª) La exigencia de reiteración en la desobediencia plantea los siguientes problemas: a) Igual que en el caso anterior no se requiere por el tipo; b) Se prescinde de la referencia al bien jurídico en la interpretación del elemento «gravedad»; en efecto, la exigencia de «reiteración» como criterio delimitador entre lo grave y lo leve pone el acento en lo que supone de ataque al «principio de autoridad» —de la misma forma que las alusiones a la «obstinación» o «rebeldía» del sujeto—, es decir: se sigue pensando en el «prestigio», en el «respeto» a la autoridad como referente.

Esa, a nuestro entender, errónea valoración del Tribunal Supremo al exigir para la constitución del delito de desobediencia obstinación o rebeldía del sujeto activo que exige una reiteración de actos de desobediencia, no ha llevado al Tribunal a concluir en la existencia de concurso de delitos por los múltiples actos de desobediencia; en este sentido se afirma por la Jurisprudencia: «*Por último, en cuanto a la conducta del sujeto activo del delito, debemos señalar que la obstinación, contumacia o resistencia al cumplimiento de la orden no significa una pluralidad de acciones repetitivas de oposición frente a mandatos sucesivos sino que basta un solo incumplimiento inequívoco pues ello ya revela la obstinación del mismo. En el presente caso no cabe mayor contumacia u obstinación que la publicación simultánea de un fotograma ampliado del vídeo y la copia del requerimiento judicial*» (STS 1219/2004, 10-12).

Esta perspectiva la confirma la «jurisprudencia menor» (debe tenerse en cuenta que por razones procesales el delito de desobediencia apenas tiene presencia en la Jurisprudencia del Tribunal Supremo, pero es muy abundante en la de Audiencia), aunque en algún momento añadiendo dosis considerables de confusión o, al menos, indeterminación. Véase en este sentido la siguiente resolución:

«*...siendo la diferencia entre el delito y la antigua falta de desobediencia leve, puramente circunstancial atendiendo a la trascendencia del acto, los accidentes de lugar, modo y tiempo y la intencionalidad del agente, terminando por confirmar el criterio valorativo, de detalle y relativismo que atiende a la materia*» (SAP, Oviedo 2ª, 178/2018, 11-4).

Como puede verse resulta difícilmente posible ser más inconcreto. Sin embargo, otras resoluciones confirman una y otra vez el criterio de la reiteración y de la obstinación en la desobediencia, aunque añadiendo referentes de compleja precisión al mismo tiempo que refuerza la idea de que se está pensando en el «principio de autoridad»:

«*La gravedad de la desobediencia la determinan varios parámetros como son la persistencia del incumplimiento ante la reiteración del mandato, la categoría de la autoridad o agente del que emana, la importancia o trascendencia que tiene el mandato y su incumplimiento, la intensidad de los actos obstativos al cumplimiento y el mayor o menor desmerecimiento que en el caso concreto haya tenido para la autoridad o sus agentes la desobediencia*» (AAP, Salamanca, 1ª, 71/2018, 28-2).

Resulta llamativo que se utilice como referente de la gravedad o levedad de la desobediencia el de la «categoría de la autoridad o agente» de quien emana el mandato. Es decir: que la desobediencia será menos grave (o leve) o grave si la orden la dicta una alta autoridad o una autoridad menor (lo que en el caso de las órdenes procesales resultará más complejo determinar que en el caso de las administrativas). En todo caso resulta evidente que el nivel de la autoridad emisora de la orden poco tiene que ver con la gravedad de la desobediencia.

En fin, alguna otra resolución no hace más que contribuir a incrementar nuestra perplejidad:

> «Pero la desobediencia prevista y penada en el artículo 556-1 debe ser grave lo que supone una conducta decidida y terminante, dirigida al incumplimiento de lo ordenado de manera clara y tajante por la autoridad competente o por sus agentes» (SAP, Granada, 1ª, 138/2018, 26-3).

Pareciera que por esta resolución se pone el acento bien en las características del sujeto activo bien en el dolo, lo que no es necesario insistir que ni se corresponde con un Derecho Penal del hecho ni con la sujeción a legalidad.

Pues bien, estando de acuerdo en que la diferencia entre el delito y la infracción administrativa no es algo sencillo de fijar, creemos que en todo caso hay que establecer el límite en atención al bien jurídico, de forma tal que la desobediencia grave será aquella que perturbe con mayor intensidad el correcto funcionamiento de la Administración; y ello no es cuestión ni de reiteración en la desobediencia ni de obstinación en la falta de acatamiento de la orden, sino de valoración de la alteración que la desobediencia al mandato ha provocado en la Administración de que se trate. En ese sentido, cuando en el artículo 463 CP se exige que la falta de acatamiento de la citación —y por lo tanto la inasistencia del sujeto activo— provoque la suspensión del juicio oral, se está estableciendo un estándar de gravedad que sirve, precisamente, para valorar la incidencia de la omisión del sujeto en el correcto funcionamiento de la Administración de Justicia (separando lo que implicará la realización de un tipo penal de lo que es inane para este Ordenamiento). Pues bien, son ese tipo de referentes los que deben emplearse, y en ese sentido la valoración de la gravedad es claramente circunstancial, pero su referente ha de ser siempre el bien jurídico protegido.

3.5.9. La desobediencia

Como ya hemos significado la orden tiene carácter constitutivo y se caracteriza por ser una declaración meramente intelectual. Frente a esto el cumplimiento del mandato tiene carácter extintivo pudiendo consistir tanto en una acción como en una omisión, en una actividad intelectual como material, etc.

En este ámbito, por «desobedecer» suele entenderse en la Jurisprudencia «incumplir» (por todas STS 285/2007, 23-3). Esto consideramos que es exacto siempre que estimemos por incumplir no la falta de consecución del objetivo que se hubiera propuesto la autoridad con la emisión de la orden (no hay que olvidar que el delito de desobediencia es uno de omisión pura y no de comisión por omisión, y que por lo tanto se consuma con la simple inactividad), sino la ausencia de adecuación de la conducta del sujeto a lo ordenado por la autoridad. Es decir: desobedecer significa oposición al mandato, lo que puede expresarse (sin que por ello dejemos de estar ante un tipo de omisión propia) tanto en un hacer positivo como en una inacción, dependiendo del contenido material de la orden.

Uno de los casos típicos en los que se suele alegar desobediencia es el contemplado en la SAP, Barcelona, 7ª, 714/2016, 26-10: «[L] a jurisprudencia ha indicado que no constituye ni siquiera delito de desobediencia el incumplimiento de las órdenes de los agentes en la huida por quien previamente había cometido una infracción penal, con el fin de evitar su punición; pero ello es así siempre que en la huida no se despliegue una conducta activa (STS 1161/2002, de 17 de junio) o se emplee fuerza (STS 853/2000, de 12 de mayo) o se ponga en peligro al agente (STS 893/2000, de 12 de mayo; 531/2002, de 20 de marzo»; véanse también STS 534/2016, 17-6 y SAP, Valencia, 741/2015, 22-10, en la que se incluye una buena exposición de las perspectivas doctrinales y jurisprudenciales en la materia, con amplias citas de Jurisprudencia, y finalmente SAP, Soria, 1ª, 46/2013, 23-5).

Pues bien, de la configuración típica del delito del artículo 556 CP y de la ausencia en él de una condición objetiva de punibilidad que hiciera depender la punición de la conducta de la producción de un resultado o de un daño a la causa pública o a un tercero, se extrae una conclusión: el texto punitivo pone el acento en la relación interpersonal creada entre la autoridad que dicta la orden y el sujeto llamado a ejecutarla. Se trata de una relación interpersonal más débil que la presente en la mayoría de los supuestos de los delitos de desobediencia de funcionarios de los artículos 410 y 411 CP, en tanto que en estos la relación funcionarial implica una ligazón más fuerte por la presencia de la vinculación jerárquica (aunque no hay que olvidar que el artículo 410 CP abarca no solo relaciones de jerarquía sino otras de superioridad gobernadas por criterios de competencia —por ejemplo, la que surge entre los juzgados de los contencioso y los representantes de las administraciones públicas condenadas a una determinada realización); pero esa ausencia de jerarquía no impide hablar de una relación de superioridad entre la autoridad y el tercero, en el sentido de capacidad para determinar conductas ajenas, que es lo que explica la posibilidad de dirigir una orden a un concreto sujeto (hay ejemplos muy claros tanto en lo referido al tipo general de desobediencia del artículo 556 CP —verbigracia, y prescindiendo ahora de la calificación de la gravedad de la desobediencia, la orden del policía de tráfico que ordena a un conductor no avance con su vehículo para evitar que una determinada vía quede cortada al tráfico— como a los tipos especiales de desobediencia —la orden de realizar una comprobación alcohólica en el ámbito del artículo 383 CP).

De esta forma, es decir: si se pone el acento en la existencia de esa relación interpersonal, se debe concluir que el tipo penal se cumple independientemente de que otro sujeto no llamado directamente a ejecutar la orden haya actuado —ante el incumplimiento por parte de su auténtico destinatario— y realizado materialmente lo pretendido por la autoridad; eso sí: con la única limitación de la verificación del ataque al bien jurídico protegido. Obviamente esta posibilidad de «sustitución» en el cumplimiento únicamente cabrá en algunas escasas situaciones en las que la «realización personal material» sea susceptible de ser llevada a cabo por otra persona (por ejemplo, la orden impartida a un trabajador de una compañía eléctrica para que detenga un generador de energía en su funcionamiento); pero aun en esos casos el tipo se habría consumado dada la relación interpersonal establecida entre la autoridad y el destinatario de la orden (ciertamente en buena parte de esos supuestos la desobediencia, a la vista de la afectación del bien jurídico, no cabrá ser denominada «grave» y no realizaría el tipo penal).

En Derecho privado, sin embargo, el régimen de extinción de las obligaciones admite otras posibilidades. En este sentido el artículo 1158 del Código Civil preceptúa:

> «*Puede hacer el pago cualquier persona, tenga o no interés en el cumplimiento de la obligación, ya lo conozca y lo apruebe, o ya lo ignore el deudor. El que pagare por cuenta de otro podrá reclamar del deudor lo que hubiese pagado, a no haberlo hecho contra su expresa voluntad...*».

Pero precisamente esta regla general tiene sus limitaciones en los artículos 1160 y 1161 del mismo Código por lo que se refiere a las obligaciones de dar y hacer. Es decir: la obligación se extingue (artículo 1159 CC) aunque sea un tercero el que acuda a hacer el pago, creándose una nueva relación entre ese tercero —que se subroga en los derechos del acreedor— y el deudor. Pero obviamente en la relación ordenatoria no podemos aplicar idénticas soluciones.

En este último sentido apuntaba SANTORO que hay que distinguir entre cumplimiento y satisfacción de la obligación, ya que esta última se refiere «[A] la esfera del acreedor y es un efecto normal del cumplimiento; pero el cumplimiento es un hecho exclusivo del obligado, mientras que la satisfacción del acreedor puede lograrse por la actuación de un tercero. El hecho de un tercero no es cumplimiento, ya que el tercero no deudor no está sujeto al mismo, sino que es solamente satisfacción del crédito, porque al acreedor se le entrega el objeto debido. Así se explica que, del pago de un tercero, surjan relaciones jurídicas en referencia al deudor que no ha cumplido la obligación». En definitiva, y por lo que se refiere a la orden, el interés se centra no tanto en la satisfacción de la pretensión expresada por el superior a través del mandato como en el cumplimiento del deber por parte del único sujeto que puede hacerlo: el llamado a ello en la relación ordenatoria establecida.

De la misma forma que existen multitud de clases de órdenes en relación a los sujetos (simples o complejas...), al contenido (de eficacia inmediata, condicionada...), al cumplimiento (ejecución que se consuma en uno o varios actos...), etc., también hay variedad de formas de desobediencia entre otros motivos porque, a diferencia de lo que sucede con la desobediencia de funcionarios (que requiere una «negativa abierta»), en el artículo 556 CP la referencia típica es, sencillamente, a «desobedecer» (si se tratara de un delito de resultado diríamos que estábamos ante un tipo prohibitivo de causar, es decir: lo que se prohíbe es «desobedecer» en cualquiera forma en que se haga, y con esa simple inactividad se consuma el delito), lo que amplía considerablemente la tipicidad a diferencia de lo que ocurre en el artículo 410 CP. Por ello, y entre las formas de desobediencia, cabe tanto la abierta, expresa, clara, manifiesta o terminante, como la que se evidencia por actos concluyentes, la encubierta, etc.; es decir: cualquier modalidad que implique un incumplimiento en el sentido apuntado más arriba.

Un caso especial está constituido por el mero «retraso» en el cumplimiento de la orden impartida que termina provocando, sin intencionalidad, el incumplimiento de la orden (caso del sujeto que ha anotado erróneamente la fecha en la que la orden debía estar ejecutada o que, sencillamente, ha olvidado la pendencia del mandato). Se trata de un supuesto en que dándose el tipo objetivo del delito (porque, en definitiva, el sujeto obligado no ha hecho lo que se le ha ordenado que hiciera), sin embargo no concurre el subjetivo, el dolo. Ello hará entrar en acción, en su caso, a otras ramas del Ordenamiento para la necesaria represión de la conducta, pero la ausencia de voluntad de realización del tipo impide el surgimiento de la figura delictiva (obviamente que si el retraso hubiera sido intencionado dando así lugar al incumplimiento de lo ordenado, estaríamos ante una conducta dolosa de desobediencia).

Se trata de un supuesto, el del retardo, que no debe plantear para el Ordenamiento más problemas que el de la afectación del bien jurídico que se desprenda directamente por la omisión; sin embargo, en el caso de la desobediencia funcionarial el problema puede ir más allá porque si, por ejemplo, el contenido material de la orden administrativa consistiera en dictar una resolución a instancias de un administrado, el retardo puede llegar a tener la trascendencia de que se considere dictado un acto presunto; y este hecho sí que pudiera llegar a poseer una gran importancia ya que, incluso, podría significar la comisión de un delito distinto: el de la prevaricación administrativa. En el caso de las órdenes procesales pudiera implicar una grave afectación de derechos fundamentales: detenciones ilegales —o en otros casos artículo 530 CP— (en el supuesto de que el Director de una prisión retrase la puesta en libertad de un detenido), ruina patrimonial (el retraso del funcionario en la ejecución de una resolución de contenido fuertemente económico), y un largo etcétera.

Añadidamente a lo anterior hay que decir que un mero retraso —sin dolo directo de desobedecer— en la ejecución de una orden puede suponer en ciertos casos la causación imprudente (o doloso eventual) de una multiplicidad de resultados, y responsabilidad penal por ello: daños imprudentes, lesiones imprudentes, etc. (o dolosas si ha concurrido el aludido dolo eventual).

Que la rebelión u obstinación contumaz contra la orden no realiza siempre la conducta de desobediencia se pone también de manifiesto en aquellos casos en los que se produce una divergencia entre lo expresamente manifestado y lo efectivamente ejecutado por el sujeto activo de la acción. En efecto, si el sujeto llamado a obedecer nada más recibir la orden expresara claramente a la autoridad su negativa al cumplimiento pero acto seguido —y sin que mediaran nuevas circunstancias— ejecutara lo ordenado, lo que se pondría de manifiesto es que esa negativa inicial realmente no era tal, sino que era una negativa que no expresaba el verdadero contenido de la voluntad del sujeto respecto del cumplimiento de la orden, lo cual se ha puesto de manifiesto mediante actos concluyentes. De la misma forma puede ocurrir que el sujeto exprese verbalmente su voluntad de acatar la orden y, sin embargo, a continuación realice ostensiblemente la conducta que se le había prohibido llevar a cabo. En ese caso el verdadero contenido de la voluntad vendría expresado por ese acto posterior que pondría de relevancia la decisión del sujeto de desobedecer la orden. Cumplimiento o incumplimiento, pues, pueden llegar a fijar no el momento consumativo, sino el verdadero contenido de la voluntad del sujeto obligado.

Entre esas formas indirectas de desobediencia la Jurisprudencia contempla un supuesto con una alta frecuencia criminológica que resulta brillantemente expuesto en el AAP, Salamanca, 1ª, 71/2018, 28-2:

«Dicho esto, en el caso enjuiciado, no basta para dar por cumplidos los requerimientos y mandatos sucesivos del juez de familia de cumplimiento de régimen de visitas establecido y ordenado en la sentencia de 30-12-2014, con el comportamiento formal y simplista de la investigada Tamara de trasladar, sin más, a su hija menor (niña de apenas 6 años de edad, en la actualidad) al punto de encuentro de … en las fechas de visitas programadas y a fin de que el Sr. Modesto, —el otro progenitor—, pueda tenerla en su compañía. Y no basta con esa actitud para deducir que falta el elemento material de dicho delito, si resulta que la sorprendente actitud de la niña, según muchos de los informes obrantes en las actuaciones, de no querer quedarse en compañía de su padre unas horas, no es una actitud que la niña mantuvo en tiempos anteriores, en los que, como algunos de tales informes abunda, las visitas se desarrollaban de manera normal, manteniéndose la niña con su padre sin contrariedad u oposición ningunas; no quedando descartado que ese "cambio" no se haya debido a una actitud de "influencia" de la madre sobre la menor a afectos de que rehúse estar y comunicarse con su padre. Y no se olvide que, según el Diccionario de la Real Academia de la Lengua Española, desobedecer consiste en "no hacer lo que ordenan las leyes o quienes tienen autoridad", es decir, incumplir el mandato o la orden, negarse al cumplimiento de lo ordenado por cualquiera de los considerados como autoridad. E influir en una menor para que rechace estar con su padre, es hacer algo en contra de lo que ordenan las leyes o los que tienen autoridad. Por tanto, si tal estado de cosas se revelara como real, podría sostenerse, razonablemente, que de esta manera también Tamara estaría desobedeciendo a la autoridad judicial, en cuanto que estaría obstaculizando y burlando, por esa vía oblicua y mediata, las órdenes del Juzgado de familia a que el dicho régimen de estancias y visitas se cumpla de modo ordinario y normalizado» (AAP, Salamanca, 1ª, 71/2018, 28-2).

3.6. Tipo subjetivo

Estamos ante un tipo exclusivamente doloso en el que se exige no solo el conocimiento de que se ha emitido una orden por la autoridad o sus agentes en el ejercicio de sus funciones, del contenido de esta y de que se está personalmente obligado a cumplimentarla, sino también la voluntad de incumplirla.

En la Jurisprudencia no se encuentra un gran desarrollo —y tampoco en la Doctrina— de la estructura subjetiva de este delito, pero sí en algunas resoluciones se incide una y otra vez en la exigencia de esa voluntad de oposición al cumplimiento de la orden. Así: la SAP, Logroño, 1ª, 21/2018, 19-2: *«[E]l presupuesto subjetivo de la finalidad rebelde o dolo de incumplir la orden por el acusado se infiere razonablemente de su propia pasividad, pese a la claridad y contundencia de la orden judicial: requerimiento para que designara bienes y derechos suficientes para cubrir la cuantía de la ejecución, y a pesar del apercibimiento de las consecuencias más gravosas de desconocer el imperativo judicial de obligado cumplimiento, el acusado hace caso omiso a la orden judicial»*. Pueden verse también las siguientes resoluciones, aunque teniendo en cuenta que en su mayor parte están «contaminadas» por una determinación que nosotros consideramos errónea del bien jurídico, en concreto el «principio de autoridad» en la mayor parte de los supuestos, o por la inclusión de elementos inexistentes en el tipo como puede ser la reiteración de la orden: STS 800/2014, 12-11; SAP, Orense, 2ª, 92/2018, 21-5; SAP, Oviedo, 2ª, 225/2018, 11-5; SAP, La Coruña, 6ª, 50/2018, 28-3; SAP, Mérida, 3ª, 48/2018, 20-3; AAP, Zaragoza, 6ª, 115/2018, 23-2.

En alguna otra resolución sí existe mayor concreción aunque persiste la duda sobre la idea que los Magistrados autores de aquella tienen sobre la ubicación del dolo o/y la estructura de este. Nos referimos a casos como el siguiente: *«El dolo o elemento subjetivo del injusto en este delito consiste en el conocimiento de la orden y en la voluntad de no cumplirla, siendo consciente de la antijuricidad de su comportamiento»* (SAP, Barcelona, 5ª, 314/2018, 19-4). Pues bien, no acaba de quedar nítido si en esta resolución sus autores se afilían a la teoría de los elementos negativos del tipo o si sostienen una concepción causalista de la teoría del delito.

Ciertamente es posible construir el delito de desobediencia de particulares con dolo eventual, como sería en aquellos casos en los que el obligado pospone conscientemente el cumplimiento de la orden, sin voluntad directa de desobedecer, aunque sabiendo de la alta probabilidad de que el retraso en la ejecución termine provocando el incumplimiento de la orden.

3.7. Justificación

Nos remitimos a lo ya dicho en esta materia más atrás en relación al delito de atentado. Solo significar en todo caso que no infrecuentemente se está alegando estado de necesidad —y ejercicio de un derecho— en relación con conflictos de custodia de menores y el correspondiente incumplimiento en esa materia por uno de los cónyuges. A ese respecto, la SJP, Orense, 2, 407/2016, 2-12, afirma:

«Se alega por la defensa que, en todo caso, concurriría en la acusada un estado de necesidad que determinaría de conformidad con lo dispuesto en el art. 20.5 CP que deba proclamar su absolución igualmente por concurrir esta eximente completa. Sin embargo, vista la argumentación expuesta en esta resolución difícilmente podría aceptarse tal pretensión, pues, en primer lugar, ya hemos expuesto nuestro parecer acerca de que no ha podido acreditarse cuál era el grave peligro o riesgo que existía para la menor, con lo cual desconocemos cuál es el mal que se trataba de evitar. Adviértase que como ya hemos expuesto con anterioridad, la Audiencia Provincial de Oviedo valoró los riesgos que suponía el cambio de colegio a mitad de curso, y aun así, entendió que el riesgo o peligro para la menor de continuar en el ámbito familiar materno era mayor que los riesgos derivados de ese cambio a mitad de curso, con lo cual, tampoco se cumpliría el requisito necesario para poder apreciar esta eximente de que el mal causado no sea mayor que el que se trataba de evitar».

Invocaciones de hallarse en un estado de necesidad por los más diversos motivos (creencia de que el menor era objeto de abusos sexuales en el círculo familiar del otro cónyuge, por ejemplo) se recogen en otras muchas resoluciones, en las que, casi sin excepción, se viene a rechazar la justificación de la desobediencia por concurrir estado de necesidad, lo que no impide el que con carácter general se admita la posibilidad de concurrencia del estado de necesidad en el ámbito de los deberes familiares (SAP, Barcelona, 9ª, 860/2017, 9-11); es el caso, entre otras, de la SAP, Salamanca, 1ª, 65/2017, 2-11;

Generalmente ese alegato de estado de necesidad es rechazado por el mismo motivo que se expone en la SAP, Santa Cruz de Tenerife, 2ª, 420/2017, 2-10: «[L]a actuación deja de estar justificada cuando el ordenamiento jurídico ofrece un cauce legal de solución de la situación de necesidad, es decir, el estado de necesidad como causa de justificación presupone que el conflicto de bienes o deberes no pueda ser resuelto de otra manera que mediante la realización del tipo y que este presupuesto, además, no es apreciar (sic) cuando se trata de situaciones sociales en las que el autor tiene otros medios a su disposición para resolver el conflicto (STS de 4 de marzo de 2002; en el mismo sentido STS de 22 de mayo de 2001). Dicho de otro modo: la lesión de un bien jurídico no puede justificarse en la necesidad de salvaguardar otro de mayor relevancia cuando existe un cauce legal por medio del cual puede obtenerse la resolución del mismo» (véanse también en este sentido SSAP, Palma de Mallorca, 1ª, 164/2017, 19-6; Córdoba, 3ª, 541/2016, 16-12, y SAP, Madrid, 1ª, 327/2016, 22-6). En otros casos, sin embargo, el rechazo a la apreciación del estado de necesidad se fundamenta en que ha sido quien se defiende el sujeto que ha provocado el estado de necesidad, lo que no deja de ser frecuente en los conflictos por la custodia o el régimen de visitas de los menores, pues en no pocas ocasiones uno de los cónyuges influye psicológicamente en el menor para que este rechace al otro cónyuge; véase en este sentido la SAP, Granada, 2ª, 221/2015, 9-5: «[Q]ue la situación de deterioro de la relación paterno filial que se produce a partir de febrero de 2012 tiene su origen precisamente en la mala influencia que el entorno materno ejerce sobre el menor para que este rechace a su padre y a todos los miembros de la familia paterna, con lo que, en definitiva, difícilmente podría alegar, en cualquier caso, la acusada una situación de necesidad que ella misma ha contribuido eficazmente a provocar» (resultan interesantes las reflexiones que realiza AGUILAR CUENCA sobre el llamado «síndrome de alienación parental»).

En relación a la invocada justificación por ejercicio de un derecho, otra vez la SJP, Orense, 2, 407/2016, 2-12, asevera:

> «Se invoca también la eximente de ejercicio legítimo de un derecho del artículo 20.7 CP, sin embargo, no podemos apreciar cuál fue el derecho que se ejerció legítimamente. No se recoge argumentación alguna en el escrito de defensa para fundamentar estas peticiones, pero, en cualquier caso, es evidente que estando ya

privada la acusada de la custodia de su hija, en virtud de una resolución judicial que era ejecutiva, no puede invocar legítimo derecho alguno que precisamente implique excluir el legítimo derecho de custodia reconocido al padre en virtud de resolución judicial» (véase también SAP, Palma de Mallorca, 1ª, 164/2017, 19-6).

Pero el que no concurra la causa de justificación por estar ausente alguno de sus requisitos, no impide que precisamente en esta materia de custodia de menores sea posible aplicar la existencia de un error sobre los presupuestos de la causa de justificación, como sucedió en el caso de la SAP, Santa Cruz de Tenerife, 2ª, 420/2017, 2-10, que entendió que concurría un error invencible sobre la justificación con lo que el sujeto activo de la desobediencia resultó exento de pena (al no poderse emitir un juicio sobre la culpabilidad del autor).

Resulta especialmente interesante en la materia la SJP, Granada, núm. 1, 257/2018, 18-7, donde el Tribunal manifiesta sin reserva alguna su parecer de que, como ocurre en otros casos, la denunciante —que trata de justificar su conducta desobediente a resoluciones judiciales en supuestos malos tratos recibidos de su marido— ha elaborado un relato falso para apoyar sus pretensiones de hacerse con la guarda y custodia de sus hijos:

«No es creíble la certeza de los hechos contenidos en esta denuncia, porque ningún Juzgado ha declarado la veracidad de los mismos. Porque la misma se interpone en un tiempo en el que ya se ha dado inicio a ese conjunto de actuaciones llevadas a cabo por la acusada para consolidar su decisión de no volver y no entregar a los niños. Cuando las denuncias por malos tratos se interponen de forma coetánea a un proceso de separación o por disputas sobre guarda y custodia o bienes, se exige un análisis cauteloso, sobre todo si en ellas se relatan hechos pasados, que se pudieron denunciar antes. Sabido es el efecto tuitivo que despliegan los poderes públicos con respecto a las personas afectadas por malos tratos, uno de los cuales es apartar a los menores del maltratador, y, lógicamente, con esa perspectiva, no es extraño, como muestra la práctica, que en algunos casos, se recurra a esta vía como medio de obtener ventajas procesales. No explicó ni se comprende que si fue maltratada en Italia entre 2012 y 2016, al nivel que ella dijo, de tortura y terror, no denunciara allí al momento en que se producía cada uno de los varios episodios que tuvieron lugar, según ella, tratándose de un país con una legislación y cultura de rechazo a estas conductas, similar a la nuestra. Si hubiera residido en otro país con una cultura de las que manifiestamente no combaten el maltrato, sería comprensible que no hubiera denuncia e incluso podría tener sentido haber callado los hechos hasta en su círculo más íntimo. Pero no es el caso de Italia. Y ni en este país, ni en España inicia actuación alguna en respuesta a esos supuestos episodios, ni siquiera aporta dato alguno indiciario de haber tenido lugar alguno de ellos, a nivel incluso de haberlo contado a familiares o allegados».

3.8. *Iter criminis*

Que alguna Doctrina, de la cual participamos, admite fundamentalmente la posibilidad de la tentativa inacabada en los delitos de omisión pura —por más que su ámbito sea estrecho dependiendo de la concreta tipicidad—, es algo incontestable a estas alturas del debate dogmático (véanse, por todos MUÑOZ CONDE y FARRÉ TREPAT, en contra —autorizadamente— SOLA RECHE;

alguna Jurisprudencia ha considerado incluso que es posible la tentativa acabada en delitos omisivos, en este sentido STS 1400/1997, 12-11), por más que también haya un reconocimiento generalizado acerca de las dificultades para constituir (y probar) la citada forma imperfecta de ejecución.

El problema, sin embargo, es más intrincado de lo que pareciera, pues si la consumación del delito omisivo no se produce hasta el último momento en el que es posible que el sujeto activo realice la acción que se le demanda por el Ordenamiento, ello quiere decir que todo el período anterior constituye tentativa inacabada (no concebimos otra posibilidad en delitos de simple actividad o inactividad), lo que implicaría que un tercero —en un delito de omisión del deber de socorro, por ejemplo y dependiendo del bien jurídico que se considere protegido en este injusto— podría acudir a la legítima defensa. Eso sí, en el caso de que el sujeto activo después de haber dejado transcurrir parte del período consumativo lleva a cabo la conducta requerida antes de que finalice aquel, podrá afirmarse que estamos ante un supuesto de desistimiento (sobre este problema REQUEJO CONDE). En este último sentido es perfectamente concebible la tentativa en la desobediencia, a condición de que la realización del mandato no exija por su naturaleza un cumplimiento inmediato, pues en este último caso sería inevitable la consumación de no actuar el sujeto en ese momento, y en ese sentido sí cabe decir que la omisión «que contradice el mandato constituye ya un delito consumado» (ROXIN).

3.9. Concursos de normas con tipos contentivos de desobediencias especiales

En todo caso hay que señalar que más allá de esta norma general que castiga la desobediencia de particulares (artículo 556 CP), el Código Penal recoge otros supuestos de desobediencia tanto a órdenes administrativas como procesales o emitidas por el Legislativo. Es el caso del quebrantamiento de condena, medida de seguridad, conducción…, recogido en el artículo 468 CP; impago de pensiones (artículo 227 CP); desobediencia en materia de seguridad de explosivos [artículo 348.4 c)]; desobediencia a la realización de pruebas de control de alcoholemia (artículo 383 CP); incomparecencia a comisiones de investigación parlamentaria (artículo 502 CP); desobediencia a citaciones judiciales (artículo 463.1 CP); desobediencia funcionarial (artículos 410 y 411 CP); frustración en la ejecución (258 CP), etc.

Los concursos de normas referidos plantean problemas de muy diversa índole no tanto en la aplicación de la teoría concursal —ley especial deroga general, artículo 8.1ª CP—, sino como consecuencia de decisiones erróneas tomadas en sede legislativa a la hora de tipificar las correspondientes «desobediencias especiales». En efecto, y como hemos dicho en otro lugar (ÁLVAREZ GARCÍA), no cabe duda de que el logro de la finalidad preventiva general exige, más allá de la tipificación de la conducta indeseable, que se haya realizado una amenaza adecuada en términos de calidad y cantidad de pena, una actuación diligente de la Policía, que los Jueces hayan aplicado prontamente la Justicia, pero también es preciso que en el momento de la ejecución penal se mantenga idéntico rigor, que los ciudadanos perciban que «la cosa va en serio». Por ello, uno de los factores más contramotivadores consiste en contemplar cómo la Justicia resulta incapaz de ejecutar sus resoluciones, demostrando así no solo su fracaso en la represión del particular hecho sino poniendo en duda todo el sistema jurídico del Estado. Evidentemente, esa incapacidad de ejecución no se produce por igual ante cualquier resolución judicial, orden jurisdiccional ni en referencia a cualquier contenido. Pero es obvio que tal inejecución aparece en ciertos ámbitos, y esa impotencia tiene un efecto irradiador que provoca que, sea cierto o falso, los destinatarios de la norma —al menos los «no enterados» del funcionamiento del sistema— terminen creyendo que «todo el monte es orégano» y decaiga en ellos el efecto intimidatorio de la amenaza penal.

Veamos el caso del condenado a retirada de la licencia de conducir. Se trata de un supuesto de quebrantamiento de condena no sancionable ni por el artículo 556 ni por el 468 CP, sino por la norma especial del artículo 384 CP: «*El que condujere un vehículo de motor o ciclomotor en los casos de pérdida de vigencia del permiso o licencia por pérdida total de los puntos asignados legalmente, será castigado con la pena de prisión de tres a seis meses o con la de multa de doce a veinticuatro meses o con la de trabajos en beneficio de la comunidad de treinta y uno a noventa días. La misma pena se impondrá al que realizare la conducción tras haber sido privado cautelar o definitivamente del permiso o licencia por decisión judicial y al que condujere un vehículo de motor o ciclomotor sin haber obtenido nunca permiso o licencia de conducción*».

El tenor de este 384 CP nos hace llegar a la conclusión de que el quebrantamiento de una pena de retirada del carnet de conducir merecerá una pena de prisión de solo tres a seis meses o multa de doce a veinticuatro meses; sin embargo, los casos tipificables por el artículo 556 CP (mujer que, por ejemplo, se niega a entregar a su cónyuge —tal y como ordena la correspondiente resolución judicial— los hijos comunes) merecerán la pena de tres meses a un año de prisión o multa de seis a dieciocho meses, pero si el supuesto encajara en el artículo 468 CP la pena será de seis meses a un año de prisión (si el sujeto estuviera privado de libertad) o multa de doce a veinticuatro meses si no lo estuviera. Es decir, a efectos de la pena de prisión es más grave no colaborar en la realización de trámites necesarios para el comienzo del cumplimiento de una pena (sujeto que no designa, pese a haber sido requerido, centro donde ha de cumplir una pena de trabajos en beneficio de la comunidad, SAP, Zaragoza, 3ª, 423/2018, 26-4) o no llevar a cabo determinados contenidos de una resolución judicial (como la entrega de hijos comunes al otro cónyuge, SAP, Orense, 2ª, 47/2018, 15-2), que quebrantar la pena de retirada de la licencia de conducir (artículo 384 CP) o cualquiera otra pena no privativa de libertad (artículo 468.1, segundo inciso, CP). Este «baile de penas» entre las distintas desobediencias llega a tener algún contenido más llamativo; en efecto, en una comparación entre las penas de los artículos 384 y 556 ambos del CP, resulta que mientras la pena de prisión de este último es sensiblemente superior a la del primero (de tres a doce meses frente a los tres a seis meses del artículo 384 CP) si se comparan las penas alternativas de multa a las de prisión resulta que es superior la del 384 (doce a veinticuatro meses) que la del 556 (seis a dieciocho meses) …, lo que convierte la comparación en ininteligible, en un disparate.

¿Cómo deberían ser afrontadas, desde la perspectiva político criminal, estas figuras de desobediencia? Como hemos indicado ya en otro lugar (ÁLVAREZ GARCÍA) no es de ningún modo aceptable que a los ciudadanos se les envíe un mensaje que consista en hacerles creer que desobedecer una resolución judicial o una orden administrativa «sale gratis»; no es asumible transmitir la idea de que atentar contra la autoridad o los funcionarios en el ejercicio de sus funciones, no lleva consigo incurrir en responsabilidad penal; no es de recibo el dejar de castigar esos comportamientos que se dirigen, en definitiva, al «fruto» del funcionamiento mismo del Estado de Derecho. La dejadez en cualquiera de esos casos supone la causación de un daño persistente y difícilmente reparable en las instituciones, en todo tipo de instituciones, y desde luego diariamente se pone de manifiesto en el ámbito judicial, donde frecuentemente aparece una resistencia, pertinaz en muchos supuestos, al cumplimiento de las resoluciones de los jueces y tribunales y a despecho de lo ordenado en el artículo 118 de la Constitución, lo que no es admisible. Creo, en este sentido, que es menester introducir tipos en el Código Penal que protejan la autoridad de las decisiones judiciales y administrativas, y que lo hagan con un arsenal que en términos de prevención general negativa sea lo suficientemente poderoso e intimidatorio. Se trata, en definitiva, de proteger la función judicial o administrativa, lo que constituye un requerimiento autónomo en relación a los concretos intereses que en cada caso puedan querer salvaguardarse: no es cuestión de analizar qué concreto aspecto de la actividad administrativa, judicial o legislativa ha resultado afectado (eso es volver a planteamientos sobre el bien jurídico que ya hemos dejado de lado más arriba), sino verificar si el correcto desenvolvimiento de la actividad de la Administración ha sido vulnerado, nada más.

Pues bien, obviamente, los respectivos tipos de desobediencia deben construirse de forma tal que dejen intactas las opciones de acudir a otras ramas del Ordenamiento Jurídico cuando la oposición a la ejecución de la resolución no haya alcanzado la suficiente gravedad. En este último sentido merece ser citada la Sentencia de la Audiencia Provincial de Madrid, 5ª, 10/2005, de 7 de marzo:

«*En efecto, la inejecución voluntaria de una sentencia tiene por respuesta su ejecución forzosa. Si el deudor no paga, se le embarga, o si ya se ha embargado, se subastan sus bienes; si el condenado no entra voluntariamente en prisión, entrará tras su captura; y si la Administración no cumple una sentencia, el Tribunal tomará las medidas necesarias para su ejecución. Pero nunca la primera respuesta del ordenamiento jurídico al incumplimiento es la calificación de la conducta como delito de desobediencia. En el caso del orden jurisdiccional contencioso, la renuencia de la Administración a ejecutar una resolución judicial puede ir seguida del requerimiento a hacerlo acompañado del apercibimiento de incurrir en delito de desobediencia. Téngase en cuenta que hacer ejecutar lo juzgado, también en el orden Contencioso-Administrativo es competencia exclusiva de los Tribunales (art. 117.3 de la Constitución y 103-1 de la Ley 29/98 de 13 de julio reguladora de la Jurisdicción Contencioso-Administrativa) y las partes están obligadas a cumplir dichas resoluciones judiciales (art. 134 en relación con el 103-2 de la citada Ley) y, si las incumplieran, el Tribunal podrá ejecutar la resolución por sus propios medios o requiriendo la colaboración de las autoridades y agentes de las distintas Administraciones Públicas, y adoptar las medidas necesarias para que el fallo adquiriera la eficacia que, en su caso, sería inherente al acto omitido (Arts. 134 y 108 de la LJCA). Solo cuando esto no baste se deducirá el tanto de culpa por delito de desobediencia, pues solo entonces se pasa del incumplimiento a la negativa abierta a cumplir, qué es lo que exige el tipo penal del art. 410 del Código Penal, y es que la desobediencia requiere un conflicto entre dos voluntades con predominio inicial de aquella contraria a lo legítimamente ordenado por quien tiene la atribución de decidir; conflicto que exige que la negativa a cumplir siquiera se plasme en actos concluyentes y una mínima recepción o noticia de esa negativa por quien emite el mandato legítimo, que pueda requerir al cumplimiento y verificar la abierta rebeldía a dicho mandato, y es im-*

pensable que exista cuando ni siquiera consta que el Tribunal tuviera conocimiento del incumplimiento de lo acordado en el auto de 16.7.97».

Pero lo que debe quedar claro, como opción de Política Criminal, es que hay que terminar con el cotidiano espectáculo de sujetos —públicos y privados— que diariamente están cometiendo gravísimos atentados contra el Estado de Derecho, a través de su oposición al cumplimiento de resoluciones judiciales o administrativas.

La conclusión de todo lo anterior es que hay que construir tipos generales —de quebrantamiento y de desobediencia— en protección de autónomos intereses de la Administración Judicial o Pública, huyendo de esa multitud de tipos y «tipicitos» que se han venido incorporando, o que lo pretenden, al Código Penal, y que lo único que han logrado, hasta el momento, es crear confusión y originar dislates valorativos y absurdos sistemáticos. Solo excepcionalmente la desobediencia a las resoluciones de la autoridad deberían poder salir del ámbito acabado de mencionar, y en esos casos deberían hacerlo: o como un elemento más del tipo de que se trate o como tipo agravado, aunque en este último caso con una relevancia penal que debería ser mucho más ajustada de lo que es ahora en los casos en los que se utiliza. En definitiva: mantenimiento de un tipo de quebrantamiento de condena penal con una pena superior a la actualmente prevista, y sin diferenciar entre quebrantamiento de resolución que afecte a la libertad y a otros derechos; potenciación del tipo común de desobediencia con agravación, también, de la pena; reelaboración del delito de desobediencia de funcionarios que debería centrarse más en la desobediencia a resoluciones judiciales, dejando la estrictamente jerárquica al derecho disciplinario, y comprometiendo en la reforma alguno de los tipos de denegación de auxilio; supresión de los tipos de quebrantamiento específico, y reformulación, en atención a la pena, de los tipos agravados que pivotan, exclusivamente, en la mera desobediencia. En esto consistiría la propuesta de Política Criminal, y este debería ser, en primer lugar, el objeto de la discusión, pues la elaboración de los concretos tipos penales ofrece dificultades meramente técnicas y fácilmente superables.

Dos últimas consideraciones que afectan al método en la elaboración de las normas penales: no es razonable redactar preceptos sin tener en cuenta que hay ciertas incriminaciones que atraviesan todo el Código Penal, de modo que el hacerlas (el perpetrarlas) sin tener en cuenta esta consideración, va a suponer el provocar dislates valorativos sumamente importantes, y ataques irrazonados al principio de igualdad. En segundo término, y como de alguna manera se acaba de adelantar más arriba, primero deben ser las decisiones de Política Criminal y solo después las puramente técnicas.

En cuanto al artículo 556 CP, y una vez que el quebrantamiento de condena se encontrara circunscrito al orden jurisdiccional penal, debería recoger todos aquellos supuestos en los que el sujeto desobedece la orden de la autoridad. Ciertamente que para evitar una desmesura en el ámbito de aplicación del tipo, ya hace años que CÓRDOBA RODA y CEREZO MIR advirtieron de la necesidad de entender que las órdenes debían ser particulares, pues de no interpretarlo en este sentido nos encontraríamos ante lo que CEREZO MIR definió como «un crimen *desobedientiae generalis*, que comprendería, no solo el delito de resistencia y el de atentado, sino todas las figuras delictivas». Por su parte CÓRDOBA RODA, interpretando el viejo artículo 237 CP1973, entendió, también, que la acción de desobediencia «presupone la existencia de una orden concreta y personalmente destinada al sujeto, estimando que una orden abstracta —la disposición, v. gr., de una ordenanza municipal— no puede dar lugar a la apreciación del delito de desobediencia... Lo contrario supondría elevar a la categoría de delito la inobservancia de toda disposición dictada por la autoridad».

Hemos expresado, también, más arriba nuestra idea de que la pena de prisión debe ser incrementada. En efecto, el tipo vigente amenaza con la pena de tres meses a un año de privación de libertad la conculcación de la norma, lo que no me parece suficiente para lograr el efecto intimidatorio pretendido y en atención a la extraordinaria importancia del bien jurídico puesto bajo su protección. Debe tenerse en cuenta, además, que en no pocos casos la criminología del delito nos ofrece supuestos de verdadero empecinamiento en la oposición al cumplimiento de lo debido, lo que exige —y todo ello en combinación con criterios que permitan diferenciar las distintas reacciones que debe adoptar el Ordenamiento ante los supuestos de inejecución, resistencia a la misma, desobediencia, etc.—, amenazar con la imposición de sanciones capaces de coaccionar psicológicamente de forma contundente a los destinatarios de la norma; esa pena «contundente» debe ser, a nuestro juicio, la privativa de libertad y multa, combinada con inhabilitaciones en el caso de sujetos especiales.

3.10. Concursos de delitos

La Jurisprudencia se ha ocupado de situaciones concursales, vinculadas con la protesta social, en casos de usurpación. En este sentido la STS 800/2014, 12-11, asevera:

> «No cabe apreciar, por ello, en el caso enjuiciado un delito de desobediencia grave pues la negativa de los ocupantes a abandonar voluntariamente la finca es precisamente el contenido de injusto que integra el delito de usurpación. El acto simbólico de protesta social (atípico) se convierte en delictivo porque los acusados habían configurado la ocupación como indefinida, acordando no abandonar la finca hasta que fuesen obligados a ello por la fuerza. No cabe sancionar repetidamente esta acción, ya penada como usurpación, añadiendo una segunda figura delictiva, a través del delito de desobediencia. Es por ello por lo que, con buen criterio, el Órgano Jurisdiccional no impuso en su Auto a los ocupantes el abandono de la finca bajo apercibimiento de desobediencia, sino que ordenó el desalojo a la fuerza pública, "empleando los medios necesarios para ello", y seguidamente acordó advertir expresamente a los ocupantes de que podrían incurrir en delito de desobediencia grave, no en el supuesto de que se limitasen a permanecer pacíficamente en la finca hasta el desalojo forzoso (comportamiento sancionable como usurpación), sino en el caso de reiteración del hecho una vez desalojados policialmente. Por tanto, específicamente en el supuesto actual, es el apercibimiento el que limita y precisa el contenido del mandato a los efectos de responsabilidad por delito de desobediencia en caso de incumplimiento, concretando esa responsabilidad el propio Juzgador en el supuesto de que se hiciese ineficaz el desalojo mediante una nueva incursión en la finca, pero no en el caso de mera continuidad de la protesta social en la forma en que estaba diseñada, es decir como ocupación pacífica de la finca hasta el desalojo policial».

Asimismo la Jurisprudencia registra condenas por el delito de desobediencia de particulares en concurso de delitos con: alzamiento de bienes (SAP, Barcelona, 2ª, 301/2017, 24-4), conducción temeraria (aunque en este caso absuelto por falta de pruebas, SJP, Pamplona, 3, 62/2017, 8-3), salud pública (SAP, Barcelona, 9ª, 578/2016, 11.7); quebrantamiento de condena (SAP, Alicante, 1ª, 56/2016, 29-1); medio ambiente (STS 865/2015, 21-12); coacciones (SAP, La Coruña, 1ª, 139/2013, 18-3); ordenación del territorio (SAP, Madrid, 3ª, 40/2013, 28-1), etc.

3.11. Responsabilidad civil

No es infrecuente que aparezcan perjudicados particulares en este delito, así puede suceder en todos aquellos casos en los que la falta de acatamiento de la orden ha originado un daño en un tercero (lo que a su vez, y tal y como se ha advertido más arriba, pudiera constituir en su caso delitos dolosos o imprudentes en relación a diversos bienes jurídicos); es el caso frecuente de la falta de acatamiento por parte de alguno de los cónyuges (o ex cónyuges) de las oportunas resoluciones sobre custodia de menores, con el consiguiente perjuicio para el otro cónyuge que se ve privado, en algunos casos por largo tiempo, del contacto y presencia de sus hijos. En este sentido puede verse la Sentencia del Juzgado de lo Penal, Orense, 2ª, 407/2016, 2-12. Incide en este punto la SAP, Alicante, al decir: «*Olvida la parte que una cosa es el sujeto pasivo del delito, titular del bien jurídico lesionado por la conducta típica, y otra el perjudicado, persona física o jurídica que sufre algún daño o perjuicio derivado, incluso indirectamente, de la comisión del delito. En este caso, es evidente que el ex esposo de la acusada no es titular del bien jurídico protegido por tipo de desobediencia; pero también que la conducta desobediente de la acusada le reportó un daño moral, el sufrimiento de no poder comunicar con su hija en los términos y condiciones establecidos judicialmente, por causa de la conducta de la acusada*».

3.12. Cuestiones procesales

La llamada «doctrina Botín» contenida en una de las más polémicas resoluciones del Tribunal Supremo (STS 1045/2007, de 17 de diciembre, que contó con siete votos particulares), estableció que cuando en el Procedimiento Abreviado únicamente la acusación popular reclama la apertura del Juicio Oral y las otras partes el sobreseimiento (esencialmente el Ministerio Público), preceptivamente se deberá acordar este. Desde luego esta interpretación (al entender de VENTURA PÜSCHEL y ÁLVAREZ GARCÍA con quienes coincidimos) parece obscenamente contraria a lo dispuesto en el artículo 728.1 de la Ley de Enjuiciamiento Criminal, y a toda la tradición jurídica española. Posteriormente la STS 54/2008, 8-4 («caso Atutxa») matizó la anterior doctrina disponiendo que:

> «*El delito de desobediencia por el que se formuló acusación carece, por definición, de un perjudicado concreto susceptible de ejercer la acusación particular. Tra-*

ducción obligada de la naturaleza del bien jurídico tutelado por el art. 401 del CP es que el Fiscal no puede monopolizar el ejercicio de la acción pública que nace de la comisión de aquel delito. De ahí la importancia de que, en relación con esa clase de delitos, la acción popular no conozca, en el juicio de acusación, restricciones que no encuentran respaldo en ningún precepto legal. Como ya expresábamos en nuestra STS 1045/2007, 17 de diciembre, esta Sala no se identifica con una visión de la acción popular como expresión de una singular forma de control democrático en el proceso. La acción popular no debe ser entendida como un exclusivo mecanismo jurídico de fiscalización de la acusación pública. Más allá de sus orígenes históricos, su presencia puede explicarse por la necesidad de abrir el proceso penal a una percepción de la defensa de los intereses sociales emanada, no de un poder público, sino de cualquier ciudadano que propugne una visión alternativa a la que, con toda legitimidad, suscribe el Ministerio Fiscal».

Desde luego que con estas doctrinas se trata de limitar un precepto constitucional (artículo 125 CE: «*Los ciudadanos podrán ejercer la acción popular y participar en la Administración de Justicia mediante la institución del Jurado, en la forma y con respecto a aquellos procesos penales que la ley determine, así como en los Tribunales consuetudinarios y tradicionales*») con las excusas más variadas pero que tienen como clara finalidad monopolizar la acusación en favor del Ministerio Fiscal, aunque en el caso del delito de desobediencia, por el bien jurídico protegido y el sujeto pasivo de carácter colectivo, no suponen limitación alguna en cuanto a la virtualidad procesal de la acusación popular. En este sentido, la STS 8/2010, 20-1, ha declarado que: «La doctrina jurisprudencial en interpretación del art. 782 es la siguiente: en el procedimiento abreviado no es admisible la apertura del juicio oral a instancias, en solitario, de la acusación popular, cuando el Ministerio fiscal y la acusación particular han interesado el sobreseimiento de la causa (STS 1045/2007), doctrina que se complementa al añadir que en aquellos supuestos en los que por la naturaleza colectiva de los bienes jurídicos protegidos en el delito, no existe posibilidad de personación de un interés particular, y el Ministerio fiscal concurre con una acusación popular que insta la apertura del juicio oral, la acusación popular está legitimada para pedir, en solitario, la apertura de la causa a la celebración del juicio oral (STS 54/2008)».

IV. FALTA DE RESPETO Y DE LA CONSIDERACIÓN DEBIDA A LA AUTORIDAD

«Artículo 556.2. Los que faltaren al respeto y consideración debida a la autoridad, en el ejercicio de sus funciones, serán castigados con la pena de multa de uno a tres meses».

1. Introducción

Esta tipicidad ha sido incorporada al artículo 556 en la reforma del Código Penal de 2015. Hasta ese momento, y con las matizaciones que se efectuarán a continuación, se encontraba incorporada, como falta, al artículo 634 CP con el siguiente tenor:

> «*Los que faltaren al respeto y consideración debida a la autoridad o sus agentes, o los desobedecieren levemente, cuando ejerzan sus funciones, serán castigados con la pena de multa de diez a sesenta días*».

Hasta la reforma, y teniendo en cuenta el tenor del entonces 556 CP («*Los que, sin estar comprendidos en el artículo 550, resistieren a la autoridad o sus agentes, o los desobedecieren gravemente, en el ejercicio de sus funciones, serán castigados con la pena de prisión de seis meses a un año*»), el Código castigaba la desobediencia grave como delito y la menos grave y la leve así como la ausencia de respeto y consideración, como falta.

La vieja Ley de Seguridad Ciudadana de 1992, en vigor hasta el 1 de julio de 2015, recogía en su artículo 26 la siguiente disposición: «*Constituyen infracciones leves de la seguridad ciudadana...h) Desobedecer los mandatos de la autoridad o de sus agentes, dictados en directa aplicación de lo dispuesto en la presente Ley, cuando ello no constituya infracción penal*». Ciertamente la aplicación de este precepto, técnicamente y dado el contenido del viejo artículo 634 CP, tuvo que ser residual, aunque en no pocas ocasiones, y por razones de oportunidad, la Delegación del Gobierno que correspondiera prefería acudir a esta vía administrativa —más inmediata, expeditiva y que concentraba el poder sancionador en la autoridad gubernativa— antes que hacerlo a la penal.

En la vigente Ley de Seguridad Ciudadana (LO 4/2015, de 30 de marzo) se ha incorporado un artículo 36.6 con el siguiente tenor: «*Son infracciones graves: 6. La desobediencia o la resistencia a la autoridad o a sus agentes en el ejercicio de sus funciones, cuando no sean constitutivas de delito, así como la negativa a identificarse a requerimiento de la autoridad o de sus agentes o la alegación de datos falsos o inexactos en los procesos de identificación*»; y un artículo 37.4 que preceptúa: «*Las faltas de respeto y consideración cuyo destinatario sea un miembro de las Fuerzas y Cuerpos de Seguridad en el ejercicio de sus funciones de protección de la seguridad, cuando estas conductas no sean constitutivas de infracción penal*».

Pues bien, las modificaciones habidas en 2015 tanto en el Código Penal como en la nueva Ley de Seguridad Ciudadana han cambiado el mapa de la represión de la desobediencia de forma importante y en el siguiente sentido:

a) Sujeto pasivo de la acción solo será «la autoridad» (véanse, entre otras innumerables, SSAP, Madrid, 15, 234/2018, 16-4 y 253/2016, 22-2, y Barcelona, 2ª, 260/2018, 12-4 y 6ª, 33/2016, 22-1; alguna resolución, sin duda por error, condena por el artículo 556.2 siendo así que los sujetos pasivos de la acción son agentes de la autoridad y no autoridad, véase en este sentido, por ejemplo, 381/2017, 20-6). La protección a los «agentes de la autoridad» queda encomendada a la Ley de Seguridad Ciudadana, lo que, como ya indicamos más atrás, no deja de resultar llamativo, pues son estos últimos los que afrontan diariamente el riesgo de ser sujetos pasivos de la acción a la que se refiere el tipo (se trata de una modificación relevante sobre todo a la vista de que en otros preceptos del mismo Capítulo se otorga un tratamiento parejo a la autoridad y a los agentes). Pues bien, de la consideración de «agente de la autoridad» y no de «autoridad» de los miembros de las Fuerzas y Cuerpos de Seguridad del Estado no cabe duda a la vista del tenor del artículo 7.1 de la LO 2/1986, de 13 de marzo:

> *En el ejercicio de sus funciones, los miembros de las Fuerzas y Cuerpos de Seguridad tendrán a todos los efectos legales el carácter de agentes de la autoridad*. A este precepto solo se le reconoce una excepción y es la contenida en el número 2 del mismo artículo: *Cuando se cometa delito de atentado, empleando en su ejecución armas de fuego, explosivos u otros medios de agresión de análoga peligrosidad, que puedan poner en peligro grave la integridad física de los miembros de las Fuerzas y Cuerpos de Seguridad, tendrán al efecto de su protección penal la consideración de autoridad* (esta cláusula venía, de hecho, a modificar el delito de atentado en sus expresiones más graves en unos momentos en los que la banda terrorista ETA venía matando todos los años —con especial virulencia en los años 79, 80 y 81— a decenas de policías y guardias civiles; en este sentido no debe olvidarse que la pena de prisión con la que se amenazaba el atentado a los agentes de la autoridad —y con la misma estructura sancionadora arrancó el Código Penal de 1995— era un grado menos a la correspondiente a la autoridad).

A pesar de lo acabado de manifestar la posición procesal de los «agentes de la autoridad» ha quedado considerablemente reforzada en la nueva Ley de Seguridad Ciudadana. En este sentido hay que llamar la atención sobre el contenido del nuevo artículo 52 denominado «Valor probatorio de las declaraciones de los agentes de la autoridad»:

> *En los procedimientos sancionadores que se instruyan en las materias objeto de esta Ley, las denuncias, atestados o actas formulados por los agentes de la autoridad en ejercicio de sus funciones que hubiesen presenciado los hechos, previa ratificación en el caso de haber sido negados por los denunciados, constituirán base suficiente para adoptar la resolución que proceda, salvo prueba en contrario y sin perjuicio de que aquellos deban aportar al expediente todos los elementos probatorios disponibles*.

b) La desobediencia menos grave y la leve han quedado destipificadas, y serán sancionadas, en su caso, por la Ley de Seguridad Ciudadana. En realidad y más allá del efecto simbólico del Derecho Penal, seguramente la represión de la desobediencia leve y la falta de respeto y consideración resulta ser más efectiva si se realiza desde el Derecho Administrativo sancionador, pues se tratará de sanciones más inmediatas al hecho y con una naturaleza —la pecuniaria— de contundentes efectos preventivo-generales.

2. Bien jurídico protegido

La Jurisprudencia, mayoritariamente, señala a la «dignidad de la función pública» (véanse, entre otras, SSAP, Salamanca, 1ª, 24/2018, 22-5; Logroño, 1ª, 6/2016, 17-2; Cuenca, 1ª, 2/2015, 13-1, y Burgos, 1ª, 518/2014, 15-12) como el objeto jurídico del delito; otras resoluciones se refieren al «principio de autoridad», «...entendido este como instrumento legítimo para asegurar el desarrollo razonable de los conflictos y el cumplimiento, también razonable, de las órdenes legítimas provenientes de la autoridad, mientras esta se halle en el ejercicio de sus funciones» (SAP, Lérida, 1ª, 92/2018, 5-3); para otras es la «función pública que ejerce la autoridad», de forma que se exige un perjuicio efectivo a la concreta función pública desarrollada por la autoridad (SAP, Salamanca, 1ª, 9/2018, 26-2); otras optan por señalar como bien jurídico el orden público (STS nº 402/2015, 24-6, y SAP, Jaén, 281/2017, 12-12).

Nosotros entendemos que el bien jurídico protegido está en la señalada por la Jurisprudencia «dignidad de la función pública», entendida en sentido funcional como requisito del buen funcionamiento de la Administración (VALLDECABRES ORTIZ). Una consideración que no atendiera al aspecto funcional estaría, en realidad, apoyando un concepto autoritario de la función, según el cual las autoridades deben, por el mero hecho de ser tales, especialmente protegidas.

3. Conducta

Consiste en faltar al respeto y consideración debida a la autoridad. Obvio, pero necesario, es decir que no es suficiente la emisión de expresiones «desconsideradas» sino que debe afectarse con la conducta al bien jurídico protegido; si no fuera así, la represión de estas conductas debería llevarse por los delitos de injurias, de otra forma —y más allá de construir una figura formal de delito— se estaría, veladamente, revitalizando de alguna manera el viejo delito de desacato (en este sentido, SAP, Salamanca, 1ª, 9/2018, 26-2; también SAP, Bilbao 6ª, 90622/20117, 20-6).

3.1. Concepto de «respeto y consideración»

Por «respeto» entiende la RAE (en la segunda acepción) «Miramiento, consideración, deferencia»; y por «consideración», en la acepción más acorde con el tipo,… «respeto», precisamente. Estamos ante un tipo muy circunstancial en el que la falta de respeto y consideración (las dos expresiones están unidas por una «y» —que indica adición—, no por una conjuntiva disyuntiva «o»), y esto pone de manifiesto su significado, pueden expresarse de múltiples maneras (en este sentido su cercanía con las injurias es absoluta), tanto en forma verbal, como gestual, mediante sonidos sin significado en sí mismos, etc. Esas expresiones pueden tener un significado material de insulto, amenaza, impedimento de actuar…, cualquier contenido con el que quepa mostrar a la autoridad falta de respeto y consideración.

La Jurisprudencia se ha referido a «actos, gestos, expresiones orales o escritas que evidencien o supongan una falta de respeto o menosprecio a la consideración que merezcan la autoridad» (SAP, Bilbao, 6ª, 90622/2017, 20-6), o a «toda expresión, palabra o escrito, gesto o conducta que implique una vejación injusta, un claro menosprecio del respeto y consideración debida a la autoridad» (SAP, Ciudad Real, 2ª, 80/2017, 21-9).

Ha considerado la Jurisprudencia que realizan este delito: quienes «con claro menosprecio al principio de autoridad, profirieron reiterados insultos hacia el Sr. Demetrio, al que a gritos y en tono ofensivo, le llamaron "cabrón, facha, hijo de puta, sinvergüenza, chorizo…"» (SJP, Santander, 3, 148/2018, 24-5); «quién le dijo a los agentes…que eran unos "hijos de puta", que se pasaba la denuncia por los "huevos", que para "huevos" los suyos, que daba las voces que le salieran de la "polla"» (SAP, Toledo, 1ª, 49/2018, 8-5); quien se dirigió «a voces a la alcaldesa [diciéndole] que era una muñeca en manos del Secretario, que se dejaba manejar por él, y que la iba a denunciar por prevaricación, abandonando el despacho dando voces. Cuando salía del despacho de la alcaldesa, se enzarzó en una discusión con el funcionario D. Carmelo, a quien calificó de "mierda de funcionario", "lameculos", "baboso"» (SAP, Cáceres, 2ª, 20/2018, 27-2); el que se pone delante del Alcalde y «…en presencia de los vecinos le dijo que quien era él para negarle nada, que era ciego y discapacitado, inútil, muerto de hambre y se puso delante de él para ver si realmente era ciego o fingía» (SAP, Madrid, Zamora, 1ª, 2/2018, 16-1); quien se dirige a los agentes profiriendo expresiones como «ya nos veremos las caras», «ya iré a buscaros a la puerta de vuestra casa», «os vais a enterar», «sí, sí, ya veréis, ya veréis», «lo que en el contexto que se pronuncian más que expresar verdaderas amenazas directas hacia ellos, significa un comportamiento "faltón", irrespetuoso y vejatorio hacia los mismos…"» (SAP, Salamanca, 1ª, 58/2017, 16-10); el que se dirige al Alcalde y le dice «Ladrones, sois gentes de doble moral que vais a misa y luego no sois lo que parece» (SAP, Ávila, 1ª, 72/2017, 4-7). Entendemos que en la punición de alguna de estas conductas —claramente en la última— no se está respetando adecuadamente la diferencia entre injusto penal/injusto administrativo, pues difícilmente se puede ver en la imputación de «doble moral» o la de «acudir a misa» algo que supere —como mucho— la mera infracción de la Ley de Seguridad Ciudadana (y desde luego difícilmente puede concluirse que se ataque el bien jurídico protegido); y aquí se pone de manifiesto uno de los peligros de la constitución del delito leve recogido en el artículo 556.2 CP: el de que va a actuar como atracción de conductas de bagatela, reduciendo la aplicabilidad de la infracción administrativa.

3.2. En el ejercicio de sus funciones

Exige el tipo que la conducta de falta de respeto y consideración se lleve a cabo «en el ejercicio de sus funciones [de la autoridad]», separándose de esa forma claramente del ámbito circunstancial al que se refiere el artículo 550 CP para el cual el atentado ha de realizarse «cuando se hallen [los sujetos pasivos de la acción] en el ejercicio de las funciones de sus cargos o con ocasión de ellas» (véase más atrás el significado de esos referentes). Desde luego esa falta de integración en lo injusto de la conducta realizada sobre la autoridad «con ocasión del ejercicio de sus funciones», tiene su lógica a partir del bien jurídico protegido y de la decisión de limitar la calificación penal a la conducta que puede considerarse más grave; para la más leve (la falta de respeto y consideración efectuada con ocasión del ejercicio de las funciones y no durante el ejercicio de las funciones), el Ordenamiento reserva la sanción administrativa (no obstante lo acabado de señalar, alguna sentencia entiende que sería típica la conducta cuando se haya llevado a cabo «con motivo de sus funciones» —véanse en este sentido SSAP, Ciudad Real, 2ª, 80/2017, 21-9, y Bilbao, 6ª, 90622/20117, 20-6—, lo que obviamente excede la definición típica y conculca claramente el principio de legalidad).

3.3. «Debida»

Este concepto ha de referirse a «merecida» desde el punto de vista del Ordenamiento y no, desde luego, personal. Se trata de una decisión que atrae hacia la tipicidad (como ocurre en muchos otros supuestos del Código Penal, véase el caso del delito de «coacciones») elementos que habitualmente pertenecen a la justificación, como es el supuesto de estar obrando en el ejercicio de un derecho. Lo dicho posee una singular importancia porque la realización de la conducta típica suele estar en no pocas ocasiones vinculada al ejercicio de derechos constitucionales, particularmente al ejercicio de las libertades de información y expresión.

Pues bien, para considerar si la conducta es constitutiva o no del delito de falta de respeto y consideración debida a la autoridad hay que tener en cuenta los siguientes parámetros: 1) Que el ejercicio de las libertades a las que se refiere el artículo 20.1 a) y d) de la Constitución, implica considerar que no hay falta de respeto y consideración en aquellos casos en los que el sujeto se mantenga en sus manifestaciones en el ámbito de las referidas libertades; es decir: no es un problema de justificación sino de tipicidad (en contra, SAP, Salamanca, 1ª, 24/2018, 22-5, que considera que el conflicto ha de resolverse en sede de antijuridicidad), de forma que los mismos conceptos de «respeto y consideración debida» resultan modelados por el ejercicio de las libertades, pues no pueden considerarse «indebidas» manifestaciones que se adecúan al ejercicio de los derechos fundamentales. 2) Que como expresa la STC 79/2014, de 28 de mayo: *«los límites permisibles de la crítica son más amplios si esta se refiere a personas que, por dedicarse a actividades públicas, están expuestas a un más riguroso control de sus actividades y manifestaciones que si se tratase de simples particulares sin proyección pública alguna, pues, en un sistema inspirado en los valores democráticos, la sujeción a esa crítica es inseparable de todo cargo de relevancia pública» (SSTC 159/1986, de 16 de diciembre, FJ 6; 20/2002, de 28 de enero, FJ 5; 151/2004, de 20 de septiembre, FJ 9; 174/2006, de 5 de junio, FJ 4; 77/2009, de 23 de marzo, FJ 4, y 41/2011, de 11 de abril, FJ 5).* 3) Que para el Tribunal Constitucional (STC 41/2011, de 11 de abril), *«[L] a Constitución no reconoce en modo alguno (ni en ese ni en ningún otro precepto) un pretendido derecho al insulto. La Constitución no veda, en cualesquiera circunstancias, el uso de expresiones hirientes, molestas o desabridas, pero de la protección constitucional que otorga el art. 20.1 a) CE están excluidas las expresiones absolutamente vejatorias; es decir, aquellas que, dadas las concretas circunstancias del caso, y al margen de su veracidad o inveracidad, sean ofensivas u oprobiosas y resulten impertinentes para expresar las opiniones o informaciones de que se trate (SSTC 107/1988, de 8 de junio; 1/1998, de 12 de enero; 200/1998, de 14 de octubre; 180/1999, de 11 de octubre; 192/1999, de 25 de octubre; 6/2000, de 17 de enero; 110/2000, de 5 de mayo; y 49/2001, de 26 de febrero) (SSTC 204/2001, de 15 de octubre, FJ 4, y 278/2005, de 7 de noviembre, FJ 5)».* 4) Que «[L] a tolerancia y el respeto de la igual dignidad de todos los seres humanos constituyen el fundamento de una sociedad democrática y pluralista. De ello resulta que, en principio, se puede considerar necesario, en las sociedades democráticas, sancionar e incluso prevenir todas las formas de expresión que propaguen, inciten, promuevan o justifiquen el odio basado en la intolerancia» (STEDH, caso Féret contra Bélgica, de 16 de julio de 2009). 5) Que en todo caso debe modularse la respuesta represiva teniendo en cuenta que una reiteradísima Jurisprudencia del Tribunal Constitucional viene afirmando que en el caso de la libertad de expresión: *«[N] o se trata solo de un derecho de libertad, que reclama la ausencia de interferencias o de intromisiones de las autoridades estatales en el proceso de comunicación, sino también de la garantía de una institución política fundamental, la opinión pública libre, indisolublemente ligada con el pluralismo político, que es un valor fundamental y un requisito del funcionamiento del Estado democrático (STC 12/1982, de 31 de marzo). Es decir, el art. 20 CE garantiza un interés constitucional: la formación y existencia de una opinión pública libre, garantía que reviste una especial trascendencia ya que, al ser una condición previa y necesaria para el ejercicio de otros derechos inherentes al funcionamiento de un sistema democrático, se convierte, a su vez, en uno de los pilares de una sociedad libre y democrática. Para que el ciudadano pueda formar libre-*

mente sus opiniones y participar de modo responsable en los asuntos públicos, ha de ser también informado ampliamente de modo que pueda ponderar opiniones diversas e incluso contrapuestas» (STC 226/2016, de 22 de diciembre). En el mismo sentido pueden verse, del TEDH, las siguientes resoluciones: caso Handyside contra Reino Unido, de 7 de diciembre de 1976; Castells contra España, de 23 de abril de 1992; Fuentes Bobo contra España, de 29 de febrero de 2000; Stoll contra Suiza, de 10 de diciembre de 2007; Movimiento Raeliano suizo contra Suiza, de 13 de julio de 2012 y Morice contra Francia, de 23 de abril de 2015. 6) Los límites referidos a la libertad de expresión en función de la protección de otros derechos fundamentales consagrados constitucionalmente como el honor, o la proscripción del derecho al insulto, o la debida sanción a toda forma de expresión que incite a la intolerancia, «deben ser, no obstante, ponderados siempre con exquisito rigor. Esta regla, que es de obligada atención con carácter general, habida cuenta de la posición preferente que ocupa la libertad de expresión, lo es todavía más cuando dicha libertad entra en conflicto con otros derechos fundamentales, en particular el derecho al honor (art. 18 CE), y señaladamente con otros intereses de significada importancia social y política respaldados por la legislación penal. Cuando esto último sucede, como es el presente caso, esas limitaciones siempre han de ser "interpretadas de tal modo que el derecho fundamental [del art. 20.1 a) CE] no resulte desnaturalizado" (STC 20/1990, de 15 de febrero; FJ 4). Lo que, obliga entre otras consecuencias, "a modificar profundamente la forma de afrontar el enjuiciamiento de los delitos contra el honor en los que se halla implicado el ejercicio de la libertad de expresión", pues su posición preferente impone "la necesidad de dej [ar] un amplio espacio al disfrute de [dicha] libertad" (SSTC 39/2005, de 28 de febrero, FJ 4, y 278/2005, de 7 de noviembre; FJ 4), y "convierte en insuficiente el criterio subjetivo del *animus iniuriandi*", tradicionalmente utilizado por la jurisprudencia penal para el enjuiciamiento de este tipo de delitos (SSTC 108/2008, de 22 de septiembre, FJ 3, y 29/2009, de 26 de enero, FJ 3). En definitiva, el Juez penal ha de tener siempre presente su contenido constitucional para "no correr el riesgo de hacer del Derecho penal un factor de disuasión del ejercicio de la libertad de expresión, lo que, sin duda, resulta indeseable en el Estado democrático" (SSTC 105/1990, de 6 de junio, FFJJ 4 y 8; 287/2000, de 11 de diciembre, FJ 4; 127/2004, de 19 de julio, FJ 4, y 253/2007, de 7 de noviembre, FJ 6, y STEDH, caso Castells, 23 de abril de 1992, § 46)» (STC 177/2015, de 22 de julio).

En definitiva, es legítima, por resultar «indebida» la conducta en el sentido del tipo, la sanción de todas aquellas expresiones objetivamente despreciativas e irrespetuosas que lesionando el bien jurídico protegido no puedan enmarcarse en el legítimo ejercicio de la libertad de expresión, y que superen a lo que pudiera entenderse como la más dura de las críticas dirigidas a la autoridad en el marco del ejercicio de derechos constitucionales. Es decir: no es admisible cualquier expresión pero ello no significa que la represión penal deba caer sobre cualquier comportamiento ofensivo: la ponderación entre los distintos intereses en juego —a la vista especialmente del decisivo papel que juegan las libertades de expresión e información en una sociedad democrática, pero teniendo en cuenta también la necesidad de proteger la función pública—, se constituye en el horizonte valorativo.

Un caso particular de conflicto es el que se produce en el ejercicio del derecho de defensa respecto de ciertas expresiones —o argumentaciones— de los abogados que pudieran llegar a ser valoradas como «despreciativas e irrespetuosas». Pues bien, a este respecto el Tribunal Constitucional ha dejado dicho que «*[L]a libertad de expresión del Abogado en el ejercicio de la libertad de defensa es una manifestación cualificada del derecho reconocido en el art. 20 CE, porque se encuentra vinculada con carácter inescindible a los derechos de defensa de la parte (art. 24 CE) y al adecuado funcionamiento de los órganos jurisdiccionales en el cumplimiento del propio y fundamental papel que la Constitución les atribuye (art. 117 CE)*», de modo que «*se trata de una manifestación de la libertad de expresión especialmente resistente, inmune a restricciones que es claro que en otro contexto habrían de operar*». Sin embargo, sigue diciendo dicha Sentencia, esta especial cualidad de la libertad ejercitada se ha de valorar «*atendiendo a su funcionalidad para el logro de las finalidades que justifican su privilegiado régimen, sin que ampare el desconocimiento del mínimo respeto debido a las demás partes presentes en el procedimiento, y a la "autoridad e imparcialidad del Poder Judicial", que el art. 10.2 CEDH erige en límite explícito a la libertad de expresión (STEDH de 22 de diciembre de 1989, caso Barford)*» (STC 113/2000, de 5 de mayo, recordando la Sentencia del mismo Tribunal 205/1994, de 11 de julio). Es decir, que en expresión de la STC 157/1996, de 15 de octubre: «[L]a defensa de la libertad de su defendido ha de permitirle al Letrado la mayor beligerancia en los argumentos, con el solo límite, en la expresión, del insulto o la descalificación gratuitos». En conclusión, solo las expresiones despreciativas e irrespetuosas claramente desconectadas de las necesidades argumentales de la defensa, y que impliquen desconocimiento de los mínimos de respeto a la función desempeñada por la autoridad, pueden entenderse típicas a los efectos del artículo 556 CP.

4. Tipo subjetivo

La Jurisprudencia se suele referir en no pocas resoluciones a la exigencia de un «dolo específico» de atentar contra el principio de autoridad (SAP, Salamanca, 1ª, 9/2018, 26-2); pues bien, con esta declaración, en realidad, no se quiere manifestarse, mayoritariamente al menos, por la Jurisprudencia ni que sea preciso un especial elemento subjetivo de lo injusto ni que se requiera un dolo específico. Así, la SAP, Tarragona, 2ª, 193/2017, 21-4, observa que: «*No es preciso —a modo de elemento subjetivo específico— el ánimo específico de ofender a la autoridad o funcionario público con menosprecio del principio de autoridad. En palabras de la STS 652/2009, de 9 de junio: el ánimo de ofender o causar daño al principio de autoridad no es un elemento del delito diferente al dolo*» (véase también STS 2012/2004, 8-10). En el mismo sentido la SAP, Las Palmas de Gran Canaria, 1ª, 74/2017, 8-3, asevera: «*También ha declarado la Sala Segunda que tal ánimo se presume y que "el dolo de este delito, en tanto conocimiento de los elementos del tipo objetivo contiene ya todos los elementos que demuestran que el autor quiso obrar contra un agente de la autoridad, pues quien atenta contra quien sabe que se está desempeñando como tal, quiere también hacerlo contra la autoridad que el agente representa", sin que se requiera "una especial decisión del autor de atentar contra la autoridad, diferente a la decisión de realizar la acción" de modo que el dolo consistirá en agresión, resistir o desobedecer a los agentes de la autoridad en el desempeño de sus funciones y deberes, con conocimiento de esa condición y voluntad de ejecutar la acción típica (STS 743/2004, de 9 de junio)*».

En conclusión: se trata de un delito doloso que no requiere especiales elementos subjetivos ni una inclinación particular de la voluntad a añadir al dolo (en este sentido, SAP, San Sebastián, 3ª, 24/2017, 24-2).

5. Justificación

En esta materia, y como se ha puesto de relieve en el apartado anterior, la inclusión en el tipo de la exigencia de que la falta de respeto y consideración sea «debida», vacía en buena medida de contenido el juicio de antijuridicidad. No obstante lo cual —y de la misma forma que indicamos en el delito de atentado— puede plantearse teóricamente la posibilidad de concurrencia de otras causas de justificación; desde luego difícilmente será la legítima defensa (pues es evidente la falta de idoneidad de expresiones desconsideradas o irrespetuosas para neutralizar una supuesta agresión ilegítima protagonizada por la autoridad), pero tampoco la de estado de necesidad parece muy viable por los mismos motivos a los que se refiere la SAP, Cádiz, 4ª, 270/2006, 26-10, pues su esencia: «*radica en la existencia de un conflicto entre distintos bienes o intereses jurídicos de modo que sea necesario llevar a cabo la realización del mal que el delito supone dañando el bien jurídico protegido por la figura delictiva con la finalidad de librarse del mal que amenaza al agente y además que no exista otro remedio razonable y asequible para evitar este último que debe ser grave real y actual, pues no existía ningún bien jurídico de los acusados puesto en peligro como antes se afirmó*».

6. Cuestiones procesales

De acuerdo con la SAP, Zamora, 1ª, 9/2017, 24-2: «El enjuiciamiento de los delitos leves sigue el procedimiento anteriormente previsto para los juicios de faltas. Ello significa que el procedimiento actual viene regido por los principios de oralidad, inmediación, unidad de acto, celeridad y concentración, publicidad, contradicción y acusatorio, siendo características del mismo que no se requiere un acto judicial de imputación para proceder a la apertura del juicio oral, bastando la mera noticia de hechos presuntamente constitutivos de delito leve atribuidos a alguna persona, y que no existe procedimiento preliminar ni período intermedio, de modo que iniciado el procedimiento se entra inmediatamente en el juicio oral. Consecuencia de ello es que la denuncia tiene el valor de acusación y que lo que debe mantenerse inalterable son los hechos que constan en la misma; no hay en él, a diferencia del proceso por delitos, una fase de instrucción o sumario, ni una fase intermedia, de manera que, una vez iniciado el proceso, se pasa de inmediato al juicio oral, que es donde se formulan las pretensiones y se practican las pruebas. Ocurre por ello que la acusación se formaliza en el acto mismo del juicio, constituyendo esta formalización el comienzo del mismo. De esta suerte no hay falta de garantías constitucionales siempre que en el juicio se dé la oportunidad a quien resulte en él acusado para que presente pruebas de descargo...en todo caso la acusación se ha de operar, desde el punto de vista cronológico, en una fase anterior a aquella en que se ha de ejercitar la defensa, a fin de precisamente evitar la indefensión. Es decir, el derecho a ser informado de la acusación comporta la ineludible exigencia de que la acusación pueda, de forma amplia, ser eficazmente contestada. No siendo admisible ni bastante con que lo sea implícita, pues ha de ser precisa, clara, expresa y completa con el fin de que su conocimiento pueda ser calificado de real y efectivo, debiendo por tanto el acusado ser ilustrado tempestivamente no solo de los hechos históricos fundamento de su inculpación, sino que también tal información habrá de operar respecto a la calificación jurídica de dichos hechos, exigencia ineludible en punto a concretar el ámbito de vinculación judicial. En definitiva, toda mutación del objeto del proceso debe ser previa al posible ejercicio del derecho de defensa, al momento procesal oportuno al respecto, y por tanto otorgar el tiempo suficiente para que el imputado pueda alegar y probar lo que estime conveniente para la desvirtuación [sic] de la inculpación. Es decir, centrados en nuestro caso, no es posible ampliar la acusación a un nuevo delito leve, no recogido en términos normativos en el escrito de acusación inicial, —la denuncia, como se ha dicho antes—, pues ello supone una infracción del principio de audiencia y de defensa. En resumen, tal y como dice la STS, Sala 2ª, de 26 diciembre 2000, "los errores en que pueda incurrir la parte acusadora, no deben soportarles en su perjuicio los acusados". El principio acusatorio queda cumplido cuando entre la acusación formulada en la denuncia inicial y la sentencia exista correlación en las circunstancias anteriormente referidas».

V. BIBLIOGRAFÍA

ÁGUILA, J. J., *El TOP. La represión de la libertad*. Barcelona, 2001; AGUILAR CUENCA, J. M., *Síndrome de alienación parental*, Córdoba, 2013; ALBACAR LÓPEZ, J. L., «Naturaleza jurídica del Consejo General del Poder Judicial», en *La Ley: Revista jurídica española de doctrina, jurisprudencia y bibliografía*, núm. 1, 1982; ALEGRE ÁVILA, J. M., «Incompatibilidades en el ejercicio de la función (art. 441 CP)», en *Tratado de Derecho Penal Español. Parte Especial. III. Delitos contras las Administraciones Pública y de Justicia*, Valencia, 2013; ALTÉS SALAFRANCA, J. A., «Concepto del delito de atentado», en *Revista General de Derecho*, núm. 235, 1964; id., «Concepto del delito de atentado, Discurso del ingreso en la Academia Valenciana de Jurisprudencia y Legislación», *Academia Valenciana de Jurisprudencia y Legislación*, nº 55, 1963; ÁLVAREZ GARCÍA, F. J., *El delito de desobediencia de los funcionarios públicos*, Barcelona, 1987; id., «Sobre quebrantamiento de condena, desobediencias, impago de pensiones, falta de comparecencia a comisiones de investigación y a citaciones judiciales», en *Estudios Penales en Homenaje a Enrique Gimbernat*, Madrid, 2008; id. *Sobre el principio de legalidad*, Valencia, 2009; id., «Las desobediencias en Derecho Penal», en *Eunomia*, núm. 4, 2013; id., «Los delitos de desobediencia al superior», en ÁLVAREZ GARCÍA, F. J. (dir.) *Derecho Penal Español. Parte Especial. III. Delitos contra las Administraciones Pública y de Justicia*, Valencia, 2013; ÁLVAREZ GARCÍA, F. J., «Los delitos de desobediencia al superior», en ÁLVAREZ GARCÍA, F. J. (Dir.) *Tratado de Derecho penal español, Parte especial, III, Delitos contra las Administraciones Públicas y de Justicia*, Valencia, 2013; ÁLVAREZ GARCÍA, F. J. «La nueva reforma penal de 2013», en *Eunomia, Revista en cultura de la legalidad*, nº 6, agosto 2014; ÁLVAREZ VIZCAYA, M., *Libertad de expresión y principio de autoridad: el delito de desacato*, Barcelona, 1993; BAENA DEL ALCAZAR, M., «Instrucciones y circulares como fuente del Derecho Administrativo», en *Revista de Administración Pública*, núm. 48, 1965; BARCELONA LLOP, J., *El régimen jurídico de la policía de seguridad: (un estudio de Derecho Administrativo)*, Oñati, 1988; id., «Reflexiones constitucionales sobre el modelo policial español», en *Revista Española de Derecho Constitucional*, núm. 48, septiembre-diciembre de 1996; BASTIDA, F. J., *Jueces y franquismo. El pensamiento político del Tribunal Supremo en la Dictadura*, Barcelona, 1986; BEADE, I. P., «Consideraciones acerca de la concepción kantiana de la libertad en sentido político», en *Revista de Filosofía*, núm. 65, 2009; BENÍTEZ ORTUZAR, I. F., «Delitos contra el orden público (II). De los atentados contra la autoridad, sus agentes y los funcionarios públicos, y de la resistencia y desobediencia», en MORILLAS CUEVA, L., *Sistema de Derecho Penal, Parte Especial*, 1ª ed., 2011; 2ª ed., Madrid, 2016; BOBBIO, N., *El filósofo y la política. Antología*, México, 1996; CAMPOMANES (Conde de), *Cartas político-económicas escritas por el Conde de Campomanes, primero de este título, al Conde de Lerena*, Madrid, 1878; CANCIO MELIÁ, M., «VIII. Delitos contra el orden público: atentados, resistencia, desobediencia y desórdenes públicos», en Fco. Javier Álvarez García (Dir.) COLEGIO DE ABOGADOS DE MADRID, *Informes del Ilustre Colegio de Abogados de Madrid sobre el Proyecto de Ley Orgánica de 4 de octubre de 2013 por la que se modifica la Ley Orgánica 10/1995, de 23 de noviembre del Código Penal*, Valencia, 2014; CANO BUESO, J., *La política judicial del régimen de Franco (1936-1945)*, Madrid, 1985; CARNELUTTI, F., *Teoría general del Derecho*, trad. Fco. J. Osset, Madrid, 1995; COLEGIO DE ABOGADOS DE MADRID, *Informes del Ilustre Colegio de Abogados de Madrid sobre el Proyecto de Ley Orgánica de 4 de octubre de 2013 por la que se modifica la Ley Orgánica 10/1995, de 23 de noviembre del Código Penal*, Valencia, 2014; CARBONELL MATEU, J. C./VIVES ANTÓN, T. S., «Capítulo II. De los atentados contra la autoridad, sus agentes y los funcionarios públicos, y de la resistencia y desobediencia», en VIVES ANTÓN, T. S. (Coord.) *Comentarios al Código penal de 1995*, vol. II, Valencia, 1996; CARRASCO CANALS, C., *La burocracia en la España del siglo XIX*, Madrid, 1975; CARRO FERNÁNDEZ-VALMAYOR, J. L., «Sobre los conceptos de orden público, seguridad ciudadana y seguridad pública», en *Revista Vasca de Administración Pública*, 1990, nº 27; CEPEDA ADÁN, J., «Desamortización de tierras de las Órdenes Militares en el reinado de Carlos I», Hispania, vol. 40, 1980; CEREZO MIR, J., «Los delitos de atentado propio, resistencia y desobediencia», en *Problemas Fundamentales del Derecho Penal*, Madrid, 1982; *id.* «Los delitos de atentado propio, resistencia y desobediencia», *Revista de Estudios Penitenciarios*, núm. 173, 1966; COBO DEL ROSAL, M., «Examen crítico del párrafo tercero del artículo 119 del Código penal español. (Sobre el concepto de funcionario público a efectos penales)», en *Revista General de Legislación y Jurisprudencia*, febrero, 1962; COBO DEL ROSAL, M. y QUINTANAR DÍEZ, M., «Comentario al art. 24 CP», en COBO DEL ROSAL, M. (dir.) *Comentarios al Código Penal. Tomo III. Artículos 24 a 94*, Madrid, 2000; CORCOY BIDASOLO, M., «Delitos contra el orden público», en M. CORCOY BIDASOLO (Dir.), *Manual de Derecho penal, Parte Especial*, tomo I, Valencia, Tirant lo Blanch, 201; CÓRDOBA RODA, J., *Comentarios al Código penal*, tomo III (artículos 120 a 340 bis c), Barcelona, Ariel, 1978; CUELLO CALÓN, E., Derecho Penal. Tomo II. Parte Especial, I, 2ª ed., 1941; CUELLO CONTRERAS, J., *El Derecho penal español. Parte General. Nociones introductorias. Teoría del delito*, 3ª ed., Madrid, 2002; CUERDA ARNAU, M. L., *Los delitos de atentado y resistencia*, Valencia, 2003; CUERDA ARNAU, M. L., y OLLOQUIEGUI SUCUNZA, I., «Delitos contra el orden público. Atentado, resistencia y desobediencia», en ÁLVAREZ GARCÍA, F. J. (dir.) *Estudio crítico sobre el anteproyecto de reforma penal de 2012. Ponencias presentadas al Congreso de Profesores de Derecho Penal «Estudio Crítico sobre el Anteproyecto de Reforma Penal de 2012», celebradas en la Universidad Carlos III de Madrid los días 31 de enero y 1 de febrero de 2013*, Valencia, 2013; *id.*, «Atentados y resistencia (arts. 550 y ss.)», en J. L. GONZÁLEZ CUSSAC (Dir.), *Comentarios a la reforma del Código Penal de 2015*, Valencia, Tirant lo Blanch, 2015; *id.*, «Una reforma autoritaria del delito de atentado», en S. BACIGALUPO/B. J. FEIJÓO SÁNCHEZ/J. I. ECHANO BASALDUA, *Estudios de Derecho penal: homenaje al profesor Bajo Fernández*, Madrid, 2016; *id.*, «La reforma del delito de atentado», en M. L. CUERDA ARNAU/J. A. GARCÍA AMADO (Dirs.), *Protección jurídica del orden público, la paz pública y la seguridad ciudadana*, Valencia, Tirant lo Blanch, 2016; *id.*, «Delitos contra el orden público», en GONZÁLEZ CUSSAC, J. L., *Derecho penal, Parte Especial*, 5ª ed., Valencia, 2016; *id.*, «La reforma del delito de atentado», en CUERDA ARNAU, M. L. y GARCÍA AMADO, J. A., *Protección jurídica del orden público, la paz pública y la seguridad ciudadana*, Valencia, 2016; DE LA CUESTA AGUADO, P., «Arts. 550 y ss.», en ÁLVAREZ GARCÍA, F. J. (dir.) *Estudio crítico sobre el anteproyecto de reforma penal de 2012, Ponencias presentadas al Congreso de Profesores de Derecho Penal «Estudio Crítico sobre el Anteproyecto de Reforma Penal de 2012», celebradas en la Universidad Carlos III de Madrid los días 31 de enero y 1 de febrero de 2013*, Valencia, 2013; DE LA MATA BARRANCO, N., «El funcionario público ante el Derecho Penal», en *Revista jurídica de Castilla y León*, núm. 20, enero 2010; DEL TORO MARZAL, A., «Artículo 119 CP», en CÓRDOBA RODA, J., RODRÍGUEZ MOURULLO y otros *Comentarios al Código Penal. Tomo II (Artículos 23-119)*, Barcelona, 1976; DIANA, A., Voz «Reclamo», en el *Nuovo Digesto Italiano*, vol. XI, Torino, 1939-XVIII; DÍAZ Y GARCÍA CONLLEDO, M., «Autoridad y funcionario a efectos penales», en D. Luzón Peña (Director) *Enciclopedia Penal Básica*, Granada, 2002; DÍAZ Y GARCÍA CONLLEDO, M., «Atentado, resistencia y desobediencia», en LUZÓN PEÑA, D. M. (Dir.) *Enciclopedia Penal Básica*, Granada, 2002; DÍEZ DEL CORRAL, L., *El liberalismo doctrinario*, Madrid, 1973; DÍAZ, E *Estado de Derecho y sociedad democrática*, Madrid, 1985; DÍEZ PICAZO, L. y GULLÓN, A., *Sistema de Derecho civil*, vol. I, 4ª ed., Madrid, 1981; DÍEZ SÁNCHEZ, J. J., en *Revista de Derecho Bancario y Bursatil*, núm. 67; FALCÓN Y TELLA, Mª J., «La obligación política de obediencia del individuo», en *Revista de Estudios Políticos*, núm. 115, 2002; FARRÉ TREPAT, E., *La tentativa del delito. Doctrina y Jurisprudencia*, Madrid, 2011; *id.*, «Sobre el comienzo de la tentativa en los delitos de omisión, en la autoria mediata y en el actio libera in causa», en *Estudios Penales y Criminológicos*, XIII, 1990; FERNÁNDEZ BASURTE, F., «Reacciones piadosas colectivas ante las calamidades públicas en la Málaga del siglo XVII. La epidemia de 1649 y el terremoto de 1680», en León-Carlos ÁLVAREZ SANTALÓ y Carmen Mª CREMADES GRIÑÁN (editores) *Mentalidad e ideología en el Antiguo Régimen. II Reunión científica. Asociación española de Historia moderna. 1992*, vol. II, Murcia, s/f; FERNÁNDEZ GARCÍA, E., *La obediencia al Derecho*, Madrid, 1987; *id.* «La obediencia al Derecho», en *Eunomia*, núm. 1, 2011;

FERNÁNDEZ SEGADO, F., «Las fuerzas armadas: artículo 8», en ALZAGA VILLAAMIL, O. (dir.) *Comentarios a la Constitución española de 1978*, Madrid, 1978; FERRER SAMA, A., *Comentarios al Código Penal*. Tomo II, Murcia, 1947; FERRER SAMA, A., *Comentarios al Código Penal*, Tomo III, 1ª ed., Murcia, 1948; FOUCAULT, M., *Los anormales. Curso del Collège de France (1974-1975)*, trad. Horacio Pons, Madrid, 2001; FROMM, E., *Sobre la desobediencia y otros ensayos*, trad. Eduardo Prieto, Barcelona, 1984; FUERTES, M., «Las "cartas circulares" boca arriba», en *Revista de Derecho Bancario y Bursatil*, núm. 74, 1999; GARCÍA DE ENTERRÍA, E., *Legislación delegada, potestad reglamentaria y control judicial*, 2ª ed., Madrid, 1981; id., *La lengua de los derechos. La formación del Derecho Público europeo tras la Revolución Francesa*, Madrid, 1999; GARCÍA DE ENTERRÍA, E. y FERNÁNDEZ RODRÍGUEZ, T. R., *Curso de Derecho Administrativo*, I, Madrid, 1980; GARCÍA-PELAYO, M., *Derecho constitucional comparado*, Madrid, 1984; id., *Las transformaciones del Estado contemporáneo*, 2ª ed., Madrid, 1980; GARCÍA PELAYO, M. y ALONSO, M., «La idea del Estado de Derecho en FJ Stahl», en *Pensamiento jurídico y sociedad internacional: Libro Homenaje al Profesor Antonio Truyol Serra*, Madrid, 1986; GARCÍA RIVAS, N., *La rebelión militar en Derecho Penal. La conducta punible en el delito de rebelión*, Cuenca, 1990; id., «Delitos de atentado, resistencia y desobediencia», en G. QUINTERO OLIVARES, *Comentario a la reforma penal de 2015*, Cizur Menor, Aranzadi, 2015; GARCÍA ROMERO DE TEJADA, J., «Del delito de atentado (novísima jurisprudencia)», en *Revista General de Legislación y Jurisprudencia*, núm. 84, 1894; GARCÍA SANZ, A., «La reforma agraria de la Ilustración: proyectos y resultados. El precedente del arbitrismo agrarista castellano», en A. GARCÍA SANZ y J. SANZ FERNÁNDEZ (Coordinadores), *Reformas y políticas agrarias en la historia de España (De la Ilustración al primer franquismo)*, Madrid, 1996; GARCÍA TREVIJANO GARNICA, J. A., «La invalidez jurídica en Derecho Administrativo», en M. A. RECUERDA GILERA (coord.) Problemas prácticos y actualidad del Derecho Administrativo, Cizur Menor, 2014; GARCÍA TREVIJANO Y FOS, J. A., *Tratado de Derecho Administrativo*, T. III, vol. I, Madrid, 1970; GARRIDO FALLA, F., «Las transformaciones del concepto jurídico de policía administrativa», en *Revista de Administración Pública*, núm. 11, 1953; id., «La evolución del recurso contencioso-administrativo en España», en *Revista de Administración Pública*, núm. 55, 1968; id., *Reflexiones sobre una reconstrucción de los límites formales del Derecho administrativo español*, Madrid, 1982; GASCÓN SANTOS, S., *Análisis médico legal de la violencia en centros asistenciales: agresiones a profesionales* (Tesis Doctoral del Departamento de Anatomía Patología, Medicina Legal y Forense y Toxicología, Universidad de Zaragoza, 2006; GIL GIL, A., *La justicia de transición en España: de la amnistía a la memoria histórica*, Barcelona, 2009; GONZÁLEZ ALONSO, B., *El corregidor castellano (1348-1808)*, Madrid, 1970; GONZÁLEZ VICEN, F., «La obediencia al Derecho», en *Estudios de Filosofía del Derecho*, Santa Cruz de Tenerife, 1979; GROIZARD Y GÓMEZ DE LA SERNA, A., *El Código Penal de 1870. Concordado y Comentado*, T. III, Burgos, 1874; id., *El Código penal de 1870 concordado y comentado*, tomo III, 2ª ed., Madrid, 1911; HAURIOU, M., *Principios de Derecho Público y Constitucional* (trad. Carlos Ruíz del Castillo), Madrid, 1927; HEUN, W., «El principio monárquico y el constitucionalismo alemán del siglo XIX», en *Fundamentos: Cuadernos monográficos de teoría del estado, derecho público e historia constitucional*, núm. 2, 2000; HIERRO, L «De los delitos de atentado y desacato a la autoridad», en *Revista General de Legislación y Jurisprudencia*, núm. 50, 1877; IZU BELLOSO, M. J., «Los conceptos de orden público y seguridad ciudadana tras la Constitución de 1978», *Revista Española de Derecho Administrativo*, nº 58, 1988; JASO ROLDÁN, T., «Atentados contra la autoridad, sus agentes y los funcionarios públicos. Resistencia y desobediencia. Desobediencia a las órdenes del Gobierno», en RODRÍGUEZ MUÑOZ, J. A./JASO ROLDÁN, T./RODRÍGUEZ DEVESA, J. M., *Derecho penal, tomo II, Parte Especial*, Madrid, 1949; JAVATO MARTÍN, A., «Artículo 24 CP», en GÓMEZ TOMILLO, C. M. (dir.) *Comentarios al Código Penal*, Valladolid, 2010; id. *El delito de atentado. Modelos legislativos. Estudio histórico-dogmático y de derecho comparado*, Granada, 2005; id., *El delito de atentado. Modelos legislativos. Estudio histórico-dogmático y de Derecho comparado*, Granada, Comares, 2005; JIMÉNEZ DÍAZ, M. J., *Los delitos de desacato en el Códi-

go penal español, Madrid, 1992; JORDANA DE POZAS, L., «Ensayo de una teoría del fomento en el Derecho Administrativo», en *Revista de Estudios Políticos*, núm. 48, 1949; JUANATEY DORADO, C., *El delito de desobediencia a la autoridad*, Valencia, 1997; JUSTICIA DEMOCRÁTICA, *Los jueces contra la dictadura (justicia y política en el franquismo)*, Madrid, 1978; LABANDEIRA, E., «La "remonstratio" y la aplicación de las leyes universales en la iglesia católica», en *Ius Canonicum*, núm. 48, 1984; LANERO TÁBOAS, M., *Una milicia de la justicia. La política judicial del franquismo (1936-1945)*, Madrid, 1996; LASKI, H., *Los peligros de la obediencia*, trad. José Clementi, Buenos Aires, 1959; LASSALLE, F., *¿Qué es una Constitución?*, 1999 (http://norcolombia. ucoz.com/libros/Lassalle_Ferdinand-Que_Es_Una_Constitucion.pdf); LEDDY PHELAN, J., *El pueblo y el rey. La revolución comunera en Colombia 1781*, Bogotá, 2009; LEGUINA VILLA, J., «La concepción subjetiva del derecho administrativo», en *Anuario de Ciencia Jurídica*, núm. 2, 1972-73; LÓPEZ BARJA DE QUIROGA, J., *Manual de Derecho Penal. Parte Especial III*, Madrid, 1992; LÓPEZ GARRIDO, D./GARCÍA ARÁN, M., *El Código penal de 1995 y la voluntad del legislador, comentario al texto y al debate parlamentario*, Madrid, 1996; LÓPEZ GUERRA, L., «Sobre la personalidad jurídica del Estado», en *Revista de Derecho Político*, núm. 6, 1980; LÓPEZ-FONT MÁRQUEZ, J. F., *La configuración jurídica del principio de autoridad*, Madrid, 1993; LÓPEZ-NIETO Y TRUYOLS, M., «La reacción frente a las vías de hecho», en *Cuadernos de Derecho Local*, núm. 9, 2005; LORENTE VELASCO, S. M., *Delitos de atentado contra la autoridad, sus agentes y los funcionarios públicos y de resistencia y desobediencia*, Madrid, 2010; LUZÓN PEÑA, D. M., *Aspectos esenciales de la legítima defensa*, Barcelona, Bosch, 1978; LLOBET ANGLÍ, M., «Delitos contra el orden público», en SILVA SÁNCHEZ, JM./RAGUÉS I VALLÉS, R. (Dir./Coord.) *Lecciones de Derecho penal, parte especial*, 4ª ed. adaptada a la Ley Orgánica 1/2015 de reforma del Código Penal, Barcelona, 2015; MAQUEDA ABREU, M. L., *Los delitos de propia mano: críticas a su fundamentación desde una perspectiva dogmática y político-criminal*, Madrid, 1992; MARTÍN DELPON, J. L., «Naturaleza y carácter militar de los miembros de la Guardia Civil: comentario a la Sentencia de la Sala 3ª del Tribunal Supremo de 13 de febrero de 2012», en *Revista Jurídica de Castilla y León*, núm. 34, septiembre 2014; MARTÍN LORENZO, M., «Concepto penal de funcionario y externalización de funciones públicas» en *LH Octavio de Toledo y Ubieto*, Madrid, 2016; MARTÍN REBOLLO, L., *El proceso de elaboración de la Ley de lo contencioso-administrativo de 13 de septiembre de 1888*, Madrid, 1975; id., «De nuevo sobre el servicio público: planteamientos ideológicos y funcionalidad técnica», en *Revista de Administración Pública*, núms. 100-102, enero-diciembre 1982; MARTÍN-RETORTILLO BAQUER, L., *La cláusula del orden público como límite —impreciso y creciente— del ejercicio de los derechos*, Madrid, 1975; MARTÍN RETORTILLO, S., «Exceso de poder como vicio del acto administrativo», en *Revista de Administración Pública*, núm. 23, 1957; MESTRE DELGADO, E., «Límites constitucionales de las remisiones normativas en Derecho penal», en *Anuario de Derecho Penal y Ciencias Penales*, núm. 2, 1988; MESTRE LÓPEZ, J., *El delito de desobediencia a la autoridad o a sus agentes (Estudio del Artículo 237 del Código Penal)*, Barcelona, 1988; MIRANDA ESTRAMPES, M., «De los atentados contra la autoridad, sus agentes y los funcionarios públicos, y de la resistencia y desobediencia», en DEL MORAL GARCÍA, A./SERRANO BUTRAGUEÑO, I., *Código penal (comentarios y jurisprudencia)*, tomo II, Granada, 2002; MONCADA LORENZO, A., «Significado y técnica jurídica de la policía administrativa», en *Revista de Administración Pública*, núm. 28, 1959; MORELL OCAÑA («Prólogo» a LÓPEZ-FONT MÁRQUEZ, J. F., *La configuración jurídica del principio de autoridad*, Madrid, 1993; MORENO REBATO, M., «Circulares, instrucciones y órdenes de servicio; naturaleza y régimen jurídico», en *Revista de Administración Pública*, núm. 147, 1998; MOROTE SARRIÓN, J. V., *Las circulares normativas de la Administración Pública*, Valencia, 2002; MUÑOZ CONDE, F., *Introducción al Derecho penal*, Barcelona, 1975; id., «Delitos electorales», en *CPCri.*, núm. 2, 1977; id., *Derecho penal, Parte Especial*, 2ª ed., 1976; 6ª ed., Sevilla, 1985; 21ª ed. revisada y puesta al día por con la colaboración de Carmen López Pelegrín, Valencia, 2017; NIETO, A., «Las consultas a la Administración: una aportación jurisprudencial a los conceptos de acto administrativo y de acto inexistente», en *Revista Española de Derecho Administrativo*, núm. 8, 1976;

NIETO GARCÍA, A., *La burocracia. I. El pensamiento burocrático*, Madrid, 1976; NIETO MARTÍN, A., «El concepto de funcionario público», en VVAA, *Fraude y corrupción en el Derecho penal económico europeo*, Cuenca, 2006; OCTAVIO DE TOLEDO Y UBIETO, E., «El bien jurídico protegido en los Capítulos VI y VII del Título II del Código Penal (Comentario a algunas Sentencias del Tribunal Supremo dictadas sobre esta materia en los últimos años)», en *Cuadernos de Política Criminal*, núm. 1, 1977; del mismo autor, *La prevaricación del funcionario público*, Madrid, 1980; *id.*, «De nuevo sobre el interés protegido en atentados, desacatos y figuras afines», en *Cuadernos de Política Criminal*, núm. 11, 1980; *id.*, «Las actuaciones en nombre de otro», en *Revista del Ilustre Colegio de Abogados del Señorío de Vizcaya*, septiembre-octubre 1984; *id.*, «Nota al artículo 339» en *Código Penal y Legislación Complementaria*, Madrid, 1986; OLAIZOLA NOGALES, I., «Concepto de funcionario público a efectos penales», en A. Asúa Batarrita (ed.) *Delitos contra la Administración Pública*, Oñati, 1997; ORTS BERENGUER, E., «Inhumaciones ilegales e infanticidio», en *Delitos contra la salud pública*, Valencia 1977; *id.*, en T. S. VIVES ANTÓN (coord.) «Artículo 24 CP», en *Comentarios al Código penal de 1995*, Valencia 1996; PACHECHO, J. F., *El Código penal concordado y comentado*, Tomo I, 3ª ed. corregida y aumentada, Madrid, 1867, *Tomo II*, 5ª ed. corregida y aumentada, Madrid, 1881; PARADA VÁZQUEZ, R., «Evolución histórica de la función pública», en PARADA VÁZQUEZ, R. y FUENTETAJA PASTOR, J., *Derecho de la Función Pública*, 2013; PAREJO ALFONSO, L., *Estado social y Administración Pública. Los postulados constitucionales de la reforma administrativa*, Madrid, 1983; PLATÓN, *Diálogos. Apología, Critón, Eutrifrón, Ion, Lisis, Cármides, Hipias Menos, Hipias Mayor, Laues, Protágoras*, «Introducción» Emilio Lledó, trad. J. Calonge, E. Lledó y C. García Gual, Madrid, 1990; POSADA DE HERRERA, A., *Lecciones de Administración*, Madrid, 1978; PRATS CANUT, J. M. en QUINTERO OLIVARES, G./MORALES PRATS, F. (Dir./coord.) *Comentarios al nuevo Código penal*, 4ª ed., Cizur Menor, 2005; QUERALT JIMÉNEZ, J. J., *Derecho penal, Parte Especial*, 7ª ed., Valencia, 2015; QUINTERO OLIVARES, G., «Artículo 24», en QUINTERO OLIVARES, G. (dir.) *Comentarios al Código Penal español. Tomo I (Artículos 1 a 233)*, 6ª ed., Cizur Menor, 2011; *id.*, «De Los atentados contra la autoridad, sus agentes y los funcionarios públicos, y de la resistencia y desobediencia», en QUINTERO OLIVARES, G./MORALES PRATS, F. (Dir./Coord.) *Comentarios al Código penal español*, tomo II, 7º ed., Cizur Menor, 2016; RAMÓN RIBAS, E., «La derogación jurisprudencial del artículo 24.2 CP (concepto de funcionario público)», en *Estudios Penales y Criminológicos*, vol. XXXIV, 2014; RAWLS, J., «Legal Obligation and the Duty of Fair Play», en Samuel Freeman (ed.) *Collected Papers*, London, 1999, pág. 117; REBOLLO PUIG, M., «La peculiaridad de la policía administrativa y su singular adaptación el principio de legalidad», en *Revista Vasca de Administración Pública*, núm. 54, 1999; REBOLLO VARGAS, R., «Algunas consideraciones sobre autoría y participación en los delitos especiales. Particular referencia al delito de tortura», en *ADPCP*, vol. LIII, 2000; REQUEJO CONDE, C., «Tentativa y desistimiento en los delitos de omisión», en *Actualidad Penal*, núm. 24, 2001; ROCA AGAPITO, L., *El delito de malversación de caudales públicos*, Barcelona, 1999; *id.*, «Concepto de autoridad y de funcionario público a efectos penales», en *Revista de Derecho y Proceso Penal*, núm. 31, 2013; *id.* «Concepto de autoridad y de funcionario público a efectos penales», en ÁLVAREZ GARCÍA, F. J. (dir.) *Tratado de Derecho Penal Español. Parte Especial. III, Delitos contra las Administraciones Pública y de Justicia*, Valencia, 2013; RODRÍGUEZ DEVESA, J. Mª., *La obediencia debida en el Derecho penal militar*, Madrid, 1957; *id.*, *Derecho penal español, Parte Especial*, 3º ed., Madrid, 1969; *id.*, *Derecho Penal Español. Parte Especial*, Madrid, 1973; RODRÍGUEZ DEVESA, J. M./SERRANO GÓMEZ, A., *Derecho penal español, Parte Especial*, 18ª ed., Madrid, 1995; RODRÍGUEZ MOURULLO, G «El autor mediato en el Derecho penal español», en *Problemas actuales de las ciencias penales y la filosofía del Derecho. En homenaje al Profesor Luís Jiménez de Asúa*, Buenos Aires, 1970; *id.*, «Artículo 24», en VV.AA. *Comentarios al Código penal*, Madrid, 1997; ROIG TORRES, M., *El delito de atentado*, Cizur Menor, 2004; ROIG TORRES, M., *El delito de atentado*, Cizur Menor, 2004; ROMANO, S., «Poteri, potestà», en *Frammenti di un dizionario giuridico*, Milano, 1947; RON LATAS, R. P., «El Consejo General del Poder Judicial. Marco constitucional», en

Anuario da Facultade de Dereito da Universidade da Coruña, núm. 20, 2016; ROSO CAÑADI-LLAS, R., «Resistencia, desobediencia y atentado: actuación del agente de la autoridad frente a estas conductas: (comentario a la STS Sala 2ª, de 4 de junio de 1993)», en *Poder Judicial*, núm. 35, 1994; ROYO VILLANOVA, A. S., *Elementos de Derecho Administrativo*, I, 26 ed., Valladolid, 1965; ROXIN, C., *Derecho Penal II. Parte General. Tomo II. Especiales formas de aparición del delito*, trad. de la 1ª ed. alemana y notas Diego-Manuel Luzón Peña (Dir.), Cizur Menor, 2014; RUEDA GARCÍA, L., «El concepto de ilicitud de la orden en las infracciones contra la disciplina militar», en *Revista de Derecho penal, procesal y penitenciario, La Ley Penal*, núm. 7, 2004; RUIZ, J., *La justicia en España*, Madrid, 1985; SAIZ, M. D., «Opinión pública y desamortización. La Ley General de desamortización de Madoz de 1 de mayo de 1855», en *Agricultura y Sociedad*, núm. 28, 1983; SÁNCHEZ AGESTA, L., *Historia del constitucionalismo español*, Madrid, 1974; *id.* «Los perfiles históricos de la monarquía constitucional en España», en *Revista de Estudios Políticos*, núm. 55, 1987; SANDOVAL, J. C., *El delito de rebelión. Bien jurídico y conducta típica*, Valencia, 2013; SANTAMARÍA PASTOR, J. A., *La nulidad de pleno derecho de los actos administrativos. Contribución a una teoría de la ineficacia en el Derecho público*, 2ª ed., Madrid, 1975; *id.*, «Sobre la personalidad jurídica de las Cortes generales. Una aproximación a los problemas de las organizaciones estatales no administrativas», en *Revista de Derecho Político*, núm. 9, 1981; SEDANO LORENZO, A., «La Guardia Civil ante la ley penal militar», en *Revista Jurídica de Castilla y León*, núm. 34, septiembre 2014; SOLA RECHE, E., *La omisión del deber de intervenir para impedir determinados delitos del art. 450 CP*, Granada, 1999; SOLÉ TURA, J. y AJA, E., *Constituciones y períodos constituyentes en España (1808-1936)*, 8ª ed., Madrid, 1981; TAU ANZOÁTEGUI, V., *La ley se obedece pero no se cumple: En torno a la suplicación de las leyes en el Derecho Indiano*, Quito, 1980; TERRADILLOS BASOCO, J. M./GALLARDO GARCÍA, R. M., «Delitos contra el orden público (I)», en TERRADILLOS BASOCO, J. M., *Lecciones y materiales para el estudio del Derecho penal*, tomo III, Derecho penal, Parte Especial, vol. II, 2ª ed., Madrid, 2016; TOMÁS Y VALIENTE, F., *El marco político de la desamortización en España*, Barcelona, 1971; TOMÁS VILLARROYA, J., en *Breve historia del constitucionalismo español*, Madrid, 1981; TORRES FERNÁNDEZ, M. E., «Los delitos de atentado en el Código penal de 1995», en *Revista Electrónica de Ciencia Penal y Criminológica*, 1999; URRUELA MORA, A., «Las agresiones a profesionales sanitarios desde la perspectiva del Derecho sancionatorio. Particular consideración del delito de atentado», en *Revista Penal*, núm. 38, 2016; VALEIJE ÁLVAREZ, I., «Reflexiones sobe los conceptos penales de funcionario público, función pública y "personas que desempeñan una función pública"», en *Cuadernos de Política Criminal*, núm. 62, 1997; VALLDECABRES ORTIZ, M. I., *Imparcialidad del Juez y medios de comunicación*, Madrid, 2004; VARGAS CAMACHO, P. A., «Los miembros de las fuerzas armadas como agentes de la autoridad», en *Revista Ejército*, núm. 871, noviembre, 2013; VÁZQUEZ GONZÁLEZ, C., «Delitos contra el orden público (I)», en A. SERRANO GÓMEZ/A. SERRANO MAÍLLO/M. D. SERRANO TARRAGA/C. VÁZQUEZ GONZÁLEZ, *Curso de Derecho penal, Parte Especial*, 2ª ed., Madrid, Dykinson, 2015; VENTURA PÜSCHEL, A. y ÁLVAREZ GARCÍA, F. J., «Violencia e impunidad: Examen al Estado», en De la Cuesta Aguado, P y otros *Liber amicorum. Estudios Jurídicos en Homenaje al Prof. Dr. Dr. h.c. Juan Mª Terradillos Basoco*, Valencia, 2018; VICENTE Y CARAVANTES, J. («Del delito de atentado contra la autoridad y sus agentes según las disposiciones del Código penal y la jurisprudencia del Tribunal Supremo», en *Revista General de Legislación y Jurisprudencia*, núm. 53, 1878; VILLAR PALASÍ, J. L., *Técnicas remotas del Derecho Administrativo*, Madrid, 2001, pág. 27, y *Derecho Administrativo. Introducción y teoría de las normas*, Madrid, 1968; VIVES ANTÓN, T. S., «Consideraciones político-criminales en torno a la obediencia debida», en *Estudios Penales y Criminológicos. V. 1980-1981*, Santiago de Compostela, 1982.

Lección 2ª

Delitos de tenencia, tráfico y depósito de armas, municiones o explosivos

ESTHER HAVA GARCÍA

Artículo 563

La tenencia de armas prohibidas y la de aquellas que sean resultado de la modificación sustancial de las características de fabricación de armas regla-mentadas, será castigada con la pena de prisión de uno a tres años.

Artículo 564

1. La tenencia de armas de fuego reglamentadas, careciendo de las licencias o permisos necesarios, será castigada:
1.º Con la pena de prisión de uno a dos años, si se trata de armas cortas.

2.º Con la pena de prisión de seis meses a un año, si se trata de armas largas.

2. Los delitos previstos en el número anterior se castigarán, respectivamente, con las penas de prisión de dos a tres años y de uno a dos años, cuando concurra alguna de las circunstancias siguientes:

1.º Que las armas carezcan de marcas de fábrica o de número, o los tengan alterados o borrados.

2.º Que hayan sido introducidas ilegalmente en territorio español.

3.º Que hayan sido transformadas, modificando sus características originales.

Artículo 565

Los Jueces o Tribunales podrán rebajar en un grado las penas señaladas en los artículos anteriores, siempre que por las circunstancias del hecho y del culpable se evidencie la falta de intención de usar las armas con fines ilícitos.

Artículo 566

1. Los que fabriquen, comercialicen o establezcan depósitos de armas o municiones no autorizados por las leyes o la autoridad competente serán castigados:

1.º Si se trata de armas o municiones de guerra o de armas químicas, biológicas, nucleares o radiológicas o de minas antipersonas o municiones en racimo, con la pena de prisión de cinco a diez años los promotores y organizadores, y con la de prisión de tres a cinco años los que hayan cooperado a su formación.

2.º Si se trata de armas de fuego reglamentadas o municiones para las mismas, con la pena de prisión de dos a cuatro años los promotores y organizadores, y con la de prisión de seis meses a dos años los que hayan cooperado a su formación.

3.º Con las mismas penas será castigado, en sus respectivos casos, el tráfico de armas o municiones de guerra o de defensa, o de armas químicas, biológicas, nucleares o radiológicas o de minas antipersonas o municiones en racimo.

2. Las penas contempladas en el punto 1.º del apartado anterior se impondrán a los que desarrollen o empleen armas químicas, biológicas, nucleares o radiológicas o minas antipersonas o municiones en racimo, o inicien preparativos militares para su empleo o no las destruyan con infracción de los tratados o convenios internacionales en los que España sea parte.

Artículo 567

1. Se considera depósito de armas de guerra la fabricación, la comercialización o la tenencia de cualquiera de dichas armas, con independencia de su modelo o clase, aun cuando se hallen en piezas desmontadas. Se considera depósito de armas químicas, biológicas, nucleares o radiológicas o de minas antipersonas o de municiones en racimo la fabricación, la comercialización o la tenencia de las mismas.

El depósito de armas, en su vertiente de comercialización, comprende tanto la adquisición como la enajenación.

2. Se consideran armas de guerra las determinadas como tales en las disposiciones reguladoras de la defensa nacional. Se consideran armas químicas, biológicas, nucleares o radiológicas, minas antipersonas o municiones en racimo las determinadas como tales en los tratados o convenios internacionales en los que España sea parte.

Se entiende por desarrollo de armas químicas, biológicas, nucleares o radiológicas, minas antipersonas o municiones en racimo cualquier actividad consistente en la investigación o estudio de carácter científico o técnico encaminada a la creación de una nueva arma química, biológica, nuclear o radiológica, o mina antipersona o munición en racimo o la modificación de una preexistente.

3. Se considera depósito de armas de fuego reglamentadas la fabricación, comercialización o reunión de cinco o más de dichas armas, aun cuando se hallen en piezas desmontadas.

4. Respecto de las municiones, los Jueces y Tribunales, teniendo en cuenta la cantidad y clase de las mismas, declararán si constituyen depósito a los efectos de este capítulo.

Artículo 568

La tenencia o el depósito de sustancias o aparatos explosivos, inflamables, incendiarios o asfixiantes, o sus componentes, así como su fabricación, tráfico o transporte, o suministro de cualquier forma, no autorizado por las Leyes o la autoridad competente, serán castigados con la pena de prisión de cuatro a ocho años, si se trata de sus promotores y organizadores, y con la pena de prisión de tres a cinco años para los que hayan cooperado a su formación.

Artículo 569

Los depósitos de armas, municiones o explosivos establecidos en nombre o por cuenta de una asociación con propósito delictivo, determinarán la declaración judicial de ilicitud y su consiguiente disolución.

Artículo 570

1. En los casos previstos en este capítulo se podrá imponer la pena de privación del derecho a la tenencia y porte de armas por tiempo superior en tres años a la pena de prisión impuesta.

2. Igualmente, si el delincuente estuviera autorizado para fabricar o traficar con alguna o algunas de las sustancias, armas y municiones mencionadas en el mismo, sufrirá, además de las penas señaladas, la de inhabilitación especial para el ejercicio de su industria o comercio por tiempo de 12 a 20 años.

I. CONSIDERACIONES GENERALES

1. Introducción

En la noche del 1 de octubre de 2017, un contable jubilado de 64 años de edad disparó sus rifles desde una habitación del piso 32 de un hotel sobre una multitud de personas que asistían a un festival de música *country* en Las Vegas (Nevada, Estados Unidos), causando en quince minutos 58 víctimas mortales y 546 lesionadas. Una hora más tarde el francotirador se suicidó disparándose a sí mismo, utilizando para ello una de las 23 armas (la mayoría automáticas) que tenía consigo en la habitación. En su casa fueron halladas otras 18 armas, munición y posible material para fabricar bombas. Nevada es uno de los estados norteamericanos con una regulación más flexible sobre compraventa de armas.

Un mes después de estos hechos, que constituyen la mayor matanza por arma de fuego de la historia de los Estados Unidos y la peor masacre en territorio norteamericano desde los atentados terroristas del 11 de septiembre de 2001, tenía lugar otro tiroteo en Sutherland Springs (un pueblo blanco, protestante y anglosajón), a las afueras de la ciudad texana de San Antonio: Un ex soldado de 26 años entraba disparando a bocajarro a los feligreses que asistían a misa en una iglesia baptista de la comunidad, causando con ello 26 muertos y otros 30 heridos con su rifle semiautomático *Ruger*. Aunque el francotirador logró huir del lugar, poco tiempo después fue hallado muerto por la policía.

Según las autoridades encargadas de investigar estos sucesos, ninguna de las dos matanzas tuvo un motivo racional, ni estuvieron relacionadas con creencias ideológicas o políticas.

Probablemente son muchos, y complejos, los factores que explican el porqué ocurren hechos como los anteriores, pero parece fuera de dudas que la laxitud de la regulación estadounidense en materia de tenencia y comercio de armas constituye un factor, si no determinante, al menos altamente favorecedor de este clase de sucesos. Y esa laxitud legislativa se ve a su vez favorecida por una determinada «cultura de las armas»: aquella que profesa un amplio sector de la sociedad norteamericana, convencido de que tienen derecho a protegerse a sí mismos, y de que el mejor modo de lograrlo es usando armas de fuego. Una cultura de las armas que explica en última instancia el porqué la *National Rifle Association* fue la única organización civil que participó, en representación de los Estados Unidos, en las negociaciones del Tratado sobre Comercio de Armas de Naciones Unidas.

La «cultura de las armas» no es desde luego ajena a España. Cierto es que en nuestro país no tenemos una organización tan poderosa como la Asociación Nacional del Rifle americana, pero sí otras agrupaciones como la «Asociación Nacional del Arma» o la «Asociación Armera», amén de diversas publicaciones en papel y *online* que se encargan de mantener al día de las últimas novedades en armamento a los aficionados. Lógicamente, en el caso español esta «cultura» se ve reforzada por la afición a la caza, factor que a su vez explica el elevado número de armas que se hallan censadas legalmente en nuestro país destinadas a la práctica cinegética: En septiembre de 2016, un 78,9% del total de armas civiles registradas en España eran escopetas de caza (más de dos millones), a las que habría que añadir las más de 300.000 armas de fuego largas para caza mayor que constan en el *Anuario Estadístico del Ministerio del Interior* correspondiente a ese año. Según el mismo Anuario, en 2016 había censadas en nuestro país casi tres millones de guías de pertenencia correspondientes a armas particulares. Curiosamente, y de acuerdo con el *Anuario de Estadísticas Deportivas 2017* del Ministerio de Educación, Cultura y Deporte, en 2016 solo había registradas 332.130 licencias de caza.

Pero con independencia del fin teórico por el que se posea el arma (autodefensa, práctica de la caza), parece un hecho indiscutible que las armas sirven, ante todo, para matar, y que cumplen ese objetivo muy eficazmente. Para demostrarlo basta con leer las estadísticas mundiales sobre tasas de homicidios publicadas por la *Oficina de Naciones Unidas contra la Droga y el Delito* (UNDOC): Del total de homicidios intencionales cometidos en el mundo durante 2012, un 41% fueron ejecutados usando un arma de fuego. En España, si bien es cierto que la tasa de homicidios es muy baja (0,8 por cada 100.000 habitantes), también lo es que un sorprendente 14% de tales homicidios fueron cometidos con arma de fuego (compárese los datos anteriores, por ejemplo, con los de Rumanía, que en el mismo año tenía una tasa de homicidios intencionales del 2 por cada 100.000 habitantes —más del doble que la española—, pero solo un 2% habían sido ejecutados con arma de fuego —esto es, siete veces menos que el porcentaje equivalente español).

Por otro lado, la aparente severidad con la que se regula la tenencia de armas de fuego en España no impide a nuestro país ostentar uno de los principales papeles protagonistas en el tráfico ilegal de armas, al menos en lo que respecta al territorio europeo. En efecto, según el Estudio sobre armas de fuego publicado por la UNODC en 2015, España declaró que el 99.45 por ciento de las armas de fuego que fueron incautadas en 2013 dentro de su territorio habían sido fabricadas en nuestro país; también eran de manufactura española buena parte de las armas de fuego incautadas en Holanda, el 23.3% de las decomisadas en Rumanía y el 10% de la munición ilegal hallada en Ecuador. Fuera del contexto europeo, España también se reserva un cierto protagonismo en el comercio de las armas, aunque en este caso sobresale de forma especial en lo relativo a las de defensa. Según el *Stockholm International Peace Research Institute* (SIPRI), nuestro país ocupa el séptimo lugar en la lista de principales exportadores de grandes armas para el último periodo analizado (2011-2015), posición que no parece vaya a menguar, dado que durante 2016 España batió su récord de exportaciones de material de defensa (ingresando por este concepto un total de 4.051,8 millones de euros, lo que supone un aumento del 8,9% respecto a 2015, según el Informe anual sobre exportación de armas de defensa y productos de doble uso de la Secretaría de Estado de Comercio correspondiente a 2016).

2. *Regulación internacional*

La regulación internacional en materia de control de armamento ha tenido, y tiene, una singular influencia en la tipificación de los delitos relacionados con la fabricación, tenencia y tráfico ilícitos de armas, hasta el punto de que prácticamente todas las modificaciones que se han incluido en estos preceptos penales desde 1995 han estado motivadas, expresa o tácitamente, por el contenido de los tratados y convenciones internacionales que sobre la materia ha ido ratificando España desde entonces, especialmente sobre armamento destinado a uso militar.

Ya en la década de los ochenta comenzaron las negociaciones internacionales para elaborar la *Convención sobre la prohibición del desarrollo, la producción, el almacenamiento y el empleo de armas químicas y sobre su destrucción*, instrumento que sin embargo no entró en vigor hasta 1997. Esta Convención, que no cubre las armas biológicas, es implementada por la Organización para la Prohibición de Armas Químicas (*Organization for the Prohibition of Chemical Weapons -OPCW*), un órgano independiente facultado para verificar, mediante inspecciones *in situ* de plantas militares e industriales, el cumplimiento de las disposiciones de la Convención por los países miembros. El Tratado incluye un Anexo de las sustancias químicas objeto de control (bien por constituir en sí mismas armas químicas —por ejemplo, gas mostaza o agentes nerviosos, como el VX o el gas sarín—, bien por ser utilizadas para la elaboración de tales armas), que son clasificadas en tres Listas con sus respectivos regímenes aplicables; así por ejemplo, aunque con carácter general el texto de la Convención no solo no prohíbe, sino que alienta, el comercio entre los países miembros de sustancias o productos químicos que vayan a ser utilizados con fines pacíficos, se restringe fuertemente su transferencia a terceros Estados: prohibiéndola en el caso de sustancias incluidas en las Listas 1 y 2, y requiriendo un certificado de uso final expedido por el país importador en el caso de sustancias de la Lista 3.

Por otro lado, y a pesar de que la expresión «armas de destrucción masiva» (ADM) viene empleándose desde hace casi un siglo, su uso como sinónimo de armas nucleares, biológicas o químicas se generalizó a partir de la década de los noventa, coincidiendo con la aprobación de la Resolución 687 (1991), de 3 de abril, del Consejo de Seguridad de Naciones Unidas sobre el conflicto entre Irak y Kuwait, en la que se declaraba que «*todas las armas de destrucción en masa constituyen una amenaza para la paz y la seguridad*». Pero es sobre todo a partir de los atentados del 11-S y la consecuente invasión de Irak en 2003 (teóricamente justificada en el presunto desarrollo iraquí de ADM) cuando la expresión se populariza y adquiere verdadero protagonismo internacional, aunque tal protagonismo no ha ido acompañado de un verdadero desarrollo normativo mediante tratados internacionales diferentes a los que ya habían sido aprobados en materia de armas nucleares, biológicas y químicas. De hecho, la Resolución 1540 (2004), de 28 de abril, del Consejo de Seguridad de Naciones Unidas, se limitó a reafirmar «*la necesidad de que todos los Estados Miembros cumplan sus obligaciones en relación con el control de armamento y el desarme y eviten la proliferación en todos sus aspectos de todas las armas de destrucción en masa*». Al respecto, resulta significativo que esta sea la única mención a las ADM que aparece en el texto de la Resolución 1540 (2004); el resto del documento se refiere a «*armas nucleares, químicas y biológicas y sus sistemas vectores*» (esto es, misiles, cohetes y otros sistemas no tripulados capaces de transportar tales armas, diseñados especialmente para ese fin).

A finales del siglo XX comienza a prestarse atención internacional a otro tipo de armas que, si bien podrían considerarse convencionales (pues no son ni nucleares, ni biológicas ni químicas), contienen una alta potencialidad lesiva que las sitúa a medio camino entre las armas de destrucción masiva y las convencionales clásicas (esto es, las armas pequeñas y ligeras). Los efectos excesivamente nocivos e indiscriminados de algunas de estas armas han provocado su reglamentación en el ámbito del denominado Derecho Internacional Humanitario, gracias, en buena parte, a la iniciativa desplegada en este ámbito por el Comité Internacional de la Cruz Roja (CICR). En este contexto debe mencionarse la *Convención sobre la prohibición del empleo, almacenamiento, producción y transferencia de minas antipersonal y sobre su destrucción*, abierta a la firma en Ottawa en 1997, que está referida a *«toda mina concebida para que explosione por la presencia, la proximidad o el contacto de una persona, y que incapacite, hiera o mate a una o más personas»*, según la definición contenida en su art. 2. Pertenece asimismo a este grupo de tratados la *Convención sobre Municiones en Racimo* de 2008, en vigor desde el 1 de agosto de 2010, que prohíbe el uso, almacenamiento, producción y transferencia de este tipo de munición, que es definida en su art. 2.2 como aquella *«que ha sido diseñada para dispersar o liberar submuniciones explosivas, cada una de ellas de un peso inferior a 20 kilogramos, y que incluye estas submuniciones explosivas»*.

Por su parte, la preocupación por el control de armas de fuego pequeñas y ligeras irrumpe en el ámbito internacional de la mano de otro problema global y acuciante: la criminalidad organizada. En efecto, si bien en el seno de muchos tratados internacionales sobre control de armas ha arraigado la idea de que los Estados tienen un derecho inherente a la autodefensa (y que por tanto también poseen el derecho a adquirirlas para sí mismos y para transferirlas a otros Estados), la globalización ha servido para poner de relieve, como ningún otro fenómeno antes, un hecho en sí evidente: que los grupos criminales, especialmente los de naturaleza transnacional, pueden usar ese mismo tipo de armas para contravenir la autoridad estatal, e incluso desestabilizar al propio Estado afectado. Por ello, no es de extrañar que el primer instrumento normativo adoptado en el ámbito de Naciones Unidas de forma específica sobre el control de armas pequeñas y ligeras (las que con más facilidad pueden estar en manos de «civiles») sea un protocolo anexo a la *Convención contra la Delincuencia Organizada Transnacional*, abierta a la firma en Palermo en el año 2000. En efecto, el *Protocolo contra la fabricación y el tráfico ilícitos de armas de fuego, sus piezas y componentes y municiones*, adoptado por Resolución de la Asamblea de Naciones Unidas 55/255, de 31 de mayo de 2001, constituye uno de los principales instrumentos de *«hard law»* sobre control de armas pequeñas y ligeras. El objetivo primario del Protocolo coincide con el del Tratado al que complementa (esto es, reducir el crimen organizado), razón por la cual su ámbito de aplicación se limita expresamente *«a la prevención de la fabricación y el tráfico ilícitos de armas de fuego... cuando esos delitos sean de carácter transnacional y entrañen la participación de un grupo delictivo organizado»*, excluyendo las transacciones entre Estados o transferencias estatales *«cuando la aplicación del Protocolo pudiera perjudicar el derecho de un Estado Parte a adoptar medidas en aras de la seguridad nacional en consonancia con la Carta de Naciones Unidas»* (art. 4).

En consonancia con su naturaleza de *«hard law»*, el Protocolo obliga a los países miembros a tipificar como delito en sus respectivos ordenamientos no solo la fabricación y tráfico ilícitos de armas de fuego, piezas y componentes y municiones, sino también la falsificación o alteración de sus marcas identificativas, así como a penalizar la tentativa, las formas de participación distintas de la autoría y los actos preparatorios de dichos de delitos (art. 5). Asimismo, se ordena a los Estados Parte que adopten, dentro de los márgenes permitidos por sus respectivos ordenamientos, *«las medidas que sean necesarias para permitir el decomiso de las armas de fuego... que hayan sido objeto de fabricación o tráfico ilícitos»* e impedir que *«caigan en manos de personas no autorizadas, en particular mediante la incautación y destrucción de esas armas de fuego, sus piezas y componentes y municiones, a menos que se haya autorizado oficialmente otra forma de disposición, siempre y cuando se hayan marcado las armas de fuego y se hayan registrado los métodos para la disposición de esas armas de fuego y municiones»* (art. 6). El Protocolo contiene además otras disposiciones que, si bien no están directamente relacionadas con la penalización del tráfico ilícito, poseen una indudable importancia a la hora de prevenir y perseguir tales comportamientos. De este modo, se ordena el mantenimiento de registros de armas (especificando la información que deben contener para cada una de ellas —art. 7); se regula su marcado (con el fin de posibilitar su identificación —art. 8) y las directrices aplicables a su desactivación (para evitar la reactivación ilícita de armas ya desactivadas —art. 9); se establecen los requisitos generales aplicables a las licencias o autorizaciones de exportación, importación y tránsito, las medidas de seguridad aplicables a tales actividades, la información que sobre fabricantes, comerciantes y transportistas deben intercambiar los Estados (artículos 10 a 12), así como otras normas más laxas en materia de cooperación, capacitación y asistencia técnica, y operaciones de corretaje (artículos 13 a 15).

El otro instrumento clave de Naciones Unidas sobre control de armas pequeñas y ligeras es el *Tratado sobre Comercio de Armas* (TCA), que fue aprobado en 2013 y entró en vigor en 2014, a pesar de que las negociaciones para su firma ya habían comenzado en los años noventa. La Guerra del Golfo de Irak de 1991 sirvió para informar a la opinión pública de los peligros suscitados por un mercado carente de controles adecuados: Tras la invasión de Kuwait, se evidenció que Irak estaba inundado de armas suministradas por los cinco países que son miembros permanentes del Consejo de Seguridad de la ONU, y que varios de ellos también habían estado armando a Irán en la década anterior, alimentando con ello una guerra de ocho años con los iraquíes que provocó centenares de miles de muertos entre la población civil. Ante tal situación, en definitiva, algunas de las primeras potencias mundiales se vieron obligadas a asumir un cambio de paradigma en el comercio de armas, con el fin de salvaguardar su reputación internacional. Un primer paso en esta línea, aunque muy limitado, fue la creación de un Registro de Armas Convencionales universal, por la Resolución 46/36, de 9 de diciembre de 1991, de la Asamblea General de Naciones Unidas, mediante la cual «se solicita» a los Estados miembros que proporcionen información al Registro sobre el número de piezas importadas o exportadas de carros de combate, vehículos blindados de combate, sistemas de artillería de gran calibre, aviones de combate, helicópteros de ataque, naves de guerra y misiles o sistemas de misiles.

Algunas ONGs como Amnistía Internacional e Intermón Oxfam, ciertas personalidades relevantes a nivel mundial (entre otros, varios Premios Nobel de la Paz), y algunas organizaciones internacionales (como la propia Unión Europea), tuvieron un papel muy relevante en el proceso negociador del TCA, hasta tal punto que se puede decir que, sin su esfuerzo, probablemente el Tratado de Comercio de Armas nunca habría sido aprobado, porque fueron muchas las presiones en su contra, entre ellas las procedentes de ciertas organizaciones civiles (como la Asociación del Rifle americana) y, por supuesto, de la industria armamentística, que veía en el Tratado un peligro para sus enormes beneficios económicos.

El TCA es el primer tratado internacional en reconocer explícitamente *«las consecuencias sociales, económicas, humanitarias y de seguridad del tráfico ilícito y el comercio no regulado de armas convencionales»*. De acuerdo con su art. 1, su objetivo es *«establecer normas internacionales comunes lo más estrictas posible para regular o mejorar la regulación del comercio internacional de armas convencionales»*, así como *«prevenir y eliminar el tráfico ilícito de armas convencionales y prevenir su desvío»*.

El ámbito de aplicación del TCA abarca las actividades de comercio internacional (exportación, importación, tránsito, transbordo y corretaje, que son denominadas «transferencias» —art. 2.2) que tengan por objeto alguno de los siete tipos de armas convencionales que estaban originariamente incluidas en el Registro de Armas Convencionales, o bien *«armas pequeñas y armas ligeras»* (art. 2.1). El TCA también se ocupa de las municiones para dichas armas, aunque en este caso el contenido regulador se limita a las exportaciones (art. 3); algo similar sucede con las partes y componentes, que solo son objeto de regulación cuando su exportación *«se haga de forma que proporcione la capacidad de ensamblar las armas convencionales»* (art. 4). No obstante, el TCA deja claro que su contenido son unos estándares mínimos, pues alienta a los Estados parte a aplicarlo *«a la mayor variedad posible de armas convencionales»*, las cuales deberán ser definidas a nivel nacional abarcando al menos lo mismo que las descripciones utilizadas en el Registro de Armas Convencionales (en el caso de las siete primeras categorías) o en los instrumentos pertinentes de Naciones Unidas (en el caso de las armas pequeñas y ligeras). Tales definiciones deberán usarse en la creación de un *«sistema nacional de control eficaz y transparente para regular la transferencia de armas convencionales»*, lo que incluye una lista nacional de control (que será facilitada a la Secretaría y puesta a disposición de los demás Estados), la designación de las autoridades nacionales competentes a tal fin y la designación de uno o más puntos de contacto nacionales para intercambiar información sobre cuestiones relacionadas con el Tratado (art. 5).

De singular importancia es lo establecido en los artículos 6 y 7 TCA, que constituyen el verdadero «núcleo duro» del Tratado. Conforme al primero de los preceptos mencionados, se prohíbe a los Estados parte autorizar transferencias de armas, municiones o partes o componentes en los siguientes casos: a) si la transferencia supone una violación de las obligaciones que le incumben al Estado en virtud de medidas adoptadas por el Consejo de Seguridad de Naciones Unidas, en particular los embargos de armas; b) si la transferencia supone una violación de sus obligaciones internacionales asumidas en virtud de acuerdos internacionales, especialmente los relativos al tráfico ilícito de armas convencionales; c) si en el momento de la autorización el Estado tiene conocimiento de que las armas o los elementos podrían utilizarse para cometer genocidio, crímenes de lesa humanidad, infracciones graves de los Convenios de Ginebra de 1949, ataques dirigidos contra bienes de carácter civil o personas civiles protegidas como tales, u otros crímenes de guerra tipificados en los acuerdos internacionales en los que sea parte.

El art. 7.1 TCA también impone ciertas limitaciones a las exportaciones que no resultan prohibidas, condicionando la concesión de la autorización a la previa evaluación en torno al potencial de las armas, municiones o partes o componentes para contribuir a socavar la paz y la seguridad, o bien ser utilizadas para cometer o facilitar: una violación grave del derecho internacional humanitario; una violación grave del derecho internacional de los derechos humanos; un acto que constituya delito en virtud de las convenciones o los protocolos internacionales relativos al terrorismo en los que sea parte el Estado exportador; o un acto que constituya delito en virtud de las convenciones o los protocolos internacionales relativos a la delincuencia organizada transnacional. En tales casos, el Estado exportador también deberá examinar si podrían adoptarse medidas para mitigar los riesgos mencionados, pero en todo caso deberá denegar la autorización si *«determina que existe un riesgo preponderante de que se produzca alguna de las consecuencias negativas contempladas en el párrafo 1»* (art. 7, párrafos 2 y 3 TCA). El último apartado del precepto obliga a tener en cuenta en la evaluación, además, *«el riesgo de que las armas… se utilicen para cometer o facilitar actos graves de violencia por motivos de género o actos graves de violencia contra las mujeres y los niños»*.

Mucho menos estrictas son las reglas establecidas en los artículos 8 a 11 del TCA, aplicables a otras operaciones comerciales internacionales, como son la importación, el tránsito o transbordo, el corretaje y el desvío. En esencia, tales reglas consisten en obligar a los Estados a «tomar medidas» (*«cuando proceda»* … *«siempre que proceda y sea factible»*) para regular la realización de importaciones, tránsitos o corretajes de armas convencionales (cuando se lleven a cabo bajo su jurisdicción), o bien para evitar su desvío. El TCA no menciona ni a las municiones ni a las partes o componentes en la regulación de estas operaciones comerciales, y tampoco se dice nada respecto de tales elementos en el art. 12 (que se encarga del registro nacional que cada Estado parte debe llevar de las autorizaciones de exportación que expida o de las exportaciones realizadas de armas convencionales) ni en el art. 13 (que se ocupa del informe sobre exportaciones e importaciones que anualmente deben presentar los Estados parte a la Secretaría).

3. El control de armas en la Unión Europea

El control de las armas ha constituido un tema complejo para la Unión Europea desde sus mismos inicios como organización supraestatal, y no solo porque las legislaciones sobre la materia de sus diferentes países miembros presentaban (y presentan) enormes diferencias, sino especialmente debido a los fuertes intereses económicos de aquellos Estados integrados en la UE que se dedicaban (y se dedican) a la fabricación y exportación de armamento.

Los cuantiosos beneficios que reporta el comercio de armas a los países que las fabrican, unidos a la evidente capacidad que otorga el armamento a estos Estados para influir en los conflictos internos e internacionales, constituyen probablemente las razones principales del tratamiento que a esta materia se otorgó en el art. 223 del Tratado constitutivo de la Comunidad Económica Europea (TCCE) de 1957; tratamiento que se mantiene en el vigente art. 346 del Tratado de Funcionamiento de la Unión Europea (TFUE), el cual establece: «1. Las disposiciones de los Tratados no obstarán a las normas siguientes: [...] b) todo Estado miembro podrá adoptar las medidas que estime necesarias para la protección de los intereses esenciales de su seguridad y se refieran a la producción o al comercio de armas, municiones y material de guerra; estas medidas no deberán alterar las condiciones de competencia en el mercado interior respecto de los productos que no estén destinados a fines militares» [al respecto véase por ejemplo la STJUE de 7-6-2012, Asunto C-615/10 (Tol 2551843)].

No obstante, a principios de la década de los noventa también se hizo evidente en el seno de la Unión Europea la necesidad de equilibrar los intereses comerciales y estratégicos de sus Estados miembros con las necesidades derivadas de la protección de sus ciudadanos. Una vez aprobado el Acuerdo Schengen, preocupaban las repercusiones que podía tener la entrada en vigor de la libre circulación de mercancías (prevista para diciembre de 1992) y la consiguiente supresión de los controles y formalidades aplicables en las fronteras intracomunitarias a los objetos transportados, lo que obligaba a armonizar determinados aspectos de las diferentes legislaciones sobre armas de los países miembros. Por ello fue aprobada la *Directiva 91/477/CEE del Consejo, de 18 de junio de 1991, sobre el control de la adquisición y la tenencia de armas*, concebida originariamente como una medida destinada a lograr un equilibrio entre los objetivos del mercado interior y las exigencias de seguridad por lo que respecta a las armas de fuego de uso civil.

El siguiente paso hacia un mayor control de la regulación de las armas se dio a través de una importante modificación del Derecho primario de la Comunidad Europea, enmarcada a su vez dentro de un cambio de perspectiva más profundo respecto de las relaciones entre los diferentes Estados miembros, que afectaba al propio concepto de cooperación de justicia en materia penal. En efecto, el *Tratado de Ámsterdam* (firmado el 2 de octubre de 1997) marcaba el comienzo de una evolución orientada, entre otras cosas, a reforzar la actuación de la UE en el campo de la criminalidad, dando con ello un verdadero salto cualitativo en el sentido y objetivos de la Unión (PALAZZO; QUINTERO OLIVARES). Concretamente, el Tratado de Ámsterdam modificó el Título VI de su predecesor (el Tratado de Maastricht), estableciendo que *«el objetivo de la Unión será ofrecer a los ciudadanos un alto grado de seguridad dentro de un espacio de libertad, seguridad y justicia»*, y que este objetivo debería lograrse mediante la prevención y lucha contra la delincuencia y en particular contra determinados delitos, entre los que se mencionaba expresamente el tráfico ilícito de armas. Sin embargo, estas modificaciones tuvieron en la práctica un alcance muy limitado, cuando no nulo, en lo que respecta a la regulación efectiva en materia de control de armas; tampoco tenía originariamente carácter vinculante el *Código de Conducta de la Unión Europea en materia de exportación de armas* de 1998, que tuvo que esperar diez años hasta convertirse en la Posición Común 2008/944/PESC del Consejo, de 8 de diciembre, por la que se definen las normas comunes que rigen el control de las exportaciones de tecnología y equipos militares.

La situación cambió sustancialmente con el Tratado de Lisboa, por el que se modificaban el TUE y el antiguo TCE (denominado a partir de ese momento TFUE); con él desaparece el método intergubernamental para producirse «una verdadera comunitarización de las materias que pertenecían al extinto Tercer Pilar», esto es, la cooperación policial y judicial en asuntos penales, además de preverse expresamente como competencia de la UE el dictado de normas de Derecho penal sustantivo; por otro lado, tras desaparecer las Decisiones Marco, la Unión podrá utilizar las directivas tanto para imponer a los países miembros la obligación de establecer sanciones penales, como para determinar la naturaleza y gravedad mínima de estas, por regla general a través del procedimiento de codecisión (ROMEO MALANDA). De este modo, y conforme a dicho procedimiento, *«el Parlamento Europeo y el Consejo podrán establecer, mediante directivas adoptadas con arreglo al procedimiento legislativo ordinario, normas mínimas relativas a la definición de las infracciones penales y de las sanciones en ámbitos delictivos que sean de especial gravedad y tengan una dimensión transfronteriza derivada del carácter o de las repercusiones de dichas infracciones o de una necesidad particular de combatirlas según criterios comunes. Estos ámbitos delictivos son los siguientes: el terrorismo, la trata de seres humanos y la explotación sexual de mujeres y niños, el tráfico ilícito de drogas, el tráfico ilícito de armas, el blanqueo de capitales, la corrupción, la falsificación de medios de pago, la delincuencia informática y la delincuencia organizada»* (art. 83.1 TFUE).

Ya en el siglo XXI, la actividad legislativa de la UE sobre control de armas se ha incrementado significativamente con el fin de dar respuesta (también mediante disposiciones penales) a dos objetivos fundamentales: combatir el uso de armas de fuego con fines delictivos (especialmente terroristas, habida cuenta de los atentados sufridos en los últimos años en territorio europeo) y satisfacer las exigencias derivadas de la firma de los instrumentos de Naciones Unidas sobre la materia.

En efecto, diez años después de que la Comisión firmara el Protocolo de Naciones Unidas sobre armas de fuego, fue aprobado el *Reglamento (UE) 258/2012 del Parlamento Europeo y del Consejo, de 14 de marzo de 2012,* en el que se establecen las normas que regulan las autorizaciones de exportación y las medidas de importación y tránsito para las armas de fuego, sus piezas y componentes esenciales y municiones, con el fin de dar cumplimento a lo dispuesto en el art. 10 de dicho Protocolo (que regula los requisitos generales aplicables a los sistemas de licencias o autorizaciones de exportación, importación y tránsito).

El ámbito de aplicación del Reglamento 258/2012 es más bien reducido, pues solo se aplica a las armas de fuego de uso civil (de modo que su contenido no afecta a la aplicación del art. 346 TFUE) y exclusivamente en relación a la exportación desde el territorio aduanero de la UE en dirección a terceros países o a través de estos, siempre y cuando dichas transferencias no puedan afectar «al derecho de una parte a emprender una acción en interés de la seguridad nacional que sea coherente con la Carta de las Naciones Unidas». Por lo que se refiere a las importaciones desde terceros países de armas de fuego, componentes o municiones, el considerando 11 del Reglamento 258/2012 establece expresamente que «están sujetas al Derecho de la Unión y, en particular a los requisitos de la Directiva 91/477/CEE».

Por su parte, los «productos de doble uso» (esto es, los que pueden destinarse a usos tanto civiles como militares y que incluyen todos los productos susceptibles de ser empleados tanto para usos no explosivos como para ayudar a la fabricación de armas nucleares u otros dispositivos nucleares explosivos), la normativa europea aplicable es el *Reglamento (CE) 428/2009 del Consejo, de 5 de mayo de 2009, por el que se establece un régimen comunitario de control de las exportaciones, la transferencia, el corretaje y el tránsito de productos de doble uso.* En cuanto a las armas de uso militar, debe mencionarse la *Directiva 2009/43/CE del Parlamento Europeo y del Consejo, de 6 de mayo de 2009, sobre la simplificación de los términos y las condiciones de las transferencias de productos relacionados con la defensa dentro de la Comunidad,* aunque su art. 1.2 aclara que dicha Directiva «no afectará a la discrecionalidad de los Estados miembros en materia de exportación de productos relacionados con la defensa».

Los atentados terroristas sufridos en territorio europeo durante 2015 (todos perpetrados con armas de fuego obtenidas ilegalmente) han sido el factor principal que ha provocado el endurecimiento de la regulación en materia de control de armas en el seno de la Unión Europea, fundamentalmente a través de dos Directivas aprobadas en 2017, que pueden tener influencia en la regulación penal de la materia: la *Directiva (UE) 2017/853 del Parlamento Europeo y del Consejo, de 17 de mayo de 2017,* por la que se modifica la Directiva 91/477/CEE (que ya había sido modificada en 2008), y la *Directiva (UE) 2017/541 del Parlamento Europeo y del Consejo, de 15 de marzo de 2017,* relativa a la lucha contra el terrorismo.

La Directiva 2017/853 ha alterado la redacción inicial de prácticamente todos los preceptos de la Directiva 91/477, en su versión anterior, de modo muy previsiblemente la totalidad de los países de la UE tendrán que abordar la reforma de sus respectivos sistemas nacionales de control de armas antes del 14 de septiembre de 2018, fecha en la que con carácter general finaliza el plazo otorgado para su transposición. Los cambios introducidos por la Directiva 2017/853 son sustanciales, si bien afectan más a la prevención y control de las transferencias que a aspectos penales sustantivos, pues esta Directiva no contiene ningún mandato que obligue a los Estados miembros a criminalizar de un determinado modo la fabricación, tenencia o comercio ilegal de armas. No obstante, dado que los delitos relacionados con la fabricación, tenencia y tráfico ilegal de armas constituyen tipos penales en blanco, el contenido de la Directiva 2017/853 puede influir en la interpretación y delimitación del ámbito de aplicación de dichos delitos. En esencia, las modificaciones más importantes introducidas por la Directiva 2017/853 que pueden tener trascendencia penal son las siguientes:

- Se amplían las definiciones contenidas en el art. 1, incluyendo entre otras las de «armas de alarma y de señalización», «armas de salvas y armas acústicas», «armas inutilizadas» y modificando algunas ya presentes en el texto de la Directiva, como las correspondientes a «armero», «corredor» o «tráfico ilícito»;

- Se especifica en el art. 2 que la Directiva «se entenderá sin perjuicio de la aplicación de disposiciones nacionales relativas al porte de armas, a la caza y al tiro deportivo, cuando se usen armas adquiridas y poseídas legalmente de conformidad con la presente Directiva», y que esta «no será de aplicación a la adquisición y tenencia, con arreglo al Derecho nacional, de armas y municiones por parte de las fuerzas armadas, la policía o las autoridades públicas», ni a las transferencias de productos relacionados con la defensa (que, como se vio, son reguladas por la Directiva 2009/43/CE).

- Se establece la obligación de comprobar que todas las armas de fuego o sus componentes, fabricados o importados en la UE, hayan sido señalados con un marcado «claro, permanente y único» y registrados de conformidad con lo dispuesto en la propia Directiva, «sin demora tras su fabricación y a más tardar antes de su comercialización, o sin demora tras su importación en la Unión». Asimismo se obliga a los Estados miembros a adoptar un sistema para regular las actividades de armeros y corredores, estableciendo una serie de medidas que como mínimo deberán incluir: registro nacional de tales profesionales, previa concesión de autorización o licencia para ejercer su actividad, así como «un control de la integridad privada y profesional y de la competencia en la materia del armero o del corredor de que se trate», al tiempo que se amplía la información que debe contener, para cada arma de fuego, el fichero informatizado de datos en el que todas deben estar registradas, además de concretar la regulación aplicable a los registros que deben llevar armeros y corredores (art. 4).

- Se establece la obligación a cargo de los Estados miembros de retirar la autorización para adquirir o tener armas de fuego cuando su titular haya sido condenado por un delito doloso violento (art. 5).

- Se prohíbe la adquisición y tenencia de armas de fuego, componentes esenciales y municiones de la categoría A, que es ampliada mediante la mención en el Anexo I de las armas automáticas transformadas en semiautomáticas o en armas de fogueo o similares, determinadas armas semiautomáticas (las cortas con cargadores superior a 20 disparos y las largas de más de 11 cartuchos o que puedan ocultarse fácilmente —por tener culata plegable, telescópica o que se pueda retirar); excepcionalmente se admite la concesión de autorizaciones para estos objetos «a los efectos de la protección de las infraestructuras críticas, el transporte marítimo comercial, convoyes de alto valor, edificios sensibles, de la defensa nacional y por motivos educativos, culturales, de investigación e históricos», siempre que tales autorizaciones se otorguen «en casos concretos y debidamente justificados» y «no sean contrarias a la seguridad pública ni al orden público». También se permite en determinadas circunstancias la concesión de estas licencias a museos, coleccionistas, tiradores deportivos, armeros y corredores, pero bajo «bajo estrictas condiciones de seguridad» (art. 6).

- Se prohíbe igualmente la adquisición de cargadores para determinadas armas de fuego semiautomáticas (cargadores de más de 20 cartuchos para arma corta o de más de 10 para arma larga) a quienes no estén en posesión de licencia para arma de la categoría A (art. 10).

- Se establecen medidas específicas para evitar la transformación de armas de fogueo y similares, así como la reactivación de armas inutilizadas (artículos 10 bis y 10 ter).

Por su parte, la Directiva 2017/541 constituye hasta el momento el único instrumento normativo que, en cumplimiento de lo dispuesto en el actual art. 83.1 TFUE, establece normas de Derecho penal sustantivo aplicables, aunque de modo indirecto, a la fabricación, tenencia y tráfico ilegales de armas. Dicha Directiva, elaborada en el mismo clima de alarma social provocado por los atentados de 2015, tiene por objeto (además de otras medidas relacionadas con la protección y asistencia a las víctimas del terrorismo) el establecimiento de *«normas mínimas relativas a la definición de las infracciones penales y las sanciones en el ámbito de los delitos de terrorismo, los delitos relacionados con un grupo terrorista y los delitos relacionados con actividades terroristas»* (art. 1), entre los que se incluye expresamente los de fabricación, tenencia y tráfico ilegal de armas con fines terroristas.

Concretamente, la Directiva obliga a los Estados miembros a adoptar las medidas necesarias para garantizar que se tipifiquen penalmente, cuando sean cometidos intencionalmente, entre otros los siguientes actos:

- *«La fabricación, tenencia, adquisición, transporte, suministro o utilización de explosivos o armas de fuego, armas químicas, biológicas, radiológicas o nucleares inclusive, así como la investigación y desarrollo de armas químicas, biológicas, radiológicas o nucleares»* como delitos de terrorismo, cuando se tales conductas se lleven a cabo con el fin de intimidar gravemente a una población, de obligar indebidamente a los poderes públicos o a una organización internacional a realizar un acto o a abstenerse de hacerlo, o bien de desestabilizar gravemente o destruir las estructuras políticas, constitucionales, económicas o sociales fundamentales de un país o de una organización internacional (art. 3.1.f).

- Instruir o recibir instrucción *«en la fabricación o el uso de explosivos, armas de fuego u otras armas o sustancias nocivas o peligrosas, o en otros métodos o técnicas concretos»*, a los fines de la comisión o la contribución a la comisión de cualquiera de los delitos de terrorismo enumerados en el art. 3.1, siempre que, en el primer caso, tal adiestramiento se realice *«con conocimiento de que las capacidades transmitidas se utilizarán con tales fines»* (artículos 7 y 8).

- La complicidad, inducción o tentativa de cualquiera de los delitos anteriores, con la única excepción de la tenencia de armas, que se excluye expresamente de la cláusula de punición de la tentativa (art. 14).

4. *Régimen administrativo de las armas, municiones y explosivos*

Todas las actividades de fabricación, tenencia y comercio de armas están sometidas en España a un riguroso sistema administrativo de control, en el que se regula detalladamente el régimen de prohibiciones y autorizaciones (con sus correspondientes infracciones y sanciones) que son aplicables a cada tipo de arma. La influencia de todo este complejo normativo en los tipos penales objeto de estudio es enorme, hasta el punto de que prácticamente ninguno de los elementos que conforman las diferentes descripciones típicas (objeto material, ausencia de licencia o autorización, etc.) puede ser interpretado o aplicado sin acudir a las concretas normas que regulan la conducta delictiva en cuestión, lo que convierte a alguna de tales conductas en auténticas remisiones *in totum* cuya constitucionalidad, como se verá más adelante, solo haciendo enormes esfuerzos ha podido salvar en ocasiones nuestro TC.

En efecto, el legislador español (o más bien habría que decir el gobierno español) ha hecho un amplio uso de la competencia exclusiva que le otorga el art.

149.1.26° CE en materia de régimen de producción, comercio, tenencia y uso de armas y explosivos, aunque dicha labor no siempre ha estado acompañada de una ordenación, sistematización y jerarquización de los contenidos que resultan muy necesarias en un ámbito tan complejo como este. En particular, la ausencia de normas con rango de ley dedicadas exclusivamente a regular la materia, unida a la dispersión normativa que existe en este terreno, hacen que pueda resultar muy difícil conocer en profundidad el régimen aplicable a cada clase de estos objetos, especialmente cuando se destinan a uso militar.

De forma similar a como lo hacía la ya derogada LO 1/1992, de 21 de febrero, sobre protección de la seguridad ciudadana, su sustituta homónima, la LO 5/2015, de 30 de marzo, atribuye amplias facultades al Gobierno en materia de control administrativo sobre armas, explosivos, cartuchería y artículos pirotécnicos Entre dichas facultades se encuentra: *a) la regulación de los requisitos y condiciones de fabricación, reparación, circulación, almacenamiento, comercio, adquisición, enajenación, tenencia y utilización de armas, sus imitaciones, réplicas y piezas fundamentales. b) La regulación de los requisitos y condiciones mencionados anteriormente en relación con los explosivos, cartuchería y artículos pirotécnicos. c) La adopción de las medidas de control necesarias para el cumplimiento de los requisitos y condiciones a que se refieren los párrafos a) y b)»* (art. 28.1); no obstante, la *«intervención de armas, explosivos, cartuchería y artículos pirotécnicos»* se encomienda expresamente a al Ministerio del Interior, *«que la ejerce a través de la Dirección General de la Guardia Civil…».* También se atribuye al Gobierno la regulación de las medidas de control necesarias sobre la materia en el art. 29.1, si bien se especifica en el segundo apartado del mismo precepto que *«la fabricación, comercio y distribución de armas, artículos pirotécnicos, cartuchería y explosivos, constituye un sector con regulación específica en materia de derecho de establecimiento, en los términos previstos por la legislación sobre inversiones extranjeras en España, correspondiendo a los Ministerios de Defensa, del Interior y de Industria, Energía y Turismo el ejercicio de las competencias de supervisión y control».*

Por lo que respecta a las armas, la norma administrativa esencial que proporciona las nociones generales sobre la materia es el *Real Decreto 137/1993, de 29 de enero, por el que se aprueba el Reglamento de Armas* (RA), el cual regula *«los requisitos y condiciones de fabricación y reparaciones de armas, sus imitaciones y réplicas, y de sus piezas fundamentales, así como todo lo concerniente a su circulación, almacenamiento y comercio, su adquisición y enajenación, su tenencia y utilización, determinando las medidas de control necesarias para el cumplimiento de tales requisitos y condiciones, con objeto de salvaguardar la seguridad pública»* (art. 1.1), declarando que dicho régimen será, *«con carácter general y sin perjuicio de las normas especiales que las regulen»,* el aplicable a la *«adquisición, almacenamiento, circulación, comercio y tenencia de municiones»* (art. 1.3). No obstante, el RA declara expresamente fuera de su ámbito de aplicación la adquisición, tenencia y uso de armas por las Fuerzas Armadas, las Fuerzas y Cuerpos de Seguridad y el Centro Nacional de Inteligencia (así como los establecimientos e instalaciones de dichas Fuerzas y Cuerpos), actividades estas que se regirán *«por la normativa especial dictada al efecto»* (art. 1.4).

El RA constituye un buen ejemplo de la disfuncional dispersión normativa de la que adolece la regulación en materia de armas, municiones y explosivos. Así por ejemplo, como puede comprobarse, el art. 1 RA omite toda referencia a una concreta conducta relacionada con la munición: su fabricación. Esta omisión de ningún modo se debe a un descuido, sino a que es una materia específicamente regulada en otra norma: el *RD 989/2015, de 30 de octubre, por el que se aprueba el Reglamento de artículos pirotécnicos y cartuchería*, cuyo art. 1.5 a su vez excluye de su ámbito de aplicación, y los remite a «*su reglamentación específica*», entre otros, a los artículos pirotécnicos y la cartuchería destinados al uso en la industria aeroespacial, al uso no comercial por parte de las Fuerzas Armadas, Fuerzas y Cuerpos de Seguridad, el Centro Nacional de Inteligencia, Cuerpos de Vigilancia Aduanera y Cuerpos de Bomberos (salvo determinadas disposiciones relativas a ciertas actividades (como la fabricación, importación, exportación, transferencia, tránsito, etc.) que varían en función de cuál sea la Fuerza o Cuerpo en cuestión. Por lo demás, el RA ha sido modificado hasta el momento en cinco ocasiones: las cuatro primeras, mediante otros tantos reales decretos; la última, mediante una simple Orden del Ministro del Interior, que recientemente ha modificado el contenido del art. 5 RA añadiendo un nuevo subapartado «h)» a su apartado primero (*Orden INT/1008/2017, de 3 de julio, por la que se desarrolla el régimen aplicable a las pistolas y los revólveres detonadores* —BOE de 23 de octubre; corrección de errores en BOE de 9 de noviembre). Quizá lo más llamativo no sea tanto que el RA haya sido modificado en esta última ocasión por una norma de rango inferior (pues su propia Disposición Final Cuarta prevé tal posibilidad) como el hecho de que no se haya aprovechado para actualizar el resto del RA, que sigue plagado de referencias a la derogada LO 1/1992, de seguridad ciudadana.

En cualquier caso, y con las salvedades mencionadas (amén de las que se irán haciendo en adelante), sigue siendo cierto que el RA constituye la principal norma de referencia a la hora de dotar de contenido a la mayoría de los elementos normativos que frecuentemente aparecen en las descripciones típicas de los delitos relativos a la tenencia, tráfico y depósito de armas y municiones (armas prohibidas, modificadas, reglamentadas, cortas, largas, de guerra, etc.,), a pesar de que en algunas ocasiones deberá tenerse en cuenta otras normas administrativas a la hora de delimitar el objeto material del delito (así por ejemplo, cuando se trate de preceptos que contemplen comportamientos relacionados con minas antipersonas o municiones en racimo, deberá acudirse a la *Ley 33/1998, de 5 de octubre, de prohibición total de minas antipersonal, municiones en racimo y armas de efecto similar*). También será necesario consultar otra legislación administrativa cuando se trate de aclarar, en supuestos concretos, el alcance de determinadas conductas típicas (como por ejemplo, los requisitos y circunstancias aplicables al uso y porte de armas por parte de miembros de Fuerzas y Cuerpos de Seguridad, Fuerzas Armadas y otro personal de seguridad, o el régimen de autorizaciones aplicable a la fabricación o comercio de armamento de defensa).

En el caso del uso y porte de armas por parte del personal de seguridad o defensa, podrá ser necesario, según los supuestos, acudir a la normativa penitenciaria (LOGP y RP), la reguladora de los Centros de Internamiento de Extranjeros (*Real Decreto 162/2014, de 14 de marzo, por el que se aprueba el Reglamento de funcionamiento y régimen de los Centros de Internamiento de Extranjeros*), la que ordena los regímenes aplicables a los diferentes cuerpos de policía o inteligencia (*LO 2/1986, de 13 de marzo, de Fuerzas y Cuerpos de Seguridad; LO 11/2007, de 22 de octubre, reguladora de los derechos y deberes de los miembros de la Guardia Civil; Real Decreto/2013, de 5 de abril, por el que se aprueba el Estatuto del personal del Centro Nacional de Inteligencia; Ley 29/2014, de 28 de noviembre, de régimen de personal de la Guardia Civil; LO 9/2015, de 28 de julio, de régimen de personal de la Policía Nacional*), la regulación aplicable al personal de seguridad privada o de vigilancia y guardería (*Orden de 15 de febrero de 1997, por la que se determinan las armas de fuego a utilizar por los guardias particulares del campo para desempeñar funciones de vigilancia y guardería; Ley 5/2014, de 4 de abril, de seguridad privada*) o al régimen establecido respecto de las Fuerzas Armadas (*LO 8/2014, de 4 de diciembre, de régimen disciplinario de las fuerzas armadas*).

Por lo que se refiere a la fabricación o comercio de armas militares o de defensa, será necesario acudir, según los casos, a lo establecido en un grupo de normas de diverso rango: entre ellas, el *RD 1120/1977, de 3 de mayo, regulador de la contratación de material militar en el extranjero*; la *Orden DEF/425/2004, de 11 de febrero, por la que se crea el Subregistro de Fábricas de Armas de Guerra*, en el que se incluyen las fábricas con autorización específica para la fabricación de estas armas; la *Ley 53/2007, de 28 de diciembre, sobre el control del comercio exterior de material de defensa y de doble uso*; la *Ley 24/2011, de 1 de agosto, de contratos del sector público en los ámbitos de la defensa y seguridad*; la *Ley 12/2012, de 26 de diciembre, de medidas urgentes de liberalización del comercio y determinados servicios* (cuyo Título II se denomina «*Del apoyo a la exportación de material de defensa por el Ministerio de Defensa*»); el *RD 33/2014, de 24 de enero*, por el que se desarrolla el Título II de la Ley 12/2012, de 26 de diciembre; el *RD 679/2014, de 1 de agosto*, por el que se aprueba el *Reglamento de control del comercio exterior del material de defensa, de otro material y de productos y tecnologías de doble uso*; y la *Orden ECC/1493/2016, de 19 de septiembre*, por la que se actualizan los anexos del Reglamento anterior.

La normativa administrativa sobre explosivos de uso civil resulta mucho más escueta, y actualmente se halla recogida fundamentalmente en el reciente *RD 130/2017, de 24 de febrero, por el que se aprueba el Reglamento de Explosivos* (RE), que ha derogado a su precedente, el RD 230/1998, entre otras cosas para adaptar la regulación sobre la materia a la nueva *Directiva 2014/28/UE del Parlamento Europeo y del Consejo, de 26 de febrero de 2014, relativa a la armonización de las legislaciones de los Estados miembros en materia de comercialización y control de explosivos con fines civiles.*

El RE regula los requisitos y condiciones aplicables a la fabricación, almacenamiento, distribución, comercio, transporte, tenencia y uso de los explosivos con fines civiles, excluyendo expresamente de su ámbito de aplicación tales actividades en determinados supuestos (por ejemplo, cuando sean desarrolladas por unidades militares o policiales de desactivación de explosivos, o cuando se trate de la fábricas o depósitos de explosivos de uso no comercial de titularidad de las citadas unidades), además de a los artículos pirotécnicos, que como ya se dijo son objeto de regulación en el RD 989/2015.

El Capítulo II del Título I del RE contiene asimismo las disposiciones aplicables a la clasificación de los diferentes explosivos, que deberán ser catalogados conforme a lo dispuesto en el Capítulo III. Por su parte, el Título II contempla los requisitos y autorizaciones necesarias para la fabricación de explosivos y el Título III los aplicables a los depósitos de explosivos (esto es, aquellos recintos o lugares que alberguen uno o más polvorines, que son definidos a su vez como los locales acondicionados para el almacenamiento de explosivos —artículos 56 y 57 RE); el Título V regula la comercialización de tales sustancias (salvo lo relativo a su importación, exportación, tránsito y transferencia, que son objeto de regulación específica en el Título VIII), al tiempo que el Título VII las normas y autorizaciones necesarias para su uso, y el Título IX las requeridas para su transporte.

II. ANTECEDENTES Y UBICACIÓN SISTEMÁTICA

Históricamente, los ilícitos relativos a la fabricación, tenencia y tráfico de armas han ido saltando desde la legislación especial a los textos punitivos, y viceversa, debido en buena parte a los numerosos conflictos bélicos que han jalonado la historia de España hasta tiempos muy recientes (y que provocaron abundantes modificaciones de la normativa sobre la materia, ya fuera para flexibilizarla —por ejemplo, cuando era necesario contar con un mayor número de armas disponibles—, ya para endurecerla —por ejemplo, cuando se trataba de castigar severamente a los miembros armados del bando contrario).

La concreta regulación que se ha dado a estos ilícitos en las diferentes épocas también ha sido muy diversa. De hecho, incluso cuando la opción del legislador fue incluirlos en el principal texto punitivo del momento, dicha regulación experimentó importantes variaciones tanto en lo que respecta a la descripción de los diferentes tipos penales como a su específica ubicación sistemática. Probablemente como consecuencia de todo ello, el resultado es un conjunto de delitos cuya interpretación resulta problemática, porque en su estructura convergen varios categorías dogmáticas que rozan los límites marcados por los principios garantistas clásicos: el bien jurídico protegido en estos ilícitos presenta contornos poco definidos o imprecisos, buena parte de las conductas típicas no requieren la producción de ningún resultado material, el desvalor de resultado se identifica con la mera creación de un riesgo genérico o abstracto, y la fuerte accesoriedad administrativa que los caracteriza (especialmente a la hora de dotar de contenido al objeto material y al elemento normativo principal —licencia o autorización requerida en cada caso) remite, en la mayoría de los casos, a normas con rango inferior a ley.

Los primeros vestigios de una regulación relacionada con el control de las armas se encuentran en los Títulos III y IV de la Séptima Partida de Alfonso X, que se ocupaban de la materia en relación con los duelos (permitidos en determinadas condiciones, entre las que se encontraba la especificación de las armas a emplear) y en la descripción de varios delitos (en los que las armas aparecían contempladas en tanto que medio comisivo). Por su parte, los Reyes Católicos introdujeron una política de mano dura en relación con la delincuencia (muy probablemente auspiciada por la presencia de un número significativo de armas en su territorio) que se materializó en una serie de normas que prohibían con carácter general las armas, tanto las ofensivas como las defensivas, que se mantuvieron teóricamente vigentes en nuestro Ordenamiento durante varios siglos (como lo demuestra su inclusión en la Novísima Recopilación de 1805, como Ley I del Título XIX del Libro XII). Durante los siglos XVI y XVII, los Austrias fueron sancionando otras normas (algunas extraordinariamente severas, llegando a prever la pena de muerte para el infractor) con el fin de prohibir, además, determinados tipos concretos de armas; tal es el caso de las normas dictadas por Felipe II entre 1558 y 1591, de las que tenemos noticia también por haber sido recogidas en la Novísima Recopilación (Leyes II a IV del mismo Título), y en las que pueden encontrarse ya algunas características específicas de nuestra cambiante regulación, como la diferenciación del tratamiento punitivo en función de la longitud del arma. Felipe IV añadió a las anteriores tres nuevas pragmáticas (que figuran en la Novísima Recopilación como Leyes VI a VIII del Título XIX) en la que se prohibía prácticamente todo en relación con las pistolas y arcabuces cortos; tendencia rigorista que continuó durante el reinado de Carlos II. La estrategia pan penalizadora se mantuvo a lo largo del siglo XVIII: Felipe V incluyó la prohibición de determinadas armas blancas (como los rejones o jiferos) en 1713, prohibición que se convirtió en absoluta de la mano de Fernando VI, el cual llegó a la desmesura de prohibir incluso el uso, venta y fábrica de cuchillos de cocina en 1754 (DÍAZ-MAROTO Y VILLAREJO).

En el siglo XIX, época profundamente marcada por las guerras carlistas y diversos alzamientos, son abundantes los decretos y otras normas ordenando la llamada al servicio activo de las armas de miles de hombres, así como las licencias directas a las fábricas de armamento para adquirir rápidamente los materiales precisos para su actividad. No obstante, el Reglamento de Policía de 12 de julio de 1812 sometía a la autorización gubernativa la tenencia, fabricación y venta de armas fuego y armas blancas, al igual que el Reglamento de Policía de Madrid de 20 de febrero de 1824, el cual por ejemplo castigaba con multa y treinta días de prisión el uso de armas no prohibidas (como las de caza) *«no estando para ello autorizado por las leyes ó por una licencia de la Policia»*. Idéntico carácter gubernativo tenían las sanciones penales contempladas en las Reales Órdenes de 14 de julio de 1844 y 14 de julio de 1846 (SÁINZ CANTERO). Entretanto, el Código Penal de 1822 había incluido dentro de su Título III (*«De los delitos contra la seguridad interior del Estado, y contra la tranquilidad y orden público»*) un Capítulo IX, denominado *«de la fabricación, venta, introducción y uso de armas prohibidas»*, en el que además de castigar como delictivas dichas conductas (aunque con penas muy leves), se contemplaba como agravantes el hacer uso de dichas armas, o llevarlas consigo, en la comisión de cualquier delito. Tras la derogación de este Código por Fernando VII, poco más de un año después de su promulgación, volvió a entrar en vigor la Novísima Recopilación y el sistema de licencias y sanciones penales impuestas por la autoridad gubernativa: El Códigos Penal de 1848 no contenía ninguna regulación específica sobre la materia: tan solo castigaba por la comisión de una falta grave a *«los que amenazaren á otros con armas blancas ó de fuego, y los que riñendo con otros las sacaren como no sea con motivo justo»* (art. 470.6º), así como a *«el que disparare arma de fuego, cohete, petardo ú otro proyectil dentro de la población»* (art. 481.6º), ordenando además el comiso de *«las armas que llevare el ofensor al cometer un daño ó inferir una injuria, si las hubiere mostrado»* (art. 490). Por su parte, el Código Penal de 1870 preveía en términos muy parecidos las mismas faltas que su antecesor, pero castigaba además con la pena de 5 a 25 pesetas de multa a *«los que usaren armas sin licencia»* (art. 591).

Ya en el siglo XX, se promulgaba la Ley relativa a la tenencia de armas cortas de fuego de 2 de agosto de 1923, que entre otras cosas elevaba a la categoría de delito *«el llevar sin licencia armas cortas de fuego fuera del domicilio»*, castigando dicha conducta con la pena de cuatro meses y un día de arresto mayor a un año de prisión correccional (art. 1). Algunos meses más tarde, el Real Decreto de la Presidencia del Directorio Militar de 13 de abril de 1924 daba la consideración de delitos militares a los robos a mano armada, ordenando su enjuiciamiento en juicio sumarísimo y estableciendo recompensas para las personas que coadyuvaran a su persecución. Por su parte, los códigos penales del primer tercio del siglo XX otorgaron un tratamiento muy fragmentario (o incluso inexistente) a la fabricación, tenencia y comercio ilícitos de armas: Así, el Código Penal de 1928 recogía, dentro del Capítulo VIII (*«Disposiciones generales»*) de su Título VII (*«Delitos contra la vida, la integridad corporal y la salud pública de las personas»*) el delito de *«uso o tenencia de armas de fuego sin la debida autorización»*, castigándolo con la pena de dos meses y un día a tres años de prisión y multa de 1000 a 2500 pesetas (aunque se eximía de esta responsabilidad a los oficiales del ejército, agentes de la autoridad, individuos del Somatén y demás personas encargadas de prestar servicio de vigilancia, así como a los poseedores o coleccionistas de armas de fuego de carácter puramente histórico o artístico —art. 542); el Código Penal de 1932 no contenía precepto penal alguno relativo a la materia, debido a que pocos meses antes se había aprobado la Ley relativa a la tenencia de armas de fuego sin la guía o sin la licencia correspondiente, de 9 de enero de 1932, en la que se castigaba como delitos *«el llevar sin licencia armas de fuego fuera del domicilio»* (art. 1), *«la tenencia de armas de fuego en el propio domicilio, sin la guía o sin la licencia correspondiente»* (art. 2) y el depósito de armas de fuego (entendiendo por tal *«la tenencia de más de tres armas de dicha clase en el propio domicilio o en lugar distinto del mismo»*, sin la consabida licencia, autorización o permiso para cada una de ellas (art. 3). Pocos años más tarde se aprobaba la Ley relativa a la tenencia de armas de fuego de 22 de noviembre de 1934 —que contiene el antecedente inmediato de la configuración del delito de tenencia ilícita de armas recogido posteriormente en el Código Penal de 1944 (DÍAZ-MAROTO Y VILLAREJO)— y el Reglamento de Armas y Explosivos de 13 de septiembre de 1935 (que incluye por vez primera la regulación de los explosivos y la cartuchería). Una vez finalizada la guerra civil española (durante la cual se promulgó abundante legislación especial sobre armas), los delitos relativos a la fabricación, comercio y tenencia ilícita de armas vuelven al principal texto punitivo, concretamente al Código Penal de 1944, el cual los reguló dentro del Capítulo XII (*«De la tenencia y depósito de armas o municiones y de los delitos de terrorismo y tenencia de explosivos»*) del Título II (*«Delitos contra la seguridad interior del Estado»*). La redacción legal de dichos preceptos se mantuvo en términos prácticamente idénticos en el Capítulo XII del Título II del texto refundido de 1973 (si bien en este caso el Capítulo no contenía los delitos de terrorismo), el cual a su vez constituye el antecedente más inmediato de los artículos 563 a 570 CP en su redacción original de 1995, aunque como se verá este introdujo importantes novedades en la regulación de estos ilícitos.

En la actualidad, los delitos de tenencia y depósito de armas, municiones o explosivos se ubican en el Capítulo V del Título XXII (*«Delitos contra el orden público»*), cuya rúbrica original fue modificada por LO 5/2010, de 22 de junio, la cual excluyó del capítulo mencionado a los delitos de terrorismo, que inicialmente compartían ubicación (aunque en secciones distintas) con los relativos a las armas.

III. BIEN JURÍDICO PROTEGIDO

Como se ha expuesto, estos ilícitos han experimentado un peregrinaje desde su ubicación inicial, entre los delitos contra la seguridad interior del Estado, hasta la actual, dentro de los delitos contra el orden público. Y la cuestión no es baladí, pues detrás de este aparente cambio de etiquetas se esconde toda una ideología político criminal (que es, a su vez, expresión del cambio desde un modelo estatal autoritario hasta un sistema democrático), preocupada no ya tanto por la seguridad exterior o interior del régimen, como por los derechos de sus ciudadanos y los pilares básicos de la convivencia. Es más: también la noción de «orden público» ha de interpretarse en clave constitucional, pues los conceptos de «paz pública» y «orden público» no son los mismos en un sistema político autocrático que en un Estado social y democrático de Derecho [STC 59/1990, 29-3 *(Tol 80351)*].

En este sentido, algunos autores han propuesto reinterpretar la noción de orden público como «la paz y tranquilidad en las manifestaciones externas de la convivencia colectiva» (LÓPEZ GARRIDO/GARCÍA ARÁN). Frente a ello, otro sector doctrinal señala que, desde el punto de vista constitucional, el concepto de orden público requiere de la referencia a la participación activa y plena de los ciudadanos en la vida jurídica, de modo que el ejercicio público de derechos constitucionales como los de reunión, manifestación, expresión, etc. (incluso si este se materializa en protestas), no comprometería el orden público sino, antes al contrario, constituiría su plena realización (ÁLVAREZ GARCÍA).

No obstante, la noción de «orden público» (aun definida conforme a parámetros constitucionales) no resulta suficientemente ilustrativa a la hora de delimitar el bien jurídico que resulta protegido en estos delitos, entre otras cosas porque dicha noción puede utilizarse con distinto sentido, en función del concreto precepto o preceptos penales que sean objeto de análisis (cf. CUERDA ARNAU). Pero sí es cierto que, al menos, aleja la conceptuación del objeto de tutela en estos delitos de ciertas interpretaciones, ya añejas, que en el pasado permitían identificarlo con el mero interés de la Administración en controlar la posesión de las armas de fuego (cf. DÍAZ-MAROTO VILLAREJO).

En relación a la regulación contenida en el CP73, la Jurisprudencia se contentaba con señalar simplemente que el bien jurídico protegido en los delitos de tenencia y depósito de armas era la seguridad interior de Estado, lo que en la práctica equivalía a presumir la existencia de un ilícito penal a partir de la constatación de la mera tenencia [SSTS de 3 abril 1981 *(Tol 2308909)*; 8 de julio de 1983 *(Tol 2311527)*; 16 de noviembre de 1984 *(Tol 2312186)*; 29 de noviembre *(Tol 2312806)*; 1 de febrero de 1986 *(Tol 23141)*]. No obstante, algunos pronunciamientos judiciales de esa época se esforzaron por concretar algo más el objeto tutelado en estos delitos, afirmando por ejemplo que «la "ratio essendi" del mentado hecho punible reposa en la necesidad de establecer un control sobre la posesión de dichas armas con el fin de que no constituyan un potencial peligro para la sociedad si las detentan sujetos de inidoneidad manifiesta para su tenencia y manejo» [STS de 13 de octubre de 1986 *(Tol 2327417)*], o que «el bien jurídico que se trata de proteger merced a la criminalización de los comportamientos tipificados en el Código Penal, lo es la seguridad del Estado, o bien la seguridad general o comunitaria, para las cuales supone grave peligro y sumo riesgo que, instrumentos aptos para herir, e incluso para matar, se hallen en manos de particulares sin la fiscalización y el control que supone la expedición estatal de la oportuna licencia y de la guía de pertenencia de tales armas» [STS de 20 de junio de 1988 *(Tol 2359040)*].

La conceptuación del bien jurídico protegido en estos tipos penales resulta especialmente espinosa atendiendo a la descripción legal de los diferentes preceptos, pues su tenor no ofrece demasiados indicios al respecto. Si embargo, de ello puede depender, como se verá más adelante, la calificación de la conducta en cuestión como típica o atípica.

De este modo, si se mantiene que el bien jurídico protegido en estos delitos es de carácter colectivo, y se identifica con el monopolio estatal en el control de las armas (BELESTÁ SEGURA), el orden público (redefinido como el derecho a la tranquilidad que todos los individuos tienen en el desenvolvimiento cotidiano de sus vidas en paz, sosiego y bienestar —CRUZ BLANCA), o bien la seguridad (como «estado jurídicamente garantizado» que se materializa en el derecho del ciudadano a confiar en la fiscalización y control especialmente intenso sobre circulación y uso de instrumentos particularmente peligrosos —GARCÍA ALBERO), habrá que concluir que no es necesario constatar la *idoneidad lesiva* del arma respecto de la vida o salud de las personas, pues esos bienes jurídicos colectivos (el monopolio estatal, el orden público, la seguridad) ya se verían afectados con la mera tenencia de dicha arma. En cambio, si se sostiene que el bien jurídico protegido en estos delitos es directamente la vida e integridad de las personas, habría que concluir que el desvalor inherente a la tenencia ilegal del arma quedaría subsumido en el del correspondiente delito contra la vida, salud o libertad de las personas, en caso de producirse este.

Mención aparte merece la tesis de DE LA CUESTA AGUADO, quien afirma que en nuestro Ordenamiento Jurídico solo se ha prohibido el tráfico y la posesión de armas «cuando se vio que *era peligroso para los gobernantes*», y que tampoco la extensión de la punición al tráfico de armas internacional no obedece a *«razones de orden público»*, sino más bien a otras de naturaleza económica.

Así las cosas, parece que la soluciones mixtas son las que cuentan con mayor apoyo doctrinal y jurisprudencial. En este sentido CRUZ BLANCA, si bien acepta como punto de partida que la posesión de armas es una conducta apta para vulnerar el *orden público*, mantiene que el objeto de tutela en este delito de tenencia no sería ya la protección inmediata de ese orden, sino la tutela del derecho a la *seguridad de las personas*; lo que le lleva a su vez a afirmar, primero, que el bien jurídico protegido en dicho delito debe situarse en la *seguridad de los ciudadanos* (conforme a la Doctrina mayoritaria), la *seguridad ciudadana* (de acuerdo con la Jurisprudencia constitucional) o la *seguridad pública* (atendiendo a lo dispuesto en el art. 1 RA), y después, a sostener que el valor protegido directamente en la tenencia ilícita de armas es la *seguridad colectiva*, entendida como aquel estado de cosas que tiende a garantizar la tutela mediata de bienes jurídicos individuales de las personas en general, adquiriendo de este modo el objeto de tutela al mismo tiempo una connotación colectiva (en tanto que bien jurídico supraindividual) y una institucional (el derecho/obligación del Estado al control de las armas). Esta interpretación lleva a concluir a la autora mencionada que debe apreciarse un concurso de delitos en caso de darse conjuntamente la tenencia ilícita de armas y alguna de las figuras penales que construyen su tipo de injusto o agravan las conductas por ser ejecutadas usando o portando armas, al tratarse de dos bienes jurídicos diferentes.

A esta solución llega igualmente parte de la Jurisprudencia; véase al respecto la SAP Badajoz, Sección Tercera, 106/2017, de 15-5 *(Tol 6139626)*: el delito de tenencia ilícita de armas —que supone el incumplimiento de ciertas normas administrativas condicionadoras de la posesión de armas— es compatible con los delitos cometidos mediante la utilización del arma [en idéntico sentido, la STS 791/1998, de 13-11 *(Tol 5133413)*]; aplica las reglas del concurso ideal y rechaza que la existencia de una infracción al principio *non bis in idem* al condenar conjuntamente por tenencia de armas y tipos agravados de atentado y lesiones la STS 392/2001, de 16-3 *(Tol 4925804)*; véase también la STS 410/2007, de 18-5 *(Tol 1079761)*, en relación con el subtipo agravado del art. 148.1° CP por el uso de armas: «los bienes jurídicos lesionados con la posesión del arma son diferentes y no consumen al delito de tenencia con su utilización».

Como puede comprobarse, en el desarrollo de la tesis anterior se emplean varias nociones («orden público», «seguridad ciudadana», «seguridad pública») que no siempre han sido definidas con la suficiente claridad, de modo que resulta conveniente delimitarlas con carácter previo antes de emprender la tarea de conceptuar el bien jurídico protegido en el Capítulo V del Título XXII del CP. En este sentido, CARRO FERNÁNDEZ-VALMAYOR considera posible, a partir de un análisis constitucional, establecer una distinción conceptual entre dichas nociones: el *orden público* haría referencia a la protección del libre ejercicio de los derechos fundamentales; la *seguridad ciudadana* procuraría la tutela de las personas y bienes frente a acciones violentas, situaciones de peligro o calamidades públicas; finalmente, la *seguridad pública* sería el concepto general que abarcaría tanto al orden público como a la seguridad ciudadana.

Partiendo de esta delimitación conceptual, es posible mantener que el bien jurídico protegido en los delitos de tenencia, tráfico y depósito de armas, municiones o explosivos ha de conectarse con determinada parcela de la seguridad ciudadana: aquella que tutela a los individuos frente a las acciones violentas o intimidatorias (pues el injusto penal no puede consistir en la mera infracción de las normas administrativas que regulan la fabricación, comercialización y empleo de estos objetos y sustancias, por más que con ello se vulnere la potestad de control estatal), y a partir de ella considerar que con estos delitos se pretende preservar la *seguridad de todos los ciudadanos* [cf. SSTC 24/2004, de 24-2 *(Tol 351791)*; 51/2005, de 14-3 *(Tol 609858)*], objeto de protección que si bien posee naturaleza colectiva (por ser sus titulares una suma indeterminada de individuos, no susceptibles de concreción) tutela de forma mediata bienes jurídicos personalísimos (vida, salud, libertad), cuya lesión o puesta en peligro no resulta indiferente, pues la seguridad «es el resultado, no el fin, del libre ejercicio de los derechos de todos y de su protección, en principio, por la policía [...] la libertad es un valor superior y un derecho fundamental y, en ese concepto, solo puede ser limitada ante la presencia de otro derecho fundamental [...]. La paz social, el orden público, la seguridad ciudadana no pueden invalidar al derecho, salvo casos excepcionales y justificados» [STC 341/1993, de 18-11 *(Tol 82362)* —voto particular del Magistrado de la Vega Benayas].

Desde esta perspectiva, puede afirmarse que el riesgo que entraña la tenencia, tráfico o depósito de armas, municiones o explosivos para el conjunto de la ciudadanía justifica la intervención penal en este ámbito, pero no la conceptuación de un bien jurídico absolutamente autónomo e independiente respecto de los valores (derechos) que realmente se pretenden tutelar: particularmente, vida, salud y libertad de las personas. De este modo, en definitiva, si el arma que se posee ilegalmente es utilizada solo para cometer uno de los delitos en los que su empleo aparece como elemento constitutivo (por ejemplo, amenazas leves con armas —art. 171.5 CP—) o como elemento cualificador (por ejemplo, tráfico de drogas agravado por la exhibición o uso de armas para cometer el hecho —art. 369.1.8° CP), *quedando manifiestamente excluido todo riesgo para otras personas*, deberá aplicarse el criterio de consunción del concurso aparente de normas (art. 8.3 CP), pues lo contrario (esto es, apreciar un concurso de delitos) supondría o bien una infracción del principio *non bis in ídem* (por castigar dos veces por un mismo hecho y fundamento: la puesta en peligro de un bien jurídico individual), o bien la presunción *iure et de iure* de la afectación a un bien jurídico artificioso (que, una vez descartado el peligro para terceras personas, habría que identificar con la mera desobediencia a una regulación administrativa que dista mucho de ser clara).

Lo anterior no quiere decir que todos los supuestos de tenencia ilegal de armas deban quedar subsumidos en los correspondientes tipos penales contra bienes jurídicos personalísimos cuyo injusto se fundamente o se agrave por el uso de un arma, sino que es preciso contar con criterios claros para evitar la doble sanción penal en aquellos casos en los que el carácter ilegal del arma utilizada no añada realmente ningún contenido a la antijuridicidad del comportamiento realizado. Dicho de otro modo: se trata de concretar en qué consiste el desvalor de injusto adicional que supone la afectación al bien jurídico «seguridad de los ciudadanos» en dichos supuestos; desvalor que, en coherencia con lo ya mantenido, debe estar directamente conectado con la tutela de la vida, salud y libertad de esos ciudadanos.

En este sentido, puede mantenerse que el injusto propio de los delitos de tenencia, tráfico y depósito de armas se materializa en la *peligrosidad intrínseca* que poseen determinadas armas cuyas características técnicas (en general, la existencia de un mecanismo que les permite disparar o lanzar un proyectil a una velocidad y/o distancia muy superiores a las que puede alcanzar el brazo humano) las hacen particularmente idóneas para afectar a esos bienes jurídicos personalísimos, de manera mucho más eficaz que otras armas (que no cuentan con esas características técnicas) y otros objetos peligrosos (como cuchillos, botellas rotas, bates de *baseball*, etc.) que dependen del impulso del brazo humano para llegar a ser mortíferos.

Así, el desvalor inherente a la afectación de la seguridad de los ciudadanos podrá quedar manifiestamente excluido cuando se utilicen un arma que carezca de esa peligrosidad intrínseca (por ejemplo, una navaja o un cuchillo), por más que reglamentariamente pueda prohibirse la posesión de la primera y no del segundo, pues ambos objetos crean un riesgo similar para la vida, salud y libertad de los ciudadanos, al tener una similar potencialidad lesiva. En cambio, difícilmente podrá descartarse dicho desvalor en el caso de emplearse un arma de fuego, dadas las características técnicas que poseen tales objetos (y que les permiten disparar proyectiles, incluso a las más rudimentarias, a una velocidad y distancia del todo punto incomparables a las que puede alcanzar el brazo humano, aun tratándose de un experto, manejando un arma blanca o contundente). Precisamente por ello, atendiendo a su peligrosidad intrínseca, el art. 142 CP ha previsto un tipo cualificado para quienes matan imprudentemente con un arma de fuego.

La interpretación que aquí se propone (identificar el bien jurídico con la seguridad de todos los ciudadanos, como forma de tutelar mediatamente la vida, salud y libertad de cada uno de ellos) presenta a mi juicio dos ventajas: en primer lugar, sintoniza con la regulación de otros ilícitos penales de factura similar, como los delitos de riesgo provocados por explosivos y otros agentes (que exigen, de forma tácita o expresa, la constatación de la puesta en peligro de bienes jurídicos como la vida, la integridad física o la salud de las personas); en segundo lugar, permite deslindar el ámbito cubierto por la norma penal del que corresponde al orden administrativo sancionador (por concurrir una mera infracción a las normas reguladoras del sistema de autorizaciones y licencias vigente en la materia, pero no la necesaria idoneidad lesiva de la conducta). No obstante, también es preciso reconocer que dicha interpretación tiene algunos inconvenientes: en primer lugar, no explica de modo satisfactorio el porqué se agrava la tenencia en determinados casos (cuando las armas carecen de marcas de fábrica o de número o los tienen alterados o borrados, o bien han sido introducidas ilegalmente en territorio español, circunstancias que parecen hacer referencia más bien al sistema administrativo de autorizaciones y licencias imperante sobre la materia); en segundo lugar, tampoco explica completamente el porqué la tenencia de armas (incluidas las armas blancas prohibidas) sigue siendo formalmente delictiva aun en el caso de evidenciarse la falta de intención de usarlas con fines ilícitos (art. 565 CP).

IV. ELEMENTOS COMUNES A LOS TIPOS

1. *Configuración del injusto: delitos de peligro*

Afirmar que el bien jurídico protegido en los delitos de tenencia, tráfico y depósito de armas es la seguridad de todos los ciudadanos (o, dicho de otro modo, la vida, salud y libertad de cada uno de los individuos) no resulta incompatible con su configuración como delitos de peligro abstracto (CANCIÓ MELIÁ). Sin embargo, un sector de la doctrina partidario de la identificación del bien jurídico protegido en estos delitos con la «seguridad» se muestra a favor de entender que son de lesión, «pues resultaría difícilmente imaginable determinar cuándo puede entenderse materialmente puesto en peligro un bien que representa precisamente el reconocimiento de unas condiciones tendentes a evitar el peligro de bienes jurídicos individuales» (CRUZ BLANCA; mantiene también esta segunda interpretación GARCÍA ALBERO, al entender que las presentes figuras delictivas contienen una lesividad «sui generis», y que decir lo contrario haría incomprensible la imposición de pena, aunque atenuada, incluso cuando sea evidente la intención del sujeto de no usar el arma con fines ilícitos —art. 565 CP).

La mayoría de la Jurisprudencia ha mantenido inalterada su interpretación tradicional de la tenencia ilícita de armas como «delito de peligro comunitario y abstracto, en cuanto el mismo crea un riesgo para un número indeterminado de personas». Así por ejemplo, las SSTS de 14-6 *(Tol 2425996)*; 709/2003, de 14-5 *(Tol 275658)*; 749/2004, de 7-6 *(Tol 614267)*; 1071/2006, de 8-11 *(Tol 1019011)*; 45/2011, de 11-2 *(Tol 2053544)*; 268/2012, de 12-3 *(Tol 2513951)*; 467/2015, de 20-7 *(Tol 5391005)*; 492/2017, de 29-6 *(Tol 6201322)*.

Pero afirmar que tales conductas solo requieren un peligro abstracto no significa mantener el carácter meramente formal de estas figuras penales. Antes al contrario: deberá en todo caso acreditarse que el concreto comportamiento enjuiciado (ya sea este de tenencia, tráfico, depósito, etc.), era idóneo para originar un riesgo cierto para los bienes jurídicos protegidos, lo que equivale a admitir, a *sensu contrario*, la posibilidad de negar la tipicidad del comportamiento en aquellos supuestos en que la creación de un peligro (siquiera lejano) para la seguridad de los ciudadanos haya sido manifiestamente excluida. En este sentido, la STS 1383/2004, de 19-11 *(Tol 528684)* ya declaraba que la prohibición penal de tener armas ha de atender a la protección de un bien jurídico («la seguridad ciudadana y mediatamente la vida y la integridad de las personas») frente a conductas que revelen *una especial potencialidad lesiva* para el mismo. Dado que el ámbito de lo punible coexiste con una serie de infracciones administrativas que ya otorgan esa protección, y en virtud del carácter de *ultima ratio* que constitucionalmente se atribuye a la sanción penal, solo han de entenderse incluidas en el tipo las conductas más graves e intolerables, debiendo acudirse en los demás supuestos al Derecho administrativo sancionador, pues de lo contrario el recurso a la sanción penal resultaría innecesario y desproporcionado [en el mismo sentido, por ejemplo, SSTS 372/2011, de 10-5 *(Tol 2139707)*; 1124/2011, de 27-10 *(Tol 2289401)*; 362/2012, de 18-5 *(Tol 2547510)*; 460/2013, de 28-5 *(Tol 3834933)*; 709/2014, de 30-10 *(Tol 4654745)*; 532/2016, de 16-6 *(Tol 5757163)*]. Lo que no cabe de ningún modo es presumir *iuris et de iure* la existencia de peligro, so pena de infringir el principio de ofensividad (pues una cosa es la anticipación —legítima— de la tutela penal en determinados supuestos de especial peligrosidad, y otra muy distinta es prescindir del contenido de injusto material, o núcleo esencial de la materia de prohibición penal, que necesariamente debe contener cualquier norma penal en blanco para no caer en una flagrante inconstitucionalidad [al respecto, véase por ejemplo SSTC 127/1990, de 5-7 *(Tol 80398)*; 118/1992, de 16-9 *(Tol 80728)*; 62/1994, de 28-2 *(Tol 82470)*; 120/1998, de 15-6 *(Tol 80976)*; 111/1999, de 14-6 *(Tol 81170)*; 142/1999, de 22-7 *(Tol 81193)*; 24/2004, de 24-2 *(Tol 351791)* —voto particular del Magistrado Jiménez Sánchez].

Por lo demás, y con los mismos matices, también pueden calificarse como delitos de peligro abstracto las conductas relativas a la fabricación, comercialización o establecimiento de depósitos de armas, municiones o explosivos, así como los supuestos expresamente tipificados de tráfico o desarrollo de determinadas armas [cf. STS 210/2003, de 17-2 *(Tol 4928868)*: «el deposito de armas de fuego y de municiones es de peligro abstracto y el bien jurídico protegido es la seguridad de la comunidad»; en el mismo sentido, STS 115/2008, de 26-2 *(Tol 1292769)*].

2. Sujeto activo

Ninguna de las conductas típicas contempladas en el Capítulo V del Título XII del CP requiere que concurra alguna cualidad especial en el sujeto activo, de modo que todas ellas configuran delitos comunes, a pesar de que buena parte de las mismas consisten en realizar actividades propias de ciertas profesiones (como la fabricación, comercialización o desarrollo de determinadas armas).

En cambio, sí puede considerarse que contiene una «previsión especial», aplicable tan solo a determinados sujetos, el art. 570.2 CP, en la medida en que impone al delincuente que estuviera autorizado para fabricar o traficar con alguno de los objetos materiales la inhabilitación para el ejercicio de su industria o comercio. El hecho de que este precepto no contenga un tipo penal específico, sino tan solo una disposición en principio aplicable a cualquiera de las conductas previstas en el capítulo, puede plantear la duda de si ha de estimarse equivalente en sus consecuencias a un delito especial (y por tanto, aplicable tan solo a los autores del ilícito) o si por el contrario la pena de inhabilitación que establece con carácter imperativo debe imponerse también a los meros partícipes (ya sean inductores, cooperadores necesarios o cómplices con autorización para fabricar o traficar). La respuesta correcta a este interrogante parece ser la segunda propuesta, pues si bien en los delitos especiales la delimitación del círculo de autores a los que únicamente alcanza la exigencia de la concurrencia de la cualidad específica procede de la imposibilidad material de ejecutar el hecho delictivo si no se cuenta con esa cualidad (imposibilidad que, naturalmente, no concurre en quien solo induce o colabora en su comisión), en el caso de la imposición de penas adicionales y específicas su fundamento obedece a otras razones que pueden identificarse con ciertos fines preventivos especiales, consistentes en la conveniencia de excluir temporalmente a los sujetos en los que recae la cualidad en cuestión del ámbito profesional en el que han cometido el delito, posiblemente aprovechándose de dicha cualidad.

Por lo demás, deberá tenerse en cuenta que el ejercicio de determinadas profesiones por parte del autor de la respectiva conducta puede convertir esta en un comportamiento atípico, o bien modificar su calificación jurídica. Así por ejemplo, teóricamente podrán poseer armas calificadas en el RA como «prohibidas» los miembros de las Fuerzas Armadas, Fuerzas y Cuerpos de Seguridad y el Centro Nacional de Inteligencia (toda vez que el art. 1.4 de dicho Reglamento los excluye expresamente de su ámbito de aplicación), y también el régimen de licencias y autorizaciones aplicable a las armas «reglamentadas» será diferente en su caso. Asimismo, los fabricantes de armas de, municiones o explosivos destinados al sector de la defensa normalmente se regirán por normas diferentes a las aplicables a las mismas actividades cuando tales armas, municiones y explosivos sean de uso civil.

3. Estructura típica: leyes penales en blanco

Ya se ha mencionado que prácticamente todas las conductas delictivas contenidas en el capítulo V del Título XXII se han redactado conforme a la técnica de la accesoriedad administrativa, ya sea para delimitar el objeto material del delito (accesoriedad conceptual), ya por exigir una infracción de la normativa reguladora de la materia (accesoriedad de derecho) o la constatación de la ausencia de una licencia o autorización específica para la actividad de que se trate (accesoriedad de acto). Tan profusa utilización de la remisión normativa en la descripción de las conductas típicas pudiera dar lugar a una frecuente concurrencia del error, de tipo o de prohibición.

No se ha mostrado sin embargo muy favorable la Jurisprudencia a la apreciación del error ni de tipo ni de prohibición en esta clase de comportamientos, negándose su presencia entre otros motivos por entender que la ilicitud de esta clase de comportamientos «resulta bien patente para la generalidad de las personas, especialmente cuando se trata de un español, residente igualmente en España, sin que pueda invocarse la existencia de legislaciones más permisivas en otros países» [STS 836/2009, de 2-7 *(Tol 1577846)]*. También rechaza la concurrencia de error de tipo o de prohibición la STS 1176/2010, de 9-12 *(Tol 2067743)*, que confirma la condena del acusado, quien poseía sin licencia un rifle Winchester (adquirido en una armería de París en 1999), al entender que en tales hechos no se encuentra «apoyo para un error sobre la conciencia de antijuricidad pero tampoco para un error sobre los elementos del tipo... no se vislumbra, en B. por razón de tiempo, residencia o actividad comunitaria, la exclusión cultural indicativa de una equivocación acerca de la actitud española restrictiva de la tenencia de armas». Igualmente, la STS 79/2015, de 13-2 *(Tol 4836940)* niega la aplicación de las reglas del error de prohibición en el caso de un ciudadano de nacionalidad dominicana que poseía una pistola detonadora transformada (arma prohibida), rechazando que la titularidad de una licencia privada para arma de fuego expedida en su país de origen pueda motivas la creencia de su lícita posesión en España.

En cambio, la STS 158/2017, de 13-3 *(Tol 6003728)* sí aprecia la concurrencia de error de prohibición (invencible, además) en el comportamiento del acusado, diplomático extranjero que custodiaba temporalmente un arma (de guerra) perteneciente a la seguridad del Presidente de su país, «por lo que es razonable concluir que estimase que su conducta no era antijurídi-ca».

El carácter de leyes penales en blanco que poseen todos los delitos relativos a la tenencia, tráfico y depósito de armas obliga a plantearse la problemática relacionada con las remisiones a normas de rango inferior a ley, cuestión que resulta de especial relevancia en un ámbito como este, que ha sido regulado mayoritariamente a través de reglamentos y órdenes ministeriales.

Precisamente fue esta problemática la que provocó la presentación de una cuestión de inconstitucionalidad por el Juzgado de lo Penal de Tortosa (Tarragona) en relación con el art. 563 CP, al entender que la descripción normativa del primer inciso del precepto (tenencia de «armas prohibidas») podría infringir la función de garantía del tipo por no contener el núcleo esencial de la materia de prohibición penal. Al respecto, destacaba el Auto de planteamiento del Juzgado el hecho de que es efectivamente el RA el que regula todo lo relativo a las armas prohibidas, y no la entonces vigente LO 1/1992, la cual se limitaba (como la actual ley homónima) a habilitar al Gobierno para reglamentar tales materias, entre ellas la determinación de las armas que resultan prohibidas en nuestro Ordenamiento. A dicha argumentación se adhería el escrito del Fiscal General del Estado, el cual interesaba que se dictara Sentencia declarando la inconstitucionalidad del art. 563 CP, por infringir el principio de reserva legal del art. 25.1 CE, en relación con los artículos 17.1 y 18.1 del Texto Fundamental.

En su resolución a la cuestión de inconstitucionalidad planteada contra el primer inciso del art. 563 CP, la STC 24/2004 de 24-2 *(Tol 351791)* realiza determinadas precisiones que pueden entenderse aplicables a todos los delitos contenidos en el Capítulo V del Título XXII del CP que presentan una estructura similar al que fue objeto de análisis:

a) Si bien conforme a la doctrina del TC la reserva de Ley en materia penal no excluye la posibilidad de que sus términos se complementen con lo dispuesto en Leyes extrapenales y reglamentos administrativos, en el presente supuesto «tal posibilidad debe agotarse en el RD 137/1993 (por el que se aprueba el RA) o la norma que en el futuro lo sustituya, *sin que pueda considerarse constitucionalmente admisible, a los efectos de la configuración del tipo penal, la incorporación al mismo de lo prohibido mediante órdenes ministeriales*» (siguiendo la lógica del TC, parece que lo mismo cabe afirmar en relación, por ejemplo, a los tipos penales que prohíben la tenencia de explosivos, materia que es objeto de regulación administrativa en el reciente RD 130/2017 —por el que se aprueba el nuevo RE— o en el RD 989/2015 —si se trata de artículos pirotécnicos).

b) Dado que el tipo se configura esencialmente en torno a un elemento normativo, por definición ello implica la referencia a normas cuyo posible conocimiento resulta indispensable para poder precisar el significado y alcance de dicho elemento, y cuyo contenido pasa a integrar el tipo penal, contribuyendo a la configuración del hecho punible. Pero «para que la utilización de elementos de tal índole sea constitucionalmente admisible las normas extrapenales han de ser fácilmente identificables de acuerdo con los criterios de integración del propio Ordenamiento jurídico».

c) Esa llamada a la normativa extrapenal está justificada en atención al bien jurídico protegido por la norma penal —ante el peligro que para la seguridad ciudadana representa la tenencia incontrolada de armas (o la de municiones o explosivos, cabría añadir)— y parece necesaria a la vista del objeto de la prohibición, «dada la complejidad técnica y la evolución del mercado armamentístico, al que se incorporan sin cesar nuevos tipos y modelos o se perfeccionan los existentes, lo que hace imprescindible la adecuación de la normativa a esa evolución y justifica la remisión a la legislación administrativa».

d) Ahora bien, en aquellos supuestos en que la mera interpretación literal del tipo penal en cuestión implique una remisión *in totum* (por absoluta e incondicionada) a la normativa extrapenal, deberá intentar salvarse la aparente inconstitucionalidad del precepto atendiendo a otros criterios hermenéuticos, como los sistemáticos, valorativos y teleológicos, y en especial al bien jurídico a cuya protección se orienta la norma, «con el fin de restringir su ámbito de aplicación, diferenciándolo del ilícito administrativo y haciéndolo compatible con las exigencias derivadas del principio de legalidad» (art. 25.1 CE).

Por lo demás, no es objeto de discusión la admisión de normas europeas específicas como integradoras de los tipos penales sobre tenencia, tráfico y depósito de armas, municiones y explosivos, aunque al respecto también deben hacerse algunas matizaciones: aquellas que se aplican directamente en los Estados miembros sin necesidad de ser incorporadas de forma expresa al Derecho nacional (Reglamentos comunitarios) tendrán plena eficacia integradora desde su publicación, pudiendo incluso cada una de las prohibiciones que contengan constituir por sí misma el fundamento autónomo de la imposición de sanciones, incluso penales, según el Derecho nacional aplicable [STJUE de 21-12-2011, Asunto C-72/11 *(Tol 2517290)*]; en cambio, aquellas normas europeas que impliquen un mandato dirigido a los Estados miembros para el cumplimiento de determinados objetivos, sin concretar la forma y los medios para conseguirlos (Directivas), deberán ser expresa y previamente incorporadas al Ordenamiento Jurídico español si suponen una mayor intervención punitiva, de modo que adquirirán su capacidad vinculante para los ciudadanos, y con ello su eficacia integradora del tipo penal, a partir de su transposición a la normativa estatal. En consecuencia, para la integración de los elementos normativos contenidos en los delitos han de tenerse en cuenta los Reglamentos de la Unión Europea que tienen aplicación directa y primacía sobre el Derecho interno, mientras que las Directivas solo podrán tener eficacia exclusivamente a la hora de restringir el alcance de correspondiente tipo penal.

4. Exigencia de dolo

Al menos en teoría, todas las conductas típicas requieren la constatación de dolo, dado que no se ha previsto la punición de comportamientos imprudentes.

Puede plantear sin embargo dudas la posibilidad de penalizar determinados comportamientos relacionados con la tenencia, tráfico y depósito de armas, municiones o explosivos cuando dichas conductas sean subsumibles en determinados delitos de terrorismo. Concretamente, el segundo inciso del art. 577.2 CP tipifica el comportamiento consistente en facilitar *«adiestramiento o instrucción sobre fabricación o uso de explosivos, armas de fuego u otras armas o sustancias nocivas o peligrosas»*, conducta que teóricamente se podría entender a su vez subsumida en el apartado 3 del mismo precepto, que penaliza la colaboración con las actividades o las finalidades de una organización o grupo terrorista producida por imprudencia grave.

No obstante, la laxitud que demuestra la Jurisprudencia en la aplicación de estos delitos hace que en algunos casos parezca difícil delimitar el contenido que debe tener el dolo (y en particular su componente volitivo) para satisfacer las exigencias típicas, especialmente en aquellos delitos cuya estructura responde a la de los delitos de mera actividad. Así por ejemplo, en relación con los artículos 563 y 564 CP se afirma que basta con un *animus possidendi*, esto es, el «dolo o conocimiento de que se tiene el arma careciendo de la oportuna autorización, con la voluntad de tenerla a su disposición, pese a la prohibición de la norma» [SSTS 709/03, 14-5 *(Tol 275658)* y 60/2013, de 2-2 *(Tol 3055816)*; SAN, Sección Cuarta, 14/2017, de 16-5 *(Tol 6137083)*; SAP Vizcaya, Sección Sexta, 43/2017, de 21-7 *(Tol 6360397)*]; pero también en ocasiones se ha mantenido que el tipo subjetivo en estos delitos «se agota con el conocimiento por parte del sujeto activo de la disponibilidad de un arma prohibida, con el consiguiente riesgo que puede implicar para la seguridad colectiva la incontrolada utilización de armas de esas características» [STS 343/2009, de 30-3 *(Tol 1499125)*].

En realidad, el contenido que ha de tener la *voluntad* del sujeto activo de estos delitos se presume en la mayoría de las ocasiones, pues solo aparece como objeto de análisis cuando se trata de excluir la tipicidad de algunas conductas atendiendo, precisamente, a la *intención* de su autor. Así por ejemplo, la Jurisprudencia descarta la aplicación del correspondiente tipo de tenencia ilícita cuando el arma se posee con fines coleccionistas: véase al respecto la SAP de Bizkaia, Sección 2ª, 15/2016, de 30-3 *(Tol 5733342)*: «el ánimo de coleccionista que [el acusado] adujo, el interés por la historia [de la munición incautada] que los testigos manifestaron y su colaboración con instituciones relevantes y sin ánimo de lucro, eliminan el dolo típico incluso en su forma más básica de conocimiento y voluntad de almacenar municiones de guerra».

De forma análoga, se señala respecto de los artículos 566 y 567 CP que el dolo o tipo subjetivo se contenta en estos supuestos «con el conocimiento en la esfera del profano de que se ha constituido un depósito o acopio de armas, que el arma

es de fuego y/o de guerra, que es apta para disparar y que no se posee lícitamente»
[STS 532/2016, de 16-6 *(Tol 5757163)*].

En cambio, en relación con el art. 568 CP, mantiene la SAN 37/2016, Sección Cuarta, de
14-11 *(Tol 5884659)*, que el tipo «requiere el conocimiento de dicha tenencia y la voluntad de
dicha posesión, con disponibilidad como dominio de hecho sobre los elementos que integran
el depósito, como capacidad de controlar y decidir sobre su destino, puesto que el hecho de
convivir con el propietario del arma y de los explosivos no significa que los tenga a su disposición».

También suscita dudas la posibilidad de apreciar dolo eventual en buena parte
de estas figuras, incluso en algunas que parecen requerir *prima facie* para su consumación la producción de un resultado material (como es el caso del desarrollo
de determinadas armas —art. 567.2, segundo inciso, CP).

Algunos pronunciamientos jurisprudenciales dan a entender que el dolo típico de estos
delitos es, precisamente, el eventual. Así por ejemplo, la SAP Alicante, Sección Séptima,
332/2017, de 9-6 *(Tol 6331104)*: «*Este delito requiere, en el ámbito subjetivo, el dolo eventual*
consistente en el conocimiento de que el arma es idónea para causar un resultado lesivo». Sin
embargo, con ello parece confundirse lo que es un dolo de peligro con lo que constituye un
dolo (eventual) de lesión, lo cual a su vez parece una consecuencia ineludible del hecho de
prescindir del análisis del elemento volitivo.

Por lo demás, el dolo (o al menos el conocimiento) del tenedor debe abarcar
los elementos objetivos de las agravaciones específicas del art. 564 CP, no bastando en consecuencia, por ejemplo, que estuviera borrado el número de identificación de la pistola y que dicha circunstancia fuere perceptible [STS 879/2016, de
22-11 *(Tol 5899975)*].

V. CARACTERÍSTICAS GENERALES DE LOS DELITOS DE TENENCIA

El antiguo art. 254 CP73 fue sustituido por los artículos 563 y 564 CP, que
han mantenido inalterada su redacción desde 1995 y que introdujeron importantes modificaciones en lo que había sido el tradicional tratamiento jurídico penal
de la tenencia ilícita de armas en nuestro país. En efecto, a diferencia de su predecesor, dichos preceptos distinguen dos modalidades delictivas básicas: la tenencia
de *armas prohibidas y modificadas* en el art. 563 CP (entre las que se encuentran,
al menos formalmente, determinadas armas blancas y otros objetos contundentes,
lo cual ha provocado no pocos quebraderos de cabeza a la Doctrina y Jurisprudencia) y la tenencia ilícita de *armas de fuego reglamentadas* en el art. 564 CP
(que es el que más semejanzas guarda con el art. 254 CP73, aunque el marco pe-

nal aplicable a estas conductas se ha reducido sustancialmente —pasando de ser prisión de seis meses y un día a seis años a otro mucho más circunscrito); por otra parte, el legislador penal de 1995 incluyó en esta segunda modalidad de tenencia ilícita (la de armas reglamentadas) una nueva diferenciación entre *armas cortas* (para las que reserva el marco penológico mayor —prisión de uno a dos años, en el tipo básico, y de dos a tres años, en el caso de las agravaciones) y *armas largas* (prisión de seis meses a un año para el tipo básico y de uno a dos años si se aplica una de las agravantes específicas del art. 564.2 CP). Las modificaciones que se acaban de exponer provocan, además, uno de los tantos problemas que suscita la regulación actual de los delitos de tenencia, tráfico y depósito de armas, pues son necesarias auténticas piruetas interpretativas para evitar el dislate valorativo que supondría castigar con mayor pena la tenencia de una navaja de determinadas dimensiones que la posesión de un revólver sin la pertinente licencia.

El catálogo de agravantes específicas que se recoge actualmente en el art. 564.2 CP también ha experimentado variaciones con respecto al contemplado en su antecedente, el art. 255 CP73 (entre ellas, una nueva atemperación del marco penológico, que a todas luces era excesivo en el texto derogado: prisión mayor, esto es, de seis años y un día a doce años de privación de libertad). Como se verá, la segunda y tercera circunstancia recogida en el precepto penal derogado se han refundido en el actual número 1º del art. 564.2 CP, y el «hueco» creado por dicha refundición se ha aprovechado para introducir una nueva circunstancia agravante que crea nuevos, y probablemente irresolubles, problemas aplicativos. Pues resulta muy difícil (si no imposible) distinguir los supuestos de tenencia de armas *modificadas* (que son castigados en el art. 563 CP) de los de tenencia de armas de fuego reglamentadas *transformadas* (que han de sancionarse conforme a lo previsto en el art. 564.2.2º CP).

Finalmente, tampoco pueden calificarse de acertadas las modificaciones introducidas respecto de la regulación anterior (art. 256 CP73) en el actual art. 565 CP, que recoge el tipo atenuado de tenencia, pero eliminando prácticamente todos los indicios que, de manera más o menos atinada, daba el legislador penal de 1973 al intérprete, a la hora de valorar la *«falta de intención de usar las armas con fines ilícitos por parte del sujeto activo»*.

1. *Conducta típica: el concepto de tenencia*

Como se vio con anterioridad, la ausencia de toda referencia en las descripciones típicas a la necesidad de constar la creación de riesgo, siquiera abstracto, del bien jurídico protegido, no ha impedido a la Jurisprudencia mayoritaria caracterizar a los tipos penales de tenencia ilícita de armas como delitos de peligro abstracto. En efecto, los términos «peligro» o «riesgo» (que abundan en la descripciones legales de los delitos ubicados inmediatamente antes o después de los relativos a armas, municiones o explosivos) brillan por su ausencia en los artículos 563 a 565 CP, lo que hace a estos preceptos fuertemente dependientes de la interpretación judicial, que ha sido tradicionalmente laxa en el caso de estos delitos. Así, a menudo se ha mantenido que basta con la puesta en peligro abstracto del bien jurídico (colectivo) para afirmar el carácter delictivo de la tenencia ilegal, se ha presumido *iure et de iure* la peligrosidad o idoneidad lesiva del arma (o simplemente se ha negado la necesidad de que el arma sea peligrosa), y además se ha interpretado la palabra «tenencia» como equivalente a mera disponibilidad potencial (esto es, riesgo o probabilidad de ser poseída efectivamente).

En este sentido, la STS 268/2012, de 12-3 *(Tol 2513951)* resume los aspectos fundamentales con los que la Jurisprudencia ha venido caracterizando la tenencia ilícita de armas: un *delito permanente* en cuanto la situación antijurídica se inicia desde que el sujeto tiene el arma en su poder y se mantiene hasta que se desprende de ella; un *delito formal*, en cuanto no requiere para su consumación resultado material alguno ni producción de daño; y un *delito de tenencia,* que consiste en el acto positivo de tener o portar el arma, exigiendo tal acción la mera disponibilidad del arma, es decir, la posibilidad de usarla según el destino apropiado de la misma [SSTS 709/2003, de 14-5 *(Tol 275658)*; 201/2006, de 1-3 *(Tol 850011)*]. De forma paralela, se afirma que la tenencia ilícita de armas es un *delito de propia mano* [STS 960/2007, de 29-11 *(Tol 1213951)*], que comete aquel que de forma exclusiva y excluyente goza de la posesión del arma, aunque a veces pueda pertenecer a distintas personas o, en último caso, pueda estar a disposición de varios con indistinta utilización.

Así las cosas, se detecta una cierta obsesión en la Jurisprudencia por castigarlo *todo* cuando se trata de tenencia ilícita de armas (tenencia que es detectada, en un número muy elevado de casos, en el marco de una investigación por otro delito —especialmente a través de diligencias de entrada y registro, en el transcurso de las cuales se produce el hallazgo). Es más: no parece descabellado afirmar que la tenencia ilícita se está aplicando *de facto* como una «agravante selectiva» solo a determinados sujetos: aquellos que son procesados por la comisión de ciertos delitos (como asesinato u homicidio, detenciones ilegales, robo, o los relativos al tráfico de drogas). De este modo, la intervención policial y judicial respecto de los delitos de tenencia de armas parece haberse deslizado peligrosamente hacia el ámbito del derecho penal de autor, obviando con ello la efectiva persecución y sanción de otras conductas que revisten mayor gravedad, mayor especialización delictiva y mayor organización criminal, como son la fabricación y el tráfico ilícitos de estos objetos. La situación resultante no puede ser más ilógica: el aparato punitivo, si se permite el símil, «mata moscas a cañonazos», al igual que ocurre cuando se persigue más intensamente, por ejemplo, la posesión para el tráfico de drogas que el tráfico mismo, o la posesión de material pornográfico infantil antes que la elaboración de dicho material.

La situación que se acaba de exponer viene favorecida en gran medida por la peculiar estructura típica que presentan estos ilícitos penales como delitos de tenencia, modalidad que debe ser analizada con especial desconfianza por la posible merma de las garantías penales que su empleo puede conllevar, hasta el punto que se ha sostenido que constituyen supuestos de imposición de una pena por la sospecha (NESTLER). Por de pronto, el castigo de la mera posesión de un objeto (aunque sea peligroso, como es un arma o un explosivo) parece chocar frontalmente con el tenor literal del art. 10 CP (el cual establece que son delitos *las acciones y omisiones* penadas por la ley), pues la posesión es más un «estado» del dominio (SCHROE-DER) que una conducta, presupuesto ineludible y fundamental de la punibilidad en nuestro Ordenamiento. Para salvar esta aparente contradicción, y dada la imposibilidad de hallar un elemento de conducta implícito mediante una referencia al acto previo que lleva a la pose-sión (por ejemplo, la obtención del objeto mediante compra —entre otras razones, porque los actos previos de adquisición se penalizan en otros preceptos, destinados al castigo de la comercialización o tráfico), un sector doctrinal propone interpretar los delitos de tenencia como modalidades específicas de comisión por omisión, entendiendo que el poseedor asume una posición de garante que se infringe con su negativa a terminar con la posesión, de modo que poseer significaría «la omisión de la supresión o finalización de la posesión» (PASTOR MUÑOZ), pero dicha interpretación puede trasladar el problema a la determinación de la concreta conducta mediante la que se asume dicha posición de garante (conducta que, si es ilícita, ya estará penada como otra modalidad típica). Frente a lo anterior, otro sector doctrinal propone reconocer la naturaleza «estática» de los delitos de posesión (esto es, como delitos de no conducta que criminalizan ciertos estados del ser), pero reducir su ámbito de aplicación a través de una interpretación restrictiva, autónoma y basada en la culpabilidad; desde esta pers-pectiva se señala que, además de la necesaria voluntad de poseer y un mínimo de conciencia en relación con la cosa poseída (como estándar subjetivo mínimo), «el ejercicio de control personal del poseedor sobre el objeto» debe considerarse elemento constitutivo de todo delito de posesión, lo que requerirá la constatación de un control real, no bastando a tales efectos uno meramente potencial (AMBOS).

Los dos tipos penales que se contienen en los artículos 563 y 564 CP se cons-truyen en torno a un elemento central, cual es la «tenencia», radicando las dife-rencias entre ambos ilícitos en los objetos materiales (armas prohibidas o modifi-cadas, en el caso del art. 563, y armas reglamentadas, en el supuesto del art. 564) y los correspondientes sistemas de licencias y autorizaciones exigibles a cada uno de ellos. Obviamente, la tenencia ilícita va referida en estos preceptos a una con-creta clase de objetos: las armas, las cuales son definidas en el DRAE como aque-llos instrumentos, medios o máquinas *destinados a atacar o a defenderse*; ello sig-nifica que, con independencia de su regulación reglamentaria, deberán al menos cumplir con esas características esenciales, de modo que será impune «la tenencia de instrumentos que, aunque en abstracto y con carácter general puedan estar incluidos en los catálogos de prohibiciones administrativas, en el caso concreto no se configuren como instrumentos de ataque o defensa, sino otros, como el uso en actividades domésticas o profesionales o de coleccionismo» [STC 24/2004 de 24-2 *(Tol 351791)*]. Por esta razón debe considerarse fuera del alcance típico la tenencia no solo de instrumentos como los cuchillos de cocina o los escalpelos, sino también de otras herramientas igualmente peligrosas, como son por ejemplo los taladros, las pistolas de clavos o las motosierras; de ahí que cierto sector de la Doctrina prefiera hablar de «tenencia funcional» (SÁINZ CANTERO).

Sin duda es muy larga la lista de instrumentos o herramientas que pueden resultar potencialmente lesivos para la seguridad de los ciudadanos en general (y para la vida, integridad física o libertad de cada uno de ellos en particular), y cuya posesión, sin embargo, no es controlada mediante una regulación administrativa específica porque no han sido concebidos como instrumentos de ataque o defensa (aunque sí se hallan expresamente penalizados cuando se emplean contra esos bienes jurídicos personalísimos en determinados supuestos —por ejemplo, en los tipos agravados de lesiones, amenazas, o robo con violencia o intimidación ejecutados con armas u otros instrumentos igualmente peligrosos). Pero tampoco puede equipararse la peligrosidad de otros objetos, cuya funcionalidad sí está teóricamente destinada al ataque o la defensa (como las navajas automáticas o los puñales) con la que presentan determinadas armas: aquellas cuyas características técnicas permiten disparar o lanzar un proyectil a una velocidad y/o distancia muy superiores a las que puede alcanzar el brazo humano.

Por ello, la funcionalidad (o peligrosidad general) del objeto no parece ya tanto el criterio idóneo para delimitar el fundamento de la severa regulación (administrativa y penal) de estas conductas, como la relación que une a la tenencia, fabricación y tráfico de armas de fuego (especialmente peligrosas) con la delincuencia en general y la criminalidad organizada en particular. En este contexto, tan poco sentido tiene penalizar la mera tenencia de determinadas armas blancas (o de «munchacos», «xiriquetes», u otros objetos similares, regulados como armas prohibidas en el RA) como lo tendría la penalización de su comercio ilegal, porque la realidad criminológica parece demostrar que no se suele traficar con navajas o catanas, sino con armas de fuego (automáticas o semiautomáticas, fusiles de asalto, pistolas, etc.) y con las municiones que necesitan para desplegar su enorme potencialidad lesivo, el cual las hace especialmente atractivas para el mercado negro. Y es en ese comercio ilegal, que guarda una indudable relación con diversas modalidades de delincuencia organizada (terrorismo, trata de personas, narcotráfico, etc.) donde deberían centrarse los esfuerzos de la persecución penal. Pues parece obvio que más importante que agravar la pena de quien ya ha cometido un delito empleando un arma (blanca) ilegal es evitar que haya en la calle un número elevado de armas de fuego (legales e ilegales), esperando a ser utilizadas.

La Jurisprudencia ha tratado de concretar en qué debe consistir la «tenencia», para satisfacer las exigencias típicas de los artículos 563 y 564 CP, señalando al respecto que basta con constatar una *relación entre la persona y el arma* que permita a la primera una *disponibilidad* de la segunda y «su utilización a la libre voluntad del agente, a los fines propios de tal instrumento» [SSTS 937/1995, de 22-9 *(Tol 405746)*; 760/1998, de 18-9 *(Tol 5133663)*; 136/2001, de 31-1 *(Tol 4921317)*; 754/2001, de 7-5 *(Tol 4925227)*; 2123/2002, de 16-12 *(Tol 4921997)*; STS 484/2005, de 14-4 *(Tol 646456)*; 51/2007, de 29-1 *(Tol 1035576)*].

El concepto de tenencia (que es definido por el DRAE como la «ocupación y posesión actual y corporal de algo») adquiere un ámbito de aplicación judicial aún mayor gracias a la interpretación, sumamente extensiva, que se realiza de la «disponibilidad» necesaria para afirmar la presencia de la conducta típica. De este modo, si bien se suele afirmar la necesidad de que la posesión sea «actual» [STS 272/2009, de 17-3 *(Tol 1474861)*; SAP Badajoz, Sección Tercera, 106/2017, de 15-5 *(Tol 6139626)]*, y en ocasiones se descarta que haya tenencia en caso de «contacto pasajero» o «posesión fugaz» [SSTS 754/2001, de 7-5 *(Tol 4925227)* y 60/2013, de 2-2 *(Tol 3055816)*; SAP Madrid, Sección Decimosexta, 542/2017, de 11-9 *(Tol 6367917)*; SAP Santander, Sección Tercera, 539/2015, de 30-12 *(Tol 5658867)]*, al mismo tiempo se mantiene que la relación de disponibilidad entre individuo y arma se concreta en una *mera posibilidad de acceso* [SSTS 484/2005, de 14-4 *(Tol 646456)* y 582/2014, de 8-7 *(Tol 4467963)*; SAP Alicante, Sección Séptima, 332/2017, de 9-6 *(Tol 6331104)]*, que no requiere un contacto material, una aprehensión física permanente del autor respecto del objeto del delito, sino una *disponibilidad abstracta, potencial* [STS 478/2013, de 6-6 *(Tol 3782072)*; SAN 37/2016, Sección Cuarta, de 14-11 *(Tol 5884659)]*.

Especialmente ilustrativa del modo de interpretar el concepto de tenencia en estos tipos penales es la STS 412/2017, de 7-6 *(Tol 6172192)*, que juzga entre otros los siguientes hechos: En el transcurso de una investigación por la comisión de un robo con violencia en casa habitada, y durante una diligencia de entrada y registro en el domicilio en el que moraba un conocido de los autores de dicho robo junto con su pareja y la hija de ambas, tiene lugar el «hallazgo casual» de un arma de fuego con munición. La Sentencia confirma la condena del acusado por el delito de tenencia ilícita de armas a pesar de que este llevaba tres meses en prisión cuando se produjo el registro, basándose para ello en el argumento ya mencionado de que «la disponibilidad del arma no equivale a su tenencia material», pues, según se afirma, «dada la ubicación de la pistola, la mesilla de noche del recurrente, allí colocada con su conocimiento indubitado, *aunque el recurrente en ese momento cumpliera condena de prisión, su disponibilidad sobre el arma resulta acreditada*».

2. *Tenencia compartida*

Tan amplio concepto de tenencia [que, en definitiva, viene a posibilitar su calificación como tal si el sujeto tiene una mera posibilidad de acceder al arma, una disponibilidad abstracta de la misma, o una posesión mediata —STS 412/2017, de 7-6 *(Tol 6172192)*], ha permitido asimismo a la Jurisprudencia ampliar el círculo de posibles autores de estos ilícitos penales a través de la noción de «tenencia compartida», y ello a pesar de considerarlos delitos de propia mano (categoría en teoría limitada a aquellos tipos que requieren la ejecución material del hecho para afirmar la autoría —esto es, que el sujeto esté en situación de cometer de forma *personal e inmediata* la acción típica— cf. MAQUEDA ABREU).

De este modo, se afirma que la tenencia ilícita de armas es un delito de propia mano que comete aquel que de forma exclusiva y excluyente goza de la posesión del arma, aunque a veces pueda pertenecer a distintas personas o, en último caso, pueda estar a disposición de varios con indistinta utilización, razón por la cual extiende sus efectos, en concepto de tenencia compartida, *a todos aquellos que conociendo su existencia en la dinámica delictiva, la tuvieron indistintamente a su disposición.* Este razonamiento permite, entre otras cosas, condenar por el correspondiente delito de tenencia ilícita, por ejemplo, a todos los ocupantes de un vehículo en el que se halla un revólver, o a todos los partícipes en un atraco a mano armada, sin necesidad de probar cuál de ellos portaba el arma o armas en cuestión [cf. SSTS de 22-4-2002 *(Tol 162318)*; 1348/2004, de 25-11 *(Tol 520314)*; 1071/2006, de 8-11 *(Tol 1019011)*]; 84/2010, de 18-2 *(Tol 1798201)*; 70/2015, de 3-2 *(Tol 4719942)*; 245/2016, de 30-3 *(Tol 5688621)*].

A otra conclusión llega sin embargo la STS 454/2015, DE 10-7 *(Tol 5219211)*: no se puede deducir la plena disponibilidad del arma por todos los partícipes a partir del conocimiento que tienen de que uno de ellos porta o hace uso intimidatorio de la misma, pues ello constituye «una inferencia excesivamente abierta, ante la ausencia de un razonamiento lógico y con base probatoria de cómo y por qué queda acreditado ese uso indistinto y disponibilidad del arma que solo utilizaba uno de los acusados, y si bien este recurrente tuvo que conocer tal uso en el robo cometido en la vivienda de Victorino Jenaro y se aprovechó para cometer el atraco con mayor facilidad, tal conocimiento justifica el que al no poseedor pueda serle aplicada la agravación específica del apartado 3 art. 242 CP, prevista para el caso de robo con armas u otros instrumentos peligrosos, pero no el que pueda ser considerado coautor en el delito de tenencia ilícita de armas».

3. Tenencia de varias armas

Tanto el art. 563 CP como el 564 castigan la tenencia de *«armas»* (en plural), lo que permite considerar cometido un solo delito cuando se trate de la posesión de varios objetos de esta naturaleza, siempre que dicho número no alcance el necesario para considerar el comportamiento como depósito. En este sentido, cuando se trata de armas de fuego reglamentadas, el art. 567.3 CP especifica que se considerará depósito «la reunión de cinco o más de dichas armas», lo que *a sensu contrario* significa que la posesión ilícita de hasta cuatro constituirá un delito del art. 564 CP.

Más dudosa resulta la misma cuestión cuando se trata de armas prohibidas, pues el Capítulo V del Título XXII no contiene ningún tipo penal que permita considerar la posesión ilícita de varias de estas armas como «depósito» a efectos penológicos. Así que en principio podrá constituir un solo delito de tenencia de armas prohibidas del art. 563 CP la posesión de cualquier número de estos objetos, so pena de caer en una (ilegal) aplicación analógica de lo preceptuado en el art. 567.3 CP; lo cual no deja de ser absurdo, pues atendiendo a la mayor pena con la que se castiga la tenencia de un arma prohibida (prisión de uno a tres años), frente a la que corresponde por la posesión ilegal de un arma reglamentada (prisión de uno a dos años —si es corta— o de seis meses a un año —si es larga) debería concluirse que el legislador penal ha entendido que las armas prohibidas son en todo caso más peligrosas que las reglamentadas; conclusión que, por otra parte, sería completamente errónea, ya que, como se verá, una navaja puede ser un arma prohibida y un fusil un arma reglamentada.

4. El denominado «animus possidendi»

Los artículos 563 y 564 CP exigen conocimiento de que se posee el arma y (al menos en teoría) voluntad de poseerla, lo cual configura el contenido tradicional del dolo, por más que un nutrido sector de la Doctrina y Jurisprudencia venga denominándolo «animus possidendi» o «animus detinendi» [SSTS de 6 de abril de 1995 *(Tol 5155920)*; 20-10-95 *(Tol 405783)*] y caracterizándolo como elemento subjetivo específico (cf. CRUZ BLANCA).

En cualquier caso, lo que sí parece claro es que no es necesario que el sujeto actúe con «animus rem sibi habendi» [véase sin embargo la STS 891/1999, de 1-6 *(Tol 5134191)*], pues la intención de poseer definitiva o temporalmente el objeto nada añade al injusto (que se basa en el peligro —momentáneo o permanente— que la tenencia ilícita de un arma puede generar para la seguridad del conjunto de los ciudadanos, y más concretamente para determinados bienes jurídicos personalísimos —vida, integridad física, libertad). También debe considerarse irrelevante el fin ilícito para el que se posea el arma (posterior comisión de otro delito, encubrimiento de un delito previo, tráfico, etc.), a no ser que este sea de naturaleza terrorista, pues en este caso habrá que acudir a los correspondientes tipos penales específicos (artículos 573 y ss. CP).

VI. TENENCIA DE ARMAS PROHIBIDAS O MODIFICADAS (ART. 563 CP)

El art. 563 CP (que no tiene precedentes en el CP73) castiga con pena de prisión de uno a tres años la tenencia de dos tipos de armas: las «prohibidas» y la de aquellas que sean «resultado de la modificación sustancial de las características de fabricación de armas reglamentadas». Para aclarar el significado de ambos conceptos típicos deberá acudirse fundamentalmente a los artículos 4 y 5 RA, así como a otros preceptos del mismo Reglamento en determinados supuestos, si bien como se verá dichos preceptos no permiten una traslación literal de sus contenidos a efectos de delimitar el alcance del objeto material en estos tipos penales.

El art. 4 RA prohíbe la fabricación, importación, circulación, publicidad, compraventa, uso y tenencia de las siguientes armas «o de sus imitaciones»: a) armas de fuego que sean resultado de modificar sustancialmente las características de fabricación en origen, sin la reglamentaria autorización de modelo o prototipo; b) armas largas que contengan dispositivos especiales, en su culata o mecanismos, para alojar pistolas u otras armas; c) pistolas y revólveres que lleven adaptado un culatín (lo que se define por el DRAE como «suplemento plegable o extensible de ciertas armas portátiles, como las metralletas, que permite apoyarlas en el hombro para efectuar el tiro»); d) armas de fuego para alojar o alojadas en el interior de bastones u otros objetos; e) armas de fuego simuladas bajo apariencia de cualquier otro objeto; f) bastones-estoque, los puñales de cualquier clase y las navajas llamadas automáticas (a tales efectos, el propio art. 4.1.f RA aclara que deberán considerarse puñales las armas blancas de hoja menor de 11 centímetros, de dos filos y puntiaguda); g) armas de fuego, de aire u otro gas comprimido, reales o simuladas, combinadas con armas blancas; h) las defensas de alambre o plomo, «rompecabezas», llaves de pugilato (con o sin púas), tiragomas y cerbatanas «perfeccionados», «munchacos y xiriquetes» (*sic.*), así como *«cualesquiera otros instrumentos especialmente peligrosos para la integridad física de las personas»*.

Llama poderosamente la atención los ingredientes de la lista que se acaba de transcribir, en cuya confección parece que solo se ha tenido en cuenta un único criterio: el de ir añadiendo las novedades en la materia sin suprimir ningún elemento de la lista original. Esto hace que compartan el mismo régimen prohibitivo algunas armas que hoy en día parecen arcaicas (como los bastones-estoque) con otras que solo se han popularizado en las últimas décadas en Occidente, gracias a la práctica de las artes marciales (como el *nunchaku* o *shuriken*, objetos a los que hace referencia el art. 4.1 h) RA con una redacción quizá no demasiado afortunada). A simple vista puede comprobarse que la peligrosidad intrínseca a cada uno de estos tipos de armas es de muy diferente entidad: así por ejemplo, parece obvio que mucho más peligrosa puede ser un arma de fuego modificada (como una escopeta de cañones recortados —art. 4.1 a) RA—) que una llave de pugilato —art. 4.1 h) RA—.

Por su parte, el art. 5 RA establece una serie de prohibiciones respecto de la publicidad, compraventa, tenencia y uso de otras armas y también de objetos que no tienen tal carácter, si bien estas prohibiciones no son absolutas, puesto que en determinados casos no alcanza a los funcionarios especialmente habilitados para ello (en los supuestos del art. 5.1 RA) y en otros a los propios particulares (apartados 2 y 3 del art. 5 RA, amén de algún otro supuesto incluido en el apartado anterior del mismo precepto —por ejemplo, *sprays* de defensa considerados permitidos en el art. 5.1.b).

Finalmente, debe mencionarse que la Disposición Final Cuarta del RD 137/1993 permite al Ministerio del Interior (mediante Órdenes dictadas a propuesta de la Dirección General de la Guardia Civil y previo informe favorable de la Comisión Interministerial Permanente de Armas y Explosivos) añadir a los artículos 4 y 5 RA *«las armas o imitaciones que en lo sucesivo se declaren incluidas en cualesquiera de sus apartados»*. Recientemente, y mediante *Orden INT/1008/2017* de

3 de julio, el Ministro del Interior ha hecho uso de esta facultad para incorporar al listado del art. 5.1 RA un nuevo literal h).

En su redacción actual, el art. 5.1 RA prohíbe la publicidad, compraventa, tenencia y uso, *«salvo por funcionarios especialmente habilitados, y de acuerdo con lo que dispongan las respectivas normas reglamentarias»* de:

a) Armas semiautomáticas de las categorías 2ª, 2 y 3ª 2 (esto es, armas de fuego largas rayadas, escopetas y demás armas de fuego largas de ánima lisa utilizables para la caza, siempre que no estén clasificadas como armas de guerra), cuya capacidad de carga sea superior a cinco cartuchos, incluido el alojado en la recámara, o cuya culata sea plegable o eliminable;

b) *Sprays* de defensa personal y todas aquellas armas que despidan gases o aerosoles, así como cualquier dispositivo que comprenda mecanismos capaces de proyectar *«sustancialmente estupefacientes, tóxicas o corrosivas»* (*sic.*), exceptuándose de lo anterior los *sprays* de esta clase *«que, en virtud de la correspondiente aprobación del Ministerio de Sanidad y Consumo, previo informe de la Comisión Interministerial Permanente de Armas y Explosivos, se consideren permitidos, en cuyo caso podrán venderse en las armerías a personas que acrediten su mayoría de edad mediante la presentación del documento nacional de identidad, pasaporte, autorización o tarjeta de residencia».*

c) Defensas eléctricas, de goma, «tonfas» o similares (las «tonfas» son también conocidas como «tuifas», tradicionales herramientas de labranza orientales de las que derivó posteriormente el moderno bastón policial denominado PR-24).

d) Silenciadores aplicables a armas de fuego.

e) La cartuchería con balas perforantes, explosivas o incendiarias, así como los proyectiles correspondientes.

f) Las municiones para pistolas y revólveres con proyectiles «dum-dum» (esto es, balas expansivas así llamadas por el antiguo modelo británico producido en el Arsenal de Dum Dum, cerca de Calcuta) o de punta hueca, así como los propios proyectiles.

g) Armas de fuego largas de cañones recortados.

Como se ha mencionado, la Orden INT/1008/2017, de 3 de julio, ha añadido a la lista anterior un nuevo literal h), dedicado a *«las pistolas y revólveres detonadores que no vayan a emplearse para actividades deportivas, adiestramiento canino profesional, espectáculos públicos, actividades recreativas, filmaciones cinematográficas y artes escénicas, así como para fines de coleccionismo».* El art. 2 de la misma Orden aclara que se trata de las mismas pistolas y revólveres detonadores clasificados en la categoría 7ª, 6 del art. 3 RA, esto es, aquellos que están destinados *«a la percusión de cartuchos sin proyectil que provocan un efecto sonoro y cuyas características los excluyen para disparar cualquier tipo de proyectil»* (conforme a la definición de «arma detonadora» incluida en el art. 2.10 RA).

No obstante, la STC 24/2004, de 24-2 *(Tol 351791)* aclaró que la posibilidad de complementar elementos del tipo penal con normas extrapenales debe limitarse, en el supuesto del art. 563 CP, a lo establecido en el RA o norma de rango equivalente que en el futuro lo sustituya, «sin que pueda considerarse constitucionalmente admisible, a los efectos de la configuración del tipo penal, la incorporación al mismo de lo prohibido mediante órdenes ministeriales, conforme a lo previsto en la anteriormente transcrita disposición final cuarta del mismo». En primer lugar, porque tal proceder carecería de cobertura legal (toda vez que los artículos 28 y 29 de la vigente LO 4/2015, de protección de la seguridad ciudadana, faculta al Gobierno para reglamentar la prohibición, no al Ministerio del Interior); y en segundo lugar, porque lo contrario supondría diluir «la función de garantía de certeza y seguridad jurídica de los tipos penales, función esencial de la reserva de ley en materia penal […]. Una tal remisión a normas infralegales para la configuración incondicionada de supuestos de infracción no es conciliable con lo dispuesto en el art. 25.1 de la Constitución. Por tanto, *todas aquellas armas que se introduzcan en el catálogo de los artículos 4 y 5 mediante una Orden ministerial no podrán considerarse armas prohibidas a los efectos del art. 563 CP, por impedirlo la reserva formal de ley que rige en materia penal»*.

1. *Armas prohibidas*

Aun con la salvedad que se acaba de hacer, no puede entenderse que el objeto material del delito tipificado en el primer inciso del art. 563 CP coincida, plenamente y sin mayores matices, con las listas de los artículos 4 y 5 RA, y ello por diversas razones.

En primer lugar, estimar que dicha redacción permite que cualquier arma prohibida reglamentariamente pase a integrar el tipo penal, sin ninguna otra exigencia adicional, convertiría al precepto en inconstitucional por *abierto*, vulnerándose con ello los artículos 25.1, 81.1 y 17.1 CE, pues con dicha interpretación se posibilitaría la sanción con una pena de prisión de hasta tres años de conductas muy dispares en cuanto a su gravedad, por el mero hecho de incumplir la regulación reglamentaria. Como señala la STC 24/2004, de 24-2 *(Tol 351791)*: «si así fuera, el recurso a la sanción penal resultaría desproporcionado, en primer lugar, frente a todas aquellas conductas que, constituyendo tenencia de armas prohibidas por estar incluidas en tal concepto en la normativa administrativa, carecieran de potencialidad lesiva para la seguridad ciudadana, pues la imposición de sanciones penales solo puede considerarse proporcionada y constitucionalmente legítima, si resulta necesaria para proteger bienes jurídicos esenciales frente a conductas lesivas o peligrosas para los mismos (principio de lesividad o exigencia de antijuridicidad material). En segundo lugar, también resultaría desproporcionado el establecimiento de sanciones penales cuando el recurso a la sanción administrativa fuera suficiente para la consecución igualmente eficaz de las finalidades deseadas por el legislador […], pues la sanción penal solo resulta necesaria cuando no existen otras vías de protección alternativas en el ordenamiento jurídico menos restrictivas de derechos y suficientes para obtener la finalidad deseada (principio de *ultima ratio*)».

No obstante, la STC 24/2004 entendió que era posible realizar una interpretación del primer inciso del art. 563 CP compatible con la CE, «desde el respeto al tenor literal del mismo y a partir de los criterios interpretativos al uso en la comunidad científica y de los principios limitadores del ejercicio del *ius puniendi*». Concretamente, acudiendo a dichos principios, el

TC señaló que «la prohibición penal de tener armas no puede suponer la creación de un ilícito meramente formal que penalice el incumplimiento de una prohibición administrativa, sino que ha de atender a la protección de un bien jurídico (la seguridad ciudadana y mediatamente la vida y la integridad de las personas, como anteriormente señalamos) frente a conductas que revelen una especial potencialidad lesiva para el mismo. Y además, la delimitación del ámbito de lo punible no puede prescindir del hecho de que la infracción penal coexiste con una serie de infracciones administrativas que ya otorgan esa protección, por lo que, en virtud del carácter de *ultima ratio* que constitucionalmente ha de atribuirse a la sanción penal, solo han de entenderse incluidas en el tipo las conductas más graves e intolerables, debiendo acudirse en los demás supuestos al Derecho administrativo sancionador, pues de lo contrario el recurso a la sanción penal resultaría innecesario y desproporcionado».

La concreción de tales criterios generales permite a la STC 24/2004 efectuar nuevas restricciones del objeto de protección, afirmando que *«la intervención penal solo resultará justificada en los supuestos en que el arma objeto de la tenencia posea una especial potencialidad lesiva y, además, la tenencia se produzca en condiciones o circunstancias tales que la conviertan, en el caso concreto, en especialmente peligrosa para la seguridad ciudadana. Esa especial peligrosidad del arma y de las circunstancias de su tenencia deben valorarse con criterios objetivos y en atención a las múltiples circunstancias concurrentes en cada caso, sin que corresponda a este Tribunal su especificación».*

Como ya se ha mencionado, aquí se propone interpretar que la «potencialidad lesiva» del arma cuya constatación exige el TC equivale a la «peligrosidad intrínseca» que presentan algunas de ellas en base a sus características técnicas (en general, la existencia de un mecanismo que les permite disparar o lanzar un proyectil a una velocidad y/o distancia muy superiores a las que puede alcanzar el brazo humano). Este criterio permite a su vez realizar precisiones adicionales en relación con el objeto material del primer inciso del art. 563 CP.

1.1. No pueden serlo los objetos regulados en el art. 5 RA (silenciadores, *sprays* de defensa personal, etc.), pues dicho precepto recoge prohibiciones meramente relativas, condicionadas a lo que puedan disponer las respectivas normas reglamentarias, y no las prohibiciones tajantes y absolutas propias de las armas que, por su *acusada peligrosidad*, el legislador ha determinado su exclusión radical del mercado [SSTS 130/1995, de 6-2 *(Tol 5156076)*; 1587/1998, de 21-12 *(Tol 77396)*; 1995/2000, de 20-12 *(Tol 4923157)*; 74/2001, de 22-1 *(Tol 4925944)*; 29/2009, de 19-1 *(Tol 1448777)*].

En este sentido, la SAP de Tarragona, Sección 2ª, 218/2017, de 12-5 *(Tol 6218050)* estima que no constituye delito de tenencia ilícita de armas prohibidas la posesión de una defensa eléctrica, «toda vez que, de un lado, no se detalla ni especifica la capacidad lesiva de la defensa eléctrica intervenida, sin que se concrete tampoco la intensidad de la descarga eléctrica o las características técnicas de la misma y, de otro, porque estamos en presencia de una tenencia en el interior de un vehículo, no existiendo porte ni exhibición pública de la misma.

Además, tales datos relevantes para la calificación jurídica de los hechos justiciables, tampoco pueden desprenderse de la fundamentación jurídica de la sentencia dictada en la instancia, por cuanto el Juez a quo se limitó a justificar aquella potencialidad lesiva en dos circunstancias que esta sala considera insuficientes, como son que saltara una chispa y que la defensa funcionara correctamente, no resultando justificada tampoco la peligrosidad para la seguridad ciudadana que exige la jurisprudencia en los términos antes indicados». A conclusiones similares habían llegado anteriormente las SSTS 811/2010, de 6-10 *(Tol 1976686)*, 245/2016, de 30-3 *(Tol 5688621)* y 505/2016, de 9-6 *(Tol 5751963)*.

Sin embargo, la STS 272/2017, de 18-4 *(Tol 6067346)* condena por la comisión de un delito tipificado en el art. 563 CP por el hallazgo, mediante las consabidas diligencias de entrada y registro domiciliarios, de una navaja automática de 15,1 cm de hoja y una pistola eléctrica marca Taser, invocando respecto de esta última lo previsto en el art. 5.1.c) RA, y alegando en este sentido que. «su potencialidad como instrumentos peligrosos es notoria y no se puede excluir la misma porque el informe pericial no la mencione expresamente». La misma Sentencia con carácter previo afirma que es correcta la atribución de la tenencia de tales armas halladas al acusado, deducida por el Tribunal de instancia «de su conducta delictiva incluyendo su pertenencia a un grupo criminal». En este contexto, se considera «insuficiente» para descartar su autoría el hecho de que en uno de los domicilios registrados residieran, además del propio acusado, sus padres y su hermana (siendo asimismo frecuentado por otros dos hermanos), que en el otro domicilio, propiedad de su abuela, residiera también un hermano, y que cuando se realizaron las diligencias dicho acusado estuviera residiendo en otra localidad. La «conciencia de la prohibición» de la tenencia de las armas intervenidas se deduce, igualmente, a partir de la actividad desarrollada por el acusado y de su participación en un grupo criminal, «lo que obliga necesariamente a afirmar que era conocedor del carácter peligroso del arma y de la prohibición de su tenencia» *(sic.)*. También condena por la comisión de un delito de tenencia de armas prohibidas la STS 492/2016, de 8-6 *(Tol 5745114)*: hallazgo en el domicilio del acusado, concretamente en los altillos de los armarios de la habitación de sus hijos, de un bastón eléctrico metido en su embalaje original.

1.2. Tampoco puede satisfacer las exigencias típicas la posesión de meras *imitaciones*, por más que el primer inciso del art. 4.1 RA las incluya en el ámbito de la prohibición administrativa, si dichas imitaciones *carecen de la peligrosidad intrínseca* que debe caracterizar al arma en cuestión para poder afectar a los bienes jurídicos protegidos en estos preceptos (seguridad de los ciudadanos, concretada en el peligro para la vida, salud, libertad de todos ellos).

1.3. Por lo que se refiere a las *armas blancas* o *contundentes*, según el intérprete constitucional no es posible excluirlas automáticamente del ámbito de aplicación del art. 563 CP, pues el legislador de 1995 quiso «ensanchar el tipo penal rompiendo con el anterior entendimiento legal, doctrinal y jurisprudencial de la materia referido a las armas de fuego prohibidas», como lo demuestra el hecho de que «en el debate legislativo fueran rechazadas las enmiendas del Grupo Vasco 117 en el Congreso y 97 en el Senado tendentes a sugerir el cambio de redacción de forma que se hablase de tenencia de armas de fuego» [STC 24/2004, de 24-2 *(Tol 351791)*]. Como señala la Fiscalía General del Estado en su *Consulta*

14/1997, de 16 de diciembre, sobre algunas cuestiones relativas al alcance típico del delito de tenencia de armas, tal resultado interpretativo, en la medida en que identifica a efectos penales realidades distintas, representadas por el uso de objetos de muy diferente capacidad lesiva, puede generar «cierto grado de insatisfacción»; por ello, y a partir de una interpretación integradora de los dos órdenes (el administrativo y el penal) llamados a sancionar este tipo de conductas de forma coherente y respetuosa con los «principios que definen un sistema penal con vocación de modernidad», la Fiscalía General del Estado concluye que, tratándose de armas que no son de fuego, el tipo del art. 563 CP solo es integrable «por aquellas conductas en que la tenencia tiene una traducción dinámica consistente en comerciar, portarlas en establecimientos públicos y lugares de reunión, concentración, recreo o esparcimiento o utilizarlas sin adoptar las medidas necesarias para no causar peligro o daños a personas o cosas. *Nunca la simple y nuda posesión de los objetos descritos en los artículos 4.1.f) y h) [RA] podrán colmar las exigencias del tipo de injusto que acoge el art. 563 CP.* [...] Solo así se evitaría el sinsentido, vetado por la vigencia irrenunciable de los principios informadores del derecho penal, consistente en que la conducta excluida de todo reproche por el régimen administrativo sancionador, sea objeto de sanción penal en los términos descritos por aquel precepto (uno a tres años de prisión)».

En efecto, como señala la Consulta 14/1997 de la Fiscalía General del Estado, el art. 155.2.b) RA castiga como infracción muy grave el uso solo de armas *de fuego* prohibidas, excluyendo así del catálogo de infracciones muy graves el empleo o mera posesión del resto de armas prohibidas que no son de fuego, y el intérprete penal «no puede ser indiferente ante el hecho de que, en el terreno de las infracciones administrativas muy graves, no se incluya todo aquello que la ciega literalidad del art. 563 CP parece sugerir».

Pese a ello, la SAP de Valencia, Sección 3ª, de 26-1-2000, condenó como autor de un delito de tenencia ilícita de armas del art. 563 CP, en relación con el art. 4.1.h) RA, al acusado, al habérsele ocupado al ser detenido «un cuchillo de puño, de hoja puntiaguda de 72 mm de longitud, 32 mm de anchura y 3 mm de grosor, de un solo filo dentado y un rebaje en el lomo que pudiera constituir un segundo filo que en su estado actual no es cortante», y ello a pesar de reconocer la posibilidad de que lo utilizara solo para la cetrería, pues «nada justifica que lo lleve encima en la ciudad, cuando no la está practicando».

Contra dicha resolución presentó el condenado recurso de amparo, que fue desestimado por la STC 51/2005, de 14-3 *(Tol 609858),* la cual, a pesar de recoger casi literalmente todo lo ya afirmado por la STC 24/2004 respecto de la interpretación (garantista y restrictiva) que debe hacerse del art. 563 en relación con el RA, mantiene en apoyo de su decisión ciertos argumentos que, *de facto,* convierten en letra muerta lo dicho en su anterior resolución: a) en las circunstancias del caso concreto, el objeto portado por el demandante de amparo tenía inequívocamente el carácter de arma, y no de instrumento de trabajo o profesional; que la tenencia del mismo resulta prohibida conforme al art. 4.1 h) del Reglamento de Armas, precisamente en atención a su especial potencialidad lesiva, que se fundamenta ampliamente en atención a sus características (destacando que puede usarse con una sola mano y está concebido para desgarrar girando el puño) y, finalmente, en cuanto a las condiciones y circunstancias de la tenencia, se destaca que el arma en cuestión era portada por el recurrente (la llevaba encima, dice la Sentencia de apelación) cuando este se encontraba en la calle, sin ninguna medida adicional de aseguramiento orientada a neutralizar su peligrosidad, *sin que quepa excluir su concreta idoneidad lesiva* y sin que concurran otras circunstancias que pudieran justificar la posesión, al margen de su potencial uso como instrumento de ataque o defensa, lo que permite afirmar que la tenencia se produce en circunstancias que implican un peligro real para la seguridad ciudadana en el caso concreto; b) tampoco puede apreciarse una vulneración de la exigencia de certeza y predeterminación normativa derivada de que el arma adquiera la consideración de prohibida en virtud de un precepto reglamentario como el art. 4.1 RA que, tras una amplia enumeración de armas que se consideran prohibidas, añade, como inciso final, en el apartado h) la cláusula *«así como cualesquiera otros instrumentos especialmente peligrosos para la integridad física de las personas»*. Aunque es claro que nos encontramos ante una cláusula genérica, ello no significaría por sí solo que se vulnerase el art. 25.1 CE, pues ni la exigencia de certeza puede identificarse con la enumeración exhaustiva y excluyente de cada uno de los objetos considerados armas prohibidas, ni la inclusión en el catálogo de armas prohibidas de un determinado instrumento justificaría, también por sí solo, el recurso a la sanción penal, como anteriormente se expuso. Por tanto, y teniendo en cuenta, en primer lugar, que el citado inciso del art. 4.1 h) del Reglamento de Armas no prevé una cláusula de cierre absolutamente abierta o indeterminada, sino una en la que se incorpora la exigencia material (que deberá verificarse judicialmente) de una especial peligrosidad para la integridad de las personas, introduciendo así un elemento de precisión en la descripción de la conducta prohibida; en segundo lugar, que la citada cláusula puede entenderse justificada en atención al bien jurídico protegido y a la vista del objeto de la prohibición (dada la complejidad técnica y la continua evolución del mercado de las armas) y, por último, que, en todo caso, la consideración de arma prohibida conforme al reglamento no determina sin más la realización del tipo penal, sino que lo determinante es su especial potencialidad lesiva y su concreta peligrosidad para la seguridad ciudadana en los términos anteriormente establecidos, ha de rechazarse la denunciada vulneración del principio de legalidad penal derivada de la integración del elemento normativo del tipo del art. 563.1 CP con el último inciso del art. 4.1 h) del Reglamento de Armas.

1.4. La Jurisprudencia del TS ha venido entendiendo que, para que un arma o instrumento concreto sea considerado «arma prohibida» a efectos penales, el objeto en cuestión debe coincidir claramente con alguna de las descripciones del art. 4 RA, sin que se pueda acudir a la cláusula residual del apartado h) del art. 4.1 —*«cualesquiera otros instrumentos especialmente peligrosos para la integridad física de las personas»*— para incluir supuestos que no encajan en las definiciones de los otros apartados, ya que no caben interpretaciones extensivas —contra reo— y analógicas de la norma administrativa [en este sentido, SSTS 74/2001, de 22-1 *(Tol 4925944)*; 369/2003, de 15-3 *(Tol 4929018)*; 1511/2003, de 17-11 *(Tol 352290)* y 484/2005, de 14-4 *(Tol 646456)*]. Ello es así, según se señala, debido a la naturaleza del precepto como delito de peligro y, al propio tiempo, como norma penal en blanco, de lo que cabe deducir una doble exigencia: «a) la exigencia de un *plus de peligrosidad* para algún bien jurídicamente protegido que supere la simple posesión del arma; y b) la inexcusable exigencia de certeza precisión y taxatividad, del precepto reglamentario» [STS 715/2008, de 5-11 *(Tol 1408415)*].

Más titubeante se muestra sin embargo la Jurisprudencia menor, al menos cuando se trata de enjuiciar la posesión de determinados objetos cortantes. Así por ejemplo, la SAP Madrid, Sección 30ª, 674/2016, de 28-9 *(Tol 5882792)* condena por un delito de tenencia del art. 563 CP en relación con el art. 4.1. h) RA al acusado de poseer un machete. Otra Sección de este mismo Tribunal, en cambio, había rechazado anteriormente tal calificación respecto del acusado de portar un machete oculto en el interior de su pantalón [SAP Madrid, Sección 4ª, 155/2013, de 16-12 *(Tol 4115757)*]. Por su parte, acepta la calificación del machete como arma prohibida (aplicando en este caso el art. 5.3 RA) y sin embargo descarta la tipicidad de la conducta concreta (por no apreciar riesgo o peligro para la seguridad ciudadana, dadas las circunstancias en que el arma fue intervenida), la SAP Cádiz, Sección 8ª, 67/2016, de 14-3 *(Tol 5816346)*. También la SAP Alicante, Sección 10ª, 251/2016, de 15-6 *(Tol 5902269)* absuelve al acusado de poseer en su domicilio determinados objetos (rompecabezas con bola metálica, cuchillos metálicos lanzables de doble hoja, navaja plegable, cachas de madera y dos catanas) del delito de tenencia de armas prohibidas del art. 563 CP, al considerar que no se acreditó suficientemente en el caso de autos el «plus de peligrosidad» exigido por la Jurisprudencia del TS.

Mención aparte merece la SAP Madrid, Sección 2ª, 424/2007 de 15-10 *(Tol 1255868)*, que absolvió al acusado de poseer una catana al entender que ninguno de los apartados del RA permite su subsunción como arma prohibida: «ha de considerarse una omisión del legislador la mención a las espadas, sables, alfanjes de tal modo que siendo los mismos objetos lo suficientemente genéricos para haber podido recibir una mención en el Reglamento de Armas, su omisión no puede salvarse a través de una cláusula residual de cierre de todos los demás objetos que pudieran imaginarse. Habría de carecer de fundamento que el Diccionario de la Real Academia de la Lengua hubiera venido a actualizar su contenido con la inclusión del término "catana" —(del jap. Katana, espada) y cuya acepción primera es "especie de alfanje que usaban los indios y otros pueblos de oriente"— en tanto que en la edición de 1992 no la contemplaba y el Reglamento de Armas, habiendo tenido que describir tal objeto a los efectos que le habrían de ser propios —y uno de los no menores habría de ser la posibilidad de integrar un tipo penal para declarar una responsabilidad criminal— no lo hubiera venido a hacer».

1.5. En cuanto a las «armas de guerra», a pesar de que su adquisición, tenencia y uso por particulares resulta asimismo prohibida en el art. 6 RA, pueden entenderse *de facto* excluidas del ámbito de aplicación del art. 563 CP en función de las reglas del concurso de normas, pues la mera posesión de una de estas armas, como se verá, es considerada «depósito» en el art. 567.1 CP y por lo tanto constituye una conducta típica del art. 566.1 CP (ley especial en este supuesto).

2. Armas modificadas

El segundo inciso del art. 563 CP castiga la tenencia de armas *«que sean resultado de la modificación sustancial de las características de fabricación de armas reglamentadas»*, las cuales no son más que una clase de «armas prohibidas» que, como tales, son objeto de regulación en el art. 4.1.a) RA. No obstante, atendiendo a sus respectivas redacciones literales puede decirse que la dicción del precepto reglamentario es, al mismo tiempo, más amplia y más circunscrita que la del tipo penal: por un lado, la prohibición administrativa se limita a las armas de fuego; por otro, dicha prohibición se extiende a cualquiera de estas armas «que sean resultado de modificar sustancialmente las características de fabricación u origen de otras armas, sin la reglamentaria autorización de modelo o prototipo».

En todo caso, desde el punto de vista penal debe entenderse como «modificación sustancial» aquella que actúa sobre elementos fundamentales de las características del arma, y que por ello varían totalmente su naturaleza y composición originales, convirtiéndola en un instrumento distinto del configurado inicialmente [SSTS 1849/2000, de 2-12 *(Tol 4923189)*; 1995/2000, de 20-12 *(Tol 4923157)*].

Existe abundante Jurisprudencia que condena, conforme a lo establecido en el segundo inciso del art. 563 CP, al poseedor de armas de fuego modificadas, especialmente escopetas con la culata y/o cañones recortados [por ejemplo, SSTS 94/2009, de 4-2 *(Tol 1448778)*; 509/2012, de 19-6 *(Tol 2586680)*; 731/2014, de 31-10 *(Tol 4561629)*] y pistolas detonadoras originariamente diseñadas para disparar munición de fogueo o gas, que son posteriormente habilitadas para disparar cartuchos armados con proyectil [SSTS 738/2016, de 5-10 *(Tol 5839926)*; 185/2017, de 23-3 *(Tol 6028273)*; 492/2017, de 29-6 *(Tol 6201322)*; SAP Huesca 39/2017, de 16-3 *(Tol 6064441)*; SAP Madrid, Sección 5ª, 28/2017, de 17-4 *(Tol 6173296)*; SAP Badajoz, Sección 3ª, 106/2017, de 15-5 *(Tol 6139626)*; SAP Murcia, Sección 2ª, 279/2017, de 29-6 *(Tol 6315718)*].

3. Supuestos específicos de atipicidad

Dado que existe consenso entre la Doctrina y la Jurisprudencia a la hora de entender que el art. 563 CP debe ser complementado con lo dispuesto en el Reglamento de Armas, puede considerarse expresamente excluida del ámbito de intervención penal la tenencia de armas prohibidas o modificadas por museos, coleccionistas u organismos con finalidad cultural, histórica o artística en materia de armas, reconocidos como tales por el Ministerio del Interior, siempre que cumplan las exigencias establecidas en el propio Reglamento (artículos 4.2 y 107 RA).

En realidad, el art. 107 RA se refiere exclusivamente a los requisitos y condiciones exigibles a estos organismos y coleccionistas para el uso y tenencia de determinadas armas (las pertenecientes a las categorías 6º y 7º, 4 —esto es, armas de fuego antiguas o históricas, y armas de sistema «Flobert»), pero el art. 4.2 RA permite extender el radio de acción de aquel precepto a toda clase de armas prohibidas o modificadas: «No se considerará prohibida la tenencia de las armas relacionadas en el presente artículo por los museos, coleccionistas u organismos a que se refiere el artículo 107, con los requisitos y condiciones determinados en él».

Ciertamente podría llegarse a la misma conclusión (la atipicidad de tales comportamientos) atendiendo al bien jurídico protegido en estos delitos, pues difícilmente se creará un peligro relevante para la seguridad de los ciudadanos mediante actividades de coleccionismo u otras similares cuando estas se lleven a cabo con exclusivas finalidades culturales, históricas o artísticas, y aplicando la diligencia necesaria para neutralizar todo riesgo que pudiera derivarse de la posesión del arma (y ello aunque se incumplan otros requisitos establecidos en la normativa administrativa sobre la materia). No obstante, puede constituir un obstáculo a dicha interpretación lo dispuesto en el art. 565 CP, pues dicho precepto solo permite rebajar en un grado las penas señaladas para los delitos de tenencia en aquellos supuestos en que «*se evidencie la falta de intención de usar las armas con fines ilícitos*».

VII. TENENCIA ILÍCITA DE ARMAS DE FUEGO REGLAMENTADAS (ART. 564 CP)

A diferencia de lo que sucede en el caso del precepto anterior, la redacción literal del art. 564 CP sí exige expresamente que la tenencia lo sea de «*armas de fuego*», lo que ya de principio permite circunscribir el objeto material de este delito a aquellas armas cuyo mecanismo de disparo se acciona empleando un combustible propulsor. Quedan por tanto fuera del ámbito de aplicación de este precepto tanto las armas blancas o contundentes como todas aquellas que no encajen en la definición anterior, y ello aunque su posesión pueda estar regulada de forma específica en el RA o en otras normas de carácter administrativo.

La delimitación inicial del objeto material del delito del art. 564 CP que aquí se propone procede tendencialmente de la definición de «arma de fuego» que recoge el DRAE (si bien es más amplia que esta, que solo hace referencia a la pólvora u otro explosivo como forma de producción del disparo). No obstante, debe dejarse constancia de que el propio RA, en su art. 2.1, define tales objetos como «*toda arma portátil que tenga cañón y que lance, esté concebida para lanzar o pueda transformarse fácilmente para lanzar un perdigón, bala o proyectil por la acción de un combustible propulsor. A estos efectos, se considerará que un objeto es susceptible de transformarse para lanzar un perdigón, bala o proyectil por la acción de un combustible propulsor cuando tenga la apariencia de un arma de fuego y debido a su construcción o al material con el que está fabricada, pueda transformarse de este modo*». Como puede comprobarse, la definición del RA acoge igualmente a las armas que, sin ser realmente de fuego, pueden *transformarse* en una de ellas.

En mi opinión, dicha definición no es apta para integrar el tipo penal por diversas razones, entre las que destaca (además del debido respeto al principio de taxatividad de los tipos penales) el hecho de que la Sección 3 del mismo RA (cuya rúbrica es «*Clasificación de las armas reglamentadas*») aclara en el primer inciso del art. 3: «*Se entenderá por "armas" y "armas de fuego" reglamentadas, cuya adquisición, tenencia y uso pueden ser autorizados o permitidos con arreglo a lo dispuesto en este Reglamento, los objetos que, teniendo en cuenta sus características, grado de peligrosidad y destino o utilización, se enumeran y clasifican en el presente artículo en las siguientes categorías…*». Por tanto, el propio RA circunscribe su reglamentación solo a determinadas armas de fuego: las que se incluyen en alguna de las categorías de su art. 3.

En consecuencia, solo podrán ser objeto material de los tipos penales conteni-dos en los diversos apartados del art. 564 CP las armas de fuego *reglamentadas*, siempre que su tenencia se lleve a cabo *«careciendo de las licencias o permisos necesarios»*, elementos normativos que deberán integrarse acudiendo nuevamente al RA.

El régimen de concesión de las licencias y permisos necesarios para poseer armas de fuego en España es, al menos en teoría, sumamente estricto (CRUZ BLANCA), hasta el punto de que se ha afirmado que los requisitos administrati-vos establecidos para ello suponen «un control del *ciudadano apto* para poseer armas de fuego» (PIEDRABUENA LEÓN). De hecho, el art. 96.1 RA declara con carácter general que *«nadie podrá llevar ni poseer armas de fuego en territorio español sin disponer de la correspondiente autorización expedida por los órganos administrativos a quienes este Reglamento atribuye tal competencia. Si se tratara de personas residentes en un Estado miembro de la Comunidad Económica Eu-ropea distinto de España, la concesión de la autorización deberá ser comunicada a la autoridad competente de dicho Estado»* (comunicación que deberá realizarse de conformidad con lo establecido en la *Directiva 91/477/CEE del Consejo, de 18 de junio, sobre el control de la adquisición y la tenencia de armas*).

El art. 564 CP contiene un tipo básico en su primer apartado (el cual a su vez distingue dos supuestos diferentes, a la hora de determinar la pena imponible a cada uno de ellos) y tres agravaciones aplicables a dichos supuestos.

1. Tipo básico

Como se ha mencionado, dos elementos normativos delimitan conjuntamente el alcance de las conductas recogidas en el art. 564.1 CP: la longitud del arma de fuego (corta o larga) que es poseída, y la ausencia de la correspondiente licencia o permiso que, en cada caso, resulte necesaria para su tenencia legal.

Por «arma de fuego corta» habrá de entenderse aquella cuyo cañón *«no ex-ceda de 30 cm o cuya longitud total no exceda de 60 cm»*; cualquier otra arma de fuego que no encaje en la definición anterior deberá considerarse que es un arma «larga» (art. 2, apartados 12 y 13, RA). El art. 3 RA clasifica los diferentes tipos de armas de fuego reglamentadas en diferentes categorías, especificando en preceptos posteriores la clase de guía de pertenencia (artículos 88 y 89 RA), que es equivalente al «carnet de identidad» del arma en cuestión (DÍAZ-MAROTO Y VILLAREJO) y la correspondiente licencia, tarjeta o autorización especial que resultan en cada caso necesarias para poseerlas (artículos 94 ss. RA). A partir de estas premisas, la regulación administrativa de la materia adquiere una enorme complejidad, debido principalmente al enorme casuismo al que está sometida.

1.1. Las *armas de fuego cortas* se encuentran en la categoría 1ª del art. 3 RA, la cual comprende tanto las pistolas (esto es, armas de fuego que se pueden disparar con una sola mano) como los revólveres (armas de fuego cuya munición se aloja en un tambor giratorio). Administrativamente, la tenencia de esta clase de armas requiere tanto de su correspondiente guía de pertenencia como del previo otorgamiento de una licencia de armas (que podrá ser de tipo A —cuando se trate de un arma de propiedad privada del personal de los Cuerpos Específicos de los Ejércitos, Cuerpos Comunes de las Fuerzas Armadas, Fuerzas y Cuerpos de Seguridad o Servicio de Vigilancia Aduanera— o B —para armas de fuego cortas de particulares—, de conformidad con lo dispuesto en los apartados 3 y 4.a del art. 96 RA).

El art. 114.1 RA otorga la consideración de «licencia A» a la tarjeta de identidad militar o carné profesional de los Oficiales y Suboficiales de los Ejércitos o Cuerpos Comunes de las Fuerzas Armadas, Cabos Primeros especialistas veteranos de la Armada, miembros de los Cuerpos de la Guardia Civil, Policía Nacional, Policía de las Comunidades Autónomas o Corporaciones Locales y funcionarios del Servicio de Vigilancia Aduanera, siempre que todos ellos se encuentren en servicio activo o disponible. El segundo apartado del mismo precepto prevé asimismo que la tarjeta de identidad militar será también considerada licencia A para estos militares, guardias civiles y personal estatutario permanente del CNI en determinados supuestos de excedencia voluntaria o reserva.

Por su parte, el art. 99 RA señala que la «licencia B» solo podrá ser expedida *a quienes tengan necesidad de obtenerla*» y que su concesión (que corresponde a la Dirección General de la Guardia Civil) y expedición *tendrá carácter restrictivo, limitándose a supuestos de existencia de riesgo especial y de necesidad»*, no bastando a tales efectos *«la razón de defensa de personas o bienes, por sí sola»*. Las licencias B tienen tres años de validez, al cabo de las cuales deberá volverse a solicitar. Nadie puede poseer más de una licencia B, y cada licencia solo ampara la posesión de un arma de fuego.

1.2. Las *armas de fuego largas* son en cambio objeto de diferente regulación administrativa, en función de la correspondiente categoría en la que deban clasificarse. Así:

- La categoría 2ª del art. 3 RA incluye dos tipos de armas largas: 1) las destinadas a vigilancia y guardería (esto es, la que reglamentariamente se determinen por Orden del Ministerio del Interior, o mediante decisión adoptada a propuesta o de conformidad con el mismo, como específicas para desempeñar tales funciones), y 2) las largas rayadas (es decir, las utilizables para caza mayor, siempre que no estén clasificadas como de guerra). La tenencia de armas incluidas en esta categoría requiere asimismo de guía de pertenencia y licencia (que podrá ser del tipo A —en los mismos supuestos que en la categoría anterior— de tipo C —cuando se trate de armas para dotación del personal de vigilancia y seguridad privadas, así como el de Cuerpos y organismos legalmente considerados auxiliares para el mantenimiento de la seguridad pública y persecución de la criminalidad y demás personal legalmente asimilado— o D —para armas largas rayadas para caza mayor—, todo ello de acuerdo con lo previsto en el art. 94, apartados 3 y 4 RA).

Los artículos 121 y ss. RA regulan la «licencia C», que ampara las armas de fuego de las categorías 1ª, 2º,1 y 3º,2, o las armas de guerra a las que se refiere el art. 6.3 RA, según sea el servicio a prestar. De acuerdo con el art. 40 de la *Ley 5/2014, de 4 de abril, de Seguridad Privada*, regula los servicios de seguridad privada que se prestarán con armas de fuego (entre ellos, vigilancia y protección de: dinero u objetos valiosos; fabricas y depósitos de armas, cartuchería o explosivos; buques mercantes o pesqueros en aguas donde exista grave riesgo para la seguridad de las personas o bienes; zona perimetral de centros penitenciarios, CIEs, establecimientos militares, u otros edificios o instalaciones públicos). De acuerdo con lo previsto en el apartado 4 del mismo precepto, *«las armas de fuego adecuadas para cada tipo de servicio serán las que reglamentariamente se establezcan»*.

Por su parte, el art. 100 RA regula la «licencia D», especificando que nadie podrá poseer más de una licencia de esta clase, que tendrá una validez de cinco años y que autoriza a llevar hasta cinco armas de la categoría 2ª,2 (armas largas rayadas utilizadas para caza mayor, no clasificadas como de guerra), si bien la adquisición de la segunda y posteriores armas requiere la obtención previa de una autorización especial, regulada en los artículos 49 y ss. RA.

– La categoría 3ª del art. 3 RA incluye otros dos tipos de armas de fuego largas: 1) las rayadas para tiro deportivo, de calibre 5,6 mm y percusión anular (ya sean de un disparo, de repetición o semiautomáticas) y 2) las escopetas y demás armas de fuego largas de ánima lisa, o que tengan cañón con rayas para facilitar el plomeo, marcadas por los bancos de pruebas reconocidos con punzón de escopeta de caza y no incluidas entre las armas de guerra. También para la tenencia de estas armas es preciso contar con su guía de pertenencia y correspondiente licencia (que será de tipo A —en idénticos supuestos que en las categorías anteriores—, C —para armas de la categoría 3ª, 2, si se trata del personal de seguridad privada o asimilados— o E —que autoriza para poseer, llevar y usar un número de armas (de esta y de otras categorías posteriores) que *«no excederá de seis escopetas o de seis armas largas rayadas para tiro deportivo, ni de doce armas en total»* (art. 101.1 RA).

Debe mencionarse que la categoría 3ª del art. 3 RA recoge un tercer tipo de arma: las accionadas por aire u otro gas comprimido, sean lisas o rayadas, siempre que la energía cinética del proyectil en boca exceda de 24,2 julios. No obstante, tales armas no pueden considerarse «de fuego» (al menos tal y como aquí se interpreta tal concepto: armas cuyo mecanismo de disparo se acciona empleando un combustible propulsor), de modo que no podrán constituir el objeto material del delito del art. 564 CP.

Por lo demás, el art. 101 RA establece que la «licencia E» autoriza para poseer, llevar y usar las armas de las categorías 3ª y 7ª, 2 y 3.

1.3. Conforme a lo dicho anteriormente, *no podrán conformar con carácter general el objeto material del delito* del art. 564 CP las armas incluidas en las categorías 4ª (carabinas, pistolas y revólveres de aire u otro gas comprimido —que solo requieren de tarjeta de arma para poder llevarlas y usarlas fuera del domicilio, art. 105 RA) 5ª (armas blancas —cuya fabricación, importación y comercialización será simplemente «intervenida», art. 105 RA) y 6ª (armas de fuego antiguas o históricas, que no requieren licencia si están inscritas en los correspondientes Libros—Registro y son conservadas en museos o armeros de coleccionistas u organismos reconocidos a tal efecto) y 7ª (armas de inyección anestésica, ballestas, lanzadoras de cabos, de sistema «Flobert», arcos, fusiles de pesca submarina, revólveres y pistolas detonadoras o lanza bengalas).

1.4. Por otra parte, de conformidad con lo dispuesto en la letra e) del art. 107 RA, y a pesar de lo establecido en otros preceptos del mismo Reglamento, debe considerarse asimismo autorizada (y por lo tanto penalmente atípica) *«la posesión en el propio domicilio, sin los requisitos determinados en ellos, de un arma de fuego corta o larga de las no prohibidas a particulares, acreditando su especial valor histórico o artístico, o de dos armas de avancarga, documentadas con las correspondientes guías de pertenencia, previa aportación del informe de aptitud regulado en el artículo 98, adoptando las medidas de seguridad necesarias para su custodia y no pudiendo utilizarlas ni enajenarlas, salvo dando cumplimiento a lo dispuesto al respecto en los preceptos específicos de este Reglamento. La infracción de lo dispuesto en este apartado tendrá la consideración de grave y llevará aparejada en todo caso la retirada definitiva de las armas de que se trate».*

Lo que se acaba de exponer es únicamente la normativa general aplicable a la tenencia de armas reglamentadas, pero existen otro buen número de preceptos en el RA que regulan otros permisos y autorizaciones aplicables a casos concretos. Así por ejemplo, las autorizaciones especiales de uso de armas para menores de edad (art. 109) o para extranjeros y españoles residentes en el extranjero (artículos 110-111); la Tarjeta Europea de Armas de Fuego (cuya obtención es necesaria para viajes a través de Estados miembros de la UE —artículos 112-113); la «licencia F» (para tenencia y uso de armas de concurso, la cual puede ser de tres clases, en función de la categoría del tirador —artículos 129-143), etc.

1.5. En relación con la exigencia típica de que el arma de fuego reglamentaria se tenga *«careciendo de las licencias o permisos necesarios»*, se plantea la duda de si actualmente debe considerarse delictiva la conducta de quien posee un arma de esta clase sin su correspondiente guía de pertenencia, pero teniendo la licencia o autorización necesaria para esa categoría. La duda surge sobre todo tras la comparación del vigente art. 564 CP con el antiguo art. 254 CP73 (inmediato antecesor del primero), que castigaba *«la tenencia de armas de fuego fuera del propio domicilio, sin poseer la guía y la licencia oportunas, o en el propio domicilio, sin la guía de pertenencia».*

Atendiendo a lo establecido al respecto en el RA, la SAP Baleares, Sección 1ª, 268/1999, de 30-12, interpreta que el Legislador penal de 1995 no ha incluido la guía de pertenencia como elemento normativo del tipo penal del art. 564 CP, de modo que su carencia solo podrá implicar un ilícito administrativo siempre que el poseedor del arma reglamentada esté dotado de la licencia correspondiente a dicha arma. Ello es así porque, según se razona, la licencia de armas sí cumple con la misión atribuida a la misma como elemento normativo del tipo penal (garantizando la seguridad general, en la medida en que su otorgamiento se efectúa de forma controlada, «debiéndola entender como aptitud formal para ser poseedor de armas de fuego y no como aptitud material, ya que la licencia no va unida a la correlativa titularidad de un arma concreta, sino genérica» (es más: se puede ser poseedor de una licencia y no ser titular de arma alguna); de este modo, señala el Tribunal, «con este elemento normativo se ha cumplido el requisito de seguridad general que establecía el antiguo artículo 254 CP de 1973, presumiéndose que no existe peligro cuando el individuo potencialmente titular de un arma ha sido calificado por la Administración y autorizado para ello». En cambio, «la guía de pertenencia no se concibe como autorización o permiso, sino como documentación relativa a la titularidad del arma», de forma que «estamos ante el control del arma, pero en cuanto esta pertenece a una persona debidamente autorizada, de ahí que deba contener su identidad así como los datos de la licencia».

Por las mismas razones, deberá considerarse típica la tenencia de armas de fuego reglamentadas sin la correspondiente licencia o autorización que sea requerida en cada caso (por no haberla tenido nunca o haber esta caducado), aunque el sujeto sí estuviera en posesión de su guía de pertenencia.

La Consulta 14/1997 de la Fiscalía General del Estado mantenía sin embargo que, «hasta tanto sea formulada una propuesta jurisprudencial en dirección inversa a la aquí defendida — de producirse aquella—, la labor de promoción de la acción de la Justicia por parte de los Srs. Fiscales, exigirá estimar incluidos en los límites del tipo del art. 564.2 [en realidad, 564.1.2°] la posesión o tenencia de armas de caza sin la preceptiva licencia o guía de pertenencia». En cambio, entiende la Fiscalía que el incumplimiento de las renovaciones de la licencia, así como de la revista de armas (revisiones periódicas que deben pasar las armas que precisan guía) no son encajables en el tipo penal del art. 5641.2° CP, cuando se trata de armas para la práctica cinegética.

Asimismo, también debe considerarse típica la tenencia de un número de armas mayor al autorizado en la correspondiente licencia, salvo que dicho número iguale o supere a su vez al requerido para apreciar un depósito de armas de fuego reglamentadas (tipificado en el art. 566.2 CP, de conformidad con la definición dada al efecto en el art. 567.3 CP: *«reunión de cinco o más de dichas armas»*).

2. Agravaciones

El art. 564.2 CP contiene tres circunstancias agravantes específicas aplicables a cualquiera de las modalidades recogidas en el tipo básico (tenencia ilícita de armas cortas o largas reglamentarias); las dos primeras (ausencia, alteración o borrado de marca de fábrica o número, e introducción ilegal en territorio español) son muy similares a las contenidas en el antiguo art. 255 CP73, pero la tercera (que es quizá la más problemática) fue introducida *ex novo* por el Legislador penal de 1995, y a pesar de los problemas aplicativos que suscita (especialmente en relación con el tipo de tenencia de armas modificadas, regulado en el art. 563 CP) permanece inalterada desde su aprobación.

Dado que el precepto agrava la pena a imponer (que pasa a ser prisión de dos a tres años —en el caso de armas cortas— y prisión de uno a dos años —en el supuesto de armas largas) cuando concurra en la tenencia *alguna* de dichas circunstancias agravantes, habrá que entender en principio que la concurrencia de dos o más de dichas circunstancias resultará irrelevante a efectos penológicos, pues ninguna de ellas es reconducible al catálogo general de agravantes del art. 22 CP. Pero solo «en principio», pues el contenido de la segunda y tercera agravante se asemeja mucho, como se verá, a algunas de las conductas típicas reguladas en otros preceptos relativos al tráfico y depósito de armas, lo que puede plantear en algunos casos una especie de concurso normativo entre dichas agravantes y otros delitos.

En todo caso, las agravaciones previstas en el actual artículo 564.2 CP no basan el incremento de la pena en la mera constatación de la concurrencia de las circunstancias que describen, consideradas solamente en su aspecto objetivo, sino que «requieren como elemento subjetivo que el autor haya participado o al menos tenido conocimiento de su existencia» [en este sentido, véase por ejemplo la STS 1234/2004, de 28-10 *(Tol 525682)*].

2.1. El art. 564.2.1° CP contempla como agravante de la tenencia ilícita de armas de fuego reglamentadas que estas *carezcan de marcas de fábrica o de número, o los tengan alterados o borrados*, circunstancia cuyo fundamento parece claro que se encuentra en el desvalor adicional que supone dificultar la identificación del arma en cuestión y, con ello, el interés que tiene el Estado (y otras instancias supranacionales) en controlar todo lo relativo a la circulación de estos objetos, circulación que debe ser claramente *trazable*. Por ello, parece claro que deberá tenerse en cuenta, para determinar el ámbito de aplicación de esta agravante, no solo los requisitos y condiciones que establece el RA respecto de las marcas de fábrica o número que deben tener estas armas, sino también los otros requisitos relativos al marcado y trazabilidad que puedan añadir las normas europeas sobre la materia: de forma automática en el caso de que tales requisitos se establezcan en Reglamentos comunitarios; previa incorporación de la normativa correspondiente al ordenamiento interno español, si se trata de Directivas.

De acuerdo con el art. 28 RA, el marcado distintivo que deben tener todas las armas de fuego incluye el nombre o marca del fabricante, el país o lugar de fabricación y la numeración de fábrica, así como el punzonado de un Banco Oficial de Pruebas (español o reconocido por España), requisito este último que es exigible también a las armas detonadoras de calibre igual o superior al.22 o su equivalente en mm. En el mismo precepto se señala el lugar donde ha de colocarse el marcado y las partes de las que deberá constar la numeración de fábrica (número asignado a cada fábrica o taller por la Intervención Central de Armas y Explosivos; número correspondiente al tipo de arma de que se trate; número secuencial de cada arma fabricada, y las dos últimas cifras del año de fabricación). De conformidad con lo establecido en el apartado 6 del art. 28 RA, este complejo sistema de numeración no es aplicable a los fabricantes de armas de fuego que tengan contratos con órganos del Estado (los cuales deberán marcar las armas con su numeración correlativa precedida de la contraseña propia del órgano a que vayan destinadas: «ET» para Ejército de Tierra, «FN» para la Armada, «EA» para el Ejército del Aire, etc.); no obstante, en caso de transferirse un arma de fuego de las «existencias estatales» a la utilización civil con carácter permanente, deberá aplicarse a dicha arma la numeración de fábrica y el marcado distintivo que permita su identificación. Por su parte, el apartado 8 del mismo precepto permite a los fabricantes «*numerar independientemente las armas que fabriquen para suministros a Gobiernos extranjeros*», en tanto que el apartado 9 establece que «*las armas importadas fabricadas en países terceros… deberán llevar una marca que identifique que ha sido España el país importador y el año de su importación, siempre y cuando no provengan de un país de la Unión Europea que ya las haya marcado como importador*».

De forma paralela, debe tenerse en cuenta que la Directiva (UE) 2017/853, ha modificado el art. 4 de la Directiva 91/477/CEE, estableciendo ahora la obligación de señalar todas las armas de fuego fabricadas o importadas en la Unión a partir del 14 de septiembre de 2018, «*con un marcado claro, permanente y único sin demora tras su fabricación y a más tardar antes de su comercialización, o sin demora tras su importación*». Con dicha previsión se acaba con el sistema de «marcado potestativo» que establecía la anterior versión de este precepto (introducida a su vez por la Directiva 2008/51/CE, por la que se modificaba la Directiva 91/477/CEE).

Más difícil resulta otorgar validez a efectos penales a las normas sobre trazabilidad que establecen otros instrumentos normativos internacionales, como el Protocolo contra la fabricación y el tráfico ilícitos de armas de fuego, sus piezas y componentes y municiones, de Naciones Unidas.

Concretamente, el art. 8 del Protocolo exige que cada arma de fuego sea marcada en el momento de su fabricación con un distintivo que indique el nombre del fabricante, el país o lugar de fabricación y el número de serie, al que deberá añadirse, en caso de ser importada (salvo si lo es con carácter temporal y para fines lícitos verificables), otra marca «*sencilla y apropiada que permita identificar el país de importación y, de ser posible, el año de esta, y permita asimismo a las autoridades competentes de ese país localizar el arma de fuego*». Al respecto, véase también el *Instrumento internacional para permitir a los Estados identificar y localizar, de forma oportuna y fidedigna, armas pequeñas y armas ligeras ilícitas,* aprobado por la Asamblea General de Naciones Unidas el 8 de diciembre de 2005, que tiene por objeto, entre otros, el de «*aumentar la eficacia de los acuerdos bilaterales, regionales e internacionales existentes y complementarios a fin de prevenir, combatir y eliminar el tráfico ilícito de armas pequeñas y ligeras en todos sus aspectos*».

En todo caso, para apreciar esta agravante será necesario que el autor haya procedido él mismo a alterar o borrar los números o marcas de fábrica, que haya participado de alguna forma en esa operación o que, al menos, conozca que el arma que posee carece desde un principio de tales elementos o que en algún momento posterior le han sido alterados o borrados. Para ello no es preciso acreditar una conciencia reflexiva sobre ese elemento del tipo agravado, bastando con la existencia de una indiscutible percepción sensorial de aquel, lo cual puede obtenerse de datos fácticos variados [STS 1234/2004, de 28-10 *(Tol 525682)*], pero la mera tenencia del arma no permite por sí sola concluir que se es conocedor del borrado de datos [STS 20-3-2002 *(Tol 162294)*], pues en la contemplación ordinaria de una pistola no se aprecia si los números están o no borrados, a menos que se examine el arma con tal específico propósito [STS 1826/2003, de 17-3 *(Tol 4928979)*].

Sin embargo, la STS 410/2007, de 18-5 *(Tol 1079761)* afirma que «el tipo del art. 564.2.1 CP no consiste en borrar las marcas de fábrica o número ni en adquirir el arma a sabiendas de su borrado, sino en la tenencia de las armas que tienen borradas tales marcas o número. Ciertamente la *voluntad* del autor deberá abarcar tal circunstancia, lo que se cumple cuando se posee el arma con *conocimiento* de la alteración» [en el mismo sentido, STS 196/2015, de 6-4 *(Tol 4984946)*]. Confirma también la apreciación de la agravante en el caso analizado la STS 204/2016, de 10-3 *(Tol 5674606)*, al entender que el borrado del número de serie del arma corta automática poseída por el acusado «era notorio, fácilmente perceptible y el arma se encontraba en su posesión en su propio dormitorio, disponiendo de los cartuchos necesarios para su uso, lo que permite razonablemente deducir que dispuso del tiempo necesario para comprobar el estado del arma con suficiente tranquilidad y sosiego para constatar un dato tan evidente como relevante».

2.2. Por su parte, el art. 564.2.2º CP contempla como agravante el hecho de que las armas de fuego reglamentadas, que son objeto de tenencia ilícita, *hayan sido introducidas ilegalmente en territorio español*, circunstancia cuyo fundamento político criminal ha de encontrarse hoy en día en la lucha contra el tráfico ilegal de estos objetos, algo que va más allá del mero interés estatal en asegurar el cumplimiento de la normativa administrativa o aduanera (cf. SALOM ESCRIVÁ).

Esta circunstancia es el resultado de haber refundido las circunstancias agravantes segunda y tercera que se recogían en el derogado art. 255 CP73: «2.ª Que [las armas] fueren extranjeras y hubiesen sido introducidas ilegalmente en territorio español; 3.ª Que, aún siendo españolas, exportadas, hubieran vuelto a ser introducidas ilegalmente en territorio nacional».

Como puede comprobarse, la agravante simplifica la redacción legal vigente al respecto hasta 1995, pues ahora basta con que las armas hayan sido introducidas ilegalmente en el territorio español (cualquiera que sea su lugar de fabricación), pero con ello no se han resuelto todos los problemas que su aplicación suscita. Concretamente, esta agravante planteará problemas concursales con el art. 2.3.a) de la *LO 12/1995, de 12 de diciembre, de Represión del Contrabando,* en aquellos casos en que el poseedor del arma haya sido también el que la introdujo ilegalmente en territorio nacional (problemas que deberán resolverse, conforme al criterio de la alternatividad previsto en el art. 8.4 CP, aplicando exclusivamente el precepto de la Ley de Contrabando, que es el que establece una pena más grave). En el resto de supuestos, será al menos preciso constatar que el sujeto sabía que el arma fue introducida ilegalmente [SSTS 412/2000, de 13-3 *(Tol 4922970)*; 2832/2002, de 22-4 *(Tol 4978527)*], pudiéndose por tanto apreciar error sobre la concurrencia de dicha circunstancia, lo que implicará su no apreciación, con independencia de que dicho error sea o no vencible (art. 14.2 CP).

Como es natural, tampoco será posible aplicar dicha agravante cuando no haya pruebas que demuestren que la introducción del arma en el territorio español se realizó ilegalmente, por más que el arma en cuestión sea de fabricación extranjera [STS de 14-5-1998 *(Tol 226245)*].

2.3. Finalmente, el art. 564.2.3º CP agrava la tenencia ilícita de armas reglamentadas *«que hayan sido transformadas, modificando sus características originales»*, circunstancia sin precedentes en el CP73 que parece solaparse completamente con lo dispuesto en el segundo inciso del art. 563 CP, el cual como se vio castiga la tenencia de armas *«que sean resultado de la modificación sustancial de las características de fabricación de armas reglamentadas»*. Para solucionar este aparente solapamiento, lo más lógico es entender que una modificación «sustancial» del arma (tal y como se exige en el art. 563 CP) es aquella que varía su naturaleza y composición originales, aumentando con ello su potencialidad lesiva, de modo que la posesión de tal arma modificada sería equiparable en gravedad a la tenencia de un arma prohibida. No obstante, y dada la penalidad prevista en los artículos 563 y 564 CP (que permite que la tenencia de armas de fuego reglamentadas pueda ser en algunos supuestos más gravemente penada que la posesión de armas prohibidas o con modificaciones sustanciales), parece claro que habrá que acudir a las reglas del concurso aparente de normas, y concretamente al criterio de la alternatividad (art. 8.4 CP), con el fin de evitar privilegiar en términos de pena los supuestos de tenencia ilegal de un arma larga reglamentada y modificada.

La Jurisprudencia ha intentado en ocasiones aplicar otros criterios para diferenciar el respectivo ámbito de aplicación de los artículos 563 y 564.2.3º CP, pero dichos criterios no se han mantenido. De este modo, y respecto de escopetas de caza con los cañones y culata recortados, si bien la STS 1849/2000, de 2-12 *(Tol 4923189)* consideró que su tenencia ilícita debería incardinarse en el art. 564.2.3º CP por tratarse de *modificaciones no sustanciales* que no alteran la capacidad de disparar y el mecanismo de disparo del arma reglamentada, una reiterada Jurisprudencia posterior ha afirmado que la tenencia, careciendo de los permisos reglamentarios, de escopetas con los cañones recortados constituye una alteración sustancial del arma, de modo que su subsunción es la prevista en el art. 563 CP [en este sentido, por ejemplo las SSTS 312/2003, de 5-3 *(Tol 385246)*; 1383/2004, de 19-11 *(Tol 528684)*; 1334/2005, de 7-11 *(Tol 781299)*; 1125/2006, de 17-11 *(Tol 1018971)*], pues el arma así modificada queda inhabilitada para su originario destino que es la caza o el tiro deportivo, convirtiéndose en una peligrosísima arma ofensiva a la que, además de su facilidad de ocultación, se une el hecho de que dispone de un uso solo a corta distancia, de modo que con sus disparos tanto de proyectil único (bala) como múltiple (perdigones) produce efectos devastadores sobre el organismo humano [STS 94/2009, de 4-2 *(Tol 1448778)*].

VIII. EL TIPO ATENUADO DE TENENCIA (ART. 565 CP)

El art. 565 CP permite a los Jueces o Tribunales rebajar en un grado las penas señaladas en los preceptos anteriores (reguladores de las diferentes modalidades de tenencia de armas), *«siempre que por las circunstancias del hecho y del culpable se evidencie la falta de intención de usar las armas con fines ilícitos»*. Se trata de una facultad discrecional otorgada al juzgador, la cual no sin embargo no es absoluta sino reglada, y en consecuencia: a) el Tribunal que omite su aplicación estará obligado a explicar sus razones cuando concurran posibles condiciones o circunstancias que puedan justificarla; b) el ejercicio de dicha facultad podrá ser revisado en casación [STS 272/2017, de 18-4 *(Tol 6067346)*; véase sin embargo la STS 231/2014, de 10-3 *(Tol 4177337)*: «Aunque constase la *falta de intención de usar las armas con fines ilícitos*, la atenuación no sería obligada, sino discrecional y por tanto no susceptible de ser revisada en casación salvo que no esté motivada la decisión, o se recojan unas razones arbitrarias]».

El art. 256 CP73 (predecesor inmediato de este precepto) permitía rebajar en uno o dos grados las penas señaladas para cualquier delito de los contemplados en la Sección dedicada a la tenencia y depósito de armas o municiones, *«si de los antecedentes del procesado y de las circunstancias del hecho se dedujere la escasa peligrosidad social de aquel, la existencia en contra suya de amenazas graves de agresión ilegítima o la patente falta de intención de usar las armas con fines ilícitos»*. Si bien es cierto que algunos de los criterios apuntados en la norma penal derogada resultaban difícilmente compatibles con el principio de culpabilidad (como el relativo a la presunta peligrosidad social del autor), tampoco puede negarse que su redacción, al menos, daba más pistas que la actual a la hora de ponderar en qué casos, y por qué motivos, debe aplicarse este tipo atenuado.

Como puede comprobarse, el contenido del art. 565 CP (cuya redacción permanece inalterada desde su aprobación en 1995) pone en jaque la interpretación de los tipos penales relativos a la tenencia ilícita de armas que ponen el acento en la creación de un peligro para la vida, integridad o libertad de las personas, pues efectivamente parece difícil afirmar que estos son los objetos de tutela si ni siquiera resulta necesario, para aplicarlos, constatar la intención de usar las armas (GARCÍA ALBERO), las cuales, además, podrán o no ser de fuego, pues el precepto no exige que tengan tal condición.

En este sentido, señalaba la Fiscalía General del Estado en su consulta 14/1997 que el art. 565 CP «sigue debilitando el valor del razonamiento acerca de la indispensable presencia de peligro para la afirmación típica» (exigencia de peligro objetivable *ex ante* que el Ministerio

Público había venido interpretando en el sentido de excluir la tenencia de armas para usos meramente domésticos, deportivos, profesionales o coleccionistas). Pues, en efecto, «si la evidente falta de intención de usar las armas con fines ilícitos, solo autoriza una rebaja de pena —por cierto, menos generosa que la versión histórica—, ello supone que el legislador presume *iuris et de iure* la peligrosidad de la simple tenencia de toda clase de armas».

Pero tal conclusión llevaría a una interpretación aún más insatisfactoria: la que entiende que en tales preceptos penales solo se protege la regulación administrativa sobre posesión de armas (lo que dificultaría en gran medida superar el carácter meramente formal —y por tanto inconstitucional— de tales preceptos); partiendo de dicha interpretación, por lo demás, carecerían de sentido los diferentes marcos penales establecidos para cada tipo de tenencia, los cuales parecen hacer referencia a una mayor o menor peligrosidad (para la vida, integridad física, libertad...) del arma en cuestión.

No obstante, todavía es posible interpretar que el art. 565 CP va destinado a rebajar la responsabilidad en aquellos supuestos en que el sujeto activo posee un arma intrínsecamente peligrosa sin cumplir los requisitos reglamentarios aplicables, pero para destinarla a unos usos que, aun siendo ilícitos desde el punto de vista administrativo (por ejemplo, tenencia para la caza o la autodefensa), *implican un riesgo cierto para la seguridad de los ciudadanos, pero claramente menor que el que conlleva la misma tenencia cuando se persigue una finalidad puramente delictiva* (esto es, un fin ilícito desde el punto de vista penal: posesión del arma para matar, lesionar, amenazar, intimidar, etc.).

Al respecto, conviene no olvidar que el propio TC declaró en relación con el art. 563 CP que *«solo han de entenderse incluidas en el tipo las conductas más graves e intolerables, debiendo acudirse en los demás supuestos al Derecho administrativo sancionador, pues de lo contrario el recurso a la sanción penal resultaría innecesario y desproporcionado»*, de modo que *«la intervención penal solo resultará justificada en los supuestos en que el arma objeto de la tenencia posea una especial potencialidad lesiva y, además, la tenencia se produzca en condiciones o circunstancias tales que la conviertan, en el caso concreto, en especialmente peligrosa para la seguridad ciudadana»* [STC 24/2004 de 24-2 *(Tol 351791)*]. La concurrencia de tales requisitos (derivados en esencia de los principios de legalidad, proporcionalidad e intervención mínima) ha de exigirse asimismo en el tipo atenuado del art. 565 CP, de modo que también aquí deberá constatarse la creación de un peligro real (aunque de menor entidad) para el bien jurídico protegido, lo que supone excluir del ámbito típico aquellos comportamientos consistentes en poseer un arma sin cumplir los requisitos administrativos cuando el riesgo para la seguridad de los ciudadanos resulte, en el caso concreto y partiendo de una consideración *ex ante*, manifiestamente excluido.

No parece sin embargo muy proclive el TS a aplicar el tipo atenuado del art. 565 CP, sino todo lo contrario, y ello debido probablemente a que sigue anclada en nuestra Jurisprudencia una interpretación del precepto conforme a criterios de dudosa legalidad (y constitucionalidad) que antes se recogían en el art. 256

CP1973 (especialmente el relativo a la «peligrosidad social» del autor). Así, existe una reiterada corriente jurisprudencial que descarta esta atenuación cuando se constata que el acusado se dedica al tráfico de drogas [por ejemplo, la STS 749/2009, de 3-7 *(Tol 1577932)* rechaza la aplicación del art. 565 CP: «la tenencia por parte de J. M. tenía por objeto *no solo la defensa de su persona y familia*, sino también de la actividad mercantil ilícita que desarrollaba, ilicitud que impide la aplicación del precepto comentado»; las SSTS 282/2004, de 1-3 *(Tol 408749)*; 201/2006, de 1-3 *(Tol 850011)* señalan que en tales supuestos se puede «auspiciar un posible uso ilícito del arma, dado el ámbito social de actos delictivos en que opera el acusado»; y la STS 867/2014, de 11-12 *(Tol 4633225)* afirma que «no resulta nada extraordinario que en el contexto social de tráfico de drogas se den ajustes de cuentas con uso de armas de fuego»]. También descarta la aplicación del art. 565 CP, en este caso por la participación del acusado en un grupo criminal, la STS 231/2014, de 10-3 *(Tol 4177337)*.

IX. FABRICACIÓN, COMERCIALIZACIÓN Y ESTABLECIMIENTO DE DEPÓSITOS (ART. 566 CP)

Si escasa ha sido la atención prestada por la Doctrina a los delitos de tenencia ilícita de armas, más aún lo ha sido la otorgada a los tipos penales relativos a su fabricación o comercialización, lo cual no es de extrañar si se tiene en cuenta que el CP1973 tan solo castigaba la tenencia o depósito de estos objetos. Probablemente esta sea la razón principal por la que el CP vigente regula estas conductas (fabricación y comercialización) junto al establecimiento de depósitos, creando de este modo un *totum revolutum*, en el que se mezclan, sin orden ni concierto, las diferentes conductas típicas (no solo las mencionadas, sino también las relativas al «tráfico», «desarrollo» y otras conductas relacionadas con determinadas armas), objetos materiales, así como algunas definiciones que como interpretaciones auténticas al respecto se ofrecen, a veces con absoluta falta de sintonía con las principales normas administrativas llamadas a integrar estos tipos penales.

Ese *totum revolutum* se ha ido agravando con las sucesivas reformas penales, que han ido introduciendo diversas especificaciones en estos tipos penales (especialmente, aunque no solo, en la determinación de los objetos materiales) con el fin de atender a los requerimientos de diversos instrumentos internacionales sobre la materia, resultando en definitiva una regulación penal enormemente casuística que, como suele suceder en tales circunstancias, además de dificultar en general la labor del intérprete crea determinadas lagunas de punición a todas luces indeseables.

La falta de sistemática en la tipificación de las conductas se hace evidente con la simple lectura de los artículos 566 y 567, cuya redacción legal ha sido modificada hasta el momento en cuatro ocasiones: la LO 2/2000, de 7 de enero, que introdujo el segundo apartado del art. 566 CP y modificó la redacción de dos de los cuatro apartados que componen el art. 567 CP (entre otras cosas, introduciendo nuevas conductas típicas en un precepto que estaba destinado originariamente a las definiciones legales aplicables); por su parte, la LO 15/2003, de 25 de noviembre, añadió a dichos artículos las referencias a las «armas biológicas», además de sustituir en el art. 567.1 CP el término «*enajenación*» por el de «*venta*»; pocos años después el legislador penal cambió de opinión, y volvió a sustituir el término «*venta*» por el de «*enajenación*», amén de sumar a la lista de posibles objetos materiales las «minas antipersonas o municiones en racimo» y añadir una nueva conducta típica al art. 566.2 CP (consistente en no destruir las armas en él mencionadas); finalmente, la LO 1/2015 volvió a reformar estos preceptos para hacer en ellos alusión también a las «armas nucleares o radiológicas».

1. *Depósito de armas o municiones (art. 566.1 CP)*

El primer apartado del art. 566 CP (números 1° y 2°) castiga la fabricación, comercialización o establecimiento de depósitos de armas o municiones «no autorizados por la leyes o la autoridad competente», lo que convierte a este precepto en una norma penal en blanco, que requiere su integración con la normativa administrativa aplicable por una doble vía: a la hora de determinar los posibles objetos materiales del delito, y para concretar los permisos, licencias o autorizaciones en general cuya ausencia es necesaria, también en cada supuesto, para estimar que la conducta es típica.

Naturalmente no existe una regulación única y homogénea de los controles administrativos que son impuestos a las conductas a las que se refiere el tipo, pues puede decirse que cada clase de arma mencionada en el art. 566 CP tiene su propia reglamentación, y esta incluso puede ser de carácter interno o también de naturaleza internacional, toda vez que, como se verá, en determinados casos el precepto hace expresa referencia a la infracción de tratados o convenios internacionales de los que sea parte España.

La naturaleza de las armas contempladas en los dos números del art. 566 CP determinan el marco penal aplicable en cada caso: si se trata de la fabricación, comercialización o establecimiento de depósitos de armas o municiones de guerra, químicas, biológicas, nucleares o radiológicas, o de minas antipersonas o municiones en racimo, la pena a imponer será prisión de cinco a diez años, en el caso de promotores y organizadores, y prisión de tres a cinco años para «*los que hayan cooperado a su formación*»; los marcos penales previstos para las mismas conductas y partícipes cuando se llevan a cabo con armas de fuego reglamentadas o sus municiones son sensiblemente inferiores: prisión de dos a cuatro años para promotores y organizadores, y prisión de seis meses a dos años para los «cooperadores».

1.1. Objeto material

Dentro de la expresión *«armas de fuego reglamentadas»* pueden considerarse incluidas todas las ya mencionadas a propósito del análisis del art. 564.1 CP, siendo al respecto la principal novedad del art. 566.1.2º CP la inclusión junto a las anteriores de *«sus municiones»* como posible objeto material del delito, aunque como se verá su número varía a la hora de configurar la conducta típica.

Más complejo sin embargo puede resultar integrar el art. 566.1.1ª CP, pues ya se ha advertido que en algunos supuestos habrá de atenderse, además de a la correspondiente normativa extrapenal, a lo establecido en el propio art. 567 CP a la hora de definir los objetos materiales que regula (armas de guerra, químicas, biológicas, etc.).

1.1.1. De acuerdo con el primer inciso del art. 567.2 CP, *«se consideran armas de guerra las determinadas en las disposiciones reguladoras de la defensa nacional»*, con lo que, a decir verdad, se aclara bien poco, pues parece difícil dilucidar qué clase de normas (y de qué rango) deben incluirse dentro de tan amplia y ambigua expresión.

La actual redacción del art. 567.2 CP contrasta enormemente con el detallismo del que hacía gala el antiguo art. 258 CP73, que consideraba armas de guerra:

«1.º todas las armas de fuego susceptibles de servir al armamento de tropas, con excepción de las pistolas y revólveres. Aquellas no perderán su carácter de armas de guerra aunque se trate de modelos anticuados cuando sea posible adquirir sus municiones en el comercio libre. 2.º Las pistolas ametralladoras. 3.º Las bombas de mano».

En este sentido, si se atiende a un criterio rigurosamente formal, habría que integrar tal concepto atendiendo exclusivamente a lo previsto en la *LO 5/2005, de 17 de noviembre, de la Defensa Nacional*, pero con ello se adelantaría poco, dado que dicha Ley no incluye ni una sola vez la palabra «arma» (y mucho menos la expresión «arma de guerra»), y de hecho ni siquiera menciona, como sí lo hacía su predecesora (la LO 6/1980, de 1 de julio, por la que se regulaban los criterios básicos de la defensa nacional y la organización militar), que corresponde al Ministro de Defensa *«... decidir el régimen de producción y suministros de los distintos tipos de armas y material».*

Así las cosas, parece que no queda otra que seguir atendiendo como principal referente normativo a lo dispuesto en el RA, en cuyo art. 6 se consideran armas de guerra (y se prohíbe por tanto su adquisición, tenencia y uso a particulares):

a) Las armas de fuego o sistemas de armas de fuego de calibre igual o superior a 20 milímetros.

b) Las armas de fuego o sistemas de armas de fuego de calibre inferior a 20 milímetros, cuyos calibres sean considerados por el Ministerio de Defensa como de guerra.

A tales efectos, el apartado 4 de la *Orden 81/1993, de 29 de julio, del Ministerio de Defensa*, considera «armas de guerra»:

4.1. Las armas de fuego de calibre igual o superior a 12,7 mm que utilicen munición con vaina de ranura en el culote y no de pestaña o reborde en el mismo lugar.

4.2. Las armas de fuego que utilicen la siguiente munición: 5,45 * 39,5; 5,56 * 45 (o su equivalente 223); 7,62 * 39; 7,62 * NATO.

No se consideran armas de guerra aquellas de repetición que empleen munición del tipo .308 Winchester de bala expansiva o munición del tipo 7,62 * 39 de bala expansiva, para caza mayor.

c) Armas de fuego automáticas (esto es, aquellas que se recargan automáticamente después de cada disparo y con las que es posible efectuar varios disparos sucesivos al accionar el disparador una sola vez —art. 2.c) RA.

d) Las municiones para las armas indicadas en los apartados a) y b).

e) Los conjuntos, subconjuntos y piezas fundamentales de las armas y municiones indicadas en los apartados a) a d), así como, en su caso, sus sistemas entrenadores o subcalibres.

f) Bombas de aviación, misiles, cohetes, torpedos, minas, granadas, así como sus subconjuntos y piezas fundamentales.

g) Las no incluidas en los apartados anteriores y que se consideren como de guerra por el Ministerio de Defensa.

De acuerdo con el art. 6.2 RA, corresponde al Gobierno, a propuesta conjunta de los Ministerios de Defensa y del Interior, determinar las armas comprendidas en este precepto que pueden ser utilizadas como dotación de los miembros de las Fuerzas y Cuerpos de Seguridad. Por otro lado, el RD 1628/2009, de 30 de octubre, introdujo un tercer apartado en el art. 6 RA, en cuya virtud el Gobierno, en los supuestos previstos en el art. 81.1.c) 9º del Reglamento de Seguridad Privada (aprobado por RD 2364/1994, de 9 de diciembre), y a propuesta conjunta de los mismos Ministerios, *«fijará por Orden Ministerial los términos y condiciones para la tenencia, control, utilización y, en su caso, adquisición por parte de las empresas de seguridad privada, de armas de guerra, así como las características de estas últimas»*. En este sentido, la *Orden PRE/2914/2009, de 30 de octubre*, regula las condiciones y requisitos aplicables a la tenencia y uso de armas de guerra por parte de los vigilantes de seguridad privada a bordo de buques mercantes y pesqueros que naveguen bajo bandera española en aguas en las que exista grave riesgo para la seguridad de las personas o de los bienes, con el fin de prevenir y repeler ataques.

1.1.2. Conforme a lo dispuesto en el segundo inciso del art. 567.2 CP, «*se consideran armas químicas, biológicas, nucleares o radiológicas, minas antipersonas o municiones en racimo las determinadas como tales en los tratados o convenios internacionales en los que España sea parte*». Dada la redacción literal del precepto, habrá que atender a dichos instrumentos internacionales a la hora de definir tales objetos materiales.

Por lo que respecta a las *armas químicas*, la *Convención sobre la prohibición del desarrollo, la producción, el almacenamiento y el empleo de armas químicas y sobre su destrucción* (hecha en París el 13 de enero de 1993 y ratificada por España mediante instrumento de 22 de julio de 1994) entiende por tales, conjunta o separadamente: a) las sustancias químicas tóxicas (esto es, aquellas que por su acción química sobre los procesos vitales pueda causar la muerte, incapacidad temporal o lesiones a humanos o animales) o sus precursores (es decir, cualquier reactivo químico que intervenga en la producción de una sustancia química tóxica), salvo cuando se destinen a fines no prohibidos por la presente Convención, siempre que los tipos y cantidades de que se trate sean compatibles con esos fines; b) las municiones o dispositivos destinados de modo expreso a causar la muerte o lesiones mediante las propiedades tóxicas de las sustancias especificadas en el apartado a) que libere el empleo de sus municiones o dispositivos; c) cualquier equipo destinado de modo expreso a ser utilizado directamente en relación con el empleo de las municiones o dispositivos especificados en el apartado b). En cuanto a las *«armas biológicas»*, el instrumento internacional principal es la *Convención sobre la prohibición del desarrollo, la producción y el almacenamiento de armas bacteriológicas (biológicas) y toxínicas y sobre su destrucción* (hecha en Londres, Moscú y Washington el 10 de abril de 1972, y ratificada por España mediante instrumento de 1 de junio de 1979), cuyo art. I las define como: 1) agentes microbianos u otros agentes biológicos o toxinas, sea cual fuere su origen o modo de producción, de tipos y en cantidades que no estén justificados para fines profilácticos, de protección u otros fines pacíficos; 2) armas, equipos o vectores destinados a utilizar esos agentes o toxinas con fines hostiles o en conflictos armados. Ambas Convenciones deben ser complementadas con otros instrumentos internacionales más antiguos, pero que continúan en vigor (como el *Protocolo relativo a la prohibición del empleo en la guerra de gases asfixiantes, tóxicos o similares y de medios bacteriológicos*, hecho en Ginebra el 17 de junio de 1925 y ratificado por España íntegramente —una vez retirada la reserva relativa a la condición de reciprocidad— el 16 de abril de 1993).

Más complejo puede resultar definir, como conceptos distintos, las *«armas nucleares»* y *«radiológicas»*, toda vez que este último término (utilizado en el mundo anglosajón para distinguir los incidentes que incluyen material radiactivo no fisionable y por tanto incapaz de producir una explosión nuclear, aunque sí radiación —ORTEGA GARCÍA) no aparece en el principal texto internacional que regula la materia: el *Tratado sobre la no proliferación de las armas nucleares* (hecho en Londres, Moscú y Washington el 1 de julio de 1968 y ratificado por España mediante instrumento de 13 de octubre de 1987). Es más: dicho Tratado tampoco define qué ha de entenderse por «arma nuclear», aunque obliga a los Estados miembros no poseedores de tales armas a celebrar con el Organismo Internacional de la Energía Atómica (OIEA) acuerdos jurídicamente vinculantes, llamados Acuerdos de Salvaguardias Amplias (ASA), en cuya virtud el OIEA verifica que el material nuclear disponible en tales Estados no se desvíe hacia la fabricación de armas nucleares (al respecto, véase el *RD 1206/2003, de 19 de septiembre, sobre aplicación de los compromisos contraídos por España en el Protocolo adicional al Acuerdo de salvaguardias derivado del Tratado sobre no proliferación*). Por ello, para dotar de contenido a tales objetos materiales parece que deberá atenderse a lo dispuesto en otro instrumento internacional más reciente: el *Convenio Internacional para la represión de los actos de terrorismo nuclear* (hecho en Nueva York el 13 de abril de 2005 y ratificado por España mediante instrumento de 29 de enero de 2007); cierto es que dicho Convenio tampoco incluye una definición estricta de armas nucleares o radiológicas, pero sí de «material radiactivo» (material nuclear y otras sustancias radiactivas que contienen núclidos que sufren desintegración espontánea y que, debido a sus propiedades radiológicas o fisionables, pueden causar la muerte, lesiones corporales graves o daños considerables a los bienes o al medio ambiente), «material nuclear» (determinadas formas o compuestos de plutonio y/o uranio) y «dispositivo» (todo dispositivo nuclear explosivo, o de dispersión o emisión de radiación que pueda causar los mismos resultados lesivos). Este Convenio tipifica como delito, entre otras conductas, la posesión de material radiactivo o de un dispositivo con el propósito de causar dichos resultados.

Por su parte, de las «*minas antipersonal*» se encarga la *Convención sobre la prohibición del empleo, almacenamiento, producción y transferencia de minas antipersonal y sobre su destrucción* (hecha en Oslo el 18 de septiembre de 1997, y ratificada por España mediante instrumento de 7 de enero de 1999). El art. 2.1 de dicha Convención las define como «*toda mina concebida para que explosione por la presencia, la proximidad o el contacto de una persona, y que incapacite, hiera o mate a una o más personas. Las minas diseñadas para detonar por la presencia, la proximidad o el contacto de un vehículo, y no de una persona, que estén provistas de un dispositivo antimanipulación, no son consideradas minas antipersonal por estar así equipadas*».

Finalmente, la *Convención sobre municiones en racimo* (hecha en Dublín el 30 de mayo de 2008 y ratificada por España mediante instrumento de 8 de junio de 2009) define a estas como «*una munición convencional que ha sido diseñada para dispersar o liberar submuniciones explosivas, cada una de ellas de un peso inferior a 20 kilogramos, y que incluye estas submuniciones explosivas*» (art. 2.2). El mismo precepto excluye del concepto anterior varios tipos de municiones o submuniciones: a) las diseñadas para emitir bengalas, humo, efectos de pirotecnia o contramedidas de radar, o las diseñadas exclusivamente con función de defensa aérea; b) las diseñadas para producir efectos eléctricos o electrónicos; c) aquellas que reúnan determinadas características (contener menos de diez submuniciones explosivas, cada una de ellas con un peso superior a cuatro kilogramos, diseñadas para detectar y atacar blancos únicos, y equipadas con mecanismos de autodestrucción y desactivación electrónicos).

Por lo demás, resulta llamativo el hecho de que se hayan quedado fuera de la redacción del art. 566 CP las armas «prohibidas» cuya tenencia penaliza, sin embargo, el art. 563 CP. Pues parece ilógico castigar la mera posesión de tales armas, y no sancionar en cambio su comercialización o fabricación.

1.2. Conductas típicas

La redacción del art. 566.1 CP, en lo que se refiere a las conductas típicas resulta como mínimo redundante, pues a pesar de que dicho precepto parece distinguir tres modalidades de comportamiento (fabricar, comercializar y establecer depósitos de armas o municiones), el art. 567 CP contiene hasta cuatro definiciones distintas de depósito (aplicables a los diferentes objetos materiales) las cuales, sin embargo, coinciden en incluir dentro de dicho concepto a la fabricación, comercialización y tenencia (o «reunión», si se trata de armas de fuego reglamentadas).

A falta de una definición más precisa en la normativa administrativa, habrá que entender por «fabricación» la producción o elaboración de las armas y municiones indicadas en el art. 566 CP.

Por lo que respecta a la «comercialización», el segundo inciso del art. 567.1 CP aclara al menos que *«comprende tanto la adquisición como la enajenación»*, lo que parece implicar un móvil lucrativo, a pesar de la sustitución del término «venta» por el de «enajenación» (enajenar es, de acuerdo con el Diccionario de la Real Academia, no solo vender sino también ceder la propiedad). El hecho de que se haya penalizado de forma separada el «tráfico» de determinadas armas hace pensar que deben excluirse del concepto de «comercialización» el mero movimiento de tales mercancías (circulación, traslado, introducción en el país, etc.), que a lo sumo podrían considerarse actos ejecutivos.

Por lo demás, la posesión ilegal del arma para su posterior venta podrá provocar, si acaso, un concurso de normas con el art. 566.2 CP si se entiende que constituye una tentativa de comercialización ilegal de armas reglamentadas. De este modo, si se trata de la posesión para la venta de un arma reglamentada (corta o larga), la pena que correspondería por la tentativa de comercialización a un promotor u organizador sería prisión de seis meses a dos años (esto es, una pena más grave que la establecida para la tenencia ilícita de armas largas), mientras que a los meros cooperadores les correspondería por esa misma tentativa, conforme a lo previsto en el art. 566.2 CP, una pena irrisoria: prisión de 45 días a seis meses (es decir, una pena sensiblemente inferior a la correspondiente a la tenencia ilícita tanto de armas cortas como largas). Para evitar privilegiar al que posee para vender ilegalmente, frente al que posee con otros fines igualmente ilícitos, en estos casos parece que no queda otra solución que la de aplicar el criterio de alternatividad, previsto en el art. 8.4 CP.

1.2.1. El primer inciso del art. 567.1 CP considera *«depósito de armas de guerra»* la fabricación, comercialización o tenencia de *«cualquiera de dichas armas, con independencia de su modelo o clase, aun cuando se hallen en piezas desmontadas»*.

Corresponde al Ministerio de Defensa, a través de la Dirección General de Armamento y Material, la autorización de las instalaciones y fábricas de armas de guerra (artículos 7.b y 12.1.a RA), de acuerdo con las disposiciones específicas que dice el Consejo de Ministros a propuesta del mismo Ministerio (art. 11, párrafo segundo, RA). Cada fábrica de armas de guerra tendrá un ingeniero-inspector militar, designado por el Ministerio de Defensa, entre el personal de los Cuerpos de Ingenieros de los Ejércitos, los cuales deberán velar por que las instalaciones y actividades de las fábricas se acomoden a las autorizaciones oficiales en que se ampare su funcionamiento (art. 16, párrafos 1 y 2, RA). la Orden DEF/425/2004, de 11 de febrero, creó el Subregistro de Fábricas de Armas de Guerra, *«dotados de las correspondientes medidas de protección, confidencialidad y seguridad»*, en el que se incluyen las fábricas con autorización específica para la fabricación de estas armas, con expresión de los productos autorizados y su capacidad de producción anual máxima.

En cuanto a la normativa administrativa aplicable a la comercialización de las armas de guerra, deben mencionarse, como normas más importantes (aunque no las únicas), la *Ley 53/2007, de 28 de diciembre, sobre control del comercio exterior del material de defensa y de doble uso*, el RD 679/2014, de 1 de agosto, que aprueba su Reglamento, y la Orden ECC/1493/2016, de 19 de septiembre, que actualiza los anexos del Reglamento que contienen las listas de control de los materiales, productos y tecnologías de defensa y doble uso. Por su parte, la *Ley 24/2011, de 1 de agosto, de contratos del sector público en los ámbitos de la defensa y de la seguridad*, incluye dentro de su ámbito objetivo de aplicación *«los contratos relacionados con las actividades de defensa y de la seguridad pública, cualquiera que sea su valor estimado, y que tengan por objeto: a) El suministro de equipos militares, incluidas las piezas, componentes y subunidades de los mismos. b) El suministro de armas y municiones destinadas al uso de las Fuerzas, Cuerpos y Autoridades con competencias en seguridad. c) c) El suministro de equipos sensibles, incluidas las piezas, componentes y subunidades de los mismos. d) Obras, suministros y servicios directamente relacionados con los equipos, armas y municiones mencionados en las letras a), b) y c) anteriores para el conjunto de los elementos necesarios a lo largo de las posibles etapas sucesivas del ciclo de vida de los productos».*

De acuerdo con el tenor literal del primer inciso del art. 567.1 CP, habrá que entender que constituye depósito de arma de guerra (tipificado en el art. 566.1.1° CP) la mera tenencia no autorizada de una sola arma de estas características. Así lo ha entendido también la Jurisprudencia [STS 312/2011, de 29-4 *(Tol 2132883)*: «el delito se perfecciona con la tenencia de una sola de estas armas, dado que el Código actual, art. 567.1 considera depósito la tenencia de cualquiera de estas armas, modificándose el criterio del código anterior, que exigía la reunión de tres armas para el depósito, aunque se reputase constitutivo de delito la tenencia de una sola arma, tratándose de ametralladoras, pistolas y fusiles ametralladores y bombas de mano». Al respecto, véase también las SSTS 2270/2001, de 1-4-2002 *(Tol 4921516)*; 536/2004 de 27-4 *(Tol 434334)*; 199/2011, de 30-3 *(Tol 2087983)*].

1.2.2. Por su parte, el segundo inciso del art. 567.1 CP considera *«depósito de armas químicas, biológicas, nucleares o radiológicas o de minas antipersonas o de municiones en racimo»* la fabricación, comercialización o la tenencia de las mismas, surgiendo de la diferente redacción respecto del inciso anterior la duda de si la mera posesión ilegal de un arma de estas características constituye, asimismo, depósito y por tanto delito a efectos de lo previsto en el art. 566.1.1° CP. La respuesta a esta cuestión no puede ser más que afirmativa, toda vez que resultaría un enorme despropósito exigir en este caso (y a diferencia de lo que sucede con las denominadas «armas de guerra») la tenencia de más de una de estas armas, cuya potencialidad lesiva puede superar en la mayoría de las ocasiones a la que poseen las armas convencionales. Más difícil puede resultar considerar depósito de esta naturaleza a la tenencia de materiales químicos o nucleares que, si bien puedan ser idóneos para crear armas de esta clase, no puedan considerarse estrictamente «armas».

La principal norma administrativa estatal específicamente en materia de armas químicas es la *Ley 49/1999, de 20 de diciembre, sobre medidas de control de sustancias químicas susceptibles de desvío para la fabricación de armas químicas*, en la que se establece el Registro de

Actividades y Sujetos Obligados, que tiene por objeto la inscripción de la información relativa a las actividades industriales, comerciales, investigadoras y de seguridad afectadas por la Convención sobre prohibición de armas químicas, así como el resto de medidas de control (entre ellas, las inspecciones internacionales y nacionales).

Por lo que respecta a las armas nucleares, debe mencionarse el *RD 1308/2011, de 26 de septiembre, sobre protección física de las instalaciones y los materiales nucleares, y de las fuentes radiactivas*, que contiene el régimen de controles y autorizaciones aplicable los materiales nucleares y fuentes radiactivas durante su producción, manipulación, procesado, almacenamiento y transporte por el territorio español (excepción hecha de aquellos que sean utilizados o almacenados para la defensa u otros fines militares).

En cuanto a las «minas antipersonas» y las «municiones en racimo», hay que hacer referencia a la Ley 33/1998, de 5 de octubre, denominada (desde su modificación por Ley 27/2015, de 28 de julio), *de prohibición total de minas antipersonal, municiones en racimo y armas de efecto similar*, la cual, a pesar de su nombre, excluye de la prohibición la cooperación militar y participación en operaciones militares con otros Estados que no sean parte de la Convención sobre municiones en racimo, si bien a renglón seguido aclara que ello no autoriza a «*desarrollar, producir, adquirir de un modo u otro minas antipersonal o municiones en racimo*», ni a almacenarlas, transferirlas, utilizarlas (art. 2.3).

1.2.3. El art. 567.3 CP considera «*depósito de armas de fuego reglamentadas la fabricación, comercialización o reunión de cinco o más de dichas armas, aun cuando se hallen en piezas desmontadas*». De este modo, la tenencia ilícita simultánea de, al menos, cinco armas de fuego de las reglamentadas en el RA (ya sean cortas o largas, ya estén montadas o sin montar) constituirá un delito de depósito tipificado en el art. 566.1.2º CP, debiendo castigarse la posesión ilegal de cuatro o menos armas de esta clase conforme a lo dispuesto en el art. 564.1 CP, como un único delito de tenencia ilícita.

El régimen de controles y autorizaciones aplicable a la fabricación de armas reglamentadas se recoge en esencia en los artículos 11 a 25 RA. El Capítulo II de dicho Reglamento (artículos 31 a 77) regula asimismo todo lo relativo a la circulación y comercio de tales armas, estableciendo los diferentes requisitos aplicables al comercio interior, exportación e importación, así como para la circulación, tránsito y transferencia.

1.2.4. Mucho más parca es la definición que ofrece el art. 567.4 CP de lo que debe entenderse por «depósito de municiones», contentándose en este caso con señalar que serán los Jueces y Tribunales quienes deberán declarar o no su concurrencia, «*teniendo en cuenta la cantidad y clase de las mismas*». Al respecto, la STS 135/1995, de 29-9 *(Tol 405736)* señalaba, en relación con el antiguo art. 258 CP73, que el depósito de municiones (el cual era descrito en dicho precepto de forma prácticamente idéntica a la regulación actual) «se tipifica en medio de una inquietante indeterminación, abandonando al buen sentido y ponderación de los Jueces la precisión de los criterios definidores de susodicha infracción criminal».

En relación a la cantidad de las municiones, algunas resoluciones judiciales acuden a la normativa administrativa con el objeto de diferenciar, a partir de ella, el injusto propio del ilícito penal, entendiendo en este sentido que sería atípica la tenencia de menos de 200 cartuchos, en caso de armas largas, o 150, en caso de armas cortas (conductas que, sin embargo, serían constitutivas de infracción administrativa —artículos 212 RE); así por ejemplo, la SAP de Madrid, Sección 6ª, 43/2001, de 6 de febrero, absolvió al acusado al que se le ocupó en su poder 56 cartuchos de diversos calibres y válidos para pistola y revólver, «pues no estamos ante una cantidad de proyectiles de armas de fuego en cantidades muy superiores a las consideradas normales para cubrir las necesidades a las que vienen destinadas, pues al ser de calibre diferente serían válidas para varias armas y no solo para una». No obstante, la Jurisprudencia tampoco se muestra favorable a afirmar sin más que a partir de esa cantidad el comportamiento sería delictivo. En este sentido, la STS 210/2003, de 17-2 *(Tol 4928868)* absolvió al acusado de poseer 4.725 cartuchos para armas largas (pues quien las poseía era un cazador con numerosas armas «legalizadas»; sin embargo, la STS 492/2006, de 9-5 *(Tol 935017)* si considera depósito la acumulación de 2000 piezas de munición. Por su parte, la STS 115/2008, de 26-2 *(Tol 1292769)* tampoco considera delito de depósito la acumulación de determinada munición de guerra (entre ella, 14 cartuchos del calibre 7,62 que se emplean como munición para el fusil de asalto CETME y 3 cabezas de proyectil de 20 mm de calibre), al entender que «ni por la cuantía, ni por la forma de posesión, sustraídas en 1991 cuando el acusado hacía el servicio militar y con las características ya descritas por el GEDEX [que declaró que dicho material no era operativo y que no existía riesgo de detonación en el lugar donde fue hallado], se puede decir que supongan un peligro o el riesgo comunitario».

Como se recordará, el art. 1.3 RA declara aplicable a las municiones el mismo régimen administrativo que regula la adquisición, almacenamiento, circulación, comercio y tenencia de armas, pero los controles y autorizaciones aplicables con carácter general a su fabricación se hallan en otra norma: el *Real Decreto 989/2015, de 30 de octubre, por el que se aprueba el Reglamento de artículos pirotécnicos y cartuchería*, que define las municiones como «*proyectiles y cargas propulsoras y munición de fogueo para armas de fuego de mano portátiles, otras armas de fuego y artillería*».

1.3. Autoría y participación

El antiguo art. 257 CP73, que castigaba el *establecimiento de depósitos* de armas o municiones, preveía dos marcos penológicos distintos, el primero (más grave) aplicable a los *promotores y organizadores*, y segundo a los que *hubieren cooperado a su formación*. Fácilmente puede colegirse que tal diferenciación penológica, si bien no estaba exenta de objeciones, al menos resultaba coherente con la delimitación de la conducta típica, pues se trataba de penalizar de forma más severa al que promovía u organizaba el establecimiento de un depósito (desde esta perspectiva, un arsenal o polvorín, o simplemente una *reunión* de armas y/o municiones), frente al que simplemente cooperaba en la formación de este.

El art. 566 CP ha mantenido la misma sistemática a la hora de penalizar las conductas que regula en sus apartados primero y segundo, pero dicha sistemática, desligada ahora casi por completo del comportamiento básico del que traía sentido (esto es, el *establecimiento* de un depósito) ha perdido buena parte de su lógica y plantea ciertos interrogantes, que se añaden a los ya suscitados por la regulación penal derogada.

En este sentido, ya la Jurisprudencia anterior al CP de 1995 se cuestionó si la redacción literal del art. 257 CP73 exigía la existencia de una agrupación de sujetos activos para aplicarlo, toda vez que la distinción entre promotores, organizadores y cooperadores en la formación del depósito parecía requerir la confluencia de una pluralidad de individuos, puestos de acuerdo en torno a su establecimiento; cuestión que fue resuelta en sentido negativo, manteniendo que la redacción legal del precepto derogado no excluía necesariamente la posibilidad de un solo sujeto activo a pesar de su «redacción en plural», si bien en tales casos algunos pronunciamientos judiciales se decantaron a favor de aplicar en tales supuestos la pena más favorable al reo, esto es, la correspondiente al simple cooperador [así, las SSTS de 3 de abril de 1981 *(Tol 2308909)* y 822/1994 de 21 de abril de 1994 *(Tol 402955)]*.

En cambio, la mayoría de los pronunciamientos que se han ocupado de esta cuestión en relación al actual art. 566 CP entienden que, en caso de autor único, este debe ser penalizado como promotor u organizador [entre ellas, las SSTS 314/1997, de 5-3 *(Tol 407327)*; 50/2001, de 22-1-2002 *(Tol 4976710)*; 2270/2001, de 1-4 *(Tol 4921516)*; 220/2002, de 11-2 *(Tol 4965044)*; 991/2007, de 16-11 *(Tol 1213989)*; 392/2013, de 16-5 *(Tol 3744475)]*. La misma interpretación parece que habrá de realizarse respecto de aquellas conductas que aparecen absolutamente desligadas de un «establecimiento» que sea susceptible de promoción, organización o cooperación en su formación (como las consistentes en comercializar —sin llegar a «montar» un negocio estable—, fabricar —sin tener una estructura fija para ello— o traficar —sin auspiciar o participar en la creación de una organización más o menos permanente a tales fines).

En definitiva, habrá que considerar que, si se trata de un único autor, este deberá ser sancionado con la pena prevista para el promotor u organizador (al igual que lo será, en su caso, el inductor del depósito). En el caso de los cómplices, tampoco parece que existan mayores dificultades, toda vez que el marco penal previsto expresamente en el art. 566 CP, apartados primero y segundo, para los «cooperadores» se asemeja mucho al que se deduce para los supuestos de complicidad aplicando la regla general del art. 63 CP. Mayores dudas puede suscitar sin embargo el marco penal aplicable a los cooperadores necesarios, pues de aplicárseles el marco penológico previsto en el art. 566 CP resultarían injustamente privilegiados (dado que el art. 28.b CP los considera autores).

2. *Tipificación expresa del tráfico de armas (art. 566.1.3° CP)*

El tercer número del art. 566.1 CP castiga de forma independiente (aunque con las mismas penas establecidas para el depósito, en sus respectivos casos) el tráfico de armas o municiones de guerra o de defensa, o de armas químicas, biológicas, nucleares o radiológicas o de minas antipersonas o municiones en racimo. Son varias las cuestiones que suscita la interpretación de este precepto, puesto en relación con los números anteriores del mismo artículo.

2.1. En primer lugar, puede plantear dudas la delimitación de la conducta típica de «*tráfico*», como algo distinto de la «comercialización», pues esta última conducta ya estaría integrada en el concepto de depósito del art. 567.1 CP. El hecho de que se haya regulado de forma específica el «tráfico» solo en relación a determinadas armas (las mencionadas en el art. 566.1.3° CP) obliga a concluir que únicamente en tales casos se han adelantado las barreras de punición para elevar a la consideración de delito consumado otras conductas, como la mera circulación, traslado, entrega o introducción en el territorio de dicha mercancía.

A tales efectos, puede atenderse tendencialmente a las definiciones de «tráfico ilícito» del art. 3.e) del Protocolo de Naciones Unidas sobre armas de fuego («*importación, exportación, adquisición, venta, entrega, traslado o transferencia de armas de fuego, sus piezas y componentes y municiones desde o a través del territorio de un Estado Parte al de otro Estado Parte*», si cualquiera de dichos Estados no lo autoriza) y del art. 1.12) de la Directiva (UE) 2017/853, por la que se modifica la Directiva 91/477/CEE sobre control de la adquisición y tenencia de armas («*adquisición, venta, entrega, circulación o transferencia de armas de fuego, sus componentes esenciales o municiones*» no autorizadas, desde o a través del territorio de un Estado miembro al de otro Estado miembro). Buena parte de las conductas descritas en tales preceptos pueden subsumirse sin mayores problemas en el concepto de «comercialización» (así, la importación, exportación, adquisición o venta), pero no el resto (entrega, traslado, circulación, transferencia).

2.2. En segundo lugar, resulta problemática la inclusión, dentro de la lista de posibles objetos materiales de este delito, de las armas o municiones «*de defensa*», categoría que solo aparece en este precepto y cuya conceptuación es posible desde dos perspectivas bien distintas: a) entender que tal expresión es sinónima a «*de guerra*», de modo que ambas harían referencia a las armas y municiones declaradas como tales en las disposiciones reguladoras de la defensa nacional; y b) interpretar que el legislador ha usado dicho término para hacer referencia a las armas «*de defensa personal*», categoría que si bien no es definida en el RA, aparece mencionada expresamente en varias ocasiones en dicho Reglamento (concretamente, en sus artículos 155 y 156 RA, que recogen las infracciones graves y muy graves) como cercana, aunque no equivalente, a las armas de fuego reglamentadas.

A favor de la segunda opción podría alegarse que el derogado art. 257 CP73 castigaba con penas diferentes, por un lado, el depósito de armas o municiones *de guerra* y, por otro, el depósito de armas o municiones *de defensa*, defiendo además estas últimas en el art. 258 CP73: «*Se consideran armas de defensa las pistolas, revólveres y pistolas automáticas de todos los modelos y calibres, con excepción de las pistolas ametralladoras*».

No obstante, de optar por la segunda interpretación, deberá tenerse en cuenta que hoy en día no es posible realizar una equiparación plena entre los términos «arma reglamentada» y «arma de defensa» (al menos desde el punto de vista administrativo) toda vez que no se engloban en el segundo concepto, por ejemplo, las armas «de vigilancia y guardería», o las «largas rayadas», aun siendo categorizadas también en el RA como «reglamentadas». Así las cosas, resultaría muy cuestionable (por infringir el principio de taxatividad) considerar que tales objetos también pueden ser objeto material de la conducta de tráfico prevista en el art. 566.1.3° CP.

Más clara aún resulta la exclusión del ámbito de aplicación de este precepto de las armas de defensa que no son de fuego (como los «sprays» de defensa personal, o las defensas eléctricas), pues carecería de sentido excluir tales objetos del radio de acción de la tenencia y el depósito (que se restringe, por lo que respecta a las armas reglamentadas, a las que son «de fuego») y sin embargo incluirlos en el del tráfico.

3. Desarrollo o empleo de determinadas armas (art. 566.2 CP)

El art. 566.2 CP castiga con las penas previstas en el punto 1° del art. 566.1 a «*los que desarrollen o empleen armas químicas, biológicas, nucleares o radiológicas o minas antipersonas o municiones en racimo, o inicien preparativos militares para su empleo o no las destruyan con infracción de los tratados o convenios internacionales en los que España sea parte*».

El art. 566.2 CP fue introducido por LO 2/2000, de 7 de enero, que fue promulgada específicamente para adaptar el texto punitivo a las exigencias derivadas de la ratificación por España de la Convención de París sobre la prohibición del desarrollo, la producción, el almacenamiento y el empleo de armas químicas, de 1993, al entender que la regulación penal de la materia vigente hasta esa fecha era insuficiente para hacer frente a los supuestos contemplados en la Convención. Posteriormente, la LO 15/2003 introdujo en el precepto la referencia a las armas biológicas. Por su parte, la LO 5/2010 incluyó la mención a las minas antipersonas y municiones en racimo, además de ampliar el catálogo de conductas típicas (con la referencia a la no destrucción) y hacer expresa referencia a la infracción de tratados o convenios internacionales (cf. FERNÁNDEZ HERNÁNDEZ). Finalmente, la LO 1/2015 ha añadido a la lista de objetos materiales posibles de este delito las armas nucleares o radiológicas.

Como puede comprobarse, en realidad este precepto contempla, en relación con las armas que en él son especificadas, cuatro conductas típicas diferentes (su desarrollo, empleo, el inicio de preparativos militares para su empleo y su no destrucción) que poseen desigual gravedad (pues parece claro que es más grave emplear, por ejemplo, un arma química que desarrollarla) y que constituyen, la mayoría de ellas, o bien actos ejecutivos de otros delitos relacionados con estas armas (por ejemplo, el desarrollo respecto de la fabricación), o bien actos preparatorios de otros comportamientos más graves (por ejemplo, los preparativos militares para su empleo respecto del genocidio o de crímenes de guerra).

A pesar de que la exigencia de la infracción de tratados o convenios internacionales suscritos por España parece, según la redacción literal, aplicable tan solo a la última de estas conductas (la consistente en «no destruir»), resulta más lógico entender que la concurrencia de dicho elemento normativo resulta aplicable a todos los comportamientos típicos, por más que resulte difícil imaginar un supuesto en el que se puedan realizar sin infringir dichas normas internacionales, pues la Convención sobre armas químicas (principal instrumento llamado a integrar el precepto penal) prohíbe taxativamente a los Estados miembros el desarrollo, producción, adquisición, almacenamiento, conservación, transferencia y empleo de tales armas, así como el inicio de preparativos militares para su utilización (art. I).

3.1. Desarrollo

El segundo inciso del art. 567.2 CP contiene una interpretación auténtica de lo que debe entenderse por «desarrollo», a efectos de lo previsto en el art. 566.2 CP: «*cualquier actividad consistente en la investigación o estudio de carácter científico o técnico encaminada a la creación de una nueva arma química, biológica, nuclear o radiológica, o mina antipersona o munición en racimo o la modificación de una preexistente*».

Dada la naturaleza del objeto material (sustancias o materiales que son susceptibles de ser destinados a una multiplicidad de fines —también pacíficos), deberá entenderse que son atípicos del art. 566.2 CP los estudios o investigaciones realizados con tales sustancias o materiales cuando se constate que dichas actividades no se encaminan a la producción de una nueva arma o a la modificación de otra ya existente, por perseguirse otros objetivos (aunque esos otros objetivos, naturalmente, podrán hacer en algún supuesto que la conducta sea subsumible en otros preceptos penales —por ejemplo, en el art. 609 CP, que castiga los experimentos biológicos realizados sobre personas protegidas cuando no estén justificados por su estado de salud o las normas médicas aplicables).

En este sentido, el art. II.9 de la Convención sobre armas químicas considera «fines no prohibidos»: a) las actividades industriales, agrícolas, *de investigación*, médicas, farmacéuticas o realizadas con otros fines pacíficos; b) fines relacionados directamente con la protección contra sustancias químicas tóxicas y contra otras armas químicas; c) fines militares no relacionados con el empleo de armas químicas y que no dependen de las propiedades tóxicas de las sustancias químicas como método de guerra; d) mantenimiento del orden, incluida la represión interna de disturbios *(sic.)*.

En cualquier caso, parece claro que el desarrollo de estas armas, atendiendo a la definición aportada por el art. 567.2 CP, no es otra cosa que un acto ejecutivo de su fabricación (conducta que es castigada con la misma pena: la establecida en el art. 566.1.1° CP), así que la virtualidad real de la tipificación expresa de esta conducta radica en el nuevo adelantamiento de las barreras punitivas que provoca, al elevar a la consideración de delito consumado lo que de otro modo solo podría castigarse como tentativa.

3.2. Empleo e inicio de preparativos militares para su empleo

Es en relación al análisis de estas dos conductas donde probablemente se ve con mayor claridad la diversa gravedad de los comportamientos incluidos en el art. 566.2 CP, pues parece obvio que mucho más lesivo puede resultar el empleo de una de las armas enumeradas en el precepto (recuérdese: armas químicas, biológicas, nucleares, radiológicas, minas antipersonas o municiones en racimo) que el inicio de preparativos para su empleo, por más que tales preparativos sean *militares*.

Por lo que respecta al *empleo* de tales armas, parece claro que esta conducta, de realizarse, entrará en concurso medial con los delitos que se ejecuten utilizando el arma como medio comisivo. Delitos que, dada la naturaleza de dichas armas, normalmente estarán cualificados por los móviles perseguidos (destrucción total o parcial de un grupo —genocidio, art. 607 CP; ataque generalizado o sistemático contra población civil —delito de lesa humanidad, art. 607 bis CP; determinados delitos de terrorismo, etc.).

En cuanto al *inicio de preparativos militares para el empleo* de esas armas, además de poder constituir en determinados supuestos un acto ejecutivo del comportamiento anterior, también podrá entrar en concurso normativo con varios ilícitos penales; entre ellos, algunos delitos contra las personas y bienes protegidos en caso de conflicto armado (entre ellos, los descritos en el art. 610 CP —que castiga a quien ordene emplear métodos de combate prohibidos o destinados a causar sufrimientos innecesarios o males superfluos, y en el art. 611.1° CP —ordenar realizar ataques indiscriminados o excesivos).

3.3. No destrucción

De sumamente peculiar puede calificarse la previsión de esta conducta típica, consistente en no destruir las armas descritas en el art. 566.2 CP, pues la Convención sobre armas químicas (principal instrumento internacional que justificó, recuérdese, la introducción de este segundo apartado en el precepto) considera la destrucción de tales armas como una obligación directamente exigible a los Estados parte, que son los únicos entes que, al tiempo de firmarse dicha Convención, podían aún poseerlas legalmente.

En concreto, el art. I de la Convención establece, como obligaciones generales de cada Estado parte, las de destruir: a) las armas químicas de que tenga propiedad o posesión o que se encuentren en cualquier lugar bajo su jurisdicción o control; b) todas las armas químicas que haya abandonado en el territorio de otro Estado parte; c) toda instalación de producción de armas químicas de que tenga propiedad o posesión o que se encuentre en cualquier lugar bajo su jurisdicción o control.

Dado que el texto de la Convención establece una serie de disposiciones aplicables al procedimiento a seguir para llevar a cabo dicha destrucción, parece que debe concluirse que sujetos activos de este delito podrían serlo teóricamente aquellos que hubieran sido designados por el Estado (conforme a lo previsto en esas disposiciones) para proceder a ello y sin embargo no lleguen a hacerlo, infringiendo de esta forma lo establecido en la Convención. Así configurado, este delito constituiría una modalidad de comisión por omisión expresamente tipificada, aplicable a los sujetos que se hallaren en posición de garante respecto de la destrucción de armas químicas o instalaciones productoras de tales armas.

Según el Ministerio de Defensa, España no posee ni fabrica armamento químico, lo cual, de ser cierto, implicaría que el ámbito de aplicación de este precepto es sumamente limitado: en hipótesis, solo sería posible si las autoridades españolas hallaran alguna de estas armas —producidas o introducidas en nuestro territorio ilegalmente— y no procedieran a destruirlas inmediatamente, de conformidad con lo dispuesto en la Convención (de otra opinión FERNÁNDEZ HERNÁNDEZ, quien interpreta que con dicha conducta se tipifica el mero incumplimiento de la obligación de comunicar la tenencia de dichas armas, para su posterior destrucción).

X. DELITOS RELATIVOS A SUSTANCIAS O APARATOS EXPLOSIVOS, INFLAMABLES, INCENDIARIOS O ASFIXIANTES (ART. 568 CP)

La redacción del art. 568 CP (que permanece inalterada desde su promulgación en 1995) es bastante más amplia que la de su precedente, el art. 264 CP73, tanto en lo que respecta a los posibles objetos materiales (se incluyen ahora, junto a las sustancias o aparatos explosivos, inflamables o asfixiantes, aquellos que sean «incendiarios» y los «componentes» de dichas sustancias o aparatos) como en lo relativo a la determinación de las conductas típicas (a la lista tradicional —tenencia, fabricación, transporte o suministro— se ha añadido el «depósito» y el *«tráfico»)*. También se ha ampliado la accesoriedad administrativa del precepto, mediante la sustitución de la expresión *«fuera de los casos permitidos por la Ley»* por la de *«no autorizado por las Leyes o la autoridad competente»*, admitiendo de este modo la posibilidad de que tal elemento normativo se integre no ya solo con la infracción de la normativa administrativa aplicable (accesoriedad de derecho), sino también por la ausencia de una autorización válida (accesoriedad de acto). El art. 568 CP también ha suprimido la referencia que antes se hacía al *«propósito delictivo»* y la posibilidad de reducir la pena a imponer, atendiendo a las circunstancias que concurrieran en el culpable, en el hecho y la gravedad de este.

Llama asimismo la atención la severidad de las penas previstas para castigar estas conductas (prisión de cuatro a ocho años para promotores y organizadores, y de tres a cinco años para los cooperadores), marco penal que coloca a estas conductas en el segundo lugar por orden de gravedad dentro de las reguladas en el Capítulo V del Título XXII (tan solo por detrás del depósito de armas o municiones de guerra y asimiladas).

Todo lo anterior obliga a interpretar este precepto en clave especialmente restrictiva, con el fin de evitar la penalización de conductas de bagatela cuya gravedad, claramente, es muy inferior a la de las que se pretenden perseguir realmente (así por ejemplo, la tenencia no autorizada —por infringir alguna de las diversas disposiciones administrativas reguladoras de la materia— de petardos o juegos pirotécnicos). En este sentido, y atendiendo tanto a la ubicación sistemática del delito como a los bienes jurídicos que resultan protegidos en todo el Capítulo, parece adecuado entender que a efectos penales no bastará con la mera realización de la conducta típica, sino que será preciso que las sustancias o aparatos sean detentadas, fabricadas, transportadas... *en concepto —objetiva y subjetivamente— de «armas»* (esto es, como medio de ataque o defensa), o al menos como instrumentos especialmente aptos, por indiscriminados, para causar estragos (GARCÍA ALBERO).

1. *Accesoriedad administrativa*

Al igual de lo que sucede en los ilícitos penales relativos a las armas, los delitos contenidos en el art. 568 CP son accesorios de la normativa administrativa por una doble vía: tanto en la delimitación de los posibles objetos materiales de las conductas que resultan tipificadas, como en la determinación de los respectivos regímenes de autorizaciones que son aplicables en cada caso, y que normalmente dependerán del tipo de sustancia o aparato, así como de la concreta conducta a llevar a cabo (fabricar, transportar, etc.).

Al respecto, la principal norma a tener en cuenta será el reciente *RD 130/2017, de 24 de febrero, por el que se aprueba el Reglamento de Explosivos* (RE), que entre otras cosas incorpora a nuestro ordenamiento el contenido de la *Directiva 2014/28/UE del Parlamento Europeo y del Consejo, de 26 de febrero, relativa a la armonización de las legislaciones de los Estados miembros en materia de comercialización y control de explosivos con fines civiles.* Junto a la anterior, también será preciso en determinados casos acudir al *RD 989/2015, de 30 de octubre, por el que se aprueba el Reglamento de artículos pirotécnicos y cartuchería* (RAPC) que a su vez transpone el contenido de la *Directiva 2013/29/UE, de 12 de junio de 2013, sobre la armonización de las legislaciones de los Estados miembros en materia de comercialización de artículos pirotécnicos.* Se trata de dos normas extraordinariamente extensas cuya mera lectura, dada la cantidad de términos técnicos que incluyen, ya resulta de por sí compleja.

Objetos materiales del delito pueden serlo las sustancias o aparatos explosivos, inflamables, incendiarios o asfixiantes, así como sus componentes, lo que dota de una enorme amplitud al ámbito de aplicación del precepto. Para dotar de contenido a tales elementos en principio habría que acudir, como se ha dicho, a lo dispuesto principalmente en el RE, el cual sin embargo no define con carácter general qué ha de entenderse por «sustancia» o «aparato» explosivos. Es más: su art. 9 incluye una clasificación de las diferentes modalidades de explosivos (materias explosivas, explosivos iniciadores, explosivos rompedores, etc.) que está formada por un total de 36 categorías y subcategorías.

No obstante, el RE se refiere en varias ocasiones a estas sustancias; concretamente en el apartado 3.18 de la instrucción Técnica Complementaria (ITC) número 10 del RE (que regula la prevención de accidentes graves), se define «sustancia explosiva» como «*toda sustancia o mezcla, que constituye un explosivo, contemplada en el apartado 2.1., incluyendo aquellas en forma de materia prima, producto, subproducto, residuo o producto intermedio*». El RE (y especialmente las ITC que forman parte del mismo) también se refiere en muchas ocasiones a diversas sustancias o aparatos inflamables, aunque sin llegar a definirlos con carácter general.

Por su parte, diversas sustancias y aparatos inflamables son asimismo objeto de regulación técnica detallada tanto en el RE como en el RAPC, el cual incluye (a diferencia del RE) también algunas disposiciones aplicables a determinados elementos incendiarios (como son ciertas municiones así denominadas). Ninguno de los dos reglamentos, en cambio, contienen disposiciones genéricas o específicas sobre sustancias o aparatos «asfixiantes» (lo cual no es de extrañar, porque tal calificativo parece guardar más relación con otro tipo de armamento —el químico o biológico— que con los explosivos y demás sustancias inflamables).

En cualquier caso, parece que la regulación aplicable a tales elementos asfixiantes habrá de buscarse en cada supuesto entre la dispersa normativa que conforma el conjunto regulador de las diferentes sustancias y mercancías que pueden provocar ese efecto. Al respecto, baste señalar que ni siquiera el *RD 656/2017, de 23 de junio, por el que se aprueba el Reglamento de Almacenamiento de Productos Químicos y sus Instrucciones Técnicas Complementarias*

MIE APQ O a 10 ofrece un concepto unívoco de tales sustancias, limitándose a establecer, en su art. 2.47.b), que se considera «reacción peligrosa», entre otras, las que dan lugar a la emanación de gases inflamables, *asfixiantes*, comburentes o tóxicos.

2. Conductas típicas

La mayoría de las modalidades de conducta típica incluidas en el art. 568 CP son idénticas a las establecidas en relación con las armas: De esta forma se castiga la tenencia, el depósito, la fabricación y el tráfico de tales sustancias, haciendo con ello, además, gala de un casuismo redundante que poco o ningún sentido tiene.

De hecho, se desconoce las razones por las que el Legislador penal de 1995 decidió incluir en la redacción de este precepto el *«depósito»* junto a la *«tenencia»* (sin que sea posible entender que de este modo se amplía el campo de posibles conductas típicas a la *«comercialización»*, pues ello implicaría una aplicación extensiva —y prohibida— del concepto de depósito incluido, en sus diversas versiones, en el art. 567 CP). Así las cosas, todavía sería posible interpretar aquí el término *«depósito»* como la acción y efecto de depositar (esto es, poner bienes u objetos bajo la custodia o guarda de persona física o jurídica), pero con ello no se evitaría el solapamiento de tal conducta con la de *«suministrar»* (que es proveer a alguien de algo que necesita, y difícilmente se puede proveer de algo que previamente no se tiene en custodia), salvo que se entienda que con «suministrar» se hace referencia a actividades de corretaje (esto es, las labores que realiza un mandatario comercialmente acreditado —corredor— cuando compra o vende por cuenta de uno o varios mandantes).

Finalmente, tampoco se entienden bien los motivos por los que se encontró oportuno añadir el *«transporte»* como algo diferente al *«tráfico»* (entre otras cosas, porque resulta asimismo difícil de imaginar que se puede transportar algo sin «tenerlo»).

3. Autoría y participación

Al igual que se hace en el caso del depósito de armas, el art. 568 CP distingue la pena a imponer en función de si el sujeto es un promotor y organizador (prisión de cuatro a ocho años) o un mero cooperador (prisión de tres a cinco años). Las consideraciones realizadas *supra* al respecto pueden darse aquí por reproducidas.

XI. DISPOSICIONES COMUNES

1. Depósitos establecidos en nombre de una asociación con propósito delictivo (art. 569 CP)

De acuerdo con lo dispuesto en el art. 569 CP, los depósitos tanto de armas o municiones como de explosivos, cuando hayan sido establecidos en nombre o por cuenta de una asociación con propósito delictivo, determinarán la declaración judicial de ilicitud y su consiguiente disolución.

La utilidad de este precepto, heredero literal del antiguo art. 265 CP73, plantea hoy en día serias dudas, toda vez que el art. 515.1 CP ya declara punibles, como asociaciones ilícitas, a *«las que tengan por objeto cometer algún delito»*, castigándose tal hecho como delito autónomo y de forma bastante extensa y detallada (sin que ni siquiera sea necesario que lleguen a cometer ilícitos). Por otro lado, el art. 520 CP también prevé imperativamente en estos casos la adopción por parte del Juez o Tribunal del acuerdo de disolución de la asociación ilícita, posibilitando además la adopción de cualquier otra consecuencia accesoria de las previstas en el art. 129 CP, de modo que todo hace pensar que el art. 569 CP no cumple actualmente ninguna función relevante, más allá de la de un mero (e incompleto) recordatorio.

2. Penas privativas de derechos (art. 570 CP)

El art. 570 CP prevé dos modalidades de penas adicionales, teóricamente aplicables a los autores y partícipes de cualquiera de los delitos recogidos en el Capítulo V del Título XXII: la privación del derecho a la tenencia y porte de armas, y la de inhabilitación especial para el ejercicio de industria o comercio (si el sujeto activo estuviera autorizado para fabricar o traficar con alguno de los objetos materiales mencionados en dicho Capítulo).

En su redacción originaria, el art. 570 CP solo preveía la imposición de la pena de inhabilitación especial, al igual que su precedente, el art. 267 CP/3. La redacción vigente del primer apartado del precepto fue introducida por la LO 15/2003, de 25 de noviembre, la cual además amplió con carácter general la duración máxima de la pena de privación del derecho a la tenencia de armas.

2.1. Privación del derecho a la tenencia y porte de armas

De conformidad con el art. 570.1 CP, en todos los delitos contemplados en el Capítulo V *«se podrá imponer la pena de privación del derecho a la tenencia y porte de armas por tiempo superior en tres años a la pena de prisión impuesta»*, lo que significa que la duración máxima de esta prohibición, cuando sea impuesta por la comisión de un delito de tenencia, tráfico o depósito de armas, podrá ser de 13 años (en el supuesto contemplado en el art. 566.1.1° CP: depósito de armas o municiones de guerra, o de armas químicas, biológicas, nucleares o radiactivas, o de minas antipersonas o municiones en racimo).

De acuerdo con el art. 40.2 CP, la pena de privación del derecho a la tenencia y porte de armas tendrá una duración de tres meses a 10 años, si bien el apartado 5 del mismo precepto establece que la duración de cualquier pena privativa de derechos «será la prevista en los apartados anteriores, salvo lo que excepcionalmente dispongan otros preceptos de este Código», permitiendo además el art. 70.3.5° CP que la privación del derecho a la tenencia y porte armas alcance una duración máxima de 20 años cuando haya de imponerse la pena superior en grado. Por su parte, los apartados segundo y tercero del art. 47 CP aclararan que la imposición de la pena de privación del derecho a la tenencia y porte de armas inhabilitará al penado para el ejercicio de este derecho por el tiempo fijado en la sentencia; no obstante, solo cuando la pena impuesta lo fuere por un tiempo superior a dos años «comportará la pérdida de vigencia del permiso o licencia que habilite para la… tenencia y porte».

Llama poderosamente la atención el hecho de que esta pena tenga naturaleza potestativa en delitos que sancionan de forma específica la posesión ilegal de armas, y sin embargo deba ser impuesta con carácter imperativo en otros supuestos que presentan menor gravedad (en términos penológicos), o al menos parecen denotar unas necesidades preventivo especiales menores.

Así por ejemplo, no resultan claras las razones por las cuales al autor de un delito de lesiones imprudentes de las contempladas en el apartado 1 del art. 147 CP (castigado con prisión de tres a seis meses, o multa de seis a dieciocho meses —art. 152.1.1° CP) se le debe imponer necesariamente una pena de privación del derecho al porte o tenencia de armas por tiempo de hasta cuatro años, y en cambio dicha pena puede o no imponerse al autor doloso de un delito de depósito de armas de guerra (que puede sancionarse con prisión de hasta diez años).

2.2. Inhabilitación especial para el ejercicio de industria o comercio

De acuerdo con el art. 570.2 CP, deberá imponerse inhabilitación especial para el ejercicio de industria o comercio por tiempo de 12 a 20 años, además de las penas señaladas en los respectivos casos, «si el delincuente estuviera autorizado para fabricar o traficar con alguna o algunas de las sustancias, armas y municiones mencionadas en el mismo». También llama la atención la redacción literal de este precepto, pues da a entender que la pena de inhabilitación en él establecida solo deberá aplicarse cuando el delincuente (sic.) tuviera, con anterioridad al momento de comisión del hecho, una licencia o autorización válida para realizar las actividades de fabricación o tráfico, de modo que dicha inhabilitación no sería aplicable en el caso de que el sujeto activo realizara el comportamiento sin ningún tipo de autorización, lo que carece de sentido, pues las mismas necesidades preventivo especiales (alejar al culpable de uno de estos delitos de los negocios relacionados con armas o municiones) concurren en este segundo supuesto.

Por lo demás, también parece que carece de lógica excluir del ámbito de aplicación de esta pena a aquellos sujetos que estuvieran autorizados no ya para fabricar o traficar con armas, sino para mantener determinados depósitos (por ejemplo, responsables de campos de tiro).

XII. CONCURSOS

Además de los supuestos concursales ya mencionados a lo largo de las páginas precedentes, deben mencionarse los ocasionados por la posible concurrencia de las conductas tipificadas en el Capítulo V del Título XXII CP con las reguladas en la LO 12/1995 de Contrabando, que fue modificada por LO 6/2011, precisamente para dar cumplimiento a los compromisos internacionales asumidos en materia de control de armamento.

Actualmente, la Ley de Contrabando castiga en términos muy extensos —dada la remisión que realiza su art. 2.3.a) a los apartados 1 y 2 del mismo precepto— la importación, exportación o cualquier otra operación de comercio, tenencia o circulación ilegal de armas, explosivos, agentes biológicos o toxinas, sustancias químicas tóxicas y sus precursores, así como la de «cualesquiera otros bienes cuya tenencia constituya delito» (amplia referencia en la que pueden entenderse comprendidas también en determinados casos las municiones).

Obsérvese que buena parte de los hechos que pueden constituir delitos relativos a la tenencia, tráfico y depósito de armas y municiones son perfectamente subsumibles en la legislación penal de contrabando, lo que dará lugar en la mayoría de los supuestos a un concurso de normas que deberá resolverse conforme al criterio de la alternatividad. Conforme a dicho criterio, en algunos casos resultará más grave la pena a imponer de acuerdo a lo establecido en el art. 3 de la Ley de Contrabando (que prevé para tales supuestos las penas de prisión de uno a cinco años y multa del tanto al séxtuplo del valor de los bienes, mercancías, géneros o efectos, pena que deberá aplicarse en su mitad superior, conforme a lo establecido en el segundo párrafo del mismo precepto, y que podrá llegar a la superior en grado, «cuando el delito se cometa por medio o en beneficio de personas, entidades u organizaciones de cuya naturaleza o actividad pudiera derivarse una facilidad especial para la comisión del mismo»). Sin embargo, podrá resultar de aplicación preferente el CP en otros supuestos, como por ejemplo el de depósito de armas de guerra (también en su vertiente de comercialización o tenencia ilegal, y ello aunque se realice en las condiciones y circunstancias previstas en la legislación de contrabando), cuando se trate de promotores u organizadores (pues la pena prevista para tales sujetos en el art. 566.1.1° CP son más graves: prisión de cinco a diez años).

El art. 2 de la Ley de Contrabando también declara punibles las anteriores conductas cuando se cometan por imprudencia grave (lo que plantea la posibilidad de penalizar, por ejemplo, el depósito de armas imprudente por esta vía), además de prever para dichos delitos la responsabilidad penal de las personas jurídicas (cuando concurran las circunstancias previstas en el art. 31 bis CP) y la aplicación de lo dispuesto en el art. 129 CP a las empresas, organizaciones, grupos, entidades o agrupaciones carentes de personalidad jurídica implicadas en su comisión.

Por otro lado, debe tenerse en cuenta que los delitos de tenencia, tráfico y depósito de armas, municiones o explosivos son castigados como delitos de terrorismo cuando se lleven a cabo con cualquiera de las finalidades expresadas en el art. 573.1 CP. En este sentido, debe considerarse ley de aplicación preferente (conforme al criterio de la especialidad) la tipificación específica de determinadas conductas relacionadas con estos objetos, cuando se realizan con dichas finalidades (así, el depósito de armas o municiones, la tenencia o depósito de sustancias o aparatos explosivos, inflamables, incendiarios o asfixiantes, o de sus componentes, así como su fabricación, tráfico, transporte o suministro, la *mera colocación o empleo de tales sustancias o de los medios o artificios adecuados»* y el desarrollo de armas químicas o biológicas —art. 574 CP). También es ley especial la cláusula de punición «residual» que se recoge en el núm. 5º del art. 573 bis CP (el cual establece la obligación de castigar con la pena en su mitad superior, *«pudiéndose llegar a la superior en grado»*, cualquier otro delito de tenencia, tráfico o depósito de armas, municiones o explosivos, previsto en el Capítulo V del Título XXII, ejecutado con las mismas finalidades del art. 573.1 CP).

XIII. CUESTIONES PROCESALES

Los delitos de tráfico y depósito de armas, municiones o explosivos tipificados en los artículos 566 a 568 CP se encuentran en la lista de los considerados como «delincuencia organizada» a efectos de lo dispuesto en el art. 282 bis LECRIM, que permite al Juez de Instrucción competente o al Ministerio Fiscal (dando cuenta inmediata al Juez) autorizar a funcionarios de la Policía Judicial *«a actuar bajo identidad supuesta y a adquirir y transportar los objetos, efectos e instrumentos del delito y diferir la incautación de los mismos»* (agente encubierto).

La LECRIM también incluye otras disposiciones relacionadas con la recogida de armas (artículos 284.3 y 334), su reconocimiento por peritos (art. 336), declaraciones de testigos en relación a su descripción (art. 337), así como sobre su retención, conservación o envío a organismo adecuado para su depósito (art. 338).

Por otro lado, y de conformidad con el art. 20 de la *Ley 23/2014, de 20 de noviembre, de reconocimiento mutuo de resoluciones penales en la Unión Europea*, tales instrumentos no estarán sujetos al control de la doble tipificación por el Juez o Tribunal español cuando se trate de delitos relativos al tráfico ilícito de armas, municiones y explosivos, siempre y cuando, claro está, se cumplan las condiciones exigidas por dicha Ley para cada tipo de instrumento de reconocimiento mutuo [sobre la supresión del requisito de la doble tipificación véase la STJUE, Gran Sala, de 3-5-2007, asunto C-303/05 *(Tol 1083147)*]. El art. 110.k) de la misma Ley declara además que son susceptibles de transmisión y ejecución en otro Estado miembro de la UE o de recepción por las autoridades judiciales españolas competentes *«la prohibición de tenencia y porte de armas o de otros objetos relacionados con el delito enjuiciado»*.

De forma paralela, el art. 24 de la *Ley 16/2015, de 7 de julio, por la que se regula el estatuto de miembro nacional de España Eurojust, los conflictos de jurisdicción, las redes judiciales de cooperación internacional y el personal dependiente del Ministerio de Justicia en el Exterior,* establece la obligación de informar a Eurojust de cualquier caso que afecte al menos a tres Estados miembros y para el cual se hayan transmitido solicitudes de cooperación judicial al menos a dos Estados miembros (incluidas las de reconocimiento mutuo), entre otros supuestos, cuando se trate de tráfico ilegal de armas de fuego, sus piezas y componentes y municiones, y el delito esté castigado en España con pena privativa de libertad o medida de seguridad de un período máximo de al menos cinco años.

XIV. BIBLIOGRAFÍA

ÁLVAREZ GARCÍA, F. J., «La nueva reforma penal de 2013», *Eunomía. Revista en Cultura de la Legalidad* 6 (2014); AMBOS, K., «La posesión como delito y la función del elemento subjetivo. Reflexiones desde una perspectiva comparada», *Estudios Penales y Criminológicos*, XXXV (2015); BELESTÁ SEGURA, L., «Aproximación al estudio del delito de tenencia de armas prohibidas», *Revista Aranzadi de Derecho y Proceso Penal* 9 (2003); CANCIÓ MELIÁ, M., «Tenencia ilícita de armas», en RODRÍGUEZ MOURULLO, G./JORGE BARREIRO, A., *Comentarios al Código Penal,* Madrid, Civitas, 1997; CARRO FERNÁNDEZ-VALMAYOR, J. L., «Sobre los conceptos de orden público, seguridad ciudadana y seguridad pública», *Revista Vasca de Administración Pública* 27 (1990); CORTÉS BECHIARELLI, E., «Normas penales en blanco y objeto material del delito de tenencia de armas prohibidas», *El Derecho* 1398 (2001); CRUZ BLANCA, M. J., *Régimen penal y tratamiento jurisprudencial de la tenencia ilícita de armas,* Madrid, Dykinson, 2005; CUERDA ARNAU, M. L., *Los delitos de atentado y resistencia,* Valencia, Tirant lo Blanch, 2003; DE LA CUESTA AGUADO, P. M., «Delitos de tráfico ilegal de personas, objetos o mercancías», *Revista de Derecho Penal y Criminología* 9 (2013); DÍAZ-MAROTO Y VILLAREJO, *El delito de tenencia ilícita de armas de fuego,* Madrid, Cólex, 1987; FERNÁNDEZ HERNÁNDEZ, A., «Tenencia, tráfico y depósito de armas y explosivos», en ÁLVAREZ GARCÍA, F. J./GONZÁLEZ CUSSAC, J. L. (dirs.), *Comentarios a la Reforma Penal de 2010,* Valencia, Tirant lo Blanch, 2010; GARCÍA ALBERO, R., «De la tenencia, tráfico y depósito de armas, municiones o explosivos», en QUINTERO OLIVARES, G. (dir.), *Comentarios al Código Penal,* 7ª ed., vol. 2, Pamplona, Thomson-Aranzadi, 2016; LÓPEZ GARRIDO, D./GARCÍA ARÁN, M., *El Código Penal de 1995 y la voluntad del legislador,* Madrid, Closas-Orcoyen, 1996; MAQUEDA ABREU, M. L., *Los delitos de propia mano: críticas a su fundamentación desde una perspectiva dogmática y político-criminal,* Madrid, Tecnos, 1992; MARRERO ROCHA, I., «El régimen de comercio de armas convencionales en la Unión Europea», *Revista de Derecho Comunitario Europeo* 40 (2011); NESTLER, C., «El principio de protección de bienes jurídicos y la punibilidad de la posesión de armas de fuego y de sustancias estupefacientes», en AAVV, *La insostenible situación del Derecho Penal*, Granada, Comares, 2000; ORTEGA GAR-CÍA, J., «Medidas de defensa en España frente al terrorismo nuclear», *Instituto Español de Estudios Estratégicos*, Documento Marco 5/2013; PALAZZO, F., «La legalidad penal en la Europa de Ámsterdam», *Revista Penal* 3 (1999); PASTOR MUÑOZ, N., *Los delitos de posesión y los delitos de estatus: una aproximación político-criminal y dogmática*, Barcelona, Atelier, 2005; PIEDRABUENA LEÓN, E., «El delito de tenencia ilícita de armas», *Revista General de Legislación* y Jurisprudencia, 217 (1997); QUINTERO OLIVARES, G., «La unificación de la Justicia Penal en Europa», *Revista Penal* 3 (1999); ROMEO MALANDA, S., «Un nuevo modelo de Derecho penal transnacional: El Derecho penal de la Unión Europea tras el Tratado de Lisboa», *Estudios Penales y Criminológicos*, XXXII (2012); SAINZ CANTERO, J. A., «El delito de tenencia ilícita de armas», *Revista General de Legislación y Jurisprudencia*, 217 (1964); SALOM ESCRIVÁ, J. S., «El delito de tenencia ilícita de armas», *Revista Jurídica de Catalunya*, 1 (1985); SCHROEDER, «La posesión como hecho punible», *Revista de Derecho Penal y Criminología*, 14 (2004).

REFERENCIAS LEGALES

- Protocolo relativo a la prohibición del empleo en la guerra de gases asfixiantes, tóxicos o similares y de medios bacteriológicos, hecho en Ginebra el 17 de junio de 1925.
- Tratado sobre la no proliferación de las armas nucleares, hecho en Londres, Moscú y Washington el 1 de julio de 1968.
- Convención sobre la prohibición del desarrollo, la producción y el almacenamiento de armas bacteriológicas (biológicas) y toxínicas y sobre su destrucción, hecha en Londres, Moscú y Washington el 10 de abril de 1972.
- RD 1120/1977, de 3 de mayo, regulador de la contratación de material militar en el extranjero.
- LO 2/1986, de 13 de marzo, de Fuerzas y Cuerpos de Seguridad.
- Directiva 91/477/CEE del Consejo, de 18 de junio de 1991, sobre el control de la adquisición y la tenencia de armas.
- Real Decreto 137/1993, de 29 de enero, por el que se aprueba el Reglamento de Armas.
- Orden 81/1993, de 29 de julio, del Ministerio de Defensa.
- RD 2364/1994, de 9 de diciembre, por el que se aprueba el Reglamento de Seguridad Privada.
- LO 12/1995, de 12 de diciembre, de Represión del Contrabando.
- Convención sobre la prohibición del desarrollo, la producción, el almacenamiento y el empleo de armas químicas y sobre su destrucción, hecha en París el 13 de enero de 1993.
- Convención sobre la prohibición del empleo, almacenamiento, producción y transferencia de minas antipersonal y sobre su destrucción, hecha en Oslo el 18 de septiembre de 1997.
- Orden de 15 de febrero de 1997, por la que se determinan las armas de fuego a utilizar por los guardias particulares del campo para desempeñar funciones de vigilancia y guardería.
- Ley 33/1998, de 5 de octubre, de prohibición total de minas antipersonal, municiones en racimo y armas de efecto similar.
- Ley 49/1999, de 20 de diciembre, sobre medidas de control de sustancias químicas susceptibles de desvío para la fabricación de armas químicas.
- Protocolo contra la fabricación y el tráfico ilícitos de armas de fuego, sus piezas y componentes y municiones, adoptado por Resolución de la Asamblea de Naciones Unidas 55/255, de 31 de mayo de 2001.
- RD 1206/2003, de 19 de septiembre, sobre aplicación de los compromisos contraídos por España en el Protocolo adicional al Acuerdo de salvaguardias derivado del Tratado sobre no proliferación.
- Orden DEF/425/2004, de 11 de febrero, por la que se crea el Subregistro de Fábricas de Armas de Guerra.
- Convenio Internacional para la represión de los actos de terrorismo nuclear (hecho en Nueva York el 13 de abril de 2005.

- LO 5/2005, de 17 de noviembre, de la Defensa Nacional.
- Instrumento internacional para permitir a los Estados identificar y localizar, de forma oportuna y fidedigna, armas pequeñas y armas ligeras ilícitas, aprobado por la Asamblea General de Naciones Unidas el 8 de diciembre de 2005.
- LO 11/2007, de 22 de octubre, reguladora de los derechos y deberes de los miembros de la Guardia Civil.
- Ley 53/2007, de 28 de diciembre, sobre control del comercio exterior del material de defensa y de doble uso.
- Convención sobre Municiones en Racimo, hecha en Dublín el 30 de mayo de 2008.
- Posición Común 2008/944/PESC del Consejo, de 8 de diciembre, por la que se definen las normas comunes que rigen el control de las exportaciones de tecnología y equipos militares.
- Reglamento (CE) 428/2009 del Consejo, de 5 de mayo de 2009, por el que se establece un régimen comunitario de control de las exportaciones, la transferencia, el corretaje y el tránsito de productos de doble uso.
- Directiva 2009/43/CE del Parlamento Europeo y del Consejo, de 6 de mayo de 2009, sobre la simplificación de los términos y las condiciones de las transferencias de productos relacionados con la defensa dentro de la Comunidad.
- Ley 24/2011, de 1 de agosto, de contratos del sector público en los ámbitos de la defensa y seguridad.
- RD 1308/2011, de 26 de septiembre, sobre protección física de las instalaciones y los materiales nucleares, y de las fuentes radiactivas.
- Reglamento (UE) 258/2012 del Parlamento Europeo y del Consejo, de 14 de marzo de 2012, por el que se establecen las normas que regulan las autorizaciones de exportación y las medidas de importación y tránsito para las armas de fuego, sus piezas y componentes esenciales y municiones.
- Ley 12/2012, de 26 de diciembre, de medidas urgentes de liberalización del comercio y determinados servicios.
- Tratado sobre Comercio de Armas, adoptado por la Asamblea General de Naciones Unidas el 2 de abril de 2013.
- Real Decreto/2013, de 5 de abril, por el que se aprueba el Estatuto del personal del Centro Nacional de Inteligencia.
- Directiva 2013/29/UE, de 12 de junio de 2013, sobre la armonización de las legislaciones de los Estados miembros en materia de comercialización de artículos pirotécnicos.
- RD 33/2014, de 24 de enero, por el que se desarrolla el Título II de la Ley 12/2012, de 26 de diciembre.
- Directiva 2014/28/UE del Parlamento Europeo y del Consejo, de 26 de febrero de 2014, relativa a la armonización de las legislaciones de los Estados miembros en materia de comercialización y control de explosivos con fines civiles.
- Ley 5/2014, de 4 de abril, de Seguridad Privada.
- RD 679/2014, de 1 de agosto, por el que se aprueba el Reglamento de control del comercio exterior del material de defensa, de otro material y de productos y tecnologías de doble uso.
- Ley 23/2014, de 20 de noviembre, de reconocimiento mutuo de resoluciones penales en la Unión Europea.
- Ley 29/2014, de 28 de noviembre, de régimen de personal de la Guardia Civil.
- LO 8/2014, de 4 de diciembre, de régimen disciplinario de las fuerzas armadas.
- LO 5/2015, de 30 de marzo, sobre protección de la Seguridad Ciudadana.
- Ley 16/2015, de 7 de julio, por la que se regula el estatuto de miembro nacional de España Eurojust, los conflictos de jurisdicción, las redes judiciales de cooperación internacional y el personal dependiente del Ministerio de Justicia en el Exterior.
- LO 9/2015, de 28 de julio, de régimen de personal de la Policía Nacional.

- RD 989/2015, de 30 de octubre, por el que se aprueba el Reglamento de artículos pirotécnicos y cartuchería.
- RD 130/2017, de 24 de febrero, por el que se aprueba el Reglamento de Explosivos.
- Directiva (UE) 2017/541 del Parlamento Europeo y del Consejo, de 15 de marzo de 2017, relativa a la lucha contra el terrorismo.
- Directiva (UE) 2017/853 del Parlamento Europeo y del Consejo, de 17 de mayo de 2017, por la que se modifica la Directiva 91/477/CEE.
- RD 656/2017, de 23 de junio, por el que se aprueba el Reglamento de Almacenamiento de Productos Químicos y sus Instrucciones Técnicas Complementarias MIE APQ O a 10.
- Orden INT/1008/2017, de 3 de julio, por la que se desarrolla el régimen aplicable a las pistolas y los revólveres detonadores.

Lección 3ª
Delitos de traición

JUAN MATEO AYALA GARCÍA

Artículo 581

El español que indujere a una potencia extranjera a declarar la guerra a España o se concertare con ella para el mismo fin, será castigado con la pena de prisión de quince a veinte años.

Artículo 582

Será castigado con la pena de prisión de doce a veinte años:
1º. El español que facilite al enemigo la entrada en España, la toma de una plaza, puesto militar, buque o aeronave del Estado o almacenes de intendencia o armamento.
2º. El español que seduzca o allegue tropa española o que se halle al servicio de España, para que se pase a las filas enemigas o deserte de sus banderas estando en campaña.
3º. El español que reclute gente o suministre armas u otros medios eficaces para hacer la guerra a España, bajo banderas enemigas.

Artículo 583

Será castigado con la pena de prisión de doce a veinte años:

1°. El español que tome las armas contra la Patria bajo banderas enemigas. Se impondrá la pena superior en grado al que obre como jefe o promotor, o tenga algún mando, o esté constituido en autoridad.

2°. El español que suministre a las tropas enemigas caudales, armas, embarcaciones, aeronaves, efectos o municiones de intendencia o armamento u otros medios directos y eficaces para hostilizar a España, o favorezca el progreso de las armas enemigas de algún modo no comprendido en el artículo anterior.

3°. El español que suministre al enemigo planos de fortalezas, edificios o de terrenos, documentos o noticias que conduzcan directamente al mismo fin de hostilizar a España o de favorecer el progreso de las armas enemigas.

4°. El español que, en tiempo de guerra, impida que las tropas nacionales reciban los auxilios expresados en el número 2° o los datos y noticias indicados en el número 3 de este artículo.

Artículo 584

El español que, con el propósito de favorecer a una potencia extranjera, asociación u organización internacional, se procure, falsee, inutilice o revele información clasificada como reservada o secreta, susceptible de perjudicar la seguridad nacional o la defensa nacional, será castigado, como traidor, con la pena de prisión de seis a doce años.

Artículo 585

La provocación, la conspiración y la proposición para cualquiera de los delitos previstos en los artículos anteriores de este capítulo, serán castigadas con la pena de prisión inferior en uno o dos grados a la del delito correspondiente.

Artículo 586

El extranjero residente en España que cometiere alguno de los delitos comprendidos en este capítulo será castigado con la pena inferior en grado a la señalada para ellos, salvo lo establecido por Tratados o por el Derecho de gentes acerca de los funcionarios diplomáticos, consulares y de Organizaciones internacionales.

Artículo 587

Las penas señaladas en los artículos anteriores de este capítulo son aplicables a los que cometieren los delitos comprendidos en los mismos contra una potencia aliada de España, en caso de hallarse en campaña contra el enemigo común.

Artículo 588

Incurrirán en la pena de prisión de quince a veinte años los miembros del Gobierno que, sin cumplir con lo dispuesto en la Constitución, declararan la guerra o firmaran la paz.

I. CONSIDERACIONES GENERALES. EVOLUCIÓN HISTÓRICA

1. *Periodo anterior a la codificación*

1.1. Derecho romano

El antecedente del delito de traición en el Derecho Romano es el *perduellio*. Expresa la forma de hacer la guerra no del enemigo exterior sino del enemigo interior, el de dentro de la comunidad que se une a aquel (BLECUA FRAGA), estando presente el ánimo hostil contra Roma.

La evolución posterior del concepto se amplía hacia el *crimen maiestatis*, que a su vez sufre diversas incorporaciones propias de los cambios políticos que se suceden. Este *crimen maiestatis* ataca la *maiestas*, definida por Cicerón como la dignidad y grandeza del pueblo romano. De ella derivaba la *majestad* de los magistrados y del príncipe. La *maiestas* alude al pueblo romano, a su permanencia en el tiempo, su vinculación con la divinidad, todo lo cual le hace superior a los demás pueblos (DE CASTRO-CAMERO).

La *Lex Iulia de maiestate* es conocida porque fue recogida en el *Corpus Iuris Civilis*. En ella constan al menos veinticinco comportamientos constitutivos de *crimen maiestatis*, algunos de los cuales son identificables en las regulaciones penales modernas como modalidades de la traición. Así, alzar las armas contra la *res pública*, abandonar el ejército o, tratándose de un civil, huir al bando enemigo, rendirse al enemigo o entregarle una fortaleza o campamento, dirigir una guerra, hacer leva de soldados o crear un ejército sin autorización del Príncipe, provocar dolosamente la caída del ejército romano en una emboscada o traicionarlo de cualquier otra forma, ayudar dolosamente a los enemigos del pueblo romano proporcionándoles armas, dardos, caballos, dinero o de cualquier otra forma, provocar que los amigos del pueblo romano se conviertan en enemigos, actuar dolosamente provocando que los enemigos del pueblo romano obtengan prisioneros, dinero o caballos, en perjuicio de la *res publica*.

Algunos otros calificados como *crimen maiestatis* atacarían la organización política o las instituciones, la confianza pública...con diferentes modalidades de conducta ajenas a la esencia del antiguo *perduellio* y su posterior evolución.

1.2. Periodo visigodo

La concepción de la traición como crimen contra la *maiestas* sufre un cambio fundamental. No es solo que la caída del Imperio arrastrara consigo el concepto, tan vinculado al pueblo primero y al emperador romano después, sino que la organización del periodo visigodo toma dos referentes bien diferentes. Por un lado, la provincia como forma de organización de los asentamientos, y por otro la fidelidad como base de las relaciones de la monarquía. Aparecen así tres grupos de deberes cuya infracción genera otros tantos delitos (BLECUA FRAGA):

– Contra la persona del monarca: atentados a la persona del rey gravemente castigados en el *Liber Iudiciorum*. La protección al rey comprende las ofensas verbales, desobediencia a sus mandatos y los ataques a sus bienes.

– Contra la tierra y la gente goda: se trata de acciones que revelan una intención de apoyo a los enemigos en perjuicio de la propia comunidad; excitar al enemigo a emprender la guerra o ayudarle a entrar en el territorio; facilitarle medios de combate; proporcionarle informaciones; encubrir a espías enemigos.

– La huida del territorio del reino.

Las penas con las que se castigaban estos delitos eran muerte y confiscación de todos los bienes del reo.

La relación de fidelidad es, pues, la esencia y fundamento del castigo de estas conductas, y este fundamento permanecerá en el Derecho histórico. En esta evolución, como señala IGLESIA FERREIROS, no se ha recurrido al *crimen maiestatis*, si bien este será incorporado a las Partidas.

Los estudios sobre este periodo histórico señalan la progresiva influencia de la Iglesia en la monarquía visigoda, sobre todo a partir de la conversión de Recaredo (año 589). La jerarquía eclesiástica se convierte en un órgano consultivo; y a los deberes de fidelidad, cuyo quebranto es la esencia del castigo, se añade un deber religioso cuya desatención convierte al autor en sacrílego.

1.3. Las Siete Partidas

Con las Siete Partidas (año 1265), se produce la recepción del Derecho Romano, al que se incorporan los principios inspiradores del Derecho patrio que hemos destacado, en especial la exaltación de la lealtad y el deber de fidelidad. Se añade aquí la vertiente religiosa, al punto de que quien comete traición *yerra contra Dios*.

La regulación visigoda de la fidelidad es la semilla para el castigo de la traición como forma de *crimen maiestatis* en el derecho castellano medieval. Esta transición se produce en Las Partidas; en la Partida 7, 2, 1 se describen las conductas de traición como de *laese maiestatis crimen* con diversas conductas que en ella aparecen; advierte GROIZARD que de las formas de traición que recogen las Siete Partidas, no todas cabe calificarlas como traición en tanto que delito de lesa majestad. Las que pueden considerarse precedentes de la traición regulada en el Derecho vigente, serían:

– Unirse a los enemigos para guerrear o hacer mal al rey o al Reino, o les ayude o les aperciba contra el rey.

– Alzarse con castillo o Villa o fortaleza o darlo a los enemigos o perderlo por su culpa.

– Desamparar al rey en la batalla o irse con los enemigos o de la hueste, o lidiar con los enemigos sin mandato real; o si descubriese los secretos del rey.

También las penas con que se castigaban eran la muerte, la confiscación de bienes y la infamia que se transmitía a los descendientes varones.

La evolución histórica posterior sitúa al monarca por encima de las leyes, en tanto que la fidelidad de los naturales se desvincula de aquel y se vuelve hacia su naturaleza, a su tierra. El punto de inflexión lo establece IGLESIA FERREIROS en la guerra de los Comuneros contra Carlos I; en ese momento aparece el concepto y se extiende la denominación de «patria». Esta, el reino común, constituye el nexo de unión de los naturales y no ya el monarca.

La regulación de la Partida 7,2,1 pasó a las recopilaciones sucesivas, aunque su historia en ellas es *la historia de su petrificación*. Así, en el Ordenamiento de Alcalá (32,5) se regulan las nuevas situaciones, en cuanto violaciones de lesa majestad. Señala IGLESIA FERREIROS, a quien seguimos en este apartado, que el último «acto de esta representación» lo constituye la regulación de la traición en el Código Penal de 1822, en que aparece la distinción delitos contra la seguridad exterior del Estado y contra la seguridad interior, donde la etimología de la traición anuncia la regulación que tendría en los Códigos sucesivos.

1.4. Monarquía Absoluta

Según GROIZARD, hasta los Reyes Católicos, los privilegios de la nobleza y la singular organización política en que consistía el feudalismo, hacían que las

Partidas fueran letra muerta. Es la actuación enérgica de los monarcas citados la que propicia la vigencia material de las leyes.

La Monarquía Autoritaria primero y la Absoluta después, en el periodo comprendido entre los siglos XV y XVIII, no supuso cambios en el paradigma general del Derecho Penal ni en los delitos de traición en particular. Las recopilaciones (Ordenamiento de Montalvo, las Leyes de Toro de 1505, la Nueva Recopilación de 1567 y la Novísima Recopilación de 1802) son los principales referentes legislativos del periodo.

En él, las situaciones de traición aparecen en momentos de crisis, y en ellos son medidas políticas y criterios de la misma naturaleza los que configuran el castigo (IGLESIA FERREIROS). Buena prueba de ello es el dictamen del fiscal CURIEL Y TEJADA publicado por JOVER ZAMORA, realizado por encargo del Consejo de Castilla a solicitud del Rey Felipe V.

2. Codificación

Los cambios que derriban el Derecho Penal del Antiguo Régimen y anuncian un nuevo Derecho Penal proceden del periodo Ilustrado, y con el respaldo del constitucionalismo del siglo XIX, dan paso al periodo codificador.

El Código Penal de 1822 no contiene todavía la regulación de los delitos de traición que cabría designar como moderna, sino que permanece anclado en la traición como atentado o ataque en cualquier forma a la Monarquía o a la persona del Monarca. Es decir: es el epílogo histórico de la identificación de traición y *crimen laesa maiestatis*.

Pero las modalidades delictivas de inducción a potencia extranjera a emprender guerra contra España o hostilizarla mediante las armas; tomar las armas contra la patria, facilitar la entrada del enemigo en España son del Código de 1848, y se mantienen en el de 1870. Algunas modalidades de espionaje aparecen en el Código de 1928, sustituido en 1932 por el de 1870. En estas regulaciones se ha producido ya de forma definitiva la diferenciación entre delitos de traición como delitos contra la esencia del Estado, lo permanente del mismo, y delitos contra la forma política —lo mudable y accidental del Estado— y contra la persona del Monarca.

3. Dictadura de Franco

El Código Penal de 1944, nacido en los albores de la dictadura franquista, estableció penas de reclusión mayor a muerte como castigo de las más graves formas de la traición, e introdujo en la regulación novedades tributarias de la Ley de Seguridad del Estado de 1941, siendo las más disfuncionales las que se contenían en el artículo 121.3 y en el 122.3 CP1944, que incluían a las banderas y las tropas *sediciosas o separatistas,* equiparadas a las enemigas, en el círculo de las conductas objeto de grave punición. Estas referencias, criticadas por la Doctrina, permanecieron en la regulación hasta la publicación del Código Penal de 1995.

4. Periodo democrático

Hasta que fuera publicado el Código Penal de 1995, modificó la regulación la Ley Orgánica 8/83, de 25 de junio, a fin de adecuar las penas a la Constitución Española del 78 —abolición de la pena de muerte— y la Ley Orgánica 14/1985 de 9 de diciembre, de modificación del Código penal y de la Ley Orgánica 8/1984, de 26 de diciembre, en correlación con el Código Penal Militar, conocida como *Ley puente.*

Esta *Ley puente* tenía el objetivo de incorporar al Código Penal común —en tanto se aprobaba un nuevo Código penal— determinadas conductas que se pensó eran su lugar adecuado de punición, y que, estando contempladas hasta entonces en la legislación penal militar, se eliminaban del nuevo Código penal militar. Así, además de otros delitos, en lo que ahora interesa, se incorporó la traición mediante espionaje (artículo 122 bis).

Con estas modificaciones la regulación resultante pasó al Código Penal de 1995.

II. LA CUESTIÓN DE LA PLURALIDAD LEGISLATIVA

Desde la época de la codificación, la regulación de las conductas castigadas como traición en el Código Penal común y en el Código Penal militar ha sido similar, solapándose ambas y generando confusión legislativa e inseguridad jurídica denunciadas por la doctrina penal a lo largo del tiempo.

La codificación común se adelantó a la militar, que permaneció en leyes especiales hasta que en 1884 se publicó el Código Penal para el Ejército de Tierra, sustituido en 1890 por el Código de Justicia Militar. Para mayor dispersión, en 1888 se publicó el Código Penal de la Marina de Guerra. Los textos militares realizaron una regulación completa de la materia, ya regulada en los Códigos comunes, dando así lugar a la pluralidad legislativa que ha permanecido hasta nuestros días en los sucesivos Códigos, ya sean militares ya sean comunes.

Durante la Dictadura de Franco, los delitos de traición —ya fueran *comunes* o *militares*— eran juzgados siempre por la Jurisdicción Militar conforme al Código de Justicia Militar de 1945. Con algunas mejoras, no importantes, en el Código de Justicia Militar de 1985 (Ley Orgánica 13/1985, de 19 de diciembre), no es hasta el Código Penal Militar de 2015 (Ley Orgánica 14/2015, de 14 de octubre) cuando se produce una regulación racional que establece con claridad los contornos de la traición militar y de la común, poniendo fin a la larga y perniciosa tradición de multiplicidad legislativa.

En efecto, como señala la Exposición de Motivos del texto de 2015, *el Capítulo I tipifica con carácter independiente determinadas conductas constitutivas del delito de traición militar, al no encontrarse previstas en el delito de traición del Código Penal* [común]. Como afirma LÓPEZ LORCA, la mejora de la regulación se completa con una cláusula de remisión al Código Penal que permite considerar traición militar la comisión de cualquiera de los delitos de traición cuando son realizados por militares; así, el artículo 9.2.a establece:

> *«Asimismo son delitos militares cualesquiera otras acciones u omisiones cometidas por un militar y tipificadas en el Código Penal como:*
> *a) Delitos de traición y delitos contra las personas y bienes protegidos en caso de conflicto armado, incluidas las disposiciones comunes, siempre que se perpetraren con abuso de facultades o infracción de los deberes establecidos en la Ley Orgánica 9/2011, de 27 de julio, de derechos y deberes de los miembros de las Fuerzas Armadas o en la Ley Orgánica 11/2007, de 22 de octubre, reguladora de los derechos y deberes de los miembros de la Guardia Civil».*

Así pues: son delitos de traición *común* los regulados en el Código Penal, y de traición militar, los regulados en el Código Penal cometidos por militar *«con abuso de facultades o infracción de los deberes establecidos en la Ley Orgánica 9/2011, de 27 de julio, de derechos y deberes de los miembros de las Fuerzas Armadas o en la Ley Orgánica 11/2007, de 22 de octubre, reguladora de los derechos y deberes de los miembros de la Guardia Civil»* [artículo 9.2 a) CP Militar]

Asimismo, se consideran delitos de traición militar los regulados en los artículos 24 y 25 del Código Penal Militar (el último precepto citado contiene una problemática específica que se estudiará más adelante).

III. BIEN JURÍDICO PROTEGIDO

La evolución del *crimen maiestatis* a lo largo del Derecho Romano consistió, como ya se ha indicado, en un proceso doble, de confusión del pueblo romano (titular de la *maiestas*) con el imperio y el emperador y de recepción de adherencias religiosas. Con la incorporación de la idea de lealtad y fidelidad durante el periodo visigodo, sufrió este delito un notable incremento de conductas que se prolongó —incluso que aumentó— durante el periodo de la Monarquía Absoluta y hasta la codificación; conductas que consistían en todo tipo de ataques a la persona del rey y —por extensión— al reino.

El núcleo originario de conductas consistentes en *perduellio* y *crimen maiestatis*, pasó en los Códigos decimonónicos, a partir del Código de 1848 (pues el de 1822 no se despega del contenido propio del periodo de la Monarquía Absoluta) a formar parte de los delitos contra la seguridad exterior del Estado, como delitos de traición; en tanto que el resto de conductas —relativas a los más graves ataques contra el orden público y la forma política del Estado— fueron agrupados de diversas formas: en el Código de 1848, que contiene en esencia la regulación que perdura hasta nuestro días, se agruparon bajo el título *seguridad interior del Estado*, denominación que desaparece en los de 1870 y 1929 y reaparece en el de 1944.

El origen de la distinción entre seguridad exterior e interior del Estado se encuentra en el Código Penal francés de 1810, y según la tesis de TERUEL CARRA-LERO se debe a una interpretación errónea de la doctrina de Bentham; este autor ilustrado reunió bajo el título de «delitos contra la seguridad exterior del Estado» las infracciones que exponen a la nación a los ataques de un enemigo extranjero como la complicidad con él o el espionaje, o atacan a extranjeros como la piratería o a extranjeros cualificados como la violación de inmunidades; y agrupó como delitos contra la soberanía —no delitos contra la seguridad interior del Estado como oposición a aquellos— otros delitos como la rebelión, la difamación, la conspiración contra el Jefe del Estado y los delitos contra la forma de Gobierno.

La distinción así configurada es explicada por los comentaristas como reflejo de las conductas que atacan la existencia misma del Estado, su independencia en el concierto de las naciones, esto es, lo intangible y perdurable —delitos contra la seguridad exterior— en tanto que los delitos contra la forma concreta de organización política, que atacan lo contingente del Estado, son los que cabe denominar delitos contra la seguridad interior.

La seguridad exterior del Estado se dividía a su vez en delitos de traición, delitos que comprometen la paz o la independencia del Estado y delitos contra el derecho de gentes.

El Código de 1995 elimina del Título la referencia a la seguridad exterior del Estado —naturalmente, también queda fuera la seguridad interior del Estado— y su contenido es el siguiente:

Título: Delitos de traición y contra la paz o la independencia del Estado y relativos a la defensa nacional.

La división del Título se hace en tres capítulos:

– Delitos de traición.

– Delitos que comprometen la paz o la independencia del Estado.

– Del descubrimiento y revelación de secretos e informaciones relativas a la defensa nacional.

Como puede observarse, mientras que en la traición no se hace referencia a bien jurídico alguno, los dos restantes capítulos sí se orientan al objeto de protección, ya sea la paz o la independencia del Estado, ya sea la defensa nacional.

Se ha visto en la traición la infracción de deberes de fidelidad frente al Estado del que se es nacional, lesivas para este y favorecedora de potencias extranjeras, lo que entronca con el origen histórico de las conductas. De ahí la referencia explícita al español como sujeto activo (GARCÍA ARÁN-LÓPEZ GARRIDO).

Sin embargo, la pura infracción de deberes de fidelidad no contiene información sobre el bien jurídico al que atacan las conductas. El deber de fidelidad puede ser un componente, que ayuda a comprender su configuración típica y la gravedad de las penas con que son conminadas, pero nada más.

En realidad, los deberes de fidelidad son un residuo histórico y un anacronismo. No tienen sustancia democrática, no se derivan de la Constitución; la fidelidad no se impone, el deber de sujeción a la ley y el estatuto de ciudadanía no remiten a conceptos como patria o nación, sino a la soberanía popular —como ha explicado ÁLVAREZ GARCÍA—, es decir, a la legislación democrática que tiene capacidad de imposición de deberes, consistentes en acciones u omisiones y no en actitudes internas.

La exigencia de que el sujeto activo sea español y la particular gravedad de las penas vinculada a esa condición de nacional, carecen ya de sentido, sobre todo cuando existe una cláusula de comisión de las mismas conductas por extranjero. La pena rebajada que se impone cuando el sujeto activo es extranjero residente, debería ser extensiva a todos los tipos por razones de proporcionalidad con su gravedad.

En la doctrina ha existido cierto acuerdo en que el bien jurídico protegido en los delitos del Título XXIII es la defensa nacional. Delitos contra la defensa nacional proponía BLECUA que se denominara el Título correspondiente, opinión compartida por VIVES ANTÓN, RODRÍGUEZ DEVESA y RODRÍGUEZ VILLASANTE. En efecto, el concepto tiene capacidad de aglutinar tales delitos entre los que es observable continuidad conceptual, sobre todo entre los del Capítulo I (delitos de traición) y el Capítulo II (delitos que comprometen la paz o la independencia del Estado); los del Capítulo III (descubrimiento y revelación de secretos e informaciones relativas a la defensa nacional) tienen semejanza notoria con el delito de espionaje del artículo 584 CP. La paz y la independencia del Estado son, a su vez, señaladas como bienes jurídicos por MUÑOZ CONDE.

El concepto de defensa nacional tiene la categoría de marco que contextualiza las diferentes conductas potencialmente lesivas de diversos aspectos del bien jurídico y de otros bienes jurídicos comprendidos en él, que se analizarán en los delitos en particular. La Ley Orgánica 5/2005 de 17 de noviembre, de la Defensa Nacional, no define este concepto de «defensa nacional», a diferencia de su predecesora la Ley Orgánica 6/1980, de 1 de julio. Pero su artículo 2 actualiza la finalidad de la política de defensa, estableciendo;

> *Finalidad de la política de defensa.*
> *La política de defensa tiene por finalidad la protección del conjunto de la sociedad española, de su Constitución, de los valores superiores, principios e instituciones que en esta se consagran, del Estado social y democrático de derecho, del pleno ejercicio de los derechos y libertades, y de la garantía, independencia e integridad territorial de España. Asimismo, tiene por objetivo contribuir a la preservación de la paz y seguridad internacionales, en el marco de los compromisos contraídos por el Reino de España.*

Decimos que actualiza la finalidad de la política de defensa en consonancia con los profundos cambios del contexto internacional y de la propia sociedad española, tal como recoge la Exposición de Motivos de la ley. Se alude en ella a las nuevas formas de conflicto armado y al terrorismo transnacional, se recoge el derecho a la seguridad y se analiza cómo la Defensa contribuye a ella, *junto a la defensa de los derechos humanos, la lucha por la erradicación de la pobreza y la cooperación al desarrollo, que también contribuyen a este fin.* La importancia de la interdependencia entre los Estados en este punto ha llevado a su agrupación en organizaciones que contribuyen a la estabilidad, citando el texto a la Organización de Naciones Unidas, la Organización para la Seguridad y Cooperación Europea, la Organización del Tratado del Atlántico Norte y la Unión Europea Occidental.

La regulación de los delitos de traición ha quedado al margen del proceso renovador que se observa en la legislación y que ha sido necesario adoptar por los continuos cambios internacionales, sociales, tecnológicos y geoestratégicos. Se mantienen tipologías delictivas de casi imposible comisión, que obedecen a concepciones militares y a relaciones internacionales perdidas en la historia. Y si anticuada es la regulación, o por serlo, se dejan al margen las modalidades en que la realidad de nuestros días queda reflejada, como la importancia creciente de la ciberguerra y la influencia de los ciberataques en el espionaje y en la obtención de información clave por ese medio. Las formas de la intervención tecnológica no son objeto de punición adecuada en el Código Penal, anclado en una desfasada concepción de toda la materia.

IV. SUJETOS ACTIVOS

1. El español

Los delitos de traición tienen como sujeto activo «al español que...». Esto es debido a su vinculación con la fidelidad debida a la patria a la que ya nos hemos referido más arriba.

Quiénes son españoles es materia regulada en el Código Civil. Los artículos 17 y siguientes distinguen diversos supuestos y formas de adquirir la condición de nacional español; todos ellos son susceptibles de ser considerados sujetos activos, pues la regulación del Código penal no hace ninguna distinción. La fidelidad exigible y la lealtad quebrantada tienen como referente la nacionalidad española sin ulterior matización.

2. El extranjero residente

El artículo 586 del Código Penal establece lo siguiente:

> **Artículo 586.** *El extranjero residente en España que cometiere alguno de los delitos comprendidos en este capítulo será castigado con la pena inferior en grado a la señalada para ellos, salvo lo establecido por Tratados o por el Derecho de gentes acerca de los funcionarios diplomáticos, consulares y de Organizaciones.*

El origen del precepto está en el Código Penal de 1870, y con redacción prácticamente idéntica a la actual se mantuvo hasta la Ley de Seguridad del Estado de 29 de marzo de 1941, pasando de este texto al Código Penal de 1944 que la modificó matizando lo siguiente: el extranjero había de hallarse en España o haberse conseguido su extradición; la posibilidad de comisión por el extranjero se extendía a todo el Título; y la pena se imponía en idéntica extensión que al nacional. En la redacción del Código Penal de 1995 se recuperó la configuración histórica y el extranjero ha de ser residente en España, sin distinción sobre si se encuentra en ella o extraditado, y se vuelve a la rebaja de pena, la inferior en grado a la señalada en el precepto.

La vinculación con España que justifica el castigo del extranjero en los delitos de traición es la residencia. La condición de extranjero residente está regulada en el Real Decreto 557/2011, de 20 de abril, por el que se aprueba el Reglamento de la Ley Orgánica 4/2000, sobre derechos y libertades de los extranjeros en España y su integración social, tras su reforma por Ley Orgánica 2/2009. Como el Código Penal no distingue el tipo de residencia, cabe plantearse si el vínculo por residencia temporal es suficiente para justificar la punición. Parece que, si carece de vocación de permanencia y es instrumental a la realización de las actividades reglamentariamente reguladas, el vínculo no tendría la mínima estabilidad que justifica la imposición de las penas de las modalidades de traición, aunque sea rebajadas en grado. Se planteaba CÓRDOBA RODA si la condición de apátrida está incluida en el círculo de sujetos activos, concluyendo que las necesidades de protección y el contexto normativo avalan la respuesta positiva.

Si el extranjero no es residente en España no comete delito de traición, si bien pueden plantearse modalidades de participación en el hecho cometido por un extranjero residente o por un español. Su acción deberá reconducirse, en su caso, a los delitos del Capítulo II o III del Título; en el caso de conflicto armado, su acción constituye espionaje militar y cabe su castigo conforme al Código Penal Militar, artículo 25.

En cuanto al inciso final, *salvo lo establecido en los Tratados o por el Derecho de gentes acerca de los funcionarios diplomáticos, consulares y de Organizaciones Internacionales*, la referencia principal que regula las situaciones de dichos funcionarios, Tratados y Organizaciones es el Convenio de Viena sobre Relaciones Diplomáticas, adoptado el 18 de abril de 1961.

Recientemente se publicó la Ley Orgánica 16/2015, de 27 de octubre, sobre privilegios e inmunidades de los Estados extranjeros, las Organizaciones Internacionales con sede u oficina en España y las Conferencias y Reuniones internacionales celebradas en España. Dicha norma habrá de ser considerada para los casos contemplados en ella, que completan la anterior normativa, sobre todo en los supuestos de celebración de conferencias internacionales en España.

En todo caso, se produce aquí una paradoja, que ya GROIZARD puso de relieve. Una vez declarada la guerra, cesan todas las relaciones oficiales de nación a nación; como la mayoría de los delitos solo son posibles después de iniciado el conflicto bélico, *la excepción consignada tiene más importancia doctrinal que aplicación práctica.*

3. *Extraterritorialidad*

En los delitos de traición rige la extraterritorialidad de la Ley Penal española. En efecto, conforme al artículo 23.3 de la Ley Orgánica del Poder Judicial,

> «3. *Conocerá la jurisdicción española de los hechos cometidos por españoles o extranjeros fuera del territorio nacional cuando sean susceptibles de tipificarse, según la ley penal española, como alguno de los siguientes delitos:*
> *a) De traición y contra la paz o la independencia del Estado...».*

Obsérvese que la alusión es a *extranjeros*, cuando los delitos pueden ser cometidos por extranjeros *residentes*. La discrepancia se debe a que la norma orgánica fue publicada conforme al Código Penal Texto Refundido de 1973, en el que el sujeto activo podía ser el extranjero sin ulterior matización. La referencia debe entenderse hecha, en el caso de los delitos de traición, al «extranjero residente», pues así viene delimitado en el Código Penal de 1995.

V. DELITOS EN PARTICULAR

1. Inducción para declarar la guerra a España

Artículo 581. *El español que indujere a una potencia extranjera a declarar la guerra a España o se concertare con ella para el mismo fin, será castigado con la pena de prisión de quince a veinte años.*

1.1. Evolución histórica

El precepto mantiene la redacción del art. 120 —Texto Refundido de 1973— que había sido reformado por la Ley Orgánica 8/1983, de 25 de junio, de Reforma Urgente y Parcial del Código Penal. Dicha reforma tenía la finalidad declarada, entre otras, de adecuar las penas a la Constitución de 1978, eliminando las referencias a la pena de muerte. Pero en este caso se eliminó junto a dicha pena capital con la que era castigado, lo siguiente:

«*...será castigado con la pena de reclusión mayor a muerte, si llegare a declararse la guerra, y, en otro caso, con la de reclusión mayor*».

A su vez, la redacción previa había permanecido inalterada desde el Código Penal de 1848. Se nota en ella el paso del tiempo y la inadecuación de los conceptos que integran el tipo a la realidad jurídica de los tiempos presentes. Esto es especialmente visible en la referencia a «la guerra», que ha evolucionado en los textos internacionales hacia el concepto *conflicto armado*.

1.2. Tipo objetivo

Las conductas que el precepto castiga son la inducción y la concertación. Los elementos del tipo que deben analizarse son dichas acciones en relación con los conceptos declarar la guerra y potencia extranjera.

El primero de ellos, declarar la guerra, ha de sustituirse por conflicto armado. Esta es la denominación que utiliza el Código Penal Militar aprobado por Ley Orgánica 14/2015, de 14 de octubre, en consonancia con la nomenclatura utilizada desde la Carta de las Naciones Unidas (1945) y aceptada universalmente, en los Convenios de Ginebra de 12 de agosto de 1949 y sus dos Protocolos Adicionales de 1977, en todos los Tratados internacionales relativos al Derecho Internacional Humanitario, en los Convenios sobre Bienes Culturales, en el Convenio sobre los Derechos del Niño, en el Convenio sobre Municiones en racimo y en el artículo 8 del Estatuto de Roma de la Corte Penal Internacional; utilizan dicha nomenclatura, en consonancia con tales disposiciones, las Resoluciones de la ONU, los Tribunales Internacionales, y, en nuestro Derecho interno, la LO 9/2011 de derechos y deberes de los miembros de las Fuerzas Armadas, las Reales Ordenanzas para las Fuerzas Armadas y la LO 8/2014 de Régimen Disciplinario de las Fuerzas Armadas.

Como señala RODRÍGUEZ-VILLASANTE Y PRIETO, a quien seguimos en este apartado, no existe una definición convencional en los instrumentos internacionales, ni se estableció una descripción legal en el Código Penal Militar. Pero hay una elaboración doctrinal a cargo del Comité Internacional de la Cruz Roja conforme a la cual «*existe conflicto armado cuando se produce un enfrentamiento armado entre las partes en conflicto, siendo de carácter internacional cuando se recurre a la fuerza armada entre dos o más estados o cuando se enfrentan las fuerzas estatales contra los grupos organizados a que se refiere el apartado 4 del artículo 1 del Protocolo I de 8 de junio de 1977, Adicional a los Convenios de Ginebra de 12 de agosto de 1949. El conflicto armado no internacional es un enfrentamiento armado prolongado que surge en el territorio de un Estado entre las fuerzas gubernamentales y las fuerzas de uno o más grupos armados disidentes o entre estos grupos*».

En la inducción de la que se trata en el precepto, el receptor es la *potencia extranjera*. Este concepto —*potencia extranjera*— alude a los Estados extranjeros que actúan por sí mismos, con protagonismo propio, en el ámbito de las relaciones internacionales.

La inducción es una forma de participación en el delito ajeno regulada en el artículo 28 CP y equiparada a la autoría. En el delito objeto de comentario, se trata de una inducción elevada a categoría de delito autónomo.

La inducción del 582, según parte de la doctrina, ha de ser eficaz y directa. Esta interpretación parece demasiado apegada al contenido de la inducción como forma de participación. Más matizadamente, debe partirse de que el resultado no forma parte del tipo, tras la reforma de 1983, y por ello no se exige la eficacia de la inducción; y puesto que difícilmente podrá ser directa en el sentido de la jurisprudencia y la doctrina que interpretan el artículo 28 CP, la valoración debe hacerse en consideración a la imputación objetiva. En tal sentido, consideramos que no basta, en esta modalidad, la simple influencia, ni la ratificación en la decisión ya tomada. La acción del inductor debe reunir los elementos suficientes como para tener capacidad de producir el resultado; debe significar el incremento del riesgo relevante para que la lesión del bien jurídico se produzca, para que los órganos competentes del Estado extranjero adopten la decisión.

La segunda modalidad típica es concertarse para el mismo fin, esto es, se castiga al español que se ponga de acuerdo —pacte— con una potencia extranjera para que declare la guerra a España. La vaguedad descriptiva es aquí máxima. RODRÍGUEZ DEVESA propone una interpretación en que la conducta *admite las más variadas formas de cooperación para desembocar en una guerra decla-*

rada. Sin embargo, esta tesis lleva a una descompensación valorativa de los términos del tipo, castigados con la misma pena. Consideramos que la exigencia de gravedad de la conducta debe ser elevada, que no cualquier acto de cooperación comprometido puede colmar las exigencias típicas. Esto es: en la *concertación* cabrían formas participativas, como señala el autor citado, mas no cualesquiera, sino aquellas que puedan ser consideradas —al menos— coautoría o cooperación necesaria en la declaración de guerra formal o material. En este sentido, viene a reforzar la interpretación que se propone el hecho de que las acciones parcialmente colaborativas y de menor rango con potencias extranjeras en guerra con España, están castigadas como favorecimiento del enemigo en otros preceptos.

La declaración de guerra no se concibe necesariamente como elemento formal para la consumación del tipo, sino como sustrato material que puede tener lugar por vías de hecho y sin declaración expresa.

La necesidad de declaración de guerra fue asumida en la segunda conferencia de La Haya de 1907, consecuencia de la guerra ruso japonesa de 1904, en la que torpederos japoneses atacaron a buques de guerra rusos en Puerto Arturo antes de una declaración formal de guerra. El artículo 1 del convenio III, establece que *«las partes contratantes reconocen que las hostilidades no deben comenzar sin una advertencia previa e inequívoca, que adoptará la forma de una declaración de guerra, que dé razones, o de un ultimátum con una declaración condicional de guerra»*.

Sin embargo, OPPENHEIM da numerosos ejemplos de guerras iniciadas después de la firma del convenio sin declaración previa, reconociendo su alcance limitado. El dejar de cumplirlo no hace la guerra ilegal, ni priva a las hostilidades comenzadas del carácter de guerra. En este sentido, es conocida la frase de GROIZARD referente a la guerra como hecho, también contemplado en el tipo, aunque no sea declarada: *el estruendo del cañón puede suplir su falta* [de declaración] *y reemplazarla*.

1.3. Tipo subjetivo

Solo se admite la comisión dolosa. El hecho de que la inducción o la concertación sean *para declarar la guerra a España* configura un elemento subjetivo del injusto. Y elimina la posibilidad de comisión por dolo eventual.

1.4. *Iter criminis*

Como hemos adelantado, el delito se consuma con la ejecución de la acción instigadora con capacidad de generar en la potencia extranjera la resolución de declarar la guerra a España o de iniciar hostilidades, adoptada por la potencia extranjera.

Es posible concebir la tentativa en la medida en que la acción inductora o de concertación puede revestir una complejidad en la que se distinga el comienzo de ejecución de actos exteriores relevantes y aptos para la producción del resultado, que sin embargo no lleguen a producirlo.

1.5. Concurso de delitos

Como señala CÓRDOBA, la consecución de resultados de muerte, daños, lesiones, etc. no deben imputarse, como resultados delictivos propios de una declaración de guerra, al autor del delito objeto de estudio. La gravedad de la pena asignada al delito informa de que tales resultados están implícitamente contemplados en él.

Si el autor del delito realiza además acciones posteriores de favorecimiento del enemigo, entrarían en concurso real con el delito del 581 CP.

2. Favorecimiento del enemigo

> **Artículo 582.** *Será castigado con la pena de prisión de doce a veinte años:*
> *1º. El español que facilite al enemigo la entrada en España, la toma de una plaza, puesto militar, buque o aeronave del Estado o almacenes de intendencia o armamento.*
> *2º. El español que seduzca o allegue tropa española o que se halle al servicio de España, para que se pase a las filas enemigas o deserte de sus banderas estando en campaña.*
> *3º. El español que reclute gente o suministre armas u otros medios eficaces para hacer la guerra a España, bajo banderas enemigas.*

2.1. Actos de favorecimiento del enemigo del artículo 582

2.1.1. *Evolución histórica común a los artículos 582 y 583*

La configuración de las conductas castigadas en los artículos 582 y 583 procede del Código Penal de 1848. Con algún antecedente reconocible en el Código de 1822 es, sin embargo, en 1848 cuando se les da la redacción y sistemática actuales. La variación más significativa de la redacción se produjo por la inclusión de *las tropas sediciosas o separatistas*, equiparadas a las tropas enemigas, realizada en varios apartados de la regulación, por la Ley de Seguridad del Estado de 29 de marzo de 1941, que permaneció vigente hasta la publicación del Código de 1995, cuando el precepto recibió la redacción actual.

2.1.2. Tipo objetivo

El artículo 582 CP describe diversas formas de favorecimiento del enemigo, todas ellas en el contexto de un conflicto armado. El primer concepto a dilucidar —como elemento normativo— es el de «enemigo». A este respecto, el Código Penal Militar contiene la siguiente definición:

> «**Artículo 7.**
> *1. A los efectos de este Código, se entiende por enemigo:*
> *1.° Los miembros de las fuerzas armadas de una parte que se halle en situación de conflicto armado con España;*
> *2.° Toda fuerza, formación o banda que ejecute una operación armada, a las órdenes, por cuenta o con la ayuda de tal parte enemiga;*
> *3.° Las fuerzas, formaciones o bandas, integrantes de grupos armados no estatales, que operen en un espacio donde España desarrolle o participe en una operación internacional coercitiva o de paz, de conformidad con el ordenamiento internacional;*
> *4.° Los grupos armados organizados a que se refiere el apartado 4 del artículo 1 del Protocolo I de 8 de junio de 1977, Adicional a los Convenios de Ginebra de 12 de agosto de 1949, que se encuentren en situación de conflicto armado con España».*

El mismo precepto delimita el ámbito del concepto: «a los efectos de este Código (el Militar)»; pero ello no impide que tomemos la definición de esta legislación especial en la interpretación de «delitos cometidos en el ámbito militar» aunque estén incorporados al Código Penal común. En este sentido, consideramos que este es el concepto de «enemigo» debidamente actualizado que configura las acciones típicas. Los cuatro apartados del artículo 7 son potencialmente aplicables.

El apartado 4° de este artículo 7.1 del CPM remite al Protocolo I de 8 de junio de 1977, Adicional a los Convenios de Ginebra de 12 de agosto de 1949, que establece:

> «*4. Las situaciones a que se refiere el párrafo precedente comprenden los conflictos armados en que los pueblos luchan contra la dominación colonial y la ocupación extranjera y contra los regímenes racistas, en el ejercicio del derecho de los pueblos a la libre determinación, consagrado en la Carta de las Naciones Unidas y en la Declaración sobre los principios de Derecho Internacional referentes a las relaciones de amistad y a la cooperación entre los Estados de conformidad con la Carta de las Naciones Unidas».*

Los tres números del artículo 582 CP describen conductas que constituyen favorecimiento del enemigo. El primero de ellos se refiere a facilitar la entrada en España o la toma de una plaza, puesto militar, buque o aeronave del Estado o almacenes de intendencia o armamento, lugares todos caracterizados porque en ellos ejerce soberanía el Estado. Se entiende que los elementos referidos tienen relevancia desde el punto de vista militar y que lo tienen en el escenario de las operaciones bélicas. La plaza no es imprescindible que sea militar, debe entenderse como población cuya toma es objeto de facilitación en cualquier forma relevante. El buque o aeronave son ficciones de extensión de la soberanía, ya que se extiende su protección allá donde se encuentren.

Por «facilitar» se entiende hacer fácil o posible la acción; la inconcreción de la fórmula típica respecto a la forma de ejecutar la acción es justificada en la doctrina por la gravedad de los hechos en la evolución del conflicto armado y el daño irreparable que puede ocasionar. Como en otros lugares de sus «Comentarios» a estos tipos delictivos, CÓRDOBA RODA recuerda la necesidad de que la acción sea «importante» —aunque no imprescindible— dada la gravedad de las penas con que se conminan las acciones. Y, siguiendo a GROIZARD, concluye que la entrada —o la toma de los elementos descritos— debe haber tenido lugar por interpretación sistemática de los artículos 120 y el 121.1 CP (en la numeración del CP de 1944) ya que en el primero no se exige que en efecto se produzca la declaración de guerra en tanto que las previsiones del 582 describen actos materiales de auxilio —entrada en España, toma de los elementos que se describen, etc.

El segundo apartado castiga la acción de seducir o allegar tropa española o que se halle al servicio de España para que se pase a las filas enemigas o deserte de sus banderas estando en campaña.

«Seducir» es una forma de inducción, con el añadido de que el método de persuasión es el halago o la argucia, y que el fin es *frecuentemente malo* (diccionario de la RAE); es tanto como alterar el ánimo al punto de lograr la finalidad propuesta por el sujeto activo, que en el caso es la de lograr que se pasen tropas al enemigo o bien, sin hacerlo, simplemente deserten —abandonen— de su ejército o de aquel a cuyo servicio se encuentra.

Común a las diversas acciones y preciso para la configuración típica es que se esté en campaña (el tiempo en que los ejércitos se hallaban fuera de los acuartelamientos), es decir, en conflicto bélico. Extendiéndose la exigencia no solo a los casos de deserción sino también a las acciones de allegar o seducir tropas.

La última de las acciones descritas en el artículo 582 CP es la de reclutar gente o suministrar armas u otros medios eficaces para hacer la guerra a España bajo banderas enemigas. Como en el resto de los casos, se trata de cláusulas extraordinariamente abiertas. En este apartado, ya no se trata de inducir a la deserción o de convencer para que la tropa ya constituida se pase al enemigo o deserte. Basta con *reclutar gente,* concepto más amplio que *tropa* —no se especifica, como en la regulación anterior, que puede ser dentro o fuera de España— o *suministrar armas* u otros medios eficaces para hacer la guerra bajo banderas enemigas, esto es: de una parte en un conflicto bélico actual con España.

Suministrar armas implica su tráfico ilegal. Sobre el particular, rige el Protocolo contra la fabricación y el tráfico ilícitos de armas de fuego, sus piezas y componentes y municiones, *(Protocolo de Palermo)* que complementa la Convención de las Naciones Unidas contra la delincuencia organizada transnacional. Este Protocolo fue adoptado el 31 de mayo de 2001, añadiéndose así a los dos Protocolos que ya habían sido adoptados conjuntamente con la mencionada Convención. Conforme al mismo se obliga a los Estados parte a tipificar, entre otras conductas, «el tráfico ilícito de armas de fuego, sus piezas y componentes y municiones» (letra b), definiéndolo de la siguiente manera:

> *«Por "tráfico ilícito" se entenderá la importación, portación, adquisición, venta, entrega, traslado o transferencia de armas de fuego, sus piezas y componentes y municiones desde o a través del territorio de un Estado Parte al de otro Estado Parte si cualquiera de los Estados Partes interesados no lo autoriza conforme a lo dispuesto en el presente Protocolo o si las armas de fuego no han sido marcadas conforme a lo dispuesto en el artículo 8 del presente Protocolo» [art. 3 e)]*

Asimismo, el 2 de abril de 2013, la Asamblea general de las Naciones Unidas adoptaba el texto del Tratado sobre el comercio de armas. Según su artículo 1, forma parte de su objeto *«prevenir y eliminar el tráfico ilícito de armas convencionales y prevenir su desvío»*. Sin embargo, el Tratado no contiene compromiso alguno de naturaleza punitiva.

Los delitos instrumentales necesarios para la acción de suministrar armas, castigados en España en el ámbito del contrabando (Ley Orgánica 12/95, de 12 de diciembre, de represión del contrabando) y de los delitos de tráfico de armas previstos en los artículos 566 y 568 del CP, entrarían en concurso ideal medial con el de traición; la realización en el extranjero de tales conductas presenta dificultades sobre la posibilidad de persecución de los mismos conforme a las previsiones del artículo 23 de la LOPJ (HUESA VINAIXA).

El favorecimiento mediante *otros medios eficaces* para hacer la guerra a España es una cláusula residual o de cierre difícilmente compatible con el principio de taxatividad. Los *medios eficaces* deben ser relevantes para hacer la guerra; telecomunicaciones, logística, trasporte, necesarios para la evolución de las armas de los favorecidos por la acción.

2.1.3. Tipo subjetivo

El apartado 1° del precepto puede cometerse mediante dolo directo, pero también es posible el dolo eventual respecto a la capacidad de la acción favorecedora para producir el resultado; el resto de las conductas solo es concebible mediante dolo directo. Ello es debido a que las acciones van acompañadas de una finalidad descrita en el tipo, que a veces opera como auténtico elemento subjetivo. Así, se seduce o allega tropa *para que se pase a las filas enemigas o deserte de sus banderas*; se recluta gente o se suministran armas *para hacer la guerra a España*.

2.1.4. *Iter criminis*

Se trata en todos los casos de descripciones en las que se contempla la producción de un resultado, en las que existen posibilidades de que este no culmine, quedándose en tentativa.

2.2. Actos de favorecimiento del enemigo del artículo 583 CP

> **Artículo 583.** *Será castigado con la pena de prisión de doce a veinte años:*
> *1°. El español que tome las armas contra la Patria bajo banderas enemigas.*
> *Se impondrá la pena superior en grado al que obre como jefe o promotor, o tenga algún mando, o esté constituido en autoridad.*
> *2°. El español que suministre a las tropas enemigas caudales, armas, embarcaciones, aeronaves, efectos o municiones de intendencia o armamento u otros medios directos y eficaces para hostilizar a España, o favorezca el progreso de las armas enemigas de algún modo no comprendido en el artículo anterior.*
> *3°. El español que suministre al enemigo planos de fortalezas, edificios o de terrenos, documentos o noticias que conduzcan directamente al mismo fin de hostilizar a España o de favorecer el progreso de las armas enemigas.*
> *4°. El español que, en tiempo de guerra, impida que las tropas nacionales reciban los auxilios expresados en el número 2° o los datos y noticias indicados en el número 3 de este artículo.*

2.2.1. *Tipo objetivo*

El primer apartado castiga la conducta de tomar las armas contra la patria bajo banderas enemigas. Opina CÓRDOBA RODA que es preciso que la conducta sea algo más que un simple alistamiento, aunque no sea preciso el uso de las armas en sentido estricto. Bastará para la consumación que la condición en que se actúe sea de servicio de armas entendido como contribución directa al esfuerzo bélico, que puede tener lugar mediante la participación en la logística, telecomunicaciones, etc.

La referencia a la *patria* —equivalente a España— resulta anacrónica.

La penalidad se eleva en grado si se obra como jefe o promotor, o se tiene mando o autoridad. Se entiende que tales condiciones exigen una actuación externa, algo más y algo distinto que el mero hecho de tomar las armas, ya castigado en cualquier caso. Dichas cualidades han de interpretarse como obrar en esas condiciones (jefe, promotor, tener mando) bajo las banderas enemigas, salvo en el caso de la autoridad, cuya mayor punición se merece si en tal cualidad de autoridad, el autor toma las armas contra la patria bajo banderas enemigas (CÓRDOBA RODA).

En el segundo apartado se castigan conductas de favorecimiento mediante suministro de los elementos descritos —u otros medios directos y eficaces para hostilizar a España— a las tropas enemigas, o bien el favorecimiento del progreso de las armas enemigas de cualquier modo no previsto en el artículo anterior.

Se descubren al menos dos cláusulas generales para ampliar la punición a cualquier posible otra conducta diferente que pudiera cumplir la finalidad de hostilizar a España o de favorecer el progreso de las armas enemigas. Tanto las conductas que aparecen como las que quedan sin definir, pero abarcadas por la cláusula de cierre, deben tener capacidad objetiva para lesionar el bien jurídico protegido. Con definiciones tan sumamente amplias que llegan a comprometer el principio de taxatividad, es preciso recordar las exigencias de la imputación objetiva con especial rotundidad.

Desde GROIZARD se viene advirtiendo del solapamiento del nº 2 del artículo 583 CP con el nº 3 del artículo precedente, en la medida en que ambos preceptos contemplan, en realidad, las mismas conductas. La única diferencia consiste en que la fórmula empleada en el artículo 582.3º es más genérica, más omnicomprensiva, y sin embargo la del 583.2º es más casuística y, como siempre sucede en estos casos, más proclive a generar lagunas.

El apartado 3º del artículo 583 CP castiga la conducta consistente en suministrar al enemigo planos de fortalezas, edificios o terrenos, documentos o noticias que conduzcan directamente a hostilizar a España o favorecer el progreso de las armas enemigas. Se trata de una modalidad en la que el núcleo está constituido por la información que se suministra, no necesariamente secreta —al margen por tanto de las previsiones del artículo 584 CP— con capacidad bien para hostilizar a España bien para favorecer al enemigo. Son conductas que han de desarrollarse existiendo un conflicto bélico; limita el amplísimo círculo de conductas (pues planos de terrenos y de edificios, documentos o noticias podrían serlo cualesquiera sin mayor consideración) el que han de ser capaces de cumplir directamente el mismo fin de hostilizar a España o el favorecimiento del enemigo. El adverbio «directamente» alude a que deben portar información relevante desde el punto de vista militar en el concreto conflicto de que se trate y en la dinámica actual de las armas. Y al aludir a la palabra *fin*, se configura como elemento subjetivo del injusto. Por tanto, imputación objetiva en los términos señalados y finalidad expresamente exigida pueden acudir en ayuda de una interpretación racional de las acciones en el tipo.

Por último, se castiga la conducta del español que impida que las tropas españolas (en realidad el tipo se refiere a las tropas «nacionales», por lo que cabría plantearse la inclusión de todas aquellas —con independencia de su origen— que combatan en el ejército «nacional»; aunque a este argumento solo cabría oponer el contenido del artículo 587 CP, que al extender a todas las «potencias aliadas de España» lo previsto en este Capítulo haría innecesaria esta interpretación) reciban los auxilios del n° 2 o los datos y noticias del n° 3 del mismo precepto. Se trata del reverso de los números referidos; en ellos, el español favorece al enemigo u hostiliza a España activamente en la forma que se describe. En este, en cambio, la conducta consiste en que —negativamente— no los reciban las tropas nacionales. La alusión al tiempo de guerra es un tanto superflua, puesto que los auxilios y noticias cuya recepción se impide son asimismo todas ellas contempladas para tiempo de guerra.

Ante una redacción tributaria de los números 2 y 3, respecto de los que se hacía notar la necesidad de establecer límites a las poco taxativas definiciones típicas, habrá que repetir aquí la exigencia de que los auxilios y las noticias tengan aptitud para lesionar el bien jurídico, y que vayan acompañadas de los elementos subjetivos del tipo correspondientes.

2.2.2. Tipo subjetivo

Las distintas modalidades reguladas en el artículo son dolosas. El apartado 1° solo parece que puede llevarse a cabo mediante dolo directo. En el 2° se realizan acciones *para hostilizar a España* o *favorecer el progreso de las armas enemigas*, fines que se repiten en el 3 de modo expreso, y de modo implícito por la sistemática del precepto, en el n° 4 del mismo.

2.2.3. Iter criminis

Las modalidades de favorecimiento analizadas en el precepto son susceptibles de comisión en grado de tentativa.

3. Traición mediante espionaje

> **Artículo 584**. *El español que, con el propósito de favorecer a una potencia extranjera, asociación u organización internacional, se procure, falsee, inutilice o revele información clasificada como reservada o secreta, susceptible de perjudicar la seguridad nacional o la defensa nacional, será castigado, como traidor, con la pena de prisión de seis a doce años.*

3.1. Evolución legislativa

La redacción del precepto es el resultado de la evolución que hemos descrito más arriba, y supone una mejora notable sobre los textos previos. Con los precedentes de los artículos 122.4 y, sobre todo, del 122.6 del Texto Refundido de 1973, el antecedente más inmediato es la introducción del artículo 122 bis del Código Penal, por la Ley Orgánica 14/85, de 9 de diciembre.

Dicho precepto acababa con la preferencia de la legislación militar al regular el espionaje; en palabras de BLAY VILLASANTE, la norma produce «la separación tajante entre el espionaje castrense y el común, hace *casi* desaparecer la dualidad normativa y evita la confusión que hasta ahora era su nota característica».

Con todo, la redacción vigente, del Código de 1995, aclara y mejora la regulación. Así, ha llevado la revelación de secretos sobre *medios técnicos o sistemas empleados por las Fuerzas Armadas o las industrias de interés militar* al artículo 598 del Código Penal, dejando el núcleo esencial de conductas en el ámbito de la traición mediante espionaje en el artículo 584 CP. Además, los verbos típicos aparecen relacionados con el objeto material mejor concretado y más acotado, como analizaremos a continuación.

Por último, la mejora que supuso llevar el espionaje al Código común, culmina con la clara diferenciación de los supuestos:

– El Código Penal común se ocupa del espionaje cometido por español en cualquier tiempo —conflicto armado o paz—, específicamente configurado y designado como traición (el autor es *traidor*), así como del espionaje cometido por extranjero residente en España en tiempo de paz (artículo 586 CP).

– El Código Penal militar se ocupa del espionaje cometido por militar en situación de conflicto armado (artículo 25 del Código Penal militar), por extranjero en la misma situación (mismo precepto), y —por remisión al Código común (artículo 9.2 a del Código Penal militar)— del espionaje cometido por militar en tiempo de paz, siempre que —como señala ese precepto— *se perpetraren con abuso de facultades o infracción de los deberes establecidos en la Ley Orgánica 9/2011, de 27 de julio, de derechos y deberes de los miembros de las Fuerzas Armadas o en la Ley Orgánica 11/2007, de 22 de octubre, reguladora de los derechos y deberes de los miembros de la Guardia Civil.*

3.2. Tipo objetivo

Se configura con las acciones contenidas en los verbos típicos: procurarse, falsear, inutilizar o revelar determinado tipo de información. Es un tipo mixto alternativo: cualquiera de las acciones consuma el delito, aun cuando puede observarse que la diferente progresión hacia la puesta en peligro que llevan implícita no se refleja en la penalidad en abstracto, idéntica para las cuatro.

Como es un delito de medios indeterminados, las hipótesis de obtención a distancia o de vulneración de los sistemas informáticos, o de cualesquiera otras formas, están comprendidas en el tipo, cualquiera que sea el medio o la tecnología que se utilice.

«Procurarse» es tanto como obtener la información, tanto en su contenido intelectual como en el formato de cualquier tipo en que se encuentre: electrónico o material. En realidad, el hecho de procurarse la información es un acto preparatorio de las otras conductas punibles especialmente penado.

«Falsear» es alterar el contenido de la información, de modo que induzca a error sobre la autenticidad; e implica la posibilidad de modificar el sentido de la información como tal, o bien el soporte físico en el que se encuentra, al modo en que se tipifican las conductas constitutivas del delito de falsedad. Aunque este tipo de falseamiento será cada vez más difícil dado el modo electrónico y encriptado en que, al menos en la matriz, se encontrará la información.

«Inutilizar» es hacer inservible la información, lo que se realizará normalmente actuando sobre el soporte que la contiene mediante su destrucción.

«Revelar» es dar a conocer a terceras personas su contenido; terceras personas que desconocían la información y que no tenían autorización para conocer el contenido, de manera que a su vez pueden disponer de él (CARRASCO ANDRINO). Confróntese sobre el particular la Lección 23 del Tomo I de este Tratado.

Las acciones típicas se refieren a información clasificada como reservada o secreta, susceptible de perjudicar la seguridad nacional o la defensa nacional. La norma que recoge las categorías de reservada o secreta es la Ley 9/1968, de 5 de abril, sobre Secretos Oficiales, modificada por la Ley 48/1978, de 7 de octubre; el concepto normativo que constituye el objeto material del delito se completa con una ley extrapenal y se configura como norma penal en blanco. Conforme a su artículo 2, *a los efectos de esta Ley podrán ser declaradas «materias clasificadas» los asuntos, actos, documentos, informaciones, datos y objetos cuyo conocimiento por personas no autorizadas pueda dañar o poner en riesgo la seguridad y defensa del Estado.*

Las materias clasificadas pueden ser *las calificadas como secreto y las reservadas en atención al grado de protección que requieran* (artículo 3).

Aunque el concepto de materia clasificada ya contiene la idea de que su conocimiento por terceros puede *dañar o poner en riesgo la seguridad y la defensa del Estado*, el Código Penal se asegura de que la información, además de ser clasificada, sea susceptible de *perjudicar la seguridad nacional o la defensa nacional.*

Parece claro que ambas alocuciones vienen a decir lo mismo —tanto da *dañar o poner en riesgo* que *susceptible de perjudicar*—. Pero la insistencia normativa obliga a que la información esté clasificada y además de ello, reduplicadamente, es preciso comprobar que pueda perjudicar a la seguridad o a la defensa nacional.

La redacción incorpora el bien jurídico protegido como elemento delimitador de las conductas, que han de tener la capacidad de ponerlo en peligro. Se trata en consecuencia de un delito de peligro, hipotético mejor que abstracto, pues las conductas no es preciso que lesionen la seguridad o la defensa nacional, ni siquiera que la pongan en peligro, sino que basta con que tengan la aptitud de hacerlo.

3.3. Tipo subjetivo

El delito es doloso. Contiene un elemento subjetivo del injusto consistente en actuar *con el propósito de favorecer a una potencia extranjera, asociación u organización internacional.* Este propósito de favorecimiento, tan escasamente delimitado, debe ir referido a las cuestiones propias de la información respecto de la que se realiza alguna de las acciones típicas. La «potencia extranjera» no es calificada en el tipo como «potencia enemiga», terminología que se reserva a los momentos de conflicto armado. Por ello, en su amplitud, cualquier país, sin limitación alguna, puede ser el favorecido en el propósito del autor. Lo mismo vale para los términos «asociación u organización internacional», que han de ser reconocidas como tales conforme al Derecho Internacional Público.

No es fácil aproximarse con seguridad al contenido de este elemento subjetivo. De hecho, la única sentencia que aplica el precepto yerra, en nuestra opinión, al establecer su contenido. Se trata de la Sentencia de la Sala 2ª del Tribunal Supremo, 1094/2010, de 10 de diciembre. En uno de los motivos de casación, el recurrente reprocha a la sentencia de instancia que el relato de «hechos probados» no contiene ninguna referencia al elemento subjetivo —favorecimiento de una potencia extranjera—, lo que es respondido por el ponente de la resolución del Alto Tribunal en el sentido de que en el relato de la sentencia fluye sin dificultad su existencia; se razona del siguiente modo:

> «*En el supuesto presente, al abordar el quinto motivo, referido a la supuesta vulneración del derecho a la presunción de inocencia por falta de prueba de ese elemento tendencial, ya hemos puntualizado —cfr. FJ I.5.B— que tal propósito de favorecimiento está ínsito en el proyectado ofrecimiento del material clasificado que describe el factum. No otra voluntad de favorecimiento puede desprenderse del hecho recogido en el factum de que el procesado ofreció a un servicio de inteligencia extranjero los datos relativos a la denominación y claves internas correspondientes a los diferentes organismos del Centro, información sobre las autoridades y organismos con los que mantiene correspondencia el Centro y a los que se remiten informes de inteligencia, un informe sobre delegaciones del Centro Nacional de Inteligencia en el exterior, otro informe sobre estructura del Centro hasta el nivel de división y el listado del personal del Centro por orden alfabético.*
> *Resulta difícil, en fin, no detectar ese propósito de favorecimiento cuando se trata de una documentación que —según se precisa en el relato de hechos probados— fue tasada por el propio acusado en la cantidad de 200.000 dólares. Lo*

mismo puede decirse del fragmento de la segunda carta hallada en poder de Marino —recogido en el inciso final del último párrafo del juicio histórico—, en el que llega a afirmar que "… la información más importante a la que tengo acceso tendría para ustedes un gran interés estratégico"».

Sin embargo, pese a lo que la sentencia razona, aunque se ofrezca información clasificada y secreta a una potencia extranjera y se exija una elevada cantidad, todavía no está presente la intención de favorecer a dicha potencia extranjera.

El propósito de favorecer debería tener una sustantividad propia y diferente del aspecto objetivo del delito, que es lo que la Sala Segunda no discierne en su decisión. El argumento del Tribunal es además insuficiente, porque en un delito que tiene como reverso otro, casi gemelo, en el que se exige el elemento negativo *sin propósito de favorecer a una potencia extranjera,* castigado con una pena sensiblemente inferior, la necesidad de justificación de la presencia o ausencia del elemento subjetivo es aún mayor.

3.4. *Iter criminis*

Aunque el delito es de peligro abstracto, las acciones que constituyen los verbos típicos son susceptibles de descomposición en actos previos y necesarios para su ejecución. Sobre todo, esta afirmación es válida respecto a la revelación, pero también para procurarse la información, falsearla o inutilizarla. Por tanto, cabe en ellos la tentativa de delito.

VI. PROVOCACIÓN, CONSPIRACIÓN Y PROPOSICIÓN PARA DELINQUIR

Artículo 585. *La provocación, la conspiración y la proposición para cualquiera de los delitos previstos en los artículos anteriores de este capítulo, serán castigadas con la pena de prisión inferior en uno o dos grados a la del delito correspondiente.*

El precepto extiende la punición a los actos preparatorios. Como señala POR-TILLA CONTRERAS, puede ser problemático que exista la posibilidad de conspirar para *concertarse* en el artículo 581 del Código Penal. Esta consideración es extensible a otras modalidades que son ellas mismas actos preparatorios, como *seducir tropa,* o *procurarse* la información. La apreciación es todavía más pertinente porque muchos de los delitos ya contienen un adelanto de la punición a momentos muy iniciales de la ejecución, que en general admiten, además, formas imperfectas.

VII. TRAICIÓN CONTRA POTENCIA EXTRANJERA

«**Artículo 587**. *Las penas señaladas en los artículos anteriores de este capítulo son aplicables a los que cometieren los delitos comprendidos en los mismos contra una potencia aliada de España, en caso de hallarse en campaña contra el enemigo común*».

El precepto se incorporó en el Código de 1870, contemplando la imposición de una pena inferior; pena inferior que eliminó, estableciendo la misma que para los delitos del Capítulo, el Código de 1944. La situación vuelve a la racionalidad, castigando nuevamente con pena inferior, en el de 1995.

Señalaba QUINTANO RIPOLLÉS lo «violento» que resulta el precepto, en atención a que la razón de ser de los delitos de traición, que es el quebranto del deber de fidelidad para con la propia patria, se extienda a naciones extranjeras. Es, señalaba, comprensible para salvar altísimos intereses, pero no deja de ser una ficción. Es, *mutatis mutandi*, como si se quisiera extender la calificación de parricidio a la muerte del padre de un amigo.

No obstante la apreciación de QUINTANO, la cláusula que se recoge en el precepto es doctrinalmente aceptada en atención a la importancia de proteger penalmente la acción militar de las potencias aliadas, pues tan lesivo es realizar las acciones favorecedoras de las armas enemigas contra España como hacerlo contra quien es su aliada en campaña.

La equiparación de la pena que llevó a cabo el Código Penal de 1944 y que el Código actual mantiene, fue reclamada por la doctrina —por razones prácticas y de prevención general— pues *la causa de los aliados y la causa de la Patria, una vez abierta la campaña, es una misma, y las traiciones contra ellos traiciones contra la Patria son...* (GROIZARD).

Llama la atención que el sujeto activo no es el español o el extranjero residente, sino *los que*. Tiene su lógica porque las razones prácticas en que se fundamenta, relegan a un segundo lugar aquellos deberes de fidelidad que sirven de fundamento a los delitos de traición.

VIII. DECLARACIÓN ILEGAL DE GUERRA

Artículo 588. *Incurrirán en la pena de prisión de quince a veinte años los miembros del Gobierno que, sin cumplir con lo dispuesto en la Constitución, declararan la guerra o firmaran la paz.*

Con redacción más amplia, los Códigos de 1870 y de 1928 contemplaban y castigaban severamente la contravención, por parte de los Ministros, de las normas Constitucionales para la adopción de determinadas decisiones transcendentes para la paz o la neutralidad de España.

Desaparecido el precepto en 1944, vuelve al Código Penal en 1995 con mayor concreción que en sus precedentes. El precepto castiga la declaración de guerra o firma de la paz sin cumplir con lo dispuesto en la Constitución. Lo dispuesto en la Constitución está en los artículos 63.3, 74, 94, 97 y 102.

Señala MUÑOZ CONDE que más que traición se trata de delitos contra la Constitución, elevados al rango de traición *por su trascendencia para la vida del propio Estado*.

IX. BIBLIOGRAFÍA

ÁLVAREZ GARCÍA, Fco. J., «Los delitos de desobediencia al superior», en *id*. (Dir.) *Derecho penal español, Parte Especial*, III, Valencia 2013; BLAY VILLASANTE, Fco., «El delito de traición mediante espionaje» en (Cobo del Rosal, M, dir.), *La reforma de los delitos contra la defensa nacional. Comentarios a la Legislación Penal*, T. X, Madrid, 1989; BLECUA FRAGA, R., *El delito de traición y la defensa nacional*, Madrid 1983; CÓRDOBA RODA, J., «Delitos contra la seguridad exterior del Estado», *Comentarios al Código Penal*, T. III *(Artículos 120-340 bis c)*, Barcelona 1978; DE CASTRO-CAMERO, R., *El crimen maiestatis a la luz del Senatus consultum de Cn. Pisone patre*, Sevilla, 2000; DE MIGUEL BERIAIN, I., *Derecho Penal. Parte Especial* (Romeo Casabona y otros, coord.), Granada, 2016; GIMBERNAT ORDEIG, E., *Autor y cómplice en Derecho penal*, Madrid, 1966; GROIZARD, A., *El Código penal de 1870 concordado y comentado*, T. III, Burgos, 1874; HUESA VINAIXA, R., «La jurisdicción extraterritorial española sobre el tráfico ilícito de armas y los tratados internacionales suscritos por España», en Revista electrónica de estudios internacionales (REEI), nº 31, 2016; IGLESIA FERREIROS, A., *Historia de la traición. La traición regia en León y Castilla*, Santiago de Compostela, 1971; JOVER ZAMORA, J. M., «Una página de la Guerra de Sucesión: el delito de traición visto por el Fiscal del Consejo de Castilla», en *AHDE*, 1946; LÓPEZ LORCA, B., *El Código Penal militar de 2015: reflexiones y comentarios* (De León Villalba y otros, dirs.) Valencia, 2017; LÓPEZ GARRIDO, D. y GARCÍA ARÁN, M., *El Código penal de 1995 y la voluntad del legislador*, Madrid, 1996; MUÑOZ CONDE, F., *Derecho Penal. Parte especial*, 11ª ed., Valencia, 1996; OPPENHEIM, L., *Tratado de Derecho Internacional Público*, Tomo II Vol I, 7ª ed., Barcelona 1966; PORTILLA CONTRERAS, G., en COBO DEL ROSAL, M. (Dir.) *Curso de Derecho penal español. Parte especial* II, Madrid, 1997; QUINTANO RIPOLLÉS, A., *Comentarios al Código penal*, 2ª ed., Madrid, 1966; RODRÍGUEZ DEVESA, J. M., «Voz espionaje». En *Nueva Enciclopedia Jurídica*, T. VIII, Barcelona 1956; ídem, *Derecho penal español. Parte especial*, Madrid, 1987; RODRÍGUEZ-VILLASANTE Y PRIETO, J. L., «Protección penal a la defensa nacional», en (Cobo del Rosal, M, dir.), *La reforma de los delitos contra la defensa nacional. Comentarios a la Legislación Penal*, T. X. Madrid 1989; ROMEO CASABONA, C. M., *Comentarios al Código penal. Parte especial II*, Valencia, 2004; TERUEL CARRALERO, D., «La pluralidad legislativa en los delitos contra el Estado», en *ADCP*, 1963; VIVES ANTÓN, T. S., *Derecho penal. Parte Especial*, Valencia, 1990.

Lección 4ª
Delitos contra la paz y la independencia del Estado

FCO. JAVIER ÁLVAREZ GARCÍA
ARTURO VENTURA PÜSCHEL

Artículo 589

El que publicare o ejecutare en España cualquier orden, disposición o documento de un Gobierno extranjero que atente contra la independencia o seguridad del Estado, se oponga a la observancia de sus Leyes o provoque su incumplimiento, será castigado con la pena de prisión de uno a tres años.

Artículo 590

1. El que, con actos ilegales o que no estén debidamente autorizados, provocare o diere motivo a una declaración de guerra contra España por parte de otra potencia, o expusiere a los españoles a experimentar vejaciones o represalias en sus personas o en sus bienes, será castigado con la pena de prisión de ocho a quince años si es autoridad o funcionario, y de cuatro a ocho si no lo es.

2. Si la guerra no llegara a declararse ni a tener efecto las vejaciones o represalias, se impondrá, respectivamente, la pena inmediata inferior.

Artículo 591

Con las mismas penas señaladas en el artículo anterior será castigado, en sus respectivos casos, el que, durante una guerra en que no intervenga España, ejecutare cualquier acto que comprometa la neutralidad del Estado o infringiere las disposiciones publicadas por el Gobierno para mantenerla.

Artículo 592

1. Serán castigados con la pena de prisión de cuatro a ocho años los que, con el fin de perjudicar la autoridad del Estado o comprometer la dignidad o los intereses vitales de España, mantuvieran inteligencia o relación de cualquier género con Gobiernos extranjeros, con sus agentes o con grupos, Organismos o Asociaciones internacionales o extranjeras.

2. Quien realizara los actos referidos en el apartado anterior con la intención de provocar una guerra o rebelión será castigado con arreglo a los artículos 581, 473 ó 475 de este Código según los casos.

Artículo 593

Se impondrá la pena de prisión de ocho a quince años a quien violare tregua o armisticio acordado entre la Nación española y otra enemiga, o entre sus fuerzas beligerantes.

Artículo 594

1. El español que, en tiempo de guerra, comunicare o hiciere circular noticias o rumores falsos encaminados a perjudicar el crédito del Estado o los intereses de la Nación, será castigado con las penas de prisión de seis meses a dos años.

2. En las mismas penas incurrirá el extranjero que en el territorio español realizare cualquiera de los hechos comprendidos en el apartado anterior.

Artículo 595

El que, sin autorización legalmente concedida, levantare tropas en España para el servicio de una potencia extranjera, cualquiera que sea el objeto que se proponga o la Nación a la que intente hostilizar, será castigado con la pena de prisión de cuatro a ocho años.

Artículo 596

1. El que, en tiempo de guerra y con el fin de comprometer la paz, seguridad o independencia del Estado, tuviere correspondencia con un país enemigo u ocupado por sus tropas cuando el Gobierno lo hubiera prohibido, será castigado con la pena de prisión de uno a cinco años. Si en la correspondencia se dieran avisos o noticias de las que pudiera aprovecharse el enemigo se impondrá la pena de prisión de ocho a quince años.

2. En las mismas penas incurrirá el que ejecutare los delitos comprendidos en este artículo, aunque dirija la correspondencia por país amigo o neutral para eludir la Ley.

3. Si el reo se propusiera servir al enemigo con sus avisos o noticias, se estimará comprendido en el número 3.º o el número 4.º del artículo 583.

Artículo 597

El español o extranjero que, estando en el territorio nacional, pasare o intentare pasar a país enemigo cuando lo haya prohibido el Gobierno, será castigado con la pena de multa de seis a doce meses.

I. ANTECEDENTES HISTÓRICOS

El contenido de este Capítulo II del Título XXIII del Código Penal, «Delitos que comprometen la paz o la independencia del Estado», se corresponde en líneas generales con el del Capítulo II (misma rúbrica que el actual) del Título II («Delitos contra la seguridad exterior del Estado»), artículo 145 y ss., del CP1848. De entonces a acá muy escasas variaciones de fondo ha habido en estas tipologías, y las pocas presentes las trataremos al hilo del estudio de cada tipo penal.

No obstante lo acabado de manifestar, conviene advertir que las escasas alteraciones habidas en el texto del XIX provienen de las previsiones de la Ley para la Seguridad del Estado de 29 de marzo de 1941 (dictada para incorporar a nuestra legislación las «esencias del régimen») y de la Ley de 17 de julio de 1946 por la que se modifican los artículos 126, 127 y 128 del Código Penal vigente (dictada para derogar el artículo 126 CP que había sido: «inspirado en características y principios totalmente diferentes de los actuales, pugna con los sentimientos católicos del pueblo y del Estado español, que aconsejan suprimir en dicho artículo toda referencia que pueda herir aquellos sentimientos»; en cuanto a los artículos 127 y 128 se modificaron para distribuir su texto entre los tres primeros del Capítulo y así no modificar la numeración —cautela esta que no guarda nunca el Legislador actual, con lo que provoca problemas ingentes en el manejo de las bases de datos y en la memoria de los penalistas). En efecto, por lo que atañe a la primera norma referida, su artículo octavo introdujo un texto que, tras la reforma del CP1944, se alojó en el artículo 129 de este último Código, precepto que con ligeros cambios continúa vigente en el artículo 592 CP; de la misma forma el artículo 26 de aquella Ley dio lugar al artículo 132 del CP1944, que con alguna significativa variación sigue presente en el artículo 594.1 del vigente Código.

En cuanto a la Ley de 17 de julio de 1946 se constriñe a derogar el aludido artículo 126 del Código Penal de 1944, cuyo texto provenía del CP1848 («*Art. 145. El que sin los requisitos que prescriben las leyes ejecutare en el reino bulas, breves, rescriptos o despachos de la corte pontificia, o les diere curso, o los publicare, será castigado con las penas de prisión correccional y multa de 300 a 3.000 duros. Si el delincuente fuere eclesiástico, la pena será la de extrañamiento temporal, y en caso de reincidencia, la de extrañamiento perpetuo*»), aunque fue afectado por la redacción dada al Código en 1870 («*Art. 144. El Ministro eclesiástico que en el ejercicio de su cargo publicare o ejecutare bulas, breves o despachos de la Corte pontificia u otras disposiciones o declaraciones que atacaren la paz o la independencia del Estado o se opusieren a la observancia de sus leyes o provocaren su inobservancia, incurrirá en la pena de extrañamiento temporal. El lego que las ejecutare, incurrirá en la de prisión correccional, en sus grados mínimo y medio, y multa de 250 a 2.500 pesetas*»). Desde luego que los textos de 1848 y 1870 obedecen a las circunstancias históricas vividas en aquellas épocas. Debe recordarse en ese sentido el enfrentamiento entre iglesia y Estado originado por la Guerra Carlista que dividió a la iglesia española y provocó un violento anticlericalismo así como la desamortización de Mendizábal, conflicto que únicamente encontró final en el Concordato de 1851, raíz —por lo demás— de buena parte de los males que ha padecido España desde entonces [y en relación al cual MADARIAGA dijera: «Innumerables Órdenes invadieron el país… (las cuales) a casusa de su inveterada política de adquisición y acumulación de riquezas, consiguieron rápidamente su propia anulación como fuerzas espirituales en el país, a la par que perjudicaban el desarrollo normal de la economía y de la política de la nación»]. Para cuando se dictó el CP1870 la situación había variado respecto de 1848 en un extremo esencial: se había proclamado la libertad de culto en la Constitución de 1869, por ello, y a diferencia del CP1848, en el precepto correspondiente del CP1870 se exigió que la publicación o ejecución de las disposiciones de la «corte pontificia» atacaran la paz o la independencia del Estado. En fin, al finalizar nuestra última Guerra Civil el nacionalcatolicismo vino a cobrar su contribución por su apoyo «a la Cruzada» exigiendo la derogación del artículo 126 del Código Penal; ese «nuevo espíritu» se plasmó en el Concordato de 1953 (aunque previamente se firmaron toda una serie de acuerdos parciales, en los primeros años 40, que desmontaron en buena parte el anterior edificio jurídico que había gobernado las relaciones Estado/iglesia).

En todo caso el artículo 145 CP1848 era en su redacción consecuencia directa del Regalismo que condicionaba la eficacia de las normas canónicas al «pase regio» (este tiene su concreto origen en una gabela de Carlos I a la Santa Sede llevada a cabo en 1539, imponiendo el «pase real» o *regium exequátur* a los documentos pontificios para poder ser ejecutados). Esta doctrina tuvo su aplicación en el ámbito de los tribunales en el llamado «recurso de fuerza» o «apelación por abuso», y en el de la organización eclesiástica en el «privilegio de la presentación» (véanse los concordatos de 1753 y 1851). De todo lo anterior era heredero el citado artículo 145 CP1848. PACHECO comentaba el origen regalista de la norma de manera admirable por su cuidado y claridad:

> «Este artículo es una consecuencia de ser del Estado católico, de defender y proteger la religión, y de no querer, sin embargo, abdicar su soberanía, ni aun en beneficio de la respetable autoridad de la Iglesia. Para comprenderle bien, es necesario subir con el pensamiento hasta las confusiones de la Edad media, cuando una doctrina, que no es del caso calificar ahora, quiso sublimar el poder pontificio sobre todos los poderes temporales; cuando aquel, llevando a efecto en la práctica lo que esa teoría le presentaba de halagüeño, se entremetió largamente en todos los negocios de las naciones que forman la cristiandad. El instinto público no pudo por menos de resistirlo por los medios que estuvieron a su alcance; y así comenzó una lucha de pretensiones y de defensa entre la Iglesia y los Estados, que es ciertamente uno de los caracteres distintivos de la civilización de esta época... El gobierno de las Españas tiene el derecho, reconocido en varios concordatos, de hacer examinar por su Consejo la mayor parte de las bulas y rescriptos pontificios que a la península se dirigieren, y de concederles el pase, o retenerlos, según no contengan cláusulas perjudiciales a los derechos de la nación y a las prerrogativas o regalías del gobierno mismo».

Con la reforma de 1963 el Legislador se limitó a suprimir el párrafo segundo del artículo 133 CP que incluía la conducta relativa al corso, supresión que RODRÍGUEZ DEVESA consideró un error y que este mismo autor entendió se debía a la insistencia en ello de CUELLO CALÓN, pues este autor entendía el precepto como «letra muerta» después de la firma por España, el 13 de febrero de 1909, de la Declaración de París de 16 de abril de 1856 que abolió el derecho a expedir patentes de corso. En efecto, RODRÍGUEZ DEVESA entendió equivocada la decisión de suprimir el párrafo segundo del artículo 133 CP (y adelantaba con ese juicio lo que casi treinta años después sucedió con la piratería —véase la correspondiente Lección en este Tomo) «pues el hecho puede ser cometido también por extranjero, y el concepto de piratería no cubre estos supuestos. El corso no autorizado merece una pena, o debe ser asimilado en un todo, pero expresamente, a la piratería. Precisamente al declararse ilícita internacionalmente esa conducta es cuando más urge castigar la infracción. Sería, si se quiere, un delito contra el derecho de gentes, más en ningún caso es admisible, como ahora, que el comportamiento sea atípico».

Además de alguna modificación de penas (como la acaecida por la Ley de 19 de julio de 1976 que afectó al artículo 132 CP) el texto del 63 se mantuvo hasta el CP1995, que introdujo algunos cambios (además de los de numeración, penas e irrelevantes de redacción) mínimos: modificación del artículo 129 CP1973 (ahora 592.2), supresión del artículo 131 CP1973, modificación del artículo 132 CP1973 (ahora 594), alteraciones en la redacción de los artículos 134 y 135 CP1973 (ahora 596 y 597).

Debe también indicarse que las difíciles relaciones de estas tipologías con las recogidas en los delitos de traición, también provienen de la redacción dada a estos últimos delitos en el CP1848. Pues bien, más allá de la distinta gravedad (lo que es detectable no solo en la comparación de las penas sino también en el contenido de los distintos tipos), la diferencia fundamental entre ambas tipologías entiende MUÑOZ CONDE que hay que buscarla en la relación de los preceptos con la guerra. «Mientras la traición, por lo menos en sus tipos principales, está en íntima relación con una situación de guerra, los delitos del Capítulo II, también en líneas generales, no tienen esa íntima relación con una situación de guerra e incluso algunos tipos no se refieren en absoluto a ella». No podemos, sin embargo, en esta ocasión mostrar nuestro acuerdo con el admirado Maestro, porque de todos los preceptos acogidos en el citado Capítulo II del Título XXIII CP en realidad solo dos —el artículo 589, con el que arranca el Capítulo, y el artículo 592.1— no mantienen esa relación con la guerra.

¿Cuál es pues la relación de estas tipologías con los delitos de traición? Desde luego entendemos que aquella solo se establece con algunas tipologías (de forma más o menos clara entre los artículos 581 y 590; o 584 y los 592, 594 y 596, todos del CP) pues en otros casos las diferencias con los delitos de traición son evidentes (por ejemplo, los tipos de los artículos 589 y 591). Así las cosas, entendemos que el Capítulo II del Título XXIII recoge en algunos casos conductas que están en la periferia de los preceptos cobijados en el Capítulo I del mismo Título, y que solo una tipificación expresa permitirá un castigo que no sería posible por la vía de la participación o de las formas imperfectas en los delitos de traición. Contemplemos, por ejemplo, el caso del artículo 590 en relación al 581, ambos del Código Penal. Pues bien, este último castiga a «...quien indujere a una potencia extranjera a declarar la guerra a España o se concertare con ella para el mismo fin...»; obviamente el «inducir» típico, si se interpreta en el sentido del artículo 28 CP, exige un resultado exitoso y solo en ese caso podrá imponerse la sanción, además en estos tipos en los que se castiga una forma de participación se suele entender por la Doctrina que no cabe acudir al castigo de la participación de la participación (con muy variados argumentos, pero entre otros porque el Código Penal, en su Parte General, castiga la participación en actos ejecutivos, pero no la participación en actos de participación). Ello, desde luego, llevaría a que conductas como la recogida en el artículo 590.1 CP: «*El que, con actos ilegales o que no estén debidamente autorizados, provocare o diere motivo a una declaración de guerra contra España por parte de otra potencia...*» quedaran impunes (con la matización que se hará inmediatamente), pues no es posible —como ya se ha indicado— entender estas conductas como de participación en el tipo del 581; más aún: aunque se admitiera la tipicidad de la participación de la participación, el mero «dar motivo» no podría calificarse como de complicidad (y en cuanto al «provocar» ya encontraría acogida como un acto preparatorio en el artículo 585 CP, en el caso de que la inducción resultara exitosa en otro supuesto no). Con otros tipos sucede algo parecido, lo que especificaremos en el análisis de cada uno de ellos.

CUELLO CALÓN estimaba que «Mientras que los delitos de traición son en su mayoría actos realizados en inteligencia con el enemigo y encaminados a favorecer el progreso de sus armas en detrimento de España, los delitos... [que comprometen la paz o la independencia del Estado] ... no se hayan integrados por actos directamente dirigidos contra la independencia o el poder de la nación, sino por actos que ponen más o menos en peligro su independencia y su paz exterior».

Finalmente observar que los delitos contenidos en este Capítulo, y como con razón señala MUÑOZ CONDE, solo pueden ser entendidos en un contexto bélico: únicamente ahí cobran todo su sentido. Solo de esa forma puede entenderse que, por ejemplo, conductas como la de mantener correspondencia con personas residentes en otro país puedan ser constitutivas de delito.

II. BIEN JURÍDICO

Desde luego no debe afirmarse que haya un bien jurídico del Capítulo, pues la enorme variedad de las conductas contempladas impide llegar a semejante conclusión. Así pues será preciso, tras un estudio de las diferentes tipologías delictivas, precisar caso por caso el objeto jurídico.

RODRÍGUEZ DEVESA (y también otros autores como MUÑOZ CONDE) propuso la catalogación de todas las conductas recogidas en este Capítulo II en dos grandes grupos: «Delitos que comprometen la paz del Estado» y «Delitos que comprometen la independencia del Estado». El problema es que algunos de los delitos recogidos en el Capítulo pueden ser encuadrados tanto en uno como en el otro; es el caso de la violación de tregua o armisticio (artículo 593 CP), de la provocación a la declaración de una guerra (artículo 590 CP), etc. La conclusión solo puede ser la que apuntamos en el párrafo anterior: hay que analizar tipo por tipo.

III. PUBLICACIÓN O EJECUCIÓN DE NORMAS O DOCUMENTOS DE UN GOBIERNO EXTRANJERO QUE ATENTEN CONTRA LA INDEPENDENCIA O SEGURIDAD DEL ESTADO

Preceptúa el artículo 589:

> «El que publicare o ejecutare en España cualquier orden, disposición o documento de un Gobierno extranjero que atente contra la independencia o seguridad del Estado, se oponga a la observancia de sus Leyes o provoque su incumplimiento, será castigado con la pena de prisión de uno a tres años».

1. Introducción

Como se indicó más atrás esta norma tiene su origen en el CP1848 (artículo 146) y estaba precedida por uno similar referido exclusivamente a la «corte pontificia». En la redacción del artículo 589 CP1995 en relación al de 1848, y más allá de algún pequeño cambio en la redacción, solo se ha añadido el pasaje «se oponga a la observancia de sus Leyes o provoque su incumplimiento» (que fue añadido por la Ley de 17 de julio de 1946).

VÍZMANOS y ÁLVAREZ MARTÍNEZ señalaban que la principal diferencia (en el CP1848) entre el precepto que se refería a la «corte pontificia» y este que comentamos ahora, «es que por el primero se prohíbe absolutamente la ejecución y publicación de un breve pontificio sin haber obtenido el exequatur, cualquiera que sea su objeto, y comprometa o no la paz del país; mientras que por el segundo se castiga la publicación y ejecución de una orden procedente de un gobierno extranjero, pero ha de ser ofensiva a la dignidad nacional, y no en otro caso».

Se trata de un precepto que tiene difícil encaje en un Estado Democrático pues supone una clara limitación de derechos y libertades básicos, en concreto los de información y expresión. Por ello únicamente tiene cabida esta tipicidad si con la realización de la conducta se atenta contra la independencia y seguridad del Estado; la cuestión es que esta limitación afecta únicamente a la primera conducta: «publicar o ejecutar en España cualquier orden, disposición o documento»; sin embargo, la oposición a la observancia de las leyes o a la provocación a su cumplimiento no resultan afectadas por aquella referencia, aunque ciertamente podrá limitarse su alcance por referencia al bien jurídico protegido.

2. Conducta y bien jurídico protegido en el primer inciso del artículo 589 CP

La acción en el primer inciso de este artículo 589 CP se refiere a «publicar o ejecutar». Por «publicar» debe entenderse, simplemente, el dar a conocer algo a una pluralidad de personas (no basta la transmisión a un solo sujeto, pues la idea de la publicidad exige esa multiplicidad de receptores frente a la mera comunicación individual), lo que puede hacerse por cualquier medio; en cuanto a ejecutar, se hace referencia a poner algo en obra (RAE), lo que exige esa capacidad de realización que va más allá de una simple puesta en conocimiento. El objeto de esa publicación o ejecución es una norma (orden o disposición) que debe haber sido emitida como tal por un «Gobierno extranjero». Por Gobierno no debe entenderse simplemente el «Ejecutivo» de otro país, pues si así se hiciera resultaría que la publicación o ejecución de una norma (generalmente una Ley), en las condiciones del tipo, dictada por un Parlamento sería impune, y sin embargo si la dicha conducta se realizara en relación a un Reglamento (dictado por el «Gobierno» en sentido estricto) sí estaría sometida a pena. Por ello sostenemos que por «Gobierno» debe entenderse el conjunto de los órganos constitucionales encargados de la «gobernación» de un país y capaz de dictar normas o disposiciones.

En fin, tampoco deja de plantear problemas la interpretación de la locución: «de sus Leyes», y ello porque de la redacción del precepto no se desprende con claridad si el Legislador se está refiriendo a «Ley» en sentido formal o a toda disposición de carácter general. Dos argumentos abonan la segunda opción, 1°) El acabado de exponer: si por «Gobierno» se entienden todas las instancias ocupadas de la «gobernación» —en sentido amplio— de un país, la conclusión ha de ser que todos los «productos» de esas diferentes instancias están abarcados por el tipo; 2°) La referencia es a «las leyes» expresión con la que generalmente se quiere abarcar toda la legislación con independencia de su jerarquía (véase en este sentido DE OTTO).

Por lo que se refiere a las «órdenes» estas no deben entenderse conceptualmente de forma exclusiva en el sentido que se le ha otorgado en el delito de desobediencia de particulares (actos administrativos, en el caso de que se estuvieran ejerciendo potestades de esa naturaleza), sino también como equivalente a una genérica «instrucción» en sentido material, y ello porque entendido de otra manera nos encontraríamos con una pobre cobertura del bien jurídico protegido, pues como órdenes en sentido técnico únicamente podrían vincular a quienes se hallaren en una relación de servicio con quien las imparte (en el mismo sentido PACHECO).

Esta referencia al «Gobierno extranjero» permite, como señala con acierto MUÑOZ CONDE, dejar fuera del tipo la publicación y ejecución en España de órdenes, disposiciones y documentos de organizaciones internacionales que no tengan carácter estatal, lo que, desde luego, incluye a la UE, la ONU y sus Agencias, todo tipo de ONGs, etc.

En cuanto a la alusión a «documentos» ha de entenderse en el sentido de toda manifestación de voluntad expresada en un soporte.

Entendemos que en este caso es perfectamente de aplicación lo dispuesto en el artículo 26 del CP: «*A los efectos de este Código se considera documento todo soporte material que exprese o incorpore datos, hechos o narraciones con eficacia probatoria o cualquier otro tipo de relevancia jurídica*», y a él debe sujetarse la interpretación del elemento.

El problema más agudo radica en la interpretación que deba darse a la expresión «*que atente contra la independencia o seguridad del Estado*», lo que debe hacerse partiendo de las estructuras dogmáticas del precepto. En efecto, estamos ante un delito de peligro lo que se pone de manifiesto, incluso, en la rúbrica del Capítulo: «Delitos que comprometen la paz o la independencia del Estado»; esa exigencia de que los tipos agrupados «comprometan» la paz o la independencia del Estado junto con la necesidad de no «comprometer», a su vez, libertades y derechos fundamentales, nos llevan a requerir que el aludido peligro sea concreto, pues de otra forma la colisión con los preceptos constitucionales está garantizada. Pensemos en los muchos casos en los que, como un hito más en la lucha por la ampliación de derechos, se propugnase la legalización de las drogas (en este sentido PORTILLA CONTRERAS) o de alguna de ellas tal y como ha sucedido (o «está sucediendo») en otros países. Pues bien, en estos casos no podría aseverarse que se esté realizando el tipo, pues difícilmente el pleno ejercicio de derechos constitucionales puede suponer un ataque a la independencia o a la seguridad del Estado. Es decir: negamos la tipicidad (por ausencia de ataque al bien jurídico) por lo que no es necesario que acudamos a causa de justificación alguna.

Realizadas estas consideraciones ya estamos en situación de poder precisar el bien jurídico protegido. En este sentido si de lo que se trata con la conducta es atentar contra la independencia o seguridad del Estado español, es decir: la capacidad de autogobernarse garantizando la paz de los ciudadanos, habrá de concluirse que el bien jurídico protegido es el ejercicio pleno de la soberanía (en este sentido VIVES ANTÓN); poder este que excluye a otros (el soberano es quien ejerce el poder perpetuo y absoluto de la república, el *legibus solutus*); condición esta, la de soberano, que de acuerdo con las teorías contractualistas, se reconoce por los ciudadanos para la procuración de la paz y la seguridad.

3. Dolo en el artículo 589, primer inciso, CP

En cuanto al aspecto subjetivo, obviamente se trata de una figura dolosa que exige conocimiento y voluntad de todos los elementos típicos, también por lo tanto una voluntad de atentar contra la independencia o seguridad del Estado, lo que se constituye en una derivación de las exigencias del dolo sin precisar la concurrencia de ningún otro elemento subjetivo de lo injusto.

4. El segundo inciso del artículo 589 CP

En este segundo inciso se castiga a quien se «*oponga a la observancia de sus Leyes [del Gobierno extranjero] o provoque su incumplimiento*». Debe tenerse en cuenta que esta regulación se introduce en un momento histórico en el que está en auge el nacionalismo en Europa y en plena construcción las modernas naciones de Centroeuropa, y por otra parte pesa suficientemente la experiencia histórica en el sentido de que la propia independencia y seguridad solo puede ser asegurada, en el concierto de las naciones, en un clima de respeto extremo a las realizaciones de otros Estados. Pero el que ello sea así —y mirado con los ojos actuales— no obsta, nuevamente, a la plena vigencia de derechos y libertades fundamentales (incluida la libertad ideológica). Por otra parte y no infrecuentemente es el propio Estado español el que se opone en ocasiones e insta a la falta de observancia e incumplimiento de la legislación en otro país (piénsese lo ocurrido con las leyes dictadas en países islámicos brutalmente discriminatorias para la mujer). Además, este inciso no está afectado por la exigencia típica de atentar contra la independencia o seguridad del Estado, lo que convierte a la conducta en todavía más abierta. En conclusión: esta norma radicalmente obsoleta (más aun cuando su aplicación no exige que España se halle en guerra), seguramente aquejada de tacha de inconstitucionalidad, solo tiene la posibilidad de continuar vigente si se la conecta, como bien jurídico, con un ataque al pleno ejercicio de la soberanía por parte del Estado.

Con independencia de lo anterior, resulta verdaderamente difícil aceptar que la redacción del inciso dé satisfacción a las exigencias de taxatividad derivadas del principio de legalidad. En efecto, el «oponerse», por más que parece expresar una voluntad contraria a algo (en este caso a la observancia de las leyes), es de tal amplitud y admite tantas modalidades en su expresión que podemos decir que lleva ínsita una vaguedad terminológica difícilmente compatible con la estricta legalidad requerida en Derecho Penal. Por ello, en atención al bien jurídico y a las exigencias de los principios penales, ese oponerse debe ser expreso, directo, claro y terminante.

En cuanto al «provocar el incumplimiento» de las leyes, la concreción es imposible y decididamente se debe aseverar la colisión de esta norma con las exigencias constitucionales. En efecto, si ya la provocación a la comisión de un determinado hecho no deja de causar severos problemas, la consideración como delictiva de la provocación al incumplimiento de toda una norma es decididamente contraria al Ordenamiento.

IV. PROVOCACIÓN A UNA DECLARACIÓN DE GUERRA O EXPOSICIÓN A LOS ESPAÑOLES A EXPERIMENTAR VEJACIONES O REPRESALIAS

Preceptúa el artículo 590 CP:

> «1. El que, con actos ilegales o que no estén debidamente autorizados, provocare o diere motivo a una declaración de guerra contra España por parte de otra potencia, o expusiere a los españoles a experimentar vejaciones o represalias en sus personas o en sus bienes, será castigado con la pena de prisión de ocho a quince años si es autoridad o funcionario, y de cuatro a ocho si no lo es.
>
> 2. Si la guerra no llegara a declararse ni a tener efecto las vejaciones o represalias, se impondrá, respectivamente, la pena inmediata inferior».

1. Introducción

Proviene este texto, con mínimos cambios en la redacción, del artículo 148 CP1848: «El que con actos no autorizados competentemente provocare o diere motivos a una declaración de guerra contra España por parte de otra Potencia, o expusiere a los españoles a experimentar vejaciones o represalias en sus personas o en sus bienes, será castigado con la pena de prisión mayor; y si fuere empleado público, con la de reclusión temporal». El número 2 del artículo 590 del Código

Penal vigente es deudor de la redacción otorgada al párrafo segundo del artículo 147 CP1870: «*Si la guerra no llegare a declararse, ni a tener efecto las vejaciones o represalias, se impondrán las penas respectivas en el grado inmediatamente inferior*» (en realidad, la configuración del precepto resultante del CP1870 es más acorde materialmente con el artículo 258 CP1822 que con el correspondiente precepto del CP1848, y en todo caso la influencia francesa —en el Código español y otros europeos— es más que evidente). Puede así aseverarse que desde el CP1870 las modificaciones que ha registrado el precepto en relación al texto vigente no son más que anecdóticas.

GROIZARD incluye en sus magníficos «Comentarios» cita del francés DUPÍN en la que da razón del porqué de la introducción de esta tipología que hay que situar, obviamente, en su contexto histórico:

«Si no se hubieran puesto en el Código penas contra los que exponen a su país a la guerra, si el crimen de que se trata hubiera quedado impune por la ley francesa, no habría ninguna satisfacción que dar a la potencia ofendida: la guerra sería el solo remedio, a no ser que, como entre los pueblos antiguos se prendiera al culpable, se le ataran las manos a la espalda y se le entregara al extranjero para que se hiciera justicia por si propio. La Francia no ha querido eso. Solo los Estados débiles, los Estados envilecidos pueden proceder de ese modo. La ley francesa ha conservado la dignidad nacional incluyendo entre los crímenes los hechos de esta naturaleza. Ha reservado el juicio a jueces franceses que deciden con independencia, y cualquiera que esta decisión sea debe ser respetada. Si entonces viene la guerra, la guerra será justa».

Los mayores problemas de interpretación se producen como consecuencia de la «peculiar» estructura típica. En efecto, como bien indicaba PRATS CANUTS, de una contemplación individualizada del núm. 1 de este artículo se debería llegar a la conclusión de que nos encontramos ante un tipo que no exige ni la declaración de guerra ni el sometimiento «de los españoles» a las vejaciones o represalias. Desde luego este último punto queda claro de la simple lectura del precepto, que se refiere a «exponer a los españoles» a experimentar vejaciones, etc.; es decir: someter a los españoles al riesgo de ser sometidos a vejaciones o represalias. Pero esa conclusión también se alcanza con claridad en el supuesto de la declaración de guerra, pues la dicción del precepto es a «provocar o dar motivo» y ello significa claramente que lo único requerido es la actividad y no que se produzca resultado alguno.

Sin embargo, la lectura del núm. 2 del artículo 590 CP nos ha de llevar a conclusiones diferentes, pues en él se incluye de manera evidente una previsión de que no se hubiera ni declarado la guerra ni sometido a los españoles a vejaciones o represalias, lo que obliga a concluir que semejantes ocasionamientos constituyen el resultado del delito y no una mera condición objetiva de punibilidad como patrocinan algunos autores (RODRÍGUEZ DEVESA).

2. Bien jurídico

Debe tenerse en cuenta, para fijar el objeto jurídico, que de la conducta típica se desprenden consecuencias tanto para la Nación en su conjunto (declaración de guerra) como para los nacionales (exponer a los españoles a vejaciones o represalias). En este sentido, y correspondientemente, resulta obligado diferenciar entre dos bienes protegidos: la paz, en el primer inciso, y la seguridad de las personas en el segundo (PORTILLA CONTRERAS).

3. Tipo objetivo

Desde luego la redacción típica está lastrada en origen (CP1848) por el peculiar contexto histórico, la falta de consolidación de buena parte de las naciones que en Europa se encuentran actualmente constituidas y la acaso aun concurrente debilidad estructural de los Estados. Solamente así puede llegar a entenderse algo que actualmente es sencillamente irreal en nuestro ámbito de cultura: que un mero particular (el sujeto activo puede serlo cualquiera y hay previsión de pena específica para este supuesto) pueda llegar a provocar o dar motivos a una declaración de guerra.

Elemento común a las dos conductas contempladas en el tipo es el de actuar «con actos ilegales o que no estén debidamente autorizados». Pues bien, no se trata de que, como ha parecido entender algún autor (CÓRDOBA RODA), el sujeto declare ilegalmente la guerra cuando no tenga competencia para ello (sin autorización), sino que desarrolle acciones que provoquen o den motivos a un tercero (una Potencia extranjera) para declarar la guerra a España. Son esas acciones las que deben ser calificadas como ilegales (contrarias a la ley) o ser tachadas de «no autorizadas» (lo que no necesariamente es una concreción de lo ilegal, pues puede también referirse a supuestos de falta de «autorización política»).

Debe avisarse en este momento que el ejercicio legítimo de la libertad de expresión impedirá la concurrencia del elemento del tipo actuar «con actos ilegales». No se trata, como en otros casos, de un problema de justificación sino de tipicidad pues la causa de justificación ha sido atraída por la descripción típica.

Las dichas acciones ilegales o no autorizadas han de «provocar o dar motivo» a la declaración de guerra; es decir: esta (para cuya interpretación nos remitimos a lo dicho en comentario al artículo 581 CP) ha de ser consecuencia directa de los actos ilegales o no autorizados. En este sentido, por «provocar» o «dar motivo» ha de entenderse «dar lugar u ocasión», pues en el contexto en el que la expresión «provocare» es usada (y su emparejamiento con «dar motivo») no resulta ajustado el interpretarla en el mismo sentido y con idénticas exigencias que en el artículo 18 CP.

El término «vejaciones» es usado en el Código Penal en una clara equivalencia a «maltrato» (también RAE) en sentido amplio; así en los artículos 173.3, 225 y

534. Sentido amplio que incluye tanto malos tratos físicos como psicológicos de muy diversa índole (por todas, SAP, Madrid, 27ª, 522/2018, 19-7 y 435/2018, 18-6, y resoluciones allí citadas). El problema de aceptar esta interpretación está en la pena prevista. Efectivamente, no se termina de comprender (y así lo indicó ya PRATS CANUT) el que se hayan equiparado en pena resultados tan diferentes como una declaración de guerra y el sometimiento a vejaciones o represalias a los españoles (referencia esa a «los españoles» que no es posible interpretar como a todos los españoles en su conjunto lo que podría justificar una pena elevada, pues en ese caso evidentemente resultaría imposible la aplicación del tipo). Ello nos obliga a exigir (y en ese sentido apunta también CÓRDOBA RODA a quien seguimos a continuación), para evitar castigar vejaciones leves con penas de prisión de hasta quince años, una subida gravedad a esas vejaciones: la que resultaría equivalente «de algún modo», en sentido valorativo, a una declaración de guerra.

En lo que importa a la expresión «represalia» se pareciera aludir a una institución de Derecho Internacional profusamente utilizada en el Capítulo III «De los delitos cometidos contra las personas y bienes protegidos en caso de conflicto armado», Título XXIV «Delitos contra la Comunidad Internacional», del Código Penal; y en un sentido completamente diferente —que no nos interesa en estos momentos— en los artículos 464 y 471 bis CP. Pues bien, en Derecho Internacional se entiende por «represalias»: «...aquellos actos nocivos y por otra parte internacionalmente ilegales de un Estado contra otro permitidos excepcionalmente al objeto de forzar al último a admitir un arreglo satisfactorio de una controversia creada por su propio delito internacional» (OPPENHEIM); es decir: se trata de la «respuesta a un previo hecho ilícito del Estado o Estados contra los que se aplican dichas contramedidas» (LÓPEZ MARTÍN, y Sentencia de la Corte Internacional de Justicia de 25 de septiembre de 1997, caso relativo al «Proyecto Gabcíkovo-Nagymaros»); distinguiéndose esta institución de la «retorsión» en que esta última ma consiste «...en la represalia por actos descorteses, poco amistosos, de mala fe e injustos por medio de actos de la misma o similar categoría, y no tiene nada que ver con los delitos internacionales...» (OPPENHEIM).

De todas formas y a pesar de lo acabado de decir, consideramos que «represalia», en el contexto del artículo 590 CP, no se refiere al concepto de «represalia» tal y como se comprende en el Derecho Internacional, pues de otra forma no se entendería su equiparación a «vejaciones», sino que más bien con ese término se quiere hacer mención a lo que se entiende por tal en el lenguaje común: «Respuesta de castigo o venganza por alguna agresión u ofensa» (RAE). Esta concepción supone una ampliación típica en relación con la que se desprendería de la consideración de «represalia» en el sentido dado a esa institución en Derecho Internacional, pero consideramos que es la acertada además de por lo ya indicado porque el objeto de la represalia son exclusivamente los españoles (como individuos), y en este sentido lo adecuado es aumentar la protección de los sujetos pasivos con un uso del término en sentido vulgar. Obviamente, y de la misma forma que hemos hecho en el análisis del elemento del tipo «vejaciones», consideramos que hay que exigir una cierta gravedad a esas represalias para evitar una gran desproporción entre conducta típica y pena; para fijar esa cierta gravedad han de seguirse los mismos criterios que en el caso de las vejaciones.

En cuanto al artículo 590.2 CP se trata de una punición específica de la tentativa de delito (la falta de ocasionamiento del resultado).

4. *Tipo subjetivo*

Ciertamente no resulta sencillo distinguir entre una de las modalidades de este delito del artículo 590 CP (provocar o dar motivo a una declaración de guerra contra España) y el de inducción a declarar la guerra a España (artículo 581 CP: «*El español que indujere a una potencia extranjera a declarar la guerra a España o se concertare con ella para el mismo fin, será castigado con la pena de prisión de quince a veinte años*»). Por ello seguramente la solución más adecuada (VIVES ANTÓN) sería la de considerar que en el caso del artículo 590 CP el sujeto activo no actúa con dolo directo de causar los resultados típicos. Debe tenerse en cuenta, además y avalando esta interpretación, que la estructura de la conducta («provocar y dar motivo» para una declaración de guerra o la producción de vejaciones y/o toma de represalias) solo permite el dolo eventual (descartada la condición objetiva de punibilidad) en relación a la declaración de guerra y a la realización de vejaciones o represalias.

V. COMPROMETER, DURANTE UNA GUERRA, LA NEUTRALIDAD DE ESPAÑA O INFRINGIR LAS DISPOSICIONES DEL ESTADO PARA MANTENERLA

Preceptúa el artículo 591 CP:

«*Con las mismas penas señaladas en el artículo anterior será castigado, en sus respectivos casos, el que, durante una guerra en que no intervenga España, ejecutare cualquier acto que comprometa la neutralidad del Estado o infringiere las disposiciones publicadas por el Gobierno para mantenerla*».

1. *Introducción*

Proviene este texto —con escasísimos cambios de redacción y ninguno sustantivo— del artículo 234 CP1928 (posiblemente la introducción de este artículo en el Código Penal tuvo que ver con la promulgación de la Ley de 7 de julio de 1918

—publicada en la Gaceta de Madrid de 8 de julio— dando facultades al Gobierno para proteger la neutralidad española en la 1ª Guerra Mundial y estableciendo delitos y penas al respecto; ya anteriormente, en la Gaceta de 7 de agosto de 1914, apareció una «noticia» del Ministerio de Estado, Sección Política, en la que se advertía sobre la necesidad de respetar la neutralidad española), y con el paréntesis del CP1932, pasó al artículo 128, III, CP1944 y de ahí al Código Penal vigente.

Obviamente otros muchos países han dictado en distintos momentos legislación para tratar de blindar su neutralidad con ocasión de algún gran conflicto, reivindicando al mismo tiempo sus derechos de Potencia en el ámbito internacional. Por citar algún caso es suficientemente conocido el de EE.UU que en noviembre de 1939, poco después de comenzar la Guerra Mundial, aprobó una Ley (que fue derogada poco después de Pearl Harbor) en la que se imponían medidas severas para garantizar su neutralidad en el conflicto. De todas formas hay que advertir que el declararse neutrales no ponía, ciertamente, a ningún país a salvo de la guerra (justo lo que ha ocurrido a todo lo largo de la Historia), y en ese sentido un caso claro fue el de Bélgica cuya neutralidad estaba garantizada por un Tratado de 15 de noviembre de 1831 signado por las grandes potencias europeas involucradas: Prusia, Rusia, Gran Bretaña, Austria y Francia; pues bien, la Iª Guerra Mundial tuvo su prólogo, precisamente, en la violación por parte de Alemania del Tratado de Neutralidad de Bélgica, no como algo ocasional sino muy planificado desde muchos años antes del conflicto europeo (y en esa violación del Tratado de Neutralidad se encuentran en parte las reclamaciones —Tratado de Versalles mediante— para que se sometiera a juicio al Kaiser Guillermo al terminar la contienda, lo que este evitó al refugiase en Holanda y negarse este país a conceder la extradición).

Se trata, el artículo 591 CP, de un precepto más propio de una legislación penal militar (de un Bando), aplicable en estado de guerra, que de un Código Penal común; y ello se pone de manifiesto con claridad en la absoluta vaguedad de los términos empleados para describir la conducta («ejecute cualquier acto») —lo que supone una infracción manifiesta, clara y terminante de la mínima taxatividad penal—, y en la utilización del Código Penal para castigar, sin construcción alguna de tipos penales, la infracción de cualquier aspecto de las disposiciones (cualquiera que sea el rango de estas y el extremo al que se refiera: es como si se tipificara penalmente que la infracción de cualquiera de las disposiciones de la Ley de Procedimiento Administrativo será castigada con tal o cual pena de prisión) que se hayan dictado para los fines fijados en el artículo. No es extraño que se trate de un precepto que viera la luz por primera vez durante una Dictadura (Primo de Rivera), y tras el intervalo de la IIª República Española la volvió a ver en otra Dictadura (Franco). Lo que resulta llamativo es que el precepto haya pasado el filtro de la democracia y se mantenga en el Código Penal vigente. En atención a lo dicho, y a nuestro modo de ver, resulta un tipo de imposible aplicación por estar tachado de una muy grosera inconstitucionalidad completamente imposible de salvar.

2. *Bien jurídico*

Se tutela la paz por medio de la protección del estatuto de neutralidad utilizando para ello la sanción penal prevista en las disposiciones dictadas en su apoyo. Se trata de un delito de peligro, de peligro concreto, que exige el real y efectivo compromiso de la neutralidad de España en el conflicto de que se trate (de otra opinión FERNÁNDEZ RODERA que entiende se trata de un delito de peligro abstracto, lo que implica una ampliación notable de la tipicidad).

3. *Tipo objetivo*

El escenario típico es el de una situación de guerra respecto de la cual no solo España no debe intervenir sino que ha de ser neutral (la referencia típica al compromiso de la «neutralidad del Estado» obliga a llegar a esta conclusión).

El estatuto de neutralidad es una institución moderna inconcebible en la antigüedad (las naciones tenían que elegir entre los beligerantes a cuál ayudaban de una forma u otra; no había posibilidad de «quedarse al margen»), y que comienza su aplicación a finales de la Edad Media en relación a los bienes capturados en los buques, pero su desarrollo como institución se comenzó a llevar a cabo durante el siglo XVI. El primer texto general directo (más allá de la Declaración de París de 1856 sobre la captura de bienes neutrales en buques enemigos) atinente a la neutralidad fue el reflejado en la «Convención relativa a los derechos y a los deberes de las potencias y de las personas neutrales en caso de guerra terrestre», signado en La Haya el 18 de octubre de 1907, donde se realiza un desarrollo considerable de la materia; y de la misma fecha y lugar la «Convención relativa a los derechos y a los deberes de las potencias neutrales en la guerra marítima». Hay otros muchos instrumentos que se refieren indirectamente a la cuestión, y otros que aunque inicialmente no se refieren a la neutralidad fueron invocados por diversas Potencias en sus declaraciones de neutralidad al inicio de algún gran conflicto (caso, por ejemplo, de Argentina en relación a la 2ª Guerra Mundial). Obviamente después de los instrumentos de La Haya el estatuto de neutralidad ha seguido evolucionando, y lo fue pronto —y esto resultó decisivo— con el cambio de enfoque habido en Derecho Internacional en relación al uso de la guerra como instrumento disponible para cualquier Estado; esta nueva idea se plasmó en el Pacto de la Sociedad de Naciones y en el Tratado de Renuncia a la Guerra (Pacto Brian-Kellog) de 27 de agosto de 1928, y posteriormente, y de forma significativa, en el artículo 2º, párrafo cuarto, de la Carta de Naciones Unidas (véase, DÍAZ BARRADO).

La expresión «actos que comprometan la neutralidad» debe ser interpretada en sentido estricto, pues la enorme amplitud de la descripción típica lo exige con la finalidad de fijar unos límites mínimos a la tipicidad. Ello requiere considerar «actos que comprometan la neutralidad» únicamente a aquellos que directamente tengan la capacidad de, efectivamente, cambiar el estatus de neutral del Estado (en este sentido CÓRDOBA RODA y PRATS CANUT).

No creemos, sin embargo, que neutralidad e imparcialidad sean términos sinónimos tal y como patrocinan la mayoría de los autores (por todos CÓRDOBA RODA); en efecto, «neutral» es el que no participa, la imparcialidad, sin embargo, viene definida por la RAE como: «Falta de designio anticipado o de prevención en favor o en contra de alguien o algo, que permite juzgar o proceder con rectitud». Esta idea que patrocinamos queda bien reflejada —de contrario— en el desarrollo que GROCIO hizo de la institución y en la fijación de sus reglas generales de la neutralidad, la segunda de las cuales establece: en una guerra en que no está claro cuál de los beligerantes esgrime una causa justa, los «neutrales» tratarán igualmente a ambos beligerantes en cuanto a las necesidades de intendencia. Pues bien, lo acabado de expresar por GROCIO no es, a nuestro entender, neutralidad en sentido estricto, sino imparcialidad, pero el desarrollo de la institución en el Derecho Internacional vino a confundir —por distintos motivos todos ellos explicables— ambos conceptos que en otros ámbitos, por ejemplo el procesal, están bien delimitados (el Juez es imparcial, aunque interviene, el «neutral» no lo hace).

En cuanto a la conducta consistente en: «[infringir] *las disposiciones publicadas por el Gobierno para mantenerla* [la neutralidad]», algunos autores (véase DÍAZ MORGADO) tratan de reconducirla a un delito de desobediencia reconvirtiendo la referencia a las «disposiciones publicadas» en mandatos concretos que exigirían notificación, negativa a obedecerlo...lo que contradice frontalmente el tipo. En realidad nos hallamos ante un ejemplo de utilización de las sanciones del Derecho Penal para apoyar *in toto* el cumplimiento de disposiciones administrativas, y en este caso por más esfuerzos hermenéuticos que quieran hacerse resulta imposible —tal y como se ha señalado más atrás— proponer una interpretación que respete los principios más elementales del Derecho Penal.

4. Penalidad

El sistema utilizado de fijación de la pena con una remisión al precepto anterior convierte aquella operación en algo muy complicado. De entrada no queda más remedio que decir que, por su heterogeneidad en relación a la conducta recogida en el artículo 591 CP, no es aplicable lo previsto en el artículo 590.2 CP, por lo que la pena a imponer será exclusivamente la fijada en el número 1 del artículo 590 CP, y variará dependiendo de la condición o no de funcionario del sujeto activo del delito.

VI. MANTENER INTELIGENCIA CON GOBIERNOS EXTRANJEROS U ORGANISMOS O ASOCIACIONES INTERNACIONALES O EXTRANJERAS

Preceptúa el artículo 592:

«*1. Serán castigados con la pena de prisión de cuatro a ocho años los que, con el fin de perjudicar la autoridad del Estado o comprometer la dignidad o los intereses vitales de España, mantuvieran inteligencia o relación de cualquier género con*

Gobiernos extranjeros, con sus agentes o con grupos, Organismos o Asociaciones internacionales o extranjeras.

2. Quien realizara los actos referidos en el apartado anterior con la intención de provocar una guerra o rebelión será castigado con arreglo a los artículos 581, 473 ó 475 de este Código según los casos».

1. Introducción

Proviene el precepto del artículo 8, párrafo primero, de la Ley de Seguridad del Estado de 29 de marzo de 1941, que incluía dos párrafos más: «*Si el culpable tratare de provocar una guerra o un movimiento rebelde o sedicioso u otros actos de grave hostilidad contra España, será castigado, en el primer caso, con pena de muerte, y en los restantes, con la de doce años y un día a. veinticinco de reclusión. Los hechos mencionados en los párrafos anteriores serán punibles, aun cuando el delincuente fuere extranjero y el delito se hubiere cometido fuera de España, si el culpable se hallare en territorio español o se hubiere obtenido su extradición, imponiéndose la pena de seis meses y un día a tres años de prisión, y cuando tratare de provocar una guerra u otros actos de grave hostilidad contra España, la de seis a doce años de prisión, sin perjuicio de las medidas de policía de que podrá ser objeto*». Al CP1944 —artículo 129— pasaron exclusivamente los párrafos primero y segundo (dejando el tercero encomendado a las leyes sobre competencia de la jurisdicción española); así mismo se reflejó en el CP1963 y en el de 1973, llegando de esa guisa hasta el de 1995 en el que se modificó el párrafo segundo en el sentido del que ahora se encuentra vigente.

Desde luego no debe caber duda de que nació el precepto en cuestión en unos momentos en los que el alineamiento de la Dictadura con la Alemania nacional-socialista se encontraba en todo su vigor, que el régimen vivía (y mataba) con la obsesión de la conjuración extranjera (de las democracias que en esos momentos tenían claramente perdida la Guerra Mundial), y que 1941 fue el año más sangriento (por el número de ejecuciones) de toda la posguerra (MONTOLIU), y buena parte de ellas se llevaron a cabo en aplicación de la Ley de Seguridad del Estado.

Lo llamativo de este artículo 592 CP es su mantenimiento, el de un precepto que contiene un delito de resultado cortado y que está armado por la utilización de conceptos y locuciones de una enorme laxitud: «perjudicar la autoridad del Estado», «comprometer la dignidad o los intereses vitales de España» o «mantener inteligencia o relación de cualquier género». Añadido a lo anterior hay que tener en cuenta que la pertenencia de España a organismos multilaterales, especialmente la UE, pero, sobre todo, un cambio radical de enfoque de qué papel le corresponde al individuo, frente a los Estados, en el ámbito internacional, tiene forzosamente que llevarnos a concluir que no necesariamente conductas que puedan perjudicar al Estado o comprometer la dignidad o los intereses vitales de España, hayan de calificarse como injustas. Si en el siglo XVIII los hombres se liberaron de dios, en el siglo XX el hombre se ha librado de la asfixiante tutela del Estado, y su lealtad se encuentra más en los otros hombres, en las declaraciones de derechos. Esta perspectiva obliga necesariamente a realizar, bien en la tipicidad bien en la justificación, indispensables restricciones en el delito.

El número 2 de este precepto, y manteniendo la conducta típica («*mantuvieran inteligencia o relación de cualquier género con Gobiernos extranjeros*») cambia la finalidad recogida en el núm. 1 por «*la intención de provocar una guerra o rebelión*»: un delito de resultado cortado por otro delito de resultado cortado.

2. Bien jurídico

Dada la redacción del tipo no es fácil concretar el bien jurídico protegido, hasta el punto de que algún reconocido autor (PORTILLAS CONTRERAS) desliza que «se desconoce cuál es el bien jurídico protegido, ya que ni la *autoritas* estatal ni la dignidad o los "intereses vitales" del Estado pueden alcanzar la categoría de bienes jurídico-penales por no repercutir directa o indirectamente en un tercero. Se trata, por tanto, de un precepto claramente inconstitucional que no respeta el principio de intervención mínima ni, por supuesto, el mandato de certeza». Desde luego coincidimos con el Catedrático de Jaén en el sentido de que resulta imposible salvar este precepto de la clara inconstitucionalidad en que incurre, al menos en su número primero y en razón de la imposibilidad de aprehender qué sea eso de «perjudicar la autoridad del Estado», o «comprometer la dignidad o los intereses vitales de España». Semejante abstracción en la conducta típica solo puede provocar la aludida inconstitucionalidad.

CÓRDOBA RODA entiende, sin embargo, que es posible concretar la referencia a la «autoridad del Estado», y entiende que esta se refiere a la «potestad de mando» que al Estado le corresponde. Es decir, añadimos nosotros: la alusión está referida al ejercicio del poder soberano o de las prerrogativas que corresponden a la soberanía. Pues bien: nada más inconcreto que esto para tratar, sobre ello, de conformar un tipo penal, y nada más autoritario para tratar de hacerlo en un Estado democrático. En efecto, en el Estado autoritario, apunta BISCARETTI DI RUFFIA, «el valor político fundamental no está representado por la "persona humana" individual, sino por la colectividad nacional en su conjunto indivisible». Esta colectividad fue identificada, continúa el autor, en la Italia fascista con el Estado «a través de una concepción que pretendía aproximarse a la del Imperio Romano» (DEL VECCHIO es, entendemos nosotros, un ejemplo de esto), en la Alemania nacionalsocialista con la «comunidad del pueblo», y en nuestro país —añadimos nosotros— en una confusión de referentes con «el Pueblo español» que «unido en un orden de Derecho» constituye «el Estado Nacional» (Ley de Principios del Movimiento Nacional, VII, Preámbulo del Fuero de los Españoles), como suprema institución de la «comunidad nacional» (artículo primero de la Ley Orgánica del Estado). Obviamente sobre semejantes referentes no se puede construir un tipo penal en un Estado democrático de Derecho, en el que el Estado está al servicio de los ciudadanos y no al contrario (LASKI).

El mismo CÓRDOBA RODA interpreta el elemento «dignidad» del Estado como equivalente a «honor» del mismo. Pues bien, si siguiendo a KANT situamos «el verdadero honor del Estado, según los conceptos ilustrados de la prudencia del Estado, en el constante incremento del poder por cualesquiera medios…», la inconcreción más absoluta arrasará cualquier intento de concretar la conducta típica.

El número 2, sin embargo, y con independencia de volver a alegar en este caso la posible conculcación del principio de intervención mínima, viene a castigar lo que serían unos actos preparatorios de los delitos de rebelión y de traición, y el bien jurídico protegido sería, también, el que corresponda a los referidos injustos.

3. Tipo objetivo

«Mantener inteligencia o relación». Por «mantener inteligencia» la RAE entiende tener trato, y «mantener relación» debe interpretarse en el sentido de «tener conexión», «estar en contacto». Debe contarse con que el precepto refiere que esa inteligencia o relación puede ser de cualquier género, con lo que, en realidad, se viene a construir un tipo que prohíbe cualquier contacto con las instancias a las que se refiere, siempre que esté definido por la finalidad típica.

El contacto se prohíbe con referentes que no precisan de una mayor explicación: Gobiernos extranjeros o sus agentes, y con grupos, organismos o asociaciones internacionales o extranjeras. Sí resulta preciso llamar la atención sobre el hecho de que esos grupos u organizaciones internacionales o extranjeras pueden ser de toda índole, religiosas (RODRÍGUEZ DEVESA establece algunas reservas en relación a la iglesia católica), medioambientales, de defensa de derechos humanos, etc. No debiendo olvidarse que el compromiso de España con determinados organismos extranjeros (con los cuales podría haber «inteligencia» por parte de los sujetos activos) limita la tipicidad.

En cuanto al número 2 del artículo 592 CP, las referencias a la «rebelión» y a la «guerra» deben entenderse en el mismo sentido que se utiliza en los delitos de rebelión (artículos 472 y ss. CP) y de inducción a la guerra (artículo 581 CP).

4. Tipo subjetivo

Aunque algún autor (CÓRDOBA RODA) estima que la finalidad puede ser abarcada por dolo eventual (también GIL GIL, que a partir de la identificación entre las estructuras de resultado cortado y la tentativa concluye en la admisibilidad del dolo eventual en aquellas tipologías), nosotros entendemos —sin embargo— que la única clase de dolo admisible en estas estructuras delictivas —delitos de resultado cortado— es la de dolo directo (ni siquiera el de consecuencias necesarias); y es que a diferencia de la tentativa de delito en la que la finalidad va dirigida a la consecución de un resultado siendo la tentativa un «fracaso de consumación», en los delitos de resultado cortado la mera concurrencia de la finalidad asegura la consumación del hecho delictivo. Se trata así de una consumación formal que implica, como es conocido, un adelantamiento de las barreras a un momento anterior a la producción de la lesión, lo que caracteriza estos delitos como de peligro. Pues bien, semejante adelantamiento de la consumación que tiene por objeto la misma finalidad, el propio querer, no puede construirse con dolo eventual, pues en este no «se quiere», no se persigue una finalidad, pues precisamente se caracteriza por la falta de dirección hacia un resultado.

La admisión del dolo eventual, además, supondría, en un mundo globalizado como el actual en el que las reivindicaciones también están globalizadas y organizaciones internacionales (casos de Amnistía Internacional, Greenpeace y un larguísimo etcétera con múltiples objetivos) encabezan reclamaciones de derechos, que podrían resultar seriamente reprimidas reclamaciones de derechos cuya consecución (y a veces mera exposición) pueden perjudicar el crédito del Estado.

Debe tenerse en cuenta, por otra parte, que en el artículo 592.2 CP la finalidad está descrita en el tipo con la expresión «intención» (en el número 1 la expresión utilizada, sin embargo, es «fin»). Pues bien, la interpretación del elemento subjetivo «intención» ha sido ciertamente dispar tanto en la Doctrina española como en la extranjera, por más que la Doctrina mayoritaria equipara «intención» con dolo directo de primer grado o, en todo caso, con dolo directo de segundo grado.

VII. VIOLACIÓN DE TREGUA O ARMISTICIO

Preceptúa el artículo 593:

> «Se impondrá la pena de prisión de ocho a quince años a quien violare tregua o armisticio acordado entre la Nación española y otra enemiga, o entre sus fuerzas beligerantes».

1. Introducción

Proviene el precepto del artículo 149 CP1848: «Se impondrá la pena de reclusión temporal al que violare tregua o armisticio acordado entre la nación española y otra enemiga, o sea entre sus fuerzas beligerantes de mar o tierra», que con mínimos cambios en la redacción (que provienen del artículo 235 CP1928 —que compuso el precepto en dos párrafos, el primero con la redacción que tiene hoy en día, y el segundo integrando un tipo agravado que posteriormente desapareció en el CP1944, que dejó la norma tal y como aparece hoy) pasó al CP1995.

En realidad este precepto es de obligada inclusión en el Código Penal a la vista de lo preceptuado en el artículo 41 de las Reglas de La Haya (Reglamento relativo a las leyes y costumbres de la guerra terrestre, de 10 de octubre de 1907): «La *violación de las cláusulas del armisticio por particulares que obren por propia iniciativa da derecho solamente a exigir el castigo de los culpables, y si fuere el caso, a indemnización por las pérdidas sufridas».*

La ubicación de este precepto ha sido discutida por los tratadistas, así QUINTANO RIPOLLÉS consideraba que existiendo, como existe, en nuestro Código Penal un Capítulo dedicado a los delitos contra el «Derecho de Gentes», hubiera debido ser este el asentamiento del precepto y no en el que se encuentra ahora.

2. Bien jurídico

Obviamente la paz, puesto que la conducta consiste, precisamente, en hacer peligrar —estamos ante un delito de peligro de «hacer fracasar la paz»— la que se hubiera podido alcanzar mediante «tregua o armisticio» (en este sentido PORTILLA CONTRERAS), por más que pudiera ser meramente local en el sentido del artículo 37 de las Reglas de La Haya: *«El armisticio puede ser general o local. El primero suspende en dondequiera las operaciones de guerra de los Estados beligerantes; el segundo solamente entre ciertas fracciones del ejército beligerante y en radio determinado».*

3. Tipo objetivo

Se trata de un delito de mera actividad (de otra opinión PRATS CANUT, que entiende lo es de resultado y lesión lo que en nuestra opinión estrecha en demasía el ámbito típico y concede una débil protección al bien jurídico; en este sentido entendemos que la importancia del objeto jurídico —unida a la redacción del precepto— abogan por concebirlo como delito de peligro abstracto) consistente en violar la tregua o armisticio, sin que esto exija que se produzca una reanudación de las hostilidades ni que se dé por el enemigo efectivamente violados esos «estados». Es decir: basta con que el sujeto haya conculcado los términos pactados con el enemigo para la tregua o armisticio para encontrarnos con la conducta típica (obviamente, si la autoridad competente hubiera decidido que España dejara sin efecto las dichas tregua o armisticio, el acto de contradecir con la conducta lo previamente pactado no se podría considerar «violación»).

Por tregua o armisticio, pues son sinónimos, se entienden los «acuerdos entre las fuerzas beligerantes para un cese temporal de las hostilidades» (OPPENHEIM). Su regulación está recogida en las Reglas de La Haya, artículos 36 a 41.

Dice el artículo 36: *«El armisticio suspende las operaciones de guerra por mutuo acuerdo de las partes beligerantes. Si su duración no se hubiere fijado, las partes beligerantes pueden volver a emprender en cualquier tiempo las operaciones, con tal de que se prevenga al enemigo en el tiempo fijado, conforme a las condiciones del armisticio».*

En cuanto al significado de la expresión «violar» (tregua o armisticio) depende de las condiciones que se hayan pactado para estos. Es decir: desde luego la tregua o armisticio tienen el contenido elemental de suspensión de las actividades bélicas; pero más allá de eso no hay un contenido fijo para el mismo, ya que lo habitual es que las partes pacten condiciones especiales más allá del abandono de las armas, y entre ellas actos que se permiten o, por el contrario que no se autorizan. En virtud, así, del contenido de cada caso se puede fijar si hay o no violación.

El último inciso del precepto («..., o entre sus fuerzas beligerantes») ha originado controversia. Pues hay autores que la interpretan en el sentido de «no es necesario que España sea parte del conflicto» (PRATS CANUT). Nosotros, por el contrario, entendemos que no tiene razón de ser interpretar el precepto en el sentido de que España se constituya en garante de cualquier tregua o armisticio que se convenga en el mundo (no debe olvidarse en este sentido que los delitos recogidos en este Capítulo están afectados por lo dispuesto en el artículo 23.3 LOPJ en lo que se refiere a la extraterritorialidad de la ley penal española en atención al principio real o de protección de intereses), por ello sostenemos que la locución «o entre sus fuerzas beligerantes» se refiere a beligerantes dentro de España; es decir: tanto casos de guerra civil como supuestos en los que un tercero combata en suelo español contra tropas nacionales.

4. Tipo subjetivo

A nuestro entender caben todas las modalidades de dolo. Sin embargo, es discutible si con la redacción que se ha otorgado al precepto queda o no suficientemente protegido el importante bien jurídico protegido en estos casos. En ese sentido VIZMANOS y ÁLVAREZ MARTÍNEZ hacían notar cómo la conducta imprudente de un Embajador puede hacer temblar las relaciones internacionales, o cómo una actuación de un Jefe militar, por exceso de celo o de crueldad, puede provocar la imposibilidad de continuar con las negociaciones pendientes al violar una tregua o armisticio.

VIII. EN TIEMPO DE GUERRA, COMUNICAR O HACER CIRCULAR NOTICIAS O RUMORES FALSOS QUE PERJUDIQUEN EL CRÉDITO DEL ESTADO O LOS INTERESES DE LA NACIÓN

Preceptúa el artículo 594:

«1. El español que, en tiempo de guerra, comunicare o hiciere circular noticias o rumores falsos encaminados a perjudicar el crédito del Estado o los intereses de la Nación, será castigado con las penas de prisión de seis meses a dos años.

2. En las mismas penas incurrirá el extranjero que en el territorio español reali-zare cualquiera de los hechos comprendidos en el apartado anterior».

1. Introducción

Este precepto proviene del artículo 26 de la Ley de Seguridad del Estado de 29 de marzo de 1941, que rezaba como sigue: «*El español que fuera del territorio nacional comunicare o hiciere circular noticias o rumores falsos, des-figurados o tendenciosos o ejecutare actos de cualquiera clase encaminados a perjudicar el crédito o la autoridad del Estado o a comprometer la dignidad o los intereses de la Nación española, serán castigados con cinco a diez años de prisión, inhabilitación por igual tiempo para el ejercicio de cargos y funciones públicas y multa de diez mil a cincuenta mil pesetas. En la misma pena incurri-rá, el extranjero que en territorio español realizare los hechos mencionados en el párrafo anterior*». De donde paso prácticamente sin modificaciones (más allá de alguna corrección gramatical y cambios en las penas de escasa significación) al artículo 132 CP1944 y de ahí a los posteriores, hasta el CP1995 de donde proviene su actual tenor.

El contexto histórico fue absolutamente determinante para la redacción del artículo de la Ley de Seguridad del Estado acabado de reflejar: con España total-mente volcada a favor de las armas alemanas y estas triunfando en toda Europa (aún no se había invadido la Unión Soviética), el régimen se inclinaba por la lucha propagandística contra las democracias occidentales sobre las que el Partido Co-munista —y los exiliados republicanos y los ex brigadistas— tenían ascendente, y entre las cuales extendían el carácter dictatorial, sanguinario y fascista del ré-gimen franquista, y su alineamiento con el Eje. Es en esos momentos en los que desde el régimen salido de la Guerra Civil se propaga la especie de la «conspira-ción internacional» contra España, que estaba, supuestamente, siendo alentada por los españoles «del exterior» (de ahí, precisamente, que el tipo se refiriera a «El español que fuera del territorio nacional...»).

Como ya indicamos en relación a algún otro precepto de este Capítulo (en especial el artículo 592 CP) se trata de una previsión normativa groseramente inconstitucional, pues no de otra manera se puede juzgar la inclusión en el tipo de locuciones como: «*perjudicar el crédito del Estado o los intereses de la Nación*» (en el artículo 592 CP la referencia es, como se recordará, «*la autoridad del Esta-do o comprometer la dignidad o los intereses vitales de España*», en este último caso a las dificultades para fijar cuáles puedan ser los «intereses de España» para el tipo penal se unía el discriminar los «esenciales» de los «no esenciales»). Lo mejor que se puede decir de este tipo es que no se comprende cómo sobrevive en un Estado supuestamente democrático.

Finalmente apuntar que no pocos autores (por todos ALONSO DE ESCAMI-LLA) denominan a este delito «derrotismo», nominación que no creemos acerta-da. En efecto, es posible que las noticias falsas a las que se refiere el tipo tengan un significado material referido a que los acontecimientos bélicos no sean favorables para las armas españolas, pero también pueden ir en el sentido de denunciar una extremada crueldad de las tropas o la utilización de armas prohibidas por los instrumentos internacionales. Por ello no creemos oportuno la denominación de «derrotismo» para este injusto.

2. Bien jurídico

Lo constituye la independencia del Estado. Debe tenerse en cuenta a este res-pecto que la conducta ha de llevarse a cabo en un escenario de guerra («en tiempo de guerra», reza el tipo), y en esos contextos es la propia supervivencia del Estado, tal y como es en un determinado momento, la que se ve amenazada. De lo dicho se extrae, naturalmente, el que únicamente ante la presencia de una conducta que a través del perjuicio al crédito o a los intereses del Estado pueda poner en peli-gro la misma independencia del país, podremos afirmar el ataque al bien jurídico protegido.

3. Tipo objetivo

La determinación de los sujetos activos plantea perplejidades en la actual re-dacción del precepto. En efecto, prescindiendo de los antecedentes históricos ya expuestos carece de sentido la limitación que se efectúa en el artículo 594.2 CP a la tipicidad de las conductas de los extranjeros (restricción que procede de la Ley de Seguridad del Estado), pues ¿por qué limitar el castigo de los extranjeros a los casos en los que cometieren la conducta en suelo español? En efecto, el artículo 23 de la LOPJ, en su número 3, al consagrar el principio real o de protección de in-tereses que declara competente a la jurisdicción español en el caso de la comisión, por españoles o extranjeros aun en el extranjero, de determinados delitos («*Cono-cerá la jurisdicción española de los hechos cometidos por españoles o extranjeros fuera del territorio nacional cuando sean susceptibles de tipificarse, según la ley penal española, como alguno de los siguientes delitos*»), incluye entre estos —y junto al delito de traición— los que se cometan contra la paz o la independencia del Estado. Esto pone de manifiesto la consideración de esos delitos como de es-pecial gravedad por atacar a intereses fundamentales de la Comunidad, que no puede quedar inerme por el hecho de que la agresión se haya llevado a cabo en suelo extranjero (QUINTANO RIPOLLÉS y GARCÍA PABLOS DE MOLINA y FERRER SAMA); por eso no se comprende el por qué de la limitación a los extranjeros.

CUELLO CALÓN apuntaba que: «Cuando el sujeto del delito es español es cuando existe la verdadera traición, la ruptura del lazo de lealtad y fidelidad a la patria». Posiblemente esa fue la idea que llevo al Legislador a limitar los sujetos activos a los españoles en el caso de que el hecho se haya llevado a cabo en el extranjero, porque veía en la conducta típica, materialmente, una especie de traición.

En todo caso, y partiendo de lo anterior, sujetos activos pueden ser tanto españoles como extranjeros si realizan el hecho en territorio español, y únicamente los españoles para los casos en que la conducta se lleve a cabo en el extranjero.

La conducta consiste en comunicar o hacer circular noticias o rumores falsos. Por «noticias» debe entenderse informaciones o datos, y por «rumor» «Voz que corre entre el público», es decir: comentarios o especulaciones sin probanza alguna. Al exigir el tipo que las noticias o rumores se comuniquen o hagan circular, la consumación exigirá que hayan llegado a sus destinatarios. En todo caso esos rumores o noticias deben ser falsos, es decir: inveraces; por lo tanto, las noticias o rumores veraces realizados con ánimo de perjudicar a España no resultarán típicas.

¿Qué significa «crédito del Estado o los intereses de la Nación»? RODRÍGUEZ DEVESA señalaba, con razón a nuestro entender, que: «La vaguedad, amplitud, y más aún la carga emocional de estos vocablos, se oponen al intento de precisión». Es decir, y formulado menos elegantemente que como lo hizo el autor últimamente citado: el sueño de la taxatividad resulta imposible con estas descripciones típicas. Por «interés» entiende la RAE todo aquello que sirviera de provecho, utilidad o ganancia (en el mismo sentido COVARRUBIAS); es decir: un universo infinito que obligaría, además, a una prueba a cargo del reo (de que la Nación no tiene interés en determinado hecho). Por «crédito» debe entenderse «Reputación, fama, autoridad» (RAE); nuevamente la indefinición más absoluta. Lo expuesto (la enorme amplitud de los términos utilizados en el tipo) obliga, desde luego, a realizar una interpretación muy restrictiva en conformidad con el bien jurídico protegido; en este sentido, y seguimos en lo que continúa a RODRÍGUEZ DEVESA, el referente del «interés» o «crédito» no puede estar constituido por cualquier quiebra del interés o crédito del Estado y mucho menos por discrepancias en relación a una determinada política estatal (pues tal cosa colidiría con libertades y derechos fundamentales), sino únicamente por la puesta en riesgo de «lo permanente del Estado», de lo que pudiera afectar «a su existencia misma y a las instituciones políticas fundamentales».

Por «tiempo de guerra» habrá de entenderse un momento en el cual se esté desarrollando efectivamente un conflicto bélico en cualquiera de sus fases (que pueden comprender períodos de inactividad guerrera, como sería el caso del armisticio o la tregua).

4. *Tipo subjetivo*

Desde luego la redacción típica no puede ser más desafortunada, y ello se manifiesta también en el elemento subjetivo. Efectivamente el precepto refiere que la comunicación de noticias o rumores falsos estén «*encaminados a perjudicar...*». La cuestión está en el cómo interpretar el «encaminados», si como idoneidad objetiva (lo que no tendría mucho sentido pues la exigencia de la aptitud para atacar el bien jurídico constituye un destilado del principio de lesividad) o como finalidad. Pues bien, nosotros entendemos que este último es el caso, lo que lleva consigo la construcción del tipo, una vez más en este Capítulo, como de resultado cortado que exige un elemento subjetivo del injusto añadido al dolo.

5. *Participación*

Desde luego, y como ya se ha indicado, se trata de un delito que resulta afectado por el principio real o de protección de intereses recogido en el artículo 23.3 de la LOPJ. Esto lleva consigo no solo el hecho evidente de que aun cuando el español realizare su conducta en el extranjero será punible (no así el extranjero, tal y como hemos señalado más atrás), sino también que el español que estando en el extranjero cooperara con el sujeto activo, español, que actuara desde España, responderá por su título de autoría (coautoría) o participación que correspondiera.

En los últimos años ha cobrado actualidad la realización —a través de las redes sociales en no pocos casos— de «ataques» desde algunos países, y a base de rumores falsos y distorsión deliberada de la realidad (posverdad), sobre procesos democráticos (elecciones, por ejemplo) sucedidos en otras naciones. El caso de lo sucedido en las últimas elecciones en EE.UU (Hillary Clinton v. Trump) o con el referéndum sobre el Brexit ilustran suficientemente en este sentido. Este fenómeno y otros por venir, quizá, debería llevar a deliberar sobre el papel de los extranjeros en estas conductas y acerca de nuevas necesidades de represión.

IX. LEVANTAMIENTO DE TROPAS

Preceptúa el artículo 595:

«*El que, sin autorización legalmente concedida, levantare tropas en España para el servicio de una potencia extranjera, cualquiera que sea el objeto que se proponga o la Nación a la que intente hostilizar, será castigado con la pena de prisión de cuatro a ocho años*».

1. Introducción

Proviene el precepto del artículo 151 CP1848: «*El que sin autorización legítima levantare tropas en el reino para el servicio de una Potencia extranjera, o destinare buques al corso, cualquiera que sea el objeto que se proponga, o la nación a que intente hostilizar, será castigado con las penas de prisión mayor y multa de 500 a 5.000 duros*». El precepto tomó en el CP1870, artículo 150, en su párrafo primero, la forma en la que, con pequeños cambios de redacción, ha legado hasta el CP vigente (la referencia al corso —que ocupó el párrafo segundo del artículo 150 CP1870 y el artículo 133 en el CP1944— desapareció, como ha quedado dicho más arriba, por obra de la reforma de 1963).

El artículo 582.2° CP recoge entre los delitos de traición la siguiente conducta: «*El español que seduzca o allegue tropa española o que se halle al servicio de España, para que se pase a las filas enemigas o deserte de sus banderas estando en campaña*». Se trata de una conducta en parte coincidente, pues se trata de «levantar o allegar» tropa, pero que se diferencia claramente del precepto recogido en el artículo 595 CP en que: 1°) En el delito de traición sujeto activo solo puede ser «el español», mientras que en el caso del artículo 595 CP puede serlo tanto el español como el extranjero; 2°) En el delito de traición —y por ello es denominado así— la tropa que se «allegue» ha de serlo «tropa española» o que se encontrare al servicio de España, sin embargo en el caso del artículo 595 CP se trata de la constitución *ex novo* de tropa, que nada impide —pero no se requiere como elemento típico— que pertenezca ya a tropa española o al servicio de España; 3°) En el delito de traición del artículo 582.2° CP se incluye la finalidad de que la tropa se pase al enemigo (lo que supone que España se encuentre en conflicto bélico aunque no necesariamente en campaña) o deserte estando en campaña, sin embargo en el artículo 595 CP no se requiere esta finalidad, basta con que se ponga la tropa al servicio de una Potencia extranjera con independencia del «*objeto que se proponga o la Nación a la que intente hostilizar*»; 4°) En el caso del artículo 595 la prohibición se limita a la realización de la actividad «en España», sin embargo tal restricción territorial no juega en el supuesto del delito de traición, especialmente porque este último comprende situaciones en las que el ejército nacional se halle en campaña, y en esta situación es obvio que la actividad pueda desarrollarse fuera de las fronteras nacionales.

2. Bien jurídico

El bien jurídico protegido lo constituye el monopolio estatal para la conformación de tropas en el territorio español. Se trata de un monopolio que constituye, como dijera CUELLO CALÓN, un atributo de la soberanía, ya que solo el Estado tiene la facultad para levantar tropas (véase el artículo 149.1.4ª, de acuerdo con el cual el Estado tiene competencia exclusiva sobre defensa y fuerzas armadas). En ese sentido estamos ante un delito de resultado que compromete (pone en peligro) también la paz, porque, como señala MUÑOZ CONDE, «la formación de un ejército fuera de los cauces legalmente establecidos es siempre un peligro para la paz».

Esta conducta ha recuperado actualidad en los últimos años por la participación, cada vez más importante en conflictos bélicos —aunque semejante práctica no ha llegado aún a nuestro país de forma colectiva—, de «empresas privadas de seguridad» que aportan a los ejércitos nacionales grupos numerosos de combatientes (la experiencia de EE.UU en las guerras de Irak y Afganistán es suficientemente abundante en este sentido, y la empresa Blackwater seguramente ha sido uno de los ejércitos más eficaces del mundo).

En el caso de España fue suficientemente conocido el caso de las Brigadas Internacionales que se agruparon por nacionalidades y se integraron en el Ejército de la IIª República Española tras el Golpe de Estado de 18 de julio de 1936 (en el caso del bando rebelde participaron unidades regulares de los ejércitos alemán e italiano); se trató de contingentes de tropas que se «levantaron» en sus respectivos países (y en ellos, en su caso, hubieran podido cometer el hecho delictivo de existir la relativa previsión al respecto).

Actualmente los periódicos ponen ocasionalmente de manifiesto la participación eventual de españoles (que en muchos casos han formado parte de cuerpos de élite del ejército) en diferentes conflictos (lo que en ocasiones provoca la actuación del Servicio Exterior español cuando alguno de aquellos resulta hecho prisionero), pero esa intervención lo es a título individual —frecuentemente como mercenarios— y generalmente también a impulso puramente particular (lo que eventualmente pudiera constituir delito de terrorismo del artículo 575 CP). Cuestión diferente, aunque eventualmente puede llegar a tener puntos de contacto con la conducta recogida en el artículo 595 CP, es la sucedida con ocasión de los ataques de piratas a la flota pesquera española en el Índico. En esa ocasión empleados de empresas de seguridad españolas formaron parte de un desempeño bélico protagonizado por las marinas de guerra europeas. El hecho diferencial es que ese «levantamiento de tropas» se llevó a cabo con autorización —además de que no fue para ponerlas al servicio de una Potencia extranjera—, lo que excluiría la tipicidad de la conducta.

3. Tipo objetivo

Por «levantar tropa» se entiende «reclutar, alistar gente para el ejército» (RAE), resulta indiferente la «calidad» de los reclutados y el abono o no de prestación alguna (o promesa). Sí se requiere un número plural de reclutados y no solo por la dicción legal («levantare tropas» reza el tipo, lo que incluye una referencia a un algo organizado que, como señala CÓRDOBA RODA, por su organización o medios estén en situación potencial de combatir como tal grupo; es decir: que no se trata de un mero «alistar personas individualmente consideradas», sino estructurar un cuerpo potencial de combate), sino también por las exigencias de ataque al bien jurídico. Se trata de una recluta que debe hacerse «*sin autorización legalmente concedida*», elemento del tipo formulado negativamente cuya ausencia dará lugar a la atipicidad de la conducta (se trata normalmente de un momento de la antijuridicidad que es atraído excepcionalmente a la tipicidad).

La norma requiere que esa tropa que se reclute lo sea para ponerla al servicio de una «Potencia extranjera»; pues bien, por tal se entiende a aquellos estados que actúan en las relaciones internacionales con protagonismo propio. En cuanto al poner las tropas allegadas al «servicio» de la citada Potencia extranjera, se refiere a la finalidad con la que debe actuar el sujeto activo, no siendo necesario para la consumación que efectivamente se hallan puesto las tropas a disposición ni mucho menos que hayan entrado efectivamente al servicio de la tal Potencia. En este sentido estamos ante un delito de resultado cortado (en el mismo sentido POLAÍNO NAVARRETE) en el que la consumación se adelanta al momento en el que el sujeto realiza el alzamiento con la citada finalidad.

El levantamiento de tropas se produce, como se acaba de significar, para ponerlas al servicio de una Potencia extranjera, no teniendo interés para el tipo el uso al que esa Potencia quiera dar a la tropa, hasta el punto de que pudiera ser para dirigirla contra la propia España. En este sentido la norma del artículo 595 CP establece: «*cualquiera que sea el objeto que se proponga o la Nación a la que intente hostilizar*». Nos encontramos ante un caso de «cheque en blanco» que el sujeto activo concede a la Potencia a cuyo favor ha levantado tropas.

4. Tipo subjetivo

Como ya se ha dejado entrever en el apartado anterior la norma del artículo 595 CP requiere que la actuación del sujeto esté guiada por una finalidad: la de poner la tropa levantada al servicio de una Potencia extranjera. En definitiva está presente un elemento subjetivo de lo injusto además del dolo.

5. Formas imperfectas de ejecución

Al haberse caracterizado la conducta como «constituir un grupo en disponibilidad potencial de combatir», cabe la tentativa (y seguimos en lo que continúa a CÓRDOBA RODA) en aquellos casos en los que el sujeto activo haya comenzado la recluta pero, sin embargo, no haya alcanzado todavía a constituir una «tropa» en el sentido al que se refiere el tipo.

X. MANTENIMIENTO DE CORRESPONDENCIA CON PAIS ENEMIGO EN TIEMPO DE GUERRA

Preceptúa el artículo 596:

«*1. El que, en tiempo de guerra y con el fin de comprometer la paz, seguridad o independencia del Estado, tuviere correspondencia con un país enemigo u ocupado por sus tropas cuando el Gobierno lo hubiera prohibido, será castigado con la pena de prisión de uno a cinco años. Si en la correspondencia se dieran avisos o noticias de las que pudiera aprovecharse el enemigo se impondrá la pena de prisión de ocho a quince años.*

2. En las mismas penas incurrirá el que ejecutare los delitos comprendidos en este artículo, aunque dirija la correspondencia por país amigo o neutral para eludir la Ley.

3. Si el reo se propusiera servir al enemigo con sus avisos o noticias, se estimará comprendido en el número 3.º o el número 4.º del artículo 583».

1. Introducción

Proviene este precepto del artículo 152 CP1848: «*El que en tiempo de guerra tuviere correspondencia con país enemigo, u ocupado por sus tropas, será castigado: 1º Con la pena de reclusión mayor si la correspondencia se siguiere en cifra o signos convencionales. 2º Con la de prisión correccional, si se siguiere en la forma común, y el Gobierno la hubiere prohibido. 3º Con la de reclusión temporal si en ella se dieren avisos o noticias de que pueda aprovecharse el enemigo, cualquiera que sea la forma de la correspondencia, y aunque no hubiere precedido prohibición del Gobierno. Si el culpable se propusiere servir al enemigo con sus avisos o noticias, se observará lo dispuesto en el artículo 142*». El número 2 del vigente artículo fue añadido en el CP 1870, en su artículo 151. El artículo 255 CP1928, añadió como tipo agravado el realizar el hecho mediante la radiotelegrafía o radiotelefonía; esta última circunstancia desapareció en los Códigos de 1932 y 1944 reapareciendo en el de 1963 formando parte del núm. 1º del precepto, de donde pasó al CP1973. La redacción actual obedece al texto penal de 1995, en el que se ha añadido —en relación al CP1870— la referencia a la finalidad de «comprometer la paz, seguridad o independencia del Estado», lo que «cierra» un tipo que se había elaborado en el CP1848 presidido por la idea de la sospecha y de la restricción de la libertad de correspondencia, no de la supresión sin más en todos los casos, y de ahí la exigencia típica —en alguna de las modalidades delictivas— de que el Gobierno hubiere prohibido la correspondencia. Asimismo el CP1995 establece como criterio general de tipicidad la prohibición por el Gobierno de la correspondencia con independencia de la tecnología que se utilice para ello.

El por qué de la limitación a la prohibición de correspondencia con país enemigo lo explicaba certeramente el comentarista PACHECHO: «El hecho de tener correspondencia con los habitantes de un país enemigo, no puede ser declarado por ninguna ley, abstracta y generalmente, un hecho criminal. Esa deplorable circunstancia que constituye contrarios a dos gobiernos, no es razón para que se tornen también personales enemigos los respectivos súbditos, ni para que sus buenas relaciones de amistad, de comercio, de cualquiera otra especie, desaparezcan y se extingan como por encanto». En el mismo sentido expresaba GROIZARD: «La guerra rompe toda clase de relaciones entre las potencias beligerantes; pero no todos los vínculos que unen a los habitantes de los países enemigos. La correspondencia en general, en abstracto, entre los súbditos de uno y otro Estado, no debe prohibirse: menos aun es necesario elevar a la categoría de delito el hecho de sostenerla». Pero también PACHECO justificaba la introducción de tipos de sospecha en estas incriminaciones: «[El Gobierno] ha prohibido y ha penado toda correspondencia en cifra, cuando se está de hecho en una situación hostil.

Y ciertamente ha tenido en ello razón. Una correspondencia de esta clase tiene contra sí, en tales casos, todo género de presunciones. Es de temer, es de creer, que quienes se valen de ese recurso, no por otra razón deben de hacerlo, sino porque se comunican hechos o noticias que pueden tener importancia pública. Para tratar de asuntos comerciales, para seguir relaciones inocentes, no hay necesidad alguna de esos misterios» (y, otra vez, en el mismo sentido se pronunciaba GROIZARD).

2. Bien jurídico

Señala MUÑOZ CONDE que es compleja la naturaleza de este delito: «Por una parte, se trata de una desobediencia a la prohibición del Gobierno de mantener correspondencia común con país enemigo; pero, por otra, se trata de un delito de "sospecha" de traición o de hechos muy próximos a ella...»; y con más o menos matices otros autores participan de este planteamiento (por todos PORTILLA CONTRERAS). Nosotros somos contestes con MUÑOZ CONDE en el sentido de estimar como delito de desobediencia la conducta prevista en el artículo 596.1 CP (con independencia de que el sujeto activo se haya valido de un tercer país en el sentido del núm. 2 del mismo artículo). Se tratará, por tanto, de un tipo omisivo como desde aquí patrocinamos en relación con todos los delitos de desobediencia con independencia de la naturaleza de la orden desobedecida. Es, por lo demás, la mejor caracterización que puede otorgarse a una prohibición que va en la línea de excepcionar —bien que en tiempo de guerra— el «derecho a la correspondencia»; es decir, ya no al secreto de la misma sino al hecho mínimo de poder entablarla (que es lo que se prohíbe en el tipo penal).

En este sentido hay que señalar que el artículo 8.1 del Convenio de Roma establece: «*Toda persona tiene derecho al respeto de su vida privada y familiar, de su domicilio y de su correspondencia*». Este precepto no solo pone el acento, a nuestro entender, en lo que es común referencia tanto en los textos internacionales como en los nacionales: el secreto de la correspondencia, sino también, y en primer lugar porque constituye un *prius* lógico de aquel, en el ya aludido «derecho genérico a la correspondencia», a mantener —en este caso— correspondencia con quien se desee; y así el TEDH se ha ocupado, al hilo de este precepto, de las restricciones al mero mantenimiento de correspondencia de detenidos y presos (Caso Campbell y Fell contra Reino Unido, de 28 de junio de 1984), más allá de si tenían que ser o no intervenidas. Asimismo el artículo 12 de la Declaración Universal de Derechos Humanos asevera: «*Nadie será objeto de injerencias arbitrarias en su vida privada, su familia, su domicilio o su correspondencia, ni de ataques a su honra o a su reputación*»; el 17.1 del Pacto Internacional de Derechos Civiles y Políticos: «*Nadie será objeto de injerencias arbitrarias o ilegales en su vida privada, su familia, su domicilio o su correspondencia, ni de ataques ilegales a su honra y reputación*»; el artículo 11.1 de la Carta de Derechos Fundamentales de la Unión Europea: «*Toda persona tiene derecho a la libertad de expresión. Este derecho comprende la libertad de opinión y la libertad de recibir o de comunicar informaciones o ideas sin que pueda haber injerencia de autoridades públicas y sin consideración de fronteras»*; y, en fin, el artículo 18.3 CE reconoce: *«Se garantiza el secreto de las comunicaciones y, en especial, de las postales, telegráficas y telefónicas, salvo resolución judicial»*. Este último precepto ha sido interpretado en un doble sentido tanto como un derecho genérico a tener comunicaciones, como al secreto de las mismas; así, en la STC 281/2006, de 9 de octubre, se afirma: ... en la citada STC 123/2002, de 20 de mayo, FJ 5, recordamos: «hemos dicho, con palabras de la STC 114/1984, que el derecho al secreto de las comunicaciones (art. 18.3 CE) protege implícitamente la libertad de las comunicaciones y, además, de modo expreso, su secreto. De manera que la protección constitucional se proyecta sobre el proceso de comunicación mismo cualquiera que sea la técnica de transmisión utilizada (STC 70/2002) y con independencia de que el contenido del mensaje transmitido o intentado transmitir —conversaciones, informaciones, datos, imágenes, votos, etc.— pertenezca o no al ámbito de lo personal, lo íntimo o lo reservado (STC 114/1984). El derecho al secreto de las comunicaciones protege a los comunicantes frente a cualquier forma de interceptación o captación del proceso de comunicación por terceros ajenos, sean sujetos públicos o privados (STC 114/1984)».

Así pues, aquí estamos ante un supuesto más en el que un derecho fundamental —el genérico a la libertad de las comunicaciones— cede ante otro bien jurídico como es el de la paz, la seguridad y la independencia del Estado (constructo que implica no solo una afectación colectiva sino una verdadera pluralidad de «compromiso» a una gran variedad de derechos fundamentales individuales, como es la vida, integridad personal, libertad, etc.), que constituye el objeto jurídico de la norma contenida en el artículo 596.1 CP. En el caso del artículo 596.3 CP el bien jurídico protegido es coincidente con el del delito de traición (al cual nos remitimos).

3. *Tipo objetivo*

La, como no podía ser de otra forma, absoluta excepcionalidad de la suspensión de un derecho constitucional debe ser rodeada de suficiente fundamentación material; en este sentido el Legislador ha requerido dos condiciones objetivas: a) encontrarse en «tiempo de guerra», es decir, y tal y como hemos señalado más atrás en comentario al artículo 594 CP: en un momento en el cual se esté desarrollando efectivamente un conflicto bélico en cualquiera de sus fases (que pueden comprender períodos de inactividad guerrera, como sería el caso del armisticio o la tregua); b) que mediare prohibición del Gobierno, que deberá ser siempre expresa y específica a la vista de la importancia del derecho y por mínimas exigencias de seguridad jurídica. Al exigir que la prohibición proviniera del Gobierno, se deduce que fuera consecuencia de la autoridad de una norma que precisara un pronunciamiento del Ejecutivo en su conjunto.

Debe tenerse en cuenta que por aplicación de lo previsto en los artículos 116 y 55.1 CE, y a la vista de lo preceptuado en la LO 4/1981, de 1 de junio, de los estados de alarma, excepción y sitio, en el «estado de sitio» (que sería el correspondiente al «estado de guerra» en antigua terminología) cabe la suspensión de toda una serie de derechos constitucionales, entre otros los recogidos en el artículo 18, apartados 2 y 3 CE.

Por «correspondencia» hay que entender, exactamente, eso: correspondencia («comunicación por escrito»), y no otro tipo de comunicaciones (en distinto sentido MUÑOZ CONDE). Debe tenerse en cuenta que tal y como hemos dejado de manifiesto más arriba, en el CP1928 se añadieron a las definiciones típicas las comunicaciones radiotelegráficas y telefónicas, pero estas, tras diferentes vicisitudes, desaparecieron del Código Penal. En consecuencia, en aplicación estricta del principio de legalidad no cabe exceder el ámbito gramatical de la expresión «correspondencia» (correo, conjunto de cartas que se despachan o reciben, RAE), por más que debe dársele su sentido actual: así, no solo abarcará la correspondencia postal (o por mensajería) sino también la electrónica, pues la clase de «correspondencia» no está limitada en el tipo como, por el contrario, sí ocurre en otros preceptos del Código Penal que con frecuencia se refieren únicamente a la «correspondencia postal».

En efecto, hay que señalar que el Código Penal emplea (además de en el artículo 596) la expresión «correspondencia» en distintos preceptos; así, en los siguientes artículos del CP: 535, I, «*La autoridad o funcionario público que, mediando causa por delito, interceptare cualquier clase de correspondencia privada, postal o telegráfica...*» (en este precepto se fija el alcance de lo que deba entenderse por «correspondencia», la postal o telegráfica); 560.1: «*Los que causaren daños que interrumpan, obstaculicen o destruyan líneas o instalaciones de telecomunicaciones o la correspondencia postal...*» (nuevamente se establece el ámbito de la correspondencia: la postal), y: 603: «*El que destruyere, inutilizare, falseare o abriere sin autorización la correspondencia o documentación legalmente calificada...*». En todos estos supuestos el contenido de la expresión «correspondencia» queda claro: comunicación escrita, que es el mismo que se propone en el caso del artículo 596 CP.

Por otra parte no debe olvidarse que los actuales programas de mensajería telefónica permiten, indistintamente, emitir mensajes escritos o hablados, lo que sin duda añade complejidad a la interpretación de un precepto que en su redacción está «fuera de los tiempos».

La acción consiste en «tener correspondencia» («tuviere correspondencia» dice el tipo). El dilema es si por esa locución debe entenderse «intercambio de mensajes» o únicamente envío de una comunicación. Pues bien, creemos que CÓRDOBA RODA acierta una vez más cuando dice: «...el término "correspondencia" debe entenderse cumplido, conforme a su significado literal, en cuanto haya tenido lugar el acto de la comunicación por escrito de una persona a otra, aun cuando esta no haya respondido; ... [y además] porque si la finalidad del presente artículo es evitar los riesgos que para el Estado español pueden resultar de la comunicación de datos a un país enemigo, no existe razón para restringir, en atención a consideraciones teleológicas, el alcance gramatical de la expresión tuviere correspondencia».

En cuanto al enunciado «*país enemigo u ocupado por sus tropas*», y a la vista de que el contexto en el que se desarrolla la acción es un «tiempo de guerra», por país enemigo debe entenderse aquel contra el que se está desarrollando un conflicto bélico (no así aquellos que contribuyen con España al esfuerzo bélico); y por «país ocupado» aquel que ha sido «tomado» efectivamente —presencialmente— por el enemigo; en el caso de que la ocupación haya sido solo parcial la prohibición típica solo se extendería a la correspondencia que se mantenga con las zonas sometidas.

En el último inciso del artículo 596.1 CP se incluye un tipo agravado: «*Si en la correspondencia se dieran avisos o noticias de las que pudiera aprovecharse el enemigo…*». Por «avisos o noticias» debe entenderse (RAE) indicios, señales, informaciones, datos o, en general, comunicaciones que pudieran ser provechosas para el enemigo en su esfuerzo bélico.

En lo que importa al núm. 2 de este precepto se trata de castigar lo que *ex lege* se considera un «fraude de ley»: realizar la conducta típica (la que se recoge en el artículo 596.1 CP) a través de país «amigo» o «neutral». El qué se entienda por «país amigo» no se desprende con claridad de la letra de la ley, pues no queda en evidencia si esa «amistad» se refiere a la que pudiera tener «ese» país con España o con el «enemigo».

4. *Tipo subjetivo*

El sujeto activo tiene que actuar con la finalidad de «*comprometer la paz, seguridad o independencia del Estado*». Nos encontramos, nuevamente en este Capítulo, ante un delito de resultado cortado, en el que el sujeto activo ha de realizar la acción (que desde luego ha de ser idónea para poner en peligro el bien jurídico protegido, de forma que a nuestro entender no resultaría típica cualquier correspondencia —por ejemplo, el giro postal de un paquete de comida a unos parientes que se hallen en territorio enemigo, o una felicitación de cumpleaños) de enviar correspondencia con la dicha finalidad, sin necesidad de que se alcance el resultado.

Debe tenerse en cuenta que incluso en situaciones de conflictos bélicos de la máxima gravedad siguen existiendo relaciones entre los ciudadanos de los países en conflicto, y ello originado por múltiples causas, entre otras por el que puede ser común rechazo a una guerra que ordinariamente no beneficia a las clases populares, por razones humanitarias o por la vigencia de sentimientos comunes que se suelen exacerbar en determinadas fechas —recuérdese en este sentido la espontánea camaradería surgida durante la 1ª Guerra Mundial, en las primeras Navidades, entre los contendientes franceses, británicos y alemanes en el frente occidental.

Como consecuencia de la estructura de este delito nos encontramos ante un tipo de peligro, de peligro abstracto, que exige dolo directo respecto del «compromiso» (por «comprometer» debe entenderse «*Poner en riesgo a alguien o algo en una acción o caso aventurado*», RAE) de la paz, la seguridad y la independencia del Estado.

El último inciso del 596.1 CP también posee la estructura de delito de resultado cortado de forma que la correspondencia en la que se dan «avisos o noticias de las que pudiera aprovecharse el enemigo», debe llevarse a cabo con la finalidad de «comprometer la paz, seguridad o independencia del Estado».

5. *Formas imperfectas de ejecución*

Si bien hemos interpretado «tuviere correspondencia» como equivalente a enviar una comunicación a una persona sin necesidad de obtener respuesta, es decir: aun satisfaciendo las exigencias típicas el envío de correspondencia en una sola dirección, la consumación del delito exige, y en este sentido CÓRDOBA RODA, que la correspondencia en cuestión haya llegado a la tercera persona.

6. *Concursos*

El número 3 del artículo 596 CP contempla un supuesto en el que *ex lege* se entiende comprendido en el delito de traición del artículo 583.3 y 4 CP. Todo ello en el bien entendido de que la conducta respondiera a las exigencias de tipicidad del artículo 583 CP, así en lo que se refiere a los sujetos activos (el tipo del artículo 583 CP limita la capacidad de acción únicamente a los «españoles», tanto en el apartado 3° como en el 4°) o al ocasionamiento del resultado típico.

XI. PASAR O INTENTAR PASAR A PAÍS ENEMIGO

Preceptúa el artículo 597 CP:

> «*El español o extranjero que, estando en el territorio nacional, pasare o intentare pasar a país enemigo cuando lo haya prohibido el Gobierno, será castigado con la pena de multa de seis a doce meses*».

1. *Introducción*

Trae causa este delito del artículo 153 CP1848: «*El español culpable de tentativa para pasar a país enemigo, cuando lo hubiere prohibido el Gobierno, será castigado con las penas de prisión correccional y multa de 30 a 300 duros*». El texto del actual artículo 597 CP (y más allá de alguna modificación en la sanción, y en este sentido llama la atención la disminución tan drástica de la pena en el CP de 1870, que se fijó en arresto mayor y multa de 150 a 1.500 pesetas; esta pena incluso se rebajó en el CP1928, artículo 226; en el CP1944 —y en la reforma de 1963 y texto refundido de 1973— se mantuvo, en su artículo 135, la del CP1870 aunque sin pena pecuniaria). Es en el CP1995 cuando se modifica la redacción de este tipo que adquiere su actual tenor. Las diferencias con el tenor dado al precepto en los códigos anteriores, se limita a las siguientes: 1°) Se amplían los sujetos activos a los extranjeros; 2°) Se exige que el sujeto se encuentre «en territorio nacional» en el momento de realización de la acción típica, siendo así que según las anteriores versiones del precepto lo que se venía a castigar era esa mera tentativa de tratar de pasar a país enemigo, con independencia del lugar donde se hallare el sujeto en el momento de la tentativa; 3°) Se castiga en el Código vigente y a diferencia de los anteriores, no solo el intentar pasar, sino también el conseguirlo (el que en el CP1848 se castigara solo la «tentativa para pasar» lo justificaba PACHECO en que «[L] a tentativa será por lo común lo que se pueda castigar. Si el hecho llega a consumarse; si salió en efecto del reino el que procuraba salir de él, difícilmente podrá imponérsele ni la prisión correccional, ni la multa de 30 a 300 duros».

2. *Bien jurídico*

El Legislador toma en este tipo (que QUINTANO RIPOLLÉS denominó «deserción civil») la decisión de limitar el derecho a la libre circulación de nacionales y no nacionales que, no debe olvidarse, está considerado como un derecho fundamental tanto en documentos internacionales —por todos artículo 13 de la Declaración Universal de Derechos Humanos— como nacionales. Por lo que importa a esta última referencia, el artículo 19 de la CE, preceptúa: «*Los españoles tienen derecho a elegir libremente su residencia y a circular por el territorio nacional. Asimismo, tienen derecho a entrar y salir libremente de España en los términos que la ley establezca. Este derecho no podrá ser limitado por motivos políticos o ideológicos*».

Este último precepto limita vivamente la posibilidad de punición de la conducta recogida en el artículo 597 CP en el siguiente sentido: 1°) La formulación general corresponde al reconocimiento del derecho de circulación; 2°) No puede ser limitado el derecho por motivos políticos o ideológicos.

Lo anterior nos lleva a una interpretación muy restrictiva del tipo, al punto de que la limitación de circulación únicamente fuera posible en relación con actos que atentaran (pusieran en peligro) a la propia supervivencia del Estado o de los ciudadanos. Cualquiera otra motivación formaría parte del ejercicio del derecho de libre circulación. Bien jurídico protegido, así, sería la independencia del Estado y la paz (en el Estado). Obviamente con una configuración semejante del objeto jurídico el delito ha de estructurarse como uno de peligro abstracto.

3. Tipo objetivo

Sujetos activos pueden ser tanto españoles como extranjeros. La exclusión de los extranjeros (presente la condición de que se hallaren en el territorio nacional) carecería de sentido en atención al bien jurídico protegido (en realidad el constreñir la conducta típica únicamente a los españoles evidenciaba una asimilación del delito —que es contra la paz y la independencia— a los de traición). El sinsentido sería mayor aún en unas circunstancias como las actuales en las que algo más del 10% de la población estable en España es extranjera; de ahí que la falta de inclusión de extranjeros entre los sujetos activos debilitaría considerablemente el bien jurídico protegido.

Aunque no lo menciona expresamente el precepto la conducta debe darse en «tiempo de guerra», ello se deduce de la expresión: «pasare o intentare pasar a país enemigo» (en el mismo sentido QUINTANO RIPOLLÉS). Ciertamente puede haber «enemigo» y no existir una situación de guerra (y mucho menos estar el ejército en campaña), lo que a veces sucede tras largas décadas sin existencia de enfrentamiento armado (caso de las dos «coreas» que aunque pactaron el armisticio en 1953 —varias veces denunciado desde entonces como nulo por Corea del Norte—, lo que no ha impedido «incidentes» ocasionales algunos de ellos gravísimos, no han acordado la paz hasta 2018, y aun precaria y con un «escenario» en la frontera común que recuerda en todo a una situación de permanente conflicto bélico), pero la «fortaleza» del derecho fundamental y la excepcionalidad de su restricción exige, en nuestra opinión, la existencia del «estado de guerra»: de modo diferente no se justificaría la quiebra del derecho a la libre circulación. En este sentido entendemos por «país enemigo» es aquel con el que se esté manteniendo un conflicto bélico.

Se exige, tal y como se ha indicado más arriba, que el sujeto activo se encuentre al momento de realización de la acción «en territorio nacional». El qué debe entenderse por «territorio nacional» a los efectos del tipo nos lleva a referirnos al espacio terrestre, marítimo (doce millas según el artículo 3 de la Convención de la ONU sobre Derecho del Mar de 1982) y aéreo (columna de aire existente sobre los espacios terrestre y marítimo, artículo 1 de la Convención de Chicago sobre aviación civil de 1944, con la restricción relativa al espacio ultraterrestre —dados los movimientos de rotación de la Tierra; asimismo el artículo 1 de la Ley 48/1960, de 21 de julio, de Navegación Aérea, dispone: «El espacio aéreo situado sobre el territorio español y su mar territorial está sujeto a la soberanía del Estado español»). Mayores problemas, a efectos del tipo, plantea la cuestión de los buques y aeronaves (y ello al margen de la extensión de la jurisdicción española en el sentido al que se refiere el artículo 23.1 de la LOPJ, lo que constituye una cuestión diferente); en este sentido, si nos atenemos a los instrumentos internacionales en la materia y al bien jurídico protegido que exige la máxima restricción por su ponderación con el derecho a la libre circulación (restricción legítima puesto que contribuye a la consecución de un fin constitucionalmente, también, legítimo: la expansión del derecho a la libre circulación), estimamos que por territorio nacional deben entenderse exclusivamente las naves y aeronaves militares (o en servicios oficiales del Estado) dondequiera que se hallaren, por su vinculación a los derechos de soberanía (debe tenerse en cuenta en este sentido que el propio artículo 23.1 de la LOPJ establece la excepción referida —incluso a efectos de jurisdicción— a los instrumentos internacionales, y estos suelen establecer la distinción entre naves o aeronaves militares y buques mercantes o civiles).

De acuerdo con el artículo 14.Primero de la Ley 48/1960, de 21 de julio, de Navegación Aérea, son aeronaves militares: «[L] as que tengan como misión la defensa nacional o estén mandadas por un militar comisionado al efecto. Estas aeronaves quedan sujetas a su regulación peculiar». En cuanto a buques militares se podrían definir, de la misma forma que las aeronaves, por su destino a la defensa nacional.

Debe tenerse en todo caso en cuenta que el concepto de «territorio» puede ser distinto dependiendo de los fines que contemple: así se habla de «territorio aduanero» relevante a efectos de contrabando (por todas SAP, Lleida, 1ª, 163/2018, 16-4); a la «cuestión del Sáhara» (por todas AAN, Madrid, 40/2014, 4-7); al tráfico de estupefacientes (SAP, Madrid, 6ª, 274/2008, 24-4); geográfico (ATS 4-10-1990); jurídico (lugar donde la soberanía estatal ejerce su autoridad y jurisdicción, STS 1693/1989, 8-3), etc.

Requiere el tipo, además, que el Gobierno hubiere prohibido la conducta de pasar (o intentar pasar) a país enemigo. Este requerimiento debe entenderse en sentido expreso, pues así lo establece la norma penal; por lo tanto, si aun en situación de conflicto bélico un sujeto decidiera pasar a país enemigo sin que el Gobierno hubiera explicitado la prohibición de hacerlo, el hecho resultaría atípico.

En cuanto a la conducta consiste en pasar o intentar pasar; estamos, pues, ante un delito de emprendimiento (JAVATO MARTÍN) en el que se equiparan tentativa y consumación. Por lo que importa a la tentativa, y aunque RODRÍGUEZ DEVESA patrocinara interpretar la locución «tentativa» no en sentido técnico, nosotros entendemos lo contrario (debe anotarse que cuando RODRÍGUEZ DE-VESA formuló la observación acabada de reflejar, el tipo penal se refería exclusivamente a la tentativa «para pasar»). En efecto, con carácter general sostenemos la necesidad de conferir idéntico significado —a no ser que gravitaran pesadas razones que abonaran un parecer contrario, razones que han de estar vinculadas a la concreta tipicidad— a todos los términos idénticos existentes en el Código Penal, argumentos sistemáticos, de certeza, seguridad jurídica y economía hermenéutica abonan esta opción. Pero, además, en este caso otras motivaciones avalan semejante alternativa: 1ª) La idea de la ponderación con el derecho fundamental a la libre circulación, empujan en el sentido de excluir la punición de actos preparatorios; 2ª) La opción tomada por el Legislador de castigar exclusivamente los actos preparatorios cuando expresamente se prevea, lleva a no incorporarlos, en ausencia de semejante previsión, si el tipo no los integra en la descripción de la conducta típica (caso, por ejemplo, del delito de tráfico de drogas del artículo 368 CP); 3ª) La imposición de la misma sanción a tentativa y consumación aconseja, en aplicación de la proporcionalidad penal, a interpretar la referencia a la tentativa en sentido estricto.

4. Penalidad

La escasísima entidad de la pena unida a la excepcionalidad de la restricción del derecho a la libertad de residencia, aconsejan excluir del Código Penal esta tipicidad que tiene claras connotaciones de «tipo de recogida» (si no de sospecha) cuando conductas que sí pueden atacar a intereses nacionales vitales (como las referidas a comunicar información esencial para la defensa como levantamiento de planos, documentos, noticias, etc.) no pueden ser probadas.

En todo caso llamaba la atención QUINTANO RIPOLLÉS sobre la extrema benignidad de la pena con la que se amenaza este delito en comparación con la prevista en el artículo anterior, y razonaba ese autor diciendo: «En esencia, el hecho es el mismo: desobediencia a mandatos de la autoridad en tiempo de guerra; pero en tanto que quien envía unas líneas escritas con clave, aunque fuere para dar la más anodina noticia del estado de salud de un deudo, puede incurrir en pena de hasta doce años de prisión, el que, en vez de contentarse con una carta, se pasa en persona, o intenta pasarse, solo puede ser condenado, en el peor de los casos, a seis meses de arresto mayor». Desde luego que la crítica sigue vigente por más que las penas hayan cambiado de cuando escribió el autor citado a hoy.

XII. BIBLIOGRAFÍA

DE OTTO, I., *Derecho constitucional. Sistema de fuentes*, Madrid, 1995; DEL VECCHIO, G., *Teoría del Estado* (trad. Eustaquio Galán y Gutiérrez), Barcelona, 1956; DÍAZ MORGADO, C., «De los delitos de traición y contra la paz o la independencia del Estado y relativos a la defensa nacional», en CORCOY BIDASOLO, M. y otro, *Comentarios al Código Penal. Reforma LO 1/2015 y LO 2/2015*, Valencia, 2015; DÍAZ BARRADO, C., «La prohibición del uso de la fuerza en el Derecho Internacional contemporáneo. Un caso práctico: la operación armada de los Estados Unidos de América en la República Árabe de Libia. abril de 1986», en *Cuadernos de Investigación Histórica*, núm. 12, 1986; FERNÁNDEZ RODERA, J. A., «Delitos que comprometen la paz o la independencia del Estado», en GÓMEZ TOMILLO, M. y JAVATO MARTÍN, A. Mª., *Comentarios prácticos al Código Penal. Tomo VI*, Cizur Menor, 2015; GARCÍA PABLOS DE MOLINA, A., *Introducción al Derecho Penal. Instituciones, fundamentos y tendencias del Derecho Penal*, Vol. I, 5ª ed., Madrid, 2012; GIL GIL, A., «El concepto de intención en los delitos de resultado cortado. Especial consideración del elemento volitivo de la intención», en *Revista de Derecho Penal y Criminología*, núm. 6, 2000; GROCIO, H., *Del derecho de la guerra y de la paz* (trad. Jaime Torrubiano

Ripoll), Madrid, 1925; JAVATO MARTÍN, A. Mª., «Libertad de reunión y Derecho Penal. Análisis de los artículos 513 y 514 del Código Penal», en *InDret*, 3/2011, http://www.indret.com/pdf/827.pdf; KANT, I., *Sobre la paz perpetua* (trad. Kimana Zulueta Fülscher), Madrid, 2011; LASKI, HJ *El Estado en la teoría y en la práctica* (trad. Vicente Herrero), Madrid, 1936; LÓPEZ MARTÍN, A. G., «El "cierre" del Estrecho de Ormuz: un análisis desde el Derecho Internacional», en *Revista Electrónica de Estudios Internacionales*, 2013; MADARIAGA, S., *España. Ensayo de Historia Contemporánea*, 13ª ed., Madrid, 1979; MONTOLIU, P *Madrid en la posguerra 1939-1946. Los años de la represión*, Madrid, 2005; POLAINO NAVARRETE, M., «Artículo 133», en ÁLVAREZ GARCÍA, J y otros *Código Penal Comentado*, Madrid, 1990; OPPENHEIM, M. A., *Tratado de Derecho Internacional Público. Tomo II-Vol. I. Controversias, Guerra y Neutralidad* (trad. Antonio Marín López), Barcelona, 1996; PRATS CANUT, M., «De los delitos de traición y contra la paz o la independencia del Estado y relativos a la defensa nacional», en QUINTERO OLIVARES, G (Dir.) *Comentarios al nuevo Código Penal*, 4ª ed., Cizur Menor, 2005; QUINTANO RIPOLLÉS, A., *Derecho Penal Internacional e Internacional Penal*, Vol. II, Madrid, 1957; SANTOLAYA, P., «El derecho a la vida privada y familiar (Un contenido notablemente ampliado del derecho a la intimidad)», en GARCÍA ROCA, J. y SANTOLAYA, P. (Directores), *La Europa de los Derechos: El Convenio Europeo de Derechos Humanos*, 3ª ed., Madrid, 2014.

Lección 5ª

Delitos de descubrimiento y revelación de secretos e informaciones relativas a la defensa nacional*

Mª DEL MAR MOYA FUENTES

Artículo 598

El que, sin propósito de favorecer a una potencia extranjera, se procurare, revelare, falseare o inutilizare información legalmente calificada como reservada o secreta, relacionada con la seguridad nacional o la defensa nacional o relativa a los medios técnicos o sistemas empleados por las Fuerzas Armadas o las industrias de interés militar, será castigado con la pena de prisión de uno a cuatro años.

---

*   Esta contribución se enmarca en el Proyecto «Víctimas de delitos: modelos de actuación integral» (DER2016-77228-P), financiado por el Ministerio de Ciencia, Innovación y Universidades.

Artículo 599

La pena establecida en el artículo anterior se aplicará en su mitad superior cuando concurra alguna de las circunstancias siguientes:
1. Que el sujeto activo sea depositario o conocedor del secreto o información por razón de su cargo o destino.
2. Que la revelación consistiera en dar publicidad al secreto o información en algún medio de comunicación social o de forma que asegure su difusión.

Artículo 600

1. El que sin autorización expresa reprodujere planos o documentación referentes a zonas, instalaciones o materiales militares que sean de acceso restringido y cuyo conocimiento esté protegido y reservado por una información legalmente calificada como reservada o secreta, será castigado con la pena de prisión de seis meses a tres años.
2. Con la misma pena será castigado el que tenga en su poder objetos o información legalmente calificada como reservada o secreta, relativos a la seguridad o a la defensa nacional, sin cumplir las disposiciones establecidas en la legislación vigente.

Artículo 601

El que, por razón de su cargo, comisión o servicio, tenga en su poder o conozca oficialmente objetos o información legalmente calificada como reservada o secreta o de interés militar, relativos a la seguridad nacional o la defensa nacional, y por imprudencia grave dé lugar a que sean conocidos por persona no autorizada o divulgados, publicados o inutilizados, será castigado con la pena de prisión de seis meses a un año.

Artículo 602

El que descubriere, violare, revelare, sustrajere o utilizare información legalmente calificada como reservada o secreta relacionada con la energía nuclear, será castigado con la pena de prisión de seis meses a tres años, salvo que el hecho tenga señalada pena más grave en otra Ley.

Artículo 603

El que destruyere, inutilizare, falseare o abriere sin autorización la correspondencia o documentación legalmente calificada como reservada o se-

creta, relacionadas con la defensa nacional y que tenga en su poder por razones de su cargo o destino, será castigado con la pena de prisión de dos a cinco años e inhabilitación especial de empleo o cargo público por tiempo de tres a seis años.

Artículo 604

[Sin contenido por la LO 3/2002, de 22 de mayo (Tol 151071)].

I. CONSIDERACIONES GENERALES. BIEN JURÍDICO PROTEGIDO

El Capítulo III del Título XXIII regula bajo el título genérico «Del descubrimiento y revelación de secretos e informaciones relativas a la defensa nacional» un conjunto de figuras delictivas tendentes a proteger la capacidad defensiva de la nación (arts. 598 a 603 CP). Esto es, dirigidas a garantizar que el conocimiento de determinados asuntos o materias permanece oculto y restringido a personas autorizadas a fin de proteger al Estado de amenazas o ataques contra su soberanía, independencia, seguridad o unidad.

Piénsese en este sentido que España puede verse amenazada por un ataque armado o un ciberataque proveniente, por ejemplo, de otra potencia extranjera, un grupo terrorista o del crimen organizado, a los que le resultaría de gran utilidad disponer de los datos más completos sobre nuestra eficacia bélica, recursos esenciales y centros neurálgicos, así como sobre nuestro desarrollo industrial, científico e informático o planes estratégicos. De ahí que resulte preciso contar con las medidas y dispositivos de seguridad idóneos para evitar que este tipo de información de gran relevancia para la nación no sea divulgada o transferida a personas no autorizadas. Razón por la que los poderes públicos tienen la facultad de definir el carácter secreto y reservado de una determinada materia con la que se salvaguarda su contenido y se pone a cubierto de posibles indiscreciones, disponiendo para ello el ordenamiento jurídico español de una normativa de carácter administrativo de naturaleza preventiva —Ley 9/1968, de 20 de febrero, *reguladora de los Secretos Oficiales (Tol 137780)*— y otra penal de tipo represivo que es la que aquí nos ocupa (en este sentido, BLECUA FRAGA).

En concreto, estos tipos penales proceden en lo esencial de los arts. 135 bis a) al d) del CP de 1973, al que fueron incorporados por la LO 14/1985, de 9 de diciembre, de modificación del Código penal anterior.

A mayor abundamiento, como bien indica SEGRELLES DE ARENAZA (en relación a los arts. 135 bis a al d del CP de 1973), los antecedentes históricos de estos ilícitos de descubrimiento y revelación de secretos en Derecho español son prolijos y lejanos en el tiempo, si se consideran integrados en los delitos de espionaje y traición. Así sus orígenes más remotos se consignan en las Partidas y en la Novísima recopilación. En la codificación se tiene noticia de estas figuras delictivas en el Código penal de 1822, que sanciona el suministro al enemigo de documentos o noticias a fin de hostilizar a España, así como la comunicación o revelación a aquel de información reservada por quien tuviere noticia de ella por su oficio o por algún otro medio. Conductas que se mantienen en los posteriores códigos penales (1850, 1870, 1928, 1932 y 1944), mereciendo mención especial aquí su tipificación en el texto punitivo de 1928, ya que es el primero en regular el descubrimiento y revelación de secretos relativos a la defensa nacional, sin necesidad de que se realice la conducta en tiempo de guerra, ni de que se entregue la información a potencia extranjera o que sea ejecutada por un extranjero; lo que permite afirmar que es el precursor de la actual regulación. En concreto, castigaba este texto la entrega a otro de información sobre la seguridad del Estado y su publicación; el levantamiento ilícito de planos de establecimiento militares, armas, etc., y la introducción ilícita en tales lugares. Conductas que seguidamente recoge el Código penal de 1944 —y a las que incorpora la revelación u obtención de secretos políticos, militares o de otro género que interesen a la seguridad del Estado—, que mantiene bajo la rúbrica de los «delitos de traición». Será la LO 14/1985, de 9 de diciembre, la que finalmente ubique en un capítulo propio y separado de estos últimos, a los delitos de descubrimiento y revelación de secretos o informaciones relativas a la defensa nacional (arts. 135 bis a-d) en el texto refundido del CP de 1973, que han permanecido inalterados hasta el día de hoy.

En concreto, las escasas y poco relevantes reformas operadas sobre estos ilícitos en las últimas tres décadas hacen que su actual redacción apenas difiera de la contenida en los mencionados preceptos del CP de 1973. Hecho este que se explica por el parco debate parlamentario sobre los mismos en pos de otros temas paralelos de mayor interés social —como la regulación de los delitos contra el deber de prestación del servicio militar con los que compartía ubicación sistemática (MORALES GARCÍA, ORTEGA GUTIÉRREZ-MATURANA); la relativa modernidad de las disposiciones pre-vigentes en esta materia y, la reducida aplicación judicial de estos ilícitos (MARCHENA GÓMEZ). Esta falta de cambios en su enunciado por parte del CP de 1995, así como por las más recientes Leyes Orgánicas 1 y 2/2015, de 30 de marzo, de reforma del texto punitivo *(Tol 4788288 y Tol 4788308)*— ha sido objeto de crítica por parte de la Doctrina, en tanto en cuanto no se ha procedido a realizar una sistematización lógica y coherente del capítulo en cuestión, tal y como se verá en breve (MORALES GARCÍA, ORTEGA GUTIÉRREZ-MATURANA). Críticas que también se extienden a la norma de referencia en la interpretación de estos ilícitos, a saber, la Ley 9/1968, de 20 de febrero, *reguladora de los Secretos Oficiales (Tol 137780)* y a su reglamento de desarrollo (RD 242/1969, de 20 de febrero), que requieren de una adaptación al texto constitucional y al resto de normativa en la materia regulada en los muchos años transcurridos desde su aprobación para superar así las patentes discrepancias terminológicas y de tutela que presentan con estas últimas disposiciones (ORTEGA GUTIÉRREZ-MATURANA).

Junto a estos, se ha sancionado tradicionalmente en el mismo capítulo, pero en sección distinta, los delitos relativos al retraso en la incorporación al servicio militar y a la insumisión (art. 604 CP). Ilícitos que fueron derogados por la LO 3/2002, de 22 de mayo *(Tol 151071)*, tras la profesionalización de las Fuerzas Armadas españolas y la consecuente suspensión del cumplimiento del servicio militar, así como de la prestación social sustitutoria conforme a los RD 247/2001, de 9 de marzo, y 342/2001, de 4 de abril *(Tol 1090686)*. Normas que también dieron lugar a la derogación expresa del delito de incumplimiento de la mencionada prestación (art. 527 CP) y de abandono de destino (art. 119 bis) del anterior Código penal militar, así como —y por lo que aquí interesa— a la supresión de la división en secciones del capítulo objeto de estudio.

En cuanto al bien jurídico protegido, la Doctrina coincide mayoritariamente en que es la defensa nacional —también denominada defensa estatal o del Estado— (BORJA JIMÉNEZ; CALDERÓN CEREZO/CHOCLÁN MONTALVO; BAUCELLS LLADÓS; DELGADO GIL; FERNÁNDEZ RODERA; GONZÁLEZ RUS; MUÑOZ CONDE; ORTEGA GUTIÉRREZ-MATURANA; PASTRANA I ICART).

En el momento presente puede considerarse superado el tradicional entendimiento —defendido, entre otros, por SEGRELLES DE ARENAZA (en relación al art. 135 bis CP 1973)— del secreto de Estado o el interés en su reserva como el bien jurídico protegido en estos delitos. A este respecto, señala PASTRANA I ICART que el secreto no constituye en sí mismo el objeto de tutela en estos ilícitos, sino que es el instrumento con el que garantizar el mantenimiento de determinada información en el ámbito o esfera de las personas autorizadas a conocerla, que es el objetivo que se persigue con estos preceptos (también en esta línea, BAUCELLS LLADÓS, ORTEGA GUTIÉRREZ-MATURANA, PORTILLA CONTRERAS).

Frente a estos, hay quien sostiene, sin dar mayores argumentos, que el objeto tutelado en los arts. 598 a 603 CP es tanto la seguridad como la defensa nacional (COBO DEL ROSAL/QUINTANAR DÍEZ; MUÑOZ CUESTA; PERIS RIERA; RAMOS GANCEDO; SERRANO GÓMEZ/SERRANO MAÍLLO).

Por su parte, MORALES GARCÍA defiende una postura particular al afirmar que el objeto tutelado es «la seguridad y/o defensa nacional». Del uso de esta conjunción disyuntiva y copulativa se interpreta que el objeto tutelado es bien en conjunto o bien, de forma separada la defensa nacional y la seguridad nacional. De modo que en los ilícitos en cuestión puede atentarse al mismo tiempo contra la defensa y la seguridad nacional o bien, solo contra una de ellas (DELGADO GIL).

También particular resulta la posición de CONTRERAS PORTILLA, quien señala que el art. 598 CP sanciona la lesión del deber de salvaguarda de la información legalmente calificada que potencialmente puede afectar a materias como la defensa o la seguridad nacional, amén de la confianza de la generalidad en la discrecionalidad y, fundamentalmente, la defensa o seguridad nacional.

Así las cosas, es evidente que el nudo gordiano en la determinación del bien jurídico de los delitos en cuestión radica en la delimitación de los ambiguos y difusos conceptos de «defensa nacional» y «seguridad nacional» a fin de concretar si ambos son o no equivalentes y, en este último caso, cuál sería su relación.

La defensa nacional —elemento normativo del tipo, así categorizado, entre otros, por FEIJÓO SÁNCHEZ, ALONSO DE ESCAMILLA— es definida legalmente por primera vez tras la aprobación del texto constitucional por el art. 2 de la LO 6/1980, de 1 de julio, *por la que se regulan los criterios básicos de la defensa nacional y la organización militar* —en adelante LOCB *(Tol 10927)*—, como «*la disposición, integración y acción coordinada de todas las energías y fuerzas morales y materiales de la Nación, ante cualquier forma de agresión*». Precepto que señala, además, que su finalidad es «*garantizar de modo permanente la unidad, soberanía e independencia de España, su integridad territorial y el ordenamiento constitucional, protegiendo la vida de la población y los intereses de la Patria, en el marco de lo dispuesto en el artículo 97 de la Constitución».* A esto añade el art. 3 de la mencionada norma que la defensa nacional *«será regulada de tal forma que, tanto en su preparación y organización como en su ejecución, constituya un conjunto armónico que proporcione una efectiva seguridad nacional».*

Ahora bien, esta norma ha sido derogada por la hoy vigente LO 5/2005, de 17 de noviembre, *de la Defensa Nacional* —en lo sucesivo LODN— *(Tol 730780)* que, de forma intencionada o no, no ofrece una definición de defensa nacional, sino que procede únicamente a enunciar cuál es su finalidad. Hecho criticable y que hace preferible a la norma derogada al facilitar criterios de interpretación de un concepto jurídico tan indeterminado como el que nos ocupa y, que habría evitado la confusión y ambigüedad que reina en esta materia.

En efecto, conforme a la LOCB, se convergió doctrinalmente en que la defensa nacional era la disposición, integración y acción coordinada de las energías y fuerzas materiales y morales de la nación ante cualquier forma de agresión frente a la que debían participar todos los españoles. Concepción que impedía equiparar la defensa nacional a la militar, al ser la primera más amplia que la segunda en tanto en cuanto incluía no solo a las armas sino a cualesquiera otros recursos para su realización y, cuyo cometido recaía sobre todo español —militar o no— sin distinción. En este sentido, se señalaba, además, que la finalidad de la defensa nacional era garantizar la unidad, soberanía, independencia, integridad territorial y el ordenamiento constitucional, lo que suponía, en definitiva, asegurar lo que se conoce como seguridad nacional. Premisa confirmada por el hecho de que el art. 3 de esta norma señalaba expresamente que la defensa nacional había de ser regulada con el objetivo de proporcionar una «efectiva» seguridad nacional; lo que llevaba a sostener que la defensa nacional era un instrumento para alcanzar y mantener dicha seguridad (por todos, SEGRELLES DE ARENAZA).

En concreto, el art. 2 de la LODN señala que la defensa nacional tiene como objetivo: *«la protección del conjunto de la sociedad española, de su Constitución, de los valores superiores, principios e instituciones que en esta se consagran, del Estado social y democrático de derecho, del pleno ejercicio de los derechos y libertades, y de la garantía, independencia e integridad territorial de España. Asimismo, tiene por objetivo contribuir a la preservación de la paz y seguridad internacionales, en el marco de los compromisos contraídos por el Reino de España».*

Como puede observarse, el anterior precepto se compone de dos partes perfectamente diferenciadas, que aluden cada una de ellas a una faceta de la defensa nacional: una interna y otra externa. En relación a la primera, la defensa nacional tiene, al igual que ya lo hacía en la LOCB *(Tol 10927)*, como fin esencial garantizar el orden social, institucional, constitucional y territorial de nuestro país. Una descripción muy casuística de los diferentes elementos de tutela, que podrían resumirse en la protección, en definitiva, de la sociedad española y su Constitución (ALONSO DE ANTONIO).

Ahora bien, como novedad de la LODN *(Tol 730780)*, la defensa nacional se extiende, además, a la tutela de la paz y la seguridad de nuestros socios internacionales. Dimensión externa que obedece, tal y como menciona expresamente el anterior precepto *in fine*, a los compromisos derivados de la incorporación de España a la escena internacional y, en particular, a organismos como la OTAN, la ONU, la UE o la OSCE, que propician la adopción de medidas solidarias de carácter militar o humanitario, así como de mantenimiento de secretos en materias reservadas para la defensa de los intereses y valores compartidos con estas organizaciones y sus Estados miembros. Un escenario internacional en el que se han producido importantes cambios de estrategia en las relaciones internacionales tras la guerra fría y la consolidación de la globalización, dados los riesgos y amenazas de carácter transnacional que esta implica —terrorismo, conflictos armados, estados inestables— y, cuyos efectos van más allá del lugar donde se producen. De ahí que la respuesta a estos retos haya de ser multidisciplinar y conjunta, pues una acción unilateral y aislada resulta incompleta para abarcar todos los aspectos potencial o realmente afectados por aquellos. Hecho este que ha dado lugar a que la proyección internacional de la defensa nacional y, en particular, de las misiones de protección de la paz y humanitarias en las que España participa suscite gran interés en la opinión pública (ALONSO DE ANTONIO).

En relación con lo anterior, la LODN *(Tol 730780)* prevé responder a estos riesgos a partir de estrategias de «protección» y «preservación» de los intereses de nuestro país y de nuestros aliados. Estrategias que, a diferencia de la LOCB *(Tol 10927)*, no exigen para su aplicación expresamente la existencia de «*agresión*»; lo que no es óbice para que en caso de ataque se reaccione ante él. Estas medidas estratégicas serán adoptadas de conformidad con la política de defensa nacional, definida por el Ejecutivo en cada legislatura en la denominada Directiva de Defensa Nacional, en la que se determinan sus objetivos y los recursos y acciones necesarios para obtenerlos.

El Gobierno es el responsable de determinar la política de defensa y asegurar su ejecución, así como de dirigir la Administración militar y acordar la participación de las Fuerzas Armadas en misiones fuera del territorio nacional (art. 5 LODN). En particular, corresponde al Presidente del Gobierno la dirección de esta política y la determinación de sus objetivos, así como la gestión de las situaciones de crisis que afecten a la defensa, la dirección estratégica de las operaciones militares en caso de uso de la fuerza y, formular la Directiva de Defensa Nacional, en la que se establecen las líneas generales de la política de defensa y las directrices para su desarrollo. En el momento presente rige la Directiva de Defensa Nacional de 2012 «Por una defensa necesaria, por una defensa responsable» que, tomando como punto de referencia los riesgos derivados de un mundo cada vez más interconectado, determina como ejes centrales de la misma: 1) asegurar una España fuerte que contribuya a la estabilidad internacional; 2) desarrollar la coherencia y coordinación de los instrumentos de defensa a fin de lograr una mayor eficacia a la hora de enfrentar las amenazas; 3) mantener un nivel nacional de disuasión creíble y suficiente para evitar que los riesgos de nuestro entorno geográfico se materialicen en amenazas; 4) llevar a cabo la transformación de las Fuerzas Armadas para hacer frente a los crecientes retos estratégicos y, 5) fomentar la conciencia de defensa de España en la ciudadanía. Se pretende, en definitiva, con esta estrategia presentar a nuestro país como un aliado fiable y solvente en la defensa de la estabilidad internacional, en especial, dada su situación estratégica en el control del Mediterráneo, sin olvidar el control de los tráficos ilícitos que tienen su origen en Iberoamérica y el Golfo de Guinea o las amenazas provenientes de Oriente Medio.

Las Fuerzas Armadas serán las principales encargadas de desarrollar esta política de defensa nacional. En efecto, el art. 10 de la LODN *(Tol 730780)* señala que estas «*son el elemento esencial de la defensa*», pero no el único. Así lo confirma, el hecho de que el art. 15 de la misma norma señale que «*las Fuerzas Armadas contribuyen militarmente a la seguridad y defensa de España*», de modo que si «contribuyen» es porque no lo hacen exclusivamente. Además, el art. 22 LODN *(Tol 730780)* señala que «*El Gobierno establecerá los criterios relativos a la preparación y disponibilidad de los recursos humanos y materiales, no propiamente militares para satisfacer las necesidades de la Defensa Nacional*». Luego, como ya se indicase en relación a la LOCB *(Tol 10927)*, la defensa nacional no se circunscribe exclusivamente al ámbito castrense, siendo esta más amplia que la defensa militar, que solo es una parte de ella (FELIU ORTEGA). Esto lleva, por tanto, a incluir también en el concepto de Defensa Nacional, como ya hiciera en su delimitación el Tratado del Atlántico Norte —OTAN—, a la defensa civil que se conforma por la disposición permanente de todos los recursos y materiales no propiamente militares dispuestos al servicio de la defensa nacional y, a otro tipo de catástrofes (SEGRELLES DE ARENAZA, respecto art. 135 bis CP 1973). Se está pensando aquí, por ejemplo, en la actividad diplomática, la política industrial, las relaciones económico-comerciales, o la protección civil, entre otros aspectos.

Nótese en este punto que las Fuerzas Armadas están compuestas por el Ejército de Tierra, del Aire y la Armada, cuya misión es garantizar la soberanía e independencia de España, defender su integridad territorial y el ordenamiento constitucional [art. 8 CE y art. 10 LODN *(Tol 730780)*]. Dichas fuerzas se encuentran integradas en el Ministerio de Defensa, correspondiendo su mando supremo al Rey, cuyos actos serán refrendados por el Presidente del Gobierno. De modo que la decisión de intervención de las Fuerzas Armadas ante una amenaza es decisión del Ejecutivo que es quien «*dirige la Defensa del Estado*» (art. 97 CE), correspondiendo más exactamente a su Presidente «la *gestión de las situaciones de crisis que afecten a la defensa y la dirección de las operaciones militares en caso de uso de la fuerza*» [art. 6 LODN *(Tol 730780)*], pues es este quien «*ejerce su autoridad para ordenar, coordinar y dirigir la actuación de las Fuerzas Armadas, así como disponer su empleo*» [art. 6.2 LODN *(Tol 730780)*]. Aunque su efectiva dirección recaerá sobre el Ministro de Defensa bajo la autoridad del Presidente [art. 7.2b LODN *(Tol 730780)*]. Téngase también aquí en cuenta que será necesaria autorización del Congreso de los Diputados para las acciones en el exterior que no estén directamente relacionadas con la defensa de España [art. 17 LODN *(Tol 730780)*] y, la intervención del Jefe del Estado en el caso de declaración de guerra, también previa autorización de las Cortes [art. 63 CE *(Tol 173304)*]. En el caso de operaciones en el interior, las Fuerzas Armadas solo podrán intervenir en los casos taxativamente previstos en la Carta Magna, a saber, en los estados de alarma, excepción y sitio regulados conforme a la Ley Orgánica 4/1981, de 1 de junio *(Tol 5922)*. En los demás casos actuaran en apoyo de las otras Instituciones del Estado.

Así las cosas, puede afirmarse, por tanto, que la defensa nacional consiste en la acción o conjunto de acciones militares y civiles conducentes a prevenir, disuadir y responder frente a los riesgos que pongan en peligro o puedan dañar gravemente a la ciudadanía, al sistema institucional, a la soberanía estatal, a las libertades públicas, a la independencia e integridad territorial y, a la paz y seguridad nacional e internacional. O, dicho de otro modo, la defensa nacional es el conjunto de actividades y recursos civiles y militares con los que se pretende asegurar la vida comunitaria dentro del respeto al orden constitucional.

Por su parte, la seguridad nacional es definida por primera vez en un texto legal por la Estrategia de Seguridad Nacional de 2013, cuyo concepto es regulado en los mismos términos en el art. 3 de la Ley 36/2015, de 28 de septiembre, de *Seguridad Nacional* (en adelante: LSN) *(Tol 5439409)*. Concretamente, este precepto entiende por seguridad nacional: «*la acción del Estado dirigida a proteger la libertad, los derechos y bienestar de los ciudadanos, a garantizar la defensa de España y sus principios y valores constitucionales, así como a contribuir junto a nuestros socios y aliados a la seguridad internacional en el cumplimiento de los compromisos asumidos*».

Como puede observarse, se acoge aquí un amplio y dinámico concepto de seguridad nacional con el que se persigue cubrir todos los ámbitos concernientes a la seguridad del Estado y de sus ciudadanos en un orden geoestratégico mundial en constante cambio y, que abarca desde la tutela de los derechos y libertades públicas, hasta la protección de la seguridad internacional, pasando por la estabilidad de la nación y su orden constitucional. Luego, cabe señalar que se apuesta por una seguridad nacional que, más allá de la tutela de la ciudadanía o del propio Estado y sus instituciones (autodefensa), persigue la protección de los intereses vitales y estratégicos del país, así como de los de sus aliados. De modo que, al igual que la defensa, la seguridad nacional también viene condicionada por la posición estratégica de España en un mundo globalizado y los convenios y alianzas firmados por nuestro país para garantizar el bienestar internacional.

Ahora bien, la amplitud de esta definición es certeramente criticada por CASINO RUBIO, quien pone de manifiesto que no cualquier acción del país destinada a proteger los intereses señalados ha de encajar ya, simplemente por ese motivo, en el concepto de seguridad nacional. Pues de ser así, prácticamente toda acción del Estado quedaría subsumida al abrigo de esta norma, puesto que no es fácil encontrar una actividad estatal que nada tenga que ver en rigor con la protección de la libertad, los derechos y el bienestar de los ciudadanos o, en definitiva, con la defensa de los principios y valores constitucionales. A modo de ejemplo, señala gráficamente este autor que la declaración de un espacio como «parque nacional» es una decisión estatal que nada tiene ver con la seguridad nacional, por más que sea una medida destinada a tutelar los derechos y el bienestar de los ciudadanos y, los valores constitucionales en materia de medio ambiente del art. 45 CE. Es por ello que, en su certera opinión, es necesario delimitar de forma precisa el ámbito de aplicación de esta norma. Esto es posible, según señala, de una parte, a partir de la definición de los intereses básicos para preservar los derechos, libertades y el bienestar de los ciudadanos y garantizar el suministro de los servicios y recursos descritos en el art. 10 LSN, que se cifran en: la ciberseguridad, la seguridad económica y financiera, la seguridad marítima, la seguridad del espacio aéreo y ultraterrestre, la seguridad energética, la seguridad sanitaria y la preservación del medio ambiente. De otra parte con la concepción de «situación de interés para la seguridad nacional» que ofrece el art. 23 LSN y, por la que entiende aquella en la que *«por la gravedad de sus efectos y la dimensión, urgencia y transversalidad de las medidas para su resolución, requiere de la coordinación reforzada de las autoridades competentes en el desempeño de sus atribuciones ordinarias, bajo la dirección del Gobierno, en el marco del Sistema de Seguridad Nacional, garantizando el funcionamiento óptimo, integrado y flexible de todos los recursos disponibles, en los términos previstos en esta Ley»*. Se desprende de estos preceptos según CASINO RUBIO que para la norma en cuestión, no cualquier acción estatal es relevante para la seguridad nacional, sino que solo lo es aquella dirigida a garantizar y proteger los derechos y libertades, así como el bienestar de los ciudadanos, y el suministro de los servicios y recursos esenciales en situaciones muy específicas, caracterizadas por: 1) la envergadura, la inminencia y la gravedad del riesgo o de la amenaza que en cada caso compromete la integridad de esos bienes jurídicos y, 2) la incapacidad o insuficiencia de las autoridades y medios ordinariamente competentes y disponibles para hacer frente por separado a este tipo de riesgos o peligros. De ahí que para la LSN *(Tol 5439409)* cuando los riesgos para los bienes y valores constitucionales alcancen una determinada dimensión, urgencia o intensidad, el correspondiente asunto deja de ser de interés y de carácter sectorial (por ejemplo, seguridad pública, sanidad, telecomunicaciones,…) para convertirse ya en una cuestión de seguridad nacional y, por consiguiente, de interés y responsabilidad del Estado y, en concreto, del órgano nacional específico ideado por la Ley para hacerlo: el Consejo de Seguridad Nacional.

Se persigue, por tanto, como tradicionalmente ha señalado la Doctrina con la seguridad nacional alcanzar aquella situación en la que el Estado está libre o exento de cualquier peligro, daño o riesgo (por todos, SEGRELLES DE ARENAZA). En efecto, para que una sociedad democrática pueda desarrollarse y disfrutar de un estado de paz, libertad, justicia y bienestar debe tener garantizado un cierto grado de estabilidad y el buen funcionamiento de sus instituciones, debiendo actuar sus dirigentes contra aquellos peligros que la amenacen; objetivos que se pretenden alcanzar también en el plano internacional. De ahí que la seguridad nacional se deba definir como aquella situación o estado en la que el país está libre de peligros o riesgos, internos o externos, que amenacen la libertad y bienestar de los ciudadanos, así como la integridad, independencia y principios constitucionales propios o de nuestros aliados.

La Seguridad Nacional es, por tanto, un servicio público, que debe ser objeto de una Política de Estado. En este sentido, el Gobierno —y en particular su Presidente— es el encargado de establecer y dirigir la Política de seguridad nacional, cuyas líneas generales se debatirán en las Cortes Generales y, en la que participarán todas las Administraciones Públicas (Estado, Comunidades Autónomas y entidades locales), así como la sociedad en general. Política que queda plasmada en la Estrategia de Seguridad Nacional: texto normativo en el que se delimitan los riesgos y amenazas que afectan a la seguridad de España, las líneas de acción estratégicas en cada ámbito de actuación y la optimización de los recursos existentes (art. 4 LSN), rigiendo en el momento presente la Estrategia de Seguridad Nacional de 2017 «Un proyecto compartido de todos y para todos». Por su parte, el Consejo de Seguridad Nacional [arts. 18 a 21 LSN *(Tol 5439409)*], en su condición de Comisión Delegada del Gobierno, asiste al Presidente del Ejecutivo en la dirección de esta política de defensa, así como del sistema de seguridad nacional y las funciones que se le atribuyan legislativamente. Entre estas figuran, por ejemplo, impulsar y velar por el cumplimiento de la Estrategia de Seguridad Nacional, aprobar un informe anual de seguridad y planificar y coordinar la política de seguridad. Este sistema de seguridad pública se apoya fundamentalmente en dos cuerpos estatales, uno de naturaleza civil —Cuerpo Nacional de Policía— y otro de naturaleza militar —la Guardia Civil— que, junto a las policías autonómicas y locales, tienen la responsabilidad del mantenimiento de la seguridad ciudadana.

Por otra parte cabe señalar que la seguridad nacional viene conformada por la seguridad pública, la defensa nacional y la acción exterior [art. 9.1 LSN *(Tol 5439409)*]; componentes fundamentales a los que cabría también haber añadido la protección civil y los servicios de inteligencia e información [regulados, respectivamente por la Ley 17/2015, de 9 de julio, *del Sistema Nacional de Protección Civil (Tol 5197056)* y la Ley 11/2002, de 6 de mayo, *reguladora del Centro Nacional de Inteligencia (Tol 151809)*]. Una defensa nacional que, como elemento integrador de la seguridad nacional, se identifica erróneamente en la Estrategia de Seguridad Nacional de 2013 únicamente con su vertiente militar, al definir que su objetivo consiste en hacer frente a los conflictos armados que se puedan producir en defensa tanto de los intereses nacionales como compartidos con nuestros socios internacionales. Concepción restrictiva que se modifica en la estrategia de 2017, al afirmar que persigue no solo asegurar la defensa de la soberanía e integridad de España y la protección de la población y el territorio frente a cualquier conflicto o amenaza proveniente del ámbito exterior, sino también contribuir a crear un entorno internacional más estable y seguro mediante la proyección de estabilidad y el refuerzo de la cooperación.

Pues bien, llegados a este punto se advierte una aparente «confusión» entre los términos defensa y seguridad nacional, no solo por definir objetivos similares como la protección de los derechos y libertades públicas y su contribución a garantizar la seguridad internacional en el marco de los compromisos asumidos por nuestro país, sino también por el hecho de encontrarse la primera subsumida entre los componentes fundamentales de la segunda. Ello se debe, como señala FELIU ORTEGA, a que el amplio concepto de seguridad nacional confunde lo que es el objetivo a conseguir o a garantizar —seguridad— con los medios para lograrlo —defensa— y, la forma de emplearlos para su consecución —estrategia.

Efectivamente, pese a su semejanza se está ante conceptos distintos, en la medida en que la defensa nacional constituye un medio o vía para lograr la seguridad nacional. O, en otras palabras, seguridad nacional y defensa nacional no son términos complementarios, sino que el primero es la finalidad y, el segundo el conjunto de instrumentos, medidas y acciones conducentes a lograrla (FELIU ORTEGA). Así, lo corrobora la Exposición de Motivos de la LODN *(Tol 730780)*, al señalar que *«la seguridad, además de un derecho básico y una necesidad de los ciudadanos y las sociedades, es un reto y para lograr que sea* efectiva *requiere la concurrencia de la defensa como uno de los medios necesarios para alcanzarla»*. Relación medial, como hemos visto anteriormente, a la que ya aludía el art. 3 de la derogada LOCB *(Tol 10927)*, al señalar que la defensa nacional había de ser regulada con el objetivo de proporcionar una «efectiva» seguridad nacional; lo que lleva a sostener su carácter instrumental para alcanzar y mantener la seguridad. Luego la seguridad nacional es el objetivo a lograr por el Estado y la defensa nacional el medio para hacerlo posible, oponiéndose para ello a las amenazas —toda circunstancia o agente que ponga en peligro la seguridad o estabilidad de España— o riesgos —la contingencia o probabilidad de que una amenaza se materialice produciendo un daño— que puedan ponerla en peligro y, cuyas directrices se dirimirán en la Estrategia de seguridad nacional (FELIU ORTEGA). De ello se deduce, en consecuencia, que la defensa nacional no es en sí misma un fin último del Estado, sino de la política de defensa que persigue, precisamente, garantizar y preservar la seguridad nacional (DELGADO GIL, OTERO GONZÁLEZ; SEGRELLES DE ARENAZA, este último respecto al art. 135 bis CP 1973).

Ahora bien, pese a tratarse de términos diferentes, la seguridad nacional se encuentra integrada tácitamente en la defensa estatal, en la medida en que esta última tiene como hemos dicho la finalidad de garantizarla (DELGADO GIL; RODRÍGUEZ VILLASANTE Y PRIETO; SEGRELLES DE ARENAZA). De ahí que la seguridad nacional deba considerarse objeto de protección de los ilícitos en cuestión, pero como parte —a nuestro juicio— del único bien jurídico por estos delitos protegido: la defensa nacional, entendida aquí como la acción o conjunto de acciones conducentes a garantizar la seguridad de la nación, así como la de sus aliados. Esto lleva a convenir con la Doctrina dominante en que resulta redundante e innecesaria la mención legal a la seguridad nacional en la descripción típica de los ilícitos en cuestión (BLECUA FRAGA; DELGADO GIL; RODRÍGUEZ DEVESA; RODRÍGUEZ-VILLASANTE Y PRIETO; VIVES ANTÓN/CARBONELL MATEU).

En cuanto a la tutela penal de la defensa nacional no se realiza en todo caso, es decir, frente a cualquier ataque, sino únicamente ante aquellos derivados de la obtención, revelación, falseamiento o inutilización de información legalmente calificada como reservada o secreta (PASTRANA I ICART). Ahora bien, la realización de las anteriores conductas exigirá verificar la lesión o, al menos la puesta en peligro de la defensa nacional, siendo atípicas las que recaigan sobre materias inocuas no susceptibles de hacerlo; sin perjuicio de su posible sanción por la vía administrativa (MORALES GARCÍA, ORTEGA GUTIÉRREZ-MATURANA). De lo contrario, como bien dice GONZÁLEZ RUS «se corre el riesgo de hacer de la intervención penal una simple reafirmación de decisiones y normas administrativas, avanzando en la preocupante tendencia que lleva a convertir al Derecho penal en el brazo armado del Derecho administrativo y olvidando que su función es tutelar bienes jurídicos fundamentales» (de opinión contraria, al apreciar el delito aun cuando la conducta no ocasione riesgo alguno para la defensa nacional, aunque evidenciando sus reticencias, por ejemplo, RODRÍGUEZ DEVESA/ SERRANO GÓMEZ en relación al art. 135 bis CP 1973).

En efecto, la descripción de las conductas típicas de los delitos en cuestión no exige expresamente que se origine un riesgo para la defensa nacional, lo que genera inseguridad jurídica, sobre todo, en los supuestos de revelación, en tanto en cuanto es posible castigar el dar a conocer hechos de escasa transcendencia (así, RODRÍGUEZ DEVESA/SERRANO GÓMEZ). Hecho que motivó al Grupo parlamentario Mixto del Senado (enmienda 18), a solicitar adicionar en el art. 135 bis.a *in fine*, tras «*industria de interés militar*» la expresión: «... *y pusiere con ello en peligro la defensa nacional*», pues de este modo se garantizaría que la revelación de secretos que merecería intervención penal sería aquella que representase algo más que una infracción formal o desobediencia a la clasificación de un asunto como secreto, por lo que debía exigirse como elemento del delito que su revelación pusiese en peligro la defensa nacional. De otro modo, se procedería a castigar revelaciones de secretos inocuos y a restringir injustificadamente la libertad de prensa y la discusión pública de problemas y alternativas sobre la defensa nacional (BOCG., Senado, serie II, núm. 279 d, 24-9-1985). Si bien, como es obvio, esta enmienda no fue finalmente incorporada al texto de la norma, su fundamentación debe regir, como se ha indicado, la interpretación de los delitos objetos de estudio a fin de garantizar un mínimo de ofensividad en sus tipos, que permita diferenciarlos de las infracciones administrativas en la materia.

Se pretende, en definitiva, combatir la publicidad de este tipo de información, pues con ella se quiebra el principio de opacidad al que se subordina la eficacia y operatividad de la defensa nacional (MARCHENA GÓMEZ). O dicho de otro modo, lo que se persigue con estos ilícitos es evitar el potencial descubrimiento o el mal uso que puede hacerse de materias sensibles susceptibles de menoscabar la defensa de nuestro país. Es por ello, como bien indica BORJA JIMÉNEZ, que la mayoría de los tipos objeto de estudio son de peligro, en tanto en cuanto la mera posesión de dicha información o bien, la simple reproducción o tenencia de determinados objetos sin autorización, ya suponen la consumación del delito.

En relación al fundamento o base constitucional de estos ilícitos se encuentra en el art. 105 de la CE; precepto que regula el principio de transparencia de la Administración Pública al proclamar el acceso de los ciudadanos a los archivos y registros administrativos, que únicamente puede verse limitado cuando se trate de acceder a información relativa a la averiguación de los delitos, a la intimidad de las personas y, en lo que aquí nos importa, a la defensa y seguridad nacionales.

En efecto, toda actuación de los órganos del Estado ha de ser conocida por los ciudadanos, pues como señala la Exposición de Motivos de la Ley 9/1968, de 5 de abril, *sobre secretos oficiales (Tol 137780)*: «*las cosas públicas que a todos interesan pueden y deben ser conocidas de todos»*. Ahora bien, nadie duda de la conveniencia de excluir parte de la actividad estatal de esta publicidad, no solo para garantizar las propias exigencias de eficacia de la acción administrativa conforme al art. 103.1 CE, sino también para preservar, en muchos casos, la propia existencia del Estado (FERNÁNDEZ ALLES). De ahí que la Ley 19/2013, de 9 de diciembre, de *transparencia, acceso a la información pública y buen gobierno (Tol 4029419)*, regule como ejes centrales del sistema de transparencia de la actividad pública la obligación de publicidad activa de todas las Administraciones (incluidos los órganos del poder legislativo y judicial en lo que se refiere a sus actividades sujetas a Derecho administrativo) y entidades públicas, el derecho de acceso de los ciudadanos a dicha actividad y las obligaciones de buen gobierno que deben cumplir los responsables públicos. A este respecto, señala la norma en cuestión que, si bien todas las personas tienen derecho a acceder a la información pública, este puede verse limitado o constreñido —siguiendo lo dispuesto en el art. 3 del Convenio del Consejo de Europa, de 18 de junio de 2009, *para el acceso a los documentos públicos*— en todo lo que afecte a la seguridad y defensa nacional (art. 14). Luego, puede afirmarse que la seguridad y defensa nacional y el derecho a saber de la sociedad pueden parecer objetivos contrapuestos por los perjuicios que la difusión de ciertas materias puede acarrear a la nación. Sin embargo, como bien dice OTERO GONZÁLEZ: «lo que resulta incompatible con la democracia no es que haya secretos, sino que estos escapen a la Ley».

Ahora bien, en el momento presente, las dificultades para mantener en secreto información reservada dada la facilidad para su obtención y difusión a través de los modernos medios tecnológicos —piénsese en las filtraciones sobre operaciones militares y de espionaje estadounidenses llevadas a cabo en los asuntos *WikiLeaks* y *Snowden*— invitan a centrar los esfuerzos en materia de transparencia en salvaguardar el secreto estrictamente necesario y en garantizar a la ciudadanía el acceso más amplio posible a este tipo de información. De este modo se lograría mantener el interés y el conocimiento de la ciudadanía en materia de seguridad y, por ende, su participación en el debate sobre la política de seguridad nacional de la que se sentiría copartícipe y responsable (PÉREZ GARCÍA). Sin embargo, no parece ser ésta la voluntad de nuestro Poder Ejecutivo y Legislativo, pues pese a la proclama de apertura que realiza en la citada ley de transparencia, se han adoptado diversos documentos y normas de diferente rango que restringen el acceso a la información pública, tales como el RD 1708/2011, de 15 de diciembre de 2009, sobre el *sistema español de archivos de la Administración General del Estado y de sus organismos públicos y régimen de acceso*; las *Orientaciones para la instrucción de seguridad del personal*; la Norma *NS/04 de seguridad de la información*, de octubre de 2009, o el Acuerdo *sobre política de Seguridad de la Información*, del Ministerio de Asuntos Exteriores y de Cooperación, de 15 de octubre de 2010. Normativa, que en palabras de COUSIDO GONZÁLEZ: a) aumentan la discrecionalidad del funcionario al tomar decisiones sobre el acceso a la información pública; b) exigen autorización previa su realización aún cuando los documentos no afectan si quiera a derechos personales; c) castiga al empleado público que autoriza indebidamente el acceso a la información, pero no al que lo impide indebidamente y, lo más importante, modifica la nomenclatura de la clasificación de la información al margen de la Ley 9/1968, de 5 de abril, *sobre secretos oficiales, modificada por la Ley 48/1978, de 7 de octubre (Tol 137780)*. En efecto, introducen una delegación implícita de la competencia de clasificar, excluida expresamente por el art. 5 de la anterior norma, al crear la llamada «clasificación interna» en los Ministerios con la que se aumenta ostensiblemente, no ya el número de documentos, sino de grupos o bloques documentales que pasan a ser clasificables (también así, NIÑO/SANZ). Hecho que viene a corroborar la preocupación del Parlamento Europeo en su informe «Supervisión parlamentaria de las agencias de Seguridad e Inteligencia de la Unión Europea, de junio de 2011», sobre la amplitud del concepto de materia clasificables como «secretas», sin que pueda ser supervisado por el Parlamento y que el Ejecutivo pueda clasificar cualquier objeto, información o documentación, alegando sin más que su publicidad es un riesgo para la seguridad nacional, a lo que se añade la inexistencia de un «sistema adecuado» de desclasificación de estos informes, ni legislación sobre como levantar el secreto o límites temporales para que un documento sea desclasificado (DE LOS REYES RAMÍREZ).

En otro orden de ideas, la regulación de los delitos relativos a la defensa nacional hay que ponerla en relación con el Código Penal Militar (en lo que sigue: CPM), que tras su reforma por la LO 14/2015, de 14 de octubre *(Tol 5506247)*, sanciona las conductas contenidas en los arts. 598 a 603 CP con la pena establecida en los mismos, pero incrementada en un quinto de su límite máximo cuando el sujeto activo es un militar. Esta pena a su vez se aumentará en uno o dos grados en situación de conflicto armado. Luego la revelación de secretos e informaciones relativas a la seguridad y defensa nacionales o, el atentado contra los medios o recursos de la seguridad nacionales realizadas en el ámbito castrense serán sancionados con mayor penalidad que en el ámbito civil, dada la condición de militar del autor y su especial afección a los intereses, al servicio y a la eficacia de la organización de este ámbito. Delitos que, de conformidad con lo previsto en el art. 117.5 CE y el art. 3.2 LOPJ, serán enjuiciados por la jurisdicción militar con arreglo a las disposiciones de la LO 4/1987, de 15 de julio, *de competencia y organización de la jurisdicción militar (Tol 138525)*.

Penalidad, no obstante, que en el delito de revelación de secretos o informaciones relativas a la seguridad y defensa nacional resulta más benévola en el art. 26 del vigente CPM (de uno a cuatro años de prisión, incrementada en un quinto del límite máximo), que la prevista en el art. 53 del derogado texto punitivo militar (de tres a diez años de prisión). Hecho que ya ha dado lugar a la aplicación retroactiva del primero de estos preceptos como norma más favorable al reo [así, STS, Sala de lo Militar, Sección 1ª, 35/2017, 16-3 *(Tol 6003624)*].

Ahora bien, téngase aquí en cuenta que el nuevo texto punitivo militar, en un afán simplificador, no ofrece una descripción propia de estos ilícitos —tal y como sí hacía su antecesor—, sino que se limita a agravar la penalidad de los preceptos del código anteriormente mencionados y a modificar la denominación del capítulo en que se ubican: *«Revelación de secretos e informaciones relativas a la seguridad y defensa nacionales»*, más acorde con el vigente CP. Hecho este que, a juicio de ORTEGA GUTIÉRREZ-MATURANA, ha supuesto una «involución» en la regulación militar de estos ilícitos, que era mucho más extensa y precisa y, presentaba una mejor y detallada descripción de los tipos en cuestión en el Código Penal Militar de 1985.

Huelga decir que cabrá tener aquí también presente, tal y como se verá más adelante, las relaciones concursales de los delitos en cuestión con aquellos con otros ilícitos relativos al descubrimiento y revelación de secretos previstos en nuestro texto punitivo, así como con las sanciones administrativas derivadas de la revelación de información reservada o secreta previstas, por ejemplo, con carácter general, por la Ley 9/1968, de 5 de abril, *sobre secretos oficiales (Tol 137780)* o, por la Ley 7/2007, de 12 de abril, *del Estatuto Básico del Empleado Público (Tol 1050263)* y, con carácter especial, por la Ley Orgánica 9/2011, de 27 *de julio, de derechos y deberes de los miembros de las Fuerzas Armadas (Tol 1050263)* o, el Real Decreto 240/2013, de 5 de abril, *por el que se aprueba el Estatuto del personal del Centro Nacional de Inteligencia (Tol 3414861).*

Por lo que respecta a la sistemática de los delitos en cuestión se aprecia un importante «caos», dada la farragosa catalogación de las conductas hasta el punto de que es difícil delimitar cuáles son las propias de cada tipo (MOLINA FERNÁNDEZ). Así, a lo largo de los arts. 598 a 603 CP se observa una decena de conductas cuyo único denominador común es su objeto: la información legalmente calificada como reservada o secreta. En base a este elemento típico, que da unidad a todos los tipos de este tercer capítulo del Título XXIII, se regula, en un primer bloque, la figura genérica de descubrimiento, revelación, falseamiento e inutilización de este tipo de información (art. 598); dos tipos agravados en función del sujeto activo y la publicidad de la conducta (art. 599 CP) y, su revelación imprudente (art. 601 CP); seguidas de un segundo grupo de conductas relativas a la reproducción o tenencia de documentos y objetos (art. 600 CP) o violación de correspondencia (art. 603 CP) que la contenga. Junto a estas, también se sanciona el descubrimiento y revelación de información relativa a la energía nuclear (art. 602 CP).

En este punto, son diversas las voces en la Doctrina, que con acierto evidencian la necesidad de poner orden «en el magma delictual» que constituyen estos ilícitos, en tanto que ello da lugar a un régimen concursal entre los diferentes tipos carente de cualquier lógica intrasistemática o justificación político-criminal (por todos, MORALES GARCÍA).

II. REVELACIÓN DE SECRETOS E INFORMACIONES RELATIVAS A LA DEFENSA NACIONAL (art. 598 CP)

1. *Sujetos activo y pasivo*

Sujeto activo. Se trata, como sostiene pacíficamente la Doctrina, de un delito común, en tanto en cuanto puede ser cometido por cualquiera, siempre que no tenga:

a) El propósito de favorecer con su acción a ninguna potencia extranjera, pues de ser así será de aplicación el delito de traición mediante espionaje del art. 584 ó 586 CP, en función de si el sujeto es español o extranjero residente en nuestro país.

En efecto, el delito de espionaje del art. 584 CP sanciona como traidor al español que, con el propósito de favorecer a una potencia extranjera, asociación u organización internacional, se procure, falsee, inutilice o revele información clasificada como reservada o secreta, susceptible de perjudicar la seguridad o a la defensa nacional con la pena de prisión de seis a doce años (acción que de ser realizada por un extranjero será castigada conforme al art. 586 CP con la anterior pena rebajada en uno o dos grados). Luego, como a nadie se le escapa, la principal diferencia entre el art. 584 CP y el art. 598 CP radica en la existencia o no del ánimo de favorecer a una potencia extranjera, pues en ambos ilícitos se sanciona el mismo catálogo de conductas que han de recaer sobre información reservada o secreta.

Ahora bien, junto a esta también existen otras divergencias que plantean importantes interrogantes puestos de manifiesto por PASTRANA I ICART. En particular, en lo que a los sujetos se refiere señala este autor que en el delito de descubrimiento y revelación de secretos e informaciones relativas a la defensa nacional puede ser sujeto activo cualquier persona, española o extranjera, mientras que en el delito de espionaje solo puede serlo un español (art. 584 CP) o un extranjero residente en España (art. 586 CP). A *priori* si la conducta típica es realizada por este último, con el propósito de favorecer a una potencia extranjera (tenga o no el sujeto activo la nacionalidad de esta potencia), se aplicará el art. 586 CP. El problema radica aquí en determinar qué se entiende por residente, esto es, si el término abarca a todo extranjero que se encuentra en territorio español (incluido quienes lo están por negocios o vacaciones, por ejemplo) o bien, únicamente a quien ha obtenido o tiene la residencia fija en nuestro país conforme a la normativa administrativa. De optarse por esta segunda opción resultaría impune la conducta de descubrimiento y revelación de secretos de aquellos extranjeros que están puntualmente en nuestro país, dado que no sería subsumible su acción en ninguno de los tres preceptos en cuestión. Concretamente, no se podría apreciar: a) el art. 598 CP por concurrir en el sujeto el propósito de favorecimiento; b) el art. 584 CP por no tratarse de un sujeto español y, c) el art. 586 CP por ser un extranjero, pero no residente en España. Pese al ámbito de impunidad a que da lugar esta interpretación restrictiva del término residente, PASTRANA I ICART se decanta por ella, al considerar que no puede afirmarse la existencia de un vínculo entre el extranjero y el Estado que permita fundamentar su traición a este último.

b) No sea un militar, ya que en tal caso se apreciará un delito especial de revelación de secretos relativos a la defensa nacional del art. 26 del CPM. Precepto este último que a diferencia del art. 53 del CPM derogado, no prevé sancionar al civil que comete el delito en tiempo de guerra, aludiendo ahora solo al militar. Luego se reserva la jurisdicción militar para la sanción de la conducta de revelación realizada por militares, que será sancionada con mayor severidad cuando tenga lugar en situación de conflicto armado o estado de sitio.

A modo de ejemplo no se ha considerado autor del art. 598 CP, de una parte, por entender que concurre la finalidad de favorecer con su acción a una potencia extranjera en la SAP Madrid 61/2010, de 11 de febrero, casada por la STS, 1094/2010, 10-12 *(Tol 2012440)*, en la que el acusado se procura un listado de agentes del Centro Nacional de Inteligencia (CNI) y, otra información estratégica clasificada con la intención de facilitarlos a los servicios de inteligencia rusos. De otra parte, por concurrir en el sujeto activo la cualidad de militar: STS, Sala de lo Militar, 15/1998, 30-3 y, 35/2017, 16-3 *(Tol 6003624)*.

Ahora bien, aunque el delito en cuestión puede ser cometido por cualquiera, lo cierto es que en su modalidad de revelar —no así en las de procurarse, falsear o inutilizar— el sujeto activo será primordialmente aquella persona que está autorizada a conocer información legalmente calificada como reservada o secreta relacionada con la seguridad nacional, la defensa nacional o relativa a los medios técnicos empleados por las fuerzas Armadas o industrias de interés militar. Luego serán fundamentalmente sujetos activos en este caso quienes estén implicados en la elaboración de la política de defensa y seguridad nacional (v. gr., Presidente del Ejecutivo, Vicepresidente, Ministros, miembros del Consejo de Seguridad Nacional; además de los anteriores: Director del Gabinete de la Presidencia del Gobierno, Secretario de Estado de Asuntos Exteriores, Jefe de Estado Mayor de la Defensa, Secretario de Estado de Seguridad, Secretario de Estado, Director del Centro Nacional de Inteligencia), así como de su aprobación (v. gr., Diputados, Senadores), custodia (v. gr., integrantes de servicios de inteligencia) o ejecución (v. gr., agentes de las Fuerzas Armadas o Fuerzas, cuerpos de seguridad del Estado, agentes diplomáticos). Ahora bien, en la mayoría de estos supuestos, no se apreciará el delito en cuestión, sino el tipo agravado del art. 599.1 CP, porque el sujeto que revela la información tiene conocimiento o es poseedor de ella por razón de su cargo o destino. En cualquier caso, ya sea de aplicación uno u otro precepto, si el hecho es cometido por una autoridad o funcionario público se le impondrá imperativamente —junto a la pena prevista para el correspondiente ilícito— una inhabilitación absoluta de 10 a 20 años. De tratarse de un particular podrá aplicársele potestativamente la inhabilitación especial para empleo o cargo público por tiempo de 1 a 10 años (art. 616 CP).

En otro orden de ideas, también han de tenerse presentes las particularidades procesales de estos delitos y, en especial, las excepciones de jurisdicción reconocidas en el art. 21.2 de la Ley Orgánica 6/1985, de 1 de julio, *del Poder Judicial (Tol 268267)*, al señalar que no conocerán los tribunales españoles de las pretensiones formuladas respecto de sujetos o bienes que gocen de inmunidad de jurisdicción y de ejecución de conformidad con la legislación española y las normas de Derecho internacional público.

Entre la normativa que marca el estatuto internacional de las inmunidades se encuentra la relativa: 1) a los privilegios e inmunidades de los órganos del Estado que participan en la acción diplomática y consular, a saber: Convención de Viena, de 18 de abril de 1961, *sobre relaciones diplomáticas (Tol 1269476)*, Convención de Viena, de 24 de abril de 1963, *sobre relaciones consulares (Tol 1269475)* y, Convenio de Nueva York, de 16 de diciembre de 1969, *sobre misiones especiales*; 2) a las inmunidades del Estado extranjero en el Estado del foro, mereciendo aquí especial mención la Ley Orgánica 16/2015, de 27 de octubre, *sobre privilegios e inmunidades de los Estados extranjeros, las organizaciones internacionales con sede u oficina en España y las conferencias y reuniones internacionales celebradas en España (Tol 5523896)* y, 3) a otras disposiciones ajenas a las inmunidades, pero con disposiciones específicas de relevancia en la materia, tales como la Convención de las Naciones Unidas *sobre Derecho del mar*, de 10 de diciembre de 1982; los convenios *ad hoc* para la regulación del régimen de las Fuerzas Armadas de un Estado presentes en el territorio de otro como el Convenio de Londres entre los Estados Partes del Tratado de Atlántico Norte *relativo al estatuto de sus fuerzas*, de

19 de junio de 1951 y, el Convenio *sobre cooperación para la defensa entre Estados Unidos y España*, de 1 de diciembre de 1988. A esto cabe añadir los acuerdos internacionales en el marco de organizaciones internacionales, como el Protocolo número 7, anejo al Tratado de Funcionamiento de la Unión Europea, *sobre los privilegios y las inmunidades de la Unión Europea (Tol 2435109)* o, la Convención General *sobre prerrogativas e inmunidades de Naciones Unidas*, de 13 de febrero de 1946 y, la Convención *sobre privilegios e inmunidades de los organismos especializados de Naciones Unidas*, de 25 de noviembre de 1947.

Sujeto pasivo. El sujeto pasivo es el Estado (COBO DEL ROSAL/QUINTA- NAR DÍEZ; MUÑOZ CUESTA; RODRÍGUEZ-VILLSANTE Y PRIETO, SE- RRANO GÓMEZ/SERRANO MAÍLLO). Se rechaza considerar como tal a las potencias extranjeras, pese a extenderse la defensa nacional a la protección y preservación de los intereses de nuestros aliados. Ello se debe a que no existe en nuestro texto punitivo un precepto que expresamente las proteja, tal y como, por un lado, sí hacía el art. 125 del CP de 1944, al sancionar la comisión de los delitos de traición —entre los que se incluía el descubrimiento y revelación de secretos relativos a la seguridad del Estado— contra una potencia aliada de Espa- ña, en el caso de hallarse en campaña contra el enemigo común. Y por otro lado, hace en el momento presente el CPM, que en su art. 32 regula como disposición común a los delitos contra la seguridad y defensa nacionales, que las penas es- tablecidas para estos se impondrán también cuando se cometan contra potencia aliada, entendiéndose por tal conforme a su apartado segundo a todo Estado u organización internacional con los que España: a) se halle unida por un tratado o alianza militar o defensa; b) que tome parte en un conflicto armado contra un enemigo común o, c) coopere en una operación armada o participe en una opera- ción internacional coercitiva o de paz en la que nuestro país tome parte. Luego de haberse querido tutelar a dichas potencias se habría incorporado expresamente una disposición normativa en la misma línea que los anteriores preceptos. Hecho que no es obstáculo, en nuestra opinión, para que se entiendan tuteladas de ma- nera indirecta, en la medida en que nuestra defensa nacional tiene como finalidad preservar el orden internacional.

Asimismo, coincidiendo con RODRÍGUEZ-VILLASANTE Y PRIETO (que se pronuncia así sobre el art. 135 bis.a CP/1973), tampoco se considera como posi- ble sujeto pasivo de este delito a las «industrias de interés militar» sobre las que puede versar la información legalmente calificada, dado que lo que se protege en el art. 598 CP no es a este tipo de industria en sí misma ni a sus secretos, sino a la información calificada relativa a los medios o sistemas empleados por ellas y, por tanto, de relevancia para la defensa nacional cuyo único titular es el Estado español.

2. Conducta típica

El art. 598 CP se configura como un tipo mixto alternativo (RODRÍGUEZ-VILLSANTE Y PRIETO, GONZÁLES RUS) que sanciona a quien, sin propósito de favorecer a una potencia extranjera, se procure, revele, falsee o inutilice información legalmente calificada como reservada o secreta, relacionada con la seguridad o la defensa nacional o bien, relativa a los medios técnicos o sistemas empleados por las Fuerzas Armadas o las industrias de interés militar. La penalidad prevista para este delito es prisión de uno a cuatro años. Penalidad que, para evitar la quiebra del principio de proporcionalidad, deberá adecuarse al diferente desvalor de estas conductas típicas, que van desde un mero acto preparatorio —procurarse información clasificada— hasta el hecho lesivo final —revelarla—, pasando por su falseamiento o inutilización. Lo que evidencia, en las acertadas palabras de POLAINO NAVARRETE en relación al art. 135 bis.a CP/1973, un grave «desajuste axiológico» en esta figura delictiva que regula comportamientos que unilateralmente considerados tienen entidad delictiva, junto a otros que solo alcanzan relevancia típica en virtud de este precepto.

Antes de iniciar el estudio de cada una de las modalidades típicas es necesario evidenciar, en línea con lo manifestado por RODRÍGUEZ-VILLANSANTE Y PRIETO (respecto al art. 135 bis.a CP/1973), la poca relación que existe entre el contenido de estas y la rúbrica del Capítulo en que se ubican: «Del descubrimiento y revelación de secretos e informaciones relativas a la defensa nacional». Ello se debe a que las acciones de «descubrimiento» y «revelación» a las que esta alude no agotan todas las acciones incriminadas en este delito, tal y como ocurre con las de: «procurarse, falsear» o «inutilizar» la información legalmente calificada. Así, pese a reconocerse la dificultad para encontrar una expresión comprensiva de todos estos verbos típicos resulta criticable esta titulación, en tanto en cuanto descubrimiento y revelación son términos sinónimos e incompletos para abarcar todas las anteriores conductas. A esto se añade, que tampoco es afortunada la referencia a los «secretos», pues si bien es cierto que están comprendidos en la descripción típica, estos no son mencionados expresamente en la formulación legal del ilícito, que únicamente alude a la «información legalmente calificada».

Por lo que se refiere a la primera modalidad de conducta típica consiste en «procurarse», esto es, en su sentido gramatical según el Diccionario de la Real Academia Española «hacer diligencias o esfuerzos para conseguir lo que se desea». Luego se entiende por procurar en el art. 598 CP la realización de prácticas dirigidas a la consecución de la información reservada o secreta (MORALES GARCÍA, también así VIVES ANTÓN/CARBONELL MATEU, ORTEGA GUTIÉRREZ-MATURANA, GÓNZALEZ RUS y, SEGRELLES DE ARENAZA estos dos últimos respecto del art. 135 bis.a CP/1973). De modo que la obtención de forma casual de este tipo de información, esto es, sin efectuar pesquisa, esfuerzo o trámite alguno (como puede ser escuchar una conversación del despacho adyacente o, ver el contenido de un documento olvidado en una fotocopiadora o encima de una mesa) será atípica, al no llevarse a cabo ningún esfuerzo para su consecución (así, la posición mayoritaria: por todos, GONZÁLEZ RUS); lo que no es óbice para que esta adquisición fortuita pueda ser sancionada conforme al art. 600.2 CP. Precepto en el que, como se verá más adelante, tendrían cobertura típica los supuestos de tenencia de información reservada no precedida de gestiones por parte del autor para su consecución y con conocimiento del incumplimiento de la normativa que la regula (BAUCELLS LLADÓS, MORALES GARCÍA, MARCHENA GÓMEZ).

Así pues, de conformidad con esta definición la conducta *procurarse* abarca tanto los supuestos en los que el sujeto se apodera por primera vez de la información —es decir, que previamente no la posee— como aquellos en los que esta ya se encuentra en su poder, al ser el encargado de su custodia y consigue hacerla propia fuera de los cauces y contextos legalmente permitidos como, por ejemplo, haciendo fotocopias no autorizadas, sustrayendo documentos o microfilmándolos (MORALES GARCÍA, BAUCELLS LLADÓS). Modos tradicionales a los que cabrían añadir las múltiples formas de obtención de información que permite la moderna tecnología, yendo desde la simple fotografía de documentos con teléfonos móviles, hasta el complejo acceso ilícito a sistemas informáticos mediante virus o programas espías o la interceptación de telecomunicaciones entre máquinas; pasando por la copia de archivos digitales en CD, DVD o memoria USB, entre otros.

En cuanto a su contenido, procurarse no se ha de restringir en estos delitos a la aprehensión material con desplazamiento físico en la línea de lo requerido para los delitos contra el patrimonio, sino que abarca también la captación intelectual de la información reservada o secreta mediante, por ejemplo, su lectura, memorización, escucha, visualización o anotación en un papel. O, dicho de otro modo, la conducta en cuestión se extiende no solo a la aprehensión del soporte físico que contiene la información (papel, fotografía, cinta de audio/vídeo, instrumento informático, etc.), sino también a su conocimiento intelectual sin necesidad de desplazamiento físico del soporte o de actuación material sobre el mismo. En este último caso de reproducirse la información así captada —copias, fotografías, grabación audiovisual— podría ser sancionada conforme al art. 600.1 CP (PASTRANA I ICART).

A modo de ejemplo, la Jurisprudencia ha castigado con arreglo a esta modalidad delictiva a quien se ha procurado información legalmente calificada como reservada o secreta registrada en microfichas (tales fueron los hechos enjuiciados por la jurisdicción militar en la STS, Sala de lo Militar, 15/1998, 30-3, caso Perote), así como en documentación impresa o fotocopiada en papel o registrada en CD [STS, Sala de lo Militar, Sección 1ª, 35/2017, 16-3 *(Tol 6003624)*].

A este respecto, téngase en cuenta que resulta indiferente para la perfección de la conducta que el sujeto tome conocimiento del contenido de la información, pues lo relevante es que llegue a obtenerla en el caso del sujeto que se apodera por primera vez de ella o bien, como persona autorizada o encargada de su custodia, logre sustraerla del ámbito o círculo permitido por la Ley (MORALES GARCÍA, BAUCELLS LLADÓS, PASTRANA I ICART; en contra SEGRELLES DE ARENAZA en relación al art. 135 bis.a CP/1973), que exige el conocimiento de la información, al menos aproximado o indiciario). Cuestión distinta es que la realización de las diligencias o esfuerzos para obtenerla pueda penarse como forma imperfecta de ejecución (a favor, PASTRANA I ICART, ORTEGA GUTIÉRREZ-MATURANA) o bien, conforme a otro tipo delictivo del Capítulo (p. ej., el art. 600.1 CP cuando se proceda a la reproducción de los planos o documentos allí expresados). Luego, como es fácilmente deducible, el Legislador ha adelantado con esta conducta las barreras de intervención penal, al no esperar a la revelación de la información (RAMOS GANCEDO, RODRÍGUEZ VILLASANTE Y PRIETO, respecto al art. 135 bis.a CP/1973) ni a su posible inutilización, falseamiento o utilización. Hecho que parece justificarse en base a la relevancia del objeto del delito, pero que exige una valoración de la misma a la luz del bien jurídico protegido. Ahora bien, el tipo no se consumará con los actos iniciales de ejecución, sino que será necesario llegar al final del *iter criminis,* es decir, a la obtención de la información protegida para entenderlo realizado (RAMOS GANCEDO).

Se trata, por tanto, de un delito activo y de resultado en el que no puede admitirse su realización por omisión, en tanto que la ejecución de esta conducta implica necesariamente el despliegue de una energía positiva del sujeto activo para la consecución de la información (en esta línea, por ejemplo: COBO DEL ROSAL/QUINTANAR DÍEZ; PORTILLA CONTRERAS; de opinión contraria considerándolo un delito de mera actividad: SEGRELLES DE ARENAZA y POLANINO NAVARRETE, en cuanto al art. 135 bis.a CP/1973). Aunque, ello no es obstáculo para que existan comportamientos de participación omisiva. Piénsese aquí, por ejemplo, en un miembro del Consejo de Seguridad Nacional, que conocedor de que se está filtrando información reservada o secreta y ocupando una posición desde la que estaría obligado a impedir dicha actividad fraudulenta, no lo hace, podrá ser considerado cooperador por omisión de los autores de la conducta típica procurarse.

Por lo que se refiere a la conducta típica «revelar» consiste en descubrir o manifestar lo secreto u oculto (VIVES ANTÓN/CARBONELL MATEU). En este caso, transmitir o comunicar a otro sujeto el contenido de información legalmente calificada como reservada o secreta que no conoce por encontrarse fuera del círculo de personas autorizadas a hacerlo, introduciéndose así dicha información en la esfera de disponibilidad de terceros (BAUCELLS LLADÓS, MORALES GARCÍA; ORTEGA GUTIÉRREZ-MATURANA, RAMOS GANCEDO). No basta, por tanto, como sostiene un sector doctrinal para su realización (BLAY VILLAN-SATE; GONZÁLEZ RUS, VIVES ANTÓN/CARBONELL MATEU; RAMOS GANCEDO y, RODRÍGUEZ-VILLASANTE Y PRIETO, este último sobre el art. 135 bis.a CP/1973) con la mera comunicación de la información a otra persona con la que no se cause un perjuicio o riesgo efectivo a la defensa nacional, pues esto daría lugar al absurdo de sancionar la comunicación de la información a quien de manera legal está facultado para acceder a ella o bien, ya la conoce. Supuestos en los que, como atinadamente señala MORALES GARCÍA, se procedería a la formalización del tipo y a la consecuente declaración de aptitud de conductas que *ex ante* se presentan incapaces de lesionar o poner en peligro el bien jurídico. De ahí que, de conformidad con este autor, una interpretación teleológica ajena a la formalización del delito exija una separación de la información de su ámbito de garantías, esto es, que sea comunicada a un tercero no autorizado a conocerla y, a la atipicidad de su transmisión a quien ya está al tanto de la misma o bien, está facultado para hacerlo. Asimismo, también resultarán atípicos los supuestos en los que la información es notoria y, en definitiva, conocida por todos, pues no se atentará con su revelación al bien jurídico protegido al haber perdido dicha información su carácter secreto (VIVES ANTÓN/CARBONELL MATEU, RAMOS GANCEDO). Y, por descontado, aquellos casos en los que la comunicación no se realiza a otro (por ejemplo, se manifiesta la información en voz alta, sin que nadie esté escuchando), pues esta acción tampoco encierra peligro alguno para el objeto de tutela de los delitos en cuestión, al no existir receptor del mensaje.

Se está, por tanto, ante un delito de resultado, en cuanto es necesario el conocimiento o la incorporación a la esfera de control de un tercero de la información descubierta que, al menos, ponga en riesgo el bien jurídico protegido. Luego es fácilmente imaginable que entre esta comunicación de la información y su conocimiento por el tercero pueda existir una separación espacio-temporal, tal y como ocurriría en el caso en que se comunica dicha información a otro a través de una carta o una emisión radiofónica en diferido (PASTRANA I ICART, PORTILLA CONTRE-RAS, ORTEGA GUTIÉRREZ-MATURANA, SEGRELLES DE ARENAZA; en contra COBO DEL ROSAL/QUINTANAR DÍEZ; RODRÍQUEZ-VILLASANTE Y PRIETO; POLAINO NAVARRETE en cuanto al art. 135 bis.a CP/1973).

En todo caso, téngase en cuenta que la consumación de la revelación será independiente de que el secreto o la información se transmita a una o varias personas, dado que se castiga la revelación de forma genérica. Por tanto, en ambos supuestos habrá un solo delito de revelación. Asimismo, el tipo no requiere a estos efectos que el destinatario del secreto o la información tenga algún interés en conocerla, ni que este conserve un recuerdo duradero o íntegro de la misma. En cambio, no será indiferente que aquella se revele al público en general, pues la revelación con publicidad en un medio de comunicación social o de forma que asegure su difusión será sancionada conforme al tipo agravado del art. 599.2 CP.

Por otra parte, se admite como posible la comisión por omisión en esta modalidad delictiva (PASTRANA I ICART, ORTEGA GUTIÉRREZ-MATURANA, en contra: COBO DEL ROSAL/QUINTAR DÍEZ; RAMOS GANCEDO). Ello se debe a que no se tasa la manera en la que se ha de realizar la revelación, por lo que esta puede llevarse a cabo tanto de forma activa (a través del lenguaje oral o escrito, gestos, alusiones, soporte magnético, etc.), como omisiva. En concreto, es posible admitir la comisión por omisión de este delito en el supuesto en el que el agente encargado de custodiar o guardar la información, incumpliendo su deber de garante, permite a un tercero no autorizado el acceso a la información (nótese, no obstante, que de derivar esta posición de garante del sujeto activo de su función de depositario o de su conocimiento por razón de su cargo o destino será de aplicación el tipo agravado del art. 599.1 CP).

Por su parte, la conducta de «falsear» significa alterar, manipular, simular, aparentar la veracidad de algo, en este caso de la información legalmente calificada como reservada o secreta. De modo que falsear consiste en el presente tipo penal en cualquier acto de manipulación del objeto de la acción (oral, escrito o cualquiera otra modificación) con la intención de inducir a error sobre su veracidad (por todos, BAUCELLS LLADÓS). Ello lleva a afirmar que el término falsear ha de ser interpretado en un sentido amplio que comprenda tanto la falsedad (dar una apariencia opuesta a la realidad) como la falsificación (crear un objeto falso, imitar algo antes inexistente o alterar un objeto auténtico (SEGRELLES DE ARENAZA sobre art. 135 bis.a CP/1973, RAMOS GANCEDO). O, dicho en otras palabras, «falsear» abarcará no solo los actos de falsificación, sino toda apariencia contraria a la realidad (RODRÍGUEZ-VILLASANTE Y PRIETO en relación art. 135 bis.a CP/1973, RAMOS GANCEDO). Esto lleva a la opinión prácticamente unánime de la Doctrina a admitir que es posible la realización del tipo a través de falsedad material (p. ej., alterar elementos de un documento, simular todo o parte de aquel, etc.) o intelectual (p. ej., narración inveraz de los hechos). Normalmente esta falsedad parece que consistirá en ocultar el carácter reservado o secreto de la información o bien, en omitir, alterar o modificar su contenido y alcance.

En cuanto a si se trata de un tipo de mera actividad o de resultado, la Doctrina apenas se ocupa de este aspecto, abogándose aquí por su consideración como un delito de resultado. El resultado precisa la recepción de la falsedad por otro sujeto que confíe en la autenticidad y veracidad de la información alterada, pues difícilmente si esta no es conocida por persona distinta al sujeto activo podrá atentarse contra el bien jurídico protegido. No basta, por tanto, con la elaboración de un objeto de la acción no auténtico, sino que este debe ser conocido por un tercero, que confíe en su verosimilitud, pues las falsedades obvias o burdas no serán susceptibles de generar un riesgo jurídico penalmente relevante. En consecuencia, cabe la tentativa en este tipo delictivo.

Por otra parte, se considera que la conducta falsaria se puede ejecutar tanto de manera activa —exponiendo información que no sea real— u omisiva —omitiendo datos relevantes— (en contra admitiendo solo su forma activa: RAMOS GANCEDO, SEGRELLES DE ARENAZA, RODRÍGUEZ-VILLASANTE PRIETO —estos dos últimos sobre el art. 135 bis.a CP/1973). Así es posible, por ejemplo, apreciar la comisión por omisión en supuestos en los que quien tiene la obligación de determinar su contenido, la incumple al omitir datos relevantes que cambien el sentido de la información.

En relación a la conducta «inutilizar» significa «hacer inútil, vano o nulo algo». De modo que hacer algo inútil equivale a que no sea útil, esto es, que «trae o produce provecho, comodidad, fruto o interés» (Diccionario de la Real Academia Española). Luego, se entiende que cuando algo se inutiliza deja de servir para el fin que tenía asignado.

Así pues, como bien indica SEGRELLES DE ARENAZA, la cuestión fundamental en esta modalidad típica radica en determinar si la inutilización equivale o no a la destrucción. Pese a admitirse en relación con el derogado art. 135 bis.a CP/1973 mayoritariamente que inutilizar abarcaba la destrucción de la información legalmente calificada, la Doctrina sostiene que inutilizar en el art. 598 CP constituye una actividad intermedia entre el falseamiento y la destrucción, que consiste en la privación temporal al objeto de la acción de su función y, en particular, cuando este se contiene en sistemas informáticos (BAUCELLS LLADÓS, MORALES GARCÍA, ORTEGA GUTIÉRRREZ-MATURANA, en contra admitiendo su identidad con la acción destruir: MUÑOZ CUESTA, RAMOS GANCEDO).

A favor de este último entendimiento cabe manifestar que es el propio texto punitivo el que diferencia entre ambos términos, al castigar en el art. 603 CP al que «*destruyere, inutilizare, falseare o abriere sin autorización documentación legalmente calificada como reservada o secreta, relacionadas con la defensa nacional y que tenga en su poder por razones de su cargo o destino*». De esta formulación típica se infiere que el vocablo destrucción abarca la inutilización definitiva de la información. De ahí que en el art. 598 CP inutilizar comprenda toda forma de hacer inservible la información clasificada para el fin a que se destina con carácter temporal, quedando sin relevancia penal las conductas de destrucción del soporte material (COBO DEL ROSAL/QUINTANAR DÍEZ), que solo serán sancionadas conforme al art. 603 CP cuando sean realizadas por quienes tengan la documentación con información calificada en su poder por razón de su cargo o destino (BAUCELLS LLADÓS, MORALES GARCÍA).

Se está, por tanto, en esta modalidad de inutilización ante un delito de resultado en el que es necesario para su consumación el daño funcional de la información, es decir, que aquella resulte inservible total o parcialmente de forma temporal. Piénsese aquí, por ejemplo, en aquellos supuestos en los que mediante un virus informático se impide el acceso electrónico a la información calificada o bien, se eliminan varios apartados o páginas del texto, sin los cuales, no se puede comprender su significado y alcance. Esta naturaleza activa de la conducta objeto de estudio lleva a rechazar su posible comisión de forma omisiva.

En cualquier caso, siguiendo a ORTEGA GUTIÉRREZ-MATURANA, los criterios de imputación objetiva del resultado deberán desplegar su eficacia para desterrar de la aplicación del precepto aquellos supuestos en que la inutilización no resulta idónea para afectar al bien jurídico o bien, el hecho no puede concebirse en la lógica normativa del precepto. En relación a esto último, nos resulta especialmente difícil imaginar modos de inutilizar intelectual o idealmente la información (de igual opinión, PASTRANA I ICART).

Por otra parte, es necesario reflexionar sobre el posible solapamiento entre la conducta de falsear y la de inutilizar, pues la primera puede conllevar la inutilización de la información calificada. Sin embargo, este solapamiento es solo aparente, dado que no toda inutilización lleva aparejado necesariamente el falseamiento, tal y como ocurrirá en los casos en que la información inutilizada no tenga apariencia de verdadera (SEGRELLES DE ARENAZA en cuanto al art. 135 bis.a CP/1973).

Por último, huelga decir que si el sujeto activo ha obtenido de forma ilícita la información legalmente calificada para proceder a su posterior falseamiento o inutilización será sancionado por la conducta inicial de procurarse. En el caso de que el acceso o conocimiento de dicha información se haya producido de forma lícita por razón del cargo o destino será de aplicación el art. 603 CP y no el art. 598 CP (en su modalidad agravada del art. 599.1 CP), siempre y cuando se esté ante documentación legalmente calificada como reservada o secreta, relacionadas con la defensa nacional.

3. Objeto de la acción

El objeto de la acción está constituido por la «información legalmente calificada como reservada o secreta, *relacionada con la seguridad nacional o la defensa nacional o relativa a los medios técnicos o sistemas empleados por las Fuerzas Armadas o las industrias de interés militar*», en tanto en cuanto la acción típica en cualquiera de sus modalidades (procurarse, revelar, falsear o inutilizar) se ha de proyectar sobre la misma.

Mayoritariamente los tratadistas que se han ocupado del estudio de estos delitos han admitido sin aportar mayores argumentos que la información objeto de la acción del delito ha de estar calificada. Señala en este sentido, SEGRELLES DE ARENAZA en relación al derogado art. 135 bis.a CP/1973, que podría entenderse literalmente tutelada la información clasificada (ahora «calificada») y junto a ella la relativa a la defensa nacional, a la seguridad nacional y al resto de objetos del tipo, pero sin necesidad de clasificación. Postura que este autor rechaza al entender que la expresión «información legalmente clasificada» afecta tanto a la defensa y a la seguridad nacional, como al resto de medios técnicos o sistemas empleados por las Fuerzas Armadas de seguridad o las industrias de interés militar. Ello se fundamenta, entre otros argumentos, principalmente en que cuando el Legislador ha querido proteger información no clasificada lo ha hecho expresamente. Así en el art. 53 del derogado CPM, homólogo militar del precepto en cuestión, se hacía referencia expresa al caso en que la información no estuviese legalmente clasificada o bien, en el art. 52 del mismo texto legal se hablaba de *información no clasificada»*; lo que también sucedía en art. 135 bis.d del CP derogado —cuyo homónimo es el actual art. 601 CP. Por lo tanto, trasladando estos argumentos al vigente art. 598 CP puede afirmarse que el objeto de la acción de este precepto vendrá constituido por informaciones calificadas, que recaen sobre diversos elementos alternativos: la seguridad nacional, la defensa nacional, los medios técnicos o sistemas empleados por las Fuerzas Armadas o las industrias de interés militar.

El art. 598 CP no define ni especifica qué se ha de entender por tal tipo de información, por lo que al remitirse a la norma que regula la materia de los secretos de Estado, se configura como una norma penal en blanco [RAMOS GANCEDO, RODRÍGUEZ-VILLASANTE Y PRIETO sobre el art. 135 bis.a CP/1973). En concreto, cabe acudir a la Ley 9/1968, de 5 de abril, *sobre secretos oficiales, modificada por la Ley 48/1978, de 7 de octubre* (en adelante, LSO *(Tol 137780)*] y, al reglamento que la desarrolla (Decreto 242/1969, de 20 de febrero —en lo sucesivo RSO) para dotar de contenido al término «informaciones».

Si bien el art. 2 LSO *(Tol 137780)* alude a «materia» y no a «información» se parte aquí de un concepto amplio de este último término —y equivalente al primero— por el que se entiende: «los asuntos, actos, documentos, informaciones, datos y objetos cuyo conocimiento por personas no autorizadas pueda dañar o poner en riesgo la seguridad y defensa del Estado» (VIVES ANTÓN/CARBONELL MATEU; ORTEGA GUTIÉRREZ-MATURANA).

En efecto, el preámbulo de la Ley Orgánica 14/1985, de 9 de diciembre, *de modificación del Código penal y de la Ley Orgánica 8/1984, de 26 de diciembre, en correlación con el Código penal militar* señala que *«se ha aprovechado la reforma para introducir el concepto de información clasificada de conformidad con la legislación sobre secretos oficiales»*. Sin embargo, el art. 2 LSO *(Tol 137780)* no habla de «informaciones» sino de «materias clasificadas». Esto lleva en un primer momento a afirmar que el vocablo «informaciones» de los delitos en cuestión constituye simplemente una parte de las materias definidas en este último precepto, no pudiéndose incluir en el tipo ninguna de las conductas que hagan referencia a asuntos, actos, documentos, datos u objetos, aunque estos hayan sido clasificados conforme a lo prescrito en la mencionada norma. De manera que, entendido en un sentido estricto el término «información», la mayoría de las conductas que se pretenden sancionar con el art. 598 CP resultarían impunes si no se quieren infringir los principios básicos de legalidad o de prohibición de analogía contra reo. Es, por ello, que se aboga aquí por un entendimiento amplio de «información», comprensivo de cualquier clase de conocimiento, que permite identificar la «materia» del art. 2 LSO *(Tol 137780)* con las «informaciones» de los tipos penales [así, DELGADO GIL, quien propone de *lege ferenda* para evitar la vulneración de los anteriores principios modificar el art. 598 CP, sustituyendo el término «información» por el de «materia» o bien, incluyendo en dicho precepto expresamente las materias mencionadas en el art. 2 LSO *(Tol 137780)*].

En concreto, el art. 2 RSO define individualizadamente cada uno de estos elementos, entendiendo por «asunto» todos los temas que se refieren a las materias que en el mismo se especifican; por «acto» cualquier manifestación o acuerdo de la vida político-administrativa dirigido a la obtención de fines específicos; por «documento» cualquier constancia gráfica o de cualquier otra naturaleza y, en especial: a) los impresos, manuscritos, papeles mecanografiados o taquigrafiados y las copias de los mismos, cualesquiera sean los procedimientos empleados para su reproducción: los planos, proyectos, esquemas, esbozos, diseños, bocetos, diagramas, cartas, croquis y mapas de cualquier índole, ya lo sean en su totalidad, ya las partes o fragmentos de los mismos; b) las fotografías y sus negativos, las diapositivas, los positivos y negativos de película, impresionable por medio de cámaras cinematográficas y sus reproducciones; c) las grabaciones sonoras de todas clases y d) las planchas, moldes, matrices, composiciones tipográficas, piedras litográficas, grabados en película cinematográfica, bandas escritas o perforadas, la memoria transitorizada de un cerebro electrónico y cualquier otro material usado para reproducir documentos; por «informaciones» los conocimientos de cualquier clase de asuntos o los comprendidos como materias clasificadas en el art. 2 LSO *(Tol 137780)* y, por «datos y objetos» los antecedentes necesarios para el conocimiento completo o incompleto de las materias clasificadas, las patentes, las materias primas y los productos elaborados, el utillaje, cuños, matrices y sellos de todas clases, así como los lugares, obras, edificios e instalaciones de interés para la defensa nacional o la investigación científica. Finalmente se entenderá como materias propias de esta normativa, todas aquellas que, sin estar enumeradas en el presente artículo, por su naturaleza, puedan ser calificadas de asunto, acto, documento, información, dato u objeto, con arreglo a lo dispuesto en el art. 2 LSO *(Tol 137780)*.

Tomando como punto de partida este concepto amplio de información cabe ahora dilucidar qué se entiende por *«legalmente calificada como reservada o secreta»*, es decir, a qué se refiere el adverbio «legalmente» en la descripción típica. En este punto, es necesario poner de manifiesto que el art. 598 CP presenta como novedad respecto de su precedente legislativo —el art. 135 bis.a CP/1973—, que alude a la información legalmente «calificada» en vez de «clasificada». Esta diferencia, que parece deberse a la confusión que impera en la LSO *(Tol 137780)* sobre ambos términos, no resulta baladí en la medida en que la citada norma contempla dos mecanismos sucesivos para la tutela de la información: una primera fase consistente en la «clasificación» de la materia objeto de protección y, una segunda por la que ese material —previamente clasificado— se «califica» como «secreto» o «reservado» según el mayor o menor nivel de protección que la información requiera [art. 3 LSO *(Tol 137780)*]. Luego mediante la «clasificación» se excluyen determinadas materias o informaciones de su conocimiento por la opinión pública, mientras que con la «calificación» se establece el régimen de protección de esa información: «secreto» o «reservado».

A mayor abundamiento, el art. 3 RSO señala el alcance de cada uno de estos tipos de calificación. Así, la catalogación de la información como «secreta» se aplicará a todas las materias que precisen del más alto grado de protección por su excepcional importancia y cuya revelación no autorizada por autoridad competente para ello, pudiera dar lugar a riesgos o perjuicios para la seguridad del Estado, o pudiera comprometer los intereses fundamentales de la nación en materia referente a la defensa nacional, la paz exterior o el orden constitucional. Por su parte, la clasificación como «reservado» se aplicará a los asuntos, actos, documentos, informaciones, datos y objetos no comprendidos en la descripción anterior por su menor importancia, pero cuyo conocimiento o divulgación pudiera afectar a los referidos intereses fundamentales de la nación, la seguridad del Estado, la defensa nacional, la paz exterior o el orden constitucional. Señala, además, este precepto que la autoridad encargada de la calificación indicara el plazo de duración de esta (que puede depender de una fecha fija, de un acontecimiento o de un plazo límite), así como si puede ser suprimida o rebajada de grado y el personal a sus órdenes que puede tener acceso a la misma, indicado en ella las formalidades y limitaciones necesarias para el cumplimento de esta clasificación. A fin de evitar la acumulación excesiva de material calificado, la autoridad encargada de su calificación señalará también los procedimientos para proceder periódicamente a la reclasificación o desclasificación del material.

Es precisamente en relación a esto último, en torno a lo que se ha desarrollado un intenso debate doctrinal, consistente en determinar si únicamente es el poder ejecutivo el competente para calificar como secreta o reservada una determinada información, dado que el art. 4 LSO *(Tol 137780)* atribuye en exclusiva esta facultad al Consejo de Ministros y a la Junta de Jefes de Estado Mayor (en lo siguiente: JUJEM) o, si por el contrario, también tiene esta prerrogativa el poder legislativo del Estado, al disponer el art. 1.2 LSO *(Tol 137780)* que «*tendrán carácter secreto, sin necesidad de previa clasificación, las materias así declaradas por la Ley*». O, dicho de otro modo, se discute si bajo la expresión información legalmente clasificada se incluyen tan solo los secretos de Estado señalados en el art. 2 LSO *(Tol 137780)* o, también, los previstos en el art. 1.2 del mismo texto legal.

Pues bien, un sector doctrinal opta por una interpretación restrictiva, al señalar que la competencia calificatoria corresponde únicamente al Consejo de Ministros y a la JUJEM. Argumentan estos autores, que la expresión legal debe interpretarse en sentido técnico como facultad atribuida en exclusiva a estos órganos —no admite la delegación ni su transferencia [art. 5 LSO *(Tol 137780)*]—, por lo que consecuentemente quedan fuera del marco típico las informaciones declaradas secretas por la Ley (VIVES ANTÓN/CARBONELL MATEU, COBO DEL ROSAL/QUINTAR DÍEZ; MUÑOZ CONDE; MUÑOZ CUESTA; CALDERÓN CEREZO/CHOCLÁN MONTALVO). No aprecian, por tanto, estos ninguna modificación típica tras el cambio del término «clasificación» (empleado tanto en el CP común de 1973 como en el derogado CP militar) por el de «calificación» (utilizado en el CP de 1995), siendo la explicación del tipo la misma con uno u otro término (DELGADO GIL).

En contra, otro grupo de estudiosos, siguiendo una interpretación teleológica, admite a nuestro entender con mejor criterio que dentro de la información legalmente calificada de los tipos penales en estudio cabe no solo la calificada por el poder ejecutivo, sino también por el poder legislativo a través de una norma específica (MORALES GARCÍA, BAUCELLS LLADÓS, DELGADO GIL, ORTEGA GUTIÉRREZ-MATURANA, RAMOS GANCEDO, FEIJÓO SÁNCHEZ, ALONSO DE ESCAMILLA, PASTRANA I ICART y, en relación al derogado art. 135 bis.a: SEGRELLES DE ARENAZA, RODRÍGUEZ-VILLASANTE Y PRIETO).

Dos son los grandes argumentos esbozados en este sentido. De una parte, señala RODRÍGUEZ-VILLSANTE Y PRIETO que es patente que no ha sido voluntad del Legislador excluir de la tipicidad las materias e informaciones declaradas secretas por la Ley por ser susceptibles de perjudicar a la defensa nacional. Mantiene así que las materias clasificadas (ahora calificadas) por el Consejo de Ministros o la JUJEM no son las únicas informaciones legalmente clasificadas a que se refiere el art. 135 bis.a) del anterior CP, pues resulta incuestionable este carácter en las materias declaradas secretas por una Ley, dado que no necesitan previamente de un acto de clasificación, ya que se puede considerar como tal la declaración contenida en la norma legal.

De otra parte, MORALES GARCÍA señala que cuando la Ley efectúa la declaración, lo que hace es calificar directamente la información como reservada o secreta, fusionándose ambos momentos —clasificación y calificación— en uno solo, que tiene lugar con la declaración expresa en una disposición con rango de Ley sobre el carácter reservado o secreto de las materias que constituyen el objeto de la norma. Continúa señalando este autor que, de no aceptarse este entendimiento, se llegaría al absurdo de presumir que lo que califica el Legislativo como secreto no es capaz de afectar a la defensa o seguridad nacional o bien que, haciéndolo, no encontraría cobertura jurídica penal en los arts. 598 y siguientes por no haber sido clasificada por el poder Ejecutivo. Ahora bien, en palabras del propio MORALES GARCÍA, esta interpretación no significa «otorgar carta de naturaleza a cualquier clase de calificación contenida en una ley», sino que esta ha de establecer de forma expresa y directa la calificación de secreta para integrar el objeto del art. 598 y siguientes CP, tal y como sucede, por ejemplo, en el art. 3 de la Ley 11/1995, *reguladora de la utilización y control de créditos destinados a gastos reservados (Tol 148654)*, que señala que: «*toda la información relativa a los créditos destinados a gastos reservados, así como la correspondiente a su utilización efectiva, tendrán la calificación de secreto, de acuerdo con las leyes vigentes en materia de secretos oficiales*» [también así, el art. 5.1 de la Ley 11/2002, de 6 de mayo, reguladora del Centro Nacional de Inteligencia *(Tol 151809)* y, más recientemente, la Disposición Adicional Tercera del Real Decreto 240/2013, de 5 de abril, por el que se aprueba el estatuto de su personal *(Tol 3414861)*]. Esta calificación legislativa exige, por tanto, realizar una valoración del sustrato que conforma la disposición normativa a fin de aseverar su relación con la defensa y seguridad nacional.

Es por ello, que MORALES GARCÍA, señala que quedarán fuera de la esfera de relevancia penal las calificaciones operadas por la norma con independencia del contenido que objetiva, lo que ocurre a su entender en el art. 119 y siguientes de la derogada Ley 11/1986, de 20 de marzo, *de Patentes*, que regulaba el procedimiento de calificación de patentes secretas para proteger un concreto derecho de propiedad industrial. Fines estos que distaban en gran medida de los perseguidos por el art. 2 LSO *(Tol 137780)* y el delito en cuestión.

Por lo tanto, resultarán atípicas las conductas del art. 598 CP referidas a informaciones que no han sido calificadas como reservadas o secretas por las anteriores vías —Parlamento, Consejo de Ministros o JUJEM (FEIJÓO SÁNCHEZ).

Ahora bien, nótese aquí que como bien apuntan algunos autores (REBOLLO VARGAS, ORTEGA GUTIÉRREZ-MATURANA), la JUJEM debe excluirse del ámbito de sujetos competentes para la calificación de la comentada información, en tanto en cuanto disposiciones normativas posteriores a la LSO *(Tol 137780)* derogan tácitamente las funciones atribuidas por esta última norma a la mencionada junta, convirtiéndola en un órgano fundamentalmente consultivo o de asesoramiento [vid., art. 11 LOCB *(Tol 10927)*]. Luego, de acuerdo con estos tratadistas, el único órgano administrativo competente para la declaración expresa de información legalmente calificada será el Consejo de Ministros.

A mayor abundamiento, entre los actos formales de clasificación de materiales relativas a la defensa y seguridad nacional llevadas a cabo por este último órgano colegiado destacan por su especial relevancia:

a) Los Acuerdos del Consejo de Ministros 28 de mayo de 1985 y de 28 de noviembre de 1986, que clasifican, entre otras materias como «secretos»: 1) la Directiva de Defensa nacional; 2) las informaciones, análisis y evaluaciones de las amenazas actuales o potenciales a la paz y seguridad de España; 3) el Plan General de la Defensa nacional; 4) el Plan Estratégico conjunto; 5) los planes y programas derivados del Plan Estratégico conjunto; 6) el contenido de las conversaciones conducentes a la adopción de Acuerdos o Convenios Internacionales en materia de defensa o de carácter militar; 7) las claves de material de cifra criptográfica; 8) el despliegue de unidades y orden de batalla, el Centro de Conducción de Operaciones Estratégicas (CECOE) y, en general, todos los sistemas de mando, control y comunicaciones, incluidas en las redes militares permanentes; 9) las deliberaciones de la Junta de Defensa Nacional, de la Junta de Jefes de Estado Mayor, de los Consejos Superiores de los tres Ejércitos y de la Comisión Delegada del Gobierno para Situaciones de Crisis; 10) la estructura, organización, medios y procedimientos operativos específicos de los servicios de información, así como sus fuentes y cuantas informaciones o datos puedan revelarlas; 11) los estados de eficacia operativa y de moral de las Unidades; 12) los informes y datos estadísticos sobre movimiento de fuerzas, buques o aeronaves militares. En su apartado B) cita como contenidos reservados: 1) los destinos de personal de carácter especial; 2) los planes de seguridad de Instituciones y organismos públicos así como de las Unidades, Centros u Organismos de las Fuerzas Armadas y de los Centros de Producción de material de guerra; 3) los planes de protección de todas aquellas personas sometidas a la misma, específicamente los de las autoridades y de los miembros de las Fuerzas Armadas; 4) las investigaciones y desarrollos científicos o técnicos de carácter militar realizados por industrias militares o de interés para la defensa; 5) la producción, adquisición, suministros y transportes de armamento, munición y material bélico; 6) las conceptuaciones, informes individuales y sanciones del personal militar; 7) las plantillas de personal y de medios y de equipo de las Unidades. Estos acuerdos extienden la clasificación genérica de secreta o reservado a aquellos documentos necesarios para el planeamiento, preparación o ejecución de los anteriores documentos, acuerdos o convenios, así como las informaciones, asuntos y materias clasificadas por tratados o acuerdos internacionales celebrados por España o por organizaciones internacionales o potencias aliadas.

b) Los Acuerdos del Consejo de Ministros de 17 de marzo y 29 de julio de 1994, que añaden al anterior catálogo de materias clasificadas como secretas «las actuaciones de seguridad de vuelo» y «la adquisición y dotación de equipos de comunicaciones que se efectúen para la Casa Real».

c) El Acuerdo del Consejo de Ministros, de 16 de febrero de 1996, cuya especial transcendencia radica en la clasificación como secreto de: 1) la estructura, organización, medios y técnicas operativas utilizadas en la lucha antiterrorista por las Fuerzas y Cuerpos de Seguridad del Estado, así como sus fuentes y cuantas informaciones o datos puedan revelarlas, y 2) «los ficheros automatizados que en materia antiterrorista establezca la Administración Penitenciaria, durante el convulso proceso de lucha de los Grupos Antiterroristas de Liberación (GAL) contra ETA».

d) El Acuerdo del Consejo de Ministros, de 15 de octubre de 2010, *sobre política de seguridad de la información del Ministerio de Asuntos Exteriores y de Cooperación por el que se clasifican determinadas materias con arreglo a la Ley de Secretos Oficiales*. La relevancia de este acuerdo radica en que es aprobado en un momento de máxima convulsión social por la publicación de decenas de miles de documentos oficiales estadounidenses sobre la guerra de Afganistán y el anuncio de nuevas filtraciones, así como el reconocimiento por parte del Ministerio de Exteriores español de la pérdida de información sensible en materia de defensa nacional. En este escenario, el Ejecutivo español opta por blindar la cuasi totalidad de documentación diplomática, al clasificar como secreto: 1) las posiciones básicas de España y estrategias en negociaciones políticas, de seguridad, económicas y comerciales; 2) la información sobre posiciones españolas en conflictos internacionales o internos; 3) la información relativa a la actualización de grupos terroristas y movimientos a ellos asociados, delincuencia organizada y tráfico de drogas, personas y armas; 4) la información relativa al despliegue de unidades de las Fuerzas Armadas y Fuerzas y Cuerpos de Seguridad del Estado españolas y aliadas tanto en España como en misiones internacionales; 5) las negociaciones y buenos oficios sobre secuestros y liberación de ciudadanos españoles o extranjeros así como la información relativa a las extradiciones o traslado de personas condenables; 6) los contactos de mediación o buenos oficios llevado a cabo por España con terceros países y con grupos y líderes de oposición; 7) la protección de Derechos Humanos; 8) las cuestiones de asilo y refugio; 9) la tramitación de beneplácitos de Jefes de Misión españoles y extranjeros; 10) la información relativa a las cuestiones que afecten a la soberanía, independencia y a la integridad de España o de países amigos; 11) las informaciones relativas a la aplicación de Acuerdos bilaterales o multilaterales sobre asuntos de seguridad y defensa suscritos por España, incluidas aquellas relacionadas con sobrevuelos, estancias y escalas de buques y aeronaves; 12) los asuntos relacionados con los crímenes más graves de trascendencia internacional sobre los que pueda tener jurisdicción la Corte Penal internacional; 13) la información relativa a los preparativos de los viajes de los Reyes y del Presidente del Gobierno y, cuando las circunstancias lo aconsejen, de los Ministros y otras autoridades del Estado y, 14) las claves y material criptográfico. Asimismo, otorga la clasificación de reservado a: 1) las entrevistas con mandatarios o diplomáticos extranjeros; 2) gestiones de apoyo en las licitaciones de empresas españolas en el exterior y en contenciosos de especial gravedad y, 3) candidaturas españolas a puestos en organismos internacionales.

En otro orden ideas, también hay tener aquí en cuenta que se han adoptado un conjunto de normas relativas a la protección de la información clasificada. A mayor abundamiento, tal y como detalla ORTEGA GUTIÉRREZ-MATURANA, la adhesión de nuestro país al Tratado del Atlántico Norte (OTAN), en junio de 1982, trajo consigo la creación de la Autoridad Nacional de Seguridad responsable de la protección y control de la Información Clasificada originada por las partes del Tratado, mediante el Acuerdo de Consejo de Ministros, de 25 de junio de 1982. Órgano cuyas funciones consisten en coordinar y supervisar las medidas de protección de la Información Clasificada OTAN entregada a España por la Alianza. Éstas serán desarrolladas por los Ministros de Defensa y Asuntos exteriores que pueden designar a una autoridad delegada para la delimitación de sus contenidos que se otorga al Director del Centro Superior de Información de la Defensa (CESID), el actual CNI. Los Acuerdos de Consejo de Ministros de 18 de abril de 2002 y de 18 de noviembre de 2005, respectivamente, crearon la Autoridad Nacional de Seguridad para la seguridad de la información clasificada de la Unión Europea y Unión Europea Occidental y la Autoridad Nacional de Seguridad Nacional para la seguridad de la Información clasificada de la Agencia Espacial Europea. Ambas autoridades están también delegadas en el Secretario de Estado Director del CNI. Finalmente, el Acuerdo de Consejo de Ministros de 11 de mayo de 2010 viene a fusionar las Autoridades Nacionales de Seguridad para la protección de la información clasificada de los diferentes organismos internacionales en una sola e integra entre sus componentes al Ministro de la Presidencia. Así las cosas, en el momento presente la Autoridad Nacional de Seguridad recae conjuntamente en el Ministro de Defensa, en el de Asuntos Exteriores y en el de Presidencia.

Ahora bien, el objeto de la acción no se reduce a la información legalmente calificada como reservada o secreta, sino que requiere, además, que la misma esté relacionada con la seguridad nacional o la defensa nacional o con los medios técnicos o sistemas empleados por las Fuerzas Armadas o las industrias de interés militar, tal y como establece la descripción típica del delito. O, dicho de otro modo, el contenido de los documentos calificados como secretos o reservados ha de ser idóneo para afectar a la defensa nacional.

A este respecto ha sido puesto de manifiesto, por un lado, en lo referente a la técnica legislativa lo confuso, innecesario y perturbador de la referencia a la seguridad nacional, a los medios técnicos o sistemas empleados por las Fuerzas Armadas y las industrias de interés militar junto a la mención a la defensa nacional, pues esta ya engloba en su marco a todos los demás valores o elementos que se enumeran en el precepto (RAMOS GANCEDO, RODRÍGUEZ-VILLSANTE Y PRIETO; de otra opinión en relación, al igual que este último autor, al derogado art. 135 bis.a CP/1973: SEGRELLES DE ARENAZA, para quien esta redundancia permitiría constreñir y limitar el objeto de la acción en el delito en cuestión de producirse futuribles ampliaciones derivadas de la modificación de la normativa sobre secretos oficiales).

Por otro lado, la Doctrina también se cuestiona la necesidad de que la defensa nacional resulte real y efectivamente afectada con la información legalmente calificada. Así, como bien indica RAMOS GANCEDO, los estudiosos de la materia se sitúan en contra de un exacerbado formalismo del tipo, rechazando que toda información calificada con arreglo a la LSO *(Tol 137780)* afecta a la defensa y a la seguridad nacional, pues bastaría con verificar la existencia previa de dicha calificación para declarar la tipicidad de la acción. Motivo por el que se exige acertadamente para la aplicación del precepto, conforme al principio de ofensividad, acreditar que la información sobre la que recae la conducta del sujeto activo, al menos, ha puesto en peligro el bien jurídico tutelado por la norma (MORALES GARCÍA). En consecuencia, solo quedarán tuteladas por el art. 598 CP las informaciones sensibles o relevantes, excluyéndose las nimias o intrascendentes que no afecten a la defensa nacional, conforme al principio de insignificancia. Y en todo caso, resultará atípica la obtención, revelación, falseamiento o inutilización de información que haya sido notificada, publicada o divulgada y, por descontado, desclasificada.

En relación con esto último, téngase presente que la desclasificación del tipo de información objeto de estudio solo puede ser llevada a cabo por el órgano que la calificó como tal [así, art. 7 LSO *(Tol 137780)*]. A este respecto, excede con creces el ámbito de este trabajo el análisis en profundidad de la controversia sobre el posible control parlamentario y, sobre todo, judicial de los actos del Ejecutivo en materia de secretos de Estado derivado de los conocidos «Papeles del CESID». En efecto, son diversas las resoluciones de nuestro Alto Tribunal que, ante la negativa del Gobierno de descalificar determinados documentos para el enjuiciamiento de delitos cometidos por los miembros del GAL contra terroristas, determinan que tanto la clasificación como materia reservada o secreta como la negativa a su desclasificación no constituyen un acto político del Ejecutivo inmune al control jurisdiccional de legalidad sino, al contrario, un acto que puede ser revisado en sede judicial por el orden contencioso-administrativo si afecta negativamente a la tutela judicial efectiva de terceros. Ahora bien, dicho derecho a la tutela judicial no es absoluto e ilimitado y cederá ante las exigencias derivadas de un auténtico secreto de Estado, a saber: aquel que persigue garantizar la seguridad de la nación; no las de sus autoridades o funcionarios que pueden resultar personalmente relacionados en una investigación judicial [vid., Acuerdo del Consejo de Ministros de 2 de agosto de 1996 y, SSTS, 2359/1997 (caso Urigoitia); 2391/1997 (caso Oñederra) y, 2389/1997 (caso Lasa y Zabala), 4-4]. Luego según se desprende de dichas resoluciones habrá que estar al caso concreto para valorar si prepondera la seguridad del Estado o, en cambio, el derecho de las partes a utilizar los medios de prueba pertinentes para apoyar su pretensión y para lo que es necesaria la desclasificación judicial de determinados asuntos (ampliamente sobre esta cuestión, por ejemplo: ALONSO DE ANTONIO, DÍEZ-PICAZO, DÍAZ SÁNCHEZ, OTERO GONZÁLEZ, TORRES VENTOSA).

4. Tipo subjetivo

El art. 598 CP se define como un delito doloso, siendo posible tanto el dolo directo como el eventual (PORTILLA CONTRERAS, FERNÁNDEZ RODERA, RAMOS GANCEDO). No se tipifica la versión imprudente de este ilícito.

A modo de ejemplo la SAP Madrid 61/2010, de 11 de febrero, casada por STS, 1094/2010, 10-12, aprecia en el acusado la finalidad de favorecer con su acción a una potencia extranjera y, más concretamente, tras el envío de dos cartas a los servicios de inteligencia rusos en los que proporcionaba información sobre los agentes del Centro Nacional de Inteligencia (CNI) y otra información clasificada a cambio de dinero.

En cuanto a su contenido, el dolo se configura en el art. 598 CP por la consciencia y voluntad de procurarse, revelar, falsear o inutilizar información legalmente calificada como secreta o reservada —p. ej., facilitar el conocimiento de la información a terceros— y el saber que tal información pertenece exclusivamente al ámbito de conocimiento de determinadas personas y, que no se accede a ella desde el ejercicio de sus funciones, ya que de ser así sería aplicable el tipo agravado del art. 599.1 CP (PORTILLA CONTRERAS).

En este sentido no es necesario que el sujeto activo tenga conocimiento de la clasificación técnica que se establece sobre este tipo de información en el art. 2 LSO ni que distinga entre su carácter secreto o reservado, sino que basta con que sepa que se trata de una información secreta en un sentido vulgar, esto es, como algo conocido por pocas personas, que no debe ser publicado o dado a conocer a un círculo más amplio (SEGRELLES DE ARENAZA, respecto del art. 135 bis.a CP/1973). Facilita este conocimiento el que la documentación que contiene este tipo de información venga marcada con el sello o estampilla de «secreto» o «reservado», así como otras medidas de seguridad adoptadas para su custodia y salvaguardia.

Medidas estas determinadas, con carácter general, en los arts. 11 y siguientes del Decreto 242/1969, de 20 de febrero, *por el que se desarrollan las disposiciones de la Ley 9/1968, de 5 de abril sobre Secretos Oficiales*, que regulan desde los requisitos para la clasificación formal de la información, hasta las normas para su destrucción, pasando por las reglas a seguir para su custodia o para la incorporación de marcas en documentos, planos o croquis que contengan la clasificación asignada a este material reservado.

Ahora bien, en ningún caso debe concluirse que la falta de estos signos distintivos desprotege penalmente a la información legalmente clasificada, pues este razonamiento llevaría al absurdo y a la irresponsabilidad de declarar impune la conducta, por ejemplo, del encargado del servicio de calificación que, conocedor de la sensibilidad de la información que él mismo genera y sabiendo su condición de materia calificada como secreta o reservada, la traslada a un documento para reproducirlo y poder así apoderarse de ella antes de que el documento sea estampado con el sello o signo externo de clasificación (sentencia de la Sala de Justicia del Tribunal Militar Central, de 9 de julio de 1997). Luego, como hemos dicho, basta con acreditar la conciencia por el sujeto activo del carácter secreto de la información.

El error de tipo tendrá una especial importancia en esta figura delictiva sobre todo por cuanto se refiere, de una parte, al carácter reservado o secreto de la información así legalmente calificada. Se está pensando aquí, por ejemplo, en el desconocimiento de la naturaleza de la información por una falta de protección de la misma que la coloque al alcance de personas no autorizadas a acceder a ella o, menos frecuente, que el autor desconozca que la información (aun sabiéndola calificada) ignore su relación con la defensa nacional, la seguridad nacional, los medios técnicos o sistemas empleados por las Fuerzas Armadas o industrias de interés militar (así, RODRÍGUEZ-VILLASANTE Y PRIETO, en relación al antiguo art. 135 bis.a CP/1973; en la misma línea, por ejemplo, RAMOS GANCEDO).

De otra parte, también puede inducir a error la autorización para obtener, revelar, falsear o inutilizar la información. Este sería el caso, por ejemplo, de quien yerra sobre el permiso otorgado por un superior para la copia o transmisión de información secreta o reservada. En estos supuestos al tratarse de un elemento objetivo del tipo penal se estará, como se ha indicado, ante un error de tipo, que se resolverá conforme a las reglas previstas en el art. 14.1 CP. De modo que al no sancionarse su versión imprudente serán impunes tanto el error vencible como invencible; salvo que se esté ante un sujeto que conozca la información secreta o reservada por razón de su cargo, comisión o servicio, en cuyo caso será de aplicación el art. 601 CP.

Pueden también plantearse supuestos de error inverso cuando el sujeto se procura, revela, falsea o inutiliza información que carece de la naturaleza de calificada que aquel cree que posee. Así, por ejemplo, si se confunde la información calificada como reservada o secreta conforme al art. 2 LSO *(Tol 137780)* con aquellas «materias objeto de reserva interna» del Ministerio de Defensa que pueden tener el grado de «confidencial» o «difusión limitada». Materias que afectan a su seguridad, amenazan sus intereses o dificultan el cumplimiento de su misión, pero que no tienen la naturaleza indicada, tal y como dispone el art. 6.1 de la Orden Ministerial 76/2006, de 19 de mayo, *por la que se aprueba la política de seguridad de la información del Ministerio de Defensa*. Luego la ausencia de objeto de la acción en estos casos, dará lugar a la impunidad de las actuaciones realizadas sobre este tipo de materias secretas (en esta línea, en relación al derogado art. 135 bis.a CP/1973: SEGRELLES DE ARENAZA).

Por último, recuérdese que las conductas de procurarse, revelar, falsear o inutilizar información legalmente calificada se deben realizar: «*sin propósito de favorecer a una potencia extranjera, asociación u organización internacional*». De concurrir esta finalidad será de aplicación el art. 584 CP, si se trata de un español, y el art. 586 CP si se trata de un extranjero. Luego, como ya se adelantó más arriba al analizar los sujetos, la ausencia de este elemento negativo del tipo es el elemento diferenciador entre este ilícito y el de traición por espionaje, motivo por el que el injusto del art. 598 CP tiene un menor desvalor para la defensa nacional, lo que se refleja en una penalidad inferior.

Se rechaza aquí, por tanto, la propuesta de MOLINA FERNÁNDEZ de relacionar este elemento negativo del tipo no con la actitud interna del sujeto activo, sino con quién sea el destinatario de la información. A su entender, el CP establece un sistema de castigo del espionaje escalonado según su gravedad en atención al receptor de la información, a saber: enemigo (art. 583.3 CP), potencia extranjera en tiempo de paz (art. 584) y, otro destinatario ilícito (art. 598 CP). Propuesta interpretativa que, si bien, resolvería la difícil tarea de probar la motivación anímica del agente, al fundamentarse en elementos objetivos, se rehúsa en la medida en que perturba la esencia o fundamento de los delitos de traición, al negarle toda relevancia jurídica al ánimo de quebrantar los deberes de fidelidad que todo sujeto tiene respeto del Estado del que es nacional. Así pues, en el art. 598 CP tendrán cabida aquellos supuestos en los que el individuo no persigue ningún propósito de favorecimiento en general o bien, difieren de los previstos en el art. 584 CP (p. ej., fin lucrativo, periodístico o mera afinidad ideológica o política).

5. *Iter criminis*

Las modalidades delictivas del art. 598 CP, como ya se ha dicho, son tipos de resultado.

A mayor abundamiento, la conducta de procurarse se consumará con la obtención de la información por quien se apodera de ella por primera vez o bien, con la sustracción del ámbito o círculo permitido por la Ley, por quien está autorizado o encargado de su custodia, bien con su aprehensión material o intelectual y, con independencia de que se llegue a conocer el contenido de la misma. Las diligencias o esfuerzos conducentes a obtener dicha información serán formas imperfectas de ejecución del delito.

Ahora bien, aunque desde un punto de vista teórico puede afirmarse que cabe la tentativa, desde una perspectiva político-criminal parece conveniente rechazar su punición en esta conducta típica, pues ello resultará desproporcionado, en primer lugar, porque si con la obtención de la información secreta se produce únicamente la puesta en peligro de la defensa nacional (cuya lesión tendrá lugar con la revelación, falseamiento o inutilización de la misma), no se concibe la afección a este bien jurídico con el inicio de las actuaciones conducentes a hacerse con ella. O dicho de otro modo, si la obtención de la información representa tan solo un peligro abstracto para el objeto protegido, admitir la punición del inicio de esta actividad podría suponer la criminalización del peligro de un peligro; lo que resulta ciertamente difícil de justificar desde la perspectiva del principio de ofensividad. En segundo término, porque algunos de estos actos de obtención pueden constituir ya de por sí otro ilícito, cuya sanción conjunta con el art. 598 CP daría lugar a aplicar una penalidad desorbitada a esta acción. Se está pensando aquí en los casos de acceso o de mantenimiento ilícito en un sistema informático para obtener un documento electrónico con información legalmente calificada, pero que finalmente no logra ser descargado, copiado o impreso; pues podría apreciarse un concurso entre el delito de intrusismo informático (*hacking*) del art. 197 bis CP y la tentativa de procurarse del art. 598 CP dado que, con el primero, se afecta a la seguridad de los sistemas informáticos y, con el segundo, a la defensa nacional.

Por su parte, la revelación se perfeccionará en el momento en que la información secreta llega a conocimiento de la persona no autorizada, siendo indiferente que los destinatarios sean uno o varios (en este último supuestos solo existirá un único delito de revelación), así como que tengan interés en conocerla, mantengan un recuerdo duradero de la misma o comprendan su contenido. Son fácilmente imaginables en esta modalidad delictiva las formas imperfectas de ejecución. Así, por ejemplo, es posible la tentativa en la conducta de revelar cuando fracase el intento de comunicar o divulgar la información legalmente calificada por la intervención de un tercero o bien, por otras causas ajenas a la voluntad del agente. Piénsese en este sentido, en el cartero que no hace entrega del documento postal que contiene el secreto, o en el soporte magnético que lo almacena —CD, disquete, memoria USB— que está dañado y del que no se puede recuperar la información.

En cuanto a la conducta de falsificación, la consumación se producirá cuando un tercero conozca y confíe en la autenticidad y veracidad de la información alterada, ya que si esta no es conocida por persona distinta al sujeto activo difícilmente podrá atentarse contra el bien jurídico protegido. No basta, por tanto, con la elaboración de un objeto de la acción no auténtico para su realización. También es posible admitir en este tipo delictivo la tentativa, que podrá tener lugar con los actos de manipulación y alteración de la información, dirigidos a su falseamiento.

En relación a la inutilización se entenderá realizada con la privación temporal de la función o fin a que se destina la información secreta o, en otras palabras, en el momento en que la información resulte inservible en todo o en parte durante un lapso de tiempo. Como en el caso anterior, será posible apreciar la tentativa con los actos llevadas a cabo para proceder a inutilizar dicha información.

Por último, hay que poner de relieve que la Doctrina se muestra dividida al señalar unos autores que no es necesario para la realización del tipo ocasionar un riesgo para la seguridad o la defensa nacional (MUÑOZ CUESTA; SERRANO GÓMEZ/SERRANO MAÍLLO), frente a los que entendemos que debe verificarse la lesión (o al menos la puesta en peligro) del bien jurídico protegido para evitar así la formalización del tipo. Es necesario, por tanto, que con la comisión de la conducta típica se afecte a la defensa nacional para poder afirmar la realización del injusto en estos delitos (también en esta línea, por ejemplo, MORALES GARCÍA, ORTEGA GUTIÉRREZ-MATURANA). Es decir, se ha de constatar, a nuestro entender, un peligro para el desarrollo de las acciones estatales conducentes a garantizar la seguridad de la nacional, esto es, la convivencia social dentro del orden constitucional.

Huelga decir que no existe tipificación expresa en estos tipos de las fases de provocación, conspiración y proposición, de modo que deben entenderse como actos preparatorios impunes conforme a los arts. 17.3 y 18.2 CP.

6. Autoría y participación. Problemas específicos de autoría y participación

Los tipos delictivos regulados en el art. 598 CP responden a la naturaleza de delitos comunes, de modo que cualquiera puede ser autor.

Así las cosas, no existen inconvenientes en admitir la coautoría y la autoría mediata en estos ilícitos, aunque sí, en cambio, la participación (en contra, RAMOS GANCEDO). En efecto, la elevación a delito autónomo de lo que no son más que actos preparatorios de la revelación de información legalmente calificada como reservada o secreta, hace difícil su apreciación, ya que todo ha sido contemplado como autoría. Piénsese en este sentido que aquel que se procura, falsea o inutiliza dicha información para su posterior revelación no será considerado como partícipe de un delito del art. 598 CP, sino como autor de este tipo delictivo.

Este es el caso, por ejemplo, del tercero que recibe la información calificada tras inducir o cooperar con el sujeto activo para que se la revele, pues lleva a cabo una forma de «procurarse» tal información a través de otro (PORTILLA CONTRERAS).

No parece, por tanto, posible en este precepto distinguir una contribución diferente a la autoría.

7. Causas de justificación

En relación a las causas de justificación se plantea la posibilidad de apreciar como ejercicio legítimo de un derecho el denominado derecho a la información del art. 20.1.d CE, en aquellos casos en que se revela información legalmente calificada como secreta o reservada en el marco de informaciones periodísticas.

Piénsese en este sentido, por ejemplo, en el interés informativo que suscitan determinadas políticas en materia de defensa nacional, misiones de las Fuerzas Armadas o actuaciones de los servicios de inteligencia, que han dado lugar a importantes filtraciones periodísticas como las acaecidas, a nivel nacional, con la publicación por el diario El Mundo en 1991 de los llamados documentos «Papa Tango» y «Papa Golf» relativos al envío de tropas españolas a Turquía y el Golfo Pérsico (cfr., sentencia del Juzgado Togado Militar Central núm. 1 de Madrid, de 15 de abril de 1993) o, la revelación del Informe de 11 de enero de 2002 del Gobierno de

Aznar autorizando a hacer escala en España a vuelos de la CIA rumbo a Guantánamo, con prisioneros de Al-Qaeda; así como a nivel internacional los ya citados anteriormente casos *Snowden* o *WikiLeaks*.

A este respecto, la Doctrina no se pronuncia sobre si ha de ser preponderante el interés estatal en la exclusión del conocimiento de terceros no autorizados de información secreta que puede comprometer su estabilidad o, si por el contrario, ha de serlo el derecho a comunicar o recibir libremente información. De modo que, la difícil fijación de un punto de equilibrio entre ambos intereses lleva, a nuestro entender, a exigir una ponderación jurisdiccional de los intereses en juego, pudiendo llegar a actuar este segundo, como verdadera causa de justificación en la medida en que sirve a la formación de la opinión pública (en esta línea, MARCHENA GÓMEZ).

Situaciones estas que serán cada vez más habituales en estos tiempos modernos, tal y como se señaló, más arriba dada la facilidad para la obtención y difusión a través de medios tecnológicos de información de relevancia para el Estado. Y, sobre todo, que serán cada vez menos fruto del periodismo de investigación —o espionaje periodístico— y más de la actuación de ciudadanos periodistas (o «piratas», «vengadores» o «intrusos» como también los denomina COUSIDO GONZÁLEZ), que ponen al descubierto la irregularidad de un comportamiento político, en muchos casos, guiados más por el morbo de su actuación que por el valor de la información revelada (*animus narrandi*). Circunstancias que obligarán, por consiguiente, a adoptar criterios de ponderación y delimitación entre ambos intereses que no están perfilados de forma clara, en el momento presente.

Ahora bien, más allá de la posible solución doctrinal o judicial a este conflicto, tal y como dijimos, lo mejor para evitarlo es garantizar el acceso más amplio posible a este tipo de contenidos a la opinión pública y mantener en secreto solo aquello estrictamente necesario para la estabilidad nacional y, sobre todo, redefinir el régimen jurídico de los secretos de Estado en los entornos multimedia, es decir, reflexionar sobre la frontera entre lo público y lo privado a la vista de la «obscenidad comunicativa» de esta época (COUSIDO GONZÁLEZ).

8. Concursos

Son diversos los problemas concursales que pueden plantearse entre el delito de revelación de secretos e informaciones reservadas del art. 598 CP y otras figuras delictivas. En primer lugar, los tipos del art. 598 CP serán desplazados por diversos preceptos —más específicos— con los que entran en concurso de leyes, en virtud de una relación de especialidad. Así ocurre con: a) los delitos de los arts. 24 a 26 del Código Penal Militar cuando la información legalmente calificada como reservada o secreta sea procurada, revelada, falseada o inutilizada por un militar; b) el delito del art. 197.1 CP si la revelación de la información afecta únicamente a la intimidad de un particular (MARCHENA GÓMEZ); c) el delito del art. 277 CP cuando se divulga una invención objeto de solicitud de patente secreta (MARCHENA GÓMEZ; GUINARTE CABADA; en contra, por un lado, abogando por la aplicación del art. 598 CP en base a su mayor penalidad y, por otro lado, no admitiendo en ningún caso la posible relación concursal entre ambos preceptos: MORALES GARCÍA) y, d), el delito de traición por espionaje del art. 584 CP cuando las conductas de procurar, revelar, falsear o inutilizar información calificada como secreta o reservada relacionada con la seguridad o defensa nacional se realice por un español con el propósito de favorecer a una potencia extranjera, asociación u organización internacional o bien, el art. 586 CP si son cometidas por un extranjero residente en España (entre otros, CALDERÓN CEREZO/CHOCLÁN MONTALVO, MUÑOZ CONDE, MORALES GARCÍA, PORTILLA CONTRERAS, RAMOS GANCEDO).

Respecto a los concursos delictivos pueden concurrir los delitos de revelación de secretos e informaciones reservadas del art. 598 CP en relación:

1) Medial: a) con las falsedades cometidas para inducir a error en el tráfico jurídico sobre la naturaleza de la información calificada, la atribución falsa de intervención o declaración o bien, la narración inveraz de hechos que contiene y, b) con el delito de intrusismo informático del art. 197 bis CP cuando se accede ilícitamente a un sistema informático o se mantiene en él, para obtener documentos o archivos con información secreta.

2) Ideal: a) con el delito de hurto y robo del art. 234 y sigs. CP, cuando se sustrae el continente material ajeno para obtener o procurarse la información secreta que alberga y, b) con el delito de daños (art. 264 CP) y daños informáticos (art. 264 bis CP), cuando se alteren, supriman o hagan inaccesibles datos o programas informáticos, así como documentos electrónicos ajenos o bien, se inutilicen sistemas informáticos que contengan información legalmente calificada como secreta o reservada. Ello tendrá lugar especialmente en el supuesto agravado de los delitos de daños, a saber, cuando estos afecten a sistemas informáticos de una infraestructura crítica o se hubiera creado una situación de peligro grave para la seguridad del Estado, de la Unión Europea o uno de sus miembros.

En tercer lugar, otra relación concursal problemática sería la del art. 598 CP y el delito del art. 600.2 CP en aquellos casos en los que el sujeto posee ilegítimamente objetos o información legalmente calificada como reservada o secreta, que será analizada más adelante (vid., *infra* epígrafe IV).

Por último, deberán tenerse en cuenta aquí las reglas del delito permanente, al no agotarse la lesión al bien jurídico con la consumación del delito. Así, por ejemplo, el art. 598 CP se perfeccionará con la revelación de la información reservada o secreta, prolongándose la lesión a la defensa nacional durante todo el período en que el sujeto haga uso de ella.

9. Tipos agravados

9.1. Por razón del sujeto activo: depositario o conocedor de la información por su cargo o destino

El inciso primero del art. 599.1 CP regula un tipo agravado por razón del sujeto activo, en el que se sanciona al depositario o conocedor del secreto o información por razón de su cargo o destino que realice las modalidades típicas del precepto previo con la pena de prisión prevista para el tipo básico (pena de prisión de uno a cuatro años) en su mitad superior (prisión de dos años y medio a cuatro años). De no concurrir esta cualidad en el sujeto activo será de aplicación, el tipo básico del art. 598 CP, pues se está ante un delito especial impropio. Asimismo, se apreciará un delito especial de revelación de secretos relativos a la defensa nacional del art. 26 del CPM cuando el sujeto depositario o conocedor de esta información sea un militar.

El fundamento de esta agravación reside en el mayor desvalor de acción que supone esta conducta, ya que es ejecutada por un sujeto que por razón de su cargo o destino tiene acceso a la información secreta o reservada (BAUCELLS LLADÓS). O, dicho de otro modo, esta agravación responde al mayor reproche penal que se realiza al sujeto activo precisamente por la posición que ocupa, pues como depositario o legítimo conocedor de la información por razón de su cargo o destino tiene el deber de su custodia y de sigilo.

Llama aquí la atención que no exista un tipo agravado similar al objeto de estudio en relación al delito de traición por espionaje del art. 584 CP, es decir, para aquellos casos en que el traidor que favorece a la potencia extranjera, asociación u organización internacional es el depositario o conocedor del secreto o información por razón de su cargo o destino, dada la mayor reprochabilidad de esta conducta (de esta opinión, PASTRANA I ICART).

Siguiendo en este punto a SEGRELLES DE ARENAZA (que se pronuncia en relación al derogado art. 135 bis.b CP/1973), el sujeto activo debe reunir dos grupos acumulativos de características. Así, conforme al primero el agente deberá ser «depositario» o «conocedor» de la información legalmente calificada y, en el segundo ha de haber accedido a ella por razón de su «cargo» o «destino». Para que sea de aplicación el art. 599 CP es necesario que concurra solo una de las características de cada uno de estos grupos.

Entrando en el análisis del primer grupo de estas cualidades subjetivas, en su tenor gramatical depositario es «la persona en quien se deposita algo», entendiéndose por depositar «poner bienes u objetos de valor bajo la custodia o guarda de persona física o jurídica que quede en la obligación de responder de ellos cuando se le pidan» (Diccionario de la Real Academia Española). Luego depositario es aquel a quien se encarga la custodia de una cosa con la obligación de guardarla y restituirla. Por su parte, el término «conocedor» alude al sujeto que conoce, es decir, a aquel que sabe y está enterado del secreto o la información legalmente calificada como reservada o secreta.

Si bien la distinción entre ambos agentes no presenta mayores problemas, lo relevante es que no es baladí, pues con ella el Legislador parece querer tipificar dos situaciones diferenciadas, tal y como acertadamente indica SEGRELLES DE ARENAZA (en relación al art. 135 bis.b CP/1973). Así, sanciona, por un lado, aquel supuesto en el que el depositario guarda la información, pero no es conocedor de la misma. Hecho que solo tendrá lugar cuando el depósito consista en la custodia del soporte material que contenga la información y que el individuo no puede conocer porque, por ejemplo, se encuentra en un sobre cerrado, en un lenguaje cifrado o en un dispositivo electrónico protegido con medidas de acceso restringido. Por otro lado, se sanciona el supuesto contrario, esto es, que el sujeto sea conocedor, pero no depositario de la información y, más concretamente, del soporte en que se contiene. Conocimiento, precisamente, que lleva a afirmar que en estos casos el sujeto activo no cometerá la conducta de descubrimiento («procurarse»), pues accede lícitamente a ella por razón de su oficio o destino. Por otra parte, no cabe duda de que la situación derivada de la combinación de ambos supuestos (sujeto depositario y conocedor de la información), queda amparada en el ámbito de lo punible del art. 599 CP, pues la sola concurrencia de uno de estos rasgos ya cumple las exigencias típicas del delito.

En relación al segundo grupo de características que exige el precepto en estudio son el «cargo» y el «destino». Pues bien, tomando nuevamente como punto de partida el Diccionario de la Real Academia de la Lengua se entiende por *cargo*, en sentido figurado, «dignidad, empleo u oficio», mientras que por *destino* «empleo». Luego desde el punto de vista semántico ambos son términos sinónimos.

El principal problema que plantea el primero de estos conceptos es determinar si se refiere solo a los cargos públicos y, por consiguiente, a funcionarios públicos o, por el contrario, abarca también a cargos privados. Pues bien, desde la óptica administrativa, la palabra *cargo* se refiere a una cualidad subjetiva (ser cargo público) o bien, objetiva (puesto de trabajo). De modo que el sujeto es «cargo público» o bien, ocupa un «cargo público», por lo que se puede definir conforme al primer aspecto el cargo como «el vínculo que une al funcionario con la Administración Pública», y en el segundo «que une al funcionario en el ejercicio de las funciones inherentes al puesto de trabajo que ocupa». El ejercicio del cargo así entendido se conecta con el ejercicio de potestades jurídico-públicas. La Doctrina administrativa no alude al concepto de destino.

De conformidad con lo anterior puede afirmarse, por tanto, que desde la perspectiva penal el término «cargo» atañe al funcionario público que conoce o posee información reservada con arreglo a las funciones públicas que desempeña, quedando así reservado el concepto de «destino» (o empleo) para aquel que conoce o detenta dicha información como resultado del ejercicio de una actividad profesional de carácter jurídico privada. Entendimiento que nos parece el más adecuado, ya que permite dotar de contenido a este concepto en el contexto del tipo en cuestión, pues si se interpretase el destino también como el ejercicio de función pública —en la misma línea que se hace en el delito de abandono de destino del art. 407 CP— presentaría los siguientes inconvenientes: 1) resultaría un concepto redundante y superfluo, al venir a amparar las mismas situaciones laborales que el «cargo» y, 2) no permitiría sancionar aquellos supuestos en los que el sujeto es ajeno a la Administración Pública, pero tiene acceso a la información reservada por su actividad profesional. Se está pensando aquí, por ejemplo, en los empleados de empresas o industrias contratadas por el Estado para el desarrollo o la investigación secreta de: armamento o equipos de combate para las Fuerzas Armadas; sistemas de ciberseguridad; logística para el control del espacio aéreo, marítimo o terrestre, etc. (de otra opinión, SEGRELLES DE ARENAZA y RODRÍGUEZ VILLSANTE Y PRIETO, que abogan en relación con el art. 135 bis.d CP/1973, por un concepto amplio de «cargo» y «destino» inclusivos ambos de puestos de trabajos tanto públicos como privados). Riesgos en la transferencia de información secreta del ámbito oficial al privado, que viene contemplados en muchos de los acuerdos internacionales u órdenes ministeriales en materia de defensa (así, por ejemplo, la Orden Ministerial 1/1982, de 25 de enero, *por la que se aprueban las Normas para la protección de la documentación y material clasificado* o, el Acuerdo *sobre Seguridad de Información Militar Clasificada entre España* y los EEUU de 12 de marzo de 1984 y sus protocolos anexos para operaciones industriales) y que son merecedores de reproche penal.

Ahora bien, como a nadie se le escapa, el art. 599 CP se verificará normalmente cuando la revelación sea realizada por una autoridad o funcionario público de conformidad con el art. 24 CP, que conoce el secreto o la información reservada por su cargo. Este deber genérico de reserva que incumbe a todo funcionario público se concreta en los delitos en cuestión principalmente en los sujetos encargados de la elaboración, aprobación y aplicación de la política de defensa y seguridad nacional, ya mencionados al analizar el sujeto activo del tipo básico del art. 598 CP. Junto a estos, mención especial merecen los Diputados y Senadores que, conforme al art. 10.2 de la LSO *(Tol 137780)*, están habilitados para conocer de esta clase de información conforme a sus reglamentos, que determinan la celebración de sesiones secretas para tratar y debatir asuntos relacionados con la defensa nacional; prerrogativa con la que se persigue salvaguardar el control parlamentario sobre la acción del ejecutivo. Ahora bien, este acceso a la información reservada o secreta viene limitado por el punto noveno de la Resolución de la Presidencia del Congreso de los Diputados, de 11 de mayo de 2004, *sobre secretos oficiales* que, remitiéndose al art. 16 del Reglamento de la Cámara, impone a los diputados la obligación de no divulgar las actuaciones que, según lo dispuesto en aquel, puedan tener excepcionalmente el carácter de secretas.

El incumplimiento por el funcionario de este deber de reserva de las materias calificadas da lugar a una doble consecuencia: a la responsabilidad administrativa a depurar por las normas disciplinarias aplicables al cuerpo al que pertenezca el funcionario o bien, a la responsabilidad penal o militar, según proceda. A mayor abundamiento, sobre la primera de estas responsabilidades, con carácter general el art. 95.2.f de Ley 7/2007, de 12 de abril, *del Estatuto Básico del Empleado Público (Tol 1050263)*, castiga la negligencia en la custodia de secretos oficiales, declarados así por la ley o clasificados como tales, que sea causa de su publicación o que provoque su difusión o conocimiento indebido. Con carácter específico, merece especial mención el régimen disciplinario de: 1) Diputados: el art. 99.1.2 del Reglamento *del Congreso de los Diputados*, de 10 de febrero de 1982 *(Tol 5914)*, sanciona el quebranto del deber de secreto de las actuaciones de que conocen; 2) personal del Centro Nacional de Inteligencia: el art. 94.11 del Real Decreto 240/2013, de 5 de abril, *por el que se aprueba el estatuto de su personal (Tol 3414861)* entiende, en términos casi idénticos similares al anteriormente mencionado estatuto del empleado público, como falta muy grave la negligencia en la custodia de secretos oficiales, declarados así por ley o clasificados como tales, que sea causa de su publicación o que provoque su difusión o conocimiento indebido cuando no constituya delito; 3) policías nacionales: el art. 7.g de la Ley Orgánica 4/2010, de 20 de mayo, *del Régimen Disciplinario del Cuerpo Nacional de Policía (Tol 1834439)*, señala como falta muy grave la publicación o la utilización indebida de secretos oficiales, declarados así con arreglo a la legislación específica en la materia; 4) miembros de las Fuerzas Armadas: el art. 8.4 de la Ley Orgánica 8/2014, de 4 de diciembre, *de Régimen Disciplinario de las Fuerzas Armadas (Tol 4560260)*, dispone como falta muy grave el incumplimiento del deber de reserva sobre secretos oficiales y materias clasificadas. También prevé como falta grave en su art. 7.18 no guardar la debida discreción sobre materias objeto de reserva interna o sobre asuntos relacionados con la seguridad y defensa nacional, así como hacer uso o difundir por cualquier medio, hechos o datos no clasificados de los que haya tenido conocimiento por su cargo o función, en perjuicio del interés público. Por último, sanciona como falta leve en su art. 6.12, la inexactitud en el cumplimiento de las normas de seguridad y régimen interior, así como en materia de obligada reserva. Así las cosas, puede afirmarse que la inobservancia del deber de secreto y reserva de estos profesionales determina el máximo grado de responsabilidad disciplinaria, que puede llevar aparejada, como denominador común a estas instituciones, la separación del servicio o la suspensión de funciones del agente; a excepción de los diputados respecto de los que la Mesa del Congreso podrá determinar, en atención a la gravedad de la conducta o al daño causado a la seguridad del Estado, la privación de todos o algunos de sus derechos (ALONSO DE ANTONIO).

Esta restricción del círculo de autores a quienes son depositarios o conocedores de la información por razón de su cargo o destino exige, pues, un acceso lícito a su contenido por parte de estos. De modo que, como bien aprecian diversos autores (BAUCELLS LADÓS, PASTRANA I ICART, ORTEGA GUTIÉRREZ-MATURANA), quedarán fuera de este supuesto agravado los casos en que el sujeto activo no accede a la información por razón de su cargo, sino sirviéndose de él y de las facilidades y ventajas que este le reporta. En estos casos, lo más acertado sería aplicar el tipo básico de revelación del art. 598 CP junto con las agravantes genéricas de abuso de superioridad (art. 22.2 CP) o de confianza (art. 22.6 CP) o bien, de prevalimiento del carácter público del sujeto (art. 22.7 CP).

A nuestro juicio, por tanto, el conocimiento del secreto o de la información debe constituir una competencia estricta e inherente a la función del sujeto activo. Es decir, no basta con que la condición del sujeto facilite el acceso al conocimiento del secreto o la información reservada, sino que dicho conocimiento ha de competer al ámbito de atribuciones del cargo o destino desempeñado por el agente que lo revela. Es decir, han de tratarse de secretos o informaciones que debido a su cargo o destino el sujeto activo debe conocer para el desarrollo de su trabajo.

Así las cosas, lo relevante en el precepto objeto de estudio es que el depositario o conocedor del secreto o información tome conocimiento de estos como consecuencia del puesto que desempeña, siendo indiferente el modo de conocer el secreto o la información. Luego este conocimiento por razón del cargo o destino no exige que se sepa directamente por superiores ni por una implicación directa del sujeto en la obtención de la información. Basta para satisfacer las exigencias típicas con cualquiera otra forma de conocimiento —incluido el rumor— adquirido por el sujeto por su cargo o destino. Luego será típica la revelación del secreto o información que se conoce por azar, una indiscreción o una confidencia, siempre y cuando dicho secreto o información pertenezcan a la clase de la que el sujeto conoce por razón de su cargo o destino. Asimismo, incurre en el delito quien, no teniendo habitualmente, por razón del cargo o destino, acceso al conocimiento de determinados asuntos, lo tiene de forma ocasional, aunque legalmente prevista —por ejemplo, formar parte de una concreta acción diplomática—, y los difunde o accede a ellos circunstancialmente.

Por otra parte, también resulta problemática la perdurabilidad de la obligación de sigilo o reserva del sujeto una vez que ha abandonado su destino o cargo, es decir, se plantea la interrogante de si tras cesar aquel en su función laboral (por ejemplo, renuncia expresa, inhabilitación absoluta o especial para cargo público, jubilación, pérdida del cargo, etc.), termina también su obligación de secreto. Si bien puede parecer que lo más acertado es que la obligación de discreción deba perdurar en estos supuestos, al objeto de evitar el fraude de ley penal en los casos de ruptura intencionada del vínculo laboral, lo cierto es que no resulta aquí aplicable el art. 599 CP, porque el sujeto carece de la condición de depositario o conocedor del secreto o información reservada por razón de su cargo o destino. De modo que de procederse a su aplicación en estos casos se desbordaría el tenor literal del art. 599 CP, lo que no impide, en cambio, sancionar la indebida revelación del secreto o información con arreglo al tipo básico del art. 598 CP y, por descontado, conforme al régimen disciplinario del cargo desarrollado.

Así, por ejemplo, el art. 75.1 del Real Decreto 240/2013, de 5 de abril, *por el que se aprueba el Estatuto del personal del Centro Nacional de Inteligencia (Tol 3414861)*, regula el deber de secreto y reserva de estos profesionales sobre las actividades del CNI, su organización y estructura interna, medios y procedimientos, personal, instalaciones, bases y centros de datos o fuentes de información, entre otros aspectos. Obligación que perdurará aún en el caso de haberse perdido la condición de personal estatutario y que dará lugar a la correspondiente responsabilidad penal, sin perjuicio de su consideración como infracción disciplinaria conforme a esta normativa.

En relación al tipo subjetivo, el art. 599 CP se configura como delito doloso, debiendo abarcar el dolo todos los elementos del tipo, incluyendo que la obtención, revelación, falseamiento o inutilización infringe el deber de custodia y sigilo del sujeto depositario o conocedor del secreto o información (art. 599.1 CP).

En cuanto al error puede recaer sobre el desconocimiento de la condición de poseedor o conocedor del secreto o información del sujeto activo por razón de su cargo o destino. Error este sobre un elemento que cualifica la infracción que impide, por tanto, la apreciación del tipo agravado en estudio de conformidad con el art. 14.2 CP; sin perjuicio de la aplicación del tipo básico de revelación de secretos o informaciones que no deben ser divulgados del art. 598 CP.

En cuanto a las causas de justificación, resulta especialmente polémica en este precepto la cuestión de si la revelación de información legalmente calificada como reservada o secreta puede encontrarse justificada cuando viene realizada por un funcionario público o autoridad y, este es llamado a declarar ante el Juez sobre estas materias reservadas (por ejemplo, durante la instrucción de una causa penal o ante una comisión parlamentaria), que conoce por razón de su cargo o destino o, si por el contrario, puede o, incluso, debe negarse a declarar sobre ellas. Interrogante que se agrava, porque el propio Ordenamiento jurídico ofrece apoyos legales en ambos sentidos, es decir, existen normas que le compelen a declarar y otras que le exoneran de hacerlo cuando se violen secretos o no se disponga de la autorización del superior jerárquico.

Así, por un lado, el art. 417.2 LECri. —que legitima el denominado «*ius tacendi*»— exime de la obligación de declarar a los funcionarios públicos, tanto civiles como militares, cuando no pudieran hacerlo sin violar el secreto que por razón de sus cargos estuvieren obligados a guardar; o bien, cuando procediendo en virtud de obediencia debida, no fueran autorizados por su superior jerárquico para pres-

tar la declaración que se les pida. En cambio, por otro lado, el art. 118 CE impone
el deber de colaborar con los Jueces y Tribunales durante el curso del proceso y
en la ejecución de lo resuelto, así como el art. 412 CP que castiga al funcionario
público que, requerido por autoridad competente, no prestare el auxilio debido a
la Administración de Justicia.

La Doctrina y Jurisprudencia mantienen interpretaciones contrapuestas a este
conflicto que se resumen en (ampliamente sobre estas: RAMOS GANCEDO):
por un lado, los partidarios de priorizar el deber de sigilo del funcionario, cuya
responsabilidad por el delito de denegación a auxilio a la justicia tratan de evitar
acudiendo a la importancia de los intereses en juego (BERNAL VALLS) o bien,
a la eximente del cumplimiento de un deber del art. 20.7 CP (ORTS BEREN-
GUER).

Postura esta última de subordinación del auxilio judicial al secreto de determinadas materias que encuentra apoyo, en primer lugar, en la STS de 12 de marzo
de 1992, que con motivo del caso «GAL», considera prevalente en caso de conflicto el deber de sigilo del funcionario sobre la información legalmente calificada, pero sin aportar mayor argumentación. En segundo término, la sentencia del
Tribunal de Conflictos jurisdiccionales, de 14 de diciembre de 1995 (a propósito
de los papeles del CESID), otorga prevalencia al interés en el mantenimiento del
secreto sobre las concretas necesidades de los órganos judiciales en la instrucción
de causas penales, al considerar ajustada a derecho la negativa del Ministerio de
Defensa a facilitar información clasificada al Juez de Instrucción. Lo que fue objeto de crítica doctrinal, porque este entendimiento conducía a una absolutización
y preponderancia incontrovertida del secreto oficial contraria a los valores constitucionales (entre otros, GIMBERNAT ORDEIG, DÍEZ PICAZO, MAQUEDA
ABREU, PORTILLA CONTRERAS, RODRÍGUEZ-VILLASANTE Y PRIETO).
La clara irracionalidad democrática de esta resolución es atinadamente apuntada
por PORTILLA CONTRERAS, al afirmar que si el Consejo de Ministros decidiese clasificar (ahora calificar) como secreta o reservada una determinada materia,
no sería posible declarar ante el Juez sobre el contenido de la misma so pena de
incurrir en el delito de revelación de secretos. De modo que podía suceder que un
delito cometido por miembros del Ejecutivo fuese declarado materia legalmente
clasificada por el mismo Gobierno sin que la justicia pudiera tener acceso a ella.
Es evidente, por tanto, haciendo propias las palabras de ANDRÉS IBÁÑEZ que:
«la sola idea de blindar de secreto cualquier actividad de poder tendría que suscitar inquietud y desconfianza por principio. La prueba está en que la asociación de
ambos términos en condiciones de "autonomía política" ha producido resultados
concretos dignos de un poder dictatorial: crímenes de Estado, depredación masiva
del dinero público, obtención ilícita de informaciones y posterior apropiación de
estas».

Por otro lado, se encuentran quienes exoneran de responsabilidad por el delito de relevación de información legalmente calificada al funcionario público, al sostenerse de forma acertada por la Doctrina mayoritaria que se está ante una colisión de intereses —la obligación de declarar ante la autoridad judicial y la prohibición de facilitar determinada información—, que debe ser resuelta por la vía del estado de necesidad (art. 20.5 CP), otorgando primacía al interés de realización de la justicia sobre el puramente funcional del Estado (entre otros, MUÑOZ CONDE, REBOLLO VARGAS, BAUCELLS LLADÓS; de otra opinión PORTILLA CONTRERAS, RAMOS GANCEDO, MORALES GARCÍA, al entender este último que existe una «aparente» colisión de deberes). En efecto, la negativa a declarar ante la autoridad judicial que puede esgrimir un funcionario público —con arreglo al art. 417.2 LECri.— carece hoy de asidero legal bastante, pues contraviene el derecho a una defensa efectiva (art. 24.2 CE), así como la obligación de acatar las decisiones judiciales (art. 118 CE) y supone, además, una pérdida de exclusividad en la función de juzgar (art. 117.3 CE). Así, por ejemplo, sería un verdadero contrasentido, que un funcionario policial se negara a suministrar datos relacionados con la comisión de algún delito que estuviere investigando una autoridad judicial. Razones por las que se constata que el valor de colaborar con la Administración de Justicia es de mayor entidad que el deber de no revelar secretos. De ahí que no pueda aceptarse la existencia de una cláusula de exención en el art. 417.2 LECri. para eludir la obligación de declarar en juicio, pues como señala el TS en su auto de 20 de febrero de 1995: «entender lo contrario sería, si no su fin, un grave atentado contra la existencia misma del Estado de Derecho y el valor superior de la Justicia». Por consiguiente, en un país democrático de derecho el deber de secreto funcionarial no debe servir para dejar impunes los delitos o, dicho de otro modo, frente al delito no cabe secreto.

Asimismo, el funcionario también podrá eludir una declaración que pueda comprometer la vida de una persona, invocando el estado de necesidad. Adviértase aquí que podrá apreciarse la concurrencia de un error de prohibición por parte de la autoridad o funcionario público que revelare la información o el secreto confiado en hacerlo ante la autoridad judicial tras ser requerido para ello, que se resolverá conforme a las reglas del art. 14.3 CP.

Por otra parte, también se plantea una colisión de deberes entre la obligación de guardar secreto del funcionario público conforme al art. 599 CP y la obligación de denunciar un delito del art. 262 LECri., que prevé que *los que por razón de sus cargos, profesiones u oficios tuvieren noticia del algún delito público, estarán obligados a denunciarlo inmediatamente*. En estos casos, a nuestro entender, revelar a la autoridad judicial, comunicarle, o poner en su conocimiento determinados hechos sin que previamente haya sido instado a ello, no constituye, en ningún caso, un delito de revelación de secretos, pues no se está transmitiendo la información de manera indiscriminada a una pluralidad de personas, sino exclusivamente a la autoridad judicial o administrativa, y a quienes son parte en un concreto proceso o expediente.

En cuanto a sus relaciones concursales, el art. 599.1 CP será de aplicación preferente en base al principio de especialidad respecto del art. 598 CP, así como de los delitos del Capítulo IV del Título XIX «De la infidelidad en la custodia de documentos» (arts. 413 y sigs., y en particular, con el art. 417 CP) cuando lo revelado por el funcionario o autoridad pública constituya información legalmente calificada como secreta o reservada relacionada con la seguridad o la defensa nacional o, relativa a los medios técnicos o sistemas empleados por las Fuerzas Armadas o las industrias de interés militar (DÍAZ MORGADO, ORTEGA GUTIÉRREZ-MATURANA, PASTRANA I ICART). Asimismo, el art. 599.1 CP entrará en concurso de normas con el delito de descubrimiento y revelación de secretos de empresa del art. 279 CP, a resolver por el principio de consunción a favor del primero (CARRASCO ANDRINO).

Por lo que respecta a la penalidad, el tipo que comentamos será sancionado con prisión de 2 años y 6 meses a 4 años (mitad superior de la pena de 1 a 4 años del art. 598 CP). Si el delito es cometido por una autoridad o funcionario público cabrá aplicar, además, la inhabilitación absoluta por tiempo de 10 a 20 años, mientras que si lo realiza un particular será posible imponer la inhabilitación especial para empleo o cargo público por tiempo de 1 a 10 años (art. 616 CP).

9.2. Revelación de la información reservada o secreta con publicidad

El apartado segundo del art. 599 CP recoge un tipo agravado, que castiga la revelación de los secretos o la información a través de un medio de comunicación social o de formas que aseguren su difusión a un gran número de personas con la pena de prisión prevista para el tipo básico en su mitad superior. Como a nadie se le escapa, este precepto se refiere únicamente al *modus operandi* en que se realiza la conducta de «revelación», no siendo extensible a los restantes comportamientos delictivos del tipo básico: «procurarse», «falsear» e «inutilizar» (así, POLAINO NAVARRETE respecto del art. 135 bis.b CP/1973).

El fundamento de esta agravación radica en el mayor desvalor de resultado que supone la revelación de la información a través de métodos que aseguren el acceso a la misma a un gran número de personas, lo que da lugar a una lesión o peligro mucho más elevado para la seguridad o defensa nacional (BAUCELLS LLADÓS). O, dicho de otro modo, el *plus* de desvalor se fundamenta en que la lesión al bien jurídico es más intensa, en la medida en que la información reservada o secreta se integra en circuitos de comunicación de carácter masivo que permiten su conocimiento por la generalidad (DÍAZ MORGADO). Se está, pues, como indica RODRÍGUEZ-VILLASANTE PRIETO (en relación al art. 135 bis.b CP/1973) ante una especie de revelación-difusión, frente a la clásica revelación-comunicación.

Concretamente, el precepto establece dos formas alternativas de dar publicidad al secreto o información: a) cuando se realiza a través de un medio de comunicación social y, b) cuando se sirve de una forma que asegure su difusión; consideradas ambas especialmente graves por la difusión generalizada, notoria y eficaz a que pueden dar lugar.

En relación a la primera tienen cabida en ella la revelación a través de los medios de comunicación sociales tradicionales (prensa, radio, televisión, imprenta) —y a los que hay que añadir el medio por excelencia de los tiempos modernos: Internet—, que se caracterizan por hacer llegar la información a grandes masas de población.

En cuanto a la segunda forma de publicidad, el Legislador ha querido prever una fórmula abierta en la que tengan cabida todos aquellos modos con los que se asegure la divulgación de la información. Esta segunda cláusula se manifiesta más exigente que la primera pues no basta para su apreciación con emplear un medio apto o idóneo para la publicidad, sino que este debe haber ayudado efectivamente en el caso concreto a la difusión de la información. Señala como ejemplo de estos medios RODRÍGUEZ-VILLASANTE PRIETO (en relación con el derogado art. 135 bis.b CP1973): las pintadas en lugares muy concurridos; las vallas publicitarias; la exposición oral ante la prensa o auditorios numerosos; la difusión por impresión o fotocopias remitidas por correo, expuestas en lugares públicos o repartidas por domicilios. En esta modalidad, podrían incluirse también fácilmente los supuestos en que la publicidad se da a través de Internet, de optarse en la primera por un concepto restringido de medio de comunicación, que abarque solo la prensa hablada o escrita (así, PASTRANA I ICART).

En opinión de PASTRANA I ICART y ORTEGA GUTIÉRREZ-MATURANA, esta modalidad agravada del art. 599.2 CP no será de aplicación en aquellos supuestos en los que el sujeto activo utiliza un medio de comunicación social para revelar la información a una tercera persona o a personas concretas de forma inteligible solo para ellas. En su opinión, el mencionado precepto debe reservarse para aquellos casos en que se revela públicamente la información a través de los medios anteriormente mencionados y, esta es inteligible o comprensible para todos los que tienen acceso a la misma. Compartimos este posicionamiento solo en parte, pues lo relevante para apreciar esta circunstancia no es si los receptores comprenden o no la información revelada (requisito que ni tan siquiera se exige para la conducta de revelación en el tipo básico), sino que el medio se haya empleado para su transmisión o comunicación generalizada, de manera que cualquiera pueda recibir y conocer una información, que en otro caso quedaría reservada a un restringido grupo de sujetos. Por consiguiente, lo relevante es que exista la posibilidad de que accedan al secreto un colectivo indeterminado de personas, que podrá ser más o menos numeroso. De ahí que aquellas comunicaciones que no sean recibidas por una pluralidad indeterminada de personas, pese a ser el medio idóneo para ello (ej., «suministro individualizado» de información secreta sobre un prototipo de armamento de guerra por medio de correo electrónico, fax o cartas), no integran el tipo agravado pues no hay una comunicación pública, sin perjuicio de su sanción conforme al tipo básico del art. 598 CP. Se reserva así la aplicación del tipo agravado a la difusión indiscriminada de información secreta, que se puede lograr, por ejemplo, con el envío masivo de correos basura o «spam» o bien, con su publicación en prensa especializada o en páginas o sitios web —como foros o chats.

En línea con lo anterior, PASTRANA I ICART también sostiene que solo deben tenerse en cuenta a efectos del delito en cuestión los supuestos en que el sujeto activo hace una revelación directa a los medios de comunicación social o a sus empleados, pero no cuando habiéndose revelado información en un foro privado o semi-privado, posteriormente uno de los receptores la da a conocer a través de estos medios o estas formas que aseguren su difusión, siempre y cuando este hecho no fuese previsible *ex ante*.

En relación al tipo subjetivo, el art. 599.2 CP es un delito doloso (cabe también el eventual). El dolo debe abarcar todos los elementos del tipo y, en particular, el hecho de que la revelación del secreto o la información se lleva a cabo con publicidad en algún medio de comunicación social o de forma que asegure su difusión —o al menos aceptar tal evento. No alcanzamos aquí a imaginar supuestos de error sobre esta forma de revelación más allá del envío o difusión masivo por equivocación a través de mensajería electrónica u otro medio de comunicación que, de darse, impedirá su apreciación de conformidad con el art. 14.2 CP; sin perjuicio de la aplicación del tipo básico de revelación de secretos o informaciones que no deben ser divulgados del art. 598 CP.

Por último, hay que tener presente en aquellos casos en los que se utilicen medios o soportes de difusión mecánicos cabrá aplicar las reglas específicas de responsabilidad en cascada derivadas del art. 30 CP, así como la posibilidad de aplicar las penas de inhabilitación previstas en el art. 616 CP.

III. REPRODUCCIÓN NO AUTORIZADA DE PLANOS O DOCUMENTACIÓN RESERVADA O SECRETA (ART. 600.1º CP)

1. Sujetos activo y pasivo

Sujeto activo. Se trata de un delito común, pues puede ser sujeto activo cualquier persona, nacional o extranjera, que no tenga autorización expresa para reproducir planos o documentación relativa a zonas, instalaciones o materiales militares, aún cuando se encuentre en el círculo de personas legitimadas para acceder o conocer del contenido de dichos materiales.

Este sería el caso, por ejemplo, del Diputado que procede a obtener copias o reproducciones de documentación relativa a secretos oficiales, contraviniendo lo dispuesto en el apartado octavo de la Resolución de la Presidencia del Congreso de los Diputados de 11 de mayo de 2004 sobre secretos oficiales *(Tol 1044037)*, que solo autoriza a los representantes parlamentarios al examen y a la toma de notas sobre aquella en presencia de la autoridad que la facilita.

El principal interrogante, por tanto, a resolver en este punto es determinar qué se considera «autorización expresa», es decir, esta expresión equivale a que: ¿no se tiene ningún tipo de autorización?, ¿no caben las autorizaciones tácitas? o ¿no son admisibles las autorizaciones genéricas? Pues bien, convenimos aquí con PASTRANA I ICART en que este requisito se da cuando el sujeto activo carece de la específica autorización para reproducir un concreto plano o documentación relativos a zonas, instalaciones o materiales militares o bien, de una autorización genérica que abarque la posible reproducción de dichos materiales. Autorización que podrá ser realizada de forma oral o por escrito, dado que el tipo no establece limitaciones en cuanto a su forma (también en esta línea, SEGRELLES DE ARENAZA, respecto del art. 135 bis.c CP/1973). En ningún caso, será admisible una autorización de carácter tácito.

Así, pues, cabrá acudir en este punto a la normativa que rige el manejo de la información clasificada para determinar quién está autorizado a obtener copias de la misma y el modo en que puede hacerlo y, en particular, a la Orden Ministerial núm. 1/1982, de 25 de enero, por la que se aprueban las normas para la protección de la documentación y material clasificado, la Orden *DEF 73/2002, que establece la política de seguridad para la protección de la información almacenada, procesada o transmitida por sistemas de información y telecomunicaciones,* así como los Acuerdos de la OTAN, de 21 de setiembre, de 1960 y, de 19 de octubre, de 1970, *relativos a la salvaguarda mutua del secreto de invenciones relativas a la defensa*; el Acuerdo de Washington, de 12 de marzo de 1984, *sobre seguridad de información militar clasificada entre España y EE.UU* y, el Acuerdo entre España y Francia, de 22 de febrero de 1989, *sobre protección de información clasificada.*

A modo de ejemplo, de lo aquí expuesto véase el apartado séptimo, de la Orden Ministerial 76/2006, de 19 de mayo, *por la que se aprueba la política de seguridad de la información del Ministerio de Defensa,* la cual requiere la habilitación expresa de quien acceda y use información clasificada como confidencial, esto es, la certificación explícita de que al sujeto se le puede confiar información clasificada de un determinado grado.

Huelga decir, que de contar el individuo con la autorización expresa para la reproducción de los planos o documentos su conducta resultará atípica.

Por otra parte, la posible condición de autoridad o funcionario público del sujeto activo conllevará la imposición imperativa de la pena de inhabilitación (de diez a veinte años) o bien, potestativa de la inhabilitación especial (de uno a diez años) para el resto de los casos, previstas en el art. 616 CP.

Si se tratase de un militar el tipo aplicable sería el art. 26 CPM.

2. Sujeto pasivo. Ostenta la cualidad de sujeto pasivo en estos delitos el Estado.

2. Conducta típica

Consiste en reproducir planos o documentos referentes a zonas, instalaciones o materiales militares de acceso restringido, cuyo conocimiento esté protegido y reservado por ser una información legalmente calificada como reservada o secreta. Conducta sancionada con pena de prisión de seis meses a tres años.

Por «*reproducir*» debe entenderse, según su sentido gramatical: «sacar copia de algo, como una imagen, un texto o una producción sonora» (Diccionario de la Real Academia Española). Esto lleva al sentir doctrinal mayoritario a afirmar que equivale a cualquier actividad a través de la cual se obtienen copias, réplicas o duplicados de un original, por ejemplo, mediante su trascripción, calco, duplicación, repetición, fotocopia, fotografía o grabación (entre otros, RAMOS GANCEDO, COBO DEL ROSAL/QUINTANAR DÍEZ, MUÑOZ CUESTA), a lo que cabe añadir su posible realización tanto de forma analógica como digital (p. ej., descarga y almacenamiento de un documento en un dispositivo de memoria). Luego el art. 600.1 CP viene a sancionar a quien, sin autorización, hace una o varias copias de planos o documentos referentes a zonas, instalaciones o materiales militares de acceso restringido o bien, los incorpora o plasma en un soporte que permite su posterior comunicación u obtención de sucesivas copias.

A este respecto, es indiferente que la reproducción se realice a partir de un documento original o una copia, pues lo relevante es que aquel contenga información calificada como reservada o secreta para entrar en el tipo (SEGRELLES DE ARENAZA, en relación al art. 135 bis.c CP/1973).

En cambio, sí será preciso que la copia guarde un cierto grado de semejanza con el original para considerar típica la reproducción. No es necesaria una copia servil o identidad absoluta, sino que es suficiente con que se reproduzca el contenido que fundamenta su protección como información legalmente calificada como reservada o secreta.

En todo caso, la reproducción se ha de realizar sin «autorización expresa»; característica negativa del tipo que, como se ha dicho, exige la ausencia de una autorización explícita para la copia de un determinado plano o documentación relativos a zonas, instalaciones o materiales militares.

La reproducción se presenta como un delito de resultado, en el que este último viene integrado por las copias ilícitas obtenidas o con la fijación del plano o documento en un soporte tangible o intangible. En cuanto a la posibilidad de comisión por omisión, se rechaza dada la índole activa del verbo típico.

Por último, resultan controvertidos los importantes problemas interpretativos que este tipo delictivo plantea, en tanto en cuanto la reproducción de planos o documentos que contienen información legalmente calificada viene a constituir, en definitiva, una forma de procurarse esta clase de información ya sancionada en el art. 598 CP. Hecho este que lleva a la Doctrina mayoritaria a sostener que la delimitación entre ambas figuras delictivas radica en entender que la reproducción es un estadio anterior y previo al de procurarse, considerándola así como una tentativa de esta última conducta, pero limitada a la obtención de planos y documentos, y no a cualquier clase de información legalmente calificada (DÍAZ MORGADO). Luego, como bien indica MORALES GARCÍA, los casos en los que la reproducción se realiza con el objetivo de proporcionar el plano o el documento a un tercero quedarán consumidos en la revelación del art. 598 CP, mientras que en el resto de supuestos —que serán la gran mayoría— la reproducción sin autorización constituirá el estadio inmediatamente anterior a la conducta de procurarse, lo que condiciona el ámbito operativo o de aplicación del art. 600.1º CP a este tipo de actividades (también así BAUCELLS LLADÓS).

Entendimiento este, no obstante, que ha de ser objeto de crítica, de una parte, por el incomprensible adelantamiento de las barreras de intervención penal que tiene lugar en este último precepto hasta actos constitutivos de tentativa tan solo en relación con una mínima parte de las informaciones que pueden ser objeto de calificación legal (planos o documentos). Lo que da lugar a un tratamiento penológico distinto de este precepto en comparación con el art. 598 CP —principalmente una menor pena de prisión y la inaplicación de las agravaciones del art. 599 CP— que no se justifica por la inexistente diferencia de proximidad de este objeto de la acción con el bien jurídico tutelado (MORALES GARCÍA, BAUCELLS LLADÓS). De otra parte, la mera reproducción del plano o documento del art. 600.1º CP, sin el ánimo posterior de apropiación, configura el tipo como un delito de peligro presunto, fronterizo entre la comisión dolosa e imprudente, lo que difumina o diluye aún más si cabe la diferenciación entre el ilícito administrativo y el penal, incurriéndose así en una formalización indeseable del tipo impropia de un *ius puniendi* garantista (así, también MORALES GARCÍA, que se hace eco aquí de las palabras de GONZÁLEZ RUS, quien considera que la permanencia de este tipo delictivo en el texto punitivo «es más que discutible»).

3. Objeto de la acción

El objeto de la acción viene conformado por planos o documentos referentes a zonas, instalaciones o materiales militares. No tiene que ser información calificada como secreta o reservada, lo que permite distinguir este precepto del tipo del art. 598 CP. El objeto del delito en examen tiene un carácter militar.

Por «plano» se entiende en un sentido gramatical «aquella representación esquemática, en dos dimensiones y a determinada escala, de un terreno, una población, una máquina, una construcción, etc.», mientras que para el concepto de «documento» hay que estar a lo dispuesto en el art. 26 CP: *todo soporte material que exprese o incorpore datos, hechos o narraciones con eficacia probatoria* o *cualquier otro tipo de relevancia jurídica»*. Así las cosas, puede afirmarse que un plano no deja de ser un documento en el que se representan gráficamente datos. Así, lo viene a corroborar también el hecho de que el art. 2.3.a) RSO considere expresamente a los planos como documentos, que pueden contener información secreta. En efecto, el mencionado precepto define como documento: *«cualquier constancia gráfica o de cualquier otra naturaleza y muy especialmente: los planos, proyectos, esquemas, esbozos, diseños, etc.»*. Por consiguiente, como bien dice SEGRELLES DE ARENAZA (al hilo del art. 135 bis.c CP/1973), la distinción entre planos y documentación en este precepto resulta ociosa y se podría haber omitido.

Huelga decir que, de conformidad con el art. 26 CP, estos documentos no han de adoptar necesariamente una forma escrita, pues pueden consistir, por ejemplo, en representaciones fonográficas, visuales o digitales, ya que lo relevante no es el soporte en sí, sino la información que contienen. De ahí que la referencia al soporte material en esta definición no debe entenderse como una alusión al hecho de que la información debe plasmarse en un objeto tangible, móvil y determinado, sino a que ha de contenerse en un soporte que permita fijarla de forma perdurable, controlable y comprobable, tal y como puede ser un sistema de información, un dispositivo USB, etc. (así, SÁNCHEZ TOMÁS, en su estudio del delito de falsedad documental en el T. II de este Tratado).

En relación al contenido de los documentos deben venir referidos a zonas, instalaciones o a materiales militares. De modo que será atípica la reproducción de aquellos que no interesen información sobre tales elementos, pese a ser relativos a la seguridad nacional o la defensa nacional y formar, parte o no, de una información legalmente calificada como secreta o reservada. Hecho este que ha sido criticado por algún autor, al considerar que el Legislador no debería haber constreñido el tipo a estos concretos elementos, sino que debería haber hablado genéricamente de materias clasificadas relativas a la seguridad o defensa nacional o, al menos, igual que en el apartado 2º del art. 600 CP referirse a «objetos» o «a tal clase de información» (PASTRANA I ICART, RODRÍGUEZ-VILLASANTE Y PRIETO, este último respecto del art. 135 bis.c CP/1973). La razón de esta restricción quizás podría fundamentarse en la voluntad expresa del Legislador de mantener la reserva y, por tanto, fuera del conocimiento de terceros, lo relativo a las características, ubicación, personal u otros datos relevantes de estas instalaciones militares.

A mayor abundamiento, para determinar qué se entiende por zonas o instalaciones militares hay que acudir a la Ley 8/1975, de 12 de marzo, *de zonas e instalaciones de interés para la Defensa Nacional (Tol 817361)* y, a su Reglamento ejecutivo aprobado por el Real Decreto 689/1978, de 10 de febrero *(Tol 817362)* [en relación, con el art. 30 LODN *(Tol 730780)*]. Esta norma regula las restricciones y limitaciones aplicadas a los bienes inmuebles de propiedad privada de civiles para salvaguardar los intereses de la seguridad y defensa nacional, así como la eficacia de sus organizaciones e instalaciones. A estos efectos se distinguen tres zonas vinculadas a la tutela de la defensa nacional. En primer lugar, las zonas de interés para dicha defensa, que engloban las extensiones de terreno, mar o espacio aéreo que así se declaren, en atención a que constituyan o puedan constituir una base permanente, o un apoyo eficaz de las acciones dirigidas a tal fin defensivo [art. 2 Ley 8/1975 *(Tol 817361)*]. Su declaración como zona de interés para la defensa vendrá determinada mediante Real Decreto aprobado por el Gobierno de la nación a iniciativa del Ministerio de Defensa. En segundo término, las zonas de seguridad de las instalaciones militares o de las instalaciones civiles declaradas de interés militar, que engloban las áreas colindantes y situadas alrededor de las mismas sometidas a limitaciones para asegurar la actuación eficaz de los medios defensivos de que disponga la instalación castrense, así como el aislamiento conveniente para garantizar su seguridad y, en su caso, la de las propiedades próximas, cuando aquellas entrañen peligrosidad para ellas [art. 3 Ley 8/1975 *(Tol 817361)*]. En este caso, corresponde al Ejecutivo determinar qué terrenos tienen interés militar y al Ministerio de Defensa delimitar la extensión de la zona de seguridad. En tercer lugar, las zonas de acceso restringido a la propiedad por parte de extranjeros, esto es, aquellas en las que por exigencias de la soberanía y defensa nacional resulte conveniente prohibir, limitar o condicionar la adquisición de la propiedad y demás derechos reales por personas físicas o jurídicas de nacionalidad o bajo control extranjero [art. 4 Ley 8/1975 *(Tol 817361)*]. Concretamente, el art. 32 del Real Decreto 689/1978 de 10 de febrero *(Tol 817362)* califica como tales: a) los territorios insulares (la totalidad de islas e islotes de soberanía nacional); b) algunos territorios peninsulares (situados en Galicia, Cádiz, estrecho de Gibraltar, Cartagena o en las zonas fronterizas con Francia y Portugal); y, c) los territorios españoles del norte de África. Su delimitación geográfica se fija mediante Real Decreto del Gobierno a iniciativa del Ministerio de Defensa. En todo caso, nótese como declara la Sentencia del Tribunal Supremo de 2 de marzo de 1994, que «estas clases de zonas son compatibles entre sí, de modo que, por razón de su naturaleza y situación, determinadas extensiones del territorio nacional podrán quedar incluidas simultáneamente en zonas de distinta clase». Así las cosas, las zonas militares se definen en este precepto como un concepto jurídico normativo, cuyo contenido viene delimitado y detallado por la legislación en materia de defensa nacional que las declara como áreas de interés para tal fin defensivo. Este es el caso, a título ejemplificativo del asentamiento de vigilancia del área de la isla del Hierro, la base naval de Rota en Cádiz, o el campo de tiro de Fontcalent en Alicante (ampliamente sobre esta cuestión, ROMERO PAREJA).

En cuanto a las instalaciones militares son diversos los autores que han evidenciado la amplitud de este concepto que comprende, a su entender: unidades, acuartelamientos, bases, buques o establecimientos militares y, en general, cualquier lugar en el que se desarrolle una actividad castrense con un mínimo de permanencia y aun cuando tengan carácter provisional (COBO DEL ROSAL/QUINTANAR DÍEZ, RÍOS CORBACHO, RODRÍGUEZ VILLASANTE Y PRIETO, respecto del art. 135 bis.c CP/1973). Ahora bien, al igual que en el caso anterior, su delimitación vendrá dada de la mano de la Ley 8/1975, de 12 de marzo *(Tol 817361)*, que al regular las zonas de seguridad de las instalaciones militares o civiles de interés militar establece en su art. 7.2 que «*a todas las instalaciones militares y a las civiles cuando se las declare de interés militar, se les atribuirá, por el Ministerio del que dependan, una clase o categoría de conformidad con las normas y clasificaciones que reglamentariamente se fijen*». Concretamente, el art. 8 del Real Decreto 689/1978, de 10 de febrero *(Tol 817362)*, determina cinco grupos o clases de instalaciones militares. Estas son: 1) las destinadas a instalaciones defensivas para operaciones militares (se incluyen aquí, entre otras, las bases terrestres, navales y aéreas; las estaciones navales, puertos, dársenas y aeródromos militares, así como los acuartelamientos permanentes para unidades de las fuerzas armadas, las academias y centros de enseñanza e instrucción, y en general todas las instalaciones castrenses directamente relacionadas con la ejecución de operaciones militares para la defensa nacional); 2) las destinadas a las comunicaciones (esto es, los centros y líneas de transmisiones e instalaciones radioeléctricas); 3) las instalaciones peligrosas orientadas a la logística de armamento militar (a saber, los talleres y depósitos de municiones, explosivos, combustibles, gases y productos tóxicos, así como los polígonos de experimentación y, en general, cuantos edificios, instalaciones y canalizaciones puedan considerarse peligrosos por las materias que en ellos se manipulen, almacenen o transporten); 4) las destinadas a sedes institucionales (tales como, las edificaciones ocupadas por el Ministerio de Defensa, las Capitanías y Comandancias Generales, las Delegaciones de Defensa, y cualesquiera otras que sirvan de sede a órganos de mando militares, establecimientos y almacenes de carácter no peligroso, prisiones militares, y en general, las instalaciones no incluidas en los otros grupos que estén dirigidas al alojamiento, preparación o mantenimiento de las Fuerzas Armadas) y, 5) las destinadas a las prácticas militares (es decir, los campos de instrucción y maniobras, y los polígonos o campos de tiro o bombardeo).

Por otra parte, la expresión «materiales militares» alude en su sentido convencional «al conjunto de máquinas, herramientas u objetos de cualquier clase, necesario para el desempeño de un servicio o el ejercicio de una profesión» (acepción 8ª del Diccionario de la Real Academia Española). Luego desde una interpretación teleológica podría entenderse como tal el conjunto de máquinas, herramientas, u objetos ligados por su común vinculación —o función— a un interés general o colectivo: la defensa nacional. O, dicho de otro modo, la agrupación de cosas heterogéneas destinadas a satisfacer las necesidades de tal clase de defensa. Luego a *priori* tendrán aquí cabida fundamentalmente los bienes muebles de carácter militar (y, en particular, los vehículos, maquinaria y el armamento, sin olvidar el vestuario y los uniformes militares, así como el capital de las sociedades mercantiles vinculadas a la fabricación de material para la defensa nacional y, los equipos o aparatos de trabajo), y los bienes semovientes (esto es, animales como los caballos o las palomas mensajeras de gran importancia para el transporte o las telecomunicaciones —aunque estas últimas parecen que no deban ser ya así consideradas tras la generalización de las nuevas tecnologías—; así como el macho cabrío o el mono en la legión por su mera función simbólica y emocional).

Ahora bien, para que se dé este delito es preciso, además, que estos objetos sean de acceso restringido y que su conocimiento esté protegido y reservado por una información legalmente calificada como reservada o secreta.

En cuanto a la primera de estas exigencias, se ha criticado la imprecisión de la expresión «acceso restringido», pues no queda del todo claro si tal exigencia se refiere a «los planos o documentación» o, por el contrario, a «las zonas, instalaciones o materiales militares» o, incluso, a ambas.

Problemas de inseguridad jurídica que fueron puestos ya de manifiesto en sede parlamentaria por el Grupo Parlamentario de Cataluña y, que les llevaron a proponer una nueva redacción del precepto en cuestión, en la que se sustituía la expresión «que sean de acceso restringido», por la de «cuya reproducción se halle expresamente prohibida». Frase que a su entender es más categórica y permite superar la ambigüedad de la primera, poco adecuada para la tipificación de una conducta penal (enmienda 16, BOCG., Senado, serie II, núm. 279 d, 24-9-1985).

Creemos, como PASTRANA I ICART (también así COBO DEL ROSAL/ QUINTANAR DÍEZ), que el acceso debe referirse a las zonas, instalaciones o materiales militares, primero, porque el conocimiento de cualquier plano o documentación que forma parte de una información legalmente calificada como reservada o secreta, siempre será de acceso restringido. Luego de entender el acceso restringido relativo a los planos y documentación haría innecesaria esta referencia por redundante. Segundo, porque si la exigencia la referimos a las zonas, instalaciones o materiales militares, el objeto de la acción, queda aún mucho más limitado. Por tanto, como bien indica el mencionado autor, no todo plano o documentación de interés militar y de acceso restringido es abarcado por el precepto en cuestión, sino solo aquellos cuyo contenido está tutelando una información legalmente calificada como reservada o secreta.

Ahora bien, esta información no ha de estar relacionada necesariamente con la seguridad o defensa nacional según se desprende del tenor literal del precepto en estudio. De modo que, el art. 600.1 CP en comparación con el art. 598 CP, limita, por una parte, el objeto de la acción al referirse exclusivamente a planos y documentación referentes a zonas, instalaciones o materiales militares que sean de acceso restringido y, por otra, lo amplia al no exigir que la información legalmente calificada por la que está protegido su conocimiento esté relacionada con dicha seguridad o defensa (PASTRNA I ICART). Sin embargo, a nuestro juicio, una interpretación teleológica y sistemática del objeto nos lleva a sostener que dichos planos o documentos referentes a zonas, instalaciones o materiales sí deben estar directa e inmediatamente vinculados a la satisfacción de las necesidades de la defensa nacional (p. ej., información sobre terrenos o zonas de interés estratégico militar) pues, de lo contrario, se llegaría al absurdo de proteger información relacionada con bienes —muebles o inmuebles— de carácter militar, que en nada afectan a los intereses generales defensivos y, por lo tanto, carentes de la más mínima ofensividad. Piénsese así, por ejemplo, en los documentos o planos sobre los bares, comercios, centros deportivos o mobiliario de cuarteles ubicados en áreas castrenses, que si bien están relacionados con el desarrollo de la actividad militar en nada afectan a la materia defensiva. Otra interpretación no parece posible si se tiene en cuenta que el resto de delitos del Capítulo III del Título XXIII (a excepción del art. 602 CP), sí aluden expresamente a esta vinculación de la información con el objeto de tutela de estos ilícitos: la defensa nacional; bien jurídico protegido también en el precepto en cuestión (aun cuando se limite por algunos solo a la seguridad militar, pues esta constituye, en definitiva, un componente de dicha defensa —RAMOS GANCEDO).

4. Tipo subjetivo

Es un delito doloso. El dolo debe abarcar el conocimiento de todos los elementos del tipo, incluida la ausencia de autorización expresa para la reproducción de los planos o documentos.

El desconocimiento sobre estos elementos y, en particular, sobre el contenido y extensión de dicha autorización, constituiría un error de tipo que conducirá a la exención de responsabilidad penal del sujeto al no preverse la modalidad imprudente de este delito (art. 14.1 CP).

5. Iter criminis

La consumación se produce con la obtención, sin estar autorizado, de la copia de los planos o documentos referentes a zonas, instalaciones o materiales militares, sin que sea necesario que el autor se apropie o haga uso de ellos o bien, con su fijación en un soporte tangible o intangible, sin necesidad de obtener ulteriores copias. Así las cosas, el delito se cometerá aún cuando el material reproducido no salga del ámbito de personas autorizadas a su conocimiento, pero sí desautorizadas para su reproducción. En su caso la tenencia de este material, sin haber sido previamente reproducido, se podría considerar en el apartado 2º del art. 600 CP.

Se trata, por tanto, de un delito de peligro abstracto en el que el comportamiento prohibido no vulnera la seguridad o defensa nacional, sino que genera un hipotético peligro para estas (ORTEGA GUTIÉRREZ-MATURANA, PORTILLA CONTRERAS). Ello supone, en consecuencia, un adelantamiento de las barreras de intervención, al sancionar como delito autónomo lo que son actos preparatorios de las conductas del tipo del art. 598 CP (críticos con esta técnica legislativa, por ejemplo: MORALES GARCÍA, PASTRANA I ICART).

Por otra parte, como delito de resultado admite las formas imperfectas de ejecución. Piénsese así, por ejemplo, en la avería en el mecanismo de reproducción que impide ejecutar la orden de copia del plano o documento.

6. Concursos

En el ámbito concursal destaca la ya comentada relación de este delito con el de revelación de secretos del art. 598 CP, siendo este último de aplicación preferente cuando la reproducción de planos o documentos referentes a zonas, instalaciones o materiales militares de acceso restringido se lleve a cabo para revelar información legalmente calificada en ellos contenida.

Así pues, como bien indica MUÑOZ CONDE, el art. 600.1 CP se aplicará subsidiariamente en aquellos supuestos en los que no se haya podido demostrar esta finalidad reveladora (piénsese aquí en el sujeto que es sorprendido con el plano de una instalación militar, pero no es posible demostrar la revelación de la información secreta que contiene).

IV. TENENCIA ILÍCITA DE OBJETOS O INFORMACIÓN CALIFICADA COMO RESERVADA O SECRETA (ART. 600.2º CP)

1. Tipo objetivo

El apartado segundo del art. 600 CP castiga al que tenga en su poder objetos o información legalmente calificada como reservada o secreta, relativos a la seguridad o a la defensa nacional, sin cumplir las disposiciones establecidas en la legislación vigente. Conducta sancionada con igual pena que la del apartado primero del mencionado precepto, a saber: prisión de seis meses a tres años.

Por «tener en su poder» se entiende la posesión o detentación de objetos o información legalmente calificada, no solo en un sentido físico sino también intelectual. Basta, por tanto, con la posibilidad de disponer a su libre arbitrio del objeto o la información para que el delito se realice —es decir, no se requiere su tenencia física— (COBO DEL ROSAL/QUINTANAR DÍEZ; PORTILLA CONTRERAS, RAMOS GANCEDO); lo que tiene lugar, por ejemplo, según RODRÍGUEZ-VILLASANTE Y PRIETO, cuando se esconden u ocultan los objetos o información protegidos en un lugar solo conocido por el sujeto activo del delito.

Esta disponibilidad no ha de venir acompañada del uso del objeto o información, lo que supone un criticable adelantamiento de las barreras punitivas al sancionar actos preparatorios de una posterior utilización, muy alejados de la lesión del bien jurídico (en esta línea GONZÁLEZ RUS, quien califica a este tipo penal, al igual que el del art. 600.1 CP, como un delito de peligro presunto para la defensa nacional, basado en el simple incumplimiento de las normas administrativas y cuya permanencia en el texto punitivo es más que discutible).

El tipo requiere que la tenencia se lleve a cabo «sin cumplir las disposiciones establecidas en la legislación vigente», de modo que se trata de una posesión ilegal o irregular de objetos o información, lo que tiene consecuencias en la delimitación del sujeto activo. La Doctrina dominante considera que esta conducta debe ser puesta en relación con el art. 9.1 LSO *(Tol 137780)*, en donde se establece la obligación de la persona, a cuyo conocimiento o poder llegue cualquier «materia clasificada» (en nuestro caso: «calificada»), siempre que le conste esta condición, de mantener el secreto y entregarlo a la autoridad civil o militar, y si ello no fuese posible, de poner en conocimiento de aquella su descubrimiento o hallazgo.

A este respecto será necesario atender a los arts. 8 y 10 de la LSO *(Tol 137780)* en concordancia con los arts. 10, 12 y siguientes del reglamento que la desarrolla (Decreto 242/1969, de 20 de febrero), que delimitan el círculo de personas con capacidad legal para acceder al contenido de materias clasificadas y que, por ende, no podrán ser sujetos activos de este precepto. Asimismo, deberá tenerse en cuenta a la hora de su sanción la posible imposición de las penas de inhabilitación previstas en el art. 616 CP. En caso de concurrir la cualidad de militar en el sujeto será de aplicación el art. 26 CPM.

Luego ha de tratarse de una tenencia fortuita del material, que solo se tornará delictiva en aquellos casos en que, dolosamente, se incumpla la obligación de entrega del material a la autoridad administrativa competente encargada de su custodia. Lo que, por un lado, convierte el art. 600.2 CP en un tipo propiamente omisivo (así, MORALES GARCÍA, para quien podrían incardinarse en este precepto las conductas del periodista que, poseedor ocasional o fortuito del material reservado procede a publicarlo en vez de entregarlo a la autoridad competente, pues ni se procura la información (porque no ha realizado actos tendentes a su consecución), ni la revela (puesto que si la recibió de un tercero, fue aquel quien la reveló); también así BAUCELLS LLADÓS). Por otro lado, lleva a afirmar la atipicidad de aquellas conductas en las que el sujeto guarda el secreto y entrega el objeto o información a las autoridades indicadas en el mencionado precepto de la LSO *(Tol 137780)*.

En relación con esta conducta, PASTRANA I ICART, por un lado, considera que el art. 600.2 CP abarca también aquellos supuestos en los que, no existiendo la intención previa de procurárselos, el sujeto acepta o consiente tenerlos en su poder siempre que le hayan sido facilitados por un tercero y sin mediar previo encargo ni solicitud —en la misma línea GUTIÉRREZ-ORTEGA MATURANA). Supuestos que, a nuestro juicio, no presentan mayores problemas para su encaje en el art. 600.2 CP, en tanto en cuanto se está ante una tenencia casual del objeto o información, no precedida de actuaciones tendentes a su consecución, en cuyo caso sería aplicable la modalidad de procurarse del art. 598 CP.

Por otro lado, señala este autor que la no coincidencia entre el art. 9.1 LSO *(Tol 137780)* y el art. 600.2 CP, preceptos que pretenden regular lo mismo, puede acarrear importantes problemas. Señala así que, mientras el primero de estos artículos hace referencia tanto a la posesión como al conocimiento de la materia clasificada, el segundo solo prevé su tenencia. Luego, si bien es cierto que la persona con conocimiento de aquella, que no mantuviese el secreto, podría ser castigada conforme al art. 598 CP, también lo es que si dicha persona guarda el secreto y no lo comunica a la autoridad competente no podrá ser castigada ni por el art. 598 CP ni por el art. 600.2 CP, a menos que se entienda, por ejemplo, que tener conocimiento de una información secreta es lo mismo que el sujeto tenga en su poder esa información. Pero en ese caso, la referencia a los términos en el art. 9.1 LSO *(Tol 137780)*, no tendrían ninguna explicación.

En todo caso, existe consenso en afirmar que no será de aplicación el precepto objeto de estudio, sino el art. 598 CP cuando la posesión de la información no se ha producido accidentalmente, sino como fruto de las gestiones dirigidas a su consecución por el individuo (entre otros: MORALES GARCÍA, DÍAZ MORGADO). Se incardinarían aquí las conductas de aquellos periodistas que no se limitan a detentar una información recibida fortuitamente, sino que han realizado actuaciones dolosas para procurársela.

En cuanto al objeto de la acción viene conformado por cualquier objeto o información legalmente calificada como reservada o secreta, sin ceñirse a la militar (MUÑOZ CUESTA, RODRÍGUEZ DEVESA/SERRANO GÓMEZ). Ahora bien, a diferencia del apartado primero del art. 600 CP y, de forma coherente con el art. 598 CP, estos objetos o información sí que han de ser relativos a la seguridad nacional o a la defensa nacional (PASTRANA I ICART, ORTEGA GUTIÉRREZ-MATURANA).

En relación a qué se entiende por «objeto» es necesario dilucidar si estos deben haber sido previamente calificados como parte integrante de información legalmente calificada reservada o secreta o si, por el contrario, basta con que estén relacionados con la seguridad o la defensa nacional. Dos argumentos abogan por este segundo entendimiento: a) la descripción típica diferencia expresamente los objetos de la información calificada, lo que no hace en los preceptos anteriores y, b) si la expresión «legalmente calificada» se refiriese también a los objetos, debería ir en masculino, cosa que no ocurre en el precepto. Por lo tanto, el objeto al que se refiere el delito en cuestión ha de contener un secreto relativo a la seguridad o defensa nacional, es decir, un secreto de Estado, pero no exige haber sido así declarado, tal y como sí requiere la información legalmente clasificada (COBO DEL ROSAL/QUINTANAR DÍEZ). Razón por la que no puede acudirse a la descripción que ofrece el art. 2 del Decreto 242/1969, de 20 de febrero, pues carecen de vinculación con la información calificada, tal y como sostiene algún autor (RODRÍGUEZ-VILLASANTE Y PRIETO, POLAINO NAVARRETE respecto del art. 135 bis.c CP/1973, RAMOS GANCEDO). Así pues, los objetos en el precepto en cuestión podrán ser cualquier cosa (fotografías, maquetas, proyectos, prototipos, mapas, etc.), que contengan, representen o exterioricen información relativa a la seguridad o defensa nacional, con independencia de que haya sido calificada legalmente como secreta o reservada.

En cuanto al segundo elemento que conforma el objeto de la acción en la conducta de tenencia del art. 600.2° CP es la información calificada, ya estudiada al analizar el art. 598 CP, a cuyas precisiones nos remitimos. Únicamente recordar aquí que la información puede ser de naturaleza política, económica o de cualquier otro tipo (no necesariamente militar como ocurre en el art. 600.1 CP), relacionada con la seguridad o la defensa nacional (SEGRELLES DE ARENAZA respecto del art. 135 bis.c CP/1973).

En otro orden de ideas, el delito de tenencia de objetos o información legalmente calificada como secreta o reservada es doloso —dolo directo o eventual (RAMOS GANCEDO)—, no habiéndose tipificado su comisión imprudente.

2. Tipo subjetivo

El dolo se configura en este tipo por la consciencia de poseer un objeto o una información legalmente calificada como reservada o secreta relacionada con la defensa o la seguridad nacional y la voluntad de no cumplir su obligación de entrega a la autoridad competente. Por consiguiente, se apreciará su concurrencia desde el momento en que el sujeto activo toma consciencia del carácter secreto de lo poseído e infringe el deber de entrega inmediata, siempre que ello le sea posible (así, BLECUA FRAGA, RAMOS GANCEDO).

A este respecto, RODRÍGUEZ-VILLASANTE Y PRIETO en relación al art. 135 bis.c CP/1973 señala que, en estos casos de tenencia fortuita de información calificada, el incumplimiento de las disposiciones administrativas que establecen su deber de entrega, no siempre es revelador de un propósito criminal. En efecto, puede responder a la mera dejadez o a la falta de diligencia en su entrega o comunicación a las autoridades, al afán recopilador sin ánimo de revelarla (caso del periodista o del investigador científico) o a la simple curiosidad del sujeto activo, lo que lleva a castigar conductas en las que no se atisba intención alguna de revelar la información accidentalmente adquirida.

No obstante, el mencionado tratadista señala que estas situaciones pueden encontrar solución como supuestos de error de tipo sobre elementos normativos y, en especial, sobre el carácter reservado o secreto de la información o la relación con la seguridad o defensa nacional del objeto poseído (también en esta línea, RAMOS GANCEDO). Lo que conducirá a la exención de responsabilidad penal del poseedor al no preverse la modalidad imprudente de este ilícito.

Asimismo, también será posible apreciar error de prohibición en aquellos casos en los que sabiendo el sujeto que posee objetos o información de carácter reservado, supone erróneamente que ello está permitido, al ignorar las disposiciones normativas sobre secretos oficiales o bien, al considerar que su posesión está amparada en una causa de justificación.

En todo caso, para la resolución de estos supuestos de error —sobre todo para determinar su carácter vencible o invencible— habrá que atender a las características y condición del sujeto activo y, en particular, al posible desempeño por parte de este de un cargo, función, actividad o empleo, relacionadas con la reserva de información secreta que requieren un mayor nivel de exigencia del deber de información (en este sentido, RAMOS GANCEDO).

3. Iter criminis

El delito se consuma con el incumplimiento de la entrega del objeto o la información legalmente calificada como reservada o secreta, relativos a la seguridad o la defensa nacional a la autoridad competente, siempre que ello le sea posible al sujeto activo.

Matiza a este respecto RODRÍGUEZ-VILLASANTE Y PRIETO en relación al art. 135 bis.c CP/1973, que en el supuesto de la obtención fortuita de la información u objeto protegido debe haber transcurrido un lapso de tiempo suficiente para que el agente los haya podido entregar o poner en conocimiento de la autoridad, constituyendo así su ocultación prueba evidente de la intención de mantener la posesión ilegal y, por tanto, momento en el que se consumaría el delito.

En este punto, PASTRANA I ICART argumenta, que habría sido conveniente que el art. 9.1 LSO *(Tol 137780)* precisase que esta entrega se ha de realizar «inmediatamente» o «sin dilaciones», pues con ello se evitaría el probable vacío legal, en aquellos casos en los que el sujeto guarda el secreto, pero aún teniendo la intención de comunicarlo a las autoridades competentes, tarda días, semanas, meses o años en hacerlo, evitándose así presumir por el mero devenir temporal su intención criminal. Sin embargo, a nuestro juicio, no se está aquí más que ante un problema de prueba del tipo subjetivo, que no requiere de mayores modificaciones o de una nueva reformulación del tipo penal, pues acreditada la posesión contraria a la legislación vigente del objeto o información junto con la consciencia y voluntad de hacerlo del sujeto activo, el delito ya se encuentra consumado.

4. Concursos

Los problemas concursales se centran con el apartado primero del art. 600 CP (reproducción no autorizada de información calificada). En opinión de MUÑOZ CONDE, los delitos contenidos en el art. 600 CP constituyen una relación alternativa de conductas, con la que se resuelve un problema de prueba. Así, en aquellos casos en los que conste la tenencia del objeto o la información, pero no pueda acreditarse su reproducción, será de aplicación la figura delictiva objeto de estudio. En cambio, en aquellos supuestos en los que el sujeto que detenta el material es quien lo ha reproducido, se entenderá aplicable el apartado primero de este precepto, siendo la tenencia un mero acto posterior co-penado.

En cualquier caso, como ya se ha dicho, se descartan posibles relaciones concursales con el art. 598 CP, puesto que en el art. 600.2 CP se sancionan aquellos supuestos en los que el sujeto activo se convierte en depositario accidental de la información, mientras que la posesión de la misma fruto de gestiones dirigidas a su consecución integraría la conducta de «procurarse» del primero de estos preceptos (así, MORALES GARCÍA; en contra MUÑOZ CONDE, al considerar de aplicación subsidiaria el art. 600.2 CP respecto del art. 598 CP, cuando no pueda probarse el propósito de reproducir o poseer la información para revelarla).

V. REVELACIÓN, DIVULGACIÓN, PUBLICACIÓN O INUTILIZACIÓN IMPRUDENTE DE INFORMACIÓN RESERVADA O SECRETA (ART. 601 CP)

El art. 601 CP castiga a quien por razón de su cargo, comisión o servicio, posee o conoce oficialmente objetos o información legalmente calificada como reservada o secreta o de interés militar, relativos a la seguridad o a la defensa nacional, y por imprudencia grave da lugar a que sean conocidos por persona no autorizada o divulgados, publicados o inutilizados.

Dentro del sistema de crimina culposa establecido en el CP vigente, este es el único delito de descubrimiento y revelación de secretos relativos a la defensa nacional imprudente tipificado en el Capítulo III del Título XXIII. Su fundamento reside, al igual que el art. 599 CP (con el que guarda una cierta similitud en su dicción), en el mayor desvalor de la conducta del funcionario público o asimilado, que infringe las normas de cuidado del material secreto que maneja, lo que permite que se divulgue su contenido (VIVES ANTÓN/CARBONELL MATEU). La consecuencia jurídica de esta actuación es prisión de seis meses a un año.

1. Sujetos activo y pasivo

Sujeto activo. Solo puede serlo quien es *depositario o conocedor del secreto o información por razón de su cargo, comisión o servicio.* Al no existir una sanción paralela para otros agentes, se configura como un delito especial propio (también calificado como de propia mano por RODRÍGUEZ-VILLASANTE Y PRIETO, RAMOS GANCEDO). Si se trata de un militar será de aplicación el art. 26 CPM.

El autor del delito debe tener en su poder, esto es, poseer o conocer los objetos o información protegidos. Esta primera conducta implica la disponibilidad del material protegido, sin que sea preciso el contacto físico continuado con el mismo, mientras que la segunda requiere su conocimiento. Luego la información protegida en este delito puede recaer sobre un objeto o ser una expresión intelectual.

Ahora bien, el objeto o la información protegidos se han de poseer o conocer «oficialmente», es decir, por razón del «cargo», «comisión» o «servicio» que desempeñe el agente, ya sea de carácter público o privado.

A mayor abundamiento, nos remitimos a las precisiones interpretativas sobre el concepto de «cargo» realizadas en el art. 599 CP. Por su parte, la comisión significa el desarrollo o desempeño de un cometido que implica el deber de custodia y sigilo con carácter temporal, pero derivado de la previa condición de funcionario o trabajador. Se encuentra así en comisión, el sujeto nombrado o designado para realizar un trabajo extraordinario o que requiere el desplazamiento del lugar donde desempeña su cargo o actividad laboral. Por último, el término servicio, el más amplio de los tres, alude a la existencia de una relación de servicio de naturaleza estatutaria, laboral o militar (tal y como es el caso, por ejemplo, del miembro de las Fuerzas Armadas que no tiene la condición de funcionario de carrera, pero desarrolla su actividad laboral en interinidad). Así las cosas, puede afirmarse que esta conducta puede ser desarrollada no solo por funcionarios o autoridades públicas, sino también por otras personas ligadas por contrato a la Administración Pública. Es decir, la relación de confianza y custodia que ejerce el sujeto activo puede derivar tanto de una relación funcionarial como laboral. Se está pensando aquí en empresas de interés militar o empresarios que acceden a información calificada o militar por razón de contratos administrativos. Este es el caso, por ejemplo, del personal de una industria privada contratada para la construcción de un recinto militar o misil, el desarrollo de prototipos o cualesquiera otros trabajos declarados secretos (así, RODRÍGUEZ-VILLASANTE Y PRIETO; en la misma línea SEGRELLES DE ARENAZA; de opinión contraria RODRÍGUEZ DEVESA, al entender que el sujeto activo ha de ser un funcionario público, militar o no).

En todo caso, tanto si la conducta es cometida por una autoridad o funcionario público como por un particular será necesario tener presente a efectos de penalidad, las inhabilitaciones del art. 616 CP.

Este conocimiento oficial exige, por tanto, que los objetos o información sean poseídos o conocidos por el sujeto activo en el ejercicio de sus competencias. De modo que, en la misma línea que lo señalado para el art. 599 CP, se ha de estar ante atribuciones propias del cargo, comisión o servicio que desempeña. De ahí que resulte atípica la posesión o el conocimiento de objetos o información a los que haya podido acceder, pero cuyo conocimiento no es consecuencia de la función que desarrolla el agente (ej., informaciones extraoficiales). Supuestos estos, que podrían encajar objetivamente en los arts. 598 y 600.2 CP, pero que quedarán impunes por no admitir estos su modalidad imprudente (MORALES GARCÍA).

En otro orden de cosas, al tratarse de un delito especial propio regirán las reglas previstas para esta tipología en materia de autoría y participación (particularmente, y por lo que se refiere a esta última, lo dispuesto en el artículo 65.3 CP).

Sujeto pasivo. Ostenta esta cualidad el Estado. En ningún caso se extiende la tutela de este precepto a potencias u organizaciones aliadas de España, sin perjuicio de que algún tipo de información procedente de aquellas pueda integrar el objeto de este delito y, por ende, se encuentren protegidas —a nuestro juicio de forma indirecta— por esta disposición normativa (así, RODRÍGUEZ-VILLASANTE Y PRIETO, respecto del art. 135.bis d).

2. Conducta típica

La conducta típica consiste en dar lugar por imprudencia grave a que sean conocidos por persona no autorizada o divulgados, publicados o inutilizados objetos o información legalmente calificada como reservada o secreta o de interés militar, relativos a la seguridad nacional o la defensa nacional.

«Dar lugar» equivale en su sentido gramatical a «ocasionar, motivar» (Diccionario de la Real Academia Española) y, en este caso a ocasionar el conocimiento, la divulgación, publicación o inutilización de los objetos o informaciones secretas protegidos. De conformidad con esta expresión es posible la realización tanto activa (p. ej., indiscreciones verbales, transmisiones negligentes o entregas descuidadas) como pasiva (ej., abandonar negligentemente la custodia de importantes documentos oficiales) del tipo. Luego, será indiferente que la verificación de alguno de los resultados previstos en el tipo sea objetivamente imputable a la creación o no evitación de un foco de peligro sobre la reserva del objeto material.

Lo relevante aquí será la constatación de la circunstancia específica sobre la que se proyectará el juicio de imputación, en relación con el concreto deber de custodia que infringe el sujeto activo (MORALES GARCÍA).

Tendrán aquí cabida fundamentalmente los supuestos en los que la actuación imprudente del agente permita dar a conocer informaciones secretas o reservadas —por ejemplo, como consecuencia de una indiscreción, descuido o negligencia propiciado. Piénsese en este sentido en el caso de un sujeto que hace creer a un funcionario público, que conoce una determinada información sobre materia secreta; hecho que lleva al funcionario a intercambiar impresiones sobre ello cuando, en verdad, está revelando al tercero el secreto, ya que este lo desconocía. Asimismo, piénsese en el funcionario que facilita, por descuido el conocimiento de información secreta o reservada, al abandonar negligentemente la custodia de importantes documentos oficiales. Otros supuestos serían el del funcionario que traspapela un documento secreto y lo incluye en una carta que envía sin querer a otro sujeto o bien, el alguacil que habiendo dos personas en el mismo municipio con igual nombre entrega una carta a una de ellas cuando debería habérsela entregado a la otra. A estos se podrían añadir también, las conductas culposas fundadas en el error sobre el carácter calificado o secreto de la información o el objeto que entrega a un tercero no autorizado a conocerlos o bien, sobre el permiso otorgado por un superior para su transmisión.

El tipo se configura como un delito de resultado (calificación sostenida pacíficamente por la doctrina), pues solo se satisface cuando a consecuencia del actuar imprudente, el sujeto activo crea las condiciones necesarias para que un tercero conozca o se divulguen, publiquen o inutilicen los objetos o documentos secretos que estaban a su cargo.

Resultado típico, no obstante, criticado por VÁQUEZ IRUZUBIETA, al afirmar textualmente este autor que es «un exceso del afán represor», el que una vez que el imprudente ha permitido que el secreto sea conocido por quien no debía, sea perseguido también por lo que este haga con el mismo. Crítica que no resulta atinada: primero, porque si bien es cierto que en la primera conducta relativa a que el objeto o la información sean conocidos por una persona autorizada, sí que es necesaria la participación de un tercero que conozca de aquella, no lo es así en el resto de modalidades típicas, las cuales pueden ser directamente realizadas por el propio sujeto activo (piénsese así, por ejemplo, en el funcionario encargado de la custodia de una información secreta, que al archivarla informáticamente procede negligentemente a eliminar o alterar parte de la misma y, por tanto, la inutilice o bien, la publique en un sitio web en abierto). Segundo, porque la conducta de conocimiento de la información u objeto secreto por persona desautorizada, se perfecciona con independencia de lo que haga el receptor con la misma, es decir, de si abusa o no de dicha información para obtener un beneficio.

Entrando en el análisis de los resultados típicos, el primero (conocimiento por persona no autorizada) se identifica con la comunicación o transmisión a otro de objetos o información legalmente calificada de secreta o reservada o de interés militar, relativos a la seguridad o defensa nacional, que no conoce por encontrarse fuera del círculo de personas autorizadas a hacerlo. Extremo este último que cabrá constatar a partir, como se acaba de indicar más arriba, de la normativa que reglamente la tutela jurídica de estas materias. Será necesario, por tanto, para entender realizada esta conducta, el conocimiento o la incorporación a la esfera de control de un tercero de la información u objeto descubierto. Es indiferente si estos son puestos en conocimiento de una o varias personas, aunque parece que en los casos de pluralidad de sujetos tendrán mejor acomodo en el resultado de divulgación o, incluso, de publicación.

«Divulgar» consiste, siguiendo a RODRÍGUEZ-VILLASANTE Y PRIETO, en dar a conocer a una pluralidad de personas el material protegido, que se distingue del tercer resultado «publicación» en que este último se sirve de medios específicos (imprenta, radiodifusión, prensa...), que facilitan su conocimiento por la opinión pública, en la línea de lo ya expuesto al analizar el art. 599.2 CP. Ninguna de estas conductas requiere para su realización del efectivo conocimiento del objeto o información por sus destinatarios.

Por último, la «inutilización» supone —según se estudió al analizar el art. 598 CP—, que el objeto o la información calificada o de interés militar, relativos a la seguridad o defensa nacional, dejan de servir para el fin que tenían asignado.

En todo caso será atípica aquella conducta imprudente que dé lugar al falseamiento de los objetos o información, a no ser que vaya acompañada de un conocimiento, pues ese término —a diferencia del art. 598 CP— no está presente en el artículo 601 CP.

En relación con esto último, convenimos con PASTRANA I ICART que no se entiende la razón que ha llevado al Legislador a optar por el confusionismo que supone la referencia constante a diferentes conductas, objetos, etc., en cada precepto de este Capítulo, cuando lo más sencillo y lógico habría sido referirse a las mismas conductas previstas en el art. 598 CP (o incluso, más atinadamente a nuestro entender al art. 599 CP) para sancionar su modalidad imprudente; lo que evitaría lagunas de punibilidad como la acabada de señalar y las que se evidencian seguidamente.

Así, continúa señalando el mencionado autor que en ambos preceptos los términos publicación e inutilización son coincidentes. Sin embargo, plantea problemas el considerar como sinónimas las conductas de divulgar del art. 601 CP y revelar del art. 598 CP. Aunque, las mayores dificultades estribarán en la asimilación entre la expresión «dé lugar a que sean conocidos» del art. 601 CP y el término «procurarse» del art. 598 CP, pues no es lo mismo que una persona se procure un objeto o información, que una persona tenga conocimiento de los mismos. Así las cosas, no existirá ningún problema en considerar relevantes las imprudencias graves de sujetos autorizados que den lugar a la publicación o inutilización de los objetos o informaciones protegidos. Pero, en cambio, sí los habrá, de una parte, cuando estas conductas negligentes hayan dado lugar a la revelación de este material a una sola persona, pues el término divulgar, normalmente, se referirá a una pluralidad de receptores. De otra parte, también será difícil ubicar en este precepto las imprudencias graves que permitan a personas no autorizadas procurarse o conseguir información, pues, aunque a menudo el hecho de procurarse estos materiales comporta tener conocimiento de ellos, se pueden dar el supuesto en que la persona los consiga o procure, pero sin llegar a conocerlos (piénsese en este sentido, por ejemplo, en la persona que obtiene la cinta, carpeta o soporte que contiene la información, pero no accede a la misma). Actuaciones, por tanto, que de cometerse negligentemente resultarían atípicas por no ser subsumibles en la literalidad del art. 601 CP.

Por otra parte, tratándose de un tipo de resultado sin especiales limitaciones en la conducta, resulta perfectamente admisible la comisión por omisión. Para ello será necesario, como es por todos sabido, no solo el «no hacer» que ocasiona el resultado prohibido, sino también que el sujeto activo se encuentre en posición de garante y que sea posible la imputación objetiva del resultado producido a la actitud pasiva de aquel. Para ello cabrá atender a las funciones y a la normativa que regula el ejercicio del cargo, comisión o servicio, que se verán en breve.

A modo de ejemplo, piénsese en la falta negligencia o de cuidado en la custodia de un empleado público, que puede dar lugar a que un tercero lea y, por tanto conozca la información secreta o bien, se apodere de ella y proceda a su divulgación o publicación. En este punto, no puede dejarse de reconocer que pueden ser difíciles de imaginar supuestos en los que el «no hacer» del sujeto activo pueden dar lugar a la inutilización de un objeto o información. Sin embargo, estos son posibles en situaciones como la que se describe a continuación: el encargado de la custodia de un documento electrónico almacenado en un CD con información reservada, que acaba deteriorado y, por ende, inutilizado por no haber adoptado aquel las normas más elementales de protección del mismo, tales como mantenerlo en su caja correctamente cerrado, con la capa de datos hacía abajo, realizar copias periódicas de seguridad, etc., lo que provocó su deterioro y, la consiguiente pérdida de los datos que contenía, haciendo así inservible este material secreto.

3. *Objeto de la acción*

El objeto de la acción es el más amplio de todos los delitos de este Capítulo III del Título XXIII al venir compuesto no solo por objetos o información calificada como reservada o secreta —conceptos ya tratados al examinar los tipos del art. 598 CP y art. 600.2 CP, respectivamente—, sino también —y he aquí la novedad— por información de interés militar. Elementos todos ellos que presentan como único denominador común su relación con la seguridad o defensa nacional —conceptos cuya delimitación ya se abordó al examinar el bien jurídico de estos delitos.

El art. 601 CP es, por tanto, como decimos el único delito del Capítulo en incluir esta referencia al «interés militar», equiparando así a las «informaciones legalmente calificadas» las «de interés militar» que, a diferencia de las primeras, no han sido calificadas como reservadas o secretas, ni directamente por la Ley ni a través de calificación previa; lo que resulta incomprensible, pues no existe tal calificación de «interés militar» en la normativa establecida para la tutela de los secretos de Estado (ORTEGA GUTIÉRREZ-MATURANA). Luego, este precepto viene a incluir un nuevo tipo de información que no ha sido separada del circuito general de conocimiento mediante ningún acto de calificación, ni tiene por ende carácter reservado o secreto (MORALES GARCÍA). Lo que en opinión de SE-GRELLES DE ARENAZA —respecto del art. 135.bis d CP/1973— «merma sustancialmente el principio de legalidad», aunque sin ofrecer mayores argumentos del porqué de su conculcación.

Hecho este que debe llevar a censurar la excesiva amplitud de la expresión comentada («interés militar») y a las indeseables repercusiones a que ello da lugar, tanto desde una perspectiva político-criminal como de técnica jurídico-penal (SE-GRELLES DE ARENAZA). Así, como bien dice RODRÍGUEZ-VILLASANTE Y PRIETO —en relación al art. 135.bis d CP/1973)— tal interés militar comprende «todas aquellas noticias y acontecimientos que afecten a las Fuerzas Armadas», lo que resulta desmesurado e inadmisible como posible objeto de tutela, pues el —único— bien jurídico protegido en la disposición en estudio no es la lealtad o el deber de discreción del funcionario o depositario de la información, sino la misma defensa nacional. Es, por ello, que propone con acierto el mencionado tratadista que el límite de la antijuridicidad del tipo radique en el marco de la seguridad nacional o defensa nacional, de suerte que el hecho solo resultará típico cuando la información de interés militar afecte a tal seguridad o defensa o bien, esté legalmente calificada (también así, RAMOS GANCEDO). Lo que es consecuencia obligada, claro está, del principio de ofensividad.

A esto se añade, como bien expone MORALES GARCÍA, la incoherencia de que el delito culposo se extienda a informaciones que no están legalmente calificadas como reservadas o secretas y, por consiguiente, que no están recogidas en los tipos dolosos; lo que, en primer lugar, otorga al tipo imprudente una extensión superior a los dolosos difícil de justificar en base a un objeto del delito tan difuso (también de esta opinión: PASTRANA I ICART, FERNÁNDEZ MOLINA, SE-GRELLES DE ARENAZA —respecto del art. 135.bis d CP/1973). En segundo término, lleva a la paradójica situación de que la información de interés militar, relacionada con la seguridad o defensa nacional, no reciba cobertura jurídico-administrativa a través del acto de calificación, sino que es tutelada *prima ratio* por el instrumento penal pero solo, como se acaba de indicar, frente a actuaciones imprudentes.

4. *Tipo subjetivo*

El art. 601 CP sanciona, como hemos indicado, la única conducta imprudente punible en estos delitos. Concretamente, esta imprudencia ha de ser calificada como grave, entendiendo por tal la infracción de una norma de cuidado elemental que le era exigible en el ejercicio de su función profesional bien en atención a la *lex artis* que la disciplina, bien en atención a la existencia de una normativa que reglamente su desarrollo, siendo la imprudencia menos grave o leve sancionada en el ámbito disciplinario.

VÁZQUEZ IRUZUBIETA se muestra muy crítico con la sanción penal de esta clase de imprudencia, pues a su entender, si el conocimiento del objeto o información se lleva a cabo por quien no debe: «qué importa si la imprudencia ha sido grave o leve, si a fin de cuentas el delito se consuma por tal imprudencia». Razón por la que se cuestiona: «¿Acaso no es punible la conducta de quien posibilita la comisión del delito si su imprudencia ha sido leve?». Razonamiento que se rechaza, por conculcar las bases más elementales del principio de culpabilidad.

Para llevar a cabo este juicio será necesario cohonestar la conducta imprudente con la concreta normativa que reglamente el cargo, comisión o servicio que desempeñe el sujeto activo, así como la referente al tratamiento del objeto de la acción; normativa que asimismo coadyuvará a delimitar algunos de los resultados típicos, tales como la determinación de las personas que no están autorizadas a conocer de los objetos o información protegidos (ORTEGA GUTIÉRREZ-MATURANA). Así, por ejemplo, en lo que respecta a la información legalmente calificada como reservada o secreta devendrán fundamentales los arts. 11 y 13 de la LSO *(Tol 137780)*, que imponen la obligación de cumplir con las medidas de protección de aquellas materias y, en particular, a los arts. 13, 14, 18, 19, 20 y 21 del Decreto 242/1969, de 20 de febrero, que la desarrolla, en los que se establecen los distintos procedimientos para la custodia, traslado y transmisión del material secreto y reservado. Disposiciones a las que también cabrá añadir las normas emanadas del Ministerio de Defensa y de la Autoridad Nacional para la Protección de la Información Clasificada (tales como la NS/04 *de seguridad de la información*, de octubre de 2009, que detalla el protocolo a seguir en cada actuación relativa a este tipo de materias).

5. Iter criminis

Tal y como se explicaba anteriormente, para la consumación del delito se requiere que el actuar negligente —grave— del sujeto activo dé lugar a que los objetos o la información legalmente calificada como reservada o secreta o de interés militar, relativos a la seguridad o defensa nacional sean (alternativamente): conocidos por personas no autorizadas, divulgados, publicados o inutilizados. Resultados en los que si bien no lo exige expresamente el tipo, debe verificarse un peligro o lesión para la defensa nacional que dote de la mínima ofensividad a la conducta (en esta línea, MORALES GARCÍA; de opinión contraria: MUÑOZ CUESTA).

Así las cosas, de no concurrir el conocimiento, divulgación, publicación o inutilización el tipo penal no se consumará, ni tampoco se apreciará ninguna otra forma imperfecta de ejecución (COBO DEL ROSAL/QUINTANAR DÍAZ). A este respecto resulta indiferente para la perfección del tipo, el que del actuar imprudente se derive más de un resultado. O dicho en otras palabras, la imprudencia es un delito singular, aunque sus consecuencias pueden ser plurales y heterogéneas. De modo que aún cuando tras el descuido en la protección de la información secreta por el agente encargado de su custodia, se proceda no solo a su divulgación, sino también a su posterior publicación y/o utilización, solo se habrá realizado un delito del art. 601 CP.

6. *Concursos*

La principal cuestión que se plantea en el ámbito concursal es la relación entre el art. 601 CP y el art. 277 CP, puesto este último precepto requiere que la de divulgación de invención objeto de solicitud de patente secreta se realice «intencionadamente», lo que se ha interpretado de forma unánime como exigencia de dolo directo. La divulgación imprudente no se ha previsto, resultando, por tanto, impune.

Ahora bien, se plantea la posibilidad de aplicar el art. 601 CP cuando la divulgación se realiza de forma imprudente (grave) por quien conozca la invención por razón de su cargo, comisión o servicio (p. ej., en el Ministerio de Defensa o en la Oficina de Patentes). Sin embargo, aún cuando teóricamente es posible, la Doctrina rechaza esta propuesta, al entender que la voluntad de la Ley ha sido no castigar la comisión imprudente. Máxime cuando la misma revelación imprudente respecto del solicitante o titular de la patente tan solo supondría la pérdida del derecho a compensación económica que puede reclamar el Estado conforme a la normativa administrativa en la materia (VALLE MUÑIZ, BAUCELLS LLADÓS, CARRASCO ANDRINO).

VI. DESCUBRIMIENTO Y REVELACIÓN DE INFORMACIONES RELATIVAS A LA ENERGÍA NUCLEAR (ART. 602 CP)

El art. 602 CP viene a regular un tipo de nuevo cuño —que no tiene precedentes en el CP de 1973— que sanciona el descubrimiento y revelación de información legalmente calificada como reservada o secreta relativa a la energía nuclear, con pena de prisión de seis meses a tres años, salvo que el hecho tenga señalada pena más grave en otra Ley.

Concretamente, los antecedentes normativos de este precepto se sitúan en la Ley 25/1964, de 29 de abril, *sobre usos pacíficos de la energía nuclear (Tol 147492),* cuyos arts. 84 a 90 fueron derogados por la Disposición Derogatoria Única f) de la LO 10/1995, de 23 de noviembre, de reforma del CP *(Tol 228956),* que incorpora el delito objeto de estudio al texto punitivo de forma casi idéntica a lo preceptuado por el art. 87 de la mencionada norma.

1. Sujetos activo y pasivo

El art. 602 CP se define como un delito común, al no requerirse ninguna condición especial de autoría, que será desplazado por el art. 26 CPM, si el autor es un militar.

Asimismo, será necesario tener aquí presente su posible categorización como autoridad, funcionario público o bien, como particular para aplicarle las inhabilitaciones previstas en el art. 616 CP.

El sujeto pasivo es, al igual que en el resto de delitos examinados, el Estado.

2. Conducta típica

Estructuralmente se configura este ilícito como un tipo mixto alternativo, al sancionar el descubrimiento, violación, revelación, sustracción o utilización de información legalmente calificada como reservada o secreta relativa a la energía nuclear. Descripción típica que ha sido criticada por emplear términos redundantes e innecesarios; lo que parece deberse a la transposición inmediata que se hizo del derogado art. 87 de la Ley de Energía Nuclear (COBO DEL ROSAL/QUINTANAR DÍEZ).

Así se ha señalado, por un lado, el hecho de que las conductas «descubrir», «violar» y «sustraer» pueden reconducirse a los presupuestos de «procurar» y «revelar» del art. 598 CP, al que nos remitimos para su estudio e interpretación (entre otros, BAUCELLS LLADOS, DÍAZ MORGADO). Por otro lado, se asevera que difícilmente se puedan utilizar dichos objetos, sin que previamente se haya descubierto, violado o sustraído (así, PASTRANA I ICART, ORTEGA GUTIÉRREZ-MATURANA). Afirmación, no obstante, que no compartimos, pues parece obviar que estas conductas pueden ser cometidas por agentes distintos. En todo caso, como es por todos sabidos, la realización de varias de las modalidades típicas contenidas en el tipo daría lugar a una sola infracción.

Únicamente puntualizar a este respecto, que el art. 602 CP ha procedido a diferenciar los actos de consecución de la información secreta que engloba el verbo típico procurarse, al sancionar, por un lado, el alzamiento del soporte que contiene el secreto por el sujeto activo a través de la sustracción y, por otro lado, la obtención de su sustrato mediante el descubrimiento (así, MORALES GARCÍA; ORTEGA GUTIÉRREZ-MATURANA). En el caso del término «violar» se ha calificado de superfluo, bien se interprete en el sentido de revelar —descubrir a otro lo ignorado o secreto—, bien en el de descubrir —obtención de la información— (así, SEGRELLES DE ARENAZA, COBO DEL ROSAL/QUINTANAR DÍEZ).

Por su parte, «utilizar» abarca cualquier forma de uso del secreto nuclear, lo que exige su previo conocimiento, bien sea de forma lícita —por razón del cargo—, bien de forma ilícita; y en estas condiciones haga uso de él, sin revelarlo, lo que resulta bastante difícil dada la naturaleza, funciones y posibles aplicaciones de la energía nuclear (en estos términos, SEGRELLES DE ARENAZA respecto del art. 135 bis.a CP/1973). Utilizar, por tanto, debe entenderse como algo más que el mero conocimiento de la información por parte del sujeto activo, esto es, como sacar utilidad o servirse de aquella. Luego se está ante un delito de mera actividad y de comisión activa, en tanto en cuanto el tipo no se cumple con el mero acceso a la información secreta, sino con el aprovechamiento —propio o de un tercero— (p. ej., el empleo de esta información para el desarrollo de un arma nuclear), siendo irrelevante para su perfección la obtención final de un beneficio económico o de cualquier otra clase (v. gr., avances en la investigación sobre este tipo de energía; mejoras en su aplicación...), al no requerirlo expresamente el tipo. En consecuencia, la mera preparación del instrumental necesario para la utilización del secreto no basta para consumar el tipo.

3. Objeto de la acción

La principal característica del art. 602 CP es su objeto, que consiste en una «información legalmente calificada como reservada o secreta» —para lo que nos remitimos al art. 598 CP—, pero relacionada no con la «seguridad o la defensa nacional», sino con «la energía nuclear», a saber, aquella que se obtiene mediante procesos que alteran la estructura de los átomos (concepto ampliamente analizado en el T. II de este Tratado, al hilo de los delitos relativos a la energía nuclear y radiaciones ionizantes).

La Doctrina discute si esta información secreta y reservada a la energía nuclear ha de afectar o no a la seguridad o la defensa nacional, pues a diferencia del resto de preceptos del Capítulo analizado, no se establece directamente esta vinculación. Es decir, se plantea aquí la interrogante de si el art. 602 CP tutela secretos nucleares conectados o no con la defensa nacional y, por tanto, con el bien jurídico protegido. De ello dependerán las relaciones concursales de esta figura delictiva con el resto de preceptos del Capítulo y, en particular con el art. 598 CP, al haberse mantenido la cláusula de subsidiariedad expresa contenida en el art. 87 de la derogada Ley de Energía Nuclear y, que remite a la aplicación preferente de otra Ley cuya previsión penológica para el mismo sustrato sea mayor (cláusula criticada unánimemente por los tratadistas, al considerar que esta tenía razón de ser en el ámbito de las Leyes especiales en que anteriormente se desarrollaba la conducta que comentamos, pero no en el círculo sistemático en que ahora se ubica: entre otros, COBO DEL ROSAL/QUINTANAR DÍEZ, MORALES GARCÍA, BAUCELLS LLADÓS).

A nuestro entender, para ser objeto de protección penal dicha información relativa a la energía nuclear ha de afectar a la seguridad o defensa nacional, porque la razón de ser de su calificación legal como secreta o reservada —conforme a lo dispuesto en el art. 2 LSO *(Tol 137780)*— no puede ser otra más que la afección a dichos intereses (ORTEGA GUTIÉRREZ-MATURANA). Es decir, su tutela solo se fundamenta en la medida en que se está ante informaciones sensibles, de indudable valor estratégico para la seguridad o defensa nacional, que las hace merecedoras de ser secretos de Estado. Esto lleva a afirmar, por tanto, la existencia de una relación de género a especie entre la información del art. 598 CP y la del art. 602 CP, en tanto en cuanto de la información legalmente calificada, en términos generales prevista en este primer precepto, se separa aquella relacionada con la energía nuclear para ser objeto de regulación independiente.

De otra opinión, quienes consideran que no es posible sustentar esta relación de especialidad entre ambos tipos de informaciones, pues a su entender esto sería posible si el art. 602 CP se refiriese a información legalmente calificada como reservada o secreta relativa a la energía nuclear y, además, relacionada con la «seguridad nacional y la defensa nacional» (PASTRANA I ICARTA). Solo de este modo se podría afirmar que toda la información relacionada con la energía nuclear (especie: art. 602 CP) es, a la vez, información relativa a la seguridad nacional o la defensa nacional (género: art. 598 CP). Afirmación, señala este autor, que no puede realizarse, a la vista de como están redactados estos preceptos. Hecho que explica, además, a su juicio que la pena del art. 598 CP sea mayor que la del art. 602 CP, pues se considera más grave que la información haga referencia a la seguridad nacional que no a la energía nuclear. Así las cosas, si lo relevante es que la información vaya relacionada exclusivamente con la energía nuclear, sería razonable que esta conducta se tipificase entre los delitos contra la seguridad colectiva (BAUCELLS LLADÓS).

Consecuencia directa de este entendimiento es que entre las conductas típicas previstas en el art. 602 CP se encuentra la relevación, lo que en estricta aplicación del principio de especialidad llevaría a apreciar preferentemente el art. 602 CP en detrimento del art. 598 CP. Sin embargo, la revelación de información calificada relacionada con la energía nuclear está más levemente penada —prisión de seis meses a tres años— que el resto de las informaciones legalmente calificadas del Capítulo y, en concreto, del art. 598 CP —pena de uno a cuatro años (minoración penológica que no dejar de sorprender, si se tiene presente que los comportamientos relacionados con la energía nuclear pueden ocasionar un resultado más grave: PORTILLA CONTRERAS).

La mayor penalidad, por tanto, del art. 598 CP obliga, por mor de la cláusula de subsidiariedad expresa del art. 602 CP, a la aplicación preferente de aquel precepto sobre este, concluyéndose así la implícita derogación de una parte del contenido normativo del art. 602 CP, en la medida en que la revelación de la información legalmente calificada relacionada con la energía nuclear se encuentra más severamente sancionada en el art. 598 CP (MORALES GARCÍA; COBO DEL ROSAL/QUINTANAR DÍEZ). Situación que acaecerá igualmente en los supuestos de descubrimiento y sustracción que puedan incardinarse en la conducta de «procurarse» del mencionado art. 598 CP (así, MORALES GARCÍA; también a favor de esta aplicación preferente del art. 598 CP: DÍAZ MORGADO, FERNÁNDEZ MOLINA, FEIJÓO SÁNCHEZ). Hecho que lleva a afirmar la «superfluidad» de la tipificación de este precepto en la medida en que casi siempre cederá ante el art. 598 CP o, en su caso, ante la cualificación del art. 599 CP (MUÑOZ CONDE), en los que se utilice la información secreta, sin haber procedido previamente a su obtención o revelación.

4. Tipo subjetivo

En lo que importa al tipo subjetivo, el art. 602 CP exige actuar con dolo, que debe abarcar la consciencia y voluntad de descubrir, violar, revelar, sustraer o utilizar información legalmente calificada como secreta o reservada relativa a la energía nuclear. En este sentido, no es necesario que el sujeto activo conozca la clasificación técnica de esta información o distinga entre su carácter secreto o reservado. Basta con que sepa que se trata de una información conocida por un círculo reducido de personas, que no ha de ser publicada.

Los problemas de error recaerán, como en los tipos precedentes, en el carácter reservado o secreto de la información legalmente calificada y en el alcance de la autorización para descubrir, revelar o utilizar dicha información, que se resolverán conforme a las reglas del error de tipo (art. 14.1 CP), al tratarse de elementos objetivos del tipo penal.

5. Iter criminis

El delito del art. 602 CP se consuma con la realización de una o varias de las conductas descritas en él, esto es, descubrir, violar, revelar, sustraer o utilizar información legalmente calificada relativa a la energía nuclear. En particular, el descubrimiento se consumará con la obtención de dicha información por el sujeto activo, mientras que la revelación lo hará en el momento en que aquella entre en la esfera de disponibilidad del tercero no autorizado a conocerla —recepción— (la violación se perfeccionará de una u otra manera según se entienda como sinónimo de descubrir o de revelar). Aquellos casos en que, por razones ajenas a la voluntad del sujeto activo, se lleven a cabo sin éxito actos para la consecución de la información o bien, en la conducta de revelar no llegue al destinatario la información transmitida darán lugar a tentativa.

Por su parte, la sustracción se entenderá realizada con la obtención del soporte que contiene la información y, la utilización con el uso de la información, se consiga o no un beneficio. En la primera conducta constituirán formas imperfectas de ejecución del delito las diligencias o esfuerzos conducentes a obtener la información secreta. En la segunda, en cambio, al configurarse como un delito de mera actividad, no será posible apreciar la tentativa.

6. Concursos

Como se ha indicado, será de aplicación preferente el art. 598 CP al art. 602 CP, cuando se proceda a la revelación de información legalmente calificada como reservada o secreta relativa a la energía nuclear, dada su mayor penalidad.

Se descarta en este punto una eventual relación concursal entre los delitos relacionados con la energía nuclear y radiaciones ionizantes de los arts. 341 y sigs., y el art. 602 CP, al tratarse de figuras delictivas que presentan tanto ámbitos de protección como dinámicas dispares. Así, mientras que los primeros sancionan la posible afección de la seguridad colectiva como consecuencia, entre otras conductas, de un incorrecto uso de la energía nuclear mediante su liberación, la perturbación del funcionamiento de instalaciones nucleares o el vertido, emisión o introducción en el aire, suelo o aguas de materiales o de radiaciones ionizantes; el segundo castiga la lesión o puesta en peligro de la defensa nacional derivada de la violación de información relacionada con dicha energía y, reservada por su interés estratégico.

VII. VIOLACIÓN DE CORRESPONDENCIA O DOCUMENTACIÓN RESERVADA O SECRETA

El art. 603 CP regula el denominado delito de atentados a la correspondencia o documentación reservada o secreta relacionada con la defensa nacional. Este precepto, incorporado por la LO 14/1985, de 9 de diciembre, viene a tutelar el derecho al secreto de la correspondencia del art. 18.3 CE y de la documentación que debe permanecer secreta en el ámbito de la defensa nacional (SÁNCHEZ MELGAR, PORTILLA CONTRERAS). Luego, se está ante un delito pluriofensivo, en el que se protege junto a la defensa nacional, el derecho al secreto de las comunicaciones relacionadas con aquella.

Se aplaude la ubicación de este precepto entre los delitos relativos a la defensa nacional, por entenderse más adecuada que su anterior incardinación entre los delitos de atentados contra los medios o recursos de dicha defensa. Modificación que había sido una constante reivindicación doctrinal (así, MORALES GARCÍA, ORTEGA GUTIÉRREZ-MATURANA, haciéndose eco de las palabras de VIVES ANTÓN).

1. Sujetos activo y pasivo

Sujeto activo. Delito especial (calificado mayoritariamente como impropio: FERNÁNDEZ RODERA, PASTRANA I ICART, FEIJOÓ SÁNCHEZ; en contra calificándolo como un delito parcialmente propio: MORALES GARCÍA y, como un delito común: GÓMEZ CALERO, SÁNCHEZ MELGAR): solo puede serlo quien posea la correspondencia o documentación legalmente calificada como reservada o secreta por «razón de su cargo o destino», y que generalmente será una autoridad o funcionario público —aunque también podrán serlo asimilados a estos como, por ejemplo, los empleados de empresas contratadas para el desarrollo de proyectos relacionados con la defensa nacional—, siendo atípica la conducta del particular (de otra opinión VÁZQUEZ IRUZUBIETA, para quién solo los empleados públicos pueden ser autores de este delito). Esta descripción típica recuerda a la prevista en el ya comentado art. 599.1 CP, al exigir igualmente que en el sujeto activo concurra la condición legal de poseer el objeto del delito por razón de su «cargo» o «destino», por lo que damos aquí por reproducido todo lo dicho anteriormente respecto a estos términos.

Huelga decir, que su consideración como delito especial propio o impropio predeterminará el tratamiento de la autoría y participación delictivas en este ilícito conforme a las reglas previstas para estas categorías dogmáticas.

A mayor abundamiento, los partidarios de calificar el art. 603 CP como un delito especial impropio, afirman que en aquellos casos en los que la conducta es realizada por una persona que no tiene en su poder la correspondencia o documentación por razones de su cargo o destino, será de aplicación el art. 598 CP, como delito común (FEIJÓO SÁNCHEZ; también así MORALES GARCÍA respecto de las conductas típicas de inutilización y falseamiento).

Por su parte, MORALES GARCÍA en relación a las modalidades delictivas que califica como delitos propios (abrir y destruir), afirma que la apertura dolosa de correspondencia relacionada con la defensa nacional por sujeto activo no cualificado (*extraneus*), en la que participa un *intraneus* (poseedor o conocedor de la información por su cargo o destino), cooperando necesariamente o induciendo al que ejecuta el hecho directamente podrá ser considerada atípica en el caso de ambos agentes o bien, podrá sancionarse al *intraneus* como autor mediato o como cooperador necesario de un delito del art. 603 CP. Añade, dicho autor, que iguales consideraciones deben efectuarse respecto a la destrucción de correspondencia, aunque cuando esta conducta se despliegue sobre documentación legalmente calificada cabrá subsumirla bajo el término inutilización (más amplio) y remitirla, por lo tanto, al art. 598 CP (a menos que se acepte, como aquí se hace, una relación de exclusión entre ambos preceptos en el que la inutilización no abarca la destrucción de la información). En tales casos, es decir, en la esfera del delito especial impropio, deberá decidirse si se mantiene o no el título de imputación en los supuestos de participación del *extraneus* en el mismo.

Asimismo, al igual que en los artículos precedentes, de tratarse de un militar habrá que acudir a lo dispuesto en el art. 26 CP. En cambio, no será aquí de aplicación el art. 616 CP, dado que el art. 603 CP prevé penas específicas de inhabilitación, a saber, la especial de empleo o cargo público por tiempo de tres a seis años (BAUCELLS LLADÓS).

Sujeto pasivo. Es el Estado.

2. *Conducta típica*

La descripción típica del art. 603 CP se configura de forma mixta alternativa, esto es, se recogen en el precepto cuatro modalidades típicas distintas: «destruir», «inutilizar», «falsear» y «abrir»; de lo que resulta que la realización de una sola de ellas dará lugar a la comisión del delito.

Sobre la significación de los verbos «falsear» e «inutilizar» hemos tenido ocasión de pronunciarnos al analizar el art. 598 CP, al que nos remitimos. En cambio, la destrucción y la apertura de correspondencia o documentación no coinciden con las conductas castigadas en los preceptos previamente examinados.

En cuanto a «destruir» supone una alteración esencial de la correspondencia o documentación que, en este caso concreto, se caracteriza por deshacer su materialidad. Es decir, implica no solo la inutilización de la información calificada, sino también la desaparición de su soporte (de producirse solo lo primero, cabría apreciar la conducta de inutilización de información legalmente calificada como reservada o secreta del art. 598 CP). Exige, por tanto, esta modalidad delictiva la desaparición total o parcial del documento o correspondencia (ej., haciéndolo pedazos, haciéndolo desaparecer mediante su disolución con agentes químicos, quemándolo, etc.), no bastando con su simple deterioro. Ahora bien, esa destrucción ha de afectar a la totalidad o a una parte esencial del documento o correspondencia, hasta el punto de que anule su eficacia y función. En todo caso, la destrucción del soporte no requiere el previo conocimiento de la información que contiene la correspondencia oficial o documentación.

Se está, por tanto, en esta modalidad de destrucción ante un delito de resultado en el que es necesaria para su consumación la pérdida de utilidad de la correspondencia o documentación, que la haga inservible. Esta índole activa del verbo típico destruir lleva a rechazar la posibilidad de comisión por omisión.

En cuanto a la conducta «abrir» se entiende coloquialmente por tal «descubrir o hacer patente lo que está cerrado u oculto» (Diccionario de la Real Academia Española) En este caso, acceder al contenido de lo que se encuentra secreto en correspondencia o documentos, que se detentan por razón de su cargo o destino, pero que no se está autorizado a conocer. Luego no se protege la correspondencia en tránsito, sino solo aquellos supuestos de apertura ilegal de la misma por persona autorizada para su posesión, pero no para su conocimiento (ORTEGA GUTIÉRREZ-MATURANA).

La conducta se consumará con el acceso a la información contenida en la correspondencia o documentación (delito de mera actividad). A estos efectos, es indiferente que el sujeto tome conocimiento del contenido de aquellas, pues lo relevante es que las abra sin autorización. Luego, en la línea de lo ya comentado con la conducta «procurarse» del art. 598 CP, el Legislador ha adelantado con esta modalidad delictiva las barreras de intervención penal, en base a la relevancia de los bienes jurídicos protegidos: defensa nacional y derecho al secreto de las comunicaciones. Ahora bien, tal y como ocurría en aquella conducta, el tipo no se perfeccionará con los actos iniciales de ejecución, sino que será necesario llegar al final del *iter criminis*, es decir, a la apertura del documento (RAMOS GANCEDO).

Por otra parte, téngase en cuenta que las conductas descritas deberán realizarse «sin autorización», que en caso de concurrir las hará atípicas (referencia calificada como «superflua» por DÍEZ MORGADO, pero que es indicativa de la accesoriedad administrativa propia de estas figuras delictivas para FERNÁNDEZ MOLINA).

3. Objeto de la acción

El objeto de la acción es la correspondencia o documentación calificada como reservada o secreta y relacionada con la defensa; objeto que difiere del previsto en el art. 599.1 CP relativo a la información legalmente calificada como secreta o reservada.

Por «documentación» se entiende el soporte material que expresa o incorpora la información relativa a la defensa nacional, excluyendo de este modo los actos, objetos o procedimientos no susceptibles de incorporarse a soportes documentales (MORALES GARCÍA, COBO DEL ROSAL/QUINTANAR DÍEZ). O, dicho de otro modo, documentación es toda clase de documento escrito, gráfico o sonoro, que sirve de continente a una información calificada atinente a la defensa nacional (RAMOS GANCEDO). Dicha documentación debe revestir el carácter de calificada legalmente como reservada o secreta, en los términos expresados en el comentario a los ilícitos precedentes. Ahora bien, a diferencia de estos solo ha de venir relacionada con la defensa nacional, no con la seguridad nacional.

Se excluye, en todo caso, de este concepto de documentación a la valija diplomática o consular, pues solo es el medio o modo de transportar o transmitir dicho material secreto, de igual manera que puede serlo un empleado público. Luego la destrucción, inutilización, falsificación o apertura de esta solo será relevante penalmente en la medida en que contenga correspondencia o documentación legalmente calificada como reservada o secreta, relacionadas con la defensa nacional, pero no *per se*.

Por su parte, la correspondencia —entendida en su sentido vulgar como «el conjunto de cartas que se despachan o reciben» (Diccionario de la Real Academia española), esto es, en definitiva, la correspondencia epistolar— no se prevé como materia clasificada o clasificable, pues solo puede ser declarada como tal la documentación. Por esta razón, la Doctrina mayoritaria señala, a los efectos de este precepto, que la correspondencia puede entenderse como un tipo de materia clasificada a la que se refiere el art. 2 LSO *(Tol 137780)*, ya sea considerándola un documento, objeto o información (por todos, PASTRANA I ICART). Frente a estos, hay quien señala que, si bien este objeto no participa del carácter de legalmente calificada como reservada o secreto como sí hace la documentación, pero lógicamente debe estar relacionado con la defensa nacional para evitar el castigo de comportamientos inocuos para el bien jurídico (COBO DEL ROSAL/QUIN-TANAR DÍAZ; GONZÁLEZ RUS).

A este respecto, se señala que tal correspondencia incluye no solo la que circula entre organismos oficiales, sino también aquella en la que el remitente es un organismo oficial y el destinatario un particular siempre y cuando, claro está, el contenido de la misiva afecte a la defensa nacional (RAMOS GANCEDO).

4. *Tipo subjetivo*

El delito del art. 603 CP admite tan solo su modalidad de comisión dolosa. El dolo exige en el autor, en el momento de la acción, el conocimiento y dirección de la voluntad de realización de todos los elementos de la conducta típica. Debe abarcar, por tanto, el conocimiento y voluntad del agente de que destruye, inutiliza, falsea o abre sin autorización, correspondencia o documentación legalmente calificada como reservada o secreta, relacionadas con la defensa nacional y que tiene en su poder por razón de su cargo o destino.

Al no preverse su modalidad imprudente, el error de tipo (p. ej., sobre el alcance o contenido de la autorización o la naturaleza de la correspondencia o documentación), sea vencible o no, impedirá, por falta de tipicidad, la aplicación de este delito (art. 14.1 CP).

5. *Iter criminis*

La consumación del delito dependerá de la concreta modalidad típica, a saber: la destrucción se consumará con la desaparición total o parcial de la correspondencia o documento; la inutilización lo hará con la privación temporal de la función o fin a que se destinan aquellos objetos y, la falsificación cuando un tercero conozca y confíe en la autenticidad y veracidad de la alteración de la información en ellos contenida. Estas tres conductas típicas como delitos de resultados admiten las formas imperfectas de ejecución. Así, será posible la tentativa, por ejemplo, cuando fracase el intento de hacer desaparecer un documento por un fallo mecánico en la trituradora de papel, no se logre hacerlo inservible o, solo se alcance a alterar una parte del mismo.

Por su parte, la apertura se define como un delito de mera actividad, en el que la tentativa acabada equivale a la consumación, que se producirá con el acceso a la información contenida en la correspondencia o documentación. Sin embargo, son imaginables supuestos de tentativa inacabada relativos a las diligencias o esfuerzos para acceder a la correspondencia o documentación (v. gr., cuando el sujeto trata de abrir el sobre lacrado o el documento informático, sin éxito).

6. Concursos

La similitud estructural entre el art. 603 CP y el art. 599.1 CP da lugar a problemas concursales en relación a las conductas que ambos sancionan. Esto es, entre las modalidades de falsear e inutilizar correspondencia o documentación legalmente calificada como reservada o secreta relacionada con la defensa nacional del art. 603 CP y, las de falsear e inutilizar información legalmente calificada como secreta relacionada con la defensa nacional. Dos son las posiciones que se advierten para su solución. De una parte, quienes resuelven este concurso de leyes conforme al principio de alternatividad, al considerar de aplicación preferente el art. 603 CP por disponer una mayor penalidad (ORTEGA GUTIÉRREZ-MATURANA, RAMOS GANCEDO, PASTRANA I ICART, FEIJOÓ SÁNCHEZ). De otra parte, quienes lo resuelven conformen al principio de especialidad, al entender que el objeto del delito del art. 603 CP es la documentación legalmente calificada como secreta, mientras que en el art. 599.1 CP es el contenido de dicho soporte, es decir, la información calificada (COBO DEL ROSAL/QUINTANAR DÍEZ, MORALES GARCÍA, RÍOS CORBACHO, SEGRELLES DE ARENAZA).

Menores problemas parecen plantear aquellos supuestos en los que se falsee e inutilice información legalmente calificada como reservada relacionada con la seguridad nacional o sistemas empleados por las Fuerzas Armadas o las industrias de interés militar, pues en ese caso será de aplicación por su especialidad el art. 599.1 CP, al no tutelar el art. 603 CP dicho tipo de información (PASTRANA I ICART; ORTEGA GUTIÉRREZ-MATURANA).

VIII. BIBLIOGRAFÍA

ALONSO DE ANTONIO, A. L., «La ley de secretos oficiales», en *Foro, Nueva Época*, vol. 18, núm. 1 (2015), págs. 219 a 243; BAUCELLS, LLADÓS, J., «Del descubrimiento y revelación de secretos e informaciones relativas a la defensa nacional», en J. Córdoba Roda/ M. García Arán (dir.) *Comentarios al Código penal, parte especial*, Tomo II, 2004, págs. 2666 a 2681; BLANQUER CRIADO, D., «Los bienes militares y la incidencia de la defensa nacional en las propiedades privadas», en J. V. González García *Derecho de los bienes públicos*, 3ª ed., Valencia, 2015; BLECUA FRAGA, R., «Los delitos contra la defensa nacional», en *Boletín de información*, núm. 171, págs. 1 a 20; *id.*, «Violación de secretos e informaciones de la defensa nacional (arts. 53 a 56)», en R. Blecua Fraga/ J. L Rodríguez-Villasante y Prieto (coords.). *Comentarios al Código penal militar*, Madrid, 1988, págs. 681 a 699; CALDERÓN CEREZO, A./ CHOCLÁN MONTALVO, J. A., *Derecho penal, Tomo II, Parte especial*, 2ª ed., Barcelona, 2001; COUSIDO GONZÁLEZ, M. P., «Secretos de Estado: cambios reales, políticos y legales en la era de la transparencia», en *Revista jurídica de Castilla y León*, núm. 33, mayo, 2014, págs. 1 a 23; DE LA CUESTA AGUADO, P. M., *Respuesta penal al peligro nuclear*, CIUDAD, 1994; DE LEÓN VILLALBA, F. J., *Bases del Derecho penal militar español*, Madrid, 2016; DELGADO GIL, A., «El delito de revelación de secretos de estado en los artículos 598 CP común y 53 CP militar», en *RECPC*, núm. 7, 2005, págs. 1 a 19; DÍAZ MORGADO, C., «Del descubrimiento y revelación de secretos e informaciones relativas a la defensa nacional», en M. Corcoy Bidasolo/ S. Mir Puig (dir.). *Comentarios al Código penal, reforma LO 1/2015 y LO*

2/2015, Valencia, 2015, págs. 1766 a 1772; DÍEZ PICAZO, L. M., *Sobre secretos oficiales*, Madrid, 1998; el mismo «El secreto de estado en el proceso penal (a propósito de la sentencia del Tribunal de Conflictos de jurisdicción de 14 de diciembre de 1995», en *La Ley: Revista jurídica española de doctrina, jurisprudencia y bibliografía*, núm. 1, 1996, págs. 1564 a 1566; DÍEZ SÁNCHEZ, J. J., *Razones de Estado y Derecho*, Valencia, 1999; FEIJÓO SÁNCHEZ, B., «De los delitos relativos a la defensa nacional», en G. Rodríguez Mourullo (dir.) / A. Jorge Barreiro (coord.). *Comentarios al Código penal*, Madrid, 1997, págs. 1404 a 1413; FELIU ORTEGA, L., «La confusa terminología de la seguridad y la defensa», en *Instituto Español de Estudios Estratégicos*, núm. 6, 2012, págs. 1 a 6; FERNÁNDEZ RODERA, J. A., «Del descubrimiento y revelación de secretos e informaciones relativas a la defensa nacional», M. Gómez Tomillo/ A. M. Javato Martín (dir.). *Comentarios prácticos al Código penal*, Tomo IV, Navarra, 2015, págs. 723 a 735; GIMBERNAT ORDEIG, E., *Estudios de Derecho penal*, Madrid, 1990; GONZÁLEZ RUS, J. J., «Delitos relativos a la defensa nacional. Delitos contra el derecho de gentes. Piratería», en Cobo del Rosal, M. *Manual de Derecho Penal (Parte Especial)*, Vol. III, Madrid, 1994, págs. 31 a 59; MARCHENA GÓMEZ, M., «De los delitos relativos a la defensa nacional», en A. Del Moral García/ I. Serrano Butragueño. *Código Penal (Comentarios y jurisprudencia)*, Tomo II, Granada 2002, págs. 2784 a 2793; MOLINA FERNÁNDEZ, F., «Delitos de traición y contra la paz o la independencia del Estado y relativos a la defensa nacional», en F. Molina Fernández (Coord.) *Memento Penal 2017*, Madrid, 2016, págs. 1961 a 1973; MORALES GARCÍA, O., «Del descubrimiento y revelación de secretos e informaciones relativas a la defensa nacional», en G. Quintero Olivares (dir.) / J. M. Valle Muñiz. *Comentarios a la parte especial del Derecho penal*, Pamplona, 1996, págs. 1609 a 1628; id., «Fondos reservados, revelación de secretos y denegación de auxilio (a propósito de los últimos pronunciamientos del Tribunal Supremo», en *AP*, núm. 16, págs. 259-295; MUÑOZ CONDE, F., *Derecho penal, parte especial*, ed. 20ª, completamente revisada y puesta al día conforme a las Leyes Orgánicas 1/2015 y 2/2015, de 30 de marzo, Valencia, 2015; MUÑOZ CUESTA, J., «Delitos contra la defensa nacional», en D. M. Luzón Peña. *Enciclopedia penal básica*, Granada, 2002, págs. 401 a 405; NIÑO, A./ SANZ, C., «Los archivos, la intimidad de las personas y los secretos de Estado», en *Cuadernos de Historia Contemporánea*, 2012, vol. 34, págs. 309 a 342; ORTEGA GUTIÉRREZ-MATURANA, M., «Del descubrimiento y revelación de secretos e informaciones relativas a la defensa nacional», en G. Quintero Olivares (dir.) / F. Morales Prats (coord.). *Comentarios al Código penal español*, Tomo II (artículo 234 a disposición final 7ª), 7ª ed., Navarra, 2016, págs. 1977 a 2009; OTERO GONZÁLEZ, M. P., *La revelación del secreto de Estado en los procedimientos penales*, Valencia, 2000; PASTRANA I ICART, L. I., «Los secretos en los delitos relativos a la defensa nacional (comentario a los artículos 598 a 603 CP)», en *ADPCP*, vol. LI, 1998, págs. 273 a 317; PERIS RIERA, J., «De los delitos de traición y contra la paz o la independencia del Estado y relativos a la defensa nacional (III)», en L. Morillas Cueva (dir.). *Sistema de Derecho penal, parte especial*, 2ª ed., Madrid, 2016, págs. 1463 a 1467; PORTILLA CONTRERAS, G., «Los delitos de traición y contra la paz», M. Cobo del Rosal (dir.). *Curso de Derecho penal español, Parte Especial*, Tomo II, Madrid, 1197, págs. 915 a 947; RAMOS GANCEDO, D., «Del descubrimiento y revelación de secretos e informaciones relativas a la defensa nacional (arts. 598 a 603 CP)», en C. Conde-Pumpido Tourón (dir.) / J. López Barja de Quiroga (coord.). *Comentarios al Código penal*, Barcelona, 2007, págs. 3758 a 3790; REBOLLO VARGAS, R., *La revelación de secretos e informaciones por funcionario público*, Barcelona, 1996; RODRÍGUEZ VILLASANTE Y PRIEGO, J. L., «Protección penal de la información relativa a la defensa nacional [Comentario a los artículos 135 bis, a), b), c) y d) del Código penal]», M. Cobo del Rosal (dir.) / M. Bajo Fernández (coord.). *La reforma de los delitos contra la defensa nacional (Ley Orgánica 14/1985, de 9 de diciembre), Revista de Derecho Público*, Tomo X, Madrid, 1989, págs. 43 a 372; ROMERO PAREJA, A., «Zonas e instalaciones de interés para la Defensa Nacional: expropiaciones y requisas militares», en *Ejército: de tierra español*, núm. 891, 2015, págs. 58 a 65; SEGRELLES DE ARENAZA, I., «El secreto de estado ilegal: aspectos básicos», en *CPCri.*, núm. 62, 1997, págs. 415 a 433; id., *Protección penal del secreto de Estado [artículo 135 bis a) al 135 bis d) del Código penal]*, Madrid, 1994; SERRANO GÓMEZ, A. /SE-

RRANO MAÍLLO, A., «Delitos de traición y contra la paz o la independencia del Estado y relativos a la defensa nacional», en AAVV. *Curso de Derecho penal, parte especial*, 2ª ed., Barcelona, 2015, págs. 882 a 897; VÁQUEZ IRUZUBIETA, C., *Código penal comentado (actualizado por las Leyes Orgánicas: 1/2015, de 30 de marzo y 2/2015, de 30 de marzo)*, Barcelona, 2015; VIVES ANTÓN, T./ BOIX REIG, J./ CARBONELL MATEU, J. C./ GONZÁLEZ CUSSAC, J. L., *Derecho penal parte especial*, 2ª ed. *Revisada y actualizada conforme al Código penal de 1995*, Valencia, 1996.

REFERENCIAS LEGALES

- Decreto 242/1969, de 20 de febrero, *por el que se desarrollan las disposiciones de la Ley 9/1968, de 5 de abril sobre Secretos Oficiales.*
- Instrumento de Adhesión de España al Acuerdo de la OTAN para la salvaguardia mutua del secreto de invenciones relativas a la defensa respecto de las cuales se hayan presentado solicitudes de patentes, hecho en París el 21 de septiembre de 1960.
- Instrumento de Adhesión de España al Acuerdo de la OTAN sobre la comunicación de información técnica con fines de defensa, hecho en Bruselas el 19 de octubre de 1970.
- Instrumento de Ratificación del Acuerdo de Seguridad de la Unión Europea Occidental (UEO), hecho en Bruselas el 28 de marzo de 1995.
- Ley 19/2013, de 9 de diciembre, *de transparencia, acceso a la información pública y buen gobierno (Tol 4029419).*
- Ley 36/2015, de 28 de septiembre, *de Seguridad Nacional (Tol 5439409).*
- Ley 9/1968, de 5 de abril, *sobre secretos oficiales, modificada por la Ley 48/1978, de 7 de octubre (Tol 137780).*
- Ley Orgánica 14/2015, de 14 de octubre, *del Código Penal Militar (Tol 5506247).*
- Ley Orgánica 5/2005, de 17 de noviembre, *de la Defensa nacional (Tol 730780).*
- Ley Orgánica 6/1980, de 1 de julio, *de criterios básicos de la defensa nacional y organización militar (Tol 10927).*
- Ley Orgánica 8/2014, de 4 de diciembre, *de Régimen Disciplinario de las Fuerzas Armadas (Tol 4560260).*
- LO 3/2002, de 22 de mayo, *por la que se modifican la LO 10/1995, de 23 de noviembre, del Código Penal y la LO 13/1985, de 9 de diciembre, del Código penal militar, en materia de delitos relativos al servicio militar y a la prestación social sustitutoria (Tol 151071).*
- Real Decreto 1324/1995, de 28 de julio, *Estatuto del personal del Centro superior de Información de la Defensa.*
- Real Decreto 1324/1995, de 28 de julio, *que establece el Estatuto del Personal del CESID.*
- Real Decreto 240/2013, de 5 de abril, *por el que se aprueba el Estatuto del personal del Centro Nacional de Inteligencia (Tol 3414861).*
- Real Decreto 2632/1985, de 27 de diciembre, *sobre estructura interna y relaciones del Centro Superior de Información de la Defensa.*
- Real Decreto 374/1989, de 31 de marzo, por el que se modifica el Reglamento de ejecución de la Ley 8/1975, de 12 de marzo, de Zonas e Instalaciones de Interés para la Defensa Nacional *(Tol 1278210).*

Lección 6ª
Delitos contra el derecho de gentes

ANA M. GARROCHO SALCEDO
PILAR OTERO GONZÁLEZ

Artículo 605

*1. El que matare al Jefe de un Estado extranjero, o a otra persona internacio-
nalmente protegida por un Tratado, que se halle en España, será castigado
con la pena de prisión permanente revisable.*

*2. El que causare lesiones de las previstas en el artículo 149 a las personas
mencionadas en el apartado anterior, será castigado con la pena de prisión
de quince a veinte años.*

*Si se tratara de alguna de las lesiones previstas en el artículo 150 se castigará
con la pena de prisión de ocho a quince años, y de cuatro a ocho años si
fuera cualquier otra lesión.*

*3. Cualquier otro delito cometido contra las personas mencionadas en los
números precedentes, o contra los locales oficiales, la residencia particular
o los medios de transporte de dichas personas, será castigado con las penas
establecidas en este Código para los respectivos delitos, en su mitad superior.*

Artículo 606

1. El que violare la inmunidad personal del Jefe de otro Estado o de otra persona internacionalmente protegida por un Tratado, será castigado con la pena de prisión de seis meses a tres años.

2. Cuando los delitos comprendidos en este artículo y en el anterior no tengan señalada una penalidad recíproca en las leyes del país a que correspondan las personas ofendidas, se impondrá al delincuente la pena que sería propia del delito, con arreglo a las disposiciones de este Código, si la persona ofendida no tuviese el carácter oficial mencionado en el apartado anterior.

I. APROXIMACIÓN HISTÓRICA Y BIEN JURÍDICO PROTEGIDO

Los artículos 605 y 606 del Código Penal se encuentran incardinados en el Título XXIV rubricado *Delitos contra la Comunidad Internacional* y dentro de él, en el Capítulo I *Delitos contra el Derecho de Gentes.* El bien jurídico protegido en los tipos de los artículos 605 y 606 CP puede concretarse en la «convivencia pacífica internacional» basada en la reciprocidad y el consentimiento mutuo entre los Estados, y para conseguirla constituyen un valioso instrumento las relaciones internacionales, conducidas fundamentalmente gracias a la Diplomacia directa *ad hoc* y a los representantes de las Organizaciones Internacionales.

Para dotar de contenido a este bien jurídico es imprescindible hacer una breve aproximación histórica al *Derecho de Gentes.* El *Ius Gentium*, concepto que ya aparece en CICERÓN (*De finibus*), era el Derecho aplicable a los extranjeros y a los pleitos de estos con los ciudadanos romanos, caracterizado por la amplitud y universalidad de sus reglas, aplicadas fundamentalmente a las relaciones patrimoniales, que importaban para el comercio, entre personas de diferentes países (CASTILLEJO). Posteriormente, en la época clásica, los jurisconsultos llamaron *Ius Gentium* al conjunto de reglas que eran comunes al Derecho de los romanos y al de otros pueblos, por ejemplo, sobre esclavitud, manumisión e impedimentos de matrimonio entre ascendientes y descendientes, justificándolo en la *naturalis ratio* (GAYO) o elemento de unidad racional y ética entre todos los hombres. Por tanto, en GAYO el *Ius Gentium* aparece estrechamente vinculado al derecho natural, porque es aquel que la razón natural estableció entre todos los hombres; el concepto de *Derecho de Gentes* aparece entonces como contrapunto del *Ius Civile*, o derecho propio y exclusivo de una ciudad. Finalmente JUSTINIANO otorgó carta de naturaleza a las Instituciones del *Ius Gentium*, dando cima a la desnacionalización del Derecho privado romano que se hizo así legislación universal, mientras el Derecho público permanecía estrecho y bizantino. En las *Institutiones* de JUSTINIANO, pues, se habla del Derecho de Gentes como aquel que todos los pueblos observan por igual sobre la idea del consentimiento de todas las gentes, expresado en los usos y costumbres, como fundamento de la obligatoriedad del *Ius Gentium.*

Esta idea será recogida en la época moderna por FRANCISCO DE VITORIA, para quien el Derecho de Gentes es el que ordena las relaciones entre repúblicas partiendo de la existencia de una solidaridad natural entre ellas. En efecto, en su *Relectio De Potestate Civili,* la misma comunidad política de todo el género humano es la fuente del Derecho de Gentes positivo, una especie de legislador universal que actúa a través del consentimiento de todas las gentes y naciones, que se verifica en los usos y costumbres observados en sus relaciones mutuas. Es un derecho positivo que depende de la voluntad y beneplácito de los hombres, y que es justo en cuanto ordenado a otro fin, como la concordia y paz entre los seres humanos (VIEJO-XIMÉNEZ). Todos estos elementos se utilizarán para la construcción del moderno Derecho Internacional y serán definitivamente perfilados por la Escuela Española de Derecho Internacional. Así, merece destacarse a FRANCISCO SUÁREZ quien definió el Derecho de Gentes como «[...] *el derecho que todos los pueblos y las distintas naciones deben respetar en sus mutuas relaciones»* (*De legibus*); HUGO GROCIO será el primer autor que ofrezca una visión de conjunto del Derecho de Gentes como el derecho que rige entre la totalidad o la mayoría de los Estados, para lo cual acude a las enseñanzas de FRANCISCO DE VITORIA, de FERNANDO VÁZQUEZ DE MENCHACA y de FRANCISCO SUÁREZ. Así, GROCIO, en su célebre obra *De Iure belli ac Pacis,* admite que las consecuencias que nacen del *consentimiento universal* constituyen el Derecho de Gentes. En esta línea se considera (OPPENHEIM; BYNKERSHÖEK) que no hay Derecho de Gentes sino entre los que se someten *voluntariamente* a él por una convención tácita o, lo que es lo mismo, su fuerza obligatoria deriva del sentimiento de Justicia que impulsa a los hombres a cumplir sus compromisos. Estos autores hacen, pues, hincapié en el *consentimiento presunto* como esencia del Derecho de Gentes, lo que propicia la modificación de las reglas del Derecho positivo. Más aún, PUFENDORF (*De iure Naturae et Gentium*) afirma que fuera de este Derecho de Gentes no hay ningún Derecho voluntario con fuerza de verdadero Derecho. El Derecho de Gentes se funda, pues, en la *reciprocidad,* como razón de conveniencia, no de Justicia (HEFFTER).

Todo ello explica la regulación de los artículos 605 y 606 CP, en los que los sujetos pasivos son *extranjeros,* que reciben una protección especial, siempre que esta sea recíproca en el país de origen del sujeto pasivo, tal como previene el art. 606.2 CP. La fundamentación se encuentra, pues, en la concepción del Derecho de Gentes tal como se deriva del Derecho Internacional moderno, basada en la *reciprocidad* que emana de los convenios mutuamente aceptados, donde se incluyen grandes ventajas —inmunidades— para el representante de un Estado cuando es enviado a otro Estado.

II. EL ARTÍCULO 605 CP: DELITOS CONTRA JEFES DE ESTADO EXTRANJEROS Y PERSONAS INTERNACIONALMENTE PROTEGIDAS POR UN TRATADO

1. Sujetos activo y pasivo

El *sujeto activo* puede ser cualquiera; se trata, por tanto, de un delito común.

En relación con los *sujetos pasivos*, debe tenerse en cuenta que el art. 605 del CP obedece en buena medida al cumplimiento de España del compromiso internacional adquirido con la ratificación de la Convención sobre la *Prevención y el castigo de delitos contra personas internacionalmente protegidas, inclusive los agentes diplomáticos*, adoptada por la Asamblea de Naciones Unidas, el 14 de diciembre de 1973 y ratificada por España, el 8 de agosto de 1985 (BOE núm. 33, de 7 de febrero de 1986). En este sentido, la norma penal establece una remisión penal en blanco a los tratados internacionales, a cuyo efecto debe atenderse a lo dispuesto en la mencionada Convención. El art. 1 de la Convención establece que se entiende por *persona internacionalmente protegida*: «el Jefe del Estado, el Jefe de Gobierno o un Ministro de Relaciones Exteriores, así como los miembros de su familia que lo acompañen». Del mismo modo, tendrán una protección internacional reforzada «cualquier representante, funcionario o personalidad oficial de un Estado o cualquier funcionario, personalidad oficial u otro agente de una organización intergubernamental, así como los miembros de su familia que formen parte de su casa».

En definitiva, el alcance de este tipo penal depende de la condición de *persona especialmente protegida* conforme a los tratados y convenios de Derecho Internacional, entre ellos, los Convenios de Viena de 1961 y 1963. Ello nos lleva a plantear si se incluyen o no los agentes consulares como sujetos pasivos de este delito. La cuestión no ha estado exenta de polémica. Nuestra interpretación nos conduce a determinar que el alcance de lo tipificado no abarca a los agentes consulares y ello por dos motivos: en primer lugar, por la interpretación teleológica que aquí se mantiene, vinculada al Convenio del que trae causa el precepto, que expresamente se intitula en su inciso final «inclusive los agentes diplomáticos», y segundo, esta interpretación restrictiva parece la más conveniente, teniendo en cuenta que el bien jurídico protegido, la convivencia pacífica internacional, solo se viola mediante la realización de estos delitos sobre personas especialmente representativas de un Estado extranjero, pues, de no serlo, no se produciría una perturbación grave de las relaciones internacionales normales entre Estados.

A ello hay que añadir que la introducción de la pena de prisión permanente tras la LO 1/2015 avala esta interpretación.

Finalmente, parece gozar del mismo nivel de protección (FEIJÓO), a los efectos de este delito, el personal de Naciones Unidas y el personal asociado, a los que se refiere la Convención sobre la *Seguridad del personal de las Naciones Unidas y del personal asociado*, de 9 de diciembre de 1994. En ella se les dispensa una protección similar a la contemplada en la Convención sobre la *Prevención y el castigo de delitos delitos contra personas internacionalmente protegidas*, mencionándose su inmunidad de forma expresa, por lo que, de igual modo, por interpretación sistemática, deben incluirse en el ámbito de los sujetos pasivos de este delito. La protección se restringe, en todo caso, a supuestos de ausencia de conflicto armado, ya que en tal caso entrarían en juego los arts. 608 y ss. CP, que hacen referencia a este personal como sujetos pasivos protegidos en caso de conflicto armado.

2. *Conducta típica y penalidad*

Con respecto a las conductas típicas (homicidio o asesinato —art. 605.1 CP—, lesiones del art. 149 CP, del 150 CP o cualquier otra lesión —art. 605.2 CP— nos remitimos al análisis de estos delitos comunes en sus lecciones correspondientes.

Lo relevante en este caso es que estamos ante delitos pluriofensivos, pues además del bien jurídico individual lesionado, se vulnera el bien jurídico supraindividual, que hemos cifrado en la convivencia pacífica internacional. De este modo, el art. 605.1 CP cualifica la pena del homicidio con prisión permanente revisable, al igual que sucede con la penalidad prevista en el art. 485 del CP en relación con el homicidio de cualquier miembro de la Familia Real española. Así, en caso de que la conducta típica pudiera subsumirse en el delito de asesinato sería de aplicación, por el principio de especialidad, el art. 605.1 CP, que además conlleva pena más grave que la prevista en el art. 139 CP. Sin embargo, tras la reforma por LO 1/2015, el asesinato hiperagravado contemplado en el art. 140 CP, que lleva aparejada la misma consecuencia, prisión permanente revisable, genera en relación con el precepto estudiado una disfunción penológica al no poderse atender a la pluriofensividad de la conducta. Es decir, en el art. 605.1 CP se agrava solo la pena de los supuestos más leves (homicidio del art. 138 CP y asesinato del art. 139 CP) pero si concurriera alguna de las circunstancias previstas en el art. 140, por ejemplo, que el asesinato fuera subsiguiente a un delito contra la libertad sexual (2ª) o que se hubiera cometido por quien perteneciere a una organización o grupo criminal (3ª), carecería ya de relevancia que se trate de un Jefe de Estado extranjero porque la conducta de asesinar en esas circunstancias a cualquier persona ya ha contemplado la pena máxima posible. Disfunción que, por cierto, se plantea de idéntico modo cuando el sujeto pasivo fuera el Rey español. La introducción de esta pena hace, en definitiva, desaparecer la posibilidad de diferenciar punitivamente entre hechos más y menos graves.

Por otro lado, al conllevar la pena máxima de prisión permanente revisable imposibilita la aplicación de la libertad vigilada prevista en el art. 140 bis CP.

En todo caso, entendemos que queda fuera del ámbito típico del art. 605.1 CP la inducción o cooperación necesaria al suicidio del Jefe de Estado Extranjero o de otra persona internacionalmente protegida por un Tratado, pues esta conducta no afecta al bien jurídico protegido que fundamenta la agravación. Se trata, por el contrario, de conducta que atañe a un ámbito personal e íntimo del sujeto pasivo no relacionada con la convivencia pacífica internacional por lo que, si se produjera, se aplicaría el tipo del art. 143 CP de auxilio o inducción al suicidio. A ello debe añadirse que la previsión de la prisión permanente revisable sería totalmente desproporcionada para estos supuestos castigados en el art. 143 CP con penas que oscilan entre dos y ocho años y, si se tratara de eutanasia, con la pena inferior en uno o dos grados.

Se trata de un delito de resultado y no de peligro concreto para la vida o la integridad física. Por consiguiente, si como consecuencia, por ejemplo, de un delito de estragos, se pusiere en concreto peligro la vida del Jefe del Estado Extranjero se impondrá la pena prevista en el art. 346 que regula los estragos sin ninguna agravación específica, al no contemplarse ninguna previsión al respecto por razón del sujeto pasivo. Si se produjera el resultado de muerte (dolosa) como consecuencia de los estragos, se impondría directamente la máxima pena de prisión permanente revisable *ex* art. 605.1 CP. A la misma solución debe llegarse si se causare la muerte del Jefe de Estado Extranjero en un acto terrorista que conlleva, por otro lado, igualmente la máxima pena contemplada en el art. 573 bis CP aunque el sujeto pasivo no fuera el Jefe de Estado Extranjero.

Por otro lado, en el precepto opera una agravación en la comisión de delitos de lesiones, tipificadas en los arts. 149 y 150 CP, sancionándose con las penas de prisión de 15 a 20 años y de 8 a 15 años respectivamente (frente al marco de 6 a 12 años —pérdida o inutilidad de miembro principal— o de 3 a 6 años —pérdida o inutilidad de miembro no principal— si el sujeto pasivo es común).

Igualmente, se contempla una agravación genérica si se tratase de «cualquier otra lesión» con prisión de 4 a 8 años. Antes de la modificación del CP operada por la LO 1/2015, de 30 de marzo, que suprimió las faltas, se dudaba de si la imprecisión «cualquier otra lesión» debía ser corregida atendiendo a lo dispuesto en la cláusula de reciprocidad del art. 606.2 CP cuando alude exclusivamente a *delitos* y al propio art. 605.3 al referirse a «cualquier otro *delito*», llegándose a la conclusión de que el art. 605.2 *in fine* debía interpretarse —sistemáticamente—, en todo caso, como los demás *delitos* de lesiones, excluyendo del ámbito típico la comisión de faltas. De otro modo, se hubiera producido una injustificada agravación de la pena por la comisión de meras faltas de lesiones, vulnerando claramente el principio de proporcionalidad (TAMARIT SUMALLA). Tras la supresión de las faltas en la mentada reforma ya no cabe, obviamente, otra interpretación que entender «cualquier otra lesión» como sinónimo de «cualquier otro delito». La única vía que resta en estos casos para no lesionar el principio de proporcionalidad es la aplicación del principio de insignificancia, por lo que deberá analizarse si en el caso concreto se ha vinculado esa lesión leve al atentado a la convivencia pacífica internacional, lo que en la mayoría de los casos podrá excluir la tipicidad de los delitos de lesiones contenidos en el art. 147.2 y 3 CP conforme al art. 605.2 CP, aplicándose entonces la pena prevista en los tipos comunes (147.2 y 3 CP). En estos supuestos en los que resulte adecuada la subsunción en los tipos comunes por la ausencia de pluriofensividad, tanto la tentativa como los actos preparatorios conllevarán en coherencia las penas previstas en las reglas generales de los artículos 62 CP y 151 CP, respectivamente.

En definitiva, por lo general la previsión del art. 605.2 *in fine* CP «cualquier otra lesión» irá referida a las lesiones del tipo básico (art. 147.1 CP) y a cualquier otra lesión dolosa agravada contemplada en el Código que no llegue a constituir la pérdida o inutilidad de miembro no principal o deformidad (art. 150 CP). Así, por ejemplo, se subsumirán en el art. 605.2 CP las lesiones previstas en el art. 148 CP cuando en la agresión se hubieren utilizado armas u otros instrumentos peligrosos (art. 148.1º CP) o hubiere mediado ensañamiento o alevosía (art. 148.2º CP).

En todo caso, en aplicación de las reglas generales, si la lesión conlleva la muerte no querida, pero previsible, del sujeto pasivo, se impondrá un concurso ideal entre las lesiones (art. 605.2 CP) y el homicidio imprudente (art. 142 CP, al no estar prevista la modalidad imprudente del delito analizado).

Por su parte, el art. 605.3 CP establece una cláusula de recogida referida a cualquier otro *delito* cometido contra las personas mencionadas o contra los locales oficiales, la residencia particular o los medios de transporte de esas personas. El primer inciso de este párrafo tercero, «cualquier otro delito cometido contra las personas» debe interpretarse como cualquier otro delito contra *bienes estrictamente personales*: vida, libertad, integridad moral, libertad sexual, intimidad, honor —la integridad física se protege, como hemos visto, en el art. 605.2 CP—. De este modo, si se cometiere, por ejemplo, un delito contra la libertad sexual de estos sujetos pasivos que conlleve pena de prisión —impuesta en su mitad superior *ex* art. 605.3 CP—, cabe imponer además la medida de libertad vigilada en cumplimiento de la previsión establecida en el art. 192 CP.

Debe tenerse en cuenta, a este respecto, que la Convención sobre la *Prevención y el castigo de delitos contra personas internacionalmente protegidas*, que motiva la introducción de este tipo penal, limita la tutela de los bienes contra las personas a vida, integridad física y libertad. Es decir, se refiere expresamente a delitos de «homicidio, secuestro u otro atentado contra la integridad física o la libertad de estas personas», por lo que la protección penal que nuestro Legislador ha otorgado es más amplia que la previsión de la propia Convención.

Conforme al segundo inciso del art. 605.3 CP, son punibles las infracciones contra el *patrimonio*, cuyos objetos materiales están limitados en el tipo penal a los locales oficiales, residencia particular y medios de transporte adscritos a cualquiera de estas personas protegidas, en virtud del carácter oficial de dichos objetos. Esta previsión, al igual que la anterior, va más allá del propio texto de que trae causa el mencionado precepto, la Convención sobre la *Prevención y el castigo de delitos contra personas internacionalmente protegidas, inclusive los agentes diplomáticos* (1973), la cual mantiene un ámbito más restringido en relación con las conductas punibles, haciendo referencia a la «comisión de un atentado *violento* contra los locales oficiales, la residencia particular o los medios de transporte de una persona internacionalmente protegida que pueda poner en peligro su integridad física o su libertad».

En definitiva, la Convención de Nueva York de 1973 limita la protección penal a la puesta en peligro de la seguridad de esas personas que es lo que crea «una seria amenaza para el mantenimiento de las relaciones internacionales normales» —bien jurídico protegido en estos preceptos—. Entendemos, en consecuencia, que aunque el tipo penal es más amplio que la exigencia de la Convención y, por lo tanto, podría subsumirse cualquier atentado contra el patrimonio, es adecuada una interpretación restrictiva conforme a la Convención, debiendo limitarse a los atentados *violentos* contra el patrimonio de estos bienes.

Por otro lado, los delitos contra la Corona, que, como venimos destacando, tienen una fundamentación de incriminación equivalente desde punto de vista valorativo al precepto que analizamos, prevén como conductas delictivas agravadas la lesión a la vida, lesiones, libertad, intimidad, honor (arts. 485, 486, 487, 489, 490 y 491 CP), quedando excluida de la agravación específica el atentado a otros bienes jurídicos distintos de los mencionados.

Por el mismo motivo, debe excluirse de la tipicidad del art. 605 CP la comisión de cualquier delito que afecte a bienes jurídicos colectivos o difusos. Como puede comprobarse, el Legislador cumple con su compromiso internacional, pero se excede extendiendo, más allá de lo internacionalmente pactado, la punición de otras infracciones de menor gravedad que las contempladas *ex* Convenio.

La pena en estos casos —delitos contra las personas protegidas o contra los locales oficiales— será la que corresponda al delito común en su mitad superior.

La casi inexistente jurisprudencia sobre este precepto utiliza una interpretación extensiva del mismo ampliando su alcance a cualquier otro delito, aunque no afecte a bienes individuales, en contra del criterio hermenéutico restrictivo aquí propugnado. En este sentido es de destacar la Sentencia del Juzgado de lo Penal nº 9 de Sevilla, de 29 de junio de 2010, primera sentencia condenatoria en España por la comisión de un delito contra la Comunidad Internacional en la figura de un Jefe de Gobierno (LÓPEZ-JURADO), castigando por delito de atentado contra persona internacionalmente protegida del art. 605.3 en relación con los artículos 550 y 551.1 CP (conforme a su tipificación antes de la reforma por LO 1/2015) el supuesto de un ciudadano kurdo, en situación de estancia irregular en España, que arrojó un zapato contra el Primer Ministro de Turquía al tiempo que le llamó «asesino» y «criminal» y manifestó «viva el Kurdistán».

La sentencia justifica el dolo por parte del sujeto activo sobre la condición de funcionario público o autoridad del sujeto pasivo, pues sin esa condición, de la que era consciente el sujeto activo, *«era imposible que su acción tuviera repercusión»*. Esta Sentencia es confirmada por la SAP Sevilla 383/2010, de 4 de agosto corroborando que la dirección del zapato arrojado fuerte y velozmente, aun cuando *«no impactara en el cuerpo de su destinatario (...) no impide, dado su carácter de delito formal o de mera actividad, la apreciación del delito de atentado»*.

No compartimos la aplicación del delito de atentado a estos supuestos y no ya porque entendamos que debe excluirse de la tipicidad del art. 605 CP la comisión de cualquier delito que afecte a bienes jurídicos colectivos o difusos, como es el caso del atentado, sino fundamentalmente porque el sujeto pasivo del delito de atentado es una autoridad, agente de la autoridad o funcionario público *españoles*. En efecto, el concepto de *autoridad* o *funcionario público* deriva del art. 24 CP limitado a los españoles, sin que exista para el mencionado delito una ampliación expresa a otros funcionarios, comunitarios o extranjeros, como ocurre en otros ámbitos, por ejemplo, en el caso del cohecho, donde el art. 427 CP (tras su modificación por LO 1/2015) prevé una equiparación entre el funcionario nacional y el extranjero. En consecuencia, nuestro delito de atentado no protege a los funcionarios y autoridades públicos extranjeros.

Por el contrario, las lesiones, en este supuesto en tentativa, al Ministro de Turquía, sí determina la aplicación del art. 605.2 *in fine*, en relación con el art. 147.1 CP (con un marco penal por la tentativa que comprende la pena de prisión de 1 a 4 años menos un día), con independencia de que pudiera, por principio de insignificancia, relegarse esta conducta, como venimos manteniendo por no afectación al bien jurídico protegido en el art. 605 CP, al delito común contenido en el art. 147.2 CP si no hubiera requerido más de una primera asistencia facultativa ni tratamiento médico o quirúrgico (cuestión no probada en la medida en que las lesiones no se consumaron).

3. *Tipo subjetivo*

El dolo en este delito debe abarcar el conocimiento por parte del sujeto activo de la condición de persona especialmente protegida del sujeto pasivo, por lo que su desconocimiento —que constituye una modalidad de *error in persona*— implicará la aplicación de las reglas generales del error de tipo previstas en el art. 14.2 CP, que determina que el error sobre un elemento específico que cualifique la infracción, impedirá su apreciación, por lo que se aplicarán los delitos comunes correspondientes a las conductas típicas respectivamente realizadas.

4. *Condición objetiva de punibilidad en homicidio/asesinato*

Respecto al delito de homicidio o asesinato de persona protegida, debe destacarse la existencia de una condición objetiva de punibilidad que señala el tipo delictivo (605.1 CP *in fine*) cuando se refiere a que el sujeto pasivo «se halle en España» en el momento en que se da inicio a la ejecución de la conducta lesiva, o bien cuando el delito se consume en el territorio español. Ello no deja de ser una consecuencia lógica de la competencia que ostenta cada Estado en la *prevención* de ciertas conductas delictivas contra las personas internacionalmente protegidas dentro de su territorio. Por ello, cualquiera de estas conductas de homicidio o asesinato adquiere relevancia típica a los efectos del 605 CP, cuando se cometen en España tanto por personas nacionales o extranjeras, quedando al margen del ámbito típico cuando se cometan en la jurisdicción de un tercer Estado, incluso cuando el autor del delito ostente la nacionalidad española, y la jurisdicción española pudiera, en virtud del art. 23.2 de la LOPJ, revindicar la competencia jurisdiccional para enjuiciar a su nacional.

III. EL ARTÍCULO 606 CP: LA VIOLACIÓN DE LA INMUNIDAD PERSONAL DE JEFES DE ESTADO Y DE LAS PERSONAS INTERNACIONALMENTE PROTEGIDAS POR UN TRATADO

1. *Introducción*

Tanto en el Derecho interno, como en el Derecho internacional se conceden ciertas garantías e inmunidades de jurisdicción y ejecución a ciertas personas en virtud de la protección del cargo público que ostentan. En ese sentido, no se trata de prerrogativas personales sino unidas claramente al cargo o función pública que estas personas desempeñan.

Dentro de las inmunidades, se distingue entre la *inviolabilidad* y las *inmunidades* en sentido estricto.

La *inviolabilidad* consiste en la exclusión total de la aplicación de la Ley penal, atendiendo a la especial posición que ocupa la persona en razón de la función pública que desempeña, mientras que las *inmunidades estricto sensu* contemplan la observancia de determinados requisitos para proceder judicialmente contra la persona que la goza. Tanto la inmunidad, como la inviolabilidad son prerrogativas *ratio functionis* y no un privilegio o facultad singular en función de una persona (por todos, GÓMEZ BENÍTEZ).

Entre las inviolabilidades de Derecho público interno que generan irresponsabilidad penal o «privilegio de naturaleza sustantiva» (SSTC 36/1998, de 17 de febrero y 243/1988, de 19 de diciembre) destacan, en primer lugar, la inviolabilidad del Jefe del Estado (arts. 56.3 y 64 CE), pues al ser moderador de los tres poderes del Estado, y en aras de preservar su independencia, no puede someterse a ninguno de ellos. No obstante, si la infracción delictiva estuviera al margen de su actividad política y significara indignidad podría ser inhabilitado por las Cortes para ser juzgado posteriormente (art. 59.2 CE).

En el mismo sentido, se ha pronunciado el Consejo de Estado a propósito de la cuestión que se planteó en España tras la firma del Estatuto de la Corte Penal Internacional y antes de su ratificación, sobre si era necesario modificar el art. 56.3 CE en lo atinente a la inviolabilidad del Monarca en el caso de una eventual participación del Rey en un crimen internacional. En dicha ocasión, el Consejo de Estado señaló que la inviolabilidad reconocida en el art. 56.3 CE se refiere únicamente a los actos realizados dentro de su función institucional, con lo que un crimen de Derecho Penal Internacional no estaría cubierto por la inviolabilidad. En consecuencia, el Consejo de Estado consideró que no hacía falta modificar la Constitución, puesto que el art. 56.3 CE no se oponía a lo dispuesto en el art. 27 del Estatuto de Roma, según el cual «las inmunidades y las normas de procedimiento especiales que conlleve el cargo oficial de una persona, con arreglo al Derecho interno o al Derecho Internacional, no obstarán para que la Corte ejerza su competencia sobre ella». La misma interpretación cabe sostener sobre la inviolabilidad parlamentaria de Diputados y Senadores respecto a los crímenes internacionales (GIL GIL).

En segundo lugar, el art. 71.1 de la CE consagra la inviolabilidad parlamentaria y establece que: «los Diputados y Senadores gozarán de inviolabilidad por las opiniones manifestadas en el ejercicio de sus funciones». Asimismo, el art. 71.2 dispone que «durante el período de su mandato los Diputados y Senadores gozarán asimismo de inmunidad y solo podrán ser detenidos en caso de flagrante delito. No podrán ser inculpados ni procesados sin la previa autorización de la Cámara respectiva», siendo competente en procesos penales la Sala 2º del TS. Esta misma inviolabilidad parlamentaria se prevé también en los diversos Estatutos de Autonomía con respecto a sus parlamentarios autonómicos (véase, por ejemplo, el art. 26.6 de la LO 3/79, de 18 de diciembre, Estatuto de Autonomía del País Vasco).

En tercer lugar, destacan también la inviolabilidad de los Magistrados del Tribunal Constitucional (art. 22 LOTC 2/79, de 3 de octubre), del Defensor del Pueblo y sus adjuntos (art. 6.2 LODP 3/81, de 6 de abril).

Las **inmunidades**, por el contrario, consisten en que determinadas personas que ostentan un cargo público o ejercen una función pública, no pueden ser juzgadas sin previa autorización del órgano estatal al que pertenecen (en el caso de los parlamentarios, consiste en una petición —*suplicatorio*— a la Cámara para inculpar o procesar). Se trata, así, de un obstáculo procesal que actúa como condición de procedibilidad para evitar persecuciones arbitrarias, que, en el caso de los parlamentarios, derivarían de posibles motivaciones políticas en el intento de detención o procesamiento.

El suplicatorio dificulta la posible instrumentalización del Poder Judicial para fines políticos interesados. Sin embargo, la denegación del suplicatorio en relación con conductas no protegidas por la inviolabilidad parlamentaria no debe producir efectos materiales de exención de la responsabilidad, sino solo de imposibilidad temporal (sobreseimiento provisional) de proceder penalmente contra el parlamentario mientras dure su función (GÓMEZ BENÍTEZ; SORIANO; también STC 90/1985, de 22 de julio). Por eso, la concesión del suplicatorio tiene naturaleza jurídica de condición objetiva de procedibilidad.

Entre estas inmunidades cabe mencionar la de los Diputados y Senadores (art. 71.2 CE; art. 11 del Reglamento del Congreso, de 24 de febrero de 1982; art. 22 del Reglamento del Senado, Texto Refundido aprobado por la Mesa del Senado, oída la Junta de Portavoces, en su Reunión del día 3 de mayo de 1994), tanto los de las Cortes Generales, como los de las Asambleas Legislativas de las Comunidades Autónomas. No obstante, respecto a los Diputados autonómicos debe advertirse que la inmunidad es más limitada a la de los Diputados de las Cortes, pues no se incluye la explícita exigencia de concesión del suplicatorio (GÓMEZ BENÍTEZ); discriminación que fue avalada por el TC en sentencia de 12 de noviembre de 1981.

Para restringir las inmunidades de Derecho público interno cohonestándolas con el Derecho a la tutela judicial efectiva, la STC 9/1990, de 18 de enero, declaró inconstitucional la extensión de la inmunidad a los pleitos civiles contra parlamentarios porque se oponía a la finalidad de esta institución consistente en preservar el funcionamiento y composición de la Cámara ante una posible privación de libertad del parlamentario procesado, que no acontecía en los pleitos civiles, y al espíritu del art. 71.2 CE donde alude expresamente a *procesados* e *inculpados* (SORIANO). En este caso, el TC enmendó un abuso de inmunidad al infringirse la finalidad de la institución parlamentaria. En toda colisión de derechos, el TC (STC 51/1985, de 10 de abril) adopta la doctrina de la ponderación, reduciendo las garantías a un sentido estricto, que, en el caso de la inviolabilidad, deben referirse a las opiniones vertidas en el ejercicio de la función parlamentaria, excluyendo los actos realizados fuera del ejercicio de las competencias y funciones que les pudieran corresponder como parlamentarios, limitándose la inmunidad a los procesos penales.

Junto a estas inmunidades de Derecho interno, se encuentran las **inmunidades de Derecho Público internacional**, que son precisamente a las que el art. 606 CP hace referencia, como veremos a continuación. Dichas inmunidades de Derecho internacional son exenciones que imposibilitan la apertura de procedimientos por parte de los tribunales españoles ante determinadas personas extranjeras, obligando al Estado a limitar el ejercicio de su jurisdicción respecto a funcionarios extranjeros en ciertos casos.

Las inmunidades de Derecho Internacional Público son, esencialmente, cuatro: a) La inmunidad del Estado y de las Organizaciones Internacionales como sujetos genuinos del Derecho Internacional Público, b) las inmunidades personales de los Jefes de Estado y de Gobierno y del Ministro de Asuntos Exteriores, c) la inmunidad del personal diplomático y consular, y d) Las inmunidades del personal de las Organizaciones Internacionales.

Dentro de las inmunidades por razón de Derecho Internacional Público, deben distinguirse entre la inmunidad de jurisdicción y de ejecución (por todos, GASCÓN INCHAUSTI). La *inmunidad de jurisdicción* actúa como excepción de carácter procesal que provoca la incompetencia de los tribunales internos de un Estado para juzgar a otros sujetos de Derecho Internacional (RUIZ COLOMÉ). La inmunidad *de ejecución* produce el efecto de impedir la ejecución del fallo, en el caso de que se hubiese concluido el procedimiento. En otras palabras, la primera alude a una excepción procesal que impide el inicio del proceso, incluida la detención, contra el sujeto protegido en cualquiera de los órdenes jurisdiccionales. La segunda se refiere a la imposibilidad de ejecutar cualquier resolución judicial dictada contra ellos.

2. Conducta típica: la violación de la inmunidad personal de ciertos funcionarios extranjeros

El Código penal español ha incluido en el Título XXIV entre los «Delitos contra la Comunidad Internacional», en el Capítulo I entre los «Delitos contra el Derecho de Gentes», el tipo penal del art. 606 referido a la violación de las inmunidades —de jurisdicción y ejecución— de ciertas personas que están protegidas por estas garantías e inmunidades de Derecho Internacional. Lo que pretende protegerse es la función pública que ostenta la personalidad extranjera y así favorecer las relaciones diplomáticas e internacionales entre los Estados en sus contactos con los homólogos extranjeros. De hecho, como indica entre nosotros FEIJÓO SÁNCHEZ, el art. 606 CP contempla un delito en el que «domina la dimensión tuitiva de las relaciones internacionales».

El art. 606.1 CP sanciona con la pena de prisión de seis meses a tres años al que «violare la inmunidad personal del Jefe de otro Estado o de otra persona internacionalmente protegida por un Tratado», siempre que en la legislación penal del Estado de la nacionalidad del sujeto pasivo contemple una penalidad recíproca. En caso contrario, se impondrá la pena como si la persona no tuviese carácter oficial.

El núcleo de la conducta típica radica, pues, en la práctica de una detención o en la apertura de un procedimiento judicial de cualquier clase (civil, penal, administrativo o laboral) o en la ejecución de una resolución judicial contra una de las personas protegidas por los Tratados internacionales. La inmunidad personal está vinculada con la exigencia de *personalidad*, lo que indica que la misma no abarca las cosas, objetos, locales de la misión diplomática o la residencia particular de los diplomáticos, previstos, por ejemplo, en los arts. 27 a 30 de la Convención de 1961 sobre Relaciones Diplomáticas (CÓRDOBA RODA). Esta interpretación sobre la concreta extensión de la inmunidad se deduce igualmente de la diferente redacción entre los tipos de los artículos 605 CP, que sí alude a locales y medios de transporte, etc., frente al art. 606 del CP que hace referencia exclusivamente a la inmunidad *personal* del sujeto extranjero.

Asimismo, se excluyen del ámbito típico del art. 606 CP las inmunidades de los Estados o de las Organizaciones Internacionales en sí mismas consideradas como sujetos de Derecho Internacional Público, puesto que el art. 606 CP contempla solo la protección de las inmunidades personales, referidas, por tanto, a personas físicas, esto es: la inmunidad del Jefe de Estado y la de las otras personas internacionalmente protegidas conforme a los tratados suscritos por España.

La violación de la inmunidad se consuma cuando se le imponga al sujeto infractor cualquier medida que conlleve el inicio del enjuiciamiento en cualquiera de las jurisdicciones existentes, entre las que se incluye la detención o intento de detención o cualquier otra medida cautelar tendente a garantizar el enjuiciamiento, como la entrada y registro en el domicilio (URBANO CASTRILLO; MUÑOZ CONDE; RODRÍGUEZ NÚÑEZ; TAMARIT SUMALLA; LUZÓN PEÑA) o la obligación de testificar (FEIJÓO SÁNCHEZ). *A sensu contrario*, no hay un verdadero quebrantamiento de la inmunidad cuando un particular o un funcionario público formule denuncia o acusación contra una de las personas previstas en el art. 606 CP, aunque ello haya supuesto quebrantar algunos privilegios contemplados en las Convenciones, pues el precepto penal exige que la violación lo sea, no de cualquier privilegio, sino de la *inmunidad personal* (CÓRDOBA RODA).

3. Tipo subjetivo

El delito previsto en el art. 606 es doloso. Por tanto, se debe exigir para admitir el dolo que el sujeto activo conozca la condición del sujeto pasivo y su relación objetiva con el ejercicio del cargo (LUZÓN PEÑA) por lo que, de no conocerlo, se aplicarán las reglas generales del error de tipo sobre elemento esencial *in persona* (art. 14.1 CP), lo que determina, tanto si es vencible como invencible, la impunidad al no estar prevista la modalidad imprudente de esta conducta.

4. Sujetos

En lo que se refiere al **sujeto activo,** se trata de un delito *especial* que solo puede cometer el funcionario público o autoridad que tenga la capacidad de detener o enjuiciar. No obstante, algunos autores han considerado que los particulares también podrían incurrir en esta conducta típica, en la medida que el art. 490 LECrim también permite la detención de los particulares (VIVES ANTÓN).

Con respecto al **sujeto pasivo**, el precepto protege la inmunidad personal del «Jefe de otro Estado» y de otra «persona internacionalmente protegida», por un Tratado internacional. Con ello, el art. 606 CP ha incorporado una norma penal en blanco que requiere para su concreción acudir a los distintos tratados suscritos por España. A este respecto, baste mencionar aquí la inmunidad de todo Jefe de

Estado o Monarca, y por extensión, del Jefe de Gobierno y los Ministros, el personal diplomático y consular, y los miembros de Organizaciones Internacionales (como, por ejemplo, y sin ánimo de exhaustividad, la Organización de Naciones Unidas, la Organización del Tratado del Atlántico Norte, el Consejo de Europa, la Unión Europea, la Organización de Estados Americanos, la Corte Penal Internacional, la Organización Europea de Telecomunicaciones por Satélite, entre otras).

A continuación, se analizará la concreta dimensión de las distintas inmunidades personales que se conocen en Derecho internacional. Para ello, hemos de acudir a los distintos Tratados internacionales y posiciones doctrinales sobre el alcance de estas inmunidades en el Derecho Internacional Público.

4.1. La inmunidad del Jefe del Estado extranjero: determinación y límites

4.1.1. Determinación

Como se ha expuesto anteriormente, la inmunidad de jurisdicción supone una suerte de suspensión de la *potestad jurisdiccional* en sentido amplio de un Estado frente a una persona en concreto, cuando, en principio, ese Estado ostenta la legítima competencia soberana de jurisdicción o de ejecución de la resolución judicial de que se trate (CARNERERO CASTILLA).

El reconocimiento de las inmunidades de los Jefes de Estado y de Gobierno proviene del Derecho Internacional consuetudinario (MALLORY), sin que, a día de hoy, hayan sido establecidas por ningún instrumento convencional, a diferencia de lo que ocurre con las inmunidades del personal diplomático o consular o el personal de las Organizaciones Internacionales (como, por ejemplo, la ONU, OTAN, CPI, etc.). Así, pues, la inmunidad de los Jefes de Estado y, por extensión, de los Jefes de Gobierno extranjeros y Ministros de Asuntos Exteriores es ampliamente reconocida en Derecho internacional Público, tanto por la doctrina (CARRILLO SALCEDO; DÍEZ DE VELASCO VALLEJO) como por la Corte Internacional de Justicia (CIJ, caso Yerodia, Democratic Republic of Congo v. Belgium, 2002, para. 51), atendiendo a la especial relevancia internacional que estas personas ocupan dentro de las relaciones entre Estados.

No obstante, para posibilitar esta equiparación entre la inmunidad del «Jefe del Estado» con la del «Jefe de Gobierno» y Ministros de Asuntos Exteriores suele traerse a colación el art. 21 de la Convención de Nueva York sobre Misiones Especiales y el Protocolo Facultativo sobre la solución obligatoria de controversias, de 8 de diciembre de 1969, adhesión por España a través de instrumento de 28 de mayo de 2001, que establece que: «El jefe de Estado que envía, cuando encabece una misión especial, gozará en el Estado receptor o en un tercer Estado de las facilidades y de los privilegios e inmunidades reconocidos por el Derecho Internacional a los jefes de Estado en visita oficial. 2. El jefe de Gobierno, el Ministro de Relaciones Exteriores y demás personalidades de rango elevado, cuando participen en una misión especial del Estado que envía, gozarán en el Estado receptor o en un tercer Estado, además de lo que otorga la presente Convención, de las facilidades y de los privilegios e inmunidades reconocidos por el Derecho Internacional».

4.1.2. Límites

Dado que la inmunidad supone una excepción a los principios elementales del Estado democrático de Derecho, fundamentalmente, al principio de igualdad y al derecho a la tutela judicial efectiva, en su justificación deberá tomarse en cuenta la salvaguarda de estos principios, que solo podrán ceder ante razones de trascendencia equivalente o superior. Por ello, el entendimiento moderno de las inmunidades requiere abandonar vetustas concepciones acerca de la soberanía absoluta de los Estados o de la igualdad soberana entre Estados, y justificar las razones que exigen el mantenimiento de las mismas. En este contexto, es imprescindible circunscribir la cuestión de las inmunidades a un espectro funcional determinado (por todos, PUIG PEÑA). La razón de ser de la inmunidad de jurisdicción y de ejecución atiende al legítimo desempeño del cargo oficial del Jefe del Estado (y el Presidente del Gobierno o Primer Ministro y demás Ministros) quienes representan y ejercen su cargo de forma independiente para la consecución de los fines que son inherentes al cargo que ostentan; así, por ejemplo, las referidas a la ordenación de la política interior y exterior y demás funciones oficiales (CARNERERO CASTILLA).

Con respecto a los límites de la inmunidad del Jefe del Estado extranjero (y por extensión, del Jefe de Gobierno y los Ministros) deben distinguirse *límites rationae personae*, referidos al ejercicio de un cargo oficial y mientras este es desempeñado, y *límites rationae materiae*, en relación con el tipo de acto, oficial o privado, una vez se ha cesado en el cargo.

En relación con los **límites *rationae personae*** o relativos al cargo oficial, debe advertirse que los Jefes de Estado en ejercicio gozan de una inmunidad total o absoluta, que le otorga el Derecho Internacional para salvaguardar el libre e independiente desarrollo de sus funciones mientras permanezca en el cargo (NICHOLLS; SÁNCHEZ LEGIDO; CARNERERO CASTILLA). La única excepción que puede contemplarse a este respecto viene representada por la jurisdicción de la Corte Penal Internacional con respecto a la aplicación del Derecho penal internacional, tal y como *infra* se especificará.

En el ámbito de nuestro Derecho interno, debe recordarse la jurisprudencia de la Audiencia Nacional, que considera que mientras que el Jefe de Estado esté en el ejercicio de sus funciones, gozará de inmunidad de jurisdicción y ejecución frente a los tribunales —nacionales o extranjeros— hasta que cese en el cargo.

La práctica judicial española en materia de inmunidades de Jefes de Estado en ejercicio ha sido la de considerar que mientras los Jefes de Estado se encuentren en activo, estos gozan de inmunidad de jurisdicción, procediéndose al *archivo* de las querellas presentadas. Véase al respecto, AJCI 19 de noviembre de 1998 (Fidel Castro); AAN de 4 de marzo de 1999, Sala de lo penal (Fidel Castro); AJCI nº 5, de 23 de diciembre de 1998 (Teodoro Obiang Nguema); AJCI nº 5, de 23 de diciembre de 1998 (Hassan II); AJCI nº 1, de 25 de octubre de 1999 (Slobodan Milosevic); AJCI nº 1, de 15 de junio de 2001 (Alan García y Alberto Fujimori); A JCI nº 4, de 18 de marzo de 2003 (Hugo Chávez). Igualmente, aunque procediéndose a la suspensión del proceso, actuó la AN en el caso Berlusconi por un presunto delito de falsedad y contra la Hacienda Pública, cometido con anterioridad a su cargo de Primer Ministro italiano, *vid. in extenso* sobre este proceso, ATC núm. 286/2006 (Sala Primera), de 24 julio.

A este respecto, conviene tener en cuenta a la LO 16/2015, de 27 de octubre, sobre Privilegios e Inmunidades de los Estados extranjeros, las Organizaciones Internacionales con sede u oficina en España y las Conferencias y Reuniones internacionales celebradas en España. A través de esta norma, España ha clarificado el régimen de inviolabilidad e inmunidad de dichos sujetos, y en el art. 21 se establece claramente que «el Jefe de Estado, el Jefe de Gobierno y el Ministro de Asuntos Exteriores del Estado extranjero serán *inviolables* cuando se hallen en territorio español, durante todo el período de duración de su mandato, con independencia de que se encuentren en misión oficial o en visita privada. No podrán ser objeto de ninguna forma de detención, se les tratará con el debido respeto y se adoptarán todas las medidas adecuadas para impedir cualquier atentado contra su persona, su libertad o su dignidad».

Por otro lado, el art. 22 de dicha Ley Orgánica instituye que estas personas disfrutarán de inmunidad de jurisdicción y de ejecución ante los órganos jurisdiccionales españoles de todos los órdenes durante toda la duración de su mandato, ya se encuentren en España o en el extranjero. Si estuvieran en España, la inmunidad se extiende tanto a los viajes oficiales, como a las visitas privadas, ya se trate de acciones judiciales en relación con actos oficiales o privados, ya sean relativas a actos realizados con anterioridad a su mandato o durante el ejercicio de este.

Con respecto a los **límites materiales** de la inmunidad del Jefe de Estado, debe advertirse que, una vez que este ha cesado en su puesto, solo ostentará inmunidad sobre los *actos oficiales* que realizó en el ejercicio del cargo, quedando al margen de toda inmunidad los actos privados o aquellos actos realizados valiéndose de su condición oficial, que no son estrictamente oficiales (art. 24, LO 16/2015, de 27 de octubre sobre privilegios e inmunidades). Sobre los «actos privados» no existe, pues, ningún tipo de inmunidad una vez el sujeto cesó en el cargo, y, en ese sentido, debe determinarse la atipicidad de la conducta de detención o enjuiciamiento por actos privados a efectos del art. 606 CP analizado.

Llegado este punto, es necesario examinar los límites que el Derecho penal internacional contemporáneo impone a la inmunidad de jurisdicción y ejecución de los Jefes del Estado y otros cargos oficiales de alto rango ante la comisión de crímenes de genocidio, de lesa humanidad y crímenes de guerra.

a) Límites conforme al Derecho penal internacional

Los antiguos Jefes de Estado o de Gobierno no gozan de inmunidad de jurisdicción con respecto a la comisión de crímenes internacionales, como el genocidio, los crímenes de lesa humanidad o los crímenes de guerra. En ese sentido, es indiscutible que una vez que el Jefe de Estado ha cesado en el cargo, no podrá protegerse bajo la inmunidad de jurisdicción a dicha persona, a pesar de la supuesta oficialidad del acto de que se trate. Antes de la entrada en vigor del Estatuto de la Corte Penal Internacional, el 1 de julio de 2002, ya se había manifestado en este mismo sentido la sentencia de la Corte Internacional de Justicia en el caso Yerodia, de 14 de febrero de 2002 *(CIJ, Democratic Republic of Congo v. Belgium, para. 58)*, y la sentencia de apelación de la Cámara de los Lores en el caso Pinochet, de 24 de marzo de 1999.

De hecho, si nos remontamos a los orígenes del Derecho penal internacional, en la segunda década del siglo XX, puede recordarse el intento de enjuiciamiento del ex Káiser Guillermo II de Hohenzollern, antiguo emperador de Alemania, por un delito supremo contra la moralidad internacional y santidad de los Tratados, tal y como estableció el art. 227 del Tratado de Versalles, de 28 de junio de 1919. El antiguo Káiser alemán no fue finalmente enjuiciado por la negativa de Holanda de tramitar la extradición solicitada por los aliados, el 24 de enero de 1920 (por todos, JESCHECK). La abdicación del Káiser alemán se produjo el 9 de noviembre de 1918.

Asimismo, el art. 7 del anexo al Acuerdo de Londres, de 8 de agosto de 1945, por el que se instituyó el Tribunal Militar Internacional de Nuremberg, establecía que «la posición oficial de los acusados, sea como Jefes del Estado o como funcionarios de responsabilidad en dependencias gubernamentales, no será considerada como excusa eximente para librarles de responsabilidad o para mitigar el castigo». En un sentido parecido se pronunciaba el art. 6 del Estatuto del Tribunal Militar para el Lejano Oriente, afirmando que «en ningún caso, el cargo oficial del acusado, ni el hecho de que el acusado actuara conforme a una orden de su Gobierno o de un superior, será suficiente en sí mismo para eximirle de responsabilidad por los crímenes que se le imputan, aunque esas circunstancias podrán atenuar la pena si el Tribunal considera que la Justicia así lo requiere». Los juicios de Tokio finalizaron con la condena a muerte del antiguo Primer Ministro de Japón desde 1941 a 1944 (Hideki Tōjō), el Ministro de Asuntos Exteriores (Kōki Hirota) y antiguo Ministro de guerra entre 1938-1939 (Sheishirō Itagaki) entre otras condenas a altos cargos del Estado japonés (RÖLING/REUTER).

Por su parte, la Convención para la prevención y sanción del genocidio, de 9 de diciembre de 1948, dispone en su art. 4 que «las personas que hayan cometido genocidio o cualquiera de los otros actos enumerados en el artículo III serán castigadas, ya se trate de gobernantes, funcionarios o particulares».

Los Principios de Nuremberg establecidos en 1950 por la Comisión de Derecho Internacional (CDI) señalaban en el Principio III que «el hecho de que la persona que haya cometido un acto que constituya delito de Derecho Internacional haya actuado como Jefe de Estado o como autoridad del Estado, no la exime de responsabilidad conforme al Derecho Internacional».

La ineficacia del cargo oficial para mantener la inmunidad se mantuvo también en los Estatutos de los Tribunales Penales Internacionales para la antigua Yugoslavia (TPIY) y Ruanda (TPIR), en sendos arts. 7.2 y 6.2, afirmando que «la categoría oficial de un acusado, ya sea como Jefe de Estado o de Gobierno, o como alto funcionario, no le exonera de su responsabilidad penal y no es motivo de disminución de la pena».

En este contexto hay que recordar que el TPIY emitió su primer pliego de cargo contra Slobodan Milosevic por la comisión de crímenes de guerra y crímenes contra la humanidad en Kosovo, el 24 de mayo de 1999, cuando este era aún el Presidente de Yugoslavia hasta que, el 20 de septiembre de 2000, perdió las elecciones presidenciales contra Vojislav Kostunica. Asimismo, el 4 de septiembre de 1998, el TPIR condenó a Jean Kambanda —antiguo Primer Ministro de Ruanda entre el 9 de abril de 1994 hasta el 17 de julio de 1994— a prisión perpetua por ordenar e instigar la comisión de genocidio y crímenes contra la humanidad, si bien en el momento de ser acusado este ya había abandonado su cargo como Primer Ministro.

Con la entrada en vigor del Estatuto de la Corte Penal Internacional, el 1 de julio de 2002, se ha asentado definitivamente la desaparición de la inmunidad de jurisdicción de los Jefes de Estado ante la comisión de crímenes internacionales, cuando el tribunal enjuiciador sea la Corte Penal Internacional. De hecho, el art. 27 de Estatuto de la Corte Penal Internacional (en adelante, ECPI) declara que: «1. El Estatuto será aplicable por igual a todos sin distinción alguna basada en el cargo oficial. En particular, el cargo oficial de una persona, sea Jefe de Estado o de Gobierno, miembro de un gobierno o parlamento, representante elegido o funcionario de gobierno, en ningún caso la eximirá de responsabilidad penal ni constituirá *per se* motivo para reducir la pena. 2. Las inmunidades y las normas de procedimiento especiales que conlleve el cargo oficial de una persona, con arreglo al derecho interno o al Derecho Internacional, no obstarán para que la Corte ejerza su competencia sobre ella».

A través de esta norma, no solo se establece que el cargo oficial es irrelevante a la hora de proceder la Corte Penal Internacional al enjuiciamiento de los sujetos por actos oficiales constitutivos de crímenes de guerra, crímenes contra la humanidad o genocidio, sino también que, aunque el sujeto se encuentre en el ejercicio del cargo, ello no obstará para que la CPI abra un procedimiento contra él (WERLE).

Principal muestra de ello es la orden de detención que ha emitido, el 4 de marzo de 2009, la Sala de Cuestiones Preliminares de la CPI contra Omar Hassan Ahmad Al Bashir, actual Presidente de la República de Sudán, por la presunta comisión de crímenes de genocidio, crímenes de guerra y contra la humanidad contra población civil de Darfur perteneciente a los grupos Fur, Masala y Zaghawa.

Asimismo, la CPI dictó una orden de detención contra el antiguo Jefe del Estado libio, Muammar Gaddafi, el 27 de junio de 2011, cerrándose formalmente el caso, el 22 de noviembre de 2011, tras el asesinato en Sirte (Libia) del Presidente, después de ser capturado por milicianos rebeldes contrarios al régimen gadafista. En el momento en que la CPI emitió la orden de detención Gadafi era aún el Jefe del Estado libio.

Con todo, los problemas prevalecen en materia de inmunidad de Jefes de Estado y altos cargos en ejercicio ante la comisión de crimen de Derecho penal internacional, puesto que lo habitual es que la CPI no tenga detenido al individuo, y requerirá de la actuación y cooperación de terceros Estados para poder enjuiciar al responsable.

A este respecto, el art. 98 del ECPI dispone que «la Corte no dará curso a una solicitud de entrega o de asistencia en virtud de la cual el Estado requerido deba actuar en forma incompatible con las obligaciones que le imponga el Derecho Internacional con respecto a la inmunidad de un Estado o la inmunidad diplomática de una persona o un bien de un tercer Estado, salvo que la Corte obtenga anteriormente la cooperación de ese tercer Estado para la renuncia a la inmunidad». El art. 98 posibilita así que la CPI se inhiba en la petición de entrega de un presunto responsable cuando, conforme al Derecho Internacional, el Estado donde se encuentre el sujeto le brinde inmunidad, salvo que el Estado de la nacionalidad del supuesto autor renuncie a la inmunidad del mandatario en ejercicio.

En el caso de España, tras la entrada en vigor de la LO 16/2015, de 27 de octubre, sobre inmunidades de Jefes de Estado y otras personas, se ha establecido que nada de lo dispuesto en el régimen de los privilegios e inmunidades del Jefe del Estado o de Gobierno y el Ministro de Asuntos Exteriores extranjero en ejercicio afectará a las obligaciones internacionales asumidas por España respecto del enjuiciamiento de crímenes internacionales, ni a sus compromisos con la Corte Penal Internacional (art. 29). A través de esta norma, España excepciona los tratados que prevén inmunidades con carácter general sobre ciertas personalidades extranjeras, y asume el compromiso prevalente de cooperar con la CPI para entregar a presuntos responsables de crímenes internacionales, con independencia del cargo público que estén ostentando. De ese modo, la eventual detención de un mandatario extranjero no será típica en el sentido del art. 606 del CP, puesto que ella comportará la obligación internacional de cooperar con la CPI para investigar e enjuiciar a los responsables de crímenes internacionales, tras la ratificación por España del ECPI, a través de la LO 6/2000, de 4 de octubre.

Por su parte, el art. 11 de la LO 18/2003, de 10 de diciembre de cooperación con la Corte Penal Internacional dispone que, ante la detención de una persona a petición de la CPI, la autoridad que practicare la detención lo comunicará inmediatamente al Ministerio de Justicia y al Juez Central de Instrucción de la Audiencia Nacional, debiendo ser puesta dicha persona a disposición del Juez Central de Instrucción sin demora y, en todo caso, dentro del plazo de setenta y dos horas siguientes a la detención. Así, queda establecido el régimen de actuación de las autoridades españoles con respecto a la obligación de cooperar con la CPI, asumida por España tras la ratificación del ECPI.

En todo caso, el art. 23.1 *in fine* de la LO 16/2015, de 27 de octubre, sobre inmunidades y privilegios de Jefe de Estados, ha dispuesto con absoluta claridad que, con respecto a *antiguos* Jefes de Estado y de Gobierno o al *antiguo* Ministro de Asuntos Exteriores «continuarán disfrutando de inmunidad penal únicamente en relación con los actos realizados durante su mandato en el ejercicio de sus funciones oficiales, con el alcance que determina el Derecho Internacional. En todo caso, quedarán excluidos de la inmunidad los crímenes de genocidio, desaparición forzada, guerra y lesa humanidad».

Por tanto, en síntesis, de lo anterior:

1) La detención o procesamiento de un mandatario extranjero *en ejercicio* por crímenes de Derecho penal internacional no puede reputarse típica a efectos el art. 606 CP en el contexto de la cooperación con la Corte Penal Internacional. Si el sujeto ya cesó en el cargo, tampoco habrá impedimento alguno conforme al ECPI con respecto a su detención o enjuiciamiento. En ambos casos, insistimos, debe tratarse de nacionales de Estados parte en el ECPI, o con respecto a nacionales sobre los que la CPI tenga acceso a su jurisdicción.

2) En aquellos casos en los que la CPI no ostente jurisdicción originaria, por tratarse de un nacional de un Estado no parte (por ejemplo, EEUU, China, Israel, o Rusia), o siendo un Estado parte, haya incompetencia de la CPI derivada de alguna causa de inadmisibilidad (arts. 5, 11, 12 y 13, 17 ECPI), el Jefe de Estado en ejercicio gozará de inmunidad de jurisdicción, pues conforme a los *otros* tratados internacionales no está claro que los mandatarios extranjeros en ejercicio no gocen de inmunidad de jurisdicción en los tribunales nacionales mientras se encuentran en el desempeño del cargo. La detención o intento de enjuiciamiento de alguna de las personas mencionadas debe reputarse como una violación de la inmunidad personal del Jefe de Estado extranjero a efectos de declarar su tipicidad *ex* art. 606 CP, cumplida —por lo demás— la cláusula de reciprocidad.

3) A diferencia de ello, cuando el sujeto *haya cesado en el cargo*, España podrá proceder con él, incluso fuera del ámbito de cooperación con la CPI. Por

un lado, el art. 23 de la LO 16/2015, de 27 de octubre, sobre inmunidades y privilegios de Jefe de Estados, no alude ya al ámbito de cooperación con la CPI, sino a la comisión de crímenes de genocidio, de lesa humanidad, desaparición forzada y crímenes de guerra, como elementos para excluir la inmunidad *rationae materiae* una vez el sujeto cesó de su cargo. Por otro lado, como puedo comprobarse en el caso de la extradición de Pinochet de Gran Bretaña a España (1998) y en el caso Yerodia resuelto por la Corte Internacional de Justicia (2002), los mandatarios que ya han cesado en el ejercicio del cargo no pueden parapetarse en la presunta «oficialidad» de sus conductas para mantener su inmunidad en relación con la comisión de crímenes de Derecho Penal Internacional. Una interpretación más amplia de la inmunidad de estas personas debe rechazarse y reputarse como excesiva e incompatible con el entendimiento contemporáneo del régimen de inmunidades, suscritos al lícito desempeño del cargo oficial de que se trate, sin que la comisión de los crímenes internacionales pueda reputarse como un «acto oficial» cubierto por la inmunidad conforme al Derecho Internacional Público (véase caso Orlando Letelier, Sentencia del Tribunal del Distrito de Columbia, de 11 de marzo de 1980, *International Legal Reports,* vol. 63, pág. 388).

4.2. Personas internacionalmente protegidas por un Tratado

4.2.1. *Personal Diplomático y Consular*

Para analizar el alcance actual de la inmunidad diplomática y consular y los sujetos que la disfrutan, debemos remitirnos al *Convenio sobre relaciones diplomáticas* de 18 de abril de 1961, ratificado por España el 21 de noviembre de 1967 —BOE de 24 de enero de 1968—, y al *Convenio sobre relaciones consulares* de 24 de abril de 1963, ratificado por España el 3 de febrero de 1970 —BOE de 6 de marzo de 1970—.

El art. 37 de la Convención sobre ***personal diplomático*** establece que los miembros de la familia de un agente diplomático que formen parte de su casa gozarán de los privilegios e inmunidades que ostenten los diplomáticos.

En el anterior CP, en su versión anterior a la Reforma de 1983, la protección de la inmunidad del sujeto pasivo estaba cifrada en la cualidad de ser «representante de otra potencia». Por ello, conforme a la tipicidad anterior, se excluía a los miembros de la familia del ámbito del tipo penal (art. 137 ACP), pues a pesar de estar prevista su inmunidad en el art. 37 de la citada Convención, la familia del agente no representaba a otra potencia, por lo que su eventual detención o enjuiciamiento no cumplía la tipicidad del antiguo art. 137 del CP. Sin embargo, la redacción del art. 606 CP actual se refiere más ampliamente a «persona internacionalmente protegida por un Tratado» por lo que debe entenderse que la inmunidad también se extiende a los familiares del agente diplomático, pues estos gozan de la misma protección e inmunidad conforme al mencionado art. 37 (LUZÓN PEÑA; TAMARIT SUMALLA; URBANO CASTRILLO; RODRÍGUEZ NÚÑEZ; GONZÁLEZ RUS). Igualmente, conforme al art. 37.2 de la Convención, gozan de inmunidad el personal administrativo y técnico de la misión y sus respectivos familiares, si bien con un alcance más limitado que los agentes diplomáticos en relación con la inmunidad de jurisdicción civil y administrativa que se circunscribe al ejercicio de sus funciones.

En lo que respecta al *personal consular,* los arts. 43 y 53 del Convenio de Viena de 24 de abril de 1963 sobre relaciones consulares, conceden a los funcionarios y empleados consulares y a sus familiares protección e inmunidad de jurisdicción. Por tanto, dentro de los sujetos pasivos «personas internacionalmente protegidas», quedan incluidos igualmente el personal consular y sus familiares.

El contenido de estas inmunidades difiere en alcance según se trate de personal diplomático o de personal consular.

Con respecto al **orden penal**, el *personal diplomático* goza de una inmunidad de jurisdicción total. Por ello, en virtud del art. 29 de la Convención de 1961 sobre relaciones diplomáticas, se afirma que los agentes diplomáticos «no podrán ser objeto de ninguna forma de detención o arresto». Sin embargo, el *personal consular* no podrá ser detenido o puesto en prisión preventiva sino cuando «se trate de un delito grave y por decisión de la autoridad judicial competente». Por «delito grave» interpretaremos aquellos que tienen aparejada una pena como grave (arts. 13.1 y 33.2 CP), es decir, aquellos delitos que lleven aparejada pena de prisión permanente revisable, pena de inhabilitación absoluta o la privación de la patria potestad, penas de prisión, inhabilitación especial o suspensión de empleo o cargo público, penas de alejamiento (aproximación o comunicación con la víctima o sus familiares o residencia) superiores a 5 años, o la privación del derecho a conducir vehículos a motor y ciclomotores o la tenencia y porte de armas por tiempo superior a ocho años. En esos casos —y de acuerdo con la Convención de Viena sobre relaciones consulares— el personal consular sí podrá ser detenido cuando se trate de la presunta comisión de delitos graves.

En relación con el **orden civil y administrativo**, el art. 31.1 de la Convención de 1961, sobre relaciones diplomáticas dispone que el personal diplomático gozará también de inmunidad en la jurisdicción civil y administrativa, excepto si se trata: «a) de una acción real sobre bienes inmuebles particulares radicados en el territorio del Estado receptor a menos que el agente diplomático los posea por cuenta del Estado acreditante para los fines de la misión; b) de una acción sucesoria en la que el agente diplomático figure, a título privado y no en nombre del Estado acreditante, como ejecutor testamentario, administrador, heredero o legatario; c) de una acción referente a cualquier actividad profesional o comercial ejercida por el agente diplomático en el Estado receptor fuera de sus funciones oficiales».

Los funcionarios consulares gozan de una inmunidad de jurisdicción total en el orden administrativo, pero dicha inmunidad es más restringida que los diplomáticos en el orden civil, contemplándose dos únicas excepciones a la inmunidad (art. 43 Convención sobre relaciones consulares): «a) que resulte de un contrato que el funcionario consular, o el empleado consular, no haya concertado, explícita o implícitamente, como agente del Estado que envía, o b) que sea entablado por un tercero como consecuencia de daños causados por un accidente de vehículo, buque o avión, ocurrido en el Estado receptor».

En resumidas cuentas, a efectos de interpretar la tipicidad de la conducta del art. 606 CP debe, pues, tenerse en cuenta que los agentes diplomáticos, los miembros de misiones diplomáticas, así como sus familiares acompañantes, gozan de inmunidad de jurisdicción en el orden penal (art. 29 Convención 1961). Sin embargo, los funcionarios consulares y sus familiares, así como los empleados consulares gozan de inmunidad en el orden penal, salvo que se trate de delitos graves (art. 41 de la Convención 1963). Con respecto al orden civil y administrativo, el personal diplomático goza de inmunidad total, salvo que se trate de una acción real sobre bienes inmuebles particulares en España, de una acción sucesoria de carácter personal en la que el agente diplomático figure a título privado, o de una acción referente a cualquier actividad profesional o comercial fuera de sus funciones oficiales (art. 31 de la Convención 1961). Por su parte, el personal consular goza de inmunidad en el orden administrativo y civil, salvo que se trate de un contrato no concertado como agente del Estado que envía, o por una acción de daños causados en accidente de vehículo, avión o buque en territorio español (art. 43 de la Convención 1963).

En todo caso, como todas las inmunidades, las del personal diplomático y consular pueden desembocar en verdaderos abusos por parte de los sujetos protegidos. Ante esta situación, la antigua inmunidad *absoluta* de jurisdicción que actuaba bajo la presunción imperante antaño *in dubio pro inmunitate,* debe considerarse hoy en claro retroceso, imperando una interpretación restringida para favorecer el respeto a los derechos fundamentales, concretamente, al derecho a la tutela judicial efectiva, y mitigar los abusos que toda inmunidad puede conllevar.

Esta forma de entender la inmunidad de jurisdiccional en un sentido restringido se vislumbra en la Convención de 1961 sobre relaciones diplomáticas, cuando el art. 9.1 prevé que el Estado receptor declare al jefe u otro miembro del personal diplomático como persona *non grata*. Ante ello, el Estado acreditante «deberá retirar» a esa persona o «poner término» a sus funciones en la misión diplomática. En caso de que el Estado acreditante no retire a esa persona, el Estado receptor —en nuestro caso, España— podrá negarse a reconocer como miembro de la misión a la persona de que se trate *ex* art. 9.2 de la Convención, momento en el cual, conforme al art. 43, ese agente diplomático cesará en sus funciones. Con independencia de lo anterior, el agente diplomático podrá, en todo caso, ser enjuiciado por los tribunales del Estado de origen (art. 31.4).

Esta previsión del Convenio fue traída a colación en la STC 140/1995, de 28 de septiembre (SÁNCHEZ RODRÍGUEZ). En ella, el TC considero que, ante eventuales procesos contra agentes diplomáticos, salvo que el proceso se refiera a una acción exenta de inmunidad *ex* art. 31.1 del Convenio, el procedimiento a seguir es el siguiente: la parte demandante, que ha soportado la acción contraria a Derecho por parte del personal diplomático, deberá poner en conocimiento tal situación al Ministerio de Asuntos Exteriores para que este solicite al Estado extranjero acreditante, bien que compela al agente diplomático a cumplir dicha obligación, o bien que renuncie a la inmunidad de jurisdicción civil (art. 32.1 del Convenio). Si el Estado acreditante no accede a ello, podrá comunicarle que el agente diplomático es considerado *persona non grata* en España, lo que entrañará la retirada o el término de las funciones diplomáticas de este acordada por el Estado acreditante, y, en el caso de que esto no se acuerde, España, como Estado receptor, podrá negarse a reconocerlo como miembro de la misión (art. 9.2 del Convenio), lo que podría reconducir al agente diplomático no reconocido como tal a la jurisdicción de los tribunales españoles, si se hallare todavía en España.

Sin embargo, esta solicitud del particular ante el Ministerio de Asuntos Exteriores puede ir seguida de una pasividad administrativa lo que haría inoperante la pérdida de inmunidad de jurisdicción (SÁNCHEZ RODRÍGUEZ; RUIZ COLOME) y solo, excepcionalmente, se podría proceder a la expulsión. Aun así, si los poderes públicos no adoptan las medidas adecuadas para proteger los intereses del perjudicado español, no ejerciendo la protección diplomática cuando la misma sea procedente, el particular podrá realizar eventualmente una petición indemnizatoria ante los tribunales españoles en virtud del art. 106.1 CE. Por tanto, tal inmunidad que *a priori* podría parecer desproporcionada, se está interpretando de forma restrictiva para que la misma constituya un límite constitucionalmente legítimo a la tutela judicial efectiva.

En esta sentencia, no obstante, se emitió un voto particular (Magistrado D. Carles Viver Pi-Sunyer y al que se adhirieron también los Magistrados D. Vicente Gimeno Sendra y D. Rafael de Mendizábal Allende) que concedió una mayor preponderancia a la tutela judicial efectiva (art. 24 CE) sobre el art. 31 de la Convención de Viena de 1961. En él, se argumentó que el decaimiento de la inmunidad de jurisdicción respecto a actos privados del agente diplomático (en este caso se trataba de una acción de desahucio por no pagar la renta de un alquiler), no pone en peligro el normal ejercicio de las funciones diplomáticas ni directa ni indirectamente, pues, de lo contrario, se produciría un abuso de la prerrogativa de la inmunidad jurisdiccional. Ello resucita explícitamente la teoría que distingue entre *acta iure imperii*, por actividades propias de soberanía, y *acta iure gestionis* o sobre actividades privadas o de gestión del Estado en relación con la inmunidad de los Estados. A pesar de que el propio voto particular reconoce que la inmunidad del Estado propiamente dicho es distinta de la inmunidad del personal diplomático, apela a dicha distinción entre *acta iure imperii* y *acta iure gestionis,* por resultar útil «para delimitar el alcance de las inmunidades en atención a si los actos que se pretenden someter a la jurisdicción afectan o no a las funciones diplomáticas».

No obstante, este argumento que distingue ambos tipos de actos, y que es plausible en aras a la protección de la tutela judicial efectiva, no está reflejado expresamente entre las excepciones a la inmunidad de jurisdicción del art. 31.1 de la Convención de Viena (SÁNCHEZ RODRÍGUEZ; QUEL LÓPEZ; SALMON). En consecuencia, de *lege lata*, para ser escrupulosos con el texto de la citada Convención y no hacer una interpretación analógica, el conflicto no podría resolverse con la supresión de la inmunidad de jurisdicción del diplomático por actos privados, sino simplemente con la expulsión del mismo, y, en todo caso, con el resarcimiento de los daños sufridos por el demandado.

Las inmunidades personales, tanto las fundamentadas en razones de Derecho Público interno, como las de Derecho Público internacional, colisionan con el ejercicio de ciertos derechos fundamentales, y en especial con el Derecho a la tutela judicial efectiva protegido en el art. 24 CE. En el plano de las inmunidades internacionales, como se ha podido observar, la ponderación entre ambos intereses resulta especialmente compleja. En relación con la inmunidad de jurisdicción de los agentes diplomáticos —más amplia que la inmunidad de los funcionarios consulares— de *lege lata* no cabe otra vía para restringir su espectro de inmunidad que acudir a lo dispuesto en el Convenio sobre relaciones diplomáticas en el art. 9. Es decir, instar la declaración del diplomático como persona *non grata*, solicitando al Estado acreditante que renuncie a la inmunidad de jurisdicción de su agente (art. 32), o le deponga de sus funciones, retornando, entonces, la competencia a los tribunales españoles para juzgar al diplomático. Si, por el contrario, el Estado acreditante no pusiere fin a las funciones diplomáticas del infractor, violando el art. 9.1 de la Convención de Viena, el particular podrá ejercer eventualmente una petición indemnizatoria ante los tribunales españoles en virtud del art. 106.1 CE.

Asimismo, España podría instar ante la Corte Internacional de Justicia un proceso para sancionar al Estado acreditante por haber incumplido lo dispuesto en el art. 9 de la Convención, declarando así la responsabilidad internacional de ese Estado. Toda actuación que se excediera del tenor literal previsto en la citada Convención estaría impidiendo el normal funcionamiento de la representación diplomática y conllevaría, por tanto, la responsabilidad internacional del Estado infractor por injerencia. Asimismo, todo lo que exceda de lo establecido en el Tratado podrá ser relevante a efectos penales y supondrá la comisión de la infracción penal del art. 606 CP.

De *lege ferenda* convendría, pues, que el Convenio sobre relaciones diplomáticas restringiese la inmunidad de jurisdicción de agentes diplomáticos, exclusivamente, a los procesos penales, pues estos obviamente pueden incidir directamente en el correcto desempeño de la función diplomática. La inmunidad de jurisdicción civil o administrativa debería restringirse, como ocurre con la inmunidad de los Estados, a lo sumo a actos realizados en el ejercicio del cargo, de su soberanía (*iure imperii*), dejando al margen de toda inmunidad los actos privados de estos agentes diplomáticos, y no únicamente los mencionados escuetamente en el art. 31.1 de la Convención sobre relaciones diplomáticas. Solo así se concibe una delimitación constitucionalmente aceptable del derecho a la tutela judicial efectiva (art. 24 CE) y al principio de igualdad (art. 14 CE).

En relación con la inmunidad de jurisdicción penal de los agentes diplomáticos y demás personal de la misión diplomática, debe advertirse que, el hecho de que estas personas gocen de inmunidad de jurisdicción frente a los Tribunales nacionales del Estado receptor mientras ostentan el cargo, nada obsta para que, cesado en el cargo para esa misión, pueda ser enjuiciado en el Estado acreditante.

Finalmente habría que plantearse qué ocurre con el cómputo de la prescripción, que se interrumpe cuando «el procedimiento se dirija contra el culpable» (art. 132.2 CP). De *lege ferenda* convendría hacer algún tipo de matización al respecto en los casos en los que las personas gocen de inmunidad de jurisdicción. En caso contrario, puede suceder que el plazo de prescripción no quede interrumpido, y cuando se levante la inmunidad por el cese en el cargo del representante de un Estado extranjero, el delito ya haya prescrito.

4.2.2. *Otras personas internacionalmente protegidas*

Junto a los Jefes de Estado y de Gobierno y los Ministros extranjeros, y los funcionarios diplomáticos y consulares, el Derecho Internacional Público reconoce también inmunidad de jurisdicción y ejecución al personal representante y funcionario que trabaja al servicio de las Organizaciones Internacionales. La regulación de las inmunidades de las Organizaciones Internacionales y de sus miembros está caracterizada por la dispersión en los diversos Tratados internacionales que las establecen (GASCÓN INCHASUTI).

Las inmunidades de las Organizaciones Internacionales tienen un doble fundamento; por un lado, garantizar la independencia de las Organizaciones Internacionales, y, por otro, cumplir las funciones que les han sido asignadas por los Estados. Esta doble fundamentación ha sido asumida en SSTEDH de 18 de febrero de 1999, caso Waite y Kennedy c. Alemania y Beer y Regan c. Alemania. En análogo doble sentido se pronunció el Tribunal de Justicia Comunitario al interpretar la inmunidad prevista en el art. 1 del Protocolo sobre los Privilegios y las Inmunidades de la Unión Europea, afirmando que si no concurre la inmunidad «se obstaculiza el buen funcionamiento y la independencia de las Comunidades Europeas» (GASCÓN INCHAUSTI).

Dentro de las inmunidades personales de los funcionarios de las Organizaciones Internacionales, ordenadas en función de su importancia y por orden cronológico, destacan —entre otras muchas— las siguientes:

1º) La Carta de las Naciones Unidas, de 26 de junio de 1945, reconoce en su art. 105. 2 que «los representantes de los Miembros de la Organización de Naciones Unidas, y los funcionarios de esta, gozarán asimismo de los privilegios e inmunidades necesarios para desempeñar con independencia sus funciones en relación con la Organización».

2º) El Acuerdo General sobre Privilegios e Inmunidades del Consejo de Europa, hecho en París el 2 de septiembre de 1949, ratificado por España (BOE núm. 167, de 14 de julio de 1982) establece en sus arts. 9-18 las inmunidades y privilegios aplicables a los representantes del Comité de Ministros, la Asamblea Consultiva y los funcionarios del Consejo de Europa.

3°) El Convenio sobre personal de la OTAN de 20 de septiembre de 1951, ratificado por España el 17 de julio de 1987 (BOE núm. 217, de 10 de septiembre de 1987) dispone en su art. XII que «toda persona designada por un Estado miembro como su representante principal permanente en la Organización en el territorio de otro Estado miembro, así como las personas que formen parte de su personal oficial residente en ese territorio y hayan sido objeto de un acuerdo entre su estado de origen y la Organización y entre la Organización y el Estado en que van a residir, disfrutaran de las inmunidades y prerrogativas concedidas a los representantes diplomáticos y a su personal oficial de rango comparable».

4°) La Convención sobre las Misiones Especiales y Protocolo Facultativo sobre la solución obligatoria de las controversias, adoptada en Nueva York, el 8 de diciembre de 1969 (BOE núm. 159, de 4 de julio de 2001) consagra en su art. 31 la inmunidad de jurisdicción de los representantes del Estado que envía la misión especial y los miembros del personal diplomático de esta gozarán de inmunidad de la jurisdicción penal del Estado receptor. 2. Gozarán también de inmunidad de la jurisdicción civil y administrativa del Estado receptor, salvo en caso de: a) una acción real sobre bienes inmuebles particulares radicados en el territorio del Estado receptor, a menos que la persona de que se trate los posea por cuenta del Estado que envía para los fines de la misión; b) una acción sucesoria en la que la persona de que se trate figure, a título privado y no en nombre del Estado que envía, como ejecutor testamentario, administrador, heredero o legatario; c) una acción referente a cualquier actividad profesional o comercial ejercida por la persona de que se trate en el Estado receptor, fuera de las funciones oficiales; d) una acción por daños resultante de un accidente ocasionado por un vehículo utilizado fuera de las funciones oficiales de la persona de que se trate. Asimismo, conforme al art. 21, todas estas inmunidades se extienden al Jefe de Estado, al Jefe de Gobierno, al Ministro de Relaciones Exteriores y demás personalidades de rango elevado, cuando participen en una misión especial del Estado que envía.

5°) El Protocolo de Privilegios e Inmunidades de la Organización Europea de Telecomunicaciones por Satélite (EUTELSAT), hecho en París el 13 de febrero de 1987, y ratificado por España (BOE núm. 240, de 6 de octubre de 1992), establece el régimen general de inmunidad de la Organización y sus funcionarios, en el art. 3, así como algunas excepciones.

6°) El Acuerdo sobre los Privilegios e Inmunidades de la Corte Penal Internacional, de 9 de septiembre de 2002, ratificado por España BOE núm. 294, de 7 de diciembre de 2009, consagra en sus arts. 13-22 la inmunidad de detención y jurisdicción de los funcionarios y representantes ante la Corte penal Internacional. Entre ellos, se encuentran los representantes de Estados Partes que participen en la Asamblea de la CPI y sus órganos subsidiarios y de los representantes de las Organizaciones Intergubernamentales, que gozan de los mismos privilegios e inmunidades reconocidos a los Jefes de las misiones diplomáticas y, una vez expirado su mandato, seguirán gozando de inmunidad de jurisdicción por las declaraciones que hayan hecho verbalmente o por escrito y los actos que hayan realizado en el desempeño de sus funciones oficiales. Esta misma inmunidad está prevista para los Magistrados, Fiscal, Fiscales Adjuntos y Secretario, para el personal contratado localmente y que no esté de otro modo contemplado en el Acuerdo, así como para los abogados y personas que asistan a los abogados defensores, en la medida en que sea necesario para el ejercicio independiente de sus funciones, para los testigos, las víctimas y para los peritos, que deban acudir a la sede de la CPI en Holanda.

7º) Finalmente reseñamos, el Protocolo nº 7 sobre los privilegios e inmunidades de la Unión Europea, publicado en el DOUE núm. 306, de 17 de diciembre de 2007, en vigor desde el 1 de diciembre de 2009. En este protocolo, se instauran claramente la inmunidad de jurisdicción de todo funcionario y agente de la UE respecto de los actos por ellos realizados con carácter oficial, incluidas sus manifestaciones orales y escritas, sin perjuicio de las disposiciones de los Tratados relativas, por una parte, a las normas sobre la responsabilidad de los funcionarios y agentes ante la UE, y, por otra, a la competencia del Tribunal de Justicia de la Unión Europea para conocer de los litigios entre la Unión y sus funcionarios y otros agentes (art. 11). Asimismo, los miembros del Parlamento Europeo «no podrán ser buscados, detenidos ni procesados por las opiniones o los votos por ellos emitidos en el ejercicio de sus funciones» (art. 8). Igualmente, los representantes de los Estados miembros que participen en los trabajos de las instituciones de la Unión, así como sus consejeros y expertos técnicos gozarán, en el ejercicio de sus funciones y durante sus desplazamientos al lugar de reunión o cuando regresen de este, de los privilegios, inmunidades y facilidades habituales.

En cualquier caso, para el adecuado alcance de estas inmunidades se dan por reproducidas las conclusiones alcanzadas para determinar por vía interpretativa el ámbito de las inmunidades del personal diplomático y consular en la medida en que la fundamentación material y funcional de las respectivas inmunidades es la misma.

Al margen de las normas internacionales, que dotan de contenido a la inmunidad protegida en el art. 606 del CP, la LO 16/2015, de 27 de octubre sobre sobre privilegios e inmunidades de los Estados extranjeros, las Organizaciones Internacionales con sede u oficina en España y las Conferencias y Reuniones internacionales celebradas en España, ha dispuesto que los locales de las Organizaciones Internacionales, cualquiera que sea su propietario, sus archivos, su correspondencia oficial y, en general, todos los documentos que les pertenezcan u obren en su poder y estén destinados a su uso oficial, serán inviolables dondequiera que se encuentren. También lo son sus medios de transporte, bienes y haberes en España, que no podrán ser objeto de registro, requisa, confiscación, expropiación o de cualquier otra medida coercitiva de carácter ejecutivo, administrativo, judicial o legislativo (art. 34). Asimismo, y de conformidad con el art. 35 de la mencionada ley, «en ausencia de acuerdo internacional bilateral o multilateral aplicable, las Organizaciones Internacionales gozarán, respecto de toda actuación vinculada al cumplimiento de sus funciones, de inmunidad de jurisdicción y de ejecución ante los órganos jurisdiccionales españoles de todos los órdenes», salvo que haya prestado su consentimiento en contrario (art. 37), y siempre que no se trate de procesos de Derecho Privado o del ámbito laboral (art. 35.1).

Por otro lado, el máximo representante de las Organizaciones Internacionales en España (art. 36), así como su sustituto temporal, el resto del personal y los representantes permanentes ante la Organización Internacional (art. 40), así como los jefes de las misiones de observación, gozarán de la inmunidad acordada por el Derecho Internacional a los jefes de misión diplomática, que se extenderá a los familiares a su cargo que no tengan nacionalidad española ni residencia habitual en España. Igualmente gozarán de inviolabilidad personal, así como de residencia, correspondencia y equipaje, la persona que sustituya temporalmente al máximo representante.

IV. LA CLÁUSULA DE RECIPROCIDAD PREVISTA EN EL ARTÍCULO 606.2 CP

Advierte el art. 606.2 CP que «cuando los delitos comprendidos en este artículo y en el anterior no tengan señalada una penalidad recíproca en las leyes del país a que correspondan las personas ofendidas, se impondrá al delincuente la pena que sería propia del delito, con arreglo a las disposiciones de este Código, si la persona ofendida no tuviese el carácter oficial mencionado en el apartado anterior».

Como consecuencia del principio de reciprocidad, ínsito al Derecho de Gentes e íntimamente vinculado al bien jurídico protegido en este Capítulo, cifrado en la convivencia pacífica internacional, resulta lógica la previsión expresa de esta condición objetiva de punibilidad consistente en aplicarse este precepto y el anterior, solo si las Leyes penales del país al que pertenece el sujeto pasivo contienen la previsión de una infracción de naturaleza similar, aunque no resulta necesario que la penalidad sea idéntica (CÓRDOBA RODA). En caso contrario, se impondrá al delincuente la pena que le correspondería con arreglo al CP si la persona no tuviere carácter oficial.

Debe tenerse en cuenta, no obstante, que si la persona no tuviere carácter oficial no se viola la inmunidad lo que supone que esta cláusula de reciprocidad es operativa únicamente para el art. 605 CP (TAMARIT SUMALLA; RODRÍGUEZ DEVESA), estando vacía de contenido en relación con el art. 606, dado que no existe delito común correspondiente a este último.

V. DISPOSICIONES COMUNES

Dentro de las disposiciones comunes previstas en el Capítulo IV del Título XXIV son aplicables a los delitos objeto de estudio, únicamente los artículos 615 y 616.

> Art. 615. «*La provocación, la conspiración y la proposición para la ejecución de los delitos previstos en los capítulos anteriores de este Título se castigarán con la pena inferior en uno o dos grados a la que correspondería a los mismos*».

El Legislador penal español prevé la tipificación específica de los actos preparatorios punibles para estos delitos como muestra de la gravedad que atribuye a los mismos, a los que corresponde, si se rebaja la prisión permanente revisable en un grado, la pena de prisión de 20 a 30 años, de conformidad con el art. 70.4 CP, y si se rebaja en dos grados la pena de prisión de 10 a 20 años menos un día (ex art. 70.1.2ª CP).

> Art. 616. «*En el caso de cometerse cualquiera de los delitos comprendidos en los Capítulos anteriores de este Título, excepto los previstos en el artículo 614 y en los apartados 2 y 6 del 615 bis, y en el Título anterior por una autoridad o funcionario público, se le impondrá, además de las penas señaladas en ellos, la de inhabilitación absoluta por tiempo de diez a veinte años; si fuese un particular, los Jueces o Tribunales podrán imponerle la de inhabilitación especial para empleo o cargo público por tiempo de uno a diez años*».

Curiosamente este precepto afecta no solo al Título XXIV dentro del cual se comprenden los artículos analizados, sino también al anterior, lo que carece de fundamentación (FEIJÓO SÁNCHEZ). Se trata de una regla penológica que aleja a las inhabilitaciones del carácter accesorio unido a la pena principal que ostentan con carácter general en el Código penal. En consecuencia, se convierten en virtud de este precepto y gracias a la previsión del art. 55 *in fine* CP, en pena principal cumulativa a la de prisión. Adicionalmente, debe advertirse que resulta extraordinariamente desproporcionada la pena de inhabilitación absoluta por tiempo de hasta veinte años en relación con la gravedad del delito previsto en el en el art. 606 CP (violación de inmunidad). De esta extravagante penalidad se puede deducir que el Legislador, al establecer esta regla penológica, estaba pensando en ser aplicada a las conductas de genocidio, delitos de lesa humanidad e infracciones contra personas y bienes protegidas en caso de conflicto armado, de máxima gravedad.

Nótese además que, en virtud del art. 42 CP, redactado conforme a la reforma por LO 15/2003, de 25 de noviembre, la pena de inhabilitación especial para empleo o cargo público produce la privación definitiva del empleo o cargo sobre el que recayere, aunque sea electivo, y de los honores que le sean anejos. La imposición, asimismo de la pena de inhabilitación especial dirigida a particulares deberá ser motivada, ya que se ha previsto con carácter facultativo (URBANO CASTRILLO).

VI. BIBLIOGRAFÍA

ARENAL, C., *Ensayo sobre el Derecho de gentes*. Madrid: Imprenta de la revista de legislación. Madrid, 1879; BYNKERSHÖEK, C. VAN, *De foro legatorum*, Oxford: Clarendon Press, 1946; CARNERERO CASTILLA, R., *La inmunidad de jurisdicción penal de los Jefes de Estado extranjeros*, Madrid: Iustel, 2007; CARRILLO SALCEDO, J. A., *Curso de Derecho Internacional público*, 1ª ed., Madrid: Tecnos, 1994; CASTILLEJO, J., *Historia del Derecho Romano. Política, Doctrinas, Legislación y Administración* (Edición e Introducción a cargo de Manuel Abellán Velasco). Madrid: Dykinson/Universidad Carlos III, 2004; CHUECA SANCHO, Á. G., DÍEZ-HOCHLEITNER, J., «La admisión de la tesis restrictiva de las inmunidades del Estado extranjero en la reciente práctica española», en *Revista Española de Derecho Internacional*, nº 2, vol. XL, 1988; CÓRDOBA RODA, J., *Comentarios al Código Penal*, tomo III (Artículos 120-340 bis c), Barcelona: Ariel, 1978; DÍEZ DE VELASCO VALLEJO, M., *Instituciones de Derecho Internacional público*, 12ª ed., Madrid: Tecnos, 1999; FEIJÓO SÁNCHEZ, B., «art. 605» y «art. 616» en RODRÍGUEZ MOURULLO, G. (Dir.) *Comentarios al Código Penal*, Madrid: Civitas, 1997; id., «Delitos contra el Derecho de gentes», en *Memento Práctico Francis Lefbvre penal 2017*, Santiago de Compostela: Francis Lefbvre penal, 2017; FERNÁNDEZ TOMÁS, A., «La soberanía del Estado y sus límites internos, la autonomía de los entes territoriales y la tutela judicial efectiva del ciudadano, en la jurisdicción del Tribunal Constitucional español», en *Anuario hispano-luso-americano de Derecho Internacional*, nº 13, 1997; GASCÓN INCHAUSTI, F., *Inmunidades procesales y tutela judicial frente a Estados extranjeros*. Pamplona: Aranzadi, 2008; GAYO, C., *Instituciones* (edición bilingüe). Madrid: Civitas, 1985; GIL GIL, A., *El genocidio y otros crímenes internacionales*, Valencia: Centro Francisco Tomás y Valiente, UNED, 1999. id., *Bases para la persecución penal de crímenes internacionales en España*, Granada: Comares. 2006; GÓMEZ BENÍTEZ, J. M., «Inviolabilidad e inmunidad parlamentarias», en *Revista de la Facultad de Derecho de la Universidad Complutense*, nº 64. 1982; EL MISMO, «Un precedente valioso en el Derecho Internacional», publicado en el *diario EL PAIS* el 26 de noviembre de 1998, y reeditado en *Estudios penales*, Madrid: Colex, 2001; id., «Genocidio e inmunidad», publicado *en EL PAIS*, el 3 de noviembre de 1998, reeditado en *Estudios penales*, Madrid: Colex, 2001; GONZÁLEZ RUS, J. J., «Delitos contra la Comunidad Internacional», en COBO DEL ROSAL (Dir.), *Compendio de Derecho Penal Español (Parte especial)*, Madrid: Marcial Pons, 2000; HORMAZÁBAL MALARÉE, H., «La inmunidad del Jefe del Estado», en GARCÍA ARÁN/LÓPEZ GARRIDO (coords.), *Crimen internacional y jurisdicción universal (El caso Pinochet)*, Valencia: Tirant lo Blanch, 2000; JESCHECK, H. H., *Die Verantwortlichkeit der Staatorgane nach Völkerstrafrecht. Eine Studie zu den Nürnberger Prozessen*, Bonn, 1952; LÓPEZ-JURADO, C., «Comentario a la Sentencia del Juzgado de lo Penal nº 9 de Sevilla, de 29 de junio de 2010» en *Revista Española de Derecho Internacional*, nº 2, vol. LXII, julio-diciembre, 2010; LUZÓN PEÑA, D. M., «Delitos contra Jefes de otro Estado», en COBO DEL ROSAL (Dir.), *Comentarios a la Legislación Penal*: la reforma del CP de 1983, Tomo V, vol. 2º, Madrid: EDERSA, 1985; MALLORY, J. L., «Resolving the confusion over head of State Immunity: the defined Rights of Kings», en *Columbia Law Review*, vol. 86, 1986; MUÑOZ CONDE, F., *Derecho Penal. Parte Especial*, 17ª ed., Valencia: Tirant lo Blanch, 2009; NICHOLLS, C., «Reflections on Pinochet», en *Virginia journal of International Law*, 140, 2000-2001; OPPENHEIM, M. A., *Tratado de Derecho Internacional Público*, Tomo I-vol. I. Paz, Barcelona: Bosch, 1961; PUIG PEÑA, F., *Derecho Penal. Tomo I. Parte General*. Madrid: EDERSA, 1955; QUEL LÓPEZ, F. J., *Los privilegios e inmunidades de los Agentes Diplomáticos en el Derecho Internacional y en la práctica española*, Madrid: Civitas, 1993; REMIRO BROTÓNS, A., *El caso Pinochet. Los límites de la impunidad*, Biblioteca Nueva/Política exterior, Madrid, 1999; RODRÍGUEZ DEVESA, J. Mª., *Derecho Penal Español. Parte especial*, 18ª edición. Madrid: Dykinson, 1995; RODRÍGUEZ NÚÑEZ, A., «Delitos contra la comunidad internacional», en LAMARCA PÉREZ (coord.), *Derecho Penal. Parte especial*, 4ª edición, Madrid: Colex, 2008; RÖLING, B. V. A./REUTER, C. F., *The Tokio Judgement. The international military tribunal for the Far East*, vol. II, APA-University Press, Ámsterdam, 1977; RUIZ COLOME, Mª. Á., «Inmunidad de ejecución de los Estados Extranjeros ante los tribunales Españoles en la reciente jurisprudencia constitucional», en *Derecho Privado y Constitución*, nº 2, enero-abril, 1994; SALMON, J. M., *Manuel de Droit Diplomatique*, Bruxelles: E. Bruylant, 1994; SÁNCHEZ LEGIDO, Á., *Jurisdicción universal penal y Derecho Internacional*, Valencia: Tirant lo Blanch, 2004; SÁNCHEZ RODRÍGUEZ, L. I., «Inmunidad de jurisdicción civil de los agentes diplomáticos en España versus tutela judicial efectiva. A propósito de una sentencia de nuestro Tribunal Constitucional», en *Derecho Privado y Constitución*, nº 9, mayo-agosto, 1996; SORIANO, R., «La inmunidad de los parlamentarios: más privilegio que garantía», en *Jueces para la democracia*, Nº 43. 2002; TAMARIT SUMALLA, J. Mª., en QUINTERO OLIVARES (Dir.) *Comentarios a la Parte Especial del Derecho* Penal. 6ª ed., Pamplona: Aranzadi, 2007; URBANO CASTRILLO, E., «Art. 606», en CONDE-PUMPIDO TOURÓN (Dir.), *Comentarios al Código Penal*, tomo 5, Barcelona: Bosch, 2007; VIEJO-XIMENEZ, J. M., «Totus orbis, qui aliquo modo est una republica». Francisco de Vitoria, el Derecho de Gentes y la expansión atlántica castellana, en *Estudios Histórico-Jurídicos*, 26, 2004; VIVES ANTÓN, T. S., *Derecho Penal. Parte Especial*. Valencia: Tirant lo Blanch, 1993; WERLE, G., *Tratado de Derecho penal internacional* (traducción coordinada por Mª del Mar DÍAZ PITA), Valencia: Tirant lo Blanch, 2005.

REFERENCIAS LEGALES

- Arts. 14, 56, 59, 64, 71 CE.
- Art. 27 Estatuto de Roma.
- Art. 22 LOTC 2/79, de 3 de octubre.
- Art. 6.2 LODP 3/81, de 6 de abril).
- Art. 11 del Reglamento del Congreso, de 24 de febrero de 1982; art. 22 del Reglamento del Senado, Texto Refundido aprobado por la Mesa del Senado, oída la Junta de Portavoces, en su Reunión del día 3 de mayo de 1994).
- Arts. 1 y 2 de la Declaración Universal de Derechos Humanos (1948);
- Art. 2 del Pacto Internacional de Derechos Civiles y Políticos (1966);
- Arts. 2.2 y 3 del Pacto Internacional de Derechos Económicos, Sociales y Culturales (1966);
- Art. 14 del Convenio Europeo de Derechos Humanos (1950).
- Art. 24 de la Convención Interamericana de Derechos Humanos (1969);
- Arts. 2 y 3 de la Carta Africana sobre Derechos Humanos y de los Pueblos (1981).
- Convenios de Viena de 1961 y 1963. Convenios sobre personal diplomático y consular (de 18 de abril de 1961, ratificado por España el 21 de noviembre de 1967 —BOE de 24-1-1968— y

de 24 de abril de 1963, ratificado por España el 3 de febrero de 1970 —BOE de 6-3-1970—, respectivamente.

- Convención sobre la prevención y el castigo de delitos contra personas internacionalmente protegidas, inclusive los agentes diplomáticos, adoptada por la Asamblea de Naciones Unidas, el 14 de diciembre de 1973 y ratificada por España, el 8 de agosto de 1985 (BOE núm. 33, de 7 de febrero de 1986).
- Carta de las Naciones Unidas de 26 de junio de 1945 (artículo 105).
- Acuerdo General sobre Privilegios e Inmunidades del Consejo de Europa, número 002 del Consejo de Europa, hecho en París el 2 de septiembre de 1949, ratificado por España («BOE núm. 167/1982, de 14 de julio de 1982») que recoge las inmunidades y privilegios aplicables a los representantes del Comité de Ministros, Asamblea Consultiva y funcionarios del Consejo de Europa (artículos 9 y ss.), modificado por el Tercer Protocolo (adoptado en Estrasburgo, el 6 de marzo de 1959 y ratificado por Instrumento de adhesión de España (BOE nº 8 de 9 de enero de 1997).
- Convención de Nueva York sobre Misiones Especiales, de 8 de diciembre de 1969 (art. 21).
- Convenio sobre personal de la OTAN de 20 de septiembre de 1951, ratificado por España 17-7-1987 (BOE nº 217 de 10-9-1987), hecho en Nueva York el 8 de diciembre de 1969.
- Convención sobre las Misiones Especiales y Protocolo Facultativo sobre la solución obligatoria de las controversias, adoptada en Nueva York, el 8 de diciembre de 1969 (artículos 21 y 31).
- Protocolo de Privilegios e Inmunidades de la Organización Europea de Telecomunicaciones por Satélite (EUTELSAT), hecho en París el 13 de febrero de 1987, y ratificado por España (BOE nº 240 de 6-10-1992).
- Tratado de la Unión Europea, Maastricht 7 de febrero de 1992, apartado 9 del art. 188 B del Instrumento de Ratificación, que equipara el régimen jurídico de los miembros del Tribunal de Cuentas al de los Jueces del Tribunal de Justicia de las Comunidades Europeas, establecido en el Estatuto del Tribunal de Justicia.
- Convención sobre la Seguridad del Personal de las Naciones Unidas y el Personal Asociado, de 9 de diciembre de 1994 (BOE BOE-A-1999-11693, 25-5-99).
- Acuerdo sobre los Privilegios e Inmunidades de la Corte Penal Internacional (Naciones Unidas 2002) (artículos 13 y siguientes).
- Protocolo sobre los privilegios e inmunidades de la Unión Europea, de 16 de diciembre de 2004-Diario Oficial de la Unión Europea C 310/261.
- LO 16/2015, de 27 de octubre sobre privilegios e inmunidades de los Estados extranjeros.

Lección 7ª
Delitos de genocidio

ANA M. GARROCHO SALCEDO

Artículo 607

«1. Los que, con propósito de destruir total o parcialmente un grupo nacional, étnico, racial, religioso o determinado por la discapacidad de sus integrantes, perpetraren alguno de los actos siguientes, serán castigados:

1.º Con la pena de prisión permanente revisable, si mataran a alguno de sus miembros.

2.º Con la pena de prisión permanente revisable, si agredieran sexualmente a alguno de sus miembros o produjeran alguna de las lesiones previstas en el artículo 149.

3.º Con la pena de prisión de ocho a quince años, si sometieran al grupo o a cualquiera de sus individuos a condiciones de existencia que pongan en peligro su vida o perturben gravemente su salud, o cuando les produjeran algunas de las lesiones previstas en el artículo 150.

4.º Con la misma pena, si llevaran a cabo desplazamientos forzosos del grupo o sus miembros, adoptaran cualquier medida que tienda a impedir su género de vida o reproducción, o bien trasladaran por la fuerza individuos de un grupo a otro.

5.º Con la de prisión de cuatro a ocho años, si produjeran cualquier otra lesión distinta de las señaladas en los numerales 2.º y 3.º de este apartado.

2. En todos los casos se impondrá además la pena de inhabilitación especial para profesión u oficio educativos, en el ámbito docente, deportivo y de tiempo libre, por un tiempo superior entre tres y cinco años al de la duración de la pena de privación de libertad impuesta en su caso en la sentencia, atendiendo proporcionalmente a la gravedad del delito y a las circunstancias que concurran en el delincuente».

I. CONSIDERACIONES GENERALES SOBRE EL GENOCIDIO

La historia universal da cuenta de los innumerables actos de violencia masiva padecidos por la humanidad, sus pueblos y las minorías desde antiguo. Normalmente la autoría de dichas atrocidades proviene de los Estados, quienes, bien directamente, o con su clara anuencia, han perseguido y masacrado a las minorías y a la población civil. Esta fenomenología de la comisión de crímenes muy graves *desde* el Estado, explica que se genere la impunidad de dichas conductas, derivándose de ello la necesidad de la existencia del Derecho penal internacional, cuando el Estado no puede o no tiene interés en la investigación y enjuiciamiento de los responsables.

Acabada la Primera Guerra Mundial, el 11 de noviembre de 1918, las potencias aliadas trataron de establecer tribunales internacionales para juzgar a los principales responsables de crímenes de guerra alemanes, que, sin embargo, en la praxis devinieron intentos fallidos.

Por un lado, debe recordarse la formación de la «Comisión de los 15» sobre Responsabilidad de los Autores de la Guerra y la aplicación de penas por la violación de las Leyes y Costumbres de la Guerra, de 25 de enero de 1919. En el informe final redactado por esta Comisión, se establecía la necesidad de depurar la responsabilidad individual de los autores de crímenes contra las leyes y costumbres de la guerra y las leyes de humanidad, incluyendo la responsabilidad de los altos cargos y del Jefe del Estado. Adicionalmente, se aconsejaba el enjuiciamiento de estos crímenes por un tribunal de composición internacional (véase el informe en *American Journal of Internacional Law (AJIL)*, 1919, nº 14, págs. 95-154).

Por otro lado, el Tratado de Versalles, de 28 de junio de 1919, dispuso en su art. 227, la necesidad de enjuiciar públicamente al antiguo Káiser alemán Guillermo II de Hohenzollern, por un crimen contra la moral internacional y la santidad de los tratados. El Káiser finalmente no fue juzgado por la negativa de Holanda a conceder su extradición. Asimismo, en el art. 228 del Tratado, se contenía el derecho de los aliados y sus potencias asociadas de enjuiciar por tribunales militares a aquellas personas acusadas de haber cometido actos que violaran las leyes y costumbres de la guerra. Sin embargo, Alemania se opuso a la extradición de los presuntos criminales nacionales e incluso consiguió que el enjuiciamiento se llevara a cabo en su propio territorio, por el «*Reichsgericht*» de Leipzig (WIGG-ENHORN). Dicho tribunal solo enjuició finalmente a doce personas de las cuales seis fueron absueltas conforme al Derecho penal alemán y al Derecho internacional (JESCHECK).

La Comunidad Internacional no logró establecer el primer tribunal internacional para el enjuiciamiento de las atrocidades cometidas durante un conflicto armado hasta que se concluyó la Segunda Guerra Mundial en 1945. Dos años antes, ya en la Conferencia de Moscú, de 30 de octubre de 1943, F. D. Roosevelt, J. Stalin y W. Churchill manifestaron la necesidad de enjuiciar y castigar a los responsables del Nacionalsocialismo por los crímenes cometidos en Alemania y en los territorios ocupados. Finalmente, la creación del Tribunal Militar Internacional de Nuremberg («*International Military Tribunal*») se produjo tras la firma del Acuerdo de Londres («*London Agreement*»), de 8 de agosto de 1945, para el enjuiciamiento y castigo de los máximos responsables de crímenes de guerra pertenecientes a la Europa del Eje.

El Tribunal Militar Internacional de Nuremberg estuvo formado por cuatro miembros pertenecientes a las cuatro potencias aliadas principales (art. 2 del anexo al Acuerdo) y tuvo jurisdicción sobre tres delitos concretos: los crímenes contra la paz (art. 6 a), crímenes de guerra (art. 6 b) y los crímenes contra humanidad (art. 6 c), sin que el genocidio hubiese cristalizado en ese momento como «crimen internacional». El Tribunal Militar Internacional enjuició a una veintena de ministros y altos cargos militares, condenando a la mayoría de ellos a penas de muerte y a prisión a perpetuidad.

Tras el gran juicio del Tribunal Militar Internacional de Nuremberg, se desarrollaron otros procesos judiciales en la Alemania ocupada sobre la base de la Ley n° 10 del Consejo de Control Aliado, de 20 de diciembre de 1945. Dichos tribunales tuvieron jurisdicción sobre personas acusadas de haber realizado crímenes de guerra, contra la paz y crímenes contra la humanidad. Asimismo, las potencias aliadas crearon el Tribunal Militar Internacional para el Lejano Oriente («*International Military Tribunal for the Far East*»), el 26 de abril de 1946, con sede en Tokio, que enjuició y condenó a veinticinco altos cargos militares y ministros japoneses por crímenes de guerra, crímenes contra la paz y crímenes de lesa humanidad, sin que tampoco entonces el genocidio formase parte de los delitos que debía enjuiciar el tribunal.

La formación de estos tribunales internacionales por parte de las fuerzas aliadas ha suscitado multitud de críticas (por todos, GIL GIL). Ellas se han centrado, fundamentalmente, en la patente parcialidad en el enjuiciamiento de los responsables, donde se criticó la instauración de una «Justicia de Vencedores», y en la violación del principio de legalidad de los delitos y las penas (así, JESCHECK), puesto que la creación de estos tribunales y el enjuiciamiento por la realización de los crímenes fue posterior a la comisión de los mismos. No obstante, es indiscutible que estos juicios marcaron de forma definitiva el desarrollo del actual marco normativo del Derecho penal internacional contemporáneo. En ese sentido, la Comisión de Derecho Internacional de la ONU, a través de la Resolución 488 (V), de 12 de diciembre de 1950, estableció que los crímenes de guerra, contra la humanidad y contra la paz constituían «crímenes internacionales» conforme al Principio VI de los Principios de Derecho Internacional reconocidos en el Estatuto del Tribunal de Nuremberg y sus sentencias.

De forma coetánea al desarrollo de los juicios en Nuremberg y en Tokio, tras la constatación del holocausto nazi contra los judíos y otros grupos minoritarios —como los gitanos, discapacitados y los homosexuales—, la Comunidad Internacional ideó un nuevo tipo delictivo que abarcó el exterminio de ciertos grupos o minorías, creándose así el delito de genocidio. Tiempo antes, el jurista polaco, Raphäel LEMKIN, había acuñado el término de «genocidio» en su libro *Axis Rule in occupied Europe. Laws of occupation. Analysis of Government Proposals for Redress* (1944). En él, y en escritos posteriores, LEMKIN perfiló las notas definitorias del genocidio que perviven hasta nuestros días, destacando que el vocablo *genocidio* es un concepto híbrido grecolatino, que proviene de «*genos*» en griego, que significa raza, nación o tribu, y «*caedere*» que en latín significa, matar, donde la destrucción de grupos humanos conforma el rasgo diferencial de este crimen internacional respecto a otros.

A través de la Resolución 96 (I) de la Asamblea General de Naciones Unidas, de 11 de diciembre de 1946, se reconoció que: «el genocidio es un crimen internacional, que el mundo civilizado condena y por el cual los autores y los cómplices deberán ser castigados, ya sean estos individuos particulares, funcionarios públicos, o estadistas...». La positivización definitiva del genocidio se produjo, sin embargo, con la aprobación de la Convención para la Prevención y Sanción del Delito de Genocidio, aprobada y ratificada por la Asamblea General de Naciones Unidas, el 9 de diciembre de 1948, a través de la Resolución 260 A (III). Dicha Convención internacional entró en vigor el 12 de enero de 1951, cuando se alcanzaron los veinte instrumentos de ratificación o adhesión requeridos en el artículo XIII de la Convención.

El art. II de la Convención para la Prevención y Sanción del Delito de Genocidio tipifica como genocidio:

«*Cualquiera de los actos mencionados a continuación, perpetrados con la intención de destruir, total o parcialmente, a un grupo nacional, étnico, racial o religioso, como tal:*

a) Matanza de miembros del grupo;

b) Lesión grave a la integridad física o mental de los miembros del grupo;

c) Sometimiento intencional del grupo a condiciones de existencia que hayan de acarrear su destrucción física, total o parcial;

d) Medidas destinadas a impedir los nacimientos en el seno del grupo;

e) Traslado por fuerza de niños del grupo a otro grupo».

La tipificación contenida en el art. II de la Convención de 1948 coincide en su totalidad con el art. 6 del Estatuto de la Corte Penal Internacional (en adelante, ECPI), que, como es sabido, es la norma internacional fundamental en el Derecho Penal Internacional contemporáneo. La identidad existente entre la configuración del delito de genocidio en la Convención de 1948 y en el art. 6 del ECPI, permite considerar que existe una única definición de genocidio en el Derecho Penal Internacional convencional y consuetudinario vigente (SCHABAS y GIL GIL). Asimismo, tanto en el art. III de la Convención de 1948, como en el art. 25. 3 c) e) y f) ECPI, se declaran punibles tanto la *tentativa*, la *complicidad*, así como la *instigación pública* y *directa* para cometer genocidio.

En este contexto es relevante subrayar la naturaleza de crimen internacional de *ius cogens* del genocidio; esto es: la prohibición de cometer genocidio y la consiguiente deducción de la responsabilidad penal es una norma imperativa en el Derecho Internacional contemporáneo, tal y como lo ha reconocido la Corte Internacional de Justicia [*ICJ Advisory Opinion on Genocide*, pág. 23; 1993 *Secretary General Report*, parágrafo (en adelante, para.) 45; *ICJ Bosnia Judgement*, para. 161] y los Tribunales Internacionales creados por las Naciones Unidas para Yugoslavia y Ruanda en la década de los noventa (*Karadžić*, Trial Chamber, Judgment, para. 539; *Jelisić* Trial Chamber, Judgement, para. 60; *Akayesu* Trial Chamber, Judgement, para. 495; *Kayishema y Ruzindana*, Trial Chamber, Judgment para. 88; *Rutaganda* Trial Chamber, Judgement, para. 46).

Así pues, la prohibición de cometer un genocidio es una norma imperativa de *ius cogens*, y su eventual realización genera, en el plano internacional, la responsabilidad individual directa de quien lo comete. Otra cuestión distinta es que dicha naturaleza de norma imperativa implique la deducción de la responsabilidad penal en el Derecho nacional o interno, donde el juego del principio de legalidad de los delitos y las penas es esencial. En el caso español no se plantean problemas de legalidad puesto que el genocidio forma parte de nuestro Ordenamiento jurídico-penal desde 1971. No obstante, los problemas para el enjuiciamiento, en España, de un delito de genocidio cometido fuera de nuestras fronteras por nacionales de terceros Estados, se producirán por el limitadísimo recorrido que, desde 2014, tiene el principio de jurisdicción universal en el Ordenamiento jurídico español de conformidad con la actual redacción del art. 23.4 de la LOPJ.

Al margen de que la historia del siglo XX ha mostrado la reiterada comisión de graves crímenes contra minorías y civiles, empezando por el olvidado genocidio armenio, las purgas estalinistas de la disidencia política en la URSS, las guerras de Corea o de Vietnam, o los asesinatos y torturas durante las diversas dictaduras en América Latina, entre muchos otros, los primeros enjuiciamientos por la comisión de delito de genocidio se produjeron en el seno del Tribunal Penal Internacional para la antigua Yugoslavia (TPIY) y del Tribunal Penal Internacional para Ruanda (TPIR) a partir de la década de los 90. Dichos tribunales internacionales fueron establecidos por el Consejo General de Naciones Unidas, a través de la Resolución 827, de 25 de mayo 1993 y de la Resolución 955, de 8 de noviembre de 1994, respectivamente. Asimismo, debe destacarse el enjuiciamiento efectuado por el Tribunal Especial para Camboya a los principales líderes de los Jemeres Rojos, que presidieron el país desde el 17 de abril de 1975 hasta el 7 de enero de 1979.

Actualmente, la Corte Penal Internacional (CPI) tiene competencia para el enjuiciamiento del genocidio, los crímenes de lesa humanidad, los crímenes de guerra y el crimen de agresión. Hasta la fecha solo ha conocido una imputación por genocidio con respecto a la situación de Darfur-Sudán del Norte contra el Presidente de la República, Omar AL BASHIR (CPI, Second Decision on the Prosecution's Application for a Warrant of Arrest, ICC-02/05-01/09-94, 12 de julio de 2010), que actualmente se encuentra en busca y captura. Sin embargo, dicho investigado no ha podido ser aún detenido y el enjuiciamiento se encuentra aún pendiente.

II. EL DELITO DE GENOCIDIO EN EL ORDENAMIENTO JURÍDICO-PENAL ESPAÑOL

1. Orígenes y regulación actual

El Convenio para la Prevención y la Sanción del Delito de Genocidio, de 9 de diciembre de 1948, fue firmado por España el 13 de septiembre de 1968 y ratificado el 8 de febrero de 1969 (BOE núm. 34, de 8 de febrero de 1969). Dicha ratificación motivó la inclusión de este delito, por primera vez, de este delito en la ley penal española en el art. 137 bis del CP, a través de la Ley 44/1971, de 15 de noviembre, sobre reforma del Código penal. El genocidio se incluyó en el Título I («Delitos contra la Seguridad Exterior del Estado»), en el Capítulo III («Delitos contra el Derecho de Gentes») en el art. 137 bis CP, que se transcribe a continuación:

Art. 137 bis ACP: «*Los que, con propósito de destruir, total o parcialmente a un grupo nacional étnico, social o religioso, perpetraren algunos de los actos siguientes serán castigados: 1.º Con la pena de reclusión mayor a muerte, si causaren la muerte de alguno de sus miembros. 2.º Con la reclusión mayor, si causaren castración, esterilización, mutilación o bien alguna lesión grave. 3.º Con la de reclusión menor, si sometieren al grupo o a cualquiera de sus individuos a condiciones de existencia que pongan en peligro su vida o perturben gravemente su salud. En la misma pena incurrirán los que llevaren a cabo desplazamientos forzosos del grupo o sus miembros, adoptaren cualquier medida que tienda a impedir su género de vida o reproducción o bien trasladaren individuos por la fuerza de un grupo a otro*».

Como puede observarse, el delito de genocidio incorporó entonces algunas modificaciones respecto a la Convención internacional de 1948 en relación con los grupos protegidos y la conducta típica.

Así, la legislación española recogía a los grupos «sociales» como grupos protegidos, pero no a los «raciales» a diferencia de la norma internacional. Además, castigaba el sometimiento a los miembros del grupo a condiciones de vida que perturbaren gravemente su salud o los desplazamientos forzosos de adultos, desconocidos por la normativa internacional. Por otro lado, el genocidio no formó parte hasta 1985 del catálogo de delitos que motivaban la extensión de la competencia territorial de los tribunales españoles (art. 23.4 Ley Orgánica del Poder Judicial). Desde 1995, el delito de genocidio no prescribe, y a partir de la reforma del Código penal de 2003 tampoco prescriben en España los delitos de lesa humanidad y los delitos contra personas y bienes protegidos en caso de conflicto armado, salvo los castigados en el art. 614 CP (art. 131.3 CP).

Con la promulgación del CP de 1995, el genocidio se ubicó en el Título XXIV («Delitos contra la Comunidad Internacional»), incorporándose de forma autónoma en el Capítulo II («Delitos de Genocidio») en el art. 607 del CP. Dicho delito ha sufrido ciertas modificaciones en su configuración actual respecto a la regulación originaria, afectando fundamentalmente a tres cuestiones.

La primera se refiere a que, en la configuración inicial de 1995, el art. 607.2 CP tipificaba el **delito de justificación y de negación del genocidio**, que ya no se contempla en la legislación actual dentro del delito de genocidio. A este respecto debe recordarse que, a través de la STC 235/2007, de 7 de noviembre, el Tribunal Constitucional declaró la inconstitucionalidad de aquella formulación del «delito de negacionismo del genocidio», eliminándose consecuentemente del Código Penal. A partir de entonces, el art. 607.2 CP mantuvo exclusivamente la incriminación del delito de justificación del genocidio hasta la reforma de la LO 1/2015, de 30 de marzo, de modificación del Código Penal. Tras dicha reforma se eliminó también el «delito de justificación del genocidio» del art. 607.2 CP, resituándose en el art. 510. 1 c) CP junto con el nuevo delito de negación y enaltecimiento de los delitos de Derecho Penal Internacional, regulados en el Título XXI («Delitos contra la Constitución»), en el Capítulo IV («Delitos relativos al Ejercicio de los Derechos Fundamentales y Libertades Públicas»).

La segunda cuestión afecta a los **grupos protegidos**. En la configuración del delito de genocidio de 1995, los grupos protegidos coincidían con los cuatro grupos previstos en la convención internacional y en el art. 6 ECPI (grupo nacional, racial, étnico y religioso). De hecho, tras la reforma parcial del Código Penal operada por la LO 8/1983, de 25 de junio, de Reforma Urgente y Parcial del Código Penal, se sustituyó el término «social» por «racial», manteniéndose el resto de la tipificación originaria. Sin embargo, en la configuración actual, y tras la reforma del Código Penal de 2010, a través de la LO 5/2010, de 22 de junio, se incorporó —sin explicación alguna en el Preámbulo— un quinto grupo protegido *determinado por la discapacidad de sus integrantes*. Con ello se expande incomprensiblemente la protección a grupos que, internacionalmente, no se encuentran entre los grupos protegidos. Como afirma con todo acierto, FEIJÓO SÁNCHEZ, dicha ampliación no era necesaria, puesto que con la incriminación de los crímenes de lesa humanidad (art. 607 bis CP) se contempla ya la punición de conductas de persecución discriminatoria sobre la base del padecimiento de una discapacidad de los miembros del grupo.

La tercera cuestión que debe ponerse de relieve es que el Legislador español ha ampliado las **conductas típicas** de genocidio, que en su concepción internacional se restringen a modalidades típicas que acarreen el genocidio físico o el genocidio biológico de un determinado grupo humano. El *genocidio físico* conlleva la desaparición física o exterminio de sus miembros, mientras que el *genocidio biológico* incide en la perpetuación futura del grupo, destruyendo su capacidad de reproducción. Sin embargo, algunas de las modalidades típicas presentes en el Código Penal español no se compadecen con este entendimiento internacional y clásico, y se expanden a otras conductas que no redundan en este significado, como, por ejemplo, cuando el tipo penal hace mención a la causación de lesiones de diversa índole y gravedad (607. 1. 3° y 5° CP), o a la adopción de medidas que impidan el género de vida del grupo (607.1. 4° CP), en clara alusión a lo que podría denominarse el *genocidio cultural*. En cualquier caso, se volverá sobre estas cuestiones *infra* cuando se aborde el estudio de las diferentes modalidades típicas.

III. SUJETO PASIVO Y BIEN JURÍDICO PROTEGIDO

El bien jurídico protegido en el delito de genocidio es supraindividual (GIL GIL; FEIJÓO SÁNCHEZ; SZPAK) y resulta comúnmente aceptado que radica en la protección de la existencia física de ciertos grupos humanos, determinados en virtud de la pertenencia de sus miembros a una *nación, religión, raza o etnia, o determinada por la discapacidad de sus miembros*, conforme al art. 607 del CP.

No obstante, algunos países como, por ejemplo, Francia o Canadá han ampliado los grupos objeto de protección en la configuración del genocidio en sus respectivos Ordenamientos. En el caso de Francia, el art. 211-1 del Código Penal francés alude a grupos determinados por cualquier otro criterio arbitrario («*groupe déterminé à partir de tout autre critère arbitraire*»). En el caso de Canadá, el art. 318.2 y 4 del Código Penal canadiense hace referencia a «grupo identificable» en función del color, la raza, religión, origen nacional o étnico, edad, sexo, orientación sexual, identidad de género o expresión o discapacidad física o mental («*Identifiable group* means *any section of the public distinguished by colour, race, religion, national or ethnic origin, age, sex, sexual orientation, gender identity or expression, or mental or physical disability*»).

El sujeto pasivo o titular del bien jurídico en el genocidio es únicamente el grupo humano en sí mismo considerado, mientras que el objeto material del delito son los diferentes miembros del grupo que soportan la acción lesiva de los autores en virtud de su pertenencia al grupo (por todos, GIL GIL). De este modo, en el genocidio, junto a la lesión del grupo humano determinado, se localiza una lesión a los bienes jurídicos individuales (vida, integridad física, libertad, etc.) que se ven asimismo vulnerados con la comisión de un genocidio (FERNÁNDEZ-PACHECO ESTRADA). Por ello, el delito de genocidio entrará en *concurso de delitos* con las lesiones a bienes jurídicos individuales (vida, integridad física, etc.) como se explicará *infra*.

Con todo, lo que pretende evitarse mediante la incriminación del genocidio es que el autor, que actúa con un determinado elemento subjetivo de lo injusto o *dolus specialis*, destruya de forma total o parcial un determinado grupo humano. Para ello, la gravedad de la conducta debe poner en peligro efectivo la propia existencia del grupo, total o parcial, sin que el genocidio sea un mero delito de discriminación o xenófobo, sino que trata de prevenir la destrucción físico-biológica de ciertos grupos humanos que tradicionalmente han sufrido situaciones de extrema persecución. Como recordaba el Tribunal Penal Internacional de Ruanda en el caso *Akayesu* (TPIR, Judgment, Trial Chamber, para. 521), la elección de las víctimas en el genocidio debe hacerse teniendo en cuenta la pertenencia del sujeto individual a uno de los grupos protegidos (nacional, étnico, racial o religioso) por lo que son los grupos —como entes colectivos— los que se ven afectados con las conductas genocidas, con independencia de que la acción lesiva la soporte cada uno de los miembros individuales que lo conforman.

El delito de genocidio es de consumación anticipada que no exige como resultado la destrucción de los miembros de un grupo así sea parcialmente, sino que tiene una estructura similar a la de la tentativa inacabada y se consuma cuando el autor actúa con la intención de destrucción futura del grupo de forma parcial o total (GIL GIL; AMBOS).

1. Los grupos protegidos

En el plano internacional, los grupos protegidos en el delito de genocidio son exclusivamente cuatro: nacionales, étnicos, raciales y religiosos (art. I de la Convención de 1948 y art. 6 del ECPI). Como es bien sabido uno de los extremos más complejos en las negociaciones de la Convención internacional de 1948 sobre Prevención y Sanción del Delito de Genocidio fue, precisamente, el de la concreción de los grupos protegidos (por todos, QUINTANO RIPOLLÉS).

Durante las negociaciones de la Convención, la exclusión de los «grupos políticos» se efectúo alegando que dichos grupos no tenían la concreción, estabilidad y permanencia en el tiempo que sí tenían los otros designados en la Convención (por ejemplo, QUINTANO RIPOLLÉS y GIL GIL). Asimismo, debe tenerse en cuenta el momento histórico en el que se aprobaba la Convención: 1948, en plena Guerra Fría, con el auge de la política de bloques enfrentados y una creciente situación de tensión en la Comunidad Internacional. Esta delicada situación requería situar los contornos del genocidio en un punto de amplio consenso, donde la inclusión de los grupos políticos resultaba ciertamente comprometedora, contando con la oposición expresa de Polonia y de la URSS y con el apoyo a su inclusión de Francia y Reino Unido (por todos, BOLLO AROCENA).

Tras dichas discusiones, se decidió finalmente eliminar de la Convención la referencia a los «grupos políticos» en la definición del genocidio, con la consiguiente laguna de punibilidad que dicha ausencia generó hasta que, en 1998, el art. 7.1 h) del ECPI tipificó los crímenes de lesa humanidad como crimen internacional autónomo respecto del genocidio y de los crímenes de guerra, incluyendo la persecución por motivos políticos en su tipicidad. La incorporación en España de los crímenes de lesa humanidad se produjo con la inclusión del art. 607 bis CP, a través de la LO 15/2003, de 25 de noviembre, por la que se modificaba la Ley Orgánica 10/1995, de 23 de noviembre, del Código Penal.

2. La determinación de los grupos protegidos

Para interpretar los elementos típicos del delito de genocidio recogidos en el art. 607 del CP debemos acudir a los cánones interpretativos habituales, conocidos en Derecho penal español. No obstante, en la medida que este delito posee un innegable origen y proyección internacional, y de que en España la jurisprudencia es prácticamente inexistente, puede tomarse en consideración a la doctrina y a la jurisprudencia de los Tribunales Internacionales como criterios complementarios de interpretación de dicho tipo penal. Por esta razón, a lo largo de este escrito, se hará mención a la Jurisprudencia de los Tribunales Internacionales que se ha encargado hasta la fecha de dotar de contenido los distintos elementos —objetivos y subjetivos— que componen el delito de genocidio. Con todo, debe advertirse que se trata de una mera propuesta interpretativa en ningún caso vinculante para los operadores jurídicos españoles, solo sometidos a la letra de la ley con las limitaciones conocidas en materia de interpretación extensiva y atendiendo a la prohibición de la analogía en Derecho penal (ÁLVAREZ GARCÍA). En este punto baste recordar que solo los tratados ratificados por España de forma válida —como sucede con la Convención contra el Genocidio de 1948 y el Estatuto de la Corte Penal Internacional— forman parte de nuestro Ordenamiento Jurídico interno, tal y como dispone el art. 96 CE, donde la Jurisprudencia de los tribunales *ad hoc* o de la CPI son meros instrumentos de interpretación posible pero no vinculantes para los jueces y magistrados españoles.

La determinación de los cinco grupos protegidos en el genocidio permite delimitar esos grupos de otros grupos humanos que pueden formarse (grupos determinados en función del género, la orientación sexual, la clase social, la cultura, etc.). Dicha concreción favorece la distinción de unos grupos sobre otros en virtud de una adscripción determinada de sus miembros al grupo, que, en el genocidio *ex* art. 607 CP, debe tener origen en la raza, la etnia, la nacionalidad, la religión o en la discapacidad de un individuo. Es decir, la victimización debe producirse en virtud de la pertenencia de la persona a uno de los adjetivos empleados por el tipo (nacional, étnico, racial o religioso, discapacidad) y no a atendiendo a otras subdivisiones ajenas a las recogidas en el art. 607 CP (GIL GIL; SZPAK).

De acuerdo con la doctrina y la Jurisprudencia internacional, la determinación del grupo no puede hacerse sobre la base de su delimitación negativa con otros grupos, sino que estos han de ser definidos de forma positiva (GIL GIL; SZPAK; TPIY, *Mladić*, Trial Chamber Judgment, para. 3436; *Karadžić*, Trial Chamber, Judgment, para 541; *Stakić* Appeal Chamber, Judgement, paras. 16-27; *Jelisić* Trial Chamber, Judgement, paras. 71-72). A este respecto se discute si la definición o concreción de qué es un grupo nacional, étnico, racial o religioso, o, conforme al art. 607 CP, también determinado por la discapacidad, obedece a razones estrictamente *objetivas* (KREß), o a razones *subjetivas* desde la perceptiva del autor o de las víctimas (TPIY, entre otras, *Jelisić* Trial Chamber, Judgement, para. 70; TPIR, *Nchamihigo*, Trial Chamber, paras. 329 y ss.), o tomando en consideración parámetros *mixtos* que incluyan ambas (TPIY, *Kristić*, Trial Chamber, Judgement, paras. 557 y ss.).

A continuación, se ofrecerán de forma pormenorizada algunos rasgos definitorios de cada uno de los grupos:

2.1. Grupo nacional

Conforme a la interpretación inicial en el caso *Akayesu*, la Sala de Primera Instancia del TPIR determinó que los «grupos nacionales» se caracterizaban por personas que compartían un vínculo jurídico («*legal bound*») basado en la nacionalidad común y los mismos derechos y obligaciones (*Akayesu*, Trial Chamber, Judgment, para. 510).

La definición propuesta en *Akayesu* es muy general (además de incluir en la definición lo definido) y no tiene en cuenta la existencia de los denominados «subgrupos nacionales», que conforman un grupo delimitado dentro de un grupo nacional más extenso (por ejemplo, los palestinos dentro del grupo nacional israelí, los albano-kosovares que mantengan aún nacionalidad serbia, etc.). En los casos de minorías nacionales puede tomarse en cuenta la existencia de una misma cultura, historia común, lengua y religión, como criterios que permiten contemplar la concurrencia de una minoría nacional dentro de un grupo nacional más extenso, o directamente configurar un grupo étnico o religioso perfectamente determinable dentro del grupo nacional, o atender a otro rasgo que lo permita diferenciar dentro del grupo nacional.

A este respecto, destaca aquí la interpretación del TS en la STS 798/2007, de 1 de octubre, Caso Scilingo, en la que se estableció que:

> «(...) En el supuesto de división del grupo nacional en más de un grupo (...), el elemento distintivo de un grupo nacional respecto de los demás que comparten la misma nacionalidad ha de ser otro distinto, y necesariamente uno de los contemplados en el tipo. Dicho de otra forma, si dos grupos nacionales comparten la misma nacionalidad, ese elemento no será útil para hacer la identificación del grupo que se pretende destruir. Es posible el genocidio de un grupo nacional religioso, nacional étnico o nacional racial, en cuanto que generalmente el propósito de destrucción del grupo se circunscribe a una determinada zona geográfica, normalmente delimitada por las fronteras del país. Por el contrario, no lo sería la destrucción de un grupo nacional, parte a su vez del mismo grupo nacional, solo distinguibles entre si por otro criterio diferente».

Conforme a la anterior interpretación del TS, si alguien decidiese exterminar a los catalanes, navarros, o andaluces por el mero hecho de haber nacido en esas regiones, y atendiendo a la división territorial de España, la calificación de dicho acto como genocidio requeriría que, sobre la base de dicha distinción, pudiese diferenciarse adicionalmente a un grupo étnico, racial, religioso o motivado por la discapacidad.

Esta interpretación, sin embargo, podría resultar excesivamente restringida. En nuestra opinión nada empece para que, dentro de los grupos nacionales, haya subdivisiones que atiendan a particularidades de origen nacional, como muestra el caso español donde coexiste la unidad nacional de España con la autonomía de las diversas «nacionalidades y regiones» que la integran (art. 2 CE), sin que ello deba coincidir con la existencia de una distinción racial, religiosa, étnica o basada en la discapacidad. Es decir: la concreción de un grupo nacional puede obedecer a criterios distintos de la raza, la religión, la etnia o la discapacidad como elementos definitorios del grupo o subgrupo nacional en sí mismo configurado, como puede ser la diferenciación territorial de las diversas autonomías. En este punto, la determinación del «grupo nacional» exige acudir a consideraciones jurídico-normativas más que sociológicas o antropológicas, atendiendo a la subdivisión nacional que un concreto Estado formaliza de su territorio o de su nación.

Semánticamente el término «nacional» alude, conforme a la primera acepción del Diccionario de la Real Academia de la Lengua Española (DRAE), a ser «perteneciente o relativo a una nación». Por «nación» a su vez se entiende en su primera y tercera acepción respectivamente, «el conjunto de los habitantes de un país regido por el mismo Gobierno», y al «conjunto de personas de un mismo origen y que generalmente hablan un mismo idioma y tienen una tradición común».

No obstante, en la determinación de los «grupos nacionales», se debe ser especialmente minucioso y no se deben emplear en su concreción criterios que nada tienen que ver con los «grupos nacionales», sino con otros de naturaleza distinta como los «grupos políticos» (casos de las Dictaduras de Chile y de Argentina), o los grupos determinables en función de la clase social. Ello desborda el tenor literal posible y puede comportar interpretaciones analógicas contra reo, prohibidas, de un elemento del tipo.

Esta ampliación de los grupos nacionales fue precisamente la discutible interpretación originaria que los tribunales españoles realizaron en torno al «grupo nacional». A este respeto deben recordarse los autos del Pleno de la Sala de lo Penal de la Audiencia Nacional, Sección 1ª —en los casos de las dictaduras chilena de Pinochet y y argentina de Videla— de 4 y 5 de noviembre de 1998 (ponente de ambos el Magistrado Carlos Cezón González). En dichas resoluciones se efectuó una cuestionable interpretación técnica del elemento normativo del tipo referido al «grupo nacional»; concretamente en sendos Fundamentos Jurídicos 5º de los mencionados autos se sostuvo que:

> «El sentido de la vigencia de la necesidad sentida por los países partes del Convenio de 1948 de responder penalmente al genocidio, (...) requiere que los términos "grupo nacional" no signifiquen "grupo formado por personas que pertenecen a una misma nación", sino, simplemente, grupo humano nacional, grupo humano diferenciado, caracterizado por algo, integrado en una colectividad mayor.
>
> El entendimiento restrictivo del tipo de genocidio que los apelantes (...) defienden impediría la calificación de genocidio de acciones tan odiosas como la eliminación sistemática por el poder o por una banda de los enfermos de SIDA, como grupo diferenciado, o de los ancianos, también como grupo diferenciado, o de los extranjeros que residen en un país, que, pese a ser de nacionalidades distintas, pueden ser tenidos como grupo nacional en relación al país donde viven, diferenciado precisamente por no ser nacionales de ese Estado.
>
> Esa concepción social de genocidio —sentida, entendida por la colectividad, en la que esta funda su rechazo y horror por el delito— no permitiría exclusiones como las apuntadas. La prevención y castigo del genocidio como tal genocidio (...)

no puede excluir, sin razón en la lógica del sistema, a determinados grupos diferenciados nacionales, discriminándoles respecto de otros. Ni el Convenio de 1948 ni nuestro Código Penal ni tampoco el derogado excluyen expresamente esta integración necesaria. Y en estos términos, los hechos imputados en el sumario constituyen genocidio, con consiguiente aplicación al caso del artículo 23, apartado cuatro, de la Ley Orgánica del Poder Judicial…».

A pesar de las loables intenciones que vertebraron esta interpretación amplia del elemento del tipo «grupo nacional» —calificando la conducta como genocidio y activar así el principio de jurisdicción universal para posibilitar la extradición de los responsables a España— dicha interpretación debe rechazarse por cuanto conculca el principio de legalidad, siendo fundamentalmente incompatible con la prohibición de la interpretación analógica contra reo (GIL GIL).

Así pues, si dentro del «grupo nacional» tuviesen cabida todos los grupos en los que estos pueden distinguirse en virtud de una concreta cualidad (motivos político-ideológicos, de género, vinculados a una enfermedad, a la edad, económicos, etc.) se estaría ampliando de forma desmedida la categoría de los grupos nacionales (FEIJÓO SÁNCHEZ; KREß). Una interpretación en este sentido es evidente que albergaría toda clase de subdivisiones dentro de los grupos humanos y colectivos que puedan realizarse, puesto que, todos ellos, son imaginables como subgrupo dentro del grupo nacional. Por ello dicha hermenéutica debe rechazarse y restringirse a las interpretaciones razonables, y como máximo extensivas pero dentro de la «cárcel de la letra de la ley» (ÁLVAREZ GARCÍA), que puedan efectuarse sobre los «grupos nacionales».

Con todo, el TS no avaló la posición de la AN de los Autos de 4 y 5 de noviembre de 1998, y en la sentencia 798/2007, de 1 de octubre, Sala de lo Penal, FJ 10º, caso Scilingo, dispuso que:

«La señal identificativa del grupo a los efectos de establecer el objeto del propósito destructivo en el autor, necesariamente ha de ser una de las previstas en el tipo, es decir, nacional, étnica, racial o religiosa.

Se ha planteado la posibilidad de aceptar divisiones o compartimentaciones dentro de un mismo grupo, generalmente con referencia al grupo nacional. Es cierto que el tipo contempla el propósito de destrucción total o parcial. Esta previsión podría entenderse de dos formas diferentes. En primer lugar, sería parcial porque, sin hacer distinción alguna entre sus miembros, las acciones no se dirigen directamente a la destrucción total del grupo, conformándose los autores con la destrucción parcial (aunque siempre sustancialmente significativa). En segundo lugar, sería parcial porque los autores toman tan solo una parte del grupo, que se diferencia del resto por otros elementos distintos de la nacionalidad.

La primera opción resulta más acorde con las exigencias derivadas del texto, que identifica los grupos con arreglo a criterios muy concretos. La segunda equivaldría en realidad a aceptar que la identificación del grupo cuya destrucción total o

parcial se pretende se realiza mediante el empleo de criterios distintos de los típicos.
En el caso del grupo nacional, la nacionalidad no sería útil para distinguir las dos
partes del grupo (…)».

Esta última interpretación del TS resalta, acertadamente, que la distinción de unas personas con respecto a otras debe efectuarse en virtud de la adscripción de esta a un determinado grupo nacional, y no por otros motivos distintos a la nacionalidad, como, por ejemplo, la ideología o la orientación sexual. Con esta interpretación más estricta se abandona la tendencia expansiva inaugurada por los Autos de la Audiencia Nacional de 4 y 5 de noviembre de 1998, limitándose razonablemente la concreción de los grupos nacionales.

2.2. Grupo étnico

El «grupo étnico» es generalmente definido como aquel en el que unas personas comparten una lengua o una cultura (*Akayesu,* Judgment, Trial Chamber, para. 513). Esta definición primaria puede resultar excesivamente vaga, pues no atiende a otras problemáticas específicas que acarrean la determinación de las minorías étnicas, las cuales muchas veces no se distinguen ni por la cultura, ni por la lengua frente a las otras etnias «enemigas», planteando también fricciones con los grupos nacionales en lo que a las minorías respecta.

En este sentido, puede recordarse el genocidio acontecido en Ruanda entre abril y agosto de 1994, cuando milicias formadas por *hutus* exterminaron a un número amplísimo de *tutsis*. La distinción entre ambas etnias se mostró compleja en la medida que ambos tenían una misma cultura, una misma lengua y compartían mitos y tradiciones. En realidad, pareciese que la distinción entre ambas etnias provenía preponderantemente de la clase social de cada una (los *hutus* eran mayoría y pertenecían a una clase social más baja que los *tutsis*), distinción que fue ampliamente consolidada tras las colonizaciones alemana y belga. De hecho, fueron los belgas lo que implantaron el «sistema nacional de identificación» en 1931, donde se detallaba la etnia a la que pertenecía la persona. En ese momento, lo que era una distinción sociológica se consolidó como una identificación de diferencia étnica, que a partir de 1959 motivó intensas tensiones étnicas (*Kayishema & Ruzindana*, Trial Chamber, Jugdment, paras. 34 y ss.).

Posiblemente la determinación de los grupos étnicos sea la más compleja de todas, puesto que en ella convergen razones histórico-coloniales, culturales e identitarias, que muchas veces se definen de forma subjetiva de conformidad con el entendimiento de las víctimas o de los autores en la configuración del grupo.

Conforme al DRAE, la «etnia» significa una «comunidad humana definida por afinidades raciales, lingüísticas y culturales». Dicha definición semántica no resulta de gran utilidad para dotar de contenido a los grupos étnicos, pues ellos deben delimitarse de los grupos raciales en la interpretación de los grupos protegidos en el genocidio, especialmente si se tiene en cuenta que en la definición propuesta la etnia contiene un componente racial. Con todo, es evidente que para la determinación de la existencia de un grupo étnico debe acudirse, caso por caso, a consideraciones antropológicas de la etnia en cuestión, valorando los posibles rasgos raciales, lingüísticos, o culturales que conforman dicha etnia y la diferencian de las demás. Aquí resultará esencial atender a criterios subjetivos, de percepción propia o autoidentificación del grupo étnico victimizado para delimitarlo de otros grupos étnicos afines con los que convive en una determinada región geográfica.

2.3. Grupo racial

La definición de grupo racial está basada en la exigencia de rasgos físicos hereditarios que normalmente convergen en áreas geográficas determinadas e independientes de los factores lingüísticos, culturales, nacionales o religiosos (*Akayesu*, Trial Chamber, Judgment, para. 514). A pesar de no contar con una definición normativa sobre el término *raza*, esta es más fácilmente determinable, puesto que cuenta con rasgos morfológicos comúnmente visibles, como el color de la piel, la forma de los ojos, de la nariz, etc. pudiéndose distinguir entre las personas de raza negra, caucásica o blanca o asiática.

Conforme a la segunda acepción del término «raza» propuesto por el DRAE, esta se compone de «cada uno de los grupos en que se subdividen las especies biológicas y cuyos caracteres diferenciales se perpetúan por herencia». Parece, pues, que los grupos raciales deben venir determinados por la herencia biológica que los progenitores traspasan al individuo genéticamente, y no atendiendo a consideraciones de otra índole como las normativas, sociológicas o antropológicas, más propias de los grupos nacionales, étnicos y religiosos.

2.4. Grupo religioso

El «grupo religioso» es aquel en el que sus miembros comparten «la misma religión, denominación o culto» (*Akayesu*, Trial Chamber, Judgment, para. 515).

Conforme al DRAE, el término «religión» hace referencia en su primera acepción al «conjunto de creencias o dogmas acerca de la divinidad, de sentimientos de veneración y temor hacia ella, de normas morales para la conducta individual y social y de prácticas rituales, principalmente la oración y el sacrificio para darle culto».

En la determinación de los grupos religiosos se ha planteado si los grupos de ateos o de agnósticos podrían ser colectivos protegidos dentro de los mencionados grupos (por todos, SOUTO/FERNÁNDEZ-PACHECO). A este respecto la doctrina mayoritaria lo ha negado (GIL GIL; WERLE; KREß; SCHABAS) considerando que el grupo religioso debe delimitarse de forma positiva y no negativamente. Así pues, se ha señalado que el grupo religioso se centra en la formación de la fe y la idea de Dios, que tiene poderes inaccesibles que se escapan del conocimiento empírico, y que orientan el actuar de los miembros del grupo en su acción cotidiana (KREß). En la doctrina sí han considerado, sin embargo, que los ateos pueden formar parte de los grupos religiosos GÓMEZ BENÍTEZ y SZPAK.

Igualmente cabría plantearse si las «sectas» (sobre ello, cfr. CUGAT MAURI) pueden ser calificadas como «grupos religiosos» protegidos en el genocidio. Con frecuencia, los miembros de las sectas adquieren creencias sobre la trascendencia próximas a las practicadas por los grupos religiosos tradicionales, aunque se apartan de la ortodoxia preconizada por estas (por ejemplo, Testigos de Jehová, los Mormones o la Iglesia de la Cienciología). Por esta razón nos inclinamos a pensar que, efectivamente, las sectas religiosas son asimilables en la mayoría de los casos a los grupos religiosos monoteístas y politeístas tradicionales existentes, siempre que lo que dote de cohesión al grupo como tal sea la creencia compartida en una idea de transcendencia común.

2.5. Grupo determinado por la discapacidad de sus integrantes

Tras la reforma del Código Penal de 2010, se ha ampliado la protección a un nuevo grupo protegido: el grupo de personas con discapacidad.

A este respecto debe recordarse que, conforme al art. 25 del CP, «se entiende por discapacidad aquella situación en que se encuentra una persona con deficiencias físicas, mentales, intelectuales o sensoriales de carácter permanente que, al interactuar con diversas barreras, puedan limitar o impedir su participación plena y efectiva en la sociedad, en igualdad de condiciones con las demás».

Para interpretar, pues, el elemento del tipo de genocidio referido a los grupos determinados por la discapacidad de sus miembros deberá acudirse a la interpretación auténtica ofrecida por el art. 25 CP. Debe advertirse que ella proviene a su vez de la Convención Internacional sobre los Derechos de las Personas con Discapacidad, de 13 de diciembre de 2006, que entiende por *personas con discapacidad* a «aquellas que tengan deficiencias físicas, mentales, intelectuales o sensoriales a largo plazo que, al interactuar con diversas barreras, puedan impedir su participación plena y efectiva en la sociedad, en igualdad de condiciones con las demás».

La discapacidad puede ser de nacimiento o sobrevenida con el transcurso de la vida a causa de un accidente o de una enfermedad, pero, en todo caso, se exige conforme al art. 25 CP que sea *permanente*, mientras que en la Convención internacional tan solo se requiere que sea «*a largo plazo*» (artículo 1, II).

En todo caso, la disparidad entre la tipificación del Código Penal español con la normativa internacional respecto a la previsión de *grupos determinados por la discapacidad* de sus miembros, hará imposible la aplicación del art. 607 CP fuera del territorio español, al resultar una tipificación más extensa la del CP que la realizada por las normas convencionales internacionales.

IV. SUJETO ACTIVO Y MODALIDADES TÍPICAS

El art. 607 CP que sanciona el genocidio —al igual que sucede con el art. 607 bis que regula los crímenes de lesa humanidad— va referido a una pluralidad de personas como posibles autores de los delitos, y en ese sentido el tipo alude a «los que» (…). Ello concuerda perfectamente con la fenomenología habitual con la que son llevados a cabo los crímenes de Derecho Penal Internacional, que por su gravedad y extensión son cometidos por grupos armados organizados de índole estatal o paraestatal (STS 798/2007, de 1 de octubre).

Con todo, resulta técnicamente posible la comisión de un genocidio por parte de un sujeto individual que actúa en solitario, si con ello se pretende destruir, total o parcialmente, a uno de los cinco grupos protegidos, sin necesidad de que concurra una pluralidad de sujetos activos. En ese caso, sí deberá exigirse que la conducta de ese sujeto se inserte dentro de la dinámica comisiva de carácter genocida con la que actúa un grupo de personas, que realiza las diversas conductas con la finalidad transcendente de destrucción, total o parcial, de un grupo humano que exige el delito de genocidio. De ese modo, la conducta del sujeto activo se incardinaría en una *estrategia a gran escala* de destrucción de un grupo humano determinado sin necesidad de que el sujeto perteneciese al grupo u organización que, de forma organizada, está orquestando el genocidio (esencial, GIL GIL).

El genocidio es un *delito común* pues la autoría no exige ninguna cualidad específica. No obstante, por la dimensión macrocriminal de este delito, lo habitual será que, en la comisión de un genocidio, estén implicados funcionarios del Estado. Sin embargo, nada excluye que sujetos particulares también lo cometan (GIL GIL).

Se trata, asimismo, de un delito doloso, ya que la modalidad imprudente no se ha previsto en el CP y queda descartada por la propia categoría del delito de genocidio, al igual que sucede con los crímenes de lesa humanidad y los delitos cometidos contra personas y bienes protegidos en caso de conflicto armado. Con todo, debe tenerse en cuenta la posibilidad que abre tanto el art. 28 del ECPI, como el art. 615.2 bis del CP en lo relativo a la responsabilidad de los jefes militares, o quienes actúen *de facto* como jefes militares (ej. guerrilleros, paramilitares) por imprudencia grave en materia de responsabilidad por omisión; a ese respecto remitimos a las consideraciones efectuadas en la lección correspondiente de este mismo tomo sobre la responsabilidad del superior militar o civil del art. 615 bis del CP.

Caben las formas imperfectas de ejecución de un genocidio, siempre que pueda probarse que la conducta intentada (de muerte, lesiones, etc.) se realizaba con el elemento subjetivo del injusto (propósito de destruir a un grupo humano) que exige el tipo penal de genocidio *ex* art. 607 CP (TAMARIT SUMALLA). Asimismo, son punibles los actos preparatorios de conspiración, provocación y proposición de cometer un genocidio conforme al art. 615 CP.

Con respeto a la estructura del delito de genocidio debe tenerse en cuenta que se trata de un delito que incorpora un elemento subjetivo del injusto, distinto del dolo típico, que exige que el sujeto activo actúe con el propósito de «destruir» a uno de los cinco grupos protegidos por el art. 607 CP. Por ello, se afirma que el genocidio es un *delito de tendencia interna trascendente*, en el que todas las modalidades típicas recogidas en el art. 607 CP deben cometerse con el claro propósito de destruir a uno de los grupos protegidos.

Los delitos de tendencia trascendente suelen dividirse, asimismo, en dos clases: *los delitos mutilados en dos actos* y en *delitos de resultado cortado* (por todos, ROXIN). En los delitos mutilados en dos actos, el resultado adicional debe provocarse por una acción posterior del sujeto, mientras que en los delitos de resultado cortado la propia acción típica resulta idónea para provocar el resultado en un momento posterior sin necesidad de una acción adicional. En ambos casos, la acción o el resultado pretendido posterior, o si se prefiere, la finalidad o propósito trascendente, que en este caso consiste en la destrucción de un grupo humano, no es necesario que se produzca para consumarse el delito.

La consumación del genocidio exige exclusivamente que la conducta se cometa con el mencionado propósito, y por ello se afirma que la estructura de este delito se corresponde con una tentativa inacabada (GIL GIL). Según la doctrina mayoritaria, la consumación no requiere la lesión a bien jurídico (el grupo humano protegido) sino solo que la concreta conducta típica se consume (muerte, lesiones, etc.) con la mencionada intención de destrucción (GIL GIL).

Tal y como se apuntó más arriba con respecto a las diversas modalidades típicas presentes en el art. 607 CP, la legislación española ha ampliado la configuración del genocidio respecto de su regulación internacional, excediéndose del genocidio físico y biológico que es el que se contempla en la Convención de 1948 y en el art. 6 del ECPI. Dichas modalidades de genocidio físico y biológico son —como ha reconocido el TPIY en el caso *Karadžić*— las reconocidas en el Derecho internacional consuetudinario dejando al margen de este al genocidio cultural, aunque este puede servir de prueba indiciaria del genocidio físico-biológico posterior de un grupo determinado (*Karadžić*, Trial Chamber, Judgment, para. 553).

1. Modalidades típicas de genocidio físico

1.1. Muerte

La modalidad de genocidio más grave por resultar la más lesiva para los miembros del grupo es la que conlleva a la muerte de sus miembros. Dicha conducta es sancionada en el CP con la pena de prisión permanente revisable. El art. 607.1. 1° CP hace referencia a conductas que consistan en «matar» a uno de los miembros del grupo, lo que alberga tanto un homicidio, como un asesinato, cometidos de forma dolosa, excluyéndose de esta modalidad las intervenciones punibles en el suicidio ajeno —que se deban calificar como tales— o en la eutanasia activa previstas en el art. 143 CP.

La consumación del genocidio en la modalidad de muerte se produce cuando el autor causa la primera muerte de un miembro del grupo, con la intención trascendente de que se destruya total o parcialmente el grupo humano al que pertenece la víctima. Al ser un delito de consumación anticipada, la primera muerte consuma ya el delito de genocidio, sin que sea preciso para ello la realización de una pluralidad de muertes de los miembros del Grupo (GIL GIL, TAMARIT SUMALLA y FEIJÓO SÁNCHEZ). No obstante, en la praxis, se ha planteado la cuestión de la destrucción parcial de un grupo, y se ha convenido que, a pesar de que técnicamente el genocidio se consuma con el primer resultado de muerte, que se inserta en un patrón de conducta de exterminio de un grupo humano, las dificultades probatorias pueden desvirtuar la calificación de genocidio con una sola muerte. En cualquier caso, los actos aislados contra miembros de uno de los grupos protegidos no pueden, en caso alguno, ser considerados como genocidio (*ICJ, Croatia vs Serbia*, 3 de febrero de 2015, para. 139).

La muerte de los miembros del grupo puede producirse de forma *activa* (por ejemplo, disparando o envenenando a los miembros del grupo) u *omisiva* (verbigracia, dejando morir de inanición a los miembros del grupo protegido confinados en un recinto o en un área geográfica concreta). En este último caso, si no se llega a producir la muerte de los miembros del grupo, sino que solo se les pone en peligro de destrucción de forma genérica, se estará ante la modalidad típica prevista en el art. 607. 1. 3° CP, cuando se hace referencia al «sometimiento al grupo o a cualquiera de sus individuos a condiciones de existencia que pongan en peligro su vida», que comprende un delito de peligro concreto, pero no de lesión. Si, por el transcurso de los hechos, identificamos una tentativa concreta de muerte genocida, procederá imputar una tentativa de homicidio o asesinato genocida (art. 607.1. 1° CP), rebajándose en ese caso la pena en uno o dos grados de la prisión permanente revisable (arts. 62 CP, 70.4).

1.2. Lesiones graves del art. 149 CP

Como advierte entre nosotros Alicia GIL GIL, esta modalidad típica es una de las más difíciles de explicar por cuanto la causación de lesiones graves a los miembros del grupo no tiene por qué poner en riesgo de destrucción o exterminio al grupo de referencia. Para poder entender la dimensión genocida de las conductas de lesión grave habrá que atender al derecho de los miembros del grupo a existir en condiciones de vida normal y digna, sin sufrir padecimientos graves que perturben su integridad física o su salud mental. Sin embargo, es evidente que dichas conductas no en todos los casos tendrán por qué acarrear unas condiciones de vida indignas para los miembros del grupo, sino solo aquellas que puedan calificarse como muy graves. De hecho, por la penalidad prevista —prisión permanente revisable— la tipicidad de esa conducta de lesión genocida está restringida a aquellas constitutivas de las lesiones más graves previstas en el art. 149 del CP.

Como recuerda FERNÁNDEZ-PACHECO ESTRADA, la Jurisprudencia de los tribunales internacionales *ad hoc* no ha exigido que dichas lesiones sean permanentes ni irremediables, aunque sí deben ser serias («*serious nature*»), excluyéndose las lesiones de menor gravedad (entre otros, TPIR, *Akayesu*, Trial Chamber, Judgement, para. 501 y ss. *Semanza* Trial Chamber, Judgement, para. 320; TPIY, *Stakić*, Trial Chamber, Judgement, para. 513; *Mladić*, Trial Chamber Judgment, para. 3447).

La tipificación penal en el art. 607.1. 2° CP hace referencia a lesiones graves del art. 149 del CP. En dicho art. 149 CP se contemplan lesiones que comprenden la pérdida o la inutilidad de un órgano o miembro principal, o de un sentido, la impotencia, la esterilidad, una grave deformidad, o una grave enfermedad somática o psíquica (...) o la mutilación genital. Piénsese a este respecto en conductas de amputaciones de brazos, piernas, manos, lengua, etc. o la causación de deformidades graves con materiales corrosivos, o la pérdida definitiva de la vista o cualquier otro sentido a los miembros del grupo protegido.

La causación de la esterilidad o la impotencia, incluida la mutilación genital, son formas de lesión grave, que en virtud del principio de especialidad comportan formas de genocidio físico (art. 607.1. 2° CP) y no biológico (art. 607. 1. 4° CP). Entiendo, pues, que debe reservarse la modalidad de genocidio biológico prevista en el art. 607.1. 4° CP para otros comportamientos que redunden en la evitación de la reproducción de los miembros del grupo (separación física de hombres y mujeres o el uso de anticoncepción forzada), pero menos graves que las acciones lesivas sobre la integridad corporal de cualquiera de los miembros del grupo afectado, como resultaría, por ejemplo, con la esterilidad o la mutilación genital que son irreversibles, y que se encuentran incluidas en el art. 149 CP.

1.3. Sometimiento a condiciones de existencia que pongan en peligro la vida, perturben gravemente la salud del grupo o a sus individuos o les causen lesiones del art. 150 CP

Por «condiciones de existencia» debe entenderse la imposición coercitiva de un régimen de vida al grupo o a sus miembros, que bien genere un peligro para su vida (delito de peligro), bien perturbe su salud o les produzca alguna lesión grave del art. 150 CP (delito de resultado lesión). Dicho régimen de vida debe ser inhumano y muy severo, puesto que solo así estará actuando con el elemento subjetivo del injusto que se requiere en el genocidio.

Por su parte, la nota 4 de los Elementos de los Crímenes, anejos al Estatuto de la CPI, respecto a esta modalidad típica (art. 6 d) aclara que: «la expresión "condiciones de existencia" podrá incluir, entre otras cosas, el hecho de privar a esas personas de recursos indispensables para la supervivencia, como alimentos o servicios médicos, o de expulsarlos sistemáticamente de sus hogares».

Por la dicción de este precepto —referido al sometimiento a condiciones de vida que pongan en peligro la vida, o que perturben la salud o causen lesiones del art. 150 CP— esta modalidad típica puede entrar en concurso de delitos con los delitos comunes de detenciones ilegales y coacciones.

1.3.1. Condiciones de existencia que pongan en peligro la vida

A través de esta conducta se imponen unas condiciones de vida que ponen en peligro cierto la vida de los integrantes del grupo o al grupo entero, pero, por causas ajenas a la voluntad de los autores, el resultado de muerte no se llega a producir (*Stakić*, Trial Chamber, Judgment, para. 517). En estos supuestos se está en la antesala de la destrucción física de los miembros del grupo.

Se trata de un delito de peligro concreto, no siendo necesario para la consumación que con ellas se cause efectivamente la muerte, aunque sí es preciso que dichas conductas sean idóneas para poner en peligro la vida de los miembros del grupo (FERNÁNDEZ-ESTRADA PACHECO). Piénsese en la exposición de los miembros del grupo al frío polar sin la debida protección, o al confinamiento sin aportar agua o alimento alguno, o a la exposición a terribles condiciones de insalubridad extrema que puedan acarrear la causación de graves enfermedades, o a trabajos forzados severos (*Brđanin*, Trial Chamber, Judgment, para. 691; *Kayishema and Ruzindana* Trial Chamber, Judgement, paras. 115-116). Sobre estos casos debe recordarse el internamiento en campos de prisioneros o de concentración donde se confinaba a la población judía y otros individuos perseguidos. En esos casos, la clara intencionalidad de los autores puede ser perfectamente compatible con el elemento subjetivo del injusto previsto en el genocidio, pero el resultado de muerte no se produce. Es una suerte de tentativa anticipada o acto preparatorio respecto a la modalidad típica de homicidio o asesinato genocida (art. 607.1º CP) recogida expresamente en el tipo penal y penada con una pena de prisión de 8 a 15 años.

Si por la evolución de los hechos, se entrase en la fase de tentativa punible respecto a la *muerte* de los miembros del grupo, procedería aplicar dicha tentativa (artículos 607.1. 1º y 16 CP) sancionándose con una pena inferior en uno o dos grados a la de prisión permanente revisable, que es la pena establecida por el CP respecto a la modalidad de homicidio/asesinato genocida (art. 70.4 CP).

1.3.2. *Condiciones de existencia que perturben gravemente su salud*

Esta modalidad típica, referida al sometimiento al grupo o a cualquiera de sus individuos a condiciones de existencia que perturben gravemente su salud, es ajena a la tipificación internacional del genocidio y, de hecho, fue descartada en las negociaciones de la Convención de 1948.

Sin embargo, esta ampliación de la conducta típica se realizó ya con la primera tipificación del genocidio en España, en el art. 137 bis CP de la Ley 44/1971, de 15 de noviembre, y pervive hasta nuestros días. En todo caso, atendiendo a una interpretación sistemática, bajo el termino de «salud» deben entenderse incluidas tanto la salud *física*, como la salud *psíquica o mental*, a pesar de que, en este caso, el CP no ha especificado dichos extremos, como sí lo ha efectuado en el ámbito de las lesiones de los arts. 147-148 CP. Sobre este último aspecto nos remitimos a lo ya dicho en el vol. I de este Tratado.

En todo caso esta modalidad típica, que consiste en imponer condiciones de existencia que perturben gravemente la salud de los miembros del grupo, incorpora un delito de resultado (GIL GIL), pues el tipo exige que se «perturbe la salud» de los miembros del grupo, a diferencia de la conducta anterior que alude a la «puesta en peligro de la vida». Ello restringe el ámbito del tipo tal y como parece razonable, aunque dicho precepto deberá ser debidamente delimitado de los apartados 2º, 3º y 5º del art. 607.1 CP con los que mantiene puntos de contacto intensos.

Si por las condiciones de existencia impuestas se llega a perturbar la salud causando lesiones graves del art. 149 CP, debe desplazarse el art. 607.1. 3º CP a favor del art. 607.1. 2º CP por aplicación del principio de especialidad, castigándose con una pena de prisión permanente revisable. Si las lesiones causadas son las del art. 150 CP deberá aplicarse, también por especialidad, esta modalidad que resulta amenazada con la misma pena. En el caso de que las lesiones sean cualesquiera otra distintas a las contenidas en los artículos 149 o 150 CP, puede proceder la sanción por el art. 607.1. 5º CP que contempla, precisamente, una pena de prisión de cuatro a ocho años, si produjeran «cualquier otra lesión» distinta de las señaladas en los numerales 2.º y 3.º del art. 607.1 CP. Nótese, sin embargo, que en la modalidad prevista en el art. 607.1. 5º CP no se alude a «condiciones de existencia» que produzcan lesión, sino a conductas más genéricas mediante las que se producen lesiones menos graves, que no sean las contempladas en los arts. 149 y 150 CP.

Con todo, y ante este contexto, se puede augurar que la modalidad típica referida al sometimiento a condiciones de existencia que «perturben gravemente la salud» de los miembros del grupo no va a ser aplicada, habida cuenta de la incriminación de las diversas formas de lesión recogidas en el art. 607.1 CP. Así pues, en virtud del criterio de especialidad, dicha conducta —perturbación de la salud— no tendrá excesivo impacto en la praxis. Esto ha llevado a que algunos autores consideren que se trata de un delito de peligro y no un delito de lesión, aunque ello ampliaría de forma desmedida el tipo de genocidio de manera irrazonable y podría, además, conculcar el principio de proporcionalidad con respecto a las conductas de puesta en peligro de la vida, al sancionarse con idéntica penalidad.

1.3.3. *Condiciones de existencia que les produjeran lesiones del art. 150 CP*

Esta modalidad típica fue incorporada por primera vez en el Código Penal de 1995, y consiste en que los autores impongan un régimen o condiciones de existencia al grupo o a sus miembros que les produzcan lesiones del art. 150 CP. Como es sabido, dicha norma contempla las lesiones que generan pérdida o inutilidad de un órgano o miembro no principal, o su deformidad no grave. Dentro de dichos miembros u órganos no principales, estarían los dedos, el bazo, los dientes (cfr. sobre este último, el Acuerdo del Pleno de la Sala Segunda del Tribunal Supremo, de 19 de abril de 2002). A este respecto puede resultar cuestionable la inclusión de esta conducta típica como modalidad de genocidio, por no alcanzar la gravedad que las conductas genocidas suelen implicar. Con todo, el Legislador español ha incorporado esta modalidad de conducta dentro del genocidio, cuya tipicidad deberá atenerse a la realización de lesiones agravadas del art. 150 del CP, cumpliéndose con el elemento subjetivo específico del delito de genocidio de actuar con el propósito de destruir, total o parcialmente, a uno de los cinco grupos humanos protegidos. En estos casos deberá, no obstante, acreditarse la idoneidad de la lesión para incidir de forma relevante en el normal desarrollo de la vida del grupo, pues en caso contrario difícilmente podrá tratarse de un genocidio.

1.4. La producción de cualquier otra lesión distinta de las señaladas en los numerales 2.º y 3.º del art. 607.1

Dicha modalidad típica prevista en el art. 607.1. 5º CP fue una novedad incorporada en 1995 y ha permanecido inalterada en todas las reformas de la legislación penal hasta la fecha. La conducta contempla la causación de lesiones a los miembros de alguno de los cinco grupos protegidos, con el ánimo de destruirlo, total o parcialmente, siempre que dichas lesiones no sean típicas conforme a los arts. 149 y 150 CP (lesiones graves). Es decir, por exclusión, debe entenderse que, en principio, esta conducta hace referencia a la causación de las lesiones previstas en el tipo básico (art. 147.1), lesiones leves y maltrato de obra (art. 147.2 y 3 CP) y lesiones agravadas por la peligrosidad de la acción (art. 148 CP), siempre que concurra la intención genocida frente al grupo protegido.

Sin embargo, atendiendo a la falta de idoneidad de estas conductas para generar el genocidio físico de cualquiera de los grupos humanos y a la penalidad prevista, prisión de 4 a 8 años, debe efectuarse una interpretación restringida por parte de los operadores jurídicos. Dicha interpretación debe excluir indudablemente la tipicidad de conductas de lesión leve o maltrato de obra (arts. 147.2 y 3 CP) contra miembros del grupo. La absoluta falta de lesividad en ese contexto junto a la desproporción penológica que su admisión supondría, impide apreciar la antijuridicidad de estas conductas dentro del delito de genocidio.

Con respecto a las lesiones del tipo básico (art. 147.1 CP) podría admitirse su tipicidad, atendiendo a la redacción del art. 607.1. 5º CP, aunque siempre de forma restringida, cuando alcancen un umbral de gravedad importante para considerar que, con ellas, se lesiona —así sea de forma indirecta— la integridad y proyección futura del grupo como tal. En relación con las lesiones agravadas del art. 148 CP, pueden resultar importantes en este contexto las lesiones del art. 148. 1º, 2º y 3º del CP, en las que se utilizan armas o instrumentos peligrosos para la vida o salud de los miembros del grupo, así como las lesiones en las que media alevosía o ensañamiento, o aquellas en las que la acción lesiva recaiga contra niños del grupo, menores de 12 años, o incapaces, con el ánimo subjetivo específico requerido contra cualquiera de los grupos protegidos. Las lesiones previstas en el art. 148. 4º y 5º CP no tendrán relevancia alguna en el contexto del genocidio, pues afectan al ámbito de la violencia machista y doméstica.

Con todo, en el caso de que concurran algunas de las modalidades típicas de lesiones de los arts. 147.1 y 148. 1º, 2º, 3º CP, estas vendrán a representar la antesala de un auténtico genocidio físico. No obstante, entiendo, *de lege ferenda*, que esta modalidad típica del art. 607.1 5º CP debería excluirse del tipo penal de genocidio por falta de lesividad para la indemnidad del grupo como tal, siendo suficiente con la incriminación de lesiones graves con intención genocida de las previstas en los arts. 149 y 150 CP.

Asimismo debe recordarse que desde la reforma del Código Penal operada por la LO 15/2003, de 25 de noviembre, en España se sancionan los crímenes de lesa humanidad en el art. 607 bis CP, con los que con altísima frecuencia el genocidio va acompañado. Por ello, las conductas de lesiones menos graves, que suelen preceder a otras conductas de mayor gravedad, también podrían resultar típicas de acuerdo a la definición de crímenes de lesa humanidad en la modalidad de lesiones (art. 607. 1. 3° bis CP).

2. Modalidades típicas de genocidio biológico

La destrucción de cualquiera de los grupos protegidos no solo puede producirse con el exterminio físico de sus miembros, o de una parte de ellos, sino que también puede realizarse impidiendo que el grupo se perpetúe en el futuro, imposibilitando el nacimiento de las generaciones venideras. A esta clase de comportamiento se le denomina *genocidio biológico*.

Dentro de esta categoría de genocidio biológico se pueden agrupar varias conductas típicas a las que el art. 607.1. 4° CP hace mención:

2.1. Traslado por la fuerza de los individuos de un grupo a otro

De forma adicional a los supuestos de desplazamiento forzoso, que se detallarán *infra* apartado 3 A), el Legislador español ha incluido en el art. 607.1. 4° CP también el traslado forzoso de miembros del grupo a otros grupos. A diferencia del art. II de la Convención de 1948 y del art. 6 ECPI que tipifican el «traslado de niños», el art. 607. 1. 4° CP menciona el traslado de individuos, que incluye a niños y adultos.

Conforme a los Elementos de los Crímenes, anejos al Estatuto de la CPI (art. 6, nota 5) y en relación al traslado por la fuerza, se dispone que «la expresión "por la fuerza" no se limita a la fuerza física, sino que puede incluir la amenaza de la fuerza o la coacción, como la causada por el temor a la violencia, la intimidación, la detención, la opresión psicológica o el abuso de poder, contra esa o esas personas o contra otra o aprovechando un entorno de coacción». Dicha aclaración de los Elementos de los Crímenes puede ser parcialmente trasladable a la mención que hace el art. 607.1. 4° *in fine* del CP español, y dentro del concepto normativo «fuerza», incluir tanto a la *vis física* como la *vis moral*, entre las que cabe integrar el aprovechamiento de un entorno de coacción.

El mero traslado violento o intimidatorio de un individuo de un grupo a otro no es constitutivo de genocidio, a menos que, probada la intención de destrucción, se entienda que con dicho traslado se pone en peligro concreto la continuidad reproductiva del grupo, que, al trasladarse y reproducirse con otras personas ajenas al grupo, genera la pérdida o disolución de la identidad y naturaleza del grupo como tal. En estos casos, se estaría ante una suerte de «genocidio por asimilación» donde los miembros del grupo van perdiendo su identidad, y al reproducirse con otras personas ajenas a su grupo este se va diluyendo, favoreciéndose su desaparición. Cualquier otro traslado de individuos que no tenga la connotación antedicha de «genocidio por asimilación», como modalidad de genocidio biológico, será constitutivo de otro delito, incluso de un crimen de lesa humanidad, pero no de un genocidio.

2.2. Adoptar medidas que impidan la reproducción del grupo o de sus miembros

Esta conducta típica se refiere fundamentalmente al aborto forzoso de mujeres de un grupo, o a cualquier otra conducta semejante con la misma potencialidad para lograr la finalidad típica, como, por ejemplo, la anticoncepción forzosa de los miembros del grupo, la segregación por sexos, la prohibición de celebrar matrimonios o, incluso, en determinados supuestos el matrimonio forzoso con miembros ajenos al grupo, orientada a impedir la reproducción de sus miembros. Con estos comportamientos puede menoscabarse de forma objetiva la supervivencia y renovación del grupo humano afectado y se favorece el genocidio biológico. En todo caso, la conducta habrá de ser objetivamente idónea *ex ante* para destruir total o parcialmente al grupo humano de referencia, pues, de otro modo, no se alcanzará el umbral de gravedad necesario para apreciar un genocidio.

Como se afirmó con anterioridad, en el caso de que las conductas sean formas de causar la esterilización o la impotencia de los miembros del grupo, se estará ante la modalidad típica presente en el art. 607.1. 2° de genocidio físico, sancionado con la pena de prisión permanente revisable (GIL GIL y FEIJÓO SÁNCHEZ). No obstante, desde la perspectiva internacional las esterilizaciones forzadas y las mutilaciones sexuales han sido medidas incluidas en esta modalidad típica (FERNÁNDEZ-PACHECO ESTRADA), y, en ese sentido, difieren de la redacción típica que el Legislador español ha efectuado.

En todo caso, y como destaca GIL GIL, los programas o políticas de control de la natalidad voluntarios, así como el sometimiento consentido a la interrupción del embarazo no forman parte de la conducta típica. En el caso de las políticas de control de la natalidad forzada —como la llevada a cabo en China— no se produce el necesario propósito de destrucción total o parcial de uno de los grupos humanos de referencia, por lo que quedarían al margen de este tipo penal (WERLE; FERNÁNDEZ-PACHECO ESTRADA).

2.3. Agresión sexual a alguno de los miembros del grupo

Desde 1995 el Código Penal español castiga la *agresión sexual* como una de las modalidades típicas de genocidio. Dicha tipificación constituye un acierto de nuestro Legislador (FEIJÓO SÁNCHEZ), pues dota de seguridad jurídica a los destinatarios de la norma, y subraya la posibilidad de que ciertos actos de naturaleza sexual impidan en ciertos contextos la perpetuación futura de alguno de los grupos protegidos. Las agresiones sexuales no encuentran, sin embargo, una previsión *expresa* en la regulación internacional sobre genocidio.

La Corte Internacional de Justicia ha declarado que la violación y otros actos de violencia sexual pueden constituir una modalidad típica de genocidio, dentro del comportamiento que alude a «medidas destinadas a impedir los nacimientos en el seno del grupo» (Art. II d de la Convención). En esos casos, será necesario probar que la capacidad de procreación de los miembros del grupo se ve afectada (*ICJ, Croatia vs. Serbia*, para. 166). Asimismo, la sentencia de la Sala de Primera Instancia del TPIR en el caso *Akayesu* señaló oportunamente que «en Sociedades patriarcales, donde la pertenencia a un grupo la determina la identidad del padre, un ejemplo de medidas a impedir nacimientos, lo constituyen los actos de violación, a través de los cuales se embaraza a una mujer que dará a luz a un hijo que pertenecerá a un grupo humano distinto del de la madre» (para. 507).

Sin embargo, la incriminación del art. 607.1. 2º CP contempla la «agresión sexual» como una modalidad de genocidio autónoma de la conducta referida a la imposición de «medidas destinadas a impedir nacimientos» en el seno del grupo.

Por razones sistemáticas, deben incluirse entre las «agresiones sexuales» a aquellas del tipo básico (art. 178 CP), a la violación (art. 179 CP) y a los supuestos agravados (art. 180 CP). Desde nuestro punto de vista, la incriminación de las agresiones sexuales del tipo básico como una modalidad de genocidio resulta excesiva, y, atendiendo a la penalidad prevista (prisión permanente revisable), debiese restringirse a los supuestos de violación (FEIJÓO SÁNCHEZ). Con todo, en aquellos casos en los que las agresiones sexuales contra miembros del grupo (por ejemplo, tocamientos o conductas de naturaleza sexual con violencia o intimidación) no tengan la significación de genocidio biológico, es decir, cuando estas no impidan la perpetuación o proyección futura del grupo, se estará ante crímenes de lesa humanidad o crímenes de guerra, o cualquier otro delito común previsto en el CP, pero no propiamente ante un genocidio.

En sentido contrario, cuando las agresiones sexuales consistan en una violación seguidas de embarazos no deseados que acaben diluyendo la identidad del grupo, o cuando la agresión sexual genere el rechazo o el trauma en las mujeres para procrear posteriormente, o su exclusión o desprecio de su comunidad de referencia, serán comportamientos idóneos para destruir el grupo, y, por ende, podrán ser considerados como una modalidad punible de genocidio biológico (así, por ejemplo, las estadounidenses Rhonda COPELON y Sherrie L. RUSELL-BROWN; en sentido contrario TAMARIT SUMALLA).

Normalmente los miembros del grupo objeto de ataque serán mujeres, quienes además de padecer el atentado contra su libertad sexual sufrirán una suerte de «repudio de su comunidad» de referencia, que las produce una lesión adicional en su capacidad reproductiva y sexual y en su dignidad. En este punto, autoras como

COPELON han destacado la necesidad de reconocer el daño incrementado que comporta para las mujeres que, junto a la violación, se produzca efectivamente un embarazo no deseado, vulnerándose con ello, adicionalmente, su autodeterminación reproductiva («*reproductive self-determination of women*»). No obstante, nada empece para que también los varones sean eventualmente objeto material de la conducta, siempre que, con ello, se ponga en peligro la propia existencia del grupo como exige la finalidad típica en este delito. No obstante, con carácter general, la praxis muestra que, de forma absolutamente mayoritaria, son las mujeres las principales víctimas de las agresiones sexuales, y más aún en contextos de violencia masiva o generalizada.

Llegados a este punto debe advertirse que para que la agresión sexual constituya una modalidad típica de genocidio, la conducta tenderá a realizarse en un contexto social, comunidad o sociedad patriarcal, donde el machismo y la misoginia estén fuertemente asentados, de modo que se repudie a las mujeres víctimas de las agresiones sexuales. De otro modo, la violencia sexual no adquirirá el plus de lesividad requerido para tratarse un genocidio biológico, bien impidiendo la reproducción futura de los miembros del grupo ante el rechazo generado en el resto de la comunidad, bien disolviendo la identidad del grupo dando a luz a hijos de otro signo étnico racial o religioso respecto al de la madre.

Por otro lado —y como se afirmó anteriormente— a pesar de que dichas agresiones sexuales *podrían* haber sido incluidas entre las formas de «impedir las reproducciones de los miembros del grupo», su incriminación separada no solo ofrece una mayor seguridad jurídica y facilita la labor interpretativa de los jueces, sino que, además, constituye un tipo agravado respecto de estas por el sufrimiento generado a las mujeres objeto de ataque. De hecho, la agresión sexual contra miembros del grupo, que necesariamente ha de comportar un genocidio biológico, se encuentra entre las formas más graves de genocidio, sancionándose con una pena de prisión permanente revisable.

La incriminación separada de la agresión sexual de los miembros del grupo de los comportamientos que impiden nacimientos (como, por ejemplo, imponiendo la anticoncepción forzada de sus miembros o la segregación por sexos) resalta la extraordinaria lesividad de la conducta descrita. En realidad, se trata de un supuesto de *genocidio biológico agravado*, en el que debe probarse efectivamente que la agresión sexual forma parte de una estrategia dirigida a menoscabar la regeneración del grupo, lesionando claramente no solo la libertad sexual de sus miembros en una secuencia concreta, sino su dignidad y autonomía reproductiva, teniendo dicha conducta un impacto claro en la perpetuación del grupo. En ciertos contextos, esa agresión sexual estigmatizará a las mujeres para siempre, comprometiendo su reproducción futura, o generando, si se produce el embarazo, la disolución del grupo al que pertenece. Esto fue lo que ocurrió, entre otros muchos casos, con las mujeres musulmanas en Bosnia violadas por miembros del Ejército serbio durante la Guerra en los Balcanes, o actualmente con las mujeres *rohingya* violadas por miembros del Ejército de Myanmar (Birmania).

En caso contrario, si no se puede probar ese impacto de la agresión sexual en la perpetuación o proyección del grupo hacia el futuro, junto a los demás elementos requeridos por el art. 607 CP, no habrá genocidio, pues este requiere que la conducta típica sea idónea para destruir —así sea de forma parcial— alguno de los cinco grupos protegidos por el tipo penal. En ese caso, dichas agresiones sexuales serán constitutivas de otros delitos como los crímenes de lesa humanidad (art. 607 bis 2.2ª CP), u otros delitos comunes de agresión sexual (arts. 178-180 CP), pero no constituirán un genocidio.

3. Otras modalidades típicas recogidas en el art. 607 CP español

3.1. Llevar a cabo desplazamientos forzosos del grupo o de sus miembros. Los supuestos de «limpieza étnica»

A diferencia de la Convención internacional y el art. 6 del ECPI, el CP recoge desde 1995 el desplazamiento forzoso de un grupo o sus miembros como una modalidad típica de genocidio (art. 607. 4° CP). En las negociaciones de la Convención internacional de 1948 Siria propuso su inclusión, pero ello fue rechazado por veintinueve votos en contra y ocho abstenciones (3ª Session, Sixth Committee Summary Records of Meetings, 21 September to 10 December 1948, págs. 176 y 186).

No obstante, el Legislador español ha incorporado la denominada «limpieza étnica» como una modalidad concreta de genocidio, donde se procede a la expulsión obligatoria de un grupo protegido de un determinado lugar geográfico, promoviéndose así la destrucción del grupo de *esa* región. Como es sabido, desde la Guerra de los Balcanes durante la década de los noventa se abrió un considerable debate acerca de si la limpieza étnica, practicada fundamentalmente por Serbia contra la población no serbia, constituía o no una modalidad de genocidio.

Por su parte, el 3 de febrero de 2015 la Corte Internacional de Justicia, en la controversia presentada por *Croatia vs Serbia*, dictaminó que Croacia no tenía razón en denunciar a Serbia por —entre otras conductas— haber cometido genocidio contra sus nacionales en la limpieza étnica practicada entre 1991-1995, al faltar la prueba del elemento subjetivo específico que debe probarse en toda acción genocida. A pesar de que muchas de las modalidades típicas de genocidio en el sentido del tipo objetivo (*actus reus*) fueron practicadas por el Ejército serbio y las milicias paramilitares que los asistieron, no pudo probarse el elemento subjetivo específico o *dolus specialis* imprescindible para corroborar la existencia de un genocidio (CIJ, *Croatia vs Serbia*, 3 de febrero de 2015, paras. 440 y ss). A este respecto no pudo probarse la intención de destrucción significativa de una parte del grupo de croatas por lo que la Corte Internacional de Justicia desestimó la pretensión de Croacia en este punto.

Con respecto a estos supuestos de «desplazamientos o expulsión forzada» de una zona geográfica, la Corte estableció que algunos casos de limpieza étnica pueden constituir una modalidad de genocidio dependiendo de las circunstancias del caso (*ICJ, Croatia vs Serbia*, 3 de febrero de 2015, para. 162). Para ello será preciso que se pruebe que dicha conducta se enmarca en un patrón de comportamientos destinados a la destrucción total o parcial de alguno de los grupos protegidos. En caso contrario, dichos actos de desplazamiento forzoso o limpieza étnica no podrán ser actos de genocidio en el sentido establecido en la normativa internacional, ni por consiguiente conforme a la modalidad típica de «desplazamiento forzoso» presente en el art. 607.1. 4º del CP. En ciertos casos, el desplazamiento forzado o expulsión de un grupo erradica la existencia de dicho grupo de forma sustancial de una determinada área geográfica, y ello puede ser considerado como un supuesto de destrucción parcial del mismo. Se trata, en estos casos, del denominado «genocidio por expulsión», según la clasificación propuesta por Jack Nusan PORTER en 1982, junto al «genocidio por asimilación» y al «genocidio físico».

Con todo, los actos de expulsión forzada del grupo o sus miembros es una de las variantes más controvertidas, por la falta de repercusión física o biológica en la existencia del grupo, pues, a pesar de la expulsión, seguirá existiendo en otros lugares distintos de aquel del que fueron desplazados (KREß). Sin embargo, en la medida que el tipo hace referencia a la «destrucción parcial» del grupo de referencia, ciertos supuestos graves o sustanciales de limpieza étnica de un territorio sí podrán considerarse como formas de genocidio (*Kristić*, Trial Chamber, Judgement, paras. 585 y ss.).

3.2. Adoptar medidas que impidan su género de vida

Otra de las modalidades típicas de genocidio que contiene el Código Penal y que difieren notablemente de la normativa internacional, es aquella prevista en el art. 607. 1. 4º aludiendo a la adopción de medias que tiendan a impedir *el género de vida* del grupo o de sus miembros. Como señala la doctrina el CP ha querido incriminar más allá de la normativa internacional el denominado «**genocidio cultural**», que fue expresamente rechazado en las negociaciones de la Convención de 1948 (United Nations, *Official Documents of the General Assembly, Part I, Third Session, Sixth Committee, Minutes of the Eighty-Third Meeting*, UN doc. A/C.6/ SR.83, págs. 193-207). De hecho, como destaca FERNÁNDEZ-PACHECO ESTRADA, la reciente Jurisprudencia internacional en el caso *Popović* ha destacado la necesidad de circunscribir la intención genocida al genocidio físico y biológico, dejando al margen los aniquilamientos sociológicos o culturales (*Popović*, Trial Chamber, Judgement, para. 822).

La eliminación del patrimonio histórico, cultural y religioso no destruye ni física, ni biológicamente al grupo, sino que simplemente perturba su continuidad y lesiona la identidad del grupo como tal. La eliminación de los rastros de la presencia cultural o religiosa de un grupo pueden ser —al igual que otras conductas— la antesala del genocidio, pero no constituyen en sí actos de genocidio, y podrán servir como prueba indiciaria de actos más graves que se lleven a cabo con posterioridad.

Con todo, la redacción del art. 607.1. 4º CP es ciertamente amplia y vaga, puesto que no se alude directamente a medidas que menoscaben el patrimonio histórico, religioso o cultural sino a medidas que impidan el «género de vida». Dicho término conculca el principio de taxatividad, pues no se sabe exactamente a qué hace referencia el tipo con dicha mención. En este sentido cabría plantearse si ¿es la prohibición del *hiyab* en instituciones públicas una medida que impide el género de vida del grupo religioso musulmán? ¿son igualmente manifestaciones del genocidio cultural la prohibición de hablar una determinada lengua ante los órganos de la Administración Pública?

En cualquier caso, y de acuerdo con la opinión de Alicia GIL GIL, el intento de reconducir la conducta analizada a supuestos de genocidio físico o biológico resulta superfluo, pues ello ya estaría sancionado en otros apartados del precepto. Tan solo cabe admitir que el Legislador español ha querido otorgar una protección mayor a ciertos grupos protegidos, y, para ello, sanciona las acciones de quienes menoscaben el género de vida e idiosincrasia del grupo, con la intención trascendente, eso sí, de destruir total o parcialmente a uno de los grupos protegidos. La pena prevista en estos casos es de prisión de 8 a 15 años, por lo que resulta inimaginable concebir qué tipo de conductas de este tipo (genocidio cultural) pueden, por su gravedad, merecer la penalidad prevista.

El ataque a edificios protegidos históricos o religiosos constituye en todo caso un crimen de guerra, tal y como ha reconocido la CPI en el caso *Ahmad Al Faqi Al Mahdi* por la destrucción de varios edificios en Tombuctú (Mali) en junio-julio de 2012, y que, conforme al art. 613.1 CP, también constituye un delito contra bienes protegidos en caso de conflicto armado.

V. EL ELEMENTO SUBJETIVO ESPECÍFICO

El elemento definitorio por excelencia en el delito de genocidio es el elemento subjetivo del injusto con el que se configura el delito, tanto a nivel internacional como nacional. Es precisamente el «propósito de destruir» total o parcialmente a uno de los grupos protegidos lo que dota al genocidio de la gravedad y singularidad respecto a otros crímenes de Derecho Penal Internacional (STS 798/2007, de 1 de octubre, Sala de lo Penal, FJ 10º, caso Scilingo; TPIR, *Akayesu*, Sentencia Sala de Primera Instancia, paras. 519 y ss.).

Cada una de las modalidades típicas mencionadas anteriormente deben ser realizadas por el autor con el propósito trascendente de destruir total o parcialmente al grupo humano de referencia. Ello es completamente independiente del dolo típico y de los denominados *móviles* por lo que actúen los autores (por todos, GIL GIL). De hecho, así lo ha expresado la STS 798/2007, de 1 de octubre (FJº 10):

> «*Las motivaciones concretas de cada uno de los autores, o de estos en su conjunto, para la ejecución de la conducta resultan irrelevantes, pues lo decisivo es la identificación del grupo y la voluntad final de destrucción del mismo. Dicho de otra forma, es intrascendente que las razones de exterminar un grupo nacional, étnico, racial o religioso sean nacionales, étnicas, raciales o religiosas o sean cualesquiera otras diferentes; lo que importa es que el grupo se identifique y se diferencie de otros por razones nacionales, étnicas, raciales o religiosas, y que los individuos sean perseguidos por su pertenencia real o aparente a tal grupo, con la finalidad de lograr la destrucción del mismo*».

La destrucción del grupo humano es un elemento de tendencia ajeno al injusto, y por ello no es necesario que esta se produzca para la consumación del genocidio. En ese sentido se afirma, como ya se ha apuntado más atrás, que el genocidio es un delito de resultado cortado. En algunas modalidades típicas la consumación requiere un resultado de *lesión* (matar, agredir sexualmente, lesionar, etc.), y en otras se requiere la mera *puesta en peligro* del bien jurídico individual, pero en ningún caso es preciso para la consumación del genocidio que se produzca la efectiva destrucción —total o parcial— del grupo de referencia (por todos, GIL GIL y FEIJÓO SÁNCHEZ).

El elemento subjetivo específico de destrucción de un grupo humano se ha interpretado de dos formas posibles:

Por un lado, como un elemento eminentemente motivacional o de carácter interno del sujeto («*purpose based approach*»), tal y como se ha efectuado en España por PÉREZ TRIVIÑO y también por gran parte de la Jurisprudencia internacional (Akayesu, Trial Chamber, Judgment, para. 498; *Kambanda*, Trial Chamber, Judgment, para. 16; *Kayishema & Ruzindana*, Trial Chamber, Judgment, para. 89; *Krstić*, Appel Chamber, Judgment, para. 134).

Por otro lado, y como aquí se propone, un entendimiento de dicha intención en un sentido de la finalidad de la conducta, sin exigir un ánimo interno, sino el conocimiento del sujeto de que su conducta se inserta —generalmente— en un propósito colectivo, que tiene como objetivo la destrucción de un grupo humano determinado («*knowledge based approach*»); esta última interpretación es la defendida fundamentalmente por la doctrina (GREENAWALT en EEUU; GIL GIL en España; VEST en Suiza; KREß y AMBOS en Alemania).

Estas disquisiciones son particularmente importantes en el ámbito de la intervención delictiva cuando se trata de imputar el crimen de genocidio a los jefes que han ordenado o que comandan operaciones de genocidio. En estos casos, para poder imputar una autoría mediata o una coautoría a esos altos responsables deberá probarse, como es lógico, su «intención de destruir» al grupo humano. Para ello, es necesario que el jefe conozca la dirección de la acción del autor hacia la lesión al grupo protegido y, en ese sentido, lo esencial es el objetivo trascendente hacia el que el sujeto activo dirige su acción criminal, más que el concreto ánimo interno del sujeto activo. A partir de esta interpretación no hay problema alguno para imputar un delito de genocidio en el plano subjetivo a un individuo que dirigió ataques contra determinados miembros de un grupo protegido, a sabiendas del contexto genocida o plan global genocida desarrollado coetáneamente por terceros, con independencia, por tanto, del concreto propósito interno con el que opere el autor.

Esta interpretación del ánimo o propósito de destrucción en el genocidio orientada al conocimiento, permite asimismo explicar con mayor suficiencia cómo es posible imputar un genocidio a los soldados rasos que ejecutan la operación genocida diseñada por sus mandos, sin que, necesariamente, cada uno de ellos comparta, en el plano interno, dicha intención especial de destrucción (GREENAWALT). En estos casos parece indiscutible que los soldados que ejecutan un plan genocida organizado desde el alto mando o la cúspide de la organización, cometen un genocidio, con independencia de que ellos actúen internamente o no con la intención de destruir al grupo humano amenazado. Por esta razón el enfoque cognitivo del elemento subjetivo trascendente de destrucción de un grupo humano debe prevalecer sobre el enfoque eminentemente motivacional o sobre el propósito interno, pues de acogerse esta última perspectiva se corre el riesgo de entender que no se puede imputar un delito de genocidio al soldado (¡ejecutor!) que realiza meticulosamente el plan genocida hasta que no se pruebe su ánimo interno de destruir a un grupo humano como tal (GREENAWALT).

Así, pues, la intención o propósito genocida —que conforma el contenido de injusto en el delito de genocidio— trata de desvalorar conductas orientadas hacia la destrucción de un grupo en razón de sus particulares características como grupo nacional, étnico, racial, religioso o establecido en función de la discapacidad de sus miembros (art. 607 CP). Para ello, basta con que el sujeto *conozca* que sus actos se integran en un «propósito colectivo común», que implica la destrucción total o parcial de ciertos grupos, en cuyo seno desarrolla su actividad delictiva. La exigencia de un propósito interno-personal no solo dificulta su prueba, en la medida que afecta a elementos psicológicos o emocionales del autor, sino que sitúa al ánimo genocida del autor en una perspectiva inadecuada para poder aprehender el contenido de injusto que impregna al genocidio, que no es otro que la realización de determinadas conductas con la *finalidad trascendente* de destruir a un grupo humano. Por ello, para poder imputar un delito de genocidio, debe ser suficiente que los agentes realicen cualquiera de los actos típicos con conocimiento de que su acción se desenvuelve en un propósito genocida a gran escala cuyo objeto es la destrucción de un grupo humano protegido.

De hecho, y retomando la argumentación en *Akayesu*, donde se evidenciaron los innumerables problemas probatorios en relación con el ánimo genocida, se consideró posible inferir la intención en el autor a partir de un contexto general contra miembros de un grupo, en el que se viera inmerso el acusado. Ello evidencia que el propósito genocida puede inferirse a partir de un contexto colectivo o campaña genocida en el que se inserta el agente (*Akayesu*, Trial Chamber, Judgment, para. 523).

A partir de la propuesta anterior, puede sostenerse que la prueba del elemento específico del injusto en caso de genocidio debe circunscribirse a la existencia de una finalidad trascendente de la propia actuación del sujeto, que consiste precisamente en la destrucción de uno de los grupos protegidos en el genocidio, sin que el concreto motivo o propósito interno del sujeto activo comprometa la estructura típica del delito de genocidio. Para conformar la prueba del elemento subjetivo trascendente bastaría con evidenciar que el sujeto tenía *conocimiento* de que su comportamiento se insertaba o se incardinaba en un contexto genocida colectivo de gran alcance (AMBOS).

La prueba del elemento específico en el genocidio ha sido articulada por el TIPR y por el TPIY a través de la prueba de indicios ante la dificultad de la prueba directa. Dicho elemento subjetivo específico ha sido deducido a partir del contexto general en el que se desarrolla el crimen, la naturaleza y escala de las atrocidades, el lugar de su acontecimiento, su reiteración y los sujetos pasivos sobre los que recaen las acciones lesivas, atendiendo a su especificidad en relación con los miembros de otros grupos o la existencia de un plan o política genocida determinado (TPIR, *Akayesu*, Trial Chamber, Judgement, para. 498; *Rutaganda*, Trial Chamber, Judgement, para. 60; *Kayishema*, Appeal Chamber, Judgement, para. 159. TPIY, *Mladić*, Trial Chamber Judgment, para. 3457; *Stakić*, Trial Chamber, Judgement, para. 526; *Krstić*, Appeal Chamber, Judgement, paras. 33-34). Asimismo, el número de hechos lesivos repetidos contra un determinado grupo, junto con el carácter metódico de su ejecución, pueden servir de pauta para la inferencia del propósito de destrucción con el que operaban los autores (*Kayishema y Ruzindana*, Trial Chamber, Judgement, paras. 531-533 y ss.).

VI. PENALIDAD

La penalidad prevista en el delito de genocidio varía en función de la conducta típica cometida. Se castigan con prisión permanente revisable las conductas de homicidio o asesinato de los miembros del grupo (607.1. 1° CP), las lesiones constitutivas del art. 149 CP (ej. esterilizaciones) y las agresiones sexuales con significado de genocidio biológico (607.1. 2° CP). Las conductas antedichas representan los ataques más graves contra la existencia del grupo amenazado y por ello reciben el mayor contenido de reproche.

Se castigan con penas de prisión de 8 a 15 años el resto de modalidades típicas que consisten en el sometimiento a condiciones que pongan en peligro la vida, perturben gravemente la salud de los miembros o les produzcan lesiones del art. 150 CP. Esta misma pena se contempla para los supuestos de desplazamientos o expulsión forzada de áreas geográficas determinadas, traslados forzosos de unos individuos del grupo a otro grupo, o medidas por las que se impiden el género de vida o la reproducción de sus miembros (por ejemplo el aborto forzado o la anticoncepción obligatoria).

La pena menos severa, prisión de 4 a 8 años, se reserva para la realización de cualquier otra lesión que no sea constitutiva ni del art. 149 ni 150 CP.

Desde la reforma del Código Penal operada por la LO 1/2015, de 30 de marzo, el art. 607.2 CP impone obligatoriamente para todos los casos la pena de inhabilitación especial para profesión u oficio educativos, en el ámbito docente, deportivo y de tiempo libre, por un tiempo superior entre tres y cinco años al de la duración de la pena de privación de libertad impuesta en su caso en la sentencia, atendiendo proporcionalmente a la gravedad del delito y a las circunstancias que concurran en el delincuente.

Con respecto a las otras penas accesorias, el art. 616 CP —situado entre las disposiciones comunes del título— establece que cuando el genocidio lo realice una *autoridad o funcionario público*, se le impondrá obligatoriamente la pena de inhabilitación absoluta por tiempo de diez a veinte años. En el caso de que el autor fuese un *particular*, los jueces y tribunales podrán imponerle facultativamente la pena de inhabilitación especial para empleo o cargo público por tiempo de uno a diez años.

VII. PROBLEMAS CONCURSALES

El delito de genocidio irá siempre acompañado de una serie de delitos contra la vida, la libertad, la libertad sexual, o la integridad física individual de los miembros del grupo, que son el objeto material del delito.

Por ello, cuando se trata de un ataque contra un solo grupo protegido, la doctrina dominante (GIL GIL, FEIJÓO SÁNCHEZ o TAMARIT SUMALLA) formula un concurso ideal entre un único delito de genocidio, por el que se atenta contra el grupo protegido amenazado, y todos los resultados lesivos producidos a los bienes jurídicos individuales que se sancionan como un concurso real (por ejemplo, homicidios, lesiones, detenciones ilegales o agresiones sexuales). Para la elección de la modalidad concreta de genocidio que debe aplicarse deberá elegirse la modalidad más grave que concurra en los hechos, que con alta frecuencia será la de homicidio o asesinato prevista en el art. 607.1. 1° CP.

No obstante, en los escenarios en los que se produce un genocidio no es infrecuente que, ante la escalada de violencia masiva, se cometan ataques generalizados o sistemáticos adicionales contra una parte de la población civil, en conjunción con las acciones genocidas contra miembros del grupo atacado. En esos casos habrá que formular, por un lado, un concurso real entre los dos delitos internacionales. Por un lado, se formulará un concurso ideal entre un único delito de genocidio con los resultados lesivos individuales contra los miembros del grupo afectado castigados en concurso real. Por otro lado, el ataque generalizado o sistemático contra la población civil, distinto del ataque a los miembros del grupo, deberá ser sancionado como crimen de lesa humanidad que entrará en concurso ideal a su vez con los resultados lesivos concretos contra esos civiles que se cometan. Después podrá formularse un concurso entre el genocidio y el crimen de lesa humanidad resultante, pues ambas situaciones obedecen a acciones diferenciadas espacio-temporalmente contra sujetos pasivos distintos.

Cuando se trate de los *mismos hechos* cometidos contra los *mismos sujetos pasivos* (por ejemplo, la matanza de los miembros de un grupo) entre el genocidio y el crimen de lesa humanidad debe plantearse un *concurso de leyes*, a resolver por especialidad a favor del genocidio. De ese modo, siempre que pueda probarse el elemento subjetivo del injusto presente en el genocidio, este (art. 607 CP) deberá aplicarse en detrimento de los crímenes de lesa humanidad (art. 607 bis CP) más genéricos. Lo mismo cabe predicar en relación con los delitos cometidos con ocasión de un conflicto armado, lo cuales pueden verse desplazados a favor del genocidio.

VIII. DISPOSICIONES COMUNES

1. *Los actos preparatorios punibles*

Conforme al art. 615 CP, los actos preparatorios de conspiración, provocación y proposición de cometer genocidio —además de los demás crímenes de Derecho

Penal Internacional— son punibles. Ellos se castigarán con la pena inferior en uno o dos grados a la señalada para el autor del delito consumado.

2. La responsabilidad del superior por omisión

La disposición común más relevante a este respecto es la contenida en el art. 615 bis del CP que contiene la responsabilidad por omisión de los jefes militares y superiores no militares. Dicha disposición fue introducida en el CP español tras la reforma operada por la LO 15/2003, de 25 de noviembre. Con ella, se introdujo en el Código penal la responsabilidad del superior por omisión regulada en el art. 28 ECPI con algunas particularidades propias en relación con dicha norma.

La responsabilidad del superior por omisión, prevista en el art. 615 bis CP, será analizada en una sección separada *infra* y para ello nos remitimos a las consideraciones que allí se hacen al respecto. No obstante, es imprescindible recordar que, con esta disposición, los jefes militares y no militares pueden recibir la misma pena que los autores de los crímenes cuando no evitan dolosamente que los autores, que son precisamente sus subordinados, cometan crímenes de Derecho Penal internacional, entre los que se encuentra el genocidio (art. 615.1 y 4 bis CP).

Asimismo, el art. 615.2 bis CP prevé la omisa evitación imprudente de los crímenes para los jefes y autoridades militares, *de iure* y *de facto*, que no impidan los crímenes dolosos de sus subordinados al infringir su deber de cuidado de forma grave. Con ello, se logra una imputación de los crímenes a modo de una responsabilidad por imprudencia, imponiéndose en esos casos una pena inferior en uno o dos grados con respecto a la pena de los autores que cometen dolosamente el crimen.

Por otro lado, el art. 615. 3 y 5 bis CP contiene un delito de omisión pura de gravedad intermedia, castigando a los superiores —militares o civiles— que no persigan dolosamente la comisión de delitos de Derecho Penal Internacional de sus inferiores, una vez estos ya han sido consumados. En esos casos, se sancionará a los superiores con la pena inferior en dos grados a la prevista para los autores.

Finalmente, el art. 615.6 bis del CP sanciona a los funcionarios y autoridades que, faltando a las obligaciones del cargo, dejen de promover la persecución de crímenes internacionales de los que tenga noticia con una pena de inhabilitación especial para empleo y cargo público de 2 a 6 años. Esta pena está ciertamente aumentada con respecto a la pena prevista en el art. 408 CP que contiene la omisión de impedir delitos de funcionarios, de inhabilitación especial de 6 meses a 2 años.

3. La inoperancia de la obediencia debida

En virtud del art. 616 bis, la causa de justificación de ejercicio legítimo del cargo, u oficio no será aplicable al mandato de cometer un delito de genocidio, así como ningún otro crimen de Derecho Penal Internacional (crímenes de lesa humanidad y crímenes de guerra). Este artículo fue introducido por la LO 15/2003, de 25 de noviembre, y armoniza la legislación penal española con el art. 33.2 del Estatuto de la Corte Penal Internacional, que declara que la inoperancia de la obediencia debida como eximente cuando se trate de órdenes de cometer genocidio o crímenes de lesa humanidad, que se reportan como manifiestamente ilícitas.

IX. BIBLIOGRAFÍA

ÁLVAREZ GARCÍA, F. J., *Sobre el principio de legalidad*, Valencia, 2010. AMBOS, K., *La parte general del Derecho penal internacional. Bases para una elaboración dogmática* (trad. Ezequiel Malarino), Montevideo, 2005; *id.*, «What does "intent to destroy" in genocide mean?», en *International Review of the Red Cross*, 876, 2009; BOLLO AROCENA, M. D., *Derecho internacional penal. Estudios de los crímenes internacionales y de las técnicas para su represión*, Bilbao, 2003; COPELON, R., «Surfacing Gender: Re-Engraving Crimes Against Women in Humanitarian Law», en *Hasting Women's Law Review*, 1994, Vol. 5, Issue 2; CUGAT MAURI, M., *Sectas y sectarios ante el Derecho Penal*, Monografía en Revista de Derecho penal y proceso penal, Cizur Menor, 2010; FEIJÓO SANCHÉZ, B., «Genocidio», en MOLINA FERNÁNDEZ, F. (coord.), *Memento penal Francis Lefebvre*, Madrid, 2018; FERNÁNDEZ-PACHECO ESTRADA, C., *El genocidio en el Derecho penal Internacional. Análisis de sus elementos esenciales en el marco del Estatuto de la Corte penal Internacional*, Valencia, 2011; GIL GIL, A., *Derecho Penal internacional. Especial consideración del delito de genocidio*, Madrid, 1999; *id.*, «El crimen de genocidio», en GIL GIL/ MACULAN (Dirs.) *Derecho penal internacional*, Madrid, 2016; GIL GIL, A./ MACULAN, E., «¿Qué es el Derecho penal internacional?», en GIL GIL/ MACULAN (dirs.) *Derecho penal internacional*, Madrid, 2016; GÓMEZ BENÍTEZ, J. M., «El exterminio de grupos políticos en Derecho penal internacional, Genocidio y crímenes contra la humanidad», *Revista de Derecho y Proceso Penal*, núm. 4, 2000; GREENAWALT, AKA, «Rethinking genocidal intent: the case for a Knowledge-based interpretation», en *Columbian Law Review 99*, 1999; JESCHECK, H. H., *Die Verantwortlichkeit der Staatorgane nach Völkerstrafrecht. Eine Studie zu den Nürnberger Prozessen*, Bonn 1952; KREß, C., «§§6 Völkerstrafgesetzbuch» en *Münchener Kommentar Zum Strafgesetzbuch. Nebenstrafrecht III. Völkerstrafrecht*. Band 8, 2° ed., München, 2013; *id.*, «The Darfur Report and the genocidal intent», en *Journal of international Criminal Justice*, 2005; *id.*, «The crime of Genocide under International Criminal Law», en *International Criminal Law Review*, 6, 2006; LEMKIN, R., *Axis Rule in occupied Europe. Laws of occupation. Analysis of Government Proposals for Redress*, Carnegie Endowment for International Peace, Washington, 1944; *id.*, «Genocide as crime under International Law», en *American Journal International Law*, núm 41, 1947; LINGASS, C., «Defining the protected groups of the genocide through the case law of International Courts», 2015, en línea: http://www.internationalcrimesdatabase.org/upload/documents/20151217T122733-Lingaas%20Final%20ICD%20Format.pdf; PÉREZ TRIVIÑO, J. L., «Genocidio», en *Eunomía. Revista en Cultura de la Legalidad*, núm. 5, 2013; PORTER, J. N., *Genocide and Human Rights. A global anthology*, Boston, 1982; QUINTANO RIPOLLÉS, A., *Tratado de Derecho penal internacional e internacional penal*, Madrid, 1955; RUSELL-BROWN, S. L., «Rape as an Act of Genocide», en *Berkeley Journal of International Law*, 2003, Vol. 21, Issue 2; SHABAS, W. A., *Genocide in international Law. The crime of crimes*. 2° ed., Cambridge, 2009; SOUTO GALVÁN, B. /FERNÁNDEZ-PACHECO ESTRADA, C., «Delimitación conceptual del grupo religioso en el delito de genocidio. Un estudio interdisciplinar», en Foro, Nueva época, núm. 11-12/2010; SZPAK, A., «National, ethnic, racial and religious groups protected against Genocide in the Jurisprudence of *ad hoc* International Criminal Tribunals», en *The European Journal of*

International Law, 2012, Vol. 23, núm. 1; TAMARIT SUMALLA, J. M., «Delitos de genocidio», en QUINTERO OLIVARES, G. (dir.) *Comentarios a la Parte Especial del Derecho penal*, 10° ed., Cizur Menor, 2016; VEST, H., *Genozid durch organisatorische Machtapparate. An der Grenze von individueller und kollektiver Verantwortlichkeit*, Baden-Baden, 2002; WIGGENHORN, H., *Verliererjustiz. Die Leipziger Kriegsverbrecherprozesse nach dem Ersten Weltkrieg*, Baden-Baden, 2005.

REFERENCIAS LEGALES

- Convención para la Prevención y la Sanción del Delito de Genocidio, de 9 de diciembre de 1948.
- Ley 44/1971, de 15 de noviembre, sobre reforma del Código Penal.
- LO 10/1995, de 23 de noviembre del Código Penal.
- Estatuto de la Corte Penal Internacional, de 17 de julio de 1998.
- Elementos de los Crímenes, aprobados por la Asamblea de Estados Parte en el Estatuto de la Corte Penal Internacional, Primer Periodo de Sesiones, Nueva York, 3-10 septiembre de 2002.
- LO 15/2003, de 25 de noviembre por la que se modifica la Ley Orgánica 10/1995, de 23 de noviembre, del Código Penal.
- Convención Internacional sobre los Derechos de las Personas con Discapacidad, 13 de diciembre de 2006.
- LO 5/2010, por la que se modifica la Ley Orgánica 10/1995, de 23 de noviembre, del Código Penal.
- LO 1/2015 por la que se modifica la Ley Orgánica 10/1995, de 23 de noviembre, del Código Penal.

Lección 8ª
Delitos de lesa humanidad

ALFREDO LIÑÁN LAFUENTE

Artículo 607 bis

1. Son reos de delitos de lesa humanidad quienes cometan los hechos previstos en el apartado siguiente como parte de un ataque generalizado o sistemático contra la población civil o contra una parte de ella. En todo caso, se considerará delito de lesa humanidad la comisión de tales hechos:

1.° Por razón de pertenencia de la víctima a un grupo o colectivo perseguido por motivos políticos, raciales, nacionales, étnicos, culturales, religiosos, de género, discapacidad u otros motivos universalmente reconocidos como inaceptables con arreglo al derecho internacional.

2. ° En el contexto de un régimen institucionalizado de opresión y domina-ción sistemáticas de un grupo racial sobre uno o más grupos raciales y con la intención de mantener ese régimen.

2. Los reos de delitos de lesa humanidad serán castigados:

1. ° Con la pena de prisión permanente revisable si causaran la muerte de alguna persona.

2. ° Con la pena de prisión de 12 a 15 años si cometieran una violación, y de cuatro a seis años de prisión si el hecho consistiera en cualquier otra agresión sexual.

3. ° Con la pena de prisión de 12 a 15 años si produjeran alguna de las le-siones del artículo 149, y con la de ocho a 12 años de prisión si sometieran a las personas a condiciones de existencia que pongan en peligro su vida o perturben gravemente su salud o cuando les produjeran alguna de las lesio-nes previstas en el artículo 150. Se aplicará la pena de prisión de cuatro a ocho años si cometieran alguna de las lesiones del artículo 147.

4.° Con la pena de prisión de ocho a 12 años si deportaran o trasladaran por la fuerza, sin motivos autorizados por el derecho internacional, a una o más personas a otro Estado o lugar, mediante la expulsión u otros actos de coacción.

5. ° Con la pena de prisión de seis a ocho años si forzaran el embarazo de alguna mujer con intención de modificar la composición étnica de la pobla-ción, sin perjuicio de la pena que corresponda, en su caso, por otros delitos.

6. ° Con la pena de prisión de doce a quince años la desaparición forzada de personas. Se entenderá por desaparición forzada la aprehensión, detención o el secuestro o cualquier otra forma de privación de libertad que sean obra de agentes del Estado o por personas o grupos de personas que actúan con la autorización, el apoyo o la aquiescencia del Estado, seguida de la nega-tiva a reconocer dicha privación de libertad o del ocultamiento de la suerte o el paradero de la persona desaparecida, sustrayéndola de la protección de la ley.

7. ° Con la pena de prisión de ocho a 12 años si detuvieran a otro, privándo-lo de su libertad, con infracción de las normas internacionales sobre la detención.

Se impondrá la pena inferior en grado cuando la detención dure menos de quince días.

8.° Con la pena de cuatro a ocho años de prisión si cometieran tortura grave sobre personas que tuvieran bajo su custodia o control, y con la de prisión de dos a seis años si fuera menos grave.

A los efectos de este artículo, se entiende por tortura el sometimiento de la persona a sufrimientos físicos o psíquicos.

La pena prevista en este número se impondrá sin perjuicio de las penas que correspondieran, en su caso, por los atentados contra otros derechos de la víctima.

9.° Con la pena de prisión de cuatro a ocho años si cometieran alguna de las conductas relativas a la prostitución recogidas en el artículo 187.1, y con la de seis a ocho años en los casos previstos en el artículo 188.1.

Se impondrá la pena de seis a ocho años a quienes trasladen a personas de un lugar a otro, con el propósito de su explotación sexual, empleando violencia, intimidación o engaño, o abusando de una situación de superioridad o de necesidad o de vulnerabilidad de la víctima.

Cuando las conductas previstas en el párrafo anterior y en el artículo 188.1 se cometan sobre menores de edad o personas con discapacidad necesitadas de especial protección, se impondrán las penas superiores en grado.

10.° Con la pena de prisión de cuatro a ocho años si sometieran a alguna persona a esclavitud o la mantuvieran en ella. Esta pena se aplicará sin perjuicio de las que, en su caso, correspondan por los concretos atentados cometidos contra los derechos de las personas.

Por esclavitud se entenderá la situación de la persona sobre la que otro ejerce, incluso de hecho, todos o algunos de los atributos del derecho de propiedad, como comprarla, venderla, prestarla o darla en trueque.

3. En todos los casos previstos en el apartado anterior se impondrá además la pena de inhabilitación especial para profesión u oficio educativos, en el ámbito docente, deportivo y de tiempo libre, por un tiempo superior entre tres y cinco años al de la duración de la pena de privación de libertad impuesta en su caso en la sentencia, atendiendo proporcionalmente a la gravedad del delito y a las circunstancias que concurran en el delincuente.

I. CONSIDERACIONES GENERALES

1. Nacimiento y evolución histórica del tipo penal del crimen contra la humanidad

La configuración del tipo penal del crimen contra la humanidad es relativamente reciente, ya que tiene su origen en la formulación del artículo 6 c) del Estatuto del Tribunal Militar Internacional de Núremberg, anexo al Acuerdo de Londres para la creación de un Tribunal Militar Internacional de 8 de agosto de

1945. No obstante, el concepto penal del crimen contra la humanidad ya había sido formulado con anterioridad para hacer referencia a determinadas conductas atroces, cometidas en un contexto que implicaba al poder estatal como el originador o cooperador en los delitos cometidos, a gran escala, contra la población.

A lo largo del siglo XIX se pueden encontrar determinados ejemplos, en forma de denuncias o protestas diplomáticas en defensa de principios esenciales del ser humano, encaminadas a intentar evitar la comisión de atrocidades contra parte de la población de un país. En este tipo de actuaciones diplomáticas subyace el equilibrio geopolítico entre la necesaria denuncia moral y el respeto a la soberanía de cada Estado. Pueden servir como ejemplo la protesta que llevó a cabo el gobierno de los Estados Unidos en 1840 contra el Estado turco por la persecución de judíos en Damasco y Rodas, o la protesta diplomática de Francia al gobierno turco en 1860 por las masacres cometidas contra los cristianos en Siria.

La necesidad de respetar los requisitos de humanidad para los heridos y prisioneros se identifica, aunque no se citen expresamente en muchos de ellos, en los tratados que intentan regular las atrocidades cometidas en los conflictos bélicos. Como recuerda ÁLVAREZ GARCÍA, en el escenario de la Primera Guerra Carlista se firmaron dos tratados, de ELLIOT y de LÉCARA, para atemperar la crueldad y el ensañamiento con el que se entregaban las partes a la contienda. El tratado de ELLIOT, que requirió la mediación inglesa, se firmó en 1835 y afectaba al frente norte. El tratado de LÉCARA se firmó en 1839 y afectó al frente del este. En dichos tratados, las partes se comprometían a respetar las vidas de los prisioneros, aunque como recuerda el citado autor, se contemplaba la posibilidad de llevar a cabo represalias contra estos si la otra parte incumplía lo pactado.

En el contexto de la regulación de las normas de la guerra se acuña un concepto que tuvo gran importancia para la posterior creación de la figura criminal: las «leyes de humanidad». En el terreno de los primeros intentos de reglamentación del *ius in bellum*, la declaración de San Petersburgo de 1868 para la prohibición del uso de ciertos proyectiles en tiempos de guerra empleó el término «requisitos de humanidad» para intentar limitar el sufrimiento de los intervinientes en conflictos armados. En este mismo ámbito de regulación de las leyes y costumbres de la guerra, fue enunciado el concepto de «Leyes de humanidad» en la cuarta Convención de la Haya de 1907, en una cláusula de cierre conocida como la cláusula Martens, donde los Estados se obligaban, hasta que se aprobase un código más completo, a respetar «los principios del Derecho de Gentes preconizados por los usos establecidos entre las naciones civilizadas, por las leyes de humanidad y por las exigencias de la conciencia pública».

Por otro lado, ya en esa época, autores como LANSING habían denominado el tráfico de esclavos como un crimen contra la humanidad, para describir la comisión de delitos generalizados contra una parte de la población por el Estado, o con la aquiescencia del mismo.

El 28 de mayo de 1915, en el contexto de la Primera Guerra Mundial, se utilizó el término «crimen contra la humanidad» en un instrumento internacional oficial. Fue en la declaración internacional conjunta presentada por el gobierno francés, el británico y el ruso donde se denunciaban las deportaciones y masacres que el Estado turco estaba llevando a cabo contra la población armenia. En dicha declaración se condenaba la implicación del Estado y la participación de las autoridades otomanas en las masacres cometidas contra los armenios y los señalaba como responsables de la comisión de «crímenes contra la humanidad», advirtiendo que, «de acuerdo a estos nuevos crímenes de Turquía contra la humanidad y la civilización, ..., los gobernantes de los países aliados anuncian públicamente... que serán considerados personalmente responsables ... todos los miembros del gobierno otomano y todos sus agentes que hayan estado implicados en la masacre».

Esta declaración tuvo su reflejo en el Tratado de Sévres, firmado el 10 de agosto de 1920 entre los países aliados (a excepción de Rusia y EEUU) y el imperio otomano. En el artículo 230 del tratado se acordaba que el gobierno turco entregaría a los Estados Aliados las personas requeridas por la responsabilidad en las masacres cometidas en el imperio turco desde 1914. Los Estados Aliados se reservaban el derecho de designar un tribunal que juzgara a los acusados por estos hechos, y el gobierno turco se comprometía a reconocer a dicho tribunal. En el caso de que la Liga de Naciones creara un tribunal competente en tiempo y forma, los Estado Aliados se reservaban el derecho de acusar a los responsables de dichas masacres.

El tratado de Sévres nunca llegó a ratificarse. Fue reemplazado por el Tratado de Lausanne, en el cual no solo no se hacía referencia a la punición de los crímenes de guerra, sino que fue incorporada una declaración de amnistía para todas las ofensas cometidas entre 1914 y 1922 conectadas con los sucesos contenidos en el tratado para las acciones políticas y militares que se hubieran cometido en el transcurso de la Guerra Mundial.

Pero antes de que se adoptara esta declaración de amnistía a nivel internacional en Lausanne, en el ámbito nacional sí se habían seguido procesos contra varios responsables de las masacres en Turquía que, en varias ocasiones, acabaron con la imposición de la pena de muerte. El primer proceso comenzó el 28 de abril de 1919 contra los altos funcionarios del partido Hitita ve Terakki y Teçkalit-1 Mahsusa, así como contra el ministro de guerra. Entre esa fecha y el 21 de noviembre de 1920 se llevaron a cabo 21 procesos. El resultado de estos juicios ante el Tribunal Militar de Estambul fueron varias sentencias a muerte a los condenados por exterminio y asesinatos, aunque por una causa o por otra solo tres de ellas se hicieron efectivas. Los tres condenados que cumplieron su sentencia en la horca fueron Mehmed Kemal (el 10 de abril de 1920), Hafiz Abdullah Avni, comandante del distrito de la gendarmería de Erzinca (22 de julio de 1920), Behramzade Nusret, último gobernador de Ergani (5 de agosto de 1920). Otros condenados a muerte como Talaat Pasha, Enver, Cemal o el Dr. Nazim huyeron antes de que pudiera ejecutarse su condena, aunque los armenos prepararon la operación «Némesis» para buscarlos en el extranjero y asesinarles, cosa que hicieron con casi todos los condenados.

El término «crimen contra la humanidad» se utilizó para describir crímenes cometidos por el Estado, o con la aquiescencia de este, contra una parte de su población. El concepto era novedoso y necesario, pues describía una situación que escapaba al espectro típico del crimen de guerra, y donde se vulneraban por la actuación del Estado las «leyes de humanidad» enunciadas pocos años antes. La importancia de la declaración conjunta citada va más allá, pues se anunciaba la exigencia de la responsabilidad penal personal de los miembros del gobierno y sus agentes que hubieran participado en las conductas calificadas como crímenes contra la humanidad.

Tras la Primera Guerra Mundial, y en el marco de las negociaciones de la conferencia de Paz de París, se constituyó el 25 de enero de 1919 la *Comisión sobre la responsabilidad de los autores de la guerra y sobre la aplicación de las penas por la violación de las leyes y las costumbres de la guerra*. Estuvo formada por 15 miembros, representantes de distintos países, con el mandato expreso de investigar e informar sobre determinados aspectos acaecidos durante la contienda, entre los que se encontraban los hechos relativos al quebrantamiento de las leyes y la costumbre de la guerra cometidos por el imperio alemán y sus aliados, por tierra, mar y aire durante la guerra.

Pero la Comisión no se limitó a esta investigación, sino que incluyó en su informe el análisis de qué tipo de conductas podrían ser constitutivas de la violación de las leyes de humanidad. El 29 de marzo de 1915 la Comisión presentó su informe, y en el capítulo II de este, se enumeraron un total de 32 tipos de actos que se habían cometido y que representaban violaciones graves de las leyes, la costumbre de la guerra y las normas más elementales de humanidad. En esta lista se encontraban tanto los crímenes de guerra como los que más tarde se considerarían crímenes contra la humanidad, e incluía actos como asesinatos, masacres, tortura a la población civil, prostitución forzada de mujeres y niñas, o la deportación de civiles.

El informe de la Comisión no tuvo consecuencias jurídicas en el ámbito del castigo por los hechos considerados violadores de la leyes de humanidad —entre otras causas por las reservas y el memorándum presentado por la representación estadounidense—, y a pesar de que en el Tratado de Versalles se incluyó en su artículo 227 la posibilidad de juzgar al Káiser Guillermo II de Hohenzollern por la comisión de «*ofensa suprema contra la moral internacional y la autoridad sagrada de los tratados*» —algo que finalmente no se llevó a cabo— y en sus artículos posteriores el Estado alemán se comprometía a juzgar o permitir el enjuiciamiento de sus nacionales por violaciones de las leyes y costumbres de la guerra, no se incluyó referencia alguna a las leyes de humanidad o a los principios de humanidad.

En el artículo 230 del Tratado de Versalles también se incluía el enjuiciamiento de los principales culpables de la comisión de los crímenes de guerra ante los tribunales diseñados en los artículos 228 y 229. El gobierno alemán aceptó la celebración de los procesos contra los criminales de guerra a través de la ley de 18 de diciembre de 1919 («Ley para la persecución de crímenes y delitos de guerra»), completada con la del 24 de marzo de 1920, contra los alemanes que hubieran cometido crímenes de guerra, tanto dentro como fuera de su territorio, hasta el 28 de junio de 1919. En una nota fechada el 25 de enero de 1920 el gobierno alemán proponía a los aliados ceder el enjuiciamiento al Tribunal Supremo del Reich. El tribunal declarado competente fue la Corte de Leipzig constituida en Senado Criminal de la Corte Imperial de Justicia. La Comisión Interaliada entregó el 3 de febrero de 1920 a Alemania una lista de posibles criminales de guerra con 896 nombres procedentes del mundo de la política y de las fuerzas armadas. La delegación alemana rechazó dicha lista y tras varias negociaciones se presentó, el 7 de mayo, otra lista con 45 nombres.

El primer juicio comenzó el 23 de mayo de 1921 y en total se llevaron a cabo nueve procesos contra 12 acusados, de los cuales 6 fueron declarados inocentes. Ninguno de los condenados cumplió una pena superior a los 2 años de cárcel.

La levedad de la pena y los escasos procesos llevados a cabo —denominados por muchos autores como una parodia— estuvo presente en el ánimo de los redactores del Estatuto de Londres. Así, el fiscal JACKSON enfatizó en la sesión inaugural del juicio de Núremberg que «O los vencedores juzgan a los vencidos, o dejamos a los derrotados que se juzguen a sí mismos. Tras la Primera Guerra mundial aprendimos la futilidad de la segunda opción». Sin embargo, como recuerda WERLE, no se debería caer en el error de minusvalorar el Tratado de Paz de Versalles, pues fue donde por primera vez se reconoció en un Tratado Internacional la idea de la responsabilidad penal del individuo en el Derecho internacional.

2. La aplicación del crimen contra la humanidad tras la Segunda Guerra Mundial

Tras la rendición de Alemania, los Estados vencedores, tras valorar varias opciones respecto al castigo de los responsables de los crímenes, decidieron crear un Tribunal Militar Internacional para juzgar a los máximos responsables del gobierno Nazi y del ejército alemán. Al Acuerdo de Londres para la creación de un Tribunal Militar Internacional de 8 de agosto de 1945 se adjuntó el Estatuto por el que debía regirse el Tribunal y se tipificó, por primera vez, la figura del crimen contra la humanidad. Los tipos penales incluidos en el Acuerdo, y por los que se juzgó a los acusados en el Tribunal Militar Internacional de Núremberg (TMI Núremberg) fueron los crímenes contra la paz, crímenes de guerra y crímenes contra la humanidad. El artículo 6 c) del Estatuto definió este último tipo penal del modo siguiente:

> «*Asesinatos, exterminios, esclavitud, deportaciones, y otros actos inhumanos cometidos contra una población civil, antes o durante la guerra, o persecuciones por razones políticas, raciales o religiosas, en ejecución o en conexión con un crimen de la jurisdicción del Tribunal, fueran perpetrados estos hechos, o no, en violación de la legislación nacional del país*».

De esta redacción se pueden extraer las características fundamentales de la figura criminal, y que a pesar de la evolución jurídica sufrida a lo largo de la segunda mitad del siglo XX y del primer tercio del XXI, se han mantenido como base del injusto típico.

Lo primero que ha de ponerse de manifiesto es que nos encontramos ante un crimen contextual, que no crea tipos penales *ex novo*, sino que los califica de un modo distinto al tradicional debido al contexto en el que se han cometido. Por lo tanto, el crimen contra la humanidad dependerá de la comisión de un delito común subyacente, que se eleva a la categoría de crimen internacional por haberse cometido en unas circunstancias concretas y contra un grupo de población determinada.

El artículo 6 c) del Estatuto del TMI de Núremberg se estructura en dos partes. En la primera se recogen los tipos delictivos que atacan al bien jurídico vida o libertad, denominados por SCHWELB como los *murder type*, aunque incluyen una última conducta penal abierta enunciada como *otros actos inhumanos*. La inclusión de un tipo penal abierto e indeterminado como este provocó (y provoca ya que tiene su reflejo en el Art. 7 del Estatuto de Roma) las críticas de la doctrina por vulneración del principio de legalidad. En la práctica se aplicó a la comisión de determinadas lesiones o esterilizaciones, pero la inclusión de este tipo indeterminado resta de consistencia a la distinción propuesta por SCHWELB. En la segunda se castigan los actos de persecución (sin especificar qué tipo de conductas englobaban) por razones políticas, raciales o religiosas (*persecution type*, según la clasificación del mismo autor).

Los *murder type* representan a las conductas típicas que atacan directamente a la vida y a la libertad de las personas (aunque vía otros «actos inhumanos» también se protegió la integridad física), los cuales ya estaban reconocidas como conductas prohibidas por las legislaciones penales de todos los Estados.

La persecución como conducta típica resulta una innovación del Estatuto, tanto por lo genérico de su formulación, ya que no concreta las conductas típicas en las que se han de concretar estos actos de persecución, como por la inclusión de un elemento teleológico que imprime carácter al tipo específico y que debe concretarse en motivos políticos, raciales o religiosos.

Tras el análisis del artículo 6 c) del Estatuto del TMI de Núremberg se puede concluir que el crimen contra la humanidad no exige un elemento subjetivo discriminatorio para todas las conductas pero incluye expresamente que la realización de determinados hechos organizados que tenga por finalidad la persecución de un determinado colectivo por motivos políticos, raciales o religiosos, también podría ser considerado como un crimen contra la humanidad. Ello no ha de interpretarse como la exigencia de un específico elemento subjetivo (ánimo de discriminar) para el autor del acto, sino como la exigencia del conocimiento de que se participa en un ataque contra un colectivo de personas por concretos motivos discriminatorios.

El aspecto revolucionario en la figura del crimen contra la humanidad fue el concretar, como sujeto pasivo del ataque, a la población civil. Para abarcar el verdadero significado de este detalle hay que ubicarlo en el contexto en el que se incorpora y en la voluntad de juzgar y castigar a los representantes del Estado alemán por los hechos que habían cometido contra sus propios nacionales. Las persecuciones, deportaciones y exterminios cometidos contra judíos, comunistas, gitanos, etc. se llevaron a cabo contra los propios nacionales del Estado, a cuyos representantes se pretendía juzgar. El salto cualitativo de este tipo penal radica en la cristalización de la idea de que los actos atroces que un Estado cometiera contra sus propios nacionales no resultaban únicamente un problema interno del Estado, sino que estos actos constituían un crimen internacional por el que podría exigirse responsabilidad penal individual a los perpetradores del mismo.

Esta manera de tipificar el crimen contra la humanidad —como un delito contextual— facilitaba la posibilidad de cometer simultáneamente un crimen de guerra y un crimen contra la humanidad. Así, cuando los actos del artículo 6 c) del Estatuto se cometieran contra la población civil de los países ocupados, en muchas ocasiones se cometería también un crimen de guerra tipificado en el artículo 6 b) del Estatuto, por lo que muchos crímenes contra la humanidad fueron considerados también violaciones de las leyes y las costumbres de la guerra. Del mismo modo, muchos crímenes de guerra fueron, al mismo tiempo, calificados como crímenes contra la humanidad.

Esta similitud puede apreciarse en el último párrafo del acta de acusación respecto del crimen contra la humanidad, de 18 de octubre de 1945, que rezaba del modo siguiente:
«Todos los acusados cometieron crímenes contra la humanidad durante el periodo temporal precedente al 8 de mayo de 1945 y en todos los países y territorios ocupados por las fuerzas armadas alemanas desde el 1 de septiembre de 1939 y en Austria, Checoslovaquia, Italia, y en alta mar.
Todos los acusados, actuando en concierto con otros, formularon y ejecutaron un plan común o conspiración para cometer crímenes contra la humanidad definidos en el art. 6 (c) de la Carta. Este plan abarcó, además de otras cosas, el asesinato y la persecución de todo aquel que fuera, o de quien se sospechara, que era hostil al partido Nazi, y todos quienes fueran, o de quienes se sospechara que podrían ser, contrarios al plan común contenido en el primer cargo de la acusación…
Estos métodos y crímenes constituyeron violaciones de las convenciones internacionales, de la ley penal internacional, de los principios generales del Derecho penal derivado de la ley criminal reconocida en todos los países civilizados.
La acusación quiere recalcar que los hechos cometidos bajo el cargo número tres crímenes de guerra) también constituyen crímenes contra la humanidad».
Esta conexión y similitud fue reconocida por el Tribunal Militar Internacional de Núremberg ya que, de los 22 acusados, solo dos fueron encontrados culpables de crímenes contra la humanidad, sin conectarlos en la sentencia con crímenes de guerra. Fue el caso de Streicher y Von Schirach.

El último párrafo del artículo 6 c) del Estatuto establecía que los crímenes contra la humanidad deberían ser cometidos «*en ejecución o en conexión con un crimen de la jurisdicción del Tribunal, fueran perpetrados estos hechos, o no, en violación de la legislación nacional del país».* La exigencia de este requisito de conexión del crimen contra la humanidad con un crimen de guerra o un crimen contra la paz supuso una limitación de la autonomía de la figura criminal que le persiguió, incluso, hasta su tipificación en el artículo 3 del Estatuto del Tribunal Penal Internacional ad-hoc (TPI ad-hoc) para la ex Yugoslavia.

Esta exigencia de conexión fue interpretada como una limitación a la jurisdicción del TMI de Núremberg, pues impidió que hechos anteriores al inicio de la Segunda Guerra Mundial (1 de septiembre de 1939) pudieran ser castigados como crimen contra la humanidad.

El Tribunal afirmó, con respecto a los crímenes cometidos a gran escala y de un modo sistemático por los Nazis contra sus oponentes políticos y su internamiento en campos de concentración, antes del 1 de septiembre de 1939, que podrían ser considerados crímenes contra la humanidad, pero que no podían traerse a colación ante la Corte pues el artículo 6 c) exigía que para que un crimen contra la humanidad fuera cometido, este debería llevarse a cabo en conexión o ejecución con alguna de las otras figuras criminales contempladas en el Estatuto. Ello implicó la limitación temporal de la aplicación del crimen contra la humanidad a los hechos cometido con posterioridad al 1 de septiembre de 1939.

1.1. La tipificación del crimen contra la humanidad en la Ley de Control Aliado núm. 10

El 20 de diciembre de 1945 se promulgó en Alemania la Ley de Control Aliado núm. 10 (LCA núm. 10), que perseguía el fin de juzgar los crímenes cometidos durante el periodo Nazi, incorporando los tipos penales de crímenes contra la humanidad, crímenes de guerra y crímenes contra la paz, y estaba destinada a convertirse en el fundamento jurídico-penal de los procesos que se celebraran en las cuatro zonas de ocupación en Alemania.

En su artículo I, la citada Ley explicaba que formaban parte de esta la declaración de Moscú del 30 de octubre de 1943 y los acuerdos de Londres del 8 de agosto de 1945. En lo referente al tema objeto de análisis, lo más destacado de esta Ley es la transformación que sufre la tipificación del crimen contra la humanidad, en comparación con el artículo 6 c) del Estatuto del TMI de Núremberg. En el Art. II. 1º c) de la LCA núm. 10, el crimen contra la humanidad aparece redactado de la siguiente manera:

> «*Atrocidades y ofensas, incluidas pero no limitadas, por el asesinato, exterminio, la esclavitud, la deportación, la detención, la tortura, la violación y otros actos inhumanos cometidos contra la población civil, o las persecuciones por motivos políticos, raciales o religiosos, fueran o no consideradas como violaciones por las leyes nacionales del país donde fueron perpetradas».*

Este artículo contenía notables diferencias con el que, en esos momentos, estaba rigiendo en el TMI de Núremberg. La primera era la desaparición de la exigencia de conexión del crimen contra la humanidad con los crímenes de guerra o contra la paz. El crimen contra la humanidad alcanza, con esta regulación, su independencia jurídica. El segundo punto destacable es la ampliación de los actos típicos específicos que podrían considerarse crímenes contra la humanidad. En la LCA núm. 10 se añaden como hechos punibles típicos del crimen contra la humanidad la detención (se entiende que ilegal), la violación y la tortura.

La aplicación de esta Ley en las zonas de ocupación fue distinta, en función de la composición de los Tribunales. En la zona de influencia estadounidense los Tribunales se componían de 3 jueces norteamericanos que aplicaban esta ley adaptada al proceso anglosajón. En esta zona se celebraron 12 procesos contra 177 acusados. Los procesos comenzaron en mayo de 1946 y concluyeron en noviembre de 1948. Médicos, juristas, hombres de negocio, generales, ministros, banqueros, militares y fuerzas de seguridad del Estado fueron sentados en el banquillo acusados de cometer los crímenes recogidos en la LCA núm. 10.

En las zonas de ocupación británica y francesa fueron los propios jueces alemanes los que, de conformidad con la LCA núm. 10 como norma complementaria a la legislación penal vigente, aplicaron e interpretaron el nuevo tipo penal de crimen contra la humanidad. Esta jurisprudencia resulta realmente importante, al ser la primera aplicación del tipo penal del crimen contra la humanidad al sistema dogmático penal continental. Por ejemplo, en el ámbito de la autoría o participación, el Oberlandsgericht (OLG) de Kiel en su sentencia 57/48 de 26 de octubre de 1948, recordó que: «Bajo la definición de la LCA núm. 10 Art. II párrafo 1 c) se comprende no solo la participación en los crímenes a gran escala, sino también los ataque contra las víctimas individuales por motivos personales, si el autor lleva a cabo sus acciones en conexión con las medidas tiránicas del estado Nazi, de la que se derivan los efectos supra individuales de la acción». Respecto al elemento subjetivo del crimen contra la humanidad, el OLG de Dresde en su sentencia de 8 de agosto de 1947 estableció que, «La condena por la comisión de crímenes contra la humanidad o por haber participado en el crimen exige, como mínimo, el dolo del autor o partícipe. La imprudencia no es suficiente».

1.2. La tipificación del crimen contra la humanidad en el Estatuto del Tribunal Militar Internacional para el Lejano Oriente

El 19 de enero de 1946, el general norteamericano MAC ARTHUR estableció las bases del Tribunal Militar Internacional para el lejano Este por una orden ejecutiva, que fue modificada el 26 de abril de 1946. El Estatuto del Tribunal fue diseñado por los estadounidenses, en concreto, por el que sería el fiscal jefe del proceso. Los crímenes contemplados en su Art. 5 eran similares a los del Art. 6 del Estatuto de Londres. Así, junto a los crímenes de guerra, se juzgarían los crímenes contra la paz y contra la humanidad. La definición de este último fue redactada en términos similares, pero no idénticos, al artículo 6 c) del Estatuto del TMI de Núremberg, pues las palabras «against any civilian population» fueron eliminadas del Estatuto del Tribunal Militar de Tokio en su redacción definitiva de 26 de abril de 1946.

En opinión de RÖLING (que actuó como Magistrado en el TMI de Tokio como representante de Holanda), lo que se perseguía con esta ampliación del sujeto pasivo del ataque era permitir al fiscal KEENAN acusar, bajo la figura del crimen contra la humanidad, por las ofensas cometidas contra el personal militar enemigo. Durante el desarrollo del proceso quedaron probadas masacres, deportaciones y marchas inhumanas, sometimiento de las personas a esclavitud, torturas y otros tratos inhumanos, incluyendo vivisección y canibalismo. Pero la mayoría de estos actos fueron cometidos contra las fuerzas armadas de los países enemigos o contra la población civil de los mismos en el marco de un conflicto armado. Estos actos fueron realizados en contravención de las leyes y costumbre de la guerra y como tales constituían, por sí mismos, crímenes de guerra. RÖLING afirma que, bajo su punto de vista, el cargo de crimen contra la humanidad que fue aplicado en Núremberg no es aplicable a los hechos juzgados en el Tribunal Militar Internacional de Tokio. La diferencia estriba en que en Alemania se habían producido persecuciones y matanzas contra los judíos alemanes, que eran sus propios nacionales, y por ende estaban fuera de la protección de las leyes de la guerra, algo que como regla general no había sucedido en la actuación del gobierno japonés. Por ello, el concepto de crimen contra la humanidad jugó un papel menor en el TMI de Tokio. A pesar de esto, en la masacre de Nanking el Tribunal no interpretó este hecho como un crimen de guerra convencional, sino como un crimen contra la humanidad.

En el artículo 5 c) del Estatuto del TMI de Tokio, y en contra de lo que afirma parte de la doctrina, se volvió a recuperar el requisito de conexión del crimen contra la humanidad con los otros crímenes contemplados en este. De este modo, la recién nacida figura criminal se bifurcaba en dos corrientes interpretativas: la que defendía su independencia y la que aún subordinaba su aplicación a la conexión con los otros dos crímenes internacionales.

En opinión de RÖLING, se volvió a incluir el elemento de conexión en el artículo 5 c) del Estatuto del TMI de Tokio porque los estadounidenses estaban preocupados porque la nueva figura penal, aplicada de un modo autónomo, pudiera volverse contra ellos por la segregación racial de los ciudadanos negros en Norteamérica. La conexión volvió a ser interpretada por el Tribunal como una circunstancia que limitaba su jurisdicción, pero no como un elemento del tipo del crimen contra la humanidad.

Nueve acusados fueron encontrados culpables de los cargos de crímenes contra la humanidad, siendo condenados a distintas penas, desde la muerte a la privación de libertad durante 7 años. Ninguno fue condenado solo por estos cargos, sino que todos fueron a su vez encontrados culpables también, o de crímenes contra la paz o de crímenes guerra.

3. La redacción del crimen contra la humanidad en el Código de crímenes contra la Paz y la Seguridad de la Humanidad de la Comisión de Derecho Internacional de las Naciones Unidas

El 11 de diciembre de 1946 la Asamblea General de las Naciones Unidas confirmó «Los Principios de Derecho Internacional reconocidos por el Estatuto del Tribunal de Núremberg y las sentencias de dicho Tribunal» (A/RES/95). Esta declaración se produjo un mes después de que se leyeran las sentencias de los acusados en el TMI de Núremberg, y fue interpretada como un apoyo de la Comunidad Internacional a los principios enunciados en la Carta del 8 de agosto de 1945 y aplicados en el proceso judicial.

El 21 de noviembre de 1947, la Asamblea General de las Naciones Unidas constituyó la Comisión de Derecho Internacional (CDI) con el objetivo de promover la codificación del Derecho Internacional [A/RES/174 (II)]. En esa misma fecha, la Asamblea General de las Naciones Unidas encargó a dicha Comisión [A/RES/177 (II)] lo siguiente: «a) Que formule los principios de Derecho Internacional reconocidos en el Estatuto y por las sentencias del Tribunal de Núremberg; y b) Que prepare un proyecto de código en materia de crímenes contra la paz y la seguridad de la humanidad, en la cual se indique claramente la función que corresponde a los principios mencionados en el precedente inciso a)».

La CDI presentó su borrador sobre los Principios de Núremberg en 1950. Estos fueron aceptados por la Asamblea General el 12 de diciembre de 1950 [A/RES/488 (V)], constituyendo un documento con 7 Principios deudores del Estatuto de Londres con comentarios acerca de su interpretación jurisprudencial en Núremberg.

Los Principios de Núremberg se formularon del modo siguiente:

I. Cualquier persona que cometa actos que constituyan un crimen bajo las leyes internacionales será responsable y por ende, sujeto a castigo.

II. El hecho de que las leyes internas no impongan castigo por un acto que constituya un crimen bajo las leyes internacionales no exime a la persona que cometió el acto de su responsabilidad bajo las leyes internacionales.

III. El hecho de que una persona que ha cometido un acto que constituye un crimen bajo las leyes internacionales sea Jefe del Estado o un oficial responsable del Gobierno no le exime de la responsabilidad bajo las leyes internacionales.

IV. El hecho de que una persona actúe bajo las órdenes de su Gobierno o de un superior no le exime de la responsabilidad bajo las leyes internacionales, siempre que se demuestre que tenía posibilidad de actuar de otra forma.

V. Cualquier persona acusada de un crimen bajo las leyes internacionales tiene el derecho a un juicio justo ante la ley.

VI. Los crímenes que se enumeran a partir de aquí son castigables como crímenes bajo las leyes internacionales: a) Crímenes contra la paz; b) Crímenes de Guerra; c) Crímenes contra la humanidad.

VII. La complicidad en la comisión de un crimen contra la paz, un crimen de guerra o un crimen contra la humanidad tal y como son expuestos en el Principio VI, es un crimen bajo las leyes internacionales.

El Principio VI contiene los tres tipos penales recogidos en el Estatuto de Londres, que se identifican como delitos bajo la ley internacional: los crímenes contra la paz, los de guerra y los crímenes contra la humanidad. Respecto a estos últimos, fueron definidos del modo siguiente: «Crímenes contra la humanidad: Asesinato, exterminio, esclavitud, deportación y otros actos inhumanos realizados contra cualquier población civil, o persecuciones por motivos políticos, raciales o religiosos, cuando estos actos o las persecuciones se hayan ejecutado en conexión con algún crimen contra la paz o crimen de guerra».

La semejanza de esta definición con la utilizada en el proceso de Núremberg es manifiesta. Solo existe una diferencia clara: la eliminación de la referencia a los actos cometidos «antes o durante la guerra». En sus comentarios, la CDI aclara que esta supresión era necesaria para enunciar el crimen de manera general, ya que en la anterior redacción se refería a un conflicto concreto que comenzó en 1939.

La Asamblea General de las Naciones Unidas también confirió el mandato a la CDI de redactar un código internacional que incluyese los crímenes más graves que se pudieran cometer contra el ser humano. Los trabajos preparatorios se llevaron a cabo en dos fases distintas. La primera abarca desde que se recibió el mandato en 1947 hasta la presentación del primer borrador en 1954. La segunda comienza en 1982 y se extiende hasta 1996. Durante la labor de la CDI se barajaron distintas definiciones de crímenes contra la humanidad en los diferentes borradores de 1951, 1954, 1986, 1989, 1991 y 1996. Finalmente, el borrador de 1996 fue el inspirador del modo de tipificar el crimen contra la humanidad en el artículo 7 del Estatuto de Roma.

4. La tipificación del crimen contra la humanidad en los Tribunales Penales Internacionales ad-hoc de la Ex Yugoslavia y Ruanda

Mientras se desarrollaban los trabajos de tipificación de la Comisión de Derecho Internacional de las Naciones Unidas, se desencadenó en 1991 un conflicto bélico en el territorio de la Ex Yugoslavia que provocó la intervención del Consejo de Seguridad. Poco después, en 1994, estalló un conflicto étnico en Ruanda que causó la muerte de cientos de miles de personas. Estas situaciones provocaron que, al amparo del Capítulo VII de la Carta de Naciones Unidas, se crearan sendos Tribunales Penales Internacionales, con el mandato concreto de investigar los hechos y juzgar a los máximos responsables de la comisión de crímenes de guerra, genocidio y crímenes contra la humanidad.

4.1. El artículo 5 del Estatuto del Tribunal Penal Internacional ad-hoc para la ex Yugoslavia

La desintegración de la República Federal Socialista de Yugoslavia fue el origen del último conflicto bélico en la Europa del siglo XX. El 25 de junio de 1991 Croacia y Eslovenia declararon su independencia, en contra de la idea de Serbia de crear una gran república bajo su hegemonía. Del mismo modo, el 29 de febrero y 1 de marzo de 1992, los musulmanes y croatas de Bosnia-Herzegovina votaron a favor de la independencia. Y a pesar de que el 6 y el 7 de abril del mismo año la Unión Europea y EEUU, respectivamente, reconocieron como Estado a Bosnia-Herzegovina, los serbios proclamaron ese mismo día la creación de la República Serbia de Bosnia Herzegovina.

A la vista de que las hostilidades ya habían comenzado en Yugoslavia a mediados del año 1991 y que los intentos de mediación y presión del Consejo de Seguridad no habían dado resultado alguno, este órgano adoptó el 13 de julio de 1992 la Resolución 764, en la cual afirmaba que todas las partes del conflicto estaban obligadas a cumplir el Derecho Internacional Humanitario, y en concreto los Convenios de Ginebra, y advertía que todas las personas que quebrantaran dichas normas serían individualmente responsables de la comisión de crímenes de guerra.

El 13 de agosto de 1992, por medio de su Resolución 771, el Consejo de Seguridad demandó el cese de la quiebra de las normas internacionales humanitarias y advirtió su capacidad de actuar conforme al Capítulo VII de la Carta de las NNUU. Asimismo, presentó una lista de los actos que constituían violaciones del Derecho Internacional Humanitario, que se estaban cometiendo en el territorio de la antigua república yugoslava. La Resolución 780 expresó, el 6 de octubre de 1992, su gran preocupación ante los hechos que se estaban desarrollando en Yugoslavia y requirió al Secretario General que estableciera, como medida de urgencia, una comisión imparcial de expertos para valorar la información recibida, investigar los hechos y presentar conclusiones.

El 14 de octubre de 1992 el Secretario General informó al Consejo de Seguridad de su decisión de establecer una Comisión de Expertos constituida por 5 miembros seleccionados por sus conocimientos del Derecho Internacional Humanitario y su experiencia profesional. El primer informe de esta Comisión fue remitido el 9 de febrero de 1993 y afirmaba que en el territorio de la antigua Yugoslavia se estaban cometiendo graves violaciones del Derecho Internacional Humanitario, definía la «limpieza étnica» que se estaba llevando a cabo y enumeraba los actos criminales que se estaban cometiendo, anunciando que estos constituían crímenes contra la humanidad, aunque también podrían considerarse crímenes de guerra y de genocidio. Asimismo, recomendaba la posibilidad de que el Consejo de Seguridad u otro órgano competente establecieran un Tribunal ad-hoc. El 22 de febrero de 1993 el Consejo de Seguridad anunció en la Resolución 808 el establecimiento de un Tribunal Penal Internacional (TPI) para la persecución y enjuiciamiento de aquellas personas responsables de serias violaciones del Derecho Internacional Humanitario, cometidas en el territorio de la antigua Yugoslavia desde el 1 de enero de 1991. Dicho Tribunal fue creado, al amparo del Capítulo VII de la Carta de las Naciones Unidas, por la Resolución del Consejo de Seguridad núm. 827 de 25 de mayo de 1993, que aprobó el Estatuto del Tribunal Penal Internacional para la antigua Yugoslavia (ETPIY).

Las características del crimen contra la humanidad seguían bajo discusión cuando la Comisión de Expertos se propuso su formulación en el Estatuto del Tribunal Penal Internacional para la ex Yugoslavia (TPIY). A la Comisión llegaron muchas y diferentes propuestas en las que se puede observar la disparidad de criterios que existía, en ese momento, acerca del concepto de «crimen contra la humanidad». Circunstancias como la relación con un plan o política estatal, la motivación discriminatoria o la inclusión expresa de la destrucción de la propiedad fueron presentadas ante la Comisión. Al final se impuso una redacción cercana a la propuesta del Secretario General de las NNUU, la cual incluía la necesaria conexión del crimen contra la humanidad con un conflicto armado. El artículo 5 del Estatuto del TPIY tipificó el crimen contra la humanidad en los siguientes términos:

> *«El Tribunal Internacional está habilitado para juzgar a los presuntos responsables de los siguientes crímenes cuando estos han sido cometidos en el curso de un conflicto armado, de carácter internacional o interno, y dirigidos contra cualquier población civil:*
> *a) Asesinato;*
> *b) Exterminio;*
> *c) Reducción a la servidumbre;*
> *d) Expulsión;*
> *e) Encarcelamiento;*
> *f) Tortura;*
> *g) Violaciones;*
> *h) Persecuciones por motivos políticos, raciales o religiosos;*
> *i) Otros actos inhumanos».*

Esta definición, si bien resulta aún lejana en sus elementos contextuales a la configuración actual, internacionalmente aceptada, del crimen contra la humanidad, sí sirvió de base para que el TPI fuese construyendo, a través de su importante jurisprudencia, los contornos del tipo penal.

Puede apreciarse que los elementos generales establecidos en el artículo 5 ET-PIY giran en torno a la existencia de un conflicto armado, de carácter nacional o internacional, y un sujeto pasivo objeto del ataque: la población civil. Esta primera circunstancia, la necesaria conexión con un conflicto bélico, fue interpretada por la jurisprudencia como un elemento jurisdiccional y no como un elemento del tipo del crimen contra la humanidad.

En el marco del proceso TADIC (*Prosecutor vs. Duško Tadić* IT-94-1. *Decision on the Defence Motion for Interlocutory Appeal on Jurisdiction*. 2 de octubre de 1995. Par. 140), la Corte de Apelación fue la encargada de determinar el significado concreto del párrafo «cuando estos han sido cometidos en el curso de un conflicto armado, de carácter internacional o interno». El 23 de junio de 1995, la defensa de TADIC recurrió la jurisdicción del Tribunal alegando que este requisito significaba la necesidad de que el acto del acusado estuviera conectado con otros crímenes del Estatuto, haciendo referencia al precedente creado con el Art. 6 c) del

Estatuto de Londres y por la jurisprudencia del TMI de Núremberg, afirmando que dicho requisito todavía permanecía en la Ley Internacional contemporánea y alegando que se habían infringido los principios de *ex-post-facto* y *nullum crimen sine lege*.

La Corte de Apelación resolvió el recurso, negando en primer lugar la violación de dichos principios y advirtiendo que el nexo al que se refería la defensa representaba un episodio peculiar de la jurisdicción de Núremberg y que hacía tiempo que había sido abandonado. Es más, la Corte afirmó que en la costumbre internacional no existía un requerimiento para que el crimen contra la humanidad tuviera que estar conectado a un conflicto armado, y que si este elemento se había incluido en el Estatuto era debido a que el Consejo de Seguridad había definido el crimen más restrictivamente que lo necesario bajo la costumbre internacional, sin que esto pudiera interpretarse como una lesión del principio *nullum crimen sine lege*. Este requisito, concluyó el Tribunal, podría ser invocado como un elemento jurisdiccional del artículo 5 sobre los crímenes cometidos en un conflicto bélico interno o internacional,

Esta interpretación pronto encontró reflejo en la jurisprudencia naciente. En el mismo ámbito en que esta se había iniciado —caso TADIC— se calificó la conexión con un conflicto armado como una limitación de la jurisdicción del Tribunal. En esta misma sentencia se aclaró, respecto de la conexión del hecho con el conflicto armado, que sería suficiente con que la ofensa se produjese durante, o en el curso de, un conflicto armado, con una determinada limitación geográfica y temporal (*Prosecutor vs. Duško Tadić* IT-94-1. Trial Judgement. 7 de mayo de 1997. Par. 632-633; Appeal Chamber Judgement 15 de julio de 1999. Par. 249). Por lo tanto, no era necesario que los actos se tuvieran que producir en conexión con una batalla, sino en el marco espacio temporal determinado por el Tribunal. Del mismo modo, no era exigible que el autor del acto persiguiera unos motivos similares a los que se circunscribía el conflicto bélico.

Esta línea fue la marcada desde el principio y es la que ha seguido, de una manera más o menos homogénea, la jurisprudencia del TPIY. De este modo, la relación con el conflicto armado quedaba establecida como una limitación jurisdiccional del Tribunal, el cual solo debería conocer los hechos que se enmarcaran en un determinado periodo temporal y en una concreta área geográfica (*Prosecutor vs. Kunarac et al.*, IT-97-25-T. Trial Judgement de 22 de febrero de 2001. Par. 83; *Prosecutor vs. Milomir Stakić*, IT-97-24-T. Trial Judgement. 31 de julio de 2003. Par. 570; *Prosecutor vs. Limaj et al.*, IT-03-66-T. Trial Judgement de 30 de noviembre de 2005. Par. 180.).

Esta interpretación resulta la más acorde con la costumbre internacional y la evolución doctrinal del crimen contra la humanidad, pues la exigencia de este tipo de conexión aparece por última vez en un documento jurídico de relevancia internacional en los Principios de Núremberg, pero con posterioridad fue eliminado de los distintos borradores del «Código de crímenes contra la paz y la seguridad» de la CDI a partir de 1951. Asimismo, no existía ninguna razón jurídica para constreñir la aplicación del tipo penal volviendo a una formulación ampliamente criticada, que exigiera la relación con un conflicto armado como elemento material del crimen. Cierto es que lo apropiado hubiera sido eliminar toda referencia al contexto bélico, pero una vez que se incluyó, la interpretación de la Sala de Apelación representa una solución adecuada a la cuestión.

4.2. El artículo 3 del Estatuto del Tribunal Penal Internacional ad-hoc para Ruanda

Durante unos meses del año 1994 se cometieron en Ruanda, y en sus territorios colindantes, terribles atrocidades entre dos etnias, la Hutu y la Tutsi.

El Consejo de Seguridad nombró una Comisión de Expertos el 1 de julio de 1994 para analizar y examinar las evidencias del quebrantamiento de un modo generalizado de la Ley Internacional Humanitaria y la posible perpetración de un genocidio en el territorio ruandés. En su primer informe, la Comisión concluyó que existían evidencias suficientes para probar que se estaban cometiendo actos de genocidio contra la etnia Tutsi, por parte de los Hutus. Asimismo, recomendaba al Consejo de Seguridad tomar las acciones necesarias para asegurar la responsabilidad individual de los criminales y su puesta a disposición en una Corte Penal Internacional imparcial. El 8 de noviembre de 1994, una vez que se hubo determinado que un genocidio y otros crímenes internacionales estaban siendo cometidos en Ruanda, el Consejo de Seguridad adoptó, el 8 de noviembre de 1994, la Resolución 955 por la cual se establecía un Tribunal Penal Internacional para la persecución de los responsables de dichos crímenes.

El Estatuto del TPIR fue diseñado de una manera muy similar al del TPIY, aunque con ciertas modificaciones en las que se recogía la idiosincrasia propia del conflicto interno al que el Tribunal debería enfrentarse. Entre el catálogo de delitos que se contemplan en el Estatuto del TPIR se encuentra la figura del crimen contra la humanidad. Su redacción es similar a la del ETPY, aunque difiere en un punto importante en el que se vuelve a mostrar la influencia que, en los Tribunales Penales Internacionales que se crean como reacción a un conflicto concreto, ha tenido la forma de desarrollarse el mismo para la configuración, *a posteriori*, del tipo penal de crimen contra la humanidad.

Uno de los problemas que ha arrastrado el tipo penal del crimen contra la humanidad desde su nacimiento es que, al ser un delito complejo que se nutre de delitos específicos que han de ser cometidos en un determinado contexto, este se ha ido amoldando a los hechos que se pretendían castigar, una vez se habían cometido, bajo la idea de que, como se nutría de delitos que ya están tipificados, no se vulneraría el principio de legalidad. Sin embargo, el contexto (como se verá) constituye la parte más importante del tipo penal, por lo que una modificación del mismo, *ex post facto*, para adecuarlo mejor a unos hechos que se pretenden enjuiciar supone un modo de castigar «a la carta» que, en mi opinión, vulnera el principio de legalidad. Esta falta de concreción del tipo penal ha supuesto un lastre importante para su aplicación, y por ello adquiere tanta importancia que sus elementos típicos (al menos su núcleo contextual) haya quedado definitivamente configurado en el artículo 7 del Estatuto de Roma.

El marcado carácter discriminatorio (motivos étnicos) en la comisión de atrocidades que presidió el conflicto ruandés, provocó que en la descripción típica del tipo penal en el ETPIR se exigiese la concurrencia de un elemento subjetivo específico, concretado en determinados motivos discriminatorios.

El artículo 3 del Estatuto de TPIR contiene los elementos generales que se acercan a la interpretación que la CDI estaba llevando a cabo sobre el concepto jurídico de crimen contra la humanidad ya que se incluye, por primera vez, específicamente el «ataque generalizado y sistemático» como elemento del tipo de crimen contra la humanidad. Junto a este, se introduce un elemento subjetivo consistente en la comisión de los actos por concretos motivos discriminatorios, del modo siguiente:

> «*El Tribunal Internacional para Ruanda está habilitado para juzgar a los presuntos responsables de los siguientes crímenes cuando estos han sido cometidos en el curso de un ataque generalizado y sistemático, y dirigidos contra cualquier población civil en razón de su nacionalidad o pertenencia a un grupo político, étnico, racial o religioso:*
> *a) Asesinato;*
> *b) Exterminio;*
> *c) Reducción a la servidumbre;*
> *d) Expulsión;*
> *e) Encarcelamiento;*
> *f) Tortura;*
> *g) Violaciones;*
> *h) Persecuciones por motivos políticos, raciales o religiosos;*
> *i) Otros actos inhumanos».*

Se puede apreciar que el contexto típico del crimen contra la humanidad se concreta en un ataque generalizado o sistemático que ha de ser dirigido contra la población civil. Incorpora como elemento subjetivo del tipo la exigencia de que la dirección del ataque se fundamente en un determinado motivo discriminatorio —nacional, político, étnico, racial o religioso— para que el Tribunal pueda conocer del mismo.

Esta especialidad en la descripción típica del crimen contra la humanidad, como la conexión con un conflicto armado en el Art. 5 del ETPY, hubo de ser delimitada por la Jurisprudencia del TPIR a los efectos de interpretar si constituía un elemento que afecta al contexto —ataque— o si el motivo discriminatorio debía concurrir en el ánimo del autor del hecho concreto. Si nos fijamos únicamente en la letra del Estatuto, se podría interpretar que se refiere únicamente al ataque, pero no es esta la única conclusión que se barajó.

El Tribunal de primera instancia del caso AKAYESU interpretó que eran los actos inhumanos contra la población civil los que deberían ser cometidos por los motivos discriminatorios, por lo que el elemento subjetivo debía residir en el ánimo del autor del acto. (*Prosecutor v. Akayesu.* ICTR 96-4. 2 de septiembre de 1998. Trial Judgement. par. 583.). La sentencia de RUTAGANDA de 1999 se expresa en los mismos términos que la de AKAYESU al concluir que el *actus reus* es el que debe ser cometido por una o más razones discriminatorias (*Prosecutor v. Rutaganda.* ICTR-96-3. Trial Judgement 6 de diciembre de 1999. pars. 66, 73 y 74). Sin embargo, en la sentencia de KAYISHEMA & RUZINDANA (*Prosecutor vs. Kayishema & Ruzindana.* ICTR-95-1-C. Trial Judgement. 21 de mayo de 1999. Par. 131), el Tribunal interpretó que era el ataque el que debía ser lanzado por los motivos discriminatorios, siendo posible cometer un crimen contra la humanidad aunque la víctima no perteneciera al grupo atacado. En este caso se planteó la duda de si el asesinato de un sacerdote belga, que no pertenecía a la etnia Tutsi, pero los protegía, podría ser incluido como cargo en el acta de acusación de crimen contra la humanidad de asesinato. El Tribunal concluyó que, aunque la víctima no perteneciera a la etnia, fue ejecutada por la asimilación al grupo, y por lo tanto sí podría constituir un crimen contra la humanidad.

Pero será la Sala de Apelaciones del caso AKAYESU la que delimitó el significado de este elemento. En este ámbito tuvo gran importancia el razonamiento de la fiscalía en el recurso, al señalar que existía una disparidad de criterios en la sentencia de primera instancia respecto a esta concreta circunstancia, ya que en los casos de asesinato y violación se identificaba al acto criminal (hecho) como el elemento que debía ser cometido por motivos discriminatorios, mientras que en los casos de exterminio y tortura se señala al ataque como portador de las causas discriminatorias (*Prosecutor v. Akayesu*. Caso núm. ICTR 96-4-A. Appeal Chamber Judgement. 1 de junio 2001. par. 458-465.).

La Sala concluyó que, salvo en el caso de persecución, la intención discriminatoria no era requerida en la Ley Internacional Humanitaria como elemento del tipo del crimen contra la humanidad. Sin embargo, el Consejo de Seguridad, a la luz de los sucesos acaecidos en Ruanda, decidió limitar la jurisdicción del Tribunal sobre los crímenes contra la humanidad únicamente a los casos que se hubieran cometido por razones discriminatorias. En consecuencia, el Tribunal consideró que este elemento se debería interpretar como una mera limitación de jurisdicción del Tribunal, pero no como un elemento material del tipo penal (en el mismo sentido, *Prosecutor v. Kajelijeli*. ICTR-98-44A-Trial Judgement. 1 de diciembre de 2003. par. 877).

Aclaró, igualmente que el ataque es el elemento que debía llevarse a cabo por los motivos discriminatorios y no el *actus reus,* concluyendo la sentencia que si el acusado no contó con una intención discriminatoria cuando cometió su acto contra una víctima particular, pero sin embargo sabía que su acto podría formar parte de un ataque contra la población civil que se desarrollaba por razones discriminatorias, habría cometido un crimen contra la humanidad (*Prosecutor v. Semanza*. ICTR-97-20-T. Trial Judgement. 15 de mayo de 2003). Por lo tanto, lo requerido es una conexión del acto criminal con un ataque discriminatorio y el conocimiento del mismo, y no un determinado elemento teleológico del autor sobre cada acto criminal (en este sentido, *Prosecutor v. Baglishema*. ICTR-95-1A-T. Trial Judgement. 7 de junio de 2001. par. 81; *Prosecutor Elizaphan and Gérard Ntakirutimana*. ICTR-96-10 & ICTR 96-17-T. T. Trial Judgemet. 21 de febrero de 2003. par. 803.).

La jurisprudencia tuvo de nuevo que limitar el exceso de celo del Consejo de Seguridad en relación con el crimen contra la humanidad, y optar por calificar este elemento discriminatorio como un requisito jurisdiccional, que debía contener el ataque para que el Tribunal adquiriese la competencia para enjuiciar los hechos. En virtud de esta interpretación el Tribunal no necesitaba probar el elemento teleológico discriminatorio en cada autor, sino solo su conexión con un ataque discriminatorio que cumpliese con los presupuestos necesarios para ser considerado como crimen contra la humanidad y el conocimiento de dicha conexión por parte del autor del delito concreto.

5. La tipificación del crimen contra la humanidad en el Estatuto de la Corte Penal Internacional

5.1. Creación de la Corte Penal Internacional

El anhelo de construir un Tribunal Penal Internacional de carácter permanente, que latía en el seno de las Naciones Unidas desde la enunciación de los Principios de Núremberg y que fue objeto de estudio y propuesta durante muchos años en la Comisión de Derecho Internacional de las Naciones Unidas, se reactivó a través de una vía indirecta. En 1989, y durante una sesión especial de la Asamblea General de las NNUU para tratar el problema del tráfico de drogas, Trinidad y Tobago propuso el establecimiento de un Tribunal penal internacional especializado para enjuiciar este tipo de actuaciones criminales. La Asamblea General encargó a la CDI preparar un informe sobre la persecución de personas acusadas de tráfico internacional de drogas por una corte especializada. La CDI cumplió con el mandato encomendado y en 1990 remitió el informe en el 45 periodo de sesiones de la Asamblea General. Este no se limitó a plantear la constitución de un Tribunal Penal Internacional únicamente referido al tráfico de drogas, sino que propuso su extensión a los crímenes internacionales. La Asamblea General le encomendó seguir trabajando en esa senda.

Tras varios informes, borradores y la creación de un Comité de Expertos, en virtud de la resolución de la Asamblea General de 11 de diciembre de 1995, se aprobó el «Comité Preparatorio para el Establecimiento de una Corte Penal Internacional», y en diciembre de 1997 la Asamblea General convocó una Conferencia Diplomática en Roma (15 junio a 17 de julio de 1998) con vistas a adoptar la «Convención para el establecimiento de una Corte Penal Internacional». En abril de 1998 se llevó a cabo la última sesión del «Comité Preparatorio» que remitió su informe a los Estados llamados a la Conferencia Internacional para el estudio del proyecto. En la última sesión de la conferencia se aprobó el Estatuto de Roma, el cual apoyaron 120 delegaciones estatales, 21 se abstuvieron y 7 votaron en contra. Tras 4 años y con las 60 ratificaciones necesarias, el Tratado de Roma entró en vigor el 1 de julio de 2002.

El Derecho emanado del Estatuto, que encuentra sus fuentes en la costumbre y los tratados internacionales, se configura de un modo *sui generis* debido a su especial naturaleza. En el preámbulo del Estatuto se adelanta que se establece «una Corte Penal Internacional de carácter permanente, independiente y vinculado con el sistema de Naciones Unidas, con competencia sobre los crímenes más graves de trascendencia para la Comunidad Internacional en su conjunto [...] complementaria a las jurisdicciones penales nacionales». El artículo 21 del ER contempla expresamente el derecho aplicable en la CPI, estableciéndolo en distintos niveles. En el primer nivel se encuentran sus fuentes propias —El Estatuto, los Elemento de los Crímenes y las Reglas de Procedimiento y Prueba—, en el segundo, se incluyen las normas convencionales y consuetudinarias de Derecho internacional y en el tercer nivel los Principios Generales del Derecho. Junto a estas fuentes del Derecho, se reconoce también a la jurisprudencia como un valor interpretativo no vinculante, estructurando un sistema de fuentes complejo y abierto (MACULAN).

5.2. El artículo 7 del Estatuto de Roma: El crimen contra la humanidad

El Estatuto de Roma (ER) tipifica el crimen contra la humanidad en su artículo 7, estructurándolo en dos niveles, de tal modo que se tendrá que analizar, en primer lugar, si concurre un contexto determinado, para, en segundo lugar, identificar si la conducta realizada en ese contexto constituye alguno de los tipos específicos (asesinato, deportación, violación, ...) contenidos en el artículo 7. Si el tipo específico se ha cometido en el contexto típico, el delito común se transforma en un crimen contra la humanidad.

Los elementos generales del tipo penal —contexto— se encuentran redactados en el artículo 7 ER, del modo siguiente.

> «Art. 7. A los efectos del presente Estatuto, se entenderá por "crimen de lesa humanidad" cualquiera de los actos siguientes, cuando se cometan como parte de un ataque generalizado o sistemático contra la población civil y con conocimiento de ese ataque».

El artículo 7.2 a) ER, al intentar aclarar cómo se ha de configurar el contexto del crimen contra la humanidad, se pronuncia del modo siguiente:

> «Por "ataque contra una población civil" se entenderá una línea de conducta que implique la comisión múltiple de actos mencionados en el párrafo 1 contra una población civil, de conformidad con la política de un Estado o de una organización de cometer ese ataque o para promover esa política».

Así, en el artículo 7.2 a) ER se incluyen elementos que expresamente no se contemplan en el tipo penal del artículo 7.1 ER, pero que surgen de la interpretación que según el ER se ha de otorgar a sus términos. El «ataque contra la población civil» se deberá cometer (para que sea un ataque típico) de conformidad con la política de un Estado o de una organización que implique la multiplicidad de los actos criminales que componen el ataque.

A continuación, se procederá a analizar los elementos generales del tipo penal de conformidad con la interpretación que del mismo se ha llevado a cabo en la jurisprudencia de la CPI, que siguiendo la senda trazada por los TPIs ad-hoc, ha conjugado en su aplicación las directrices marcadas en los Elementos de los Crímenes. Esta interpretación será extrapolable, en parte, a los elementos contextuales del delito de lesa humanidad contemplado en el artículo 607 bis CP español.

5.2.1. El ataque

El término «ataque» no ha de asimilarse a una ofensiva de tipo militar, llevada a cabo durante un conflicto armado, sino que debe ser considerado, de conformidad con la jurisprudencia y la interpretación del Estatuto, como una línea [Art. 7.2 a) ER] o curso de conducta (así fue interpretado en la decisión de la acusación del caso TADIC, *Decision on the Form of the Indictment*, 14 de octubre de 1995. par. 11, continuando el TPIY con esta definición en sus posteriores resoluciones) en donde se desarrollan los actos criminales. El ataque representa un conjunto de conductas organizadas para lograr un fin, a través de la comisión de actos delictivos. En el Estatuto de Roma se abandona definitivamente la exigencia de que el crimen contra la humanidad se lleve a cabo en conexión con un conflicto armado (explicándolo expresamente el artículo 7.3 de los Elementos de los Crímenes), ya que, como se ha expuesto, la doctrina y la jurisprudencia internacional se habían pronunciado claramente en contra de la exigencia de este requisito.

En la sentencia de KATANGA (*Prosecutor vs. Germaine Katanga*. ICC-01/04-01/07. Trial Judgement. 7 de marzo de 2014. Par. 1101), la Corte, tras comparar las versiones francesa e inglesa de los Elementos de los Crímenes en relación con el ataque, concluye que este ha de entenderse como una campaña, una operación o una serie de acciones dirigidas contra la población civil, interpretando que «curso de conducta» será lo contrario a un acto aislado. (En el mismo sentido, *Prosecutor vs. Jean Pierre Bemba*. ICC-01/05-01/08. Trial Judgement 21 de marzo de 2016. par. 149.).

Lo primero que se habrá de comprobar es si existe este «ataque», consistente en un curso/una línea de conducta que engloba la comisión múltiple de los actos contemplados en el artículo 7.1 ER. La CPI recuerda que el ataque no tiene por qué ser de naturaleza militar y que puede abarcar cualquier tipo de violencia contra la población civil. En el marco del ataque es donde se deben cometer los tipos específicos —delitos comunes— que en ocasiones serán homogéneos (homicidios de una parte de la población), pero en otras ocasiones sucederá que un ataque se componga de distintos delitos —violaciones, deportaciones, torturas, homicidios, ...— cometidos por varios autores, que actúan aglutinados en un curso de conducta, que representa el ataque.

El ataque, por su propia configuración, se desarrollará de manera activa y violenta, aunque resulta planteable que si proviene del Estado se pueda configurar como medidas estatales adoptadas contra una parte de la población civil, que tuvieran como resultado la negación grave de los derechos fundamentales de primer grado (OLLÉ SESÉ) para conseguir un fin determinado.

Resulta esencial distinguir entre el ataque y los actos criminales que se cometan en el marco del mismo, pues la exigencia de que el ataque se lleve a cabo de un modo «generalizado o sistemático» y se dirija contra una población civil afecta al ataque, pero no al acto que, en conexión con aquel, se lleva acabo. Ello implica la necesidad de que el acto se comenta en conexión con una línea de conducta (ataque) dirigida contra una parte de la población civil. Desde este punto de vista, se podría afirmar que un acto único podría ser constitutivo de un crimen contra la humanidad, siempre que esté conectado con el ataque generalizado o sistemático típico (GÓMEZ BENÍTEZ, WERLE, MESEKE, GIL GIL).

Se ha de diferenciar el acto único del acto aislado, ya que el segundo no puede ser constitutivo de un crimen contra la humanidad por no existir conexión con el ataque típico. El ER exige que los actos deben ser cometidos «de conformidad con la política de un Estado o de una organización de cometer esos actos o para promover esa política» [Art. 7.2.a)]. El término «de conformidad» no aclara el grado de relación que debe existir entre el sujeto y la política del ataque, ya que este puede significar desde «adhesión íntima y total de una persona a otra», «asenso, aprobación», o simplemente un «de acuerdo» de quien actúan siguiendo la política de un Estado, aún sin compartirla. Los Elementos de los Crímenes no arrojan mucha luz sobre la cuestión al añadir que «Se entiende que la "política… de cometer esos actos" requiere que el Estado o la organización promueva o aliente activamente un ataque de esa índole contra una población civil» (Art. 7.3 EC). Por lo tanto, en el marco de un ataque que forme parte de una política, cualquier persona podría actuar por iniciativa propia para cometer crímenes de acuerdo con esa política.

No será necesaria, por tanto, una relación orgánica ni de otro tipo entre el sujeto perpetrador del acto y la organización o el Estado promotor de ataque. Sería suficiente que, adecuando su conducta a un contexto determinado, o incluso aprovechándose de la misma, un sujeto cometiera algún delito contemplado como tipo específico del crimen contra la humanidad, sin exigir que el fin propuesto deba coincidir con el que persigue la entidad organizadora del ataque.

Como un ejemplo ilustrativo puede servir la sentencia del Oberlandesgericht de Dresde de 5 de abril de 1947, que condenó a un alemán que, aprovechando las leyes de Núremberg, denunció el origen judío de su mujer para divorciarse, siendo consciente de que la misma sería recluida en un campo de concentración con muchas posibilidades de que no sobreviviese. La finalidad del marido era obtener el divorcio y alejarse de su mujer, y utilizó el ataque que el Estado alemán llevaba a cabo contra los judíos. El Tribunal concluyó que ese único acto estaba en conexión con el contexto y por lo tanto era constitutivo de un crimen contra la humanidad (NJW 1947, pág. 196).

Por lo tanto, un acto único, en contexto con un ataque típico, sí constituiría un crimen contra la humanidad, a diferencia de lo que sucedería con un acto aislado, que será aquel que por estar tan alejado del ataque no se pueda estimar que forman parte del mismo, ya que carecen del elemento de conexión necesario para convertir al delito común en un crimen contra la humanidad. Por lo tanto, la diferencia de un único acto y un acto aislado es que en el primero podría estar presente el nexo con el ataque, mientras que el segundo se lleva a cabo de una manera totalmente independiente a este.

5.2.2. *Generalizado o sistemático*

El ataque debe tener una de las dos características típicas que cualifican al mismo, por lo que debe ser, o bien generalizado, o bien sistemático. Estos términos han sido definidos por la jurisprudencia de los TPI ad-hoc, y la esencia de la definición ha sido adoptada en la reciente jurisprudencia de la CPI. En el caso KATANGA, la Corte enfatiza que los términos «generalizado o sistemático» producen la exclusión de los actos de violencia espontáneos o aislados.

El término «generalizado» incluye la circunstancia de que el ataque se lleve a cabo a gran escala y que exista un gran número de personas objeto del ataque (*Prosecutor vs. Germaine Katanga*. ICC-01/04-01/07. Trial Judgement. 7 de marzo de 2014. Par. 1123). El ataque podría ser masivo, frecuente, o ejecutado de un modo colectivo con un nivel de gravedad considerable y dirigido contra una multiplicidad de víctimas (*Prosecutor vs. Jean Pierre Bemba*. ICC-01/05-01/08. Trial Judgement. 21 de marzo de 2016. Par. 163).

El adjetivo «sistemático» refleja la naturaleza organizada de los actos típicos y la imposibilidad de que los mismos se lleven a cabo de un modo aleatorio o coincidente por puro azar (*Prosecutor vs. Kunarac et.al.* IT-96-23-T. Trial Judgement. 22 de febrero de 2001 par. 429; *Prosecutor vs. Blaškić*. IT-95-14-A. Appeal Chamber Judgement. 29 par. 101). La sistematicidad responde al criterio cualitativo del ataque, que pretende evitar que hechos que se realicen de forma fortuita o espontánea puedan constituir un contexto válido (ataque típico) donde se desarrolle el crimen contra la humanidad. Por lo tanto, existe un requisito previo (que suele ser consustancial al crimen contra la humanidad) para que la sistematicidad pueda detectarse en un ataque: la existencia de un plan o una política organizada.

En la Sentencia de la Audiencia Nacional (Sección III) núm. 5/2017 de 6 de marzo (Caso *Vielman*) *(Tol 5993164)*, la Sala lleva a cabo una interpretación de los términos «generalizado o sistemático». Para que fuera generalizado, según la sentencia, sería necesario que «los hechos formaran parte de un ataque generalizado, es decir, dirigido a una pluralidad de víctimas que son seleccionadas sin otra consideración distinta de su pertenencia al grupo perseguido». Y para que un ataque sea sistemático, este ha de «responder a una planificación que va más allá de la mera preparación del ilícito, sino que exige la existencia de un proyecto y de unos objetivos concretos. Un ataque es sistemático cuando se sigue o se ajusta a un sistema, a un conjunto ordenado de normas y procedimientos, lo que supone una elaboración rigurosa, una tarea ordenada, que se efectúa siguiendo un método o sistema».

Esta interpretación del significado del término sistemático resulta más estricta que la aplicada por los TPIS ad-hoc, pues la Audiencia Nacional exige la existencia de una elaboración rigurosa de un plan que se efectúa siguiendo un sistema, lo que puede dar lugar a que se exija la existencia de un sistema escrito y conocido por los autores para considerar consumado el delito de lesa humanidad. Ello contrasta con la solución adoptada por la jurisprudencia internacional, que utiliza la sistematicidad como elemento de confrontación al hecho fortuito, utilizando el primero para evitar que hechos realizados de forma espontánea o aleatoria puedan constituir un contexto válido donde se desarrolle el crimen contra la humanidad, pero sin exigir una «elaboración rigurosa» del sistema.

Se ha de tener presente que el artículo 7.2 a) ER, al definir el ataque, específica que por este se entenderá *«una línea de conducta que implique la comisión múltiple de actos mencionados en el párrafo 1»*. Por lo tanto, junto a las características de «generalizado o sistemático», el ER exige que el ataque conlleve la comisión de múltiples actos que constituyan los tipos específicos del crimen contra la humanidad.

Sobre ello, GÓMEZ BENÍTEZ considera que el término generalidad debe interpretarse como la exigencia de multiplicidad de víctimas, enfatizando que «cuando los propios actos típicos ya implican la generalidad del ataque, esto es, la multiplicidad de víctimas no parece conforme al sentido de la ley exigir, además, la multiplicidad de actos como elemento irrenunciable de la línea de conducta de la que tienen que formar parte».

Desde otro punto de vista, AMBOS interpreta que la exigencia de la producción de múltiples actos convierte en acumulativa las características alternativas del tipo general, ya que el ataque podrá ser generalizado o sistemático. Es decir, si se entiende que en todo caso el ataque debe comportar la repetición de los actos del Art. 7.2 ER, el ataque siempre sería generalizado, entendiéndose este concepto como la comisión múltiple de acciones típicas, y sistemático, entendido como actuaciones organizadas realizadas en apoyo de un plan concreto.

La exigencia de la multiplicidad no aporta más que confusión a la interpretación del contexto en el que el crimen debe ser llevado a cabo. La sistematicidad, por sí misma, exige la comisión de varios actos. Por su parte, la generalidad solo estará presente cuando la magnitud del ataque afecte a una esfera de la sociedad debido a los medios empleados o al resultado causado, que es donde reside el peligro de este tipo de actuaciones.

Se puede apreciar en las decisiones de la CPI una interpretación laxa de esta característica de multiplicidad, considerando la misma cumplida al apreciarse en el curso del ataque varios actos. Así, en la sentencia de BEMBA (*Prosecutor vs. Jean Pierre Bemba*. ICC-01/05-01/08. Trial Judgement. 21 de marzo de 2016. Par. 150) la Corte interpreta el término múltiples como un umbral típico que se cumple cuando los actos son «más que unos pocos», «varios» o «muchos», advirtiendo que el número de actos típicos específicos referidos al artículo 7.1 ER resulta irrelevante, siempre y cuando cada uno de los actos formen parte del curso de conducta y conjuntamente satisfagan el límite cuantitativo previsto.

Por último, y a pesar del término múltiple y sus diferentes acepciones, se ha de reiterar el carácter alternativo de la comisión «generalizada o sistemática», interpretación consolidada en la jurisprudencia internacional y en la doctrina científica.

5.2.3. El elemento político: De conformidad con la política de un Estado o de una organización

Entre los elementos generales del crimen contra la humanidad se identifica el denominado «elemento político», el cual no se encuentra como elemento del tipo en el artículo 7.1 ER, pero se considera una característica consustancial a la naturaleza del crimen. Para ubicarlo correctamente es necesario remontarnos al nacimiento del crimen contra la humanidad, y recordar que el motivo de su formulación era castigar los crímenes que un Estado cometía contra sus propios nacionales por aplicación de algún tipo de política contra parte de su población civil. La participación de un Estado o una organización paraestatal en el ataque se encuentra en el «ADN» de la figura del crimen contra la humanidad, y *de jure* o *de facto* constituye un elemento del tipo penal.

El elemento político no se contempla como un elemento del tipo del crimen contra la humanidad en los Estatutos de los TPIs ad hoc de la Ex Yugoslavia y Ruanda. No obstante, desde la sentencia del caso TADIC se había considerado como un elemento a tener en cuenta a la hora de valorar la comisión de un crimen contra la humanidad. Hasta la sentencia del Tribunal del caso KUPRESKIC parecía incontestable que el elemento político constituyera un requisito indispensable para que el crimen contra la humanidad se perfeccionase. En esta sentencia del año 2000, el Tribunal, una vez afirmado que la perfección del crimen implica un elemento político, se pregunta si este es un requisito indispensable y responde citando la jurisprudencia en ambos sentidos (*Prosecutor vs. Kupreškić et al.* IT-95-16-T. Trial Judgement. Par. 551).

La Corte de Apelación del caso KUNARAC se pronunció concretamente sobre este particular. Según la Corte, ni el ataque ni los actos necesitan estar apoyados por una política o un plan estatal y aunque la existencia de estos podría ser evidentemente relevante, no por ello se ha de considerar como un elemento legal del crimen (*Prosecutor vs. Kunarac et al.* IT-96 23 & IT-96-23/1-A. Appeal Chamber Judgement. 12 de junio de 2002. par. 98). Esta sentencia significó un giro radical en la línea jurisprudencial, pues si antes se había considerado que el plan o política era un elemento del tipo del crimen contra la humanidad, ahora esta circunstancia se desliga de los elementos generales del crimen contra la humanidad para considerarse como una prueba indiciaria de gran valor, pero no como un elemento del tipo. Esta interpretación es la seguida en las sentencias de primera instancia de VASILJEVIC (*Prosecutor vs. Vasiljević.* IT-98-32-T. Trial Judgement. 29 de noviembre de 2002. Par 36), KRNOJELAC (*Prosecutor vs. Krnojelac.* IT-97-25. Trial Judgement. 15 de marzo de 2002. Par 58), o SIMIC (*Prosecutor vs. Simić et al.* IT-95-9-T. Trial Judgement. 17 de octubre de 2002. Par. 44). Este mismo parecer lo expresó también la Cámara de Apelación del caso BLASKIC en el 2004, afirmando de nuevo que el plan o la política no podrían considerarse como un elemento legal del crimen (*Prosecutor vs. Blaškić.* IT-95-14-A. Appeal Chamber Judgement. 29 de julio de 2004. Par. 120). Esta interpretación se asienta definitivamente en la sentencia de KORDIC & CERKEZ (*Prosecutor vs. Kordić & Čerkez.* IT-95-14/2-A. Appeal Chamber Judgement. 17 de diciembre de 2004. Par. 98), donde la Corte de Apelación advierte que la jurisprudencia sobre este tema ya se encontraba consolidada en los términos que se acaban de exponer.

Así, en los TPIs ad hoc se ha evolucionado desde una asimilación del plan o política como un elemento del tipo, hacia una calificación de dicho elemento como una prueba de gran valor indiciario de la existencia de la característica de sistematicidad en el ataque, pero rechazando su consideración como un elemento del tipo del crimen contra la humanidad.

El ER, al definir qué se ha de entender por ataque, en su artículo 7.2 a) incluye que los actos deben ser cometidos «*de conformidad con la política de un Estado o de una organización de cometer esos actos o para promover esa política*». Los Elementos de los Crímenes, en su artículo 7.3, en un intento de aclarar si la política de un Estado o de una organización debe ser activa, afirma que «*se entiende que la "política de cometer ese ataque" requiere que el Estado o la organización promueva o aliente activamente un ataque de esa índole contra una población civil*». Por lo tanto, el ER sí incorpora el elemento político como una circunstancia que debe concurrir en el ataque típico.

Lo que se persigue en el ER es evitar que el crimen contra la humanidad pueda ser cometido por personas individuales actuando por su propia iniciativa, pero se amplía la capacidad de la comisión del mismo a las organizaciones idóneas, ya que la gravedad de la figura criminal se fundamenta en la escala y el sistema organizativo que reside detrás de las conductas delictivas, circunstancia que lo elevan a la categoría de crimen internacional.

A la hora de interpretar qué debería ser entendido por «política» y si este término es sinónimo de «sistemático», la sentencia de la CPI de KATANGA, tras advertir que el concepto «político» no se encuentra definido en el Estatuto de Roma ni en los Elementos de los Crímenes, considera que dicho término no excluye un diseño adoptado por un Estado o una organización respecto de un grupo de personas en una concreta situación geopolítica, enfatizando, en todo caso, que el Estatuto no exige la existencia formal de este «diseño» o «plan», dado que la motivación del ataque carece (generalmente) de importancia (*Prosecutor vs. Germaine Katanga*. ICC-01/04-01/07. Trial Judgement. 7 de marzo de 2014. Par. 1108).

La CPI en dicha sentencia, en un intento de distinguir el término «política» de «sistemático», afirma que ambos conceptos no han de ser considerados sinónimos. Para comprobar la existencia de la política, el Tribunal considera que solo se necesita demostrar que un Estado o una organización tenían pensado/planeado cometer un ataque generalizado o sistemático contra la población civil, mientras que la sistematicidad exige la concurrencia de un patrón repetido de conducta o la comisión continua y recurrente de hechos interconectados, no aislados. (*Prosecutor vs. Germaine Katanga*. ICC-01/04-01/07. Trial Judgement. 7 de marzo de 2014. Par. 1111-113).

Así, la existencia de la «política» podrá ser inferida de las acciones repetidas de acuerdo con una concreta secuencia de actos, o de la existencia de una preparación o movilización orquestada y coordinada por la organización o el Estado (*Prosecutor vs. Germaine Katanga*. ICC-01/04-01/07. Trial Judgement. 7 de marzo de 2014. Par. 1109). En la sentencia de BEMBA (*Prosecutor vs. Jean Pierre Bemba*. ICC-01/05-01/08. Trial Judgement. 21 de marzo de 2016. Par. 160) la CPI formula una serie de factores de los que se podrían inferir la existencia de una «política» típica del crimen contra la humanidad. Estos son: i) que el ataque fuese planeado, dirigido u organizado; ii) que un determinado patrón del uso de la violencia fuese recurrente; iii) el uso de recursos, públicos o privados para apoyar la política; iv) la involucración de fuerzas estatales o miembros de la organización en la comisión de los crímenes; v) declaraciones, instrucciones o documentación atribuible a un Estado o una organización tolerando o apoyando la comisión de crímenes y /o vi) una motivación subyacente.

La prueba de la existencia de la política sería necesaria, únicamente, para demostrar que el Estado o la organización tenía la intención de cometer un ataque contra la población civil, que podrá ser inferido del modo de llevar a cabo el ataque, así como de la sistematicidad de los actos realizados. En todo caso, no es necesario demostrar que cada acto se cometió en apoyo de una determinada política estatal o de una organización, sino que el ataque —línea de conducta— fue llevada a cabo en apoyo de una determinada política.

El hecho de que en el ER se contemple expresamente que esa política ha de provenir de un Estado o de una organización ha generado distintas interpretaciones doctrinales acerca de qué tipo de organización resulta idónea para poder configurar una política que sea considerada adecuada para constituir un ataque típico.

La interpretación del término «Estado» no genera polémica y corresponde, no solo a los países que se reconocen a nivel internacional por las Naciones Unidas, sino también a las fuerzas —paramilitares o no— que ejercen el gobierno y control *de facto* de una parte del territorio. Según WERLE, se ha de interpretar en el sentido que se reconoce en las Reglas de Procedimiento y Prueba del TPIY. IT/32/Rev.36. (última sesión adoptada el 11 de febrero de 1994). En la que en su Regla 2ª, «Definiciones» se indica que el término «Estado» se considerará: *(i) A State Member or non-Member of the United Nations;…; (iii) a self-proclaimed entity de facto exercising governmental functions, whether recognised as a State or not.).*

La polémica doctrinal surge respecto de la interpretación del concepto «organización», ya que ni en el ER ni en los Elementos de los Crímenes, se especifica el tipo de organización idónea.

Parte de la doctrina (GIL GIL, AMBOS, WIRTH, BASSOUNNI, PÉREZ CABALLERO) defiende que la organización típica para lanzar un ataque es aquella que tiene el dominio, *de iure* o *de facto*, de un territorio, es decir, aquella que actúa como un protoestado y cuenta con los recursos suficientes para establecer una política que se convierta en el diseño o patrón del ataque.

GIL GIL defiende que solo cuando una organización pueda ejercer el poder, neutralizando al Estado o controlando un determinado territorio, debe intervenir el Derecho penal internacional. Esto no significa, que los actos deban ser realizados por agentes estatales o pertenecientes a la organización, sino que el crimen contra la humanidad solo podrá perfeccionarse bajo la acción u omisión del poder establecido, *de iure o de facto*, en un determinado territorio, que organice un ataque generalizado o sistemático contra la población civil.

BASSIOUNI considera que lo que eleva al crimen contra la humanidad a la categoría de crimen internacional, y lo distingue de los mismos delitos comunes, es precisamente la intervención de una política de tipo estatal en la ejecución del mismo. Los crímenes contra la humanidad necesitan, aunque sean cometidos por pocas personas, de la instrumentalización de un sistema, estatal o paraestatal, que neutralice la oposición interna o externa utilizando los resortes que obtiene del poder ejercido. BASSIOUNI apoya que este «elemento político» pueda ser extendido a grupos u organizaciones no estatales que tengan características y capacidades similares a los actores estatales, que puedan desarrollar atrocidades a gran escala contra la población civil.

AMBOS/WIRTH interpretan que el término «organización» debe ser entendido como aquella entidad orgánica que ejerza el poder *de facto* en un territorio y pueda desarrollar una política, explícita o implícita, de comisión de crímenes contra la humanidad en el mismo. De este modo, defienden que no sería suficiente con que la organización ejerciera un cierto poder, sino que esta debe ser la que domine un territorio sin que exista ningún poder superior. Esta interpretación equipara el concepto de Estado al de organización, ya que lo que se exige es que se ejerza el poder efectivo más alto en un determinado territorio, siendo indiferente que se denomine Estado, grupo, organización o movimiento.

Otra parte de la doctrina (GÓMEZ BENÍTEZ, WERLE, RODRÍGUEZ VILLASANTE, LIÑÁN LAFUENTE) parte de un concepto más amplio de organización, no limitando las típicas a las que ostenten el poder —cuasi estatal— de un territorio, sino incluyendo a aquellas que cuenten con la suficiente estructura y potencial para organizar un ataque idóneo —generalizado o sistemático— contra la población civil, lo que podría incluir a determinadas organizaciones terroristas o paramilitares.

La jurisprudencia de la CPI ha asumido, de momento, una interpretación extensiva del concepto de organización. En la decisión para la apertura de la investigación en Kenia (*Situation in the Republic of Kenya*. «Decision Pursuant to Article 15 of the Rome Statute on the Authorization of an Investigation into the Situation in the Republic of Kenya». ICC-01/09-19. 31 de marzo de 2010. para 92), la CPI ya se pronunció sobre esa falta de definición del término «organización», y tras un análisis de la posible intención de los redactores del Estatuto, concluye que una organización, aunque no tuviera relación estatal podría planear y llevar a cabo un ataque típico contra la población civil. Desde el punto de vista de la Corte, la determinación de si un grupo puede ser calificado como una «organización típica» debería hacerse caso por caso, pero la decisión citada establece unos parámetros que podrían ser tenidos en cuenta al efecto, advirtiendo que los mismos no constituyen una rígida definición legal sino criterios orientativos para tomar una decisión. Así, refiere las siguientes situaciones:

i. Si el grupo se encuentra bajo la autoridad de un mando o ha establecido un tipo de autoridad jerárquica.

ii. Si el grupo posee los medios para llevar a cabo un ataque generalizado o sistemático contra la población civil.

iii. Si el grupo ejerce su control sobre una parte del territorio o el Estado.

iv. Si el grupo tiene como propósito principal llevar a cabo actividades criminales contra la población civil.

v. Si el grupo expresa, implícita o explícitamente, la intención de atacar a la población civil.

vi. Si el grupo forma parte de un grupo mayor, el cual cumpla alguno o todos de los criterios ya enunciados.

Esta decisión contó con el voto particular del juez Kaul, que partiendo de una interpretación restrictiva de los términos del Estatuto, bien desarrollada desde punto de vista histórico y de la interpretación de los tratados, disiente de la opinión de que una organización privada pueda ser considerada como un ente típico para organizar un contexto en el que se cometan crímenes contra la humanidad. En su opinión, la organización debe ser similar a un cuasi Estado o un para Estado, y para ello las características con las que ha de contar la organización son las siguientes (Par. 51 del voto particular): a) una colectividad de personas; b) los cuales se han establecido y actuado con un propósito común; c) durante un prologado periodo de tiempo; d) que se encuentre bajo la responsabilidad de un mando o haya adoptado un cierto grado de estructura jerárquica, incluyendo, como mínimo, algún tipo de nivel político; e) con capacidad para imponer esa política de actuación a sus miembros, así como una sanción; f) que cuente con la capacidad plausible para llevar a cabo un ataque, a gran escala, contra la población civil. Estima el juez Kaul que los actores no estatales que como organización no alcancen el nivel descrito no están capacitados para llevar a cabo un ataque típico, con las características que exige el crimen contra la humanidad, como podría suceder en casos de organizaciones criminales, una turba, grupos de civiles armados o gánsteres.

La CPI se ha pronunciado también sobre el término «organización» en la sentencia de KATANGA, recordando, en primer lugar que la utilización de la conjunción «o» entre Estado y organización denota que ambos conceptos deben ser distintos. Desde el punto de vista del Tribunal, la conexión del término organización con la existencia de un ataque, exige que la organización tenga los suficientes recursos para llevar a cabo una línea de conducta tendente a la múltiple comisión de actos criminales contenidos en el artículo 7.2 ER, por lo que sería suficiente que la organización tuviera una estructura o mecanismos que fuesen oportunos para asegurar la coordinación necesaria para llevar a cabo un ataque dirigido contra la población civil, pero ello, advierte la sentencia, no significa que deba exigirse que necesariamente el grupo esté dotado de una estructura que pueda describirse como un cuasi Estado. La Corte concluye destacando que una interpretación restrictiva del concepto de organización que requiera unas características cuasi estatales no contribuiría a lograr el objetivo del Estatuto de la persecución de los crímenes más graves. (*Prosecutor vs. Germaine Katanga*. ICC-01/04-01/07. Trial Judgement. 7 de marzo de 2014. Pars. 1117-1120).

En la sentencia de BEMBA (*Prosecutor vs. Jean Pierre Bemba*. ICC-01/05-01/08. Trial Judgement. 21 de marzo de 2016. Par. 158), la CPI vuelve a ratificar esta interpretación de la idoneidad de una organización no estatal para lanzar el ataque típico del crimen contra la humanidad, reiterando que sería suficiente que la organización típica tuviese un conjunto de estructuras o mecanismo, cualesquiera que fuesen, lo suficientemente efectivos para asegurar la coordinación necesaria para llevar a cabo un ataque dirigido contra la población civil. «En consecuencia, la organización en cuestión debe tener los suficientes medios para promover o fomentar el ataque, sin otros requisitos necesarios. De hecho, de ninguna manera puede ser descartada, particularmente en vista de la moderna guerra asimétrica, que un ataque contra la población civil también pueda ser llevado a cabo por una entidad privada consistente en un grupo de personas que persiguen el objetivo común de atacar a la población civil; en otras palabras, de un grupo no necesariamente dotado de una estructura tan bien desarrollada que pudiera describirse como un cuasi estado».

Respecto del elemento político, resta una última cuestión que debe ser abordada. Esta es si la política de apoyo al ataque típico del crimen contra la humanidad debe ser siempre activa o puede configurarse como una política de tolerancia estatal respecto de concretos ataques, organizados, sufridos por la población. El ER en el Art. 7.2 no se pronuncia sobre ello y simplemente exige que el ataque se deba llevar a cabo de conformidad con la política del Estado o la organización (o para promoverla). El conflicto aparece en los Elementos de los Crímenes, donde en el Art. 7.3 se afirma que, *«Se entiende que la "política de cometer esos actos" requiere que el Estado o la organización promueva o aliente activamente un ataque de esa índole contra una población civil».*

Esta aparente claridad, pues parece que el Estatuto opta por exigir la participación activa del Estado o la organización en el ataque, se difumina al contrastarla con el contenido de la nota núm. 6 del artículo 7.3 de los Elementos de los Crímenes, que complementa al citado texto aclarando que: «La política que tuviera a una población civil como objeto del ataque se llevará a cabo mediante la acción del Estado o de la organización. Esa política, en circunstancias excepcionales, podría llevarse a cabo por medio de una omisión deliberada de actuar y que apuntase conscientemente a alentar un ataque de ese tipo. La existencia de una política de ese tipo no se puede deducir exclusivamente de la falta de acción del gobierno o la organización».

Así encontramos un artículo general de los Elementos de los Crímenes que afirma que la «política» requiere un aliento activo del ataque por parte del Estado o la organización, suavizado por una nota a pie de página que aclara que, en circunstancias excepcionales, esta «acción» se podría llevar a cabo por una «omisión deliberada de actuar», siempre que esta omisión apuntase conscientemente a alentar este tipo de ataques. Aclarando que la existencia de la política típica del crimen contra la humanidad —en su versión de tolerancia estatal— no se puede deducir exclusivamente de la falta de acción.

Estos párrafos finales denotan el difícil equilibrio entre los intereses de los distintos países que tuvo que superar el Tratado de Roma para completar el nacimiento de la CPI. Si bien es cierto que estos párrafos reconocen que en ocasiones la tolerancia del Estado se puede considerar un tipo de «aliento activo» a los criminales —no protegiendo a la población, evitando la persecución de los responsables, ordenando a las fuerzas de seguridad que no intervengan ante la comisión de determinados delitos...— es reseñable el término de «circunstancias excepcionales» y la exigencia de otros elementos probatorios además de la inacción del Estado. La pasividad frente a los actos conformadores del ataque demuestran una política de aliento a la comisión de los mismos (GÓMEZ BENÍTEZ, LAMPE, LIÑÁN LAFUENTE), sin que pueda esta conclusión extenderse a los casos en que la autoridad no es capaz de detener estos crímenes por negligencia o imposibilidad manifiesta (AMBOS/WIRTH) *(ultra posse nemo obligatur)*, ya que la oposición pública del Estado o la organización destruiría (en la mayoría de los casos) la promoción tácita del ataque.

Conviene no confundir la necesaria existencia de una política de aliento, activa u omisiva, al ataque típico del tipo penal con la exigencia de que dicha política deba tener una motivación específica, normalmente discriminatoria. Sin perjuicio de que existan situaciones en que sea habitual encontrar ese contenido discriminatorio en la política que precede al ataque, el tipo penal no lo exige como elemento subjetivo del injusto. Sobre ello se pronuncia expresamente la CPI en la Sentencia de BEMBA (*Prosecutor vs. Jean Pierre Bemba*. ICC-01/05-01/08. Trial Judgement. 21 de marzo de 2016. Par. 159) al recordar que «El Estatuto no prevé ninguna necesidad de demostrar un motivo o propósito subyacente en la política de ataque contra la población civil».

5.2.4. *La población civil*

Desde la primera formulación del tipo penal del crimen contra la humanidad en el Estatuto del Tribunal Militar Internacional de Núremberg, el objeto de protección del tipo penal se focalizó en la población civil. Ello, en parte atiende al momento histórico y al fundamento por el que se construyó esta figura penal, que trataba de castigar los crímenes cometidos por los Estados contra sus propios nacionales.

Al enfrentarnos a este último elemento general del crimen contra la humanidad debemos plantear dos cuestiones que han generado distintas interpretaciones en la aplicación de la figura criminal. La primera es responder a la pregunta de quién forma parte de la población civil y quién no; la segunda se centra en determinar si la población civil debe ser el objeto del ataque o del acto criminal concreto.

Comenzando con la primera pregunta, resulta extraño que ni en el ER ni en los Elementos de los Crímenes exista una definición, o unas notas interpretativas, que ayuden a concretar el término «población civil», más si cabe cuando el mismo forma parte de los elementos del tipo general del crimen contra la humanidad.

Se debe acudir a la jurisprudencia del TPIY para analizar cómo se interpretó el término «población civil». Las primeras sentencias lo definieron de conformidad con el artículo 3 común de los Convenios de Ginebra, extendiendo la protección del tipo penal a los miembros del ejército o de los grupos armados que se hubiesen rendido o hubiesen depuesto las armas, centrando por tanto la interpretación del término «civil» no en su estatus —militar como oposición al civil— sino en su específica conducta en el momento de ser sujeto pasivo del acto conectado con el ataque; *(Prosecutor vs. Jelisic.* IT-95-10-T. Trial Judgement. Sentencia de 14 de diciembre de 1999. Par. 54).

La sentencia del caso BLAŠKIĆ, aplicando el citado Art. 3 común de los Convenios de Ginebra en relación con el término «población civil» llegó a la siguiente conclusión: «Por lo tanto, los crímenes contra la humanidad no se refieren únicamente a los actos cometidos contra civiles en el sentido estricto del término, sino que incluye también dos categorías de personas: los miembros de un movimiento de resistencia y los ex combatientes, —con independencia de que vistan o no uniformes— que ya no participaban en las hostilidades cuando los crímenes se perpetraron porque, o ya habían abandonado el ejército, o ya no llevaban armas o, en última instancia, habían sido ubicados fuera de las zonas de combate debido a sus heridas o a causa de su detención. De ello se interpreta que la situación específica de la víctima en el momento en que se cometen los delitos, en lugar de su condición, es lo que debe tenerse en cuenta para determinar su condición de civil. En todo caso, se puede concluir que la presencia de soldados dentro de una población civil objeto del ataque no altera el carácter civil de esa población». *(Prosecutor vs. Blaškić.* IT-95-16-T. Trial Judgement. Par. 214).

La Corte de Apelación en el mismo caso BLAŠKIĆ se apartó de esta interpretación *(Prosecutor vs. Blaškić.* IT-95-14-A. Appeal Chamber Judgement. Sentencia de 29 de julio de 2004. Par. 115), acudiendo a criterios formales de Derecho Internacional Humanitario, delimitando el concepto de «población civil» de conformidad con el artículo 4 a) de la Tercera Convención de Ginebra de 1949 en relación con Art. 50 del Protocolo Adicional I de 1977 *(Tol 137095)* optando por una definición formal de población civil, restringiendo esta a los miembros de las fuerzas armadas, milicias o grupos de voluntarios que formen parte de estas, concluyendo que «La situación específica de la víctima en el momento en que se cometan los crímenes no deberá ser lo que determine el estatus civil o no civil. Si la persona es un miembro de una organización armada, el hecho de que no se encuentre armado o en combate al tiempo de la comisión de los crímenes [contra la humanidad], no le otorga a esta un estatus civil».

En este ámbito, la citada sentencia considera que lo esencial para determinar el carácter civil de una persona atacada no es el hecho de que en el momento del ataque esté o no armada o fuera de combate, sino su pertenencia al personal militar. De este modo, los combatientes que hubiesen depuesto las armas o los heridos no caerían dentro del ámbito de protección de la norma del crimen contra la humanidad.

No obstante, existe otra jurisprudencia, posterior al caso BLAŠKIĆ, cuyo referente es el caso MARTIC (*Prosecutor vs. Martic*. IT-95-11-A. Appeal Chamber Judgement. 8 de octubre de 2008. Par. 306.), donde la Corte de Apelación del TPIY acogió de nuevo el espíritu del artículo 3 de las Convenciones de Ginebra y del artículo 4 del Protocolo Adicional II, para incluir en el ámbito de protección del crimen contra la humanidad a todas las personas que no hubieran tomado parte directa en el conflicto, o quienes hubiese cesado de tomar parte en las hostilidades, por lo que el foco vuelve a ponerse en la conducta de la persona atacada más que en su membresía a un ejército o grupo organizado de combate. La sentencia recuerda que: «Acerca de esta discusión sobre el crimen contra la humanidad, el Informe del Secretario General recomendando el establecimiento del Tribunal, expresamente hace referencia al Art. 3 común [de los Convenios de Ginebra]. Además, en ese informe, la Comisión de Expertos para el cumplimiento de la Resolución 780 del Consejo de Seguridad se refirió al artículo 3 común y remarcó que el artículo 4 del Protocolo Adicional II dirige las "garantías fundamentales" e incluye como grupo protegido "a todas las personas que no tomen parte directa en las hostilidades o quienes hayan dejado de hacerlo"».

La CPI, tanto en la sentencia de KATANGA (*Prosecutor vs. Germaine Katanga*. ICC-01/04-01/07. Trial Judgement. 7 de marzo de 2014. Par. 1102) como en la de BEMBA (*Prosecutor vs. Jean Pierre Bemba*. ICC-01/05-01/08. Trial Judgement. 21 de marzo de 2016. Par. 152) ha acogido la línea interpretativa más formalista y rigurosa de lo que ha de ser considerado «población civil», afirmando expresamente que el artículo 50 del Protocolo Adicional I del Convenio de Ginebra proporciona una definición de «población civil» la cual considera el Tribunal que es la aplicable en base a la costumbre internacional y de suficiente relevancia para ser aplicada al crimen contra la humanidad, por lo que la Corte respalda esa definición.

Por lo tanto, las discrepancias doctrinales se focalizan en aquellos que consideran que la exclusión del estatus de civil surge por la pertenencia a una fuerza de combate —ejército, grupos de resistencia organizados, etc.— sin que sea necesario analizar su actividad en el momento en el que se comete un crimen contra la humanidad contra estos, frente a otra corriente doctrinal que defiende que el concepto de población civil se ha de ampliar a aquellos miembros de las fuerzas armadas u otras fuerzas de combate que hubiesen depuesto las armas por distintas razones, con lo que el acento se pone en el efectivo papel desempeñado por la persona más que en su membresía a un grupo armado.

Una vez expuestas las distintas opciones planteadas en la jurisprudencia respecto a la interpretación del término «población civil», conviene determinar si esta debe ser el objeto del ataque o del acto concreto. Esta decisión no es baladí, pues si se exige que el sujeto pasivo del acto deba ser civil, ello excluiría a los militares frente a los que se cometa un acto específico en el ámbito de un ataque contra la población civil, pero si se opta por considerar que la población civil debe ser el objeto del ataque, pero no del acto concreto, ello incluiría como sujetos objeto de protección a los militares atacados en un contexto de crimen contra la humanidad. Antes de adentrarnos en este debate, se han de tener en cuenta tres principios, derivados de la interpretación jurisprudencial consolidada del TPIY y del artículo 50.1 del Protocolo Adicional I del Convenio de Ginebra, que son aplicados respecto a la población civil como objeto de protección de la norma. Son los siguiente:

- La existencia de soldados entre la población civil no desvirtúa el carácter civil de la misma. (Similar al principio formulado en el artículo 50.3 del Protocolo Adicional I del Convenio de Ginebra).

- En caso de duda, se debe presumir el carácter civil del objeto del ataque.

- Es posible que existan víctimas no civiles en la comisión de un crimen contra la humanidad, pues el carácter civil lo ha de tener el objeto del ataque, que no tiene por qué coincidir con las características de la víctima de un acto concreto conectado con el ataque.

Este tercer principio es el que mayor conflicto generó en la aplicación jurisprudencial. En la guerra de la ex Yugoslavia se planteó este dilema al enjuiciarse el ataque al hospital de Vukovar, llevado a cabo por fuerzas serbias, y en el que se encontraban soldados convalecientes croatas que opusieron resistencia al ataque. La Corte de Apelación de MRKŠIĆ, estableció la diferencia entre el objeto del ataque —a población civil— y las víctimas de los actos concretos —que pueden ser militares o fuerzas de combate (*hors de combat*, en términos del TPIY)—.

La Corte estimó el recurso interpuesto por la fiscalía contra la sentencia de primera instancia del caso MRKŠIĆ (*Prosecutor vs. Mrkšić.* IT-95-13/1. Trial Judgement. 27 de septiembre de 2007. Par. 463), la cual resolvía que no se habían cometido crímenes contra la humanidad porque entre los fallecidos del ataque al hospital de Vukovar se encontraban soldados croatas que eran prisioneros de guerra, afirmando que un ataque generalizado o sistemático contra la población civil no podría ser considerado un crimen contra la humanidad si parte de las víctimas no eran civiles. La Corte de Apelación estimó el recurso, declarando que no se podía interpretar el carácter civil de la víctima como un elemento material del crimen contra la humanidad, diferenciando el objeto del ataque —que sí ha de dirigirse contra la población civil— con la condición de las víctimas de dicho ataque, que podrían no tener la consideración de civiles (*Prosecutor vs. Mrkšić.* IT-95-13/1.A. Appeal Chamber Judgment. 5 de mayo de 2009. Pars. 30-33; *Prosecutor vs. Martić* IT-95-11. Appeal Chamber Judgement. 8 de junio de 2008. Pars. 307).

Por lo tanto, la población civil o una parte de ella que pueda ser identificada como un grupo (ya que si bien no existe un criterio cuantitativo de víctimas mínimas para considerar perfeccionado un crimen contra la humanidad, sí se han de excluir los actos aislados o aleatorios o por azar que no cuenten con la característica de sistematicidad o generalidad del ataque), debe ser el objeto frente al que se dirige el ataque, pero ello no significa que todas las víctimas deban ser civiles, pues el delito específico cometido contra un no civil, en el marco de ese ataque, también habrá de ser considerado crimen contra la humanidad.

II. LA INCORPORACIÓN DEL DELITO DE LESA HUMANIDAD AL CÓDIGO PENAL ESPAÑOL

La figura del crimen contra la humanidad se incorporó al Código Penal español en virtud de la Ley Orgánica 15/2003 *(Tol 228956)*, que en su artículo 607 bis incluyó el delito de lesa humanidad (al hacer referencia a este delito se utilizará el nombre por el que ha optado el legislador —lesa humanidad— utilizando su acepción clásica de un delito que causa un daño a la humanidad). Con posterioridad, el tipo penal ha sido modificado en dos ocasiones, por la LO 5/2010 *(Tol 1867500)* y por la LO 1/2015 *(Tol 4788288)*.

El modo de introducir esta figura penal en nuestro ordenamiento jurídico, si bien ha seguido la pauta marcada por el artículo 7 ER, ha incorporado determinadas novedades en los elementos generales del tipo penal que provocan confusión, tanto a la hora de interpretarlo como a la hora de ser aplicado por los Tribunales.

El mayor motivo de desconcierto radica en que el artículo 607 bis CP ha optado por eliminar el tipo específico de persecución del crimen contra la humanidad, introduciendo en los elementos generales distintas opciones entre las que se incluyen los motivos discriminatorios del ataque, lo que genera gran confusión a la hora de interpretar si lo que pretende el legislador es reformular el tipo penal, incluyendo un elemento subjetivo discriminatorio no exigido en la concepción del crimen contra la humanidad a nivel internacional, o plantearlo como un posible contexto alternativo. A continuación, se analizarán las distintas opciones interpretativas de los elementos generales del tipo penal.

1. Elementos generales del delito de lesa humanidad

Los problemas interpretativos surgen debido a que el legislador ha optado por incluir, junto con el contexto típico internacionalmente admitido del crimen contra la humanidad (ataque generalizado o sistemático contra la población civil), dos situaciones específicas, encadenándolas al contexto bajo la reprobable (por confusa) fórmula de «en todo caso». Así, los elementos generales del delito de lesa humanidad se han formulado en los siguientes términos:

> «1. *Son reos de delitos de lesa humanidad quienes cometan los hechos previstos en el apartado siguiente como parte de un ataque generalizado o sistemático contra la población civil o contra una parte de ella.*
>
> *En todo caso, se considerará delito de lesa humanidad la comisión de tales hechos:*
>
> *1. Por razón de la pertenencia de la víctima a un grupo o colectivo perseguido por motivos políticos, raciales, nacionales, étnicos, culturales, religiosos o de género u otros motivos universalmente reconocidos como inaceptables con arreglo al Derecho internacional.*
>
> *2. En el contexto de un régimen institucionalizado de opresión y dominación sistemáticas de un grupo racial sobre uno o más grupos raciales y con la intención de mantener ese régimen».*

El Art. 607 bis 1 CP contempla, en su primer párrafo, los elementos esenciales comunes del crimen contra la humanidad —ataque generalizado o sistemático contra la población civil—, como el contexto que eleva a la categoría de crimen internacional un delito común. La diferencia que se puede encontrar entre el Art. 607 bis 1 CP y el Art. 7 del ER es la referencia final, pues en este último se exige *«y con conocimiento de dicho ataque»*, mientras que en el primero se específica *«o contra una parte de ella»*.

La exclusión de la exigencia del conocimiento del ataque es una consecuencia lógica de la asunción de los principios Derecho penal español, y la forma de tipificar los delitos, donde no se incluye en cada tipo la necesidad de la comisión «con conocimiento», ya que todos los delitos de Código Penal se deben cometer de manera dolosa, y solo excepcionalmente se castiga la comisión imprudente cuando expresamente lo disponga la Ley (Art. 12 CP). En este caso, en el delito de lesa humanidad no se castiga su comisión imprudente, por lo que el conocimiento de los elementos, generales y particulares del tipo, deriva de su concepción dolosa, a salvo de lo dispuesto en el artículo 615 bis 2 CP respecto al castigo, por imprudencia grave, a la autoridad o jefe militar por no evitar la comisión de delitos de lesa humanidad.

Por otro lado, la especificación acerca de la posibilidad de cometer el delito contra una parte, y no contra toda la población, aunque pueda parecer obvia, aporta claridad a una figura penal tan compleja.

Este contexto es similar al ya estudiado y que ha sido consolidado por la jurisprudencia de los Tribunales penales internacionales. El problema surge al interpretar el segundo párrafo del Art. 607 bis 1 CP, pues el legislador incluye que «en todo caso» se considerará delito de lesa humanidad cuando tales hechos se cometan por razón de la pertenencia de la víctima a un grupo perseguido por motivos discriminatorios o si los mismos han sido cometidos en un régimen institucionalizado de opresión de un grupo racial sobre otro (apartheid).

1.1 . Contexto discriminatorio y la desaparición del tipo específico de persecución en el artículo 607 bis CP

El legislador español optó por un nuevo modo de concebir el acto criminal de persecución, que según la jurisprudencia de los TPIs ad-hoc representa cualquier violación grave de los derechos fundamentales de un grupo por motivos discriminatorios, cometidas como parte de un ataque generalizado o sistemático, y siguiendo las directrices del *Manifiesto sobre Justicia Penal Internacional*, elaborado por el «Grupo de Estudio de Política Criminal» (GEPC), se apartó de esta interpretación internacional y reformuló el tipo de persecución asimilándolo a un «contexto» donde se podrían producir los delitos específicos o subyacentes.

Las razones del legislador para realizar dicha transformación en la cláusula general del delito se pueden encontrar en los argumentos del GEPC, según los cuales, tras señalar que debían ser desgajados de las conductas punibles del Art. 7 ER los supuestos de «persecuciones» y «apartheid» explican que «Ello se debe a que se trata de supuestos complejos, caracterizados por la realización de cualquiera de los comportamientos típicos (muertes, violaciones, torturas, etc) dentro de un contexto específico que viene a concretar la idea genérica de "ataque contra una población civil"».

De la lectura del artículo 607 bis CP se podría interpretar que existen tres contextos distintos, donde si el delito específico es cometido, se perfeccionará el delito de lesa humanidad. Serían los siguientes:

√ *Primer contexto*: Comisión de los delitos subyacentes en el marco de un ataque generalizado o sistemático contra la población civil.

√ *Segundo contexto:* Comisión de los delitos subyacentes contra la víctima por razón de su pertenencia a un grupo o colectivo perseguido por motivos políticos, raciales, nacionales, étnicos, culturales, religiosos o de género u otros motivos universalmente reconocidos como inaceptables con arreglo al Derecho internacional.

√ *Tercer contexto:* Comisión de los delitos subyacentes en un régimen institucionalizado de opresión y dominación sistemáticas de un grupo racial sobre uno o más grupos raciales y con la intención de mantener ese régimen.

El principal problema radica en decidir si el segundo y el tercer contexto se han de aplicar de un modo alternativo o acumulativo al primer contexto, pues la toma de posición respecto de la primera o segunda opción limita la aplicación del tipo penal a determinados supuestos concretos.

1.1.1. *Contextos alternativos*

De una primera lectura, se podría interpretar que el legislador ha intentado encajar los motivos discriminatorios como un contexto que podría producirse y que convertiría al delito subyacente —homicidio, por ejemplo— en un delito de lesa humanidad, siendo la motivación discriminatoria el resorte que transforma al acto ilícito de los contemplados en el artículo 607 bis 2 CP en un delito de lesa humanidad. El Art. 607 bis 1 CP tras haber enunciado el primer contexto —ataque generalizado o sistemático contra la población civil—, específica que:

> «*En todo caso, se considerará delito de lesa humanidad la comisión de tales hechos:*
> *1º Por razón de la pertenencia de la víctima a un grupo o colectivo perseguido por motivos políticos, raciales, nacionales, étnicos, culturales, religiosos o de género u otros motivos universalmente reconocidos como inaceptables con arreglo al Derecho internacional*».

La duda que asalta al leer «en todo caso» es si lo que se pretende es que al contexto general —ataque generalizado o sistemático contra la población civil— se le sume la persecución por motivos discriminatorios, incluyendo este elemento como una circunstancia específica del ataque, o no.

Si se analizan los términos utilizados, se puede comprobar que el párrafo primero se refiere a los delitos subyacentes como «hechos» —«*Son reos de delitos de lesa humanidad quienes cometan los hechos previstos en el apartado siguiente*»— y que el párrafo introductorio de los dos siguientes contextos, se refiere igualmente a «hechos» y no a un ataque —«*En todo caso, se considerará delito de lesa humanidad la comisión de tales hechos…*»—. La asimilación de «los hechos» con los «delitos subyacentes» lleva a la conclusión de que la intención del legislador es castigar la comisión de esos «hechos» como delitos de lesa humanidad, aunque no se lleven a cabo como parte de un ataque generalizado o sistemático, si se cometen en el marco de alguno de los otros dos contextos alternativos (persecuciones discriminatorias o en un régimen de apartheid).

VIVES ANTÓN/ CARBONELL MATEU defienden esta interpretación, afirmando que los actos descritos en el apartado segundo del mismo artículo (homicidio, lesiones, etc.) se considerarán como delitos de lesa humanidad «si se cometen como parte de un ataque generalizado o sistemático contra la población civil o contra una parte de ella, o si se llevan a cabo por razón de pertenencia de la víctima a un grupo o colectivo perseguido por motivos (…) o si se realizan en el contexto de un régimen institucionalizado…». De este modo entienden que los actos delictivos podrían perfeccionar el tipo de lesa humanidad cuando se llevaren a cabo en alguno de los tres contextos contemplados en el Art. 607 bis1 CP.

El Tribunal Supremo, en su sentencia de 10 de enero de 2007 (caso *Scilingo*) *(Tol 1584858)*, acoge esta interpretación de contextos alternativos de los delitos de lesa humanidad, afirmando que:

«Su elevación a la naturaleza de delitos contra la comunidad internacional encuentra justificación en las circunstancias añadidas que integran el elemento de contexto. Son estas, según el artículo 607 bis del Código Penal, el que los hechos concretos se cometan como parte de un ataque generalizado y sistemático contra la población civil o una parte de ella, o bien cuando se cometan por razón de la pertenencia de la víctima a un grupo o colectivo perseguido por motivos políticos, raciales, nacionales, étnicos, culturales, religiosos o de género u otros motivos universalmente reconocidos como inaceptables con arreglo al derecho internacional o bien, se cometan en el contexto de un régimen institucionalizado de opresión y dominación sistemáticas de un grupo racial sobre uno o más grupos raciales y con la intención de mantener ese régimen».

Esta interpretación del artículo 607 bis 1 CP, que deriva de la dicción literal del precepto, y que se aparta diametralmente de la esencia de lo que se entiende por crimen contra la humanidad a nivel internacional, plantea determinadas cuestiones controvertidas, ya que el ataque generalizado o sistemático contra la población civil solo sería uno de los contextos que convierten a los delitos subyacentes en crímenes contra la humanidad. Otro contexto sería la persecución por motivos discriminatorios, sin que parezca que el ataque sea exigible, transformando un elemento subjetivo del tipo —motivos discriminatorios— en el resorte que transforma la naturaleza delictiva, por ejemplo, de unas lesiones a un delito de lesa humanidad. Esta interpretación no sería acorde con la naturaleza histórica y la comprensión actual del crimen contra la humanidad, y supondría la banalización del delito de lesa humanidad, que no sería, ni más ni menos, que la comisión de un delito junto con la agravante de discriminación del artículo 22.4 CP.

Por otro lado, se ha de tener en cuenta que, prácticamente, cualquier tipo de razón discriminatoria podría ser considerada apta para entender consumado este segundo contexto, ya que como cláusula de cierre el artículo 607 bis 1. 1° CP incluye *«otros motivos universalmente reconocidos como inaceptables con arreglo al Derecho internacional»*. Esto plantea la incógnita de si determinados delitos subyacentes llevados a cabo contra las fuerzas del orden público —la Guardia Civil, por ejemplo— podrían considerarse como delitos de lesa humanidad, si el motivo discriminatorio de la persecución se fundase en el tipo de trabajo de las personas atacadas. Si ello fuese así, el ataque ya no estaría limitado a dirigirse directamente contra la población civil, sino que incluiría a cualquier grupo atacado —militares incluidos— por motivos discriminatorios, transmutándose una vez más la figura del crimen contra la humanidad en función de la interpretación que se haga del mismo.

El tercer contexto se concretaría en cometer los delitos subyacentes en un régimen (gubernamental, se entiende) institucionalizado de opresión y dominación de un grupo racial sobre otro, con la intención de perpetuar ese tipo de regímenes (apartheid).

1.1.2. Contextos acumulativos

La farragosa redacción del artículo 607 bis 1 CP da también lugar a otra interpretación del tipo penal que se aparta de su concepción actual a nivel internacional, y que exige que, junto con el contexto general, deba aparecer siempre un elemento discriminatorio, ya sea por razón de la pertenencia de la víctima a un grupo perseguido, ya sea por el establecimiento de un régimen institucional de discriminación racial, para que el contexto típico del delito de lesa humanidad se perfeccione.

En este ámbito de interpretación se sitúa CONDE PUMPIDO, quien defiende que la condición para que el acto aislado de agresión pueda considerarse como parte de un ataque generalizado o sistemático contra la población civil se considera cumplida en dos supuestos: cuando el acto aislado de agresión tenga como causa la pertenencia de la víctima a un grupo o colectividad perseguido o cuando el acto individualizado de agresión se cometa como parte de un régimen institucionalizado de opresión y dominación sistemática de un grupo racial sobre otros. De este modo, este autor introduce un elemento no requerido por el tipo penal, ni por la jurisprudencia internacional, para que el contexto del delito sea el adecuado.

En esa línea de interpretación, QUESADA ALCALÁ considera que dichos contextos (607 bis 1. 1º y 1. 2º) representan el marco donde los actos cometidos con carácter generalizado o sistemático contra la población civil van a ser considerados como crímenes contra la humanidad.

En una posición cercana se sitúa RODRÍGUEZ NÚÑEZ al calificar ambos contextos como «circunstancias delimitadoras del ámbito de aplicación del CP». Para esta autora el ataque siempre se deberá cometer por motivos de discriminación política, nacional, racial, étnica, cultural, religiosa, de género u otros motivos reconocidos universalmente como inaceptables con arreglo al Derecho internacional.

La asunción de las tesis expuestas supondría incluir como elemento del tipo una motivación discriminatoria del ataque, lo que llevaría a la conclusión de que un ataque contra la población civil que no cumpliese este requisito no podría ser considerado un delito de lesa humanidad, apartándose de la jurisprudencia consolidada de los TPIs ad-hoc y de la CPI que insiste en que la motivación del autor del crimen contra la humanidad, incluso la motivación del ataque (*Prosecutor vs. Jean Pierre Bemba*. ICC-01/05-01/08. Trial Judgement. 21 de marzo de 2016. Par. 159.) no afecta a la calificación del mismo (salvo en los tipos específicos de crimen de persecución).

A pesar de ello, parece que la interpretación expuesta es la que transciende en la sentencia de la Audiencia Nacional 5/2017 de 6 de marzo *(Tol 5993164)* —caso *Vielman*—, que representa la segunda ocasión en la que la Audiencia Nacional se ha encargado de juzgar a una persona por la comisión de un delito de lesa humanidad, esta vez en su modalidad de responsabilidad penal del superior por permitir que personas bajo su mando cometiesen este tipo de delitos (Art. 615 bis CP). En esta ocasión, se juzgó al ex ministro de gobernación del gobierno de Guatemala, nacionalizado español, por la comisión de actos de limpieza social realizados por fuerzas policiales y parapoliciales dependientes de su ministerio, cargos de los que finalmente fue absuelto. La sentencia no es muy clara al abordar la interpretación del artículo 607 bis CP, pero la conclusión a la que llega hace pensar que abraza esta tesis de los contextos acumulativos. En la sentencia se afirma que:

«En definitiva, el tipo penal contempla dos supuestos en los que la comisión de los hechos de muerte, violación, lesiones, deportación, como parte de un ataque generalizado o sistemático contra la población civil o contra una parte de ella serán considerados en todo caso delitos de lesa humanidad: la comisión en el contexto de un régimen institucionalizado de opresión y dominación sistemática de un grupo racial sobre otro, o bien que el hecho se cometa por razón de pertenencia de la víctima a un grupo o colectivo perseguido por razones políticas, religiosas, étnicas, siendo relevante que sea precisamente por esa pertenencia lo que motiva, guía e inspira la actuación de los autores.

[…] Los hechos no se cometen en el contexto de un régimen institucionalizado y de opresión de un grupo sobre otro, ni por razón de pertenencia de las víctimas a un grupo o colectivo por las razones que la norma invoca. Los reclusos tampoco pueden considerarse un grupo perseguido. Algunas víctimas son miembros destacados del colectivo de reclusos. Pero no son ejecutados por su pertenencia a dicho grupo. Los móviles de los autores pueden ser diversos sin que pueda descartarse una intencionalidad económica o la existencia de una animadversión personal. Tampoco existe la menor constancia de un plan diseñado desde el Gobierno para su aniquilación física. El informe Alston sobre la situación en Guatemala se refiere a responsabilidad institucional, a falta de voluntad política, pero en ningún caso atribuye a un miembro de su gobierno una responsabilidad personal y directa en tales episodios de limpieza social».

Esta sentencia se debe comparar con la sentencia de la Audiencia Nacional núm. 16/2015 de 19 de abril (caso *Scilingo*) *(Tol 642226)*, que fue la primera que se encargó de enjuiciar un delito de lesa humanidad, donde la misma Sección III (aunque con distintos Magistrados, salvo en el caso de De Prada Solaesa), extrajo los elementos fundamentales del crimen contra la humanidad y sus normas de aplicación, de la jurisprudencia consolidada del TPIY, y entre estas se encuentran las siguientes máximas: «Los motivos del sujeto resultan irrelevantes» y «la intencionalidad discriminatoria solo es necesaria para el delito de persecución».

No obstante, en la sentencia del caso *Vielman*, la Sección III de la Audiencia Nacional (con el voto particular, discrepante y muy importante del Magistrado De Prada Solaesa) parece acoger la tesis de que la motivación de los autores representa un elemento subjetivo del delito de lesa humanidad, alejándose de este modo de la interpretación del crimen contra la humanidad asentada en la jurisprudencia internacional, que se refleja en el Estatuto de Roma. Como se ha expuesto, el requisito exigido para que un acto delictivo adquiera la condición de «lesa humanidad» es la conexión del mismo con un ataque generalizado o sistemático contra la población civil y no el hecho de ser llevado a cabo por determinados motivos o en un concreto contexto de dominación racial. Esta valoración, que deriva del hecho de interpretar el equívoco vocablo «en todo caso» como un sinónimo de «siempre que sea cometido por…», representa una valoración errónea del tipo penal que puede llevar a considerar que el delito exige la concurrencia de determinados elementos para su consumación, que en realidad no exige.

1.1.3. *Contexto general necesariamente implícito en el contexto específico*

Parte de la doctrina defiende que la concepción disyuntiva de los distintos contextos solo podría ser soportada desde una postura que considere que el ataque generalizado o sistemático ya se encuentra implícito en los apartados del Art. 607 bis 1. 1º y 2º CP. Esta parece ser la intención del legislador, pues responde a la explicación que se ofrece de esta reinterpretación del tipo general por el Grupo de Estudios de Política Criminal, explicando que su propuesta «se debe a que se trata de dos supuestos complejos, caracterizados por la realización de cualquiera de los comportamientos típicos (muerte, violación, torturas,…) dentro de un contexto específico que viene a concretar la idea genérica de ataque contra una población civil».

Siguiendo esta línea interpretativa, LANDA GOROSTIZA patrocina que los casos de apartheid y persecuciones se tratan «de dos concreciones del contexto "ataque" aludido, en el que se deben verificar los hechos acompañantes».

En esa misma línea, GIL GIL considera que los dos contextos —persecuciones y apartheid— han de ser interpretados como dos concreciones del contexto típico que no integran un listado cerrado de situaciones, sino que han de entenderse como dos ejemplos *ex legem* que «equivalen al contexto de ataque generalizado o sistemático, pero que no excluyen otras posibles situaciones que integren este ataque».

LIÑÁN LAFUENTE, defiende que esta es la única interpretación del artículo 607 bis 1 CP que se adecúa a la configuración típica del crimen contra la humanidad a nivel internacional, que llevaría a considerar el apartado primero del citado artículo como una *conditio sine qua non* para determinar la aparición de un delito de lesa humanidad, que pueda ir acompañada de motivos discriminatorios, pero que no son necesarios para la perfección del tipo penal. En este sentido se debe comprobar siempre la existencia del contexto —ataque generalizado o sistemático— ante la posibilidad de considerar las conductas como delitos de lesa humanidad (TAMARIT SUMALLA). Una vez comprobado este contexto, si además se hubieran llevado a cabo por razón de la pertenencia de la víctima a un grupo perseguido por determinados motivos o en un régimen institucionalizado de dominación racial —en este caso la prueba del contexto determinaría la aparición de la conducta típica— podrían denominarse dichas conductas como delito de lesa humanidad de persecuciones o apartheid.

No obstante, esta manera de entender el Art. 607 bis 1 CP lleva a una conclusión que resta una justificación práctica a este tipo de redacción, pues al hacer esta lectura literal del Art. 607 bis 1 CP se puede concebir que «en todo caso» cuando un acto contemplado en el Art. 607 bis 2 CP se cometa por motivos discriminatorios en razón de la pertenencia de la víctima a un grupo y como parte de un ataque generalizado o sistemático contra la población civil se considerará perfeccionado el delito de lesa humanidad, pero asimismo, «y en todo caso también», cuando el mismo hecho se hubiere cometido faltando la motivación discriminatoria, también se considerará perfeccionado el delito. Es decir, que la perfección del tipo penal no dependerá del contexto específico sino del general, exigido para todas las conductas, representando los contextos específicos ejemplos residuales que si no llegan a probarse no impedirían que la conducta se puede calificar como delito de lesa humanidad si se constata la existencia del contexto general.

2. *El bien jurídico protegido*

El delito de lesa humanidad se ubica bajo la rúbrica de *Los delitos contra la Comunidad Internacional* del título XXIV del CP, el cual engloba, junto a este, a los delitos de genocidio y a los crímenes de guerra, como crímenes internacionales que el Estado español ha tipificado en su derecho interno. La creación específica de este apartado, requerido desde antaño por la doctrina (QUINTANO RIPO-

LLÉS), revela el interés del legislador por proteger a nivel nacional los valores que han sido reconocidos como indispensables a nivel internacional para la salvaguarda de la paz y seguridad de la humanidad (TAMARIT SUMALLA).

En relación con el citado Título XXIV, MUÑOZ CONDE identifica como bien jurídico protegido a la Comunidad Internacional; BLANCO LOZANO en esta línea, apunta específicamente que se protege la solidaridad internacional frente a las más graves y lacerantes violaciones de los Derechos Humanos de los ciudadanos de cualquier parte del mundo; GONZÁLEZ RUS identifica como valor de protección la convivencia internacional o las relaciones internacionales, especificando que el bien jurídico protegido en cada capítulo representa particularidades propias; TAMARIT SUMALLA identifica el bien jurídico protegido con la serie de relaciones y obligaciones que el Estado y los ciudadanos españoles tienen con los demás Estados; RODRÍGUEZ NÚÑEZ opta por la convivencia internacional, las relaciones internacionales y la propia «comunidad internacional», así como la paz internacional, los Derechos Humanos y las libertades fundamentales de grupos no dominantes y perseguidos; la función de proteger a la Comunidad Internacional de la lesión de sus bienes jurídicos esenciales: la paz, la seguridad y el bienestar de la humanidad; CORCOY BIDASOLO identifica como valor protegido el Derecho de cualquier grupo humano a su existencia con independencia de sus características nacionales, étnicas, raciales o religiosas;

La determinación de este objeto de protección se lleva a cabo de un modo general, es decir, interpretando que todas las figuras delictivas contenidas en el título XXIV CP contribuyen, cada una en su debido espectro de proyección, a la pervivencia de la Comunidad Internacional. Pero cada delito en particular se centra en la protección de bienes jurídicos concretos —individuales o colectivos—, los cuales comparten entre ellos el interés de protección que la Comunidad Internacional ha expresado en instrumentos supranacionales.

La determinación del bien jurídico protegido del delito de lesa humanidad no representa una discusión doctrinal pacífica. Antes de adentrarnos en este ámbito, se ha de diferenciar la naturaleza del delito de lesa humanidad de la del genocidio, pues en el terreno del bien jurídico protegido, ambos delitos se tienden a confundir. Frente a ello se ha de enfatizar que el tipo de lesa humanidad no exige en los elementos generales una intención específica o discriminatoria sobre un grupo determinado de la población civil, a diferencia del genocidio, que contiene como elemento subjetivo del injusto la «intención de destruir total o parcialmente a un grupo nacional, racial, étnico o religioso» —y que provoca la calificación del mismo como un «delito de intención». Este elemento subjetivo determina —según opinión doctrinal mayoritaria (GIL GIL, OLLÉ SESÉ, TAMARIT SUMALLA)— que el bien jurídico protegido del genocidio se cifre en «la protección de la existencia de determinados grupos humanos», por lo que el titular del mismo no será una persona individual, sino el grupo como colectividad.

A diferencia del genocidio, la estructura típica del delito de lesa humanidad no se centra en la exigencia de una finalidad determinada al Estado u organización que lanza el ataque, sino en los medios, modos y formas de comisión en los que se desarrolla el mismo. Lo determinante es la manera en que los actos delictivos se llevan a cabo (contexto) y no la finalidad perseguida con los mismos.

Precisamente la toma de posición respecto del objeto de protección del delito divide a la doctrina en cuanto a la identificación del bien jurídico protegido. Existe parte de la doctrina que identifica a bienes jurídicos supraindividuales como los valores protegidos por el delito de lesa humanidad.

CAPELLÁ I ROIG, a los «Derechos humanos, la paz y la seguridad de la humanidad» como los bienes jurídicos colectivos protegidos por esta figura criminal. Para CAPELLÁ I ROIG, solo bienes jurídicos supraindividuales son afectados por este delito y, por ende, aparece un sujeto pasivo colectivo caracterizado en la población civil. RODRÍGUEZ NÚÑEZ, partiendo desde la consideración del elemento discriminatorio como aplicable a todo el tipo penal, determina al bien jurídico protegido como «la paz internacional, junto con los Derechos humanos y las libertades fundamentales de grupos no dominantes y perseguidos». ALIJA FERNÁNDEZ defiende que los crímenes contra la humanidad protegen a la humanidad en su conjunto, y desde esta perspectiva identifica al bien jurídico protegido como la dignidad humana.

Esta «dignidad humana» fue identificada como el valor objeto de protección respecto a la figura del crimen contra la humanidad por la doctrina clásica que se ocupó del análisis de la figura criminal tras la Segunda Guerra Mundial. En este sentido se pronunciaron GRAVEN, RADBRUCH, WÜRTENBERGER.

LUBAN, desde un punto de vista político-sociológico, interpreta que lo protegido por la figura del crimen contra la humanidad es la cualidad intrínseca del ser humano, su esencia íntima, lo que caracteriza a todos los seres humanos como animales políticos.

CHEHTMAN, se aleja de las posiciones precedentes planteando si realmente la comisión de un crimen de lesa humanidad genera un daño a la comunidad internacional. Así, el citado autor concluye que: «No es fácil mostrar que la tortura como parte de un ataque sistemático contra una población en Sudáfrica daña *realmente* a individuos en Suecia o Japón. Tampoco es claro de qué modo la comunidad internacional es dañada por un crimen de guerra perpetrado por un conflicto aislado en Colombia. La única forma de entender esta proposición parece ser estableciendo un umbral tan bajo (esto es, la solidaridad sobre la base de nuestra vulnerabilidad común a la violencia), qué, una vez más, eliminaría la distinción que estamos tratando trazar entre crímenes de lesa humanidad y muchos delitos internos».

Desde otro punto de vista, y señalando al individuo como sujeto pasivo del crimen, varios autores defienden el carácter colectivo-individual del bien jurídico. Afirman que la actividad delictiva afecta al género humano y por ello se eleva el crimen al nivel internacional, considerando que la perfección del tipo lesiona, en un primer momento, un bien jurídico supraindividual, que se completa con el daño al interés protegido a nivel individual.

Los siguientes autores defienden esta postura, y aunque se ha formulado en relación con el crimen contra la humanidad del artículo 7 ER, la construcción dogmática podría ser aplicable al artículo 607 bis CP. WERLE defendiendo la postura de la complementariedad de los bienes jurídicos supraindividuales y personales, afirma que los crímenes contra la humanidad representan una amenaza para la paz, la seguridad y el bienestar de la humanidad al consistir en un ataque generalizado o sistemático contra los Derechos Humanos de la población civil. Este «contexto» pone en duda la humanidad como tal —en el sentido de un estándar mínimo de reglas de coexistencia humana—. Por lo tanto, según este autor, los crímenes no afectan solo a las víctimas individuales, sino también a la comunidad internacional en su conjunto. Estos valores han de interpretarse en conjunción con la protección de bienes jurídicos individuales, como la vida, la libertad o la dignidad.

MESEKE, partiendo de que el objeto de protección supraindividual es la humanidad como tal, concreta que el tipo penal afecta a esta al actuar contra el trato mínimo humanitario que exigen los derechos fundamentales y que la lesión masiva o sistemática de estos representa un ataque a la dignidad humana. De este modo, defiende que el término «Humanidad» debe ser entendido en el caso de este crimen como «dignidad del género humano», defendiendo sin embargo el carácter colectivo-individual del bien jurídico del crimen contra la humanidad, al reconocer la importancia del objeto de protección individual en cada tipo específico del crimen.

Este carácter individual-colectivo también es defendido por VEST, quien afirma que el primer portador del bien jurídico es la persona individualmente perseguida, pero solamente cuando está en conexión con el elemento cuantitativo necesario. El componente colectivo se establece a través del ataque coordinado por los autores, de donde procede la dimensión internacional del acto y en la cual se basa su enjuiciamiento internacional. Esta relación entre el carácter individual y el colectivo del ataque representa un elemento imprescindible para caracterizar al bien jurídico.

Existe otra parte de la doctrina que defiende que los bienes jurídicos protegidos en el delito de lesa humanidad son los bienes jurídicos personalísimos fundamentales (la vida, la integridad física y la salud de las personas, su libertad ambulatoria, la libertad sexual...) derivados de la consecuencia de identificar a la persona física como la portadora del mismo (GIL GIL, LIÑÁN LAFUENTE).

GIL GIL recuerda que la defensa de un bien jurídico colectivo, como la existencia de un grupo humano, no puede fundamentarse exclusivamente en el interés que para la Comunidad Internacional puedan tener las aportaciones culturales o de cualquier tipo de dicho grupo. Su defensa deberá estar siempre en función del interés que tenga para el individuo. Así, la citada autora plantea que, «si la forma de destruir el grupo es precisamente el ataque a sus miembros en bienes jurídicos fundamentales como la vida, la integridad física o la libertad, parece que la protección del bien jurídico en sí, o del bien jurídico colectivo —raza, nacionalidad, ideología, etc.— no tendría sentido si los bienes jurídicos individuales no fuesen previamente objeto de protección del Derecho penal internacional».

LIÑÁN LAFUENTE diferencia entre la dirección principal de la protección en el delito de lesa humanidad, que la ostenta el bien jurídico concreto representado en cada tipo específico —desde la vida, a la libertad, pasando por la integridad corporal o la autodeterminación sexual—, del interés que pueda tener el legislador en la protección de la «convivencia internacional», que representaría en este caso una función auxiliar derivada de su ubicación sistemática y de la importancia que ha adquirido la armonización de los tipos penales reconocidos a nivel internacional en el ámbito doméstico. Desde este punto de vista, el sujeto pasivo del delito de lesa humanidad es la persona individual, que no debe confundirse con el objeto del ataque, que sí sería la población civil.

3. Sujeto activo

El artículo 607 bis CP no se configura como un delito especial propio, por lo que, en principio, el sujeto activo del delito de lesa humanidad podría ser cualquier persona. Es más, nótese que el citado artículo ni siquiera introduce el elemento político que exige que el ataque provenga de un Estado o de una organización. No obstante, y a pesar de que el tipo penal no lo exija, la escasa jurisprudencia nacional que se ha ocupado de aplicar el delito de lesa humanidad sí interpreta que el ataque típico debe provenir de un Estado o de una organización, de conformidad con el artículo 7 ER y la jurisprudencia de los TPIs ad-hoc.

La sentencia de la Audiencia Nacional de 19 de abril de 2005 (Caso *Scilingo*), interpretando el crimen contra la humanidad de conformidad con la jurisprudencia del TPIY del momento, recuerda que «la exigencia del ataque contra la población civil viene a significar en estos momentos una actuación de conformidad con políticas de Estado o de una organización no estatal, pero que ejerce el poder político de facto». No obstante, en la misma sentencia, y unos párrafos más abajo se puede leer que «Los ataques deben ser masivos o sistemáticos o que se ejerzan en el marco de una política o plan estatal, pero no es imprescindible que se dé este último elemento». Esta sentencia, que realiza un ejercicio importante al resumir los elementos definitorios del crimen contra la humanidad del momento a nivel internacional, adolece en este punto concreto de coherencia, ya que un párrafo exige que el ataque se cometa de conformidad con un plan estatal, y unas líneas más abajo considera que este último elemento no es necesario, aunque de su lectura en conjunto, y de la relevancia que le otorga a la implicación del Estado argentino en el contexto típico aplicado al caso, se averigua la importancia que concede al elemento político.

La sentencia de la Audiencia Nacional de 6 de marzo de 2017 (Caso *Vielman*) no se pronuncia sobre el elemento político del delito de lesa humanidad, ya que lo da por hecho al centrarse la acusación en quien fue ministro de gobernación de Guatemala. No obstante, el voto particular del Magistrado De Prada Solaesa sí se pronuncia sobre la necesidad de la existencia de un plan o política estatal, y precisamente fundamenta la falta de la acreditación del mismo para justificar la absolución del acusado por delitos de lesa humanidad, aunque defiende que debió ser castigado por los asesinatos cometidos por las fuerzas parapoliciales. Así, se puede leer en el voto particular que: «Coincido con la mayoría del Tribunal en que los hechos, consistentes en tres episodios de ejecuciones extrajudiciales —asesinato de 10 personas—, aunque materialmente ordenados y realizados por miembros de una estructura policial paralela de carácter organizado formada por altos cargos policiales aprovechando las ventajas de todo tipo que ello les reportaba, no pueden considerarse como crímenes contra la humanidad, por no quedar suficientemente probado la sistematicidad de la acción ni su carácter generalizado, representando hechos insertos en actividades de limpieza social, que aunque se producían con frecuencia, no se puede afirmar, por no existir constancia de ello, que representaran alguna clase de política estatal o paraestatal».

La posibilidad de que una organización terrorista sea la encargada de lanzar un ataque contra la población civil ha sido planteada en dos ocasiones, a través de la interposición de dos querellas ante la Audiencia Nacional contra la cúpula de ETA, por la comisión de delitos de lesa humanidad. Por auto de 9 de julio de 2015 del Juzgado Central de Instrucción núm. 3 *(Tol 52000419)* fue admitida a trámite una querella interpuesta contra la cúpula de la banda terrorista ETA donde se calificaban los hechos denunciados como delito de genocidio ex Art. 607 CP, pero el magistrado, tras analizar los hechos y compararlos con el crimen de genocidio, concluyó que estos no se podrían encuadrar en dicho tipo penal, pero «sí podrían ser encuadrados en el supuesto de una persecución sistemática y organizada que pretende la eliminación de los discrepantes activos que a los ojos de la organización terrorista constituyen un obstáculo o impedimento para la consecución de sus objetivos, lo que justifica su eliminación, bien mediante asesinato, bien mediante acciones de violencia e intimidación que produzcan su abandono del territorio vasco», y que dichos actos podrían indiciariamente ser calificados como un delito de lesa humanidad. La sección IV de la Audiencia Nacional confirmó la resolución por auto de 24 de septiembre de 2015 y fue dictado auto de procesamiento el 27 de octubre de 2015 *(Tol 529936)* por el citado Juzgado Central, limitando la investigación a los actos cometidos con posterioridad al 1 de octubre de 2004, fecha en la que entró en vigor la reforma que introdujo el delito de lesa humanidad en el CP español. En el auto de 27 de octubre de 2015 se concluye que en el caso investigado la violencia de la banda terrorista ETA debe ser considerada una «violencia de persecución», lo que supone un ataque generalizado o sistemático contra una parte de la población civil que responde a la estrategia diseñada por la banda para neutralizar a quienes aparecen como un obstáculo para la consecución de sus objetivos políticos, y a partir de dicha estrategia se identifican las víctimas, que los son por la única razón de su pertenencia a los grupos y colectivos perseguidos. Asimismo, a la hora de analizar la idoneidad de ETA como organización capaz de lanzar un ataque típico, recurriendo a la teoría de los aparatos de poder organizados de ROXIN, el citado auto concluye su idoneidad del modo siguiente: «En definitiva, lo que caracteriza a la organización es que el núcleo de la dirección adopta las decisiones de especial relevancia, y los miembros subordinados, que son fungibles, es decir, susceptibles de ser sustituidos por otros en las mismas condiciones, las ejecutan sin poder formular objeción alguna a las órdenes que reciben de la dirección o de los responsables de los aparatos político y militar».

Esta postura contrasta con la interpretación que respecto al elemento político acoge la Sección III de la Audiencia Nacional, en su auto núm. 155/2016 de 8 de abril de 2016 *(Tol 1375692)*, en el que inadmite a trámite otra querella interpuesta contra ETA por delitos de lesa humanidad por el asesinato de Don Luis Portero, perpetrado en el año 2000. Con independencia de que el motivo principal de inadmisión *a limine* sea que en esa fecha el delito de lesa humanidad no se encontraba tipificado en el ordenamiento jurídico español, la Sección III realiza un ejercicio interesante para intentar diferenciar el terrorismo del delito de lesa humanidad, y ello lleva indefectiblemente a adoptar las posturas más estrictas de interpretación respecto de esta figura criminal, pues la expansión del concepto de terrorismo provoca el solapamiento de ambos tipos penales (LIÑÁN LAFUENTE). Así, a la hora de interpretar el elemento político, la Sala acoge la doctrina más estricta del mismo y concluye que «para que se pueda hablar de un "ataque generalizado" en los términos del artículo 7 ECPI, es preciso que se cuente con la tolerancia del poder, o con la existencia de una organización capaz de aprovechar ese descontrol por parte de aquellos en un territorio concreto […], para que una organización terrorista pueda crear un elemento contextual en el que se inserten los actos que se configuran como crímenes contra la humanidad, sería preciso un cambio en la naturaleza de aquellas, para llevar a cabo ataques sistemáticos en el sentido estricto de los crímenes contra la humanidad, y además que la organización en cuestión se viera a sí misma como en un "estado de guerra", o como representante de lo que la doctrina denomina un "protoestado", en cuyo caso esas conductas sí tendrían la consideración de crímenes contra la humanidad».

Resulta esencial diferenciar el sujeto activo capaz de lanzar un ataque típico del propio sujeto activo del delito subyacente en conexión con un contexto típico del delito de lesa humanidad. El delito ha de ser cometido en un contexto que requiere de unas características típicas (ataque generalizado o sistemático contra la población civil, y si se incluye el elemento político, de conformidad con la política o plan de un Estado o de una organización), pero una vez construido el contexto, cualquier persona puede ser sujeto activo del delito de lesa humanidad, si su acto típico se encuentra conectado con el ataque y lo comete con conocimiento e intención, sin que sea exigible que el autor del delito deba actuar a las órdenes del Estado o ser miembro de la organización criminal.

4. Sujeto pasivo

El sujeto pasivo del crimen contra la humanidad es la persona que sufre el acto que atenta contra su vida, integridad, libertad, libertad sexual, etc. Esta identificación del sujeto pasivo deviene de la interpretación de que el bien jurídico son los derechos personalísimos protegidos por cada delito subyacente, y a la persona individual como la titular de los mismos.

Pero, como se ha expuesto con anterioridad, existen otras posturas sobre bien jurídico protegido en el delito de lesa humanidad, que necesariamente condicionan la identificación de otro sujeto pasivo. Parte de la doctrina, asumiendo la concepción pluriofensiva del bien jurídico protegido, identifica a la población civil como la titular del mismo, a la hora de concretar el sujeto pasivo del crimen contra la humanidad (CAPELLÁ I ROIG). RODRÍGUEZ NÚÑEZ identifica como sujeto pasivo del delito a los miembros de los grupos de población civil perseguidos por determinadas razones. Esta interpretación asimila el concepto de sujeto pasivo grupal con la víctima.

WERLE, como consecuencia de su teoría del bien jurídico protegido colectivo-individual en el crimen contra la humanidad, intenta concordar dicha estructura con la determinación del sujeto pasivo del crimen, diferenciando el «hecho global», el cual se dirige contra a población civil, del hecho individual que se dirige contra los civiles.

Cómo ya se ha expuesto, se ha de diferenciar entre el carácter mayoritariamente civil del grupo como objeto del ataque típico, de la víctima como sujeto pasivo del delito, la cual no tiene no tiene por qué tener la condición de civil. Desde este punto de vista —persona individual como sujeto pasivo del delito de lesa humanidad— se ha de precisar si esta debe tener alguna característica especial para poder ser considerada de tal modo.

La víctima no tiene por qué tener ninguna característica especial, y ello tiene como consecuencia que los militares o las fuerzas de orden público puedan ser también sujetos pasivos del delito. Como enuncia LUBAN, quienes cometen crímenes contra la humanidad tienen por objetivo a individuos sobre una base colectiva o no individualizable.

Parte de la doctrina aboga incluso por la desaparición del adjetivo civil cuando el crimen contra la humanidad se comete en tiempos de paz, defendiendo la extensión del ámbito de protección de la norma a todos los colectivos (LIÑÁN LAFUENTE), recordando AMBOS que la exclusión de los no civiles no puede surgir de las normas del Derecho Internacional Humanitario que no resultan aplicables en tiempos de paz.

5. Elemento subjetivo

El elemento subjetivo del delito de lesa humanidad abarca el conocimiento y la intención de cometer un delito subyacente, junto con el conocimiento de que dicho delito se comete en un contexto concreto (o se encuentra conectado a este), que representa un ataque, ya generalizado, ya sistemático, contra la población civil orquestado por un Estado o por una organización.

El dolo del autor ha de abarcar el conocimiento de todos los elementos del injusto, por lo que el elemento subjetivo variará en función del tipo específico que se cometa, pues algunos delitos subyacentes exigen una intención específica que en otros delitos no forma parte del tipo penal. En ocasiones, bastará con la aparición del conocimiento y la voluntad de cometer un homicidio, por ejemplo, junto con el conocimiento y la intención de participar en un contexto, mientras que en otras se exigirán además elementos subjetivos específicos, como por ejemplo la intención de alterar la composición étnica de una población que se exige en el tipo específico de embarazo forzado. Por lo tanto, hemos de partir, a la hora de analizar el elemento subjetivo del delito de lesa humanidad, de que el dolo concreto del delito subyacente debe ser completado con el conocimiento de la conexión con el ataque para apreciar la responsabilidad del autor por delito de lesa humanidad.

Uno de los aspectos que ha generado más polémica es el tipo de conocimiento del contexto en el que el delito subyacente se comete. ¿Debe el autor del delito subyacente conocer los detalles del plan o ataque que ha organizado un Estado?

El dolo debe abarcar el conocimiento de que existe un ataque, pero no se deberá exigir al autor el conocimiento de las acepciones derivadas del carácter sistemático o de las características del ataque utilizado, sino la consciencia de que se actúa en un marco o contexto de violencia delictiva focalizada en una parte de la población. Lo que deberá reconocer el actor es la existencia de un conjunto de actos englobados en un tipo de plan organizado (curso/línea de conducta). De este modo, la comprensión a nivel social —valoración paralela en la esfera del profano— de lo que significa el ataque, representará el grado de conocimiento requerido en el tipo.

Pero no solo debe ser requerido el conocimiento del contexto, sino que también debe representarse el autor que su acto concreto forma parte del ataque. Es decir, ha de aparecer la conciencia de que existe una conexión entre el hecho delictivo y el contexto. En este punto cabe plantearse el dolo eventual en el conocimiento de conectividad. Es decir, en el caso de que el autor del hecho no estuviera seguro de que su acto formara parte del ataque, pero habiéndose planteado dicha probabilidad actuare, nada impediría, que si el hecho finalmente formaba parte del ataque pudiera ser considerado como el delito recogido en el Art. 607 bis CP.

Por parte de la doctrina (CONDE PUMPIDO) se ha señalado que la compleja estructura típica del delito implica que además del dolo propio del acto individualizado, ha de aparecer un elemento subjetivo del injusto constituido por la ulterior finalidad de atacar con tal acto a la población civil o a una parte de ella. De este modo, al mero conocimiento del contexto se le habría de añadir la intención de atacar a una parte de la población civil para considerar perfeccionado el tipo subjetivo. Esta postura doctrinal entra en conflicto con la jurisprudencia consolidada que ha establecido que los motivos o la intención del autor no son relevantes a la hora de considerar cumplido el elemento de conexión.

En la SAN de 19 de abril de 2005 (Caso *Scilingo*) se especificaba en relación al conocimiento del autor respecto al contexto, que este debe tener únicamente conocimiento del ataque y del nexo entre sus actos y ese contexto, afirmando expresamente que: «No son necesarios conocimientos de los detalles del ataque; no es necesario que el partícipe deba aprobar el contexto del ataque en el que se enmarcan sus actos»; y que «este conocimiento del contexto es inferible de la concurrencia de una serie de elementos, tales como el conocimiento del contexto político en que se produce, función o posición del acusado dentro del mismo, su, relación con las jerarquías políticas o militares, amplitud, gravedad y naturaleza de los actos realizados, etc.».

Lo único que se requiere, según la letra del Art. 607 bis CP es que el acto forme parte de un ataque, y para ello se ha de conocer la existencia del mismo. La exigencia de la comunión de intenciones entre quien organiza el ataque y quien ejecuta los hechos parte de una interpretación del delito de lesa humanidad subjetivista, donde se justifica el aumento de injusto en la motivación del autor más que en la peligrosidad del contexto. La mayor peligrosidad de esta figura delictiva no se fundamenta en el conocimiento exacto del ataque o en el plan que se lleva a cabo, sino en el conocimiento de la existencia de un contexto criminal donde la actuación del perpetrador estará favorecida por la especial vulnerabilidad de las víctimas o por la esperanza de alcanzar cierta impunidad al actuar en dicho contexto.

La jurisprudencia de los TPIs ha considerado suficiente que el perpetrador se hubiera planteado el riesgo de que su acto contuviera los elementos o circunstancias que lo convertirían en un crimen contra la humanidad y a pesar de ello lo hubiera cometido (*Prosecutor vs. Blaškić*. IT-95-14-A. Appeal Chamber Judgement.

Sentencia de 29 de julio de 2004. Par. 120; *Prosecutor vs. Kunarac et. al.* IT-96-23& IT-96-23/1-A. Appeal Chamber Judgement. 12 de junio de 2002. Par. 102).

En el marco del caso TADIC, la sentencia de primera instancia acuñó el término «conocimiento constructivo» indicando que este sería suficiente, pero sin explicar qué se debería entender por tal (*Prosecutor vs. Tadic.* IT-94-1-T. Trial Judgement. Par. 659). Este concepto de «conocimiento constructivo» evolucionó hasta el establecimiento de la teoría del «conocimiento del riesgo», que fue establecida en la sentencia de BLASKIC (*Prosecutor vs. Blaškić.* IT-95-14. Judgement. Sentencia de 3 de marzo de 2000. Par 251) y que, a partir de ella ha alcanzado el reconocimiento mayoritario de la jurisprudencia internacional.

Esta concepción del «conocimiento del riesgo» sirve para fundamentar la posibilidad de que el perpetrador pudiera actuar con dolo eventual para cometer el delito de lesa humanidad. En este sentido, se podría considerar cometido el delito con dolo eventual por quien se planteara de forma probable que su acto pudiese formar parte de un ataque, es decir, que se pudiera convertir en un delito de lesa humanidad, y a pesar de ello siguiera adelante.

En los procesos que se llevaron a cabo tras la Segunda Guerra Mundial en Alemania, al amparo de la LCA núm. 10, existen determinadas condenas por crímenes contra la humanidad en los casos de denuncia al régimen Nazi en los que el denunciante se planteaba la posibilidad de que, a raíz de la misma, la persona denunciada fuese exterminada o deportada, y a pesar de ello seguía adelante. Así, en una resolución del Tribunal de Düsseldorf (OLG Düsseldorf. (14.11.1947). MDR 1948. pág. 123.) se puede leer que, «Una denuncia no sería considerada un acto de persecución si no compartiera unos valores semejantes a los originadores de la misma. Así, las denuncias que no acarrean un abuso del aparato estatal o un acto inhumano, necesarios para que la denuncia se convierta en crimen contra la humanidad, no se considerarían vulneradores de esta figura criminal. Ahora, si el denunciante se hubiera planteado las consecuencias inhumanas que conllevará su denuncia, esa mera representación será considerada suficiente para interpretarla bajo el manto del crimen contra la humanidad». En este sentido, el Tribunal superior de Schleswig Holstein, en una sentencia de 1949 (Sts 88/48 (4.1.49). OGHSt 1. pág. 283) establecía que: «El elemento subjetivo del tipo penal del crimen contra la humanidad se completa cuando el autor de la denuncia tenía conocimiento del ataque que se desencadenaría contra el denunciado y tenía presente la posibilidad de que se persiguiera a la víctima de una forma cruel y arbitraria».

Desde la perspectiva planteada, a la hora de fundamentar el tipo subjetivo, se habrá de exigir al perpetrador de un acto contenido en el 607 bis 2 CP la consciencia de que existe un ataque o un curso de conducta violento y que, al menos, se haya planteado la posibilidad de que la realización de su hecho delictivo pudiera considerarse como parte del ataque y lo hubiera asumido al llevarlo a cabo. De esta forma, la mayor responsabilidad del autor se fundamentará en la capacidad para entender que la actuación cometida dentro del contexto adquiere mayor gravedad que si se hubiera perpetrado como hecho delictivo aislado.

Si el contexto se produce en un ámbito de persecución discriminatoria, el hecho de que en el Art. 607 bis CP se haya introducido como un contexto posible (en todo caso), pero no necesario, lleva a la conclusión de que dicho motivo discriminatorio podrá estar en el ánimo del autor, pero el mismo no sería ni siquiera necesario para considerar que haya cometido un delito de lesa humanidad, pues con que conociese la existencia de un ataque generalizado o sistemático y la probabilidad de que su hecho estuviese conectado con este, el delito se habría consumado, sin que fuese necesario examinar si el autor compartía o no las razones discriminatorias que motivaron el ataque.

6. Conductas típicas en particular

A continuación, se llevará a cabo un análisis de los delitos subyacentes presentes en el artículo 607 bis 2 CP, comparando dichas conductas típicas con las recogidas en el Art. 7. 1 del Estatuto de Roma. Para ello, y en aras a evitar repeticiones, se entenderá que todas las conductas que se describen se llevan a cabo como parte de un ataque generalizado o sistemático contra la población civil, y de este modo, si estas se llegaren a cometer, se perfeccionaría el tipo penal.

Los delitos subyacentes específicos que contempla el artículo 607 bis 2 CP son los siguientes:

6.1.   Homicidio o asesinato.

6.2.   Agresiones sexuales, incluida la violación.

6.3.   Lesiones.

6.4.   Deportación o traslado forzoso.

6.5.   Embarazo forzoso.

6.6.   Desaparición forzada de personas.

6.7.   Detención ilegal.

6.8.   Tortura.

6.9.   Prostitución forzada o trata de seres humanos.

6.10. Esclavitud.

6.1. Homicidio o asesinato

El artículo 607 bis 2.1 CP castiga con la pena de prisión permanente revisable, cuando en el contexto típico de lesa humanidad se causare la muerte de una persona. Se ha de entender que la causación de la muerte ha de ser dolosa, excluyéndose su comisión imprudente, ya que esta conducta no está expresamente prevista en el apartado en cuestión.

Esta redacción ha sido incorporada por la Ley Orgánica 1/2015 *(Tol 4788288)*, ya que la anterior redacción distinguía entre homicidio y asesinato, contemplando una pena de 15 a 20 años en caso de homicidio, y la superior en grado en caso de que concurriese alguna de las circunstancias del artículo 139 CP (alevosía, precio, recompensa o promesa, o ensañamiento). Con la nueva redacción, el legislador renuncia a castigar de un modo más grave el delito de lesa humanidad de muerte cuando se haya causado con las circunstancias agravantes del asesinato, al contemplar la pena máxima para el resultado de muerte. La consecuencia de ello, es que se equiparan penológicamente conductas con distintos grados de gravedad y contenidos de injusto.

Con esta redacción el legislador asume el criterio mayoritario en el ámbito internacional, donde no se diferencia entre homicidio o asesinato respecto al crimen contra la humanidad, pues el Art. 7.1 del ER contempla únicamente como conducta típica que el autor haya dado, o causado, la muerte de una o más personas. Aunque esta conducta, en ocasiones ha sido traducida tradicionalmente como asesinato (murder), ello no implica que para su comisión se exija en el ER ni ensañamiento, ni alevosía, ni actuar por precio, recompensa o promesa, sino que se corresponde con la figura del homicidio doloso. El TPIY se ha pronunciado en varias ocasiones sobre ello, aclarando que «murder» debe ser traducido por el término francés «meurtre» y no como «premeditated murder» que se corresponde, según el TPIY, con el término «assassinat». *(Prosecutor vs. Kordic&Cerkez. IT-95-14/2-T. Trial Judgement. 26 de febrero de 2001. Par. 235).*

Respecto a los requisitos para identificar que se ha cometido un crimen contra la humanidad de homicidio, el TPIY en la sentencia de GALIC *(Prosecutor vs. Galic. IT-98-29-T. Trial Judgement. 5 de diciembre de 2003. Par. 150)* referencia estos requisitos del modo siguiente:

i) la víctima ha muerto;

ii) la muerte de la víctima ha sido causada por una acción u omisión del acusado, o por una persona o personas por cuyos actos u omisiones el acusado debe soportar la responsabilidad criminal;

iii) el acto o la omisión fueron llevados a cabo, por el acusado o por una persona o personas por cuyos actos u omisiones el acusado debe soportar la responsabilidad criminal (asimilable al garante ex art. 11 CP), con la intención de matar o de causar graves lesiones, con temerario desprecio hacia la vida humana.

La CPI ha condenado a KATANGA por la comisión de crímenes contra la humanidad de homicidio. En esta sentencia, la Corte considera que para concluir que el crimen ha sido cometido, debe quedar probado que una persona, por acción o por omisión, ha causado la muerte de otra. La muerte de la víctima debe ser el resultado de la conducta del acusado, y debe existir una relación causal entre la conducta y el resultado. Junto con ello, debe quedar demostrado que la conducta del acusado era parte de una ataque generalizado o sistemático contra la población civil (*Prosecutor vs. Germaine Katanga*. ICC-01/04-01/07. Trial Judgement. 7 de marzo de 2014. pars. 767-769).

Respecto al dolo del autor, la Corte considera que debe quedar probado el conocimiento del autor de haber actuado con la intención de causar la muerte a una o más personas. Esta intención quedará demostrada cuando el autor haya deliberadamente actuado u omitido una actuación, encaminada a causar la muerte de una o más personas, o si se era consciente de que la muerte ocurriría en curso ordinario de los acontecimientos. Junto a ello, el Tribunal advierte que debe quedar probado que el autor debía saber que su conducta era parte de un ataque generalizado o sistemático contra la población civil.

De manera similar, el TPIY exige que el homicidio sea cometido con la intención o de matar o de causar un grave daño corporal con el razonable conocimiento de que estas lesiones son adecuadas para causar la muerte de la víctima (*Prosecutor vs. Blagojevic & Jokic*. IT-02-60-T. Trial Judgement. 17 de enero de 2005. Par. 556).

La SAN de 19 de abril de 2005 (Caso *Scilingo*) condenó al acusado como autor de un delito de lesa humanidad con causación de 30 muertes alevosas, ya que quedó probado que el acusado participó en dos «vuelos de la muerte» en los que se arrojaron 30 personas al océano, tras ser drogadas con pentotal sódico.

6.2. Agresiones sexuales, incluidas las violaciones

El artículo 607 bis 2.2 CP castiga con la pena de prisión «*de 12 a 15 años si cometieran una violación, y de cuatro a seis años de prisión si el hecho consistiera en cualquier otra agresión sexual*».

Los actos de violación y agresiones sexuales suelen acompañar a los ataques contra la población civil en el marco de un conflicto armado. La comisión de estos delitos no es común que sea la principal en el marco del contexto violento del crimen contra la humanidad (pensemos por ejemplo en el crimen de deportación) pero aprovechando la situación de desvalimiento en la que se suelen encontrar las mujeres o los menores en estos casos, es frecuente que los atacantes cometan delitos contra la libertad sexual. Siguiendo la costumbre internacional, el CP español contempla en el Art. 607 bis 2. 2 CP la comisión de violaciones y agresiones sexuales como conductas susceptibles de ser consideradas delitos de lesa humanidad. Estas fueron incluidas por primera vez en el Art. II. 1 c) de la LCA núm. 10, e incorporadas al Art. 5 g) TPIY y 3 g) TPIR, así como en el Art. 7.1 g) ER.

El término «violación» no se encuentra definido en el artículo 607 bis CP, por lo que habrá de acudirse al artículo 179 CP, que describe el acto de violación como una agresión sexual que consiste en el acceso carnal por vía vaginal, anal o bucal, o introducción de miembros corporales u objetos por alguna de las dos primeras vías. La agresión sexual habrá de tener, como elemento cualificante, la violencia o la intimidación, así como la falta de consentimiento de la víctima.

En los Elementos de los Crímenes (Art. 7 1) g)-I) se concluye que se habrá producido una violación cuando «*el autor haya invadido el cuerpo de una persona mediante una conducta que haya ocasionado la penetración, por insignificante que fuera, de cualquier parte del cuerpo de la víctima o del autor, con un órgano sexual o del orificio anal o vaginal de la víctima con un objeto u otra parte del cuerpo*». La violación se deberá haber llevado a cabo por medio de la fuerza, amenaza o coacción, abuso de poder o contra alguien incapaz de prestar consentimiento.

El TPIY en la sentencia de KUNARAC (*Prosecutor vs. Kunarac et al.*, IT-97-25-A. Appeal Chamber Judgement. 12 de junio de 2002. Par. 127) consideró que el *actus reus* de la violación se concreta,

i) en la penetración sexual por la vagina o el ano de la víctima por el pene del autor o por cualquier otro objeto utilizado por el autor;

ii) o por la penetración sexual de la boca de la víctima por el pene del autor, cuando semejantes actos hayan sido cometidos sin el consentimiento de la víctima.

La *mens rea* debe abarcar la intención de la penetración sexual y el conocimiento de la ausencia del consentimiento de la víctima.

El marco punitivo de este tipo específico de delito de lesa humanidad se encuentra descompensado respecto de la aplicación penológica de los tipos comunes en el CP. La violación, cometida en el contexto típico de lesa humanidad, tiene una pena de 12 a 15 años, coincidiendo con la pena aplicable al delito de violación agravado del artículo 180 CP, con la diferencia que ex artículo 180.2 CP «*Si concurrieren dos o más de las anteriores circunstancias, las penas previstas en este artículo se impondrán en su mitad superior*». Esta agravante no se recoge en el delito de lesa humanidad. En este supuesto, podría pensarse que el legislador ha estimado que una violación que constituya un delito de lesa humanidad se habrá de tratar penológicamente de manera similar a la violación agravada, al coincidir el marco penológico.

No obstante, esta interpretación quiebra cuando se compara con la pena contemplada para la agresión sexual agravada. Según el mismo artículo 180 CP, en la agresión sexual, cuando concurra alguna circunstancia agravante (carácter especialmente degradante o vejatorio, por ejemplo), se castigará con la pena de 5 a 10 años de prisión. Sin embargo, la pena del delito de lesa humanidad de agresión sexual se castigará con la pena de 4 a 6 años de prisión. Lo paradójico de esta situación es que resulta mucho más beneficioso para un delincuente que se le castigue como autor de un delito de lesa humanidad de agresión sexual que de un delito de agresión sexual especialmente degradante. Esta descompensación punitiva vacía de contenido todo el desarrollo dogmático y jurisprudencial expuesto del crimen contra la humanidad, pues carece de sentido que se castigue de forma más leve al autor de un crimen internacional, que cuenta con un mayor desvalor acción por estar conectado con un contexto específico, que a un autor de un delito de agresión sexual común.

Pero la descompensación es aún más alarmante cuando se comprueba que no se ha tenido en cuenta, como circunstancia agravante, que el delito de agresión sexual se cometa contra menores (el artículo 607 bis 2.2 CP solo hace referencia a actos de agresión sexual). El artículo 183.2 CP castiga la agresión sexual de un menor de 16 años a la pena de 5 a 10 años de prisión, debiendo aplicarse en su mitad superior si concurre alguna circunstancia del artículo 183.4 CP. Respecto de la violación a menores, se castiga con una pena de 8 a 12 años cuando se produzca como abuso sexual y de 12 a 15 cuando se cometa con violencia o intimidación. Sin embargo, el artículo 607 bis. 2.2 CP no distingue entre agresión sexual a mayores o menores, por lo que el marco penológico se mantendría en la pena de 4 a 6 años.

Ante ello, resulta necesario una reforma del artículo 607 bis 2.2 CP para adecuar a la gravedad de la conducta las penas previstas, pues podría darse la paradoja de que frente a dos personas que cometan un delito de agresión sexual agravada, uno en el marco de un ataque generalizado o sistemático contra la población civil, y otro como delito aislado, se castigue de un modo bastante más grave al segundo que al primero.

El Art. 7.1 g) ER contempla en su último párrafo el castigo de «cualquier otra forma de violencia sexual de gravedad comparable», exigiéndose en los Elementos de los Crímenes (Art. 7.1 g) 6) «que el autor haya realizado un acto de naturaleza sexual contra una o más personas o haya hecho que esa o esas personas realizaran un acto de naturaleza sexual por la fuerza o mediante la amenaza de la fuerza o mediante coacción». Estos actos, que deben ser de gravedad comparable a los reconocidos en el mismo artículo, son similares a los hechos típicos de las agresiones sexuales del artículo 178 CP, pues exigen que se realicen mediante violencia, concretada en el uso de la fuerza, la amenaza de la fuerza o la coacción.

El Estatuto del TPIR solo reconocía como acto de violencia sexual en el crimen contra la humanidad la violación (Art. 3. g) ETPIR), generando una laguna punitiva respecto de otros actos que afectasen a la libertad sexual que no conllevasen penetración. Ante un supuesto paradigmático tuvo que enfrentarse el Tribunal de caso AKAYESU. En dicha sentencia, y para intentar castigar actos de naturaleza sexual no encuadrables en la violación, el Tribunal interpretó que la violencia sexual no estaba limitada por la invasión física del cuerpo humano y podrían constituirla incluso actos que no supusieran penetración física o contacto. Así, consideró como un acto de violencia sexual el hecho de ordenar a una estudiante a desnudarse y hacer gimnasia desnuda delante de varias personas. Sin embargo, como el hecho no podía ser considerado como violación, el Tribunal lo incluyó en el ámbito de «otros actos inhumanos» y castigó por la comisión de este tipo penal abierto de crimen contra la humanidad (*Prosecutor vs. Akayesu*. ICTR.96-4. Trial Judgement. 2 de septiembre de 1998. par. 688.).

El TPIY, citando la sentencia de AKAYESU, advirtió en la sentencia de KVOCKA (*Prosecutor vs. Kvocka*. IT-98-30/1-T. Trial Judgement. 2 de noviembre de 2001. Par. 180) que la violencia sexual es un comportamiento más amplio que la violación y comprende crímenes como la esclavitud sexual, recordando que la violencia sexual no ha de implicar, necesariamente contacto físico, citando el ejemplo de compeler a otro a desnudarse en público a modo de humillación.

6.3. Lesiones

El artículo 607 bis 2.3 CP castiga *«con la pena de prisión de 12 a 15 años si produjeran alguna de las lesiones del artículo 149, y con la de ocho a 12 años de prisión si sometieran a las personas a condiciones de existencia que pongan en peligro su vida o perturben gravemente su salud o cuando les produjeran alguna de las lesiones previstas en el artículo 150. Se aplicará la pena de prisión de cuatro a ocho años si cometieran alguna de las lesiones del artículo 147».*

La incorporación de las lesiones al catálogo de actos violentos conformadores del crimen contra la humanidad representa una innovación del legislador español. Nunca se habían incluido como actos subyacentes de forma expresa en el crimen contra la humanidad, aunque en ocasiones se haya castigado la comisión de lesiones como crimen contra la humanidad reconduciéndolo a «otros actos inhumanos que afectan a la integridad física».

En primer lugar, se contemplan las lesiones más graves, reguladas en artículo 149 CP, que exigen como resultado la pérdida o la inutilidad de un órgano o miembro principal, la impotencia, la esterilidad, una grave deformación o una grave enfermedad somática o psíquica. Esta lesión tiene una pena contemplada, en el delito común de 6 a 12 años, y cuando se comete como delito de lesa humanidad, de 12 a 15 años de prisión.

La duda interpretativa surge en la segunda conducta típica, que se configura como un delito de puesta en peligro por las condiciones de vida a las que se somete a la víctima. Así, el Art. 607 bis 2.3. CP contempla una pena de 8 a 12 años de prisión para aquellos que sometieran a personas a condiciones de existencia que pongan en peligro su vida o perturben gravemente su salud. Apréciese que no se exige un resultado lesivo para la consumación del delito, por lo que se configura como un delito de peligro, castigándose la mera posibilidad de afectar a la vida o a la salud de las personas. La ubicación sistemática de estas conductas en el ámbito de las lesiones no resulta adecuada, pues estas conductas se configuran como delitos de resultado que afecta a la integridad, y aquellas como delitos que afectan a la libertad y que ponen en riesgo la salud. Hubiese sido más apropiado incluirlo en el ámbito de las conductas que limitan el derecho a la libertad de las personas, pues una conducta como la que se tipifica llevará, en la mayoría de los casos, una privación de libertad ambulatoria (en algún grado) de las personas afectadas. GIL

GIL advierte que este tipo de redacción ha sido copiada de la del delito de geno-cidio, y critica que se sigan confundiendo ambos tipos penales, recordando que el delito de lesa humanidad no es una extensión del genocidio.

Surge la duda interpretativa de si las lesiones del artículo 150 CP se castigan de un modo autónomo, o deben ser el resultado de las condiciones de vida im-puestas, pues en el último apartado del citado párrafo se incluye *o cuando les produjeran alguna de las lesiones previstas en el artículo 150.* Si se interpreta que esa lesión habrá de ser causada debido al sometimiento a condiciones de vida que pongan en peligro su existencia se llegaría al absurdo resultado de castigar del mismo modo la mera puesta en peligro que la causación de un resultado grave. Para evitar esta consecuencia, se habrá de interpretar que la comisión de una lesión típica del artículo 150 CP se castigará como delito de lesa humanidad sin la necesidad de que previamente se haya sometido a la víctima a concretas condi-ciones de vida. Además, esta interpretación sería más coherente con el contenido del delito, que en el párrafo posterior castiga las lesiones del artículo 147 CP sin exigir que provengan de una situación específica, pues de otro modo resultaría in-congruente castigar las lesiones más leves como delito de lesa humanidad y exigir que en las más graves (las del Art. 150 CP) se debiera de producir una conducta antecedente impropia del tipo delictivo.

La diferencia de esta conducta con el exterminio, con la que comparte modalidades con-ductuales tales como someter a la población a condiciones de vida infrahumanas, de acuerdo con la redacción del Art. 7.1 b) ER, no reside en la actividad, sino en la intención que se ha de perseguir en el exterminio: la destrucción de una parte de la población. Aunque en los Elemen-tos de los Crímenes se exige la muerte de las personas, este resultado fue puesto en duda por varias delegaciones en el marco del Comité Preparatorio de este instrumento (WERLE), donde, a pesar de admitirse la necesidad de resultados de muerte, se reconocía que esta se podría haber causado de modo indirecto (RÜCKERT, W/ WITSCHEL, G.), derivada de las condiciones de vida a las que la víctima estaba sometida. En último término, triunfó la postura de exigir un asesinato en masa para determinar la conducta típica de exterminio.

Por último, se contempla el castigo de 4 a 8 años de prisión si se causare alguna lesión del artículo 147. CP. Este artículo, tras la modificación operada por la Ley Orgánica 1/2015, contempla dos tipos de lesiones. Las primeras, serán aquellas que menoscaben la integridad corporal o la salud física o mental, de un tercero, siempre que la lesión requiera objetivamente para su sanidad, además de una pri-mera asistencia facultativa, tratamiento médico o quirúrgico. Tradicionalmente la diferencia del delito de lesiones de la falta de lesiones la marcaba precisamente la necesidad de tratamiento médico quirúrgico, que representaba el umbral de gravedad para castigar una lesión como delito. Aquellas que no superaban el umbral de gravedad, se castigaban como faltas en el extinto artículo 617 CP, que castigaba con pena de localización permanente de seis a doce días o multa de uno a dos meses, «*al que por cualquier medio o procedimiento, causare a otro una lesión no definida como delito en este Código*».

Al haber desaparecido las faltas en virtud de la Ley Orgánica 1/2015, este tipo de lesiones se pasan a castigar como delito leve en el artículo 147.2 CP, contemplando que: «*El que, por cualquier medio o procedimiento, causare a otro una lesión no incluida en el apartado anterior, será castigado con la pena de multa de uno a tres meses*». Así, lo que antes era una falta se ha transmutado en un delito leve, respecto del cual, para su persecución será necesario la denuncia de la persona agraviada, sin que pueda el Ministerio Fiscal actuar de oficio, debido a la escasa gravedad del comportamiento.

Pero no solo eso, sino que en el artículo 147.3 CP se ha incluido el maltrato de obra como un delito de lesiones y que se consuma con cualquier tipo de acometimiento físico que no ha de causar, siquiera, un resultado típico del delito leve de lesión (un tortazo o un capón, podría ser un ejemplo).

Pues bien, al haber incluido las lesiones del artículo 147 CP entre las conductas que pueden constituir un delito de lesa humanidad, y no haber apreciado el legislador la necesidad de circunscribirla a las lesiones más graves, nos encontramos que se ha producido una banalización del crimen contra la humanidad en el Código Penal español, pues una figura criminal que fue concebida para proteger al ser humano de los ataques más graves que se pudieran cometer frente a este, ha rebajado el umbral de gravedad hasta el extremo de construir un delito de lesa humanidad por la comisión de lesiones leves o maltrato de obra. Ni siquiera el hecho de que este tipo de conductas se cometiesen de manera generalizada o sistemática justificaría, según la interpretación expuesta del tipo penal, la reconversión del delito de lesa humanidad para castigar la comisión leve de lesiones que se encuentran castigadas con penas de multa y sometido al requisito procedibilidad de denuncia previa por el afectado. Por ello, se considera necesario que en la próxima reforma del Código Penal se circunscriba al delito de lesa humanidad las lesiones del artículo 147.1 CP.

6.4. Deportación o traslado forzoso

El artículo 607 bis 2.4 CP castiga, «*con la pena de prisión de ocho a 12 años si deportaran o trasladaran por la fuerza, sin motivos autorizados por el derecho internacional, a una o más personas a otro Estado o lugar, mediante la expulsión u otros actos de coacción*».

Esta conducta no tiene un reflejo directo en un delito similar que se encuentre tipificado en el Código Penal, por lo que adquiere gran importancia la jurisprudencia internacional respecto a este tipo específico, que habrá de servir como fuente de interpretación del tipo delictivo.

Este delito específico se configura como una ley penal en blanco, al depender la punibilidad de la conducta de que el traslado sea contrario al Derecho internacional. Ello provoca que se haya de acudir a sus fuentes para concretar cuándo un traslado de población estaría justificado. El artículo 12.3 del Pacto Internacional de Derechos Civiles y Políticos *(Tol 163591)*, tras reconocer el derecho a circular libremente y escoger el lugar de residencia dentro de un país, establece como excepción las restricciones que se encuentren previstas en la ley y sean necesarias para proteger la seguridad nacional, el orden público, la salud o la moral pública o los derechos y libertades de terceros, y sean compatibles con los demás derechos reconocidos en el Pacto.

De manera similar, el artículo 2.3 del Protocolo núm. 4 del Convenio europeo para la Protección de los Derechos Humanos y las Libertades Fundamentales *(Tol 164153)* prevé la posibilidad de restringir el derecho a la libre circulación cuando estén previstas en la ley y constituyan medidas necesarias para la seguridad nacional, la seguridad pública, el mantenimiento el orden público, la prevención del delito, la protección de la salud o la moral, o la protección de los derechos y libertades de terceros.

En el marco de un conflicto armado, el artículo 49 del IV Convenio de Ginebra *(Tol 157414)* contempla la posibilidad de efectuar la evacuación total o parcial de una determinada región ocupada, si así lo requiere la seguridad de la población o por imperiosas razones militares. Eso sí, incorporando la obligación de que la población evacuada sea devuelta a sus hogares tan pronto como hayan cesado las hostilidades.

Estas funetes normativas pretenden impedir la promulgación de una ley estatal que adopte medidas coactivas contra la libertad de circulación y residencia contraria al Derecho internacional, como pudieran ser —recuerda WERLE— las expulsiones colectivas de ciudadanos extranjeros que vulneraran el artículo 4 del Protocolo núm. 4 de la Convención europea de los Derechos Humanos.

La deportación se diferencia del traslado forzoso en el carácter transfronterizo de la primera con respecto a la segunda (WERLE). Ambas conductas se cometen trasladando por la fuerza a personas, sin motivos autorizados por el Derecho internacional, por medio de la expulsión o utilizando otro medio de coacción. Y en ambas situaciones se contempla la misma penalidad, sin considerar que el desplazamiento más allá de las fronteras del Estado deba ser castigado de forma más severa que las realizadas dentro del mismo.

La jurisprudencia del TPIY en el caso STAKIC (*Prosecutor vs. Stakic.* IT-97-24-A. Appeal Chamber Judgement. 22 de marzo de 2006. par. 300) llevó a cabo una interpretación extensiva de la deportación, incluyendo los actos de traslado de población que no traspasan las fronteras *de iure* pero sí *de facto* (cuando las fronteras no se encuentran asentadas y cambian en el marco de un conflicto armado), definiendo la deportación como el traslado forzado de personas para su expulsión de un territorio, o como otro tipo de actos coactivos, no permitidos por la ley internacional, que persiguen el traslado de personas de un área en la que residían legalmente a otro área que se encuentra bajo el control de otra parte (grupo organizado que ejerce su poder de facto sobre dicho territorio), alegando que en la costumbre internacional no se incluía la obligación de que se traspasasen las fronteras (*Prosecutor vs. Stakic*. IT-97-24-T. Trial Judgement. 31 de julio de 2003. Par. 679-684).

Esta interpretación se debe a que en el Estatuto del TPIY no se contemplaba específicamente el traslado forzoso como crimen contra la humanidad sino únicamente la deportación, y en varias ocasiones se han juzgado hechos en los que los desplazamientos no habían traspasado las fronteras, los cuales han sido castigados como «otros actos inhumanos» (*Prosecutor vs. Krstić*. IT-98-33-T. Trial Judgement. 2 de agosto de 2001. Par. 523*).* Pero tanto el ER como el artículo 607 bis 2.4 CP tipifican tanto la deportación como el traslado forzoso, por lo que se puede mantener la diferenciación clásica entre estas dos conductas.

La definición del Art. 7.2 d) ER es similar a la contenida en el Art. 607 bis 2. 4 CP, advirtiéndose expresamente en los Elementos de los Crímenes que no será necesario utilizar la fuerza física para perpetrar la conducta, sino que es suficiente con la amenaza o coacción, que podrá ejercerse incluso de forma indirecta, causada por el temor a la violencia, la intimidación o el abuso de poder (Art. 7.1 d) 1 nota 13).

La deportación, por lo tanto, exige el desplazamiento de personas más allá de las fronteras del propio Estado donde legítimamente habitan, mientras que el traslado forzado de personas, compartiendo idénticas características, se produce dentro de los límites de las fronteras estatales. WERLE residencia el elemento característico de esta conducta en la falta de libertad del desplazamiento que tiene la población. Del mismo modo, el TPIY en el caso SIMIC (*Prosecutor vs. Simic et al.* IT-95-9-T. 17 de octubre de 2002. Judgement. par. 125) concluye que el desplazamiento es ilegal cuando el mismo no es voluntario y no se encuentra amparado por alguna causa permitida en el Derecho internacional. En esta y en otras sentencias, el Tribunal enfatiza que no es un requisito necesario la fuerza física en el traslado, sino que este puede cometerse también a través de amenaza o la coacción psíquica (*vis compulsiva*).

En ocasiones, la jurisprudencia del TPIY ha exigido que el dolo del autor contemple la finalidad de que la población no regrese a su lugar de origen (*Prosecutor vs Naletilic & Martinovic*. IT-98-34-T. Trial Judgement. 31 de marzo de 2003. Par. 520.), aunque la Corte de Apelación del caso STAKIC aclaró que esa intención no se integra dentro de la *mens rea* del autor de una deportación o de un traslado forzoso de población, concluyendo que el Tribunal de primera instancia del mismo caso había errado al incluir dicha intención a la *mens rea* de este tipo de crimen contra la humanidad (*Prosecutor vs. Stakic*. IT-97-24-A. Appeal Chamber Judgement. 22 de marzo de 2006. par. 307).

6.5. Embarazo forzado

El artículo 607 bis 2.5 CP castiga «*con la pena de prisión de seis a ocho años si forzaran el embarazo de alguna mujer con intención de modificar la composición étnica de la población, sin perjuicio de la pena que corresponda, en su caso, por otros delitos*».

El tipo específico de embarazo forzado no encuentra reflejo en otro tipo penal similar en el CP, y se configura como un delito que, afectando a la indemnidad sexual y la integridad física de la víctima, se dirige a alterar la composición étnica de una población. El artículo 161 CP, que castiga en él «*a quien practicare reproducción asistida en una mujer, sin su consentimiento*», se encuentra cercano en la conducta típica, pero carece del elemento teleológico que caracteriza el embarazo forzado.

Así, en el artículo 607 bis 2.5 CP se tipifica el hecho de forzar el embarazo de una mujer con la intención de modificar la composición étnica de una población. Por lo tanto, lo que se protege con esta redacción no es tanto la indemnidad sexual (la cual ya se encuentra protegida en el artículo 607 bis 2.2° CP) sino las prácticas genéticas con el fin de alterar la composición racial o étnica de un grupo. Las posibles lesiones y delitos contra la libertad sexual que, han de derivarse de estas conductas, pues el acto de inseminación supone la penetración en cuerpo ajeno, serán punibles aplicando el concurso de delitos.

Esta figura (embarazo forzado) es una creación del Estatuto de Roma, la cual se encuentra definida en su Art. 7.2 f) «*como el confinamiento ilícito de una mujer a la que se ha dejado embarazada por la fuerza, con la intención de modificar la composición étnica de una población o de cometer otras violaciones graves del Derecho internacional*». Por lo tanto, en el ER se exige la privación de libertad de la mujer durante el embarazo.

En contraste, la tipificación del embarazo forzado en el Art. 607 bis 2.5 CP no contempla el confinamiento como elemento del tipo y se limita a castigar a quien «forzara el embarazo de alguna mujer», exigiendo la participación —sexual o clínica— en la fecundación contra la voluntad de una mujer. El elemento subjetivo del tipo coincide en ambas redacciones, pues se exige que el autor actúe con una intención determinada: la alteración de la composición étnica de una población, aunque en el ER (Art. 7.2 f) ER) se amplía la intención típica del embarazo forzado a «*cometer otras violaciones graves del Derecho internacional*».

El mismo Art. 7.1 f) ER incluye la conducta de la esterilización forzada, contemplada como la figura precedente del embarazo forzado. Llama la atención que esta no esté definida en el Art. 7.2 ER y que no se contemple como modo negativo de alterar la composición étnica, pues esta se puede llevar de un modo activo (fecundación forzosa) o evitando que alguien pueda fecundar o quedar fecundado, esterilizando a toda la población con una determinada ascendencia étnica. Sin embargo, lo único exigido en los Elementos de los Crímenes es que se haya privado a una o más personas de su capacidad de reproducción biológica (Art. 7.1 g) 5. 1), especificándose en la nota núm. 19 de los Elementos de los Crímenes que *«esto no incluye las medidas de control de la natalidad que no tengan un efecto permanente en la práctica».*

La esterilización forzada se podría encontrar subsumida en el artículo 607 bis 2.3 CP donde se prevé un castigo para aquel que causare a otro la esterilización, como forma de lesión grave del Art. 149 CP. Por lo tanto, al no exigirse un elemento subjetivo relativo al control racial o étnico, se ha de entender la esterilización forzada como un tipo de lesión grave que se encuentra prevista como conducta punible en la regulación del delito de lesa humanidad, sin que se exija para esta conducta un elemento subjetivo específico de alteración de la composición étnica de un grupo, como sí sucede en el caso del embarazo forzado.

Sería oportuno unificar este tipo de conductas, ya que si lo que se castiga es la alteración de una composición étnica de la población, y esta se puede cometer por medio del embarazo forzado o por la esterilidad, se debería incluir esta opción, incorporando a la conducta típica de la esterilidad forzada la finalidad específica que fundamenta su inclusión como tipo.

6.6. Desaparición forzada de personas

El artículo 607 bis 2. 6 CP castiga *«con la pena de prisión de doce a quince años la desaparición forzada de personas. Se entenderá por desaparición forzada la aprehensión, detención o el secuestro o cualquier otra forma de privación de libertad que sean obra de agentes del Estado o por personas o grupos de personas que actúan con la autorización, el apoyo o la aquiescencia del Estado, seguida de la negativa a reconocer dicha privación de libertad o del ocultamiento de la suerte o el paradero de la persona desaparecida, sustrayéndola de la protección de la ley».*

La tipificación de la desaparición forzada de personas como delito de lesa humanidad adopta la interpretación del fenómeno delictivo que se enuncia en la Convención Internacional para la protección de todas las personas contra las desapariciones forzadas, de 20 de diciembre de 2006, al limitar el ámbito de la autoría del delito a las personas que actúan como agentes de un Estado, apartándose, en determinados aspectos esenciales, de la contemplada en el artículo 7.2 i) ER.

Esta tipificación difiere del artículo 166 CP, que castiga también la desaparición forzada de personas, pues esta no se configura como un delito especial propio, sino que cualquier persona puede ser el sujeto activo del mismo, castigando al *«reo de detención ilegal o secuestro que no dé razón del paradero de la persona detenida será castigado con una pena de prisión de diez a quince años, en el caso de la detención ilegal, y de quince a veinte años en el de secuestro»*. El artículo 167 CP contempla un tipo agravado cuando esta conducta la cometan autoridades, funcionarios o personas que actúen bajo la aquiescencia o autoridad del Estado.

La redacción del artículo 607 bis 2.6 CP conlleva que el delito de lesa humanidad de desaparición forzada de personas solo pueda ser cometido por agentes del Estado o personas que actúen bajo su autorización o apoyo, por lo que en este caso, este tipo específico se convierte en un delito especial propio que solo puede ser cometido por determinadas personas, y por ende, el ataque típico solo podrá ser lanzado desde el Estado, eliminando la posibilidad de que lo lleve a cabo una organización que no actúe en connivencia o bajo la autorización de este.

El ER en su artículo 7.2 i) utiliza una definición de desaparición forzada de personas distinta de la adoptada en el artículo 607 bis 2.6 CP, al incluir entre los sujetos activos a los miembros de una organización política, considerando que desaparición forzada se entenderá *«la aprehensión, la detención o el secuestro de personas por un Estado o una organización política, o con su autorización, apoyo o aquiescencia, seguido de la negativa a admitir tal privación de libertad o dar información sobre la suerte o el paradero de esas personas, con la intención de dejarlas fuera del amparo de la ley por un período prolongado»*. Llama la atención este epíteto de política, pudiendo interpretarse como una limitación de las organizaciones típicas que pueden cometer este tipo específico de crimen contra la humanidad, dejando fuera de estas a las organizaciones criminales que no tengan finalidad política.

Por otro lado, en la tipificación del Código Penal español se elimina el último elemento teleológico (la intención de dejarlas fuera del amparo de la ley por un período prolongado), exigido por el ER en la redacción del delito de lesa humanidad de desaparición forzada de personas.

El Juzgado Central de Instrucción núm. 5, incoó las Diligencias Previas 399/2006V por auto de 8 de octubre de 2008 *(Tol 1375692)* donde se admitían a trámite distintas denuncias por delitos de lesa humanidad de desapariciones forzadas de personas cometidas durante la Guerra Civil española y en los años inmediatamente posteriores a su finalización. El auto califica esas conductas como «un delito permanente de detención ilegal, sin ofrecer razón sobre el paradero de la víctima». La naturaleza del delito permanente es la que utiliza el magistrado para razonar que el delito no se encuentra prescrito y que le es aplicable el tipo penal de lesa humanidad, a pesar de haber sido cometidos en el periodo de la Guerra Civil. Así el auto expone que: «En un delito de consumación permanente, como la detención ilegal sin dar razón del paradero de la víctima, no pueden incorporarse hechos que no eran delictivos antes de su entrada en vigor y, por tanto, aunque en un crimen contra la humanidad reconocido como tal en nuestro ordenamiento penal a partir de noviembre de 2003, no pueden incorporarse hechos que antes no eran crímenes contra la humanidad, por impedirlo el principio de irretroactividad de las leyes penales desfavorables para el reo, no obstante, tales hechos delictivos estaban ya descritos y penados en el Código Penal de 1932 y, en consecuencia, los cometidos a partir del alzamiento o rebelión militar de 1936 forman parte, indudablemente, del delito permanente de detención ilegal sin dar razón del paradero, también existente en el vigente Código Penal de 1995 (artículo 166 del Código Penal). A estos delitos, debe, pues, añadirse el contexto de crímenes contra la humanidad en que fueron cometidos, dada su naturaleza sistemática y generalizada, según la incipiente jurisprudencia del Tribunal Supremo, pero la no vulneración del principio de irretroactividad penal deriva ante todo del hecho de que, al margen de ese contexto, ya eran conductas delictivas en el momento del comienzo de su ejecución, poco antes de la guerra civil y siguen cometiéndose en la actualidad, dada su naturaleza de delitos permanentes».

Por Auto de 28 de marzo de 2012 (núm. Recurso 20380/2009) la Sala Segunda del Tribunal Supremo resolvió que el principio de legalidad y el de interdicción de la retroactividad de las normas sancionadoras no favorables impedían operar con la categoría de «delitos de lesa humanidad» sobre los hechos denunciados. Respecto a la categoría de delito permanente del delito de desaparición forzada de personas, el Tribunal Supremo concluye que, «por la fecha de iniciación de tales causas, las acciones criminales sobre las que versan deben considerarse prescritas, a tenor de lo previsto en los arts. 131 y 132 CP. Es así, debido, de una parte, a que el delito de detención ilegal de carácter permanente sin dar razón del paradero de la víctima, presente en el Código Penal de 1928, desapareció en el de 1932, para ser reincorporado al de 1944, de modo que no estuvo vigente durante la mayor parte del tiempo en que tuvieron lugar las acciones que se trataría de perseguir. De otra, porque, como se dice en la STS 101/2012, el argumento de la permanencia del delito fundado en la hipotética subsistencia actual de situaciones de detención producidas en torno al año 1936, carece de plausibilidad. Y, en fin, porque, aun admitiendo razonablemente —según también allí se dice— que, por la imposibilidad para los familiares de los afectados de instar la persecución de esos delitos durante la dictadura, hubiera que posponer el inicio del cómputo de la prescripción a la entrada en vigor de la Constitución, el 29 de diciembre de 1978, incluso en este supuesto, el plazo de 20 años, habría transcurrido en todo caso».

La pena contemplada para el delito común de desaparición forzada de personas del artículo 166 CP es de 10 a 15 años en caso de detención ilegal, y de 15 a 20 años en caso de secuestro. Si la víctima fuese menor de edad o incapaz, o el autor hubiere llevado a cabo la detención ilegal o secuestro con la intención de atentar contra la indemnidad sexual de la víctima, o hubiere actuado posteriormente con esa finalidad, la pena aumentará, ex artículo 166.2 CP de 15 a 20 años en caso de detenciones ilegales y de 20 a 25 años en el caso del secuestro.

Llama de nuevo la atención, que la pena de estas conductas sea bastante más alta que la contemplada para el delito de lesa humanidad de desaparición forzada de personas, para el que se establece un arco penológico de 12 a 15 años. Esta descompensación punitiva es aún más grave que las expuestas con anterioridad, pues en el delito de lesa humanidad la conducta deben cometerla agentes del Estado, por lo que, además de formar parte de un ataque generalizado o sistemático, la gravedad aumenta precisamente por exigir la involucración del Estado. Sin embargo, se castigará más gravemente al reo de desaparición forzada de personas cometida de manera aislada, y sin ser agente estatal, que sí se comete como un crimen internacional por agentes estatales.

Si el autor fuese funcionario público, autoridad o particular que actúe bajo la autoridad, apoyo o aquiescencia del Estado, el artículo 167 CP contempla agravar el castigo con la mitad superior de la pena, pudiéndose llegar a la superior en grado. Por lo tanto, en todos los supuestos de desaparición forzada de personas nos encontramos que existe «una bonificación penológica» para aquellos que cometan el delito como un crimen internacional de lesa humanidad frente a la comisión de un delito común.

Esta incongruencia jurídica debe ser resuelta para otorgar una finalidad preventivo especial al delito de lesa humanidad de desaparición forzada de personas y dotar de contenido político criminal la existencia del mismo.

6.7. Detención ilegal

El artículo 607 bis 2.7 CP castiga «*con la pena de prisión de ocho a 12 años si detuvieran a otro, privándolo de su libertad, con infracción de las normas internacionales sobre la detención. Se impondrá la pena inferior en grado cuando la detención dure menos de quince días*».

Las detenciones ilegales se contemplan en el título VI, capítulo I del CP —delitos contra la libertad—, pero en estos no se hace referencia a las «normas internacionales» de detención, sino a detenciones realizadas «fuera de los casos permitidos por la ley» (Art. 167 CP).

Si existiese una causa por delito, pero la privación de libertad se acordare, practicare o prolongare, por la autoridad o funcionario público, contra un detenido, preso o sentenciado con infracción de los plazos y demás garantías constitucionales, se habrá cometido un delito del artículo 530 CP (delitos cometidos por funcionarios públicos contra la libertad individual).

El artículo 607 bis 2.7 CP no limita la autoría a los funcionarios públicos o autoridades, por lo que el delito podrá cometerlo cualquier persona que detenga ilegalmente a otra en violación de las «normas internacionales de detención». Para interpretar esta última referencia habrá que acudir a la regulación internacional de este tipo concreto y a su interpretación jurisprudencial.

El Art. 7.1 e) ER castiga como crimen contra la humanidad la «*encarcelación u otra privación grave de la libertad física en violación de normas fundamentales de Derecho internacional*». Los Elementos de los Crímenes (Art. 7.1 e) 2) no aclaran cómo interpretar esta redacción, pues solo exigen «*que la gravedad de la conducta haya sido de tal entidad que constituya una infracción de normas fundamentales del Derecho internacional*» sin aportar un canon o criterio que pueda servir para determinar cuándo se han violado estas normas fundamentales de Derecho internacional.

Un criterio sobre las «normas internacionales de detención» se puede encontrar en el Conjunto de Principios para la protección de todas las personas sometidas a cualquier forma de detención o prisión de la Asamblea General de las NNUU (Res. 43/173, de 9 de diciembre de 1988). Estos principios regulan las formas de la detención y los derechos esenciales del detenido —tratamiento humano al detenido, detención en estricto cumplimiento de la ley, prohibición de tratos crueles, fiscalización efectiva de la detención de un juez o autoridad, etc.—.

El Convenio Europeo para la protección de los Derechos Humanos y las Libertades Fundamentales *(Tol 164153)* contempla, en su artículo 5, las situaciones en las que una persona podrá ser detenido legalmente (en cumplimiento de una orden judicial, para comparecer ante un juez cuando haya indicios de la comisión de un delito, por motivos de seguridad pública, etc.), incorporando los derechos a los recursos y a la reparación del detenido ilegalmente.

El artículo 9 de la Declaración Universal de los Derechos Humanos *(Tol 164153)* resume lo que supone la esencia de la infracción de las normas de detención internacional en el término «arbitrariedad». Así establece que *«nadie podrá ser arbitrariamente detenido, preso ni desterrado»*. Del mismo modo, el artículo 9 del Pacto Internacional de Derechos Civiles y Políticos *(Tol 163691)* establece que *«nadie podrá ser sometido a detención o prisión arbitraria»*.

La enunciación de estos principios responde, al fin y al cabo, a los derechos esenciales de la persona (derecho a la libertad, entre otros) que se encuentran reflejados tanto en la Constitución Española como en las leyes procesales. Por lo tanto, y referido a nuestro ordenamiento jurídico, la referencia al respeto de las «normas internacionales de detención» no añaden un plus de antijuridicidad o un cambio sustancial a la conducta tipificada en los delitos contra la libertad del CP, que podrán ser cometidos tanto por personas privadas como por funcionarios públicos, por lo que el marco de referencia para interpretar este artículo habrán de ser los derechos constitucionales, y comprobar si en la detención, mediando o no causa por delito, se han infringido los plazos y las garantías constitucionales.

Volviendo la vista al TPIY, en el caso KORDIC & CERKEZ, interpretó que el elemento decisivo para considerar una detención contraria al Derecho internacional consuetudinario era la arbitrariedad en la privación de libertad, acudiendo al artículo 9 de la DUDH. Esta se manifestaría cuando la toma de decisión no se ha basado en un proceso con las garantías reconocidas en un Estado de Derecho (*Prosecutor vs. Kordić & Čerkez*. IT. 95-14/2. Trial Judgement. 26 de febrero de 2001. Par. 302).

En la sentencia de Apelación del mismo caso, el Tribunal, aplicando al caso concreto el artículo 5 ETPIY, aclaró los elementos esenciales del crimen contra la humanidad de privación ilegal de libertad del modo siguiente (*Prosecutor vs. Kordić & Čerkez*. IT. 95-14/2-A. Appeal Chamber Judgement. 17 de diciembre de 2004. Par. 116): «La Corte de Apelación coincide con el Tribunal de instancia al considerar que el término "encarcelamiento" del artículo 5.e) del Estatuto debe ser entendido como un encarcelamiento arbitrario, esto es, la privación de libertad del individuo sin un proceso debido, como parte de un ataque generalizado o sistemático dirigido contra la población civil».

Desde otro punto de vista, cabría plantearse si el requisito exigido en el ER del umbral de gravedad para ser considerado un crimen internacional afecta al tiempo de privación de libertad a la que es sometida la víctima, pues el tipo no hace referencia a especiales condiciones (inhumanas) para cualificar el tipo. WERLE opina que una detención de corta duración no alcanzaría la gravedad suficiente, y por lo tanto no podría ser considerada como crimen contra la humanidad. En este sentido, el TPIR en la sentencia de NETAGERURA *(Prosecutor vs. Netagerura et al.* ICTR-96-44-T. Trial Judgement. 24 de febrero de 2004. Par. 702) enfatiza que la privación de libertad, para ser un delito de lesa humanidad, debe ser de gravedad similar a los otros tipos específicos enumerados como crímenes contra la humanidad. Sin embargo, el hecho de que el Art. 607 bis 2. 7 CP contemple una atenuación de la pena para los supuestos en que la detención dure menos de 15 días significa que, según el legislador español, también una detención de corta duración podría constituir una conducta típica del delito de lesa humanidad, aunque en atención a la menor gravedad del hecho, se reconozca una atenuación penológica.

6.8. Tortura

El artículo 607 bis 2.8 CP castiga «*con la pena de cuatro a ocho años de prisión si cometieran tortura grave sobre personas que tuvieran bajo su custodia o control, y con la de prisión de dos a seis años si fuera menos grave. A los efectos de este artículo, se entiende por tortura el sometimiento de la persona a sufrimientos físicos o psíquicos. La pena prevista en este número se impondrá sin perjuicio de las penas que correspondieran, en su caso, por los atentados contra otros derechos de la víctima*».

Este modo de tipificar la tortura se aparta de la descripción de la conducta punible del Art. 174 CP y de la establecida en la Convención contra la tortura y otros tratos o penas crueles, inhumanas o degradantes de 10 de diciembre de 1984 *(Tol 117701)*. El Art. 607 bis 2.8 CP establece que la tortura se entenderá como el sometimiento de la persona que se tuviere bajo su control a sufrimientos físicos o psíquicos, sin exigir que sea cometido por autoridad o funcionario público ni que se lleve a cabo con el fin de obtener una confesión o información, o de castigarla por cualquier hecho o por alguna razón discriminatoria.

Resulta, cuanto menos desconcertante, que en el mismo Código Penal existan dos definiciones diferentes del delito de tortura, pues el artículo 174 CP exige «*que la tortura la cometa un funcionario o autoridad, que abusando de su cargo y con el fin de obtener una confesión o información de cualquier persona, o de castigarla por cualquier hecho que haya cometido o se sospeche que ha cometido, o por cualquier razón basada en algún tipo de discriminación, la sometiera a condiciones o procedimientos que por su naturaleza, duración u otras circunstancias le supongan sufrimientos físicos o mentales*». Así, la definición de tortura del artículo 607 bis 2. 8 CP que exige únicamente el sometimiento de la persona a sufrimientos físicos o psíquicos que se tuviere bajo su control, requiere menos elementos típicos para su comisión que el delito común, siendo más fácil cometer un delito de tortura en el marco del contexto de lesa humanidad que fuera del mismo. Sería deseable unificar el concepto de tortura en nuestro ordenamiento, pues las disfunciones de un término jurídico con dos conductas típicas pueden provocar soluciones penales diversas e injustas respecto un mismo hecho.

La forma de tipificar la tortura en el artículo 607 bis 2.8 CP parece que tiene su origen en la definición contemplada en el Art. 7.1 f) ER, donde en los Elementos de los Crímenes (Art. 7.1 f) nota 14) se reconoce expresamente que no es necesario llevar a cabo la conducta con una intención específica, sino simplemente causar un dolor o sufrimiento físico o mental grave a la víctima.

Esta interpretación de la tortura se aparta de la jurisprudencia de los TPIs donde se reconocía que la tortura se debía llevar a cabo por unos motivos determinados —confesión, información, castigo— (*Prosecutor vs. Kvocka*. IT-98-30/1-T. Trial Judgement. 2 de noviembre de 2001. Par. 141) que, según esa jurisprudencia, habría alcanzado la validez de Derecho internacional consuetudinario (*Prosecutor vs. Kunarac et al.,* IT-97-25-T. Trial Judgement de 22 de febrero de 2001. Par. 485).

El TPIY en la sentencia de KUNARAC (*Prosecutor vs. Kunarac et al.,* IT-97-25-T. Trial Judgement de 22 de febrero de 2001. Par. 142) identificó los siguientes elementos constitutivos del delito de tortura del modo siguiente:

    i) La causación, por acción u omisión, de un severo dolor o sufrimiento, físico o mental;

    ii) El acto o la omisión debe ser intencional;

    ii) El acto o la omisión deben perseguir la obtención de información o confesión, o el castigo, la intimidación o la coerción de la víctima o de tercera persona, o la discriminación, por alguna razón de la víctima o de una tercera persona.

El TPIY enfatizó, en esta y otras sentencias, que el primer elemento y más importante del crimen de tortura es la causación de un severo sufrimiento físico o mental.

Por lo tanto, a la hora de aplicar la definición de tortura, tanto en el Estatuto de Roma como en el CP español, en relación con el delito de lesa humanidad es necesario tener en cuenta que esta definición autónoma se aparta del concepto tradicional contenido en la Convención de 1984 y se encuentra desprovista del elemento intencional, que hasta ahora, la había caracterizado. Esta nueva definición se acerca más al concepto de un trato inhumano y degradante que genere grave sufrimiento, más que a la caracterización clásica de tortura. Como advierte GIL GIL, con ello se desvirtúa el concepto tradicional de tortura, para convertirlo simplemente en la causación de dolores o sufrimientos físicos o mentales a personas sometidas a la custodia o control del sujeto activo.

El elemento objetivo de la tortura en el Art. 7.1 f) ER es la causación de un dolor o sufrimiento grave, respecto del cual los TPIs ad hoc no han podido establecer un catálogo de conductas cerradas respecto al umbral de gravedad, pero sí

han apuntado criterios a valorar tales como la duración del maltrato o las secuelas para interpretar si el hecho concreto alcanza el nivel de gravedad requerido en
el crimen contra la humanidad.

En la sentencia del caso KVOCKA (*Prosecutor vs. Kvocka*. IT-98-32-T. Trial Judgement. 2
de noviembre de 2001. Par. 144-149), el Tribunal acude al Informe especial sobre la tortura de
las Naciones Unidas (UN *Special Rapporteur on Torture, Question of Torture and Other Cruel,
Inhuman or Degrading Treatment or Punishment*, UN Doc A/56/156, 3 de julio de 2001.), y
a otras situaciones para referenciar actos que *per se* constituyen torturas: palizas, violencia
sexual, denegación prologada del sueño, de comida, de higiene, de asistencia médica, mutilación de una parte del cuerpo, electroshock, quemaduras, inmersión en una mezcla de orina,
sangre, vómitos y excrementos (submarino), simulación de ejecuciones, etc. concluyendo que
hacer una lista exhaustiva de los actos de tortura resultaría una tarea imposible. En todo caso,
el Tribunal advierte que a pesar de que estas prácticas a menudo causen daños permanentes a
la salud de las víctimas, este tipo de daño no es un requisito para identificar un acto de tortura,
aclarando que también los casos de tortura psíquica conformarían la conducta típica, como en
los supuestos en los que se obliga a espectadores, familiares de la víctima, a observar cómo se
le agrede sexualmente o se la ejecuta.

En este sentido, la regulación del CP español se aparta del Estatuto de Roma,
ya que no requiere un umbral de gravedad para cualificar un delito común como
uno de lesa humanidad, pues prevé una pena para los casos de tortura grave,
y otra punición atenuada para los casos en los que fuera menos grave. Por lo
tanto, la menor gravedad del hecho no excluiría la consideración del acto como
tortura —lo que sí sucedería en el terreno de la CPI— sino que atenuaría la pena,
pudiendo dicha conducta ser constitutiva de un delito de lesa humanidad. La pena
del delito de lesa humanidad de tortura se impondrá sin perjuicio de castigar, en
concurso real, los demás atentados que se hubieran cometido contra los derechos
de las víctimas.

6.9. Prostitución forzada y trata de seres humanos

El artículo 607 bis 2.9 CP castiga «*con la pena de prisión de cuatro a ocho
años si cometieran alguna de las conductas relativas a la prostitución recogidas
en el artículo 187.1, y con la de seis a ocho años en los casos previstos en el artículo 188.1. Se impondrá la pena de seis a ocho años a quienes trasladen a personas de un lugar a otro, con el propósito de su explotación sexual, empleando
violencia, intimidación o engaño, o abusando de una situación de superioridad
o de necesidad o de vulnerabilidad de la víctima. Cuando las conductas previstas
en el párrafo anterior y en el artículo 188.1 se cometan sobre menores de edad o
personas con discapacidad necesitadas de especial protección, se impondrán las
penas superiores en grado*».

El citado artículo castiga, como delitos de lesa humanidad, tanto la prostitución forzada como la trata de seres humanos con la finalidad de su explotación sexual castigado en el artículo 177 bis CP.

En primer término, el artículo 607 bis 2.9 CP se remite al Art. 188.1 del CP donde se castiga a quien induzca, promueva, facilite o favorezca la prostitución de un menor de edad o incapaz. En esta ocasión, no se exige la obtención de un beneficio del que incite a ejercer la actividad sexual, sino que se castiga por la especial protección que merecen los inducidos: menores o incapaces. Asimismo, se castiga en virtud del Art. 187.1 CP a quien compela a una persona mayor de edad a ejercer la prostitución o a mantenerse en ella, empleando violencia, intimidación, engaño o abuso de autoridad.

La reforma del Código Penal operada por la Ley Orgánica 1/2015 CP ha incluido un último párrafo en el artículo 187.1 CP que castiga también *«a quien se lucre explotando la prostitución de la persona, aún con el consentimiento de la misma»*. Este consentimiento no será válido si existe lucro y la persona se encuentra en una situación de explotación sexual. Este matiz diferencia el entendimiento de la prostitución forzada que recoge el Art. 7.1 g) del ER, donde por primera vez se prevé, en un instrumento jurídico internacional, que este tipo de actuación pudiera ser considerado como crimen contra la humanidad. Según los Elementos de los Crímenes (Art. 7.1 g) 3.1 y 2), la conducta se cifra en obligar a una o más personas a llevar a cabo actos de naturaleza sexual por la fuerza, o mediante la amenaza de la fuerza o mediante coacción, como la causada por el temor a la violencia, la intimidación, la detención, la opresión psicológica o el abuso de poder contra esa o esas personas u otra persona, o aprovechando un entorno de coacción o la incapacidad de esa o esas personas de dar su libre consentimiento. Por lo tanto, si no se utilizan medios coactivos y la persona otorga el libre consentimiento, no nos encontraremos ante ninguna conducta punible. Se exige igualmente que con esa conducta se hayan obtenido, o se esperara alcanzar, para el autor u otra persona, ventajas pecuniarias o de otro tipo a cambio de los actos de naturaleza sexual.

El legislador no se ha limitado a incluir los tipos tradicionales de prostitución en el delito de lesa humanidad, sino que en el artículo 607 bis 2. 9 CP castiga una tercera conducta (en el segundo párrafo del artículo) que refleja una situación problemática a nivel mundial, la trata de seres humanos, y que pude ser considerada como una actividad que alcanza la gravedad suficiente para perfeccionar el delito de lesa humanidad. Así, se adelanta la barrera de protección y se prevé el castigo para los que trasladen personas de un lugar a otro, con el propósito de su explotación sexual, empleando violencia, intimidación o engaño, o abusando de una situación de superioridad, necesidad o vulnerabilidad de la víctima. Por esta vía se incorpora el castigo de los actos preparatorios con finalidad de explotación sexual como delito de lesa humanidad, algo que no tiene reflejo en el Estatuto de Roma, pero sí en el CP, pues esta conducta se encuentra tipificada en el artículo 177 bis.

El Estatuto de Roma contempla una conducta que se encuentra a caballo entre la esclavitud del Art. 607 bis 2. 10. CP y el traslado forzado de personas con finalidad de explotación sexual

(Art. 607 bis 2.9), introduciendo un concepto de esclavitud sexual, prevista en el Art. 7.1 g) ER y descrita en los Elementos de los Crímenes como el ejercicio de la propiedad sobre una o más personas, obligándolas a realizar actos de naturaleza sexual. La diferencia con la conducta definida más arriba como «trata de seres humanos» es la exigencia de un tipo de ejercicio de propiedad sobre las víctimas, este requisito, aunque no se exige en el Art. 607 bis 2. 9 CP se suele producir debido al modo de actuar de estas organizaciones criminales.

6.10. Esclavitud

El artículo 607 bis 2.10 CP castiga *«con la pena de prisión de cuatro a ocho años si sometieran a alguna persona a esclavitud o la mantuvieran en ella. Esta pena se aplicará sin perjuicio de las que, en su caso, correspondan por los concretos atentados cometidos contra los derechos de las personas. Por esclavitud se entenderá la situación de la persona sobre la que otro ejerce, incluso de hecho, todos o algunos de los atributos del derecho de propiedad, como comprarla, venderla, prestarla o darla en trueque».*

El citado artículo introduce el tipo penal de esclavitud como delito de lesa humanidad, que no encuentra reflejo en otro delito similar en el Código Penal. Eso ha provocado que al incluirse como delito de lesa humanidad la conducta de sometimiento a esclavitud, haya tenido que ser definido jurídicamente qué se debe entender por tal. Esclavitud será la situación de la persona sobre la que otro ejerce, incluso de hecho, todos o algunos de los atributos del derecho de propiedad. Esta redacción, coincide en gran medida con la definición expuesta en los Elementos de los Crímenes de Art. 7.1c) 1.

La figura de la esclavitud ha estado presente en las definiciones de crímenes contra la humanidad desde el Art. 6.c) del Estatuto del TMI de Núremberg, y se considera un crimen internacional en virtud de las múltiples convenciones internacionales que establecen la prohibición de la misma.

La esclavitud, por lo tanto, simboliza la cosificación del ser humano, el cual es tratado como un bien mueble sobre el que se puede decidir de manera omnímoda. El TPIY lo ha definido como el ejercicio de algún o todos los poderes que derivan del derecho de propiedad sobre una persona, siendo el *actus reus* el ejercicio de dicho poder y la *mens rea* la intención de ejercitar semejantes poderes (*Prosecutor vs. Krnojelac.* IT-97-25. Trial Judgement. 15 de marzo de 2002. Par. 350).

En el ámbito de los TPIs, será la sentencia de KUNARAC la que delimite los contornos del tipo penal (*Prosecutor vs. Kunarac et al.,* IT-97-25-T. Trial Judgement de 22 de febrero de 2001. Par 542), diferenciando la esclavitud de la detención o el cautiverio, pues la privación de libertad no constituiría por sí misma el delito subyacente de esclavitud si este no va acompañado de determinadas actividades como la explotación, el cobro del autor por el trabajo forzado de la víctima, la cual, a menudo no recibe remuneración alguna, y es habitual, aunque no necesario para perfeccionar el tipo, que la actividad forzada vaya acompañada de penurias físicas, abuso sexual, prostitución y tráfico de seres humanos.

KUNARAC fue condenado, entre otros delitos, por el crimen contra la humanidad de esclavitud por haber tenido controladas completamente a dos mujeres jóvenes, durante varios meses, abusando de ellas de manera constante. La defensa recurrió en Apelación bajo el argumento que no se había manifestado de manera clara la falta de consentimiento de las mujeres. La Corte de Apelación respondió a este argumento aclarando que la ausencia de resistencia de un modo constante y claro no puede ser interpretada como señal de consentimiento. (*Prosecutor vs. Kunarac et al.* IT-97-25-A. Appeal Chamber Judgement. de 12 de junio de 2002. Par. 120).

Respecto a la duración de la esclavitud, la Corte en el mismo proceso concluyó que no se ha de exigir un determinado periodo de tiempo o una detención prolongada. Lo indispensable para que este delito aparezca es la especial relación entre el autor y la víctima, pudiendo ser considerada la duración como un factor de prueba a la hora de demostrar dicha relación, pero que no debería, en ningún caso, ser considerado como un elemento del tipo crimen de esclavitud. Por lo tanto, el núcleo del injusto reside, según la jurisprudencia del TPIY, en la situación de sometimiento del esclavizado respecto al esclavizante, representando las demás circunstancias factores de prueba o agravación de esta conducta.

El ER considera el tráfico de personas, incluidos mujeres y niños, como un tipo de esclavitud ex Art. 7.2 c) ER, sin exigir el fin de explotación sexual, como sucedería en el caso del Art. 607 bis 2. 9 CP, sino que se pena el tráfico de personas como tal, reconocido en el Protocolo adicional (Protocolo para prevenir, reprimir y sancionar la trata de personas, especialmente de mujeres y niños) que complementa la Convención de las Naciones Unidas Contra el Crimen Trasnacional Organizado de 15 de noviembre de 2000 *(Tol 137454)*. Este Protocolo se centra en la prevención de la trata de persona y en la protección de estas, en especial de las mujeres y los niños, sin limitar la finalidad de tal actividad delictiva a la explotación sexual.

7. *Autoría y participación*

En el ámbito del delito de lesa humanidad debe diferenciarse entre el autor del ataque generalizado o sistemático contra la población civil, es decir, el autor del contexto, del autor del delito de lesa humanidad específico. El ataque típico, como se ha expuesto, y aunque el artículo 607 bis CP no haga mención a ello, debe ser conformado por un Estado o por una organización (con las características ya tratadas), por lo que el contexto del delito de lesa humanidad solo podrá ser «construido» por personas que actúen al servicio del Estado o de la organización con determinadas características.

No obstante, una vez que el contexto existe, cualquier persona puede convertirse en autor de un delito de lesa humanidad sin que sea necesario que actúe bajo las órdenes o designios del Estado o la organización. Así, cualquier persona que, consciente de que se está cometiendo un ataque generalizado o sistemático contra la población civil cometa algún delito subyacente conectado al ataque —ya sea porque se comparte la finalidad del ataque o se utilice el clima de violencia o impunidad para cometer un delito contra un tercero por motivos personales, aprovechando el contexto típico— será autor de un delito de lesa humanidad.

Por lo tanto, en la mayoría de los supuestos típicos nos encontramos ante un delito común, que puede ser cometido por cualquier persona. Únicamente existi-ría un delito específico, el de desaparición forzada de personas del artículo 607 bis 2.6 CP, que debido a su configuración típica solo podrían cometerlo en calidad de autores personas que actúen al servicio de un Estado o bajo su autorización, apo-yo o aquiescencia. Por lo tanto, este tipo específico del delito de lesa humanidad está configurado como un delito especial.

El artículo 615.bis CP ha introducido la responsabilidad del superior, autori-dades o jefes militares, por omisión, castigando a aquel que no adopte las medidas a su alcance para evitar que las fuerzas sometidas a su mando o control efectivo cometa, entre otros, los delitos de lesa humanidad.

En el caso *Vielman,* Sentencia de la Audiencia Nacional de 2 de marzo de 2017, una de las acusaciones fundamentó la responsabilidad del acusado, ex ministro de Gobernación de Guatemala, por los delitos de lesa humanidad cometidos por fuerzas policiales en un marco de limpieza social, al ser estas fuerzas dependientes de ese ministerio. El acusado fue absuelto al no quedar lo suficientemente probado el conocimiento de este sobre los delitos cometidos por sus subordinados.

8. Concursos

En el ámbito del delito de lesa humanidad, en la mayoría de los supuestos típi-cos, se plantearán situaciones concursales, tanto de leyes como de delitos. Debido a la configuración del tipo penal, que se compone en casi todos los supuestos (salvo el de esclavitud) de un delito común tipificado en el Código Penal cometido en un contexto específico, se planteará un concurso de leyes, que en la mayoría de los casos podrá ser resuelto con el criterio de especialidad del artículo 8.1 CP en favor del delito de lesa humanidad, debido que este se construye sobre la base de un delito común cometido de un modo específico. Así, por ejemplo, ante un ho-micidio cometido en un contexto sistemático contra un grupo de población civil se deberá imponer la condena por un delito de lesa humanidad de homicidio por aplicación del principio de especialidad.

Ello sucederá incluso en los casos en que la aplicación del delito de lesa humanidad resulta penológicamente más beneficiosa que la condena por el delito común. Por ejemplo, en el su-puesto de desaparición forzada de personas cometidas por fuerzas estatales en el marco de un ataque generalizado o sistemático se deberá aplicar el artículo 607 bis 2. 6 CP en perjuicio del artículo 167 CP, a pesar de que (como se ha expuesto) la pena a imponer por este último delito sea muy superior a la del delito de lesa humanidad, dado que el principio de especialidad se impone al principio de alternatividad (Art. 8.4 CP) que se aplica de manera subsidiaria a este. De ahí la importancia de revisar el catálogo de penas del artículo 607 bis CP y modificarlo de un modo coherente con el especial desvalor que, según el legislador, la doctrina y la jurisprudencia deriva de este crimen internacional.

La problemática jurídica se complica al decidir si en un supuesto de delito de lesa humanidad donde el autor haya cometido varios delitos subyacentes se estará ante un concurso real de delitos de lesa humanidad o ante un solo delito de lesa humanidad con distintos resultados. Este tipo de concursos, denominado por parte de la doctrina como concurso intercategorial (MACULAN/LIÑÁN LAFUENTE) se ha resuelto de distintos modos, derivados de la interpretación por la que se opte sobre el bien jurídico protegido.

Si se interpreta que según el artículo 607 bis CP cada comisión de un acto ilícito específico conectado con el contexto típico constituirá un delito de lesa humanidad (GIL GIL, LIÑÁN LAFUENTE), cada lesión de un bien jurídico individual consumará el delito, lo que permite que un único acto (no un acto aislado) dirigido contra una única víctima pueda ser constitutivo de un delito de lesa humanidad.

Existe otra interpretación que, partiendo de la defensa de un bien jurídico pluriofensivo, defiende que las distintas conductas subyacentes realizadas en el marco del mismo ataque contra la población civil se califican como unidad delictiva, dando lugar a un único crimen contra la humanidad cometido con distintas modalidades (WERLE/ JESSBERGER).

La Audiencia Nacional adoptó este criterio en la Sentencia de 19 de abril de 2005 (Caso *Scilingo*) donde se condenó al acusado por la comisión de un único delito de lesa humanidad con la causación de 30 muertes alevosas (21 años de prisión por cada una), detención ilegal (5 años) y causación de tortura (5 años). En esta sentencia, incluso partiendo de la comisión de un único delito de lesa humanidad con distintas conductas subyacentes, la determinación de la pena adolece de la necesaria concreción de la comisión del número de detenciones ilegales y torturas, pues en rigor, cada delito subyacente cometido contra cada persona deberá ser castigado de forma individual —al encontrarnos ante bienes jurídicos personalísimos— sin que sea adecuado, según la protección que se ha de otorgar a las víctimas de tales delitos, que la condena se imponga de un modo genérico sin concretar cuántas detenciones ilegales o torturas cometió el condenado.

En el proceso que se ha iniciado contra la cúpula de ETA por delitos de lesa humanidad cometidos con posterioridad al 1 de octubre de 2004, el auto del Juzgado Central de Instrucción núm. 3 que admite a trámite la querella, califica provisionalmente los hechos denunciados como un delito de lesa humanidad en concurso real con delitos de asesinato. Esta calificación, aun siendo provisional, ha de ser reputada como errónea ya que al ponerla en común con los hechos denunciados que expone el auto, se estaría ante la posible comisión (aún se habrá de investigar) de delitos de lesa humanidad con causación de muerte o lesiones. En caso de concurrir un concurso, estaríamos ante un concurso de leyes entre ambas figuras criminales, donde por aplicación del principio de especialidad debería imponerse la primera calificación. Pero lo que no puede existir es un concurso real entre un delito de lesa humanidad con causación de muerte y un asesinato —siempre que el hecho de matar sea el mismo que se ha cometido conectado con un ataque contra la población civil— pues no podría castigarse por la misma conducta dos veces sin vulnerar el *non bis in idem*.

En la jurisprudencia internacional, tradicionalmente se aprecia una confusión entre el crimen de guerra y el crimen contra la humanidad, castigándose en muchas ocasiones por ambos tipos penales sin que el Tribunal distinga y concrete qué hechos constituyen cada crimen o si se aplica algún tipo de concurso. Ello se debe, en parte, a que los Estatutos de los TPIs ad-hoc no preveían estos supuestos, limitándose a establecer en las Reglas de Procedimiento y Prueba que como regla general se deberá imponer una sanción por cada crimen objeto de condena, pudiendo la Sala imponer una única sentencia que contemple la totalidad de la conducta criminal (Art. 87 Reglas de Procedimiento y Prueba del ETPIY). El ER prevé una serie de criterios aplicables en la medición de pena en casos de concursos (Art. 78.3 ER), pero no se encuentra regulación sobre la aplicación de concursos o incluso la identificación de unidades delictivas.

En este ámbito del concurso intercategorial (MACULAN/LIÑÁN LAFUENTE), el TPIY aplicó una interpretación conocida como *Čelebići test* (el nombre deviene del caso en que se aplicó) para determinar cuándo se estaba ante un concurso de delitos o ante un concurso aparente. Según este test, solo se puede castigar por varios crímenes respecto de una misma conducta cuando una de las normas aplicables contenga «un elemento materialmente distinto a la otra», y ello ocurrirá cuando este elemento requiera prueba de un hecho que otro elemento no exige. Si ello no sucediera, la Sala debe optar por la aplicación de la figura criminal más específica en relación con la conducta enjuiciada.

Trasladando la posibilidad de que concurran concursos intercategoriales en el ámbito del delito de lesa humanidad en el ordenamiento jurídico español, este podría producirse respecto al delito de genocidio y a los delitos contra las personas y bienes protegidos en caso de conflicto armado (crímenes de guerra). Respecto al primero, el delito de genocidio cuenta con un elemento subjetivo específico que concreta el bien jurídico protegido y representa la seña de identidad de este tipo penal, que se concreta en el propósito «*de destruir total o parcialmente un grupo nacional, étnico, racial, religioso o determinado por la discapacidad de sus integrantes*». Por lo tanto, en supuestos en donde exista un ataque generalizado o sistemático contra un grupo, si este cumple las características del objeto de protección del delito de genocidio, y se persigue la destrucción del mismo se habrá de optar, por aplicación del principio de especialidad, por la calificación de la conducta como delito de genocidio con preferencia a la lesa humanidad. Ahora bien, si el grupo perseguido quedase fuera de los protegidos por el artículo 607 CP, como por ejemplo un grupo político, se aplicará el delito de lesa humanidad. (Sobre este asunto resulta especialmente interesante la STS 1 de octubre de 2007

(Tol 1584858) —Caso *Scilingo*— donde se plantea la posibilidad de incluir estos grupos como objeto de protección del genocidio, así como el voto particular del Magistrado Giménez García que defiende que se debió condenar por genocidio).

Respecto al concurso entre el delito de lesa humanidad y el crimen de guerra suele concurrir cuando en el marco de un ataque armado se vulneran bienes jurídicos personalísimos de la población civil. En el supuesto que esto sucediera (por ejemplo, la comisión de violaciones contra la población civil con ocasión de un conflicto armado) se aplicará el supuesto más específico, que en este caso sería el artículo 611.9° CP frente al 607 bis CP, pues al ataque generalizado o sistemático se le añado la especialidad de que el mismo se cometa en el marco de un conflicto armado.

III. BIBLIOGRAFÍA

ALBRECHT, H., *Gesichte der völkerrechtlichen Strafgerichtsbarkeit im 20. Jahrhundert*. Baden Baden: Nomos. 1999; ALIJA FERNÁNDEZ, R. A., *La persecución como crimen contra la humanidad*. Universitat. Barcelona. 2011; ALLAIN, J./ JONES, J., *A Patchwork of Norms: A commentary on the 1996 Draft Code of Crimes against the Peace and Security of Mankind*. EJIL. Vol. 8. Núm. 1. 1997; ÁLVAREZ GARCÍA, F. J., «Los Tribunales Penales Internacionales», en CASTILLEJOS MANZANARES, R., (Coor.) *La persecución de los actos de piratería en las Costas Somalíes*. Tirant lo Blanch. 2011; ÁLVAREZ, J. E., *Rush to Closure: Lessons of the Tadic Judgement*. Michigan Law Review. Vol. 96. Núm. 7. (junio 1998); AMANN, D., *Prosecutor v. Akayesu*. AJIL. Vol. 93. Núm. 1. (enero de 1999); AMBOS, K., *El nuevo Derecho Penal Internacional*. Lima: Ara. 2004; AMBOS, K., *Elementos del crimen así como Reglas de procedimiento y prueba de la Corte Penal Internacional*. La Ley. 2000. vol. 9. D-283; *id.*, *Internationales Strafrecht*. C. H. Beck: Munich. 2006; AMBOS, K., *La parte general del Derecho penal internacional*. Temis: Montevideo. 2005. Traducido por Ezequiel Mazarino; AMBOS, K./WIRTH, S,. *The Current Law of Crimes against Humanity*. Criminal Law Forum. N. 13. 2002; ARONEANU, E., *Das Verbrechen gegen die Menschlichkeit*. Nouvelle Reveu de Droit International Privé. 1946. núm. 2; AMBOS/HALL, «Crimes Against Humanity» en TRIFFTERER/AMBOS (ed). *The Rome Statute of the International Criminal Court*. Beck. HArt. Nomos. 3ª ed. 2016; ARONEANU, E., *Le Crime contre L'humanité*. Paris: Librairle Dalloz. 1961.; ASKIN, K., *Comfort Woman - Shifting shame and stigma from victims to victimizers*. International Criminal Law Review. Núm. 1. 2001; ASKIN, K. D., *Crimes within the jurisdiction of the International Criminal Court*. CLF. 1999; *id.*, *Sexual Violence in Decision and Indictments of the Yugoslavia and Rwanda Tribunals: Current Status*. AJIL. 1993; BALDWIN. S. E., *The proposed Trial of the former Kaiser*. AJIL. 1922. Vol 16. núm. 4; BANTEKAS, I./NASH, S., *International Criminal Law*. Londres: Cavendish Publishing. 2003. 2ª. Ed.; BASSIOUNI, Ch., «The Proscribing Function of International Criminal Law in the Processes of International Protection of Human Rights», en *Festschrift für Hans-Heinrich Jescheck zum 70. Geburtstag*. Berlín: Theo Vogler; *id.*, «The Philosophy and Policy of International Criminal Justice». En, LAL CHAND VOHRAH. Et. al. (eds.). *Man's Inhumanity to Man*. La Haya: Kluwer Law International. 2003; *id.*, «The Commission of Experts Established pursuant to Security Council Resolution 780: Investigating Violations of International Humanitarian Law in the Former Yugoslavia», en, CLARK, R. S./SANN, M., *The prosecution of International Crimes*. Transaction Publisher: Londres. 1996; *id.*, *Crimes against humanity. Historical evolution and contemporary application*. Cambridge: Cambridge University Press.

2011. P. 17; *id., Derecho Penal Internacional. Proyecto de Código Penal Internacional.* Madrid: Tecnos. 1984. Traducido por José. L. de la Cuesta Arzamendi; *id., The Legislative History of the ICC Statute.* Nueva York: Transnational Publishers. 2005. Vol. I; *id., Proyecto de Estatuto del Tribunal Penal Internacional.* Nouvelle Études Péneales. 1993. Núm. 10; BENTON, W./ GRIMM, G. (Edit). *Nuremberg. German views of the War Trials.* Dalas: Southern Methodist University Press. 1955; BERNARD HERZOG, J., *Recuerdos del Proceso de Núremberg.* Revista de Derecho y Jurisprudencia números 8 y 9. 1949; BIDDLE, F., *The Nuremberg Trial.* Virginia Law Review. Vol. 33. Núm. 6. 1947; BLANC, A., *La violación de los Derechos humanos fundamentales como crimen internacional.* Barcelona: Bosch. 1990; BOLLO AROCENA, M. D., *Derecho Internacional Penal: estudio de los crímenes internacionales y de las técnicas para su represión.* Bilbao: Universiad del País Vasco. 2004; BROOK, T., *The Tokyo Judgement and the Rape of Nanking.* The Journal of Asian Studies. Vol 60. n ° 3 (agosto 2001); CALVOCORESSI, P., *Nuremberg. The facts, the law and the consecuences.* Londres: Chatto&Windus. 1947; CAPELLÁ I ROIG, M., *La tipificación internacional de los crímenes contra la humanidad.* Valencia: Tirant lo Blanch. 2005; CARO CORIA, D. C., «Elemento subjetivo del crimen imputado en el caso Lubanga», en AMBOS/MALARINO/STEINER (Ed). *Análisis de la primera sentencia de la Corte Penal Internacional. Caso Lubanga.* Berlín. Conrad Adenuer Stiftung. 2014; BOOT, M., *Genocide, Crimes Against Humanity, War Crimes.* Oxford: Intesentia. 2002; CASSESE, A., *International Criminal Law.* Oxford: Oxford University Press. 2003; *id., The Martens Clause: Half a Loaf or Simply Pie in the Sky.* EJIL. 2000. núm. 11; CASSESE, A./ RÖLING, B. V. A., *The Tokio Trial and Beyond.* Polity Press. Cambridge. 1993; CHETHMAN, A., *Fundamentación filosófica de la justicia penal extraterritorial.* Marcial Pons. 2013. Trad. Por. Luciana Morón; CHINKIN, C., *Women's International Tribunal of Japanese Military Sexual Slavery.* AJIL 95 núm. 2 (abril 2001); CLARK, R., *The mental element in international criminal law: The Rome Statute of the International Criminal Court and the elements offences.* Criminal Law Frum. Núm. 12. 2001; CLARK, R., «Crimes Against Humanity and the Rome Statute of the International Criminal Court», en POLITI, M. (ed.). *The Rome Statute of the International Criminal Court.* Aldershot: Ashgate. 2001; *id., Subjective Merkmale im Völkerstrafrecht.* ZStW. 2002; CONDE PUMPIDO, D. (dir). *Código Penal comentado.* Barcelona: Bosch. 2004. 2ª ed; DAHM, G., *Zur Problematik des Völkerstrafrechts.* Göttingen: Vandenhoeck & Ruprecht. 1956; DAUTICOURT, *La definition du crime contre l'humanité.* Revue de Droit Pénal et de Criminologie. Núm. 1. 1947-1948; DIXON, «Crimes against Humanity», en TRIFFTERER, O. (ed,). *Commentary on the Rome Statute of the International Criminal Court. Observers' Notes, Article by Article.* Baden-Baden. Nomos. 1999; DONNEDIEU de VABRES. *Conference sur le procès de Nuremberg.* Publicada por l'Association de Etudes Internationales. París. 1947; ESER, A., «Mental Elements - Mistake of Fact and Mistake of Law». En, CASSESE, A. (eds) et. al. *The Rome Statute of the International Criminal Court.* Oxford: Oxford University Press. 2002; FERENCZ, B., «Crimens Against Humanity», en BERNHARD, R. (ed). *Encyclopedia of Public International Law.* Amsterdam: North-Holland. 1992; FORSYTHE, D. «Politics and the International Tribunal for the Former Yugoslavia». En CLARK, R./ SONN, M., *The Prosecution of International Crimes.* Londres: Transaction Publisher. 1996; GARCÍA SÁNCHEZ, B., «Los crímenes de lesa humanidad: una nueva modalidad delictiva en el Código Penal de 1995», en CUERDA RIEZU, A. (coor.), *La respuesta del Derecho penal ante los nuevos retos.* Madrid: Dykinson. 2006; GIL GIL, A. (Dir) / MACULAN, E. (Coord). *Intervención delictiva y derecho penal internacional.* Madrid. Dykinson. 2013; *id., Derecho penal internacional.* Tirant lo blach. 1998; *id.,* en GÓMEZ TOMILLO (Dir). *Comentarios al Código Penal.* Valladolid. Lex Nova. 2ª. Ed. 2011; *id.,* «Los crímenes contra la humanidad y el genocidio en el Estatuto de la Corte Penal Internacional a la luz de "Los Elementos de los Crímenes"», en AMBOS, K. (co.). *La nueva justicia penal supranacional.* Valencia: Tirant lo Blanch. 2002; *id.,* «Crímenes contra la humanidad» en GIL GIL /MACULAN (Dir) *Derecho Penal Internacional.* Madrid. Dykinson. 2016; *id., El genocidio y otros crímenes internacionales.* Valencia: Colección interciencias. 1999; *id., Mens Rea in Co-perpetration and Indirect Perpetration According to*

Article 30 of the Rome Statute. Arguments Against Punishment for Excesses Committed by the Agent or the Co-perpetrator. International Criminal Law Review. 14. 2014; *id.,Verbrechen gegen die Menschlichkeit und Völkermord.* ZStW. 2000. Núm. 113; *id.,* «Los crímenes contra la humanidad y el genocidio en el Estatuto de la Corte penal internacional», en MORENO HERNÁN-DEZ, M. (Coor.). *El Estatuto de Roma. El Estatuto de la Corte Penal Internacional y su implicación en el Derecho nacional de los Países Latinoamericanos.* México, 2004; GIL GIL, A./ MACULAN, E., *Current Trends in the Definition of «Perpetrator» by the International Criminal Court: From the Decision on the Confirmation of Charges in the Lubanga case to the Katanga judgment.* Leiden Journal of International Law. Vol. 28. Junio 2015; GÓMEZ BENÍTEZ, J. M., «Elementos comunes de los crímenes contra la humanidad en el Estatuto de la Corte Penal Internacional y necesaria tipificación de estos crímenes en el Derecho Penal español». En Cuadernos de Derecho Judicial, *Derecho Penal Internacional.* Escuela Judicial del Consejo General del Poder Judicial. Madrid, 2001; *id., Elementos comunes de los crímenes contra la humanidad en el Estatuto de la Corte Penal Internacional.* Actualidad Penal. Núm. 42. 2002; GRAVEN, J., *Les crimes contre l'humanité.* Academie des Cours. Recueil des Cours. 1950. Vol I; *id., La définition et la répression des crimes contre l'humanité.* Revue de droit international des sciences diplomatiques et politique. 1948; GRUPO DE ESTUDIO DE POLÍTICA CRIMINAL. *Una propuesta de justicia penal internacional.* Valencia: Tirant lo Blanch. 2002; H. MINEAR. R., *Victor's Justice. The Tokyo War Crimes Trials.* Princeton University Press. Princeton-New Jersey. 1971; HINTJENS, H., *Explaining the 1994 genocide in Ruanda.* The Journal of Modern Africas studies. Vol 37. Núm. 2 (junio de 1999); HOFACKER, S., *Die Leipziger Kriegsprozesse.* ZStW. 1922; HOGAN-DORAN, J., *Murder as a Crime under International Law and the Statute of International Criminal Tribunal for the Former Yugoslavia: of Law, Legal and Language, and a Comparative Approach to Legal Meaning.* LJIL. 1998; JACKSON, R., *Report to the President from Justice Robert. H. Jackson, Chief of Counsel for the United States in the prosecution ox axis War Criminals.* AJIL. Supl. 39.1945; JACKSON, R., *The International Conference on Military Trials.* Londres: Division of Publications Office of Public Affairs. Report of Robert Jackson, United State Representative. Department of State. Publication 3080. 1945; JESCHECK, H. H., *Die Verantwortlichkeit der Staatsorgane nach Völkerstrafrecht.* Bonn: Ludwig Röhrscheid. 1952; *id., The General Principles of International Criminal Law Set Out in Nuremberg, as Mirrored in the ICC Statute.* JICJ. 2004; KIRIAKAKI, I., *Das Humanexperiment als völkerstrafrechtliches Verbrechen - Vom NürnbergerKodex zum Rom-Statut für einen Internationalen Strafgerichtshof.* ZStW. 118. 2006; KREß, C., *Die Kristallisation eines Allgemeinen Teils des Völkerstrafrechts: Die Allgemeinen Prizipien des Strafrechts im Statut des Internationalen Strafgerichtshofs.* Humanitäres Völkerrecht. 1999; *id., Zur Methode der Rechtsfindung im Allgemeinen Teil des Völkerstrafrecht.* ZStW. 111. (1999); LAMPE, E. J., «Verbrechen gegen die Menschlichkeit», en HIRSCH, H. J. et al. (eds). *Festschrift für Günter Kohlmann.* Colonia: Dr. Otto Schmidt. 2003; LANDA GOROSTIZA, J. M., *El «Nuevo» Crimen de Lesa Humanidad: una primera aproximación.* Revista Penal. 2004; *id.,* «Terrorism and crimes against humanity: interfernces and diferences at the international level and their projection upon Spanish domestic law» en, MASFERRER, A/WALKER, C., *Counter-Terrorism, Human Rights and the Rule of Law.* Edwar Elgar Publishing. 2013; *id., La sombra de los crímenes contra la humanidad en la política antiterrorista española: Reflexiones críticas.* Revista Electrónica de Ciencia Penal y Criminología. Núm. 12. 2010; LANSIG. R., *Notes on World Sovereignty.* AJIL. núm. 15.1921; LIÑÁN LAFUENTE, A., *El crimen contra la humanidad.* Madrid. Dykinson. 2015; *id., La construcción del crimen de persecución en los Tribunales Penales Internacionales ad-hoc.* Revista de Derecho Penal y Criminología. 3ª época. Núm. 1. 2009; *id., La tipificación del crimen de persecución en el Estatuto de Roma y su primera aplicación jurisprudencial en el Tribunal Híbrido Internacional de Timor Oriental.* Revista electrónica de ciencia penal y criminología. Núm. 10-12. 2008; *id.,* «La delación como crimen contra la humanidad. Análisis de la jurisprudencia de los Tribunales alemanes post Núremberg». En, MAQUEDA ABREU/MARTÍN LORENZO/VENTURA PÜSCHEL, *Derecho Penal para un Estado* social y democrático de Derecho. Libro Homenaje al Prof. Dr. Emilio Octavio de Toledo y Ubieto. Servicio de publicaciones de la Facultad de Derecho de la UCM. 2016; id., La investigación de los actos terroristas de ETA como delitos de lesa humanidad. Análisis de las resoluciones de la Audiencia Nacional. Revista de Derecho Penal y Criminología. 2016. Núm. 15. Tercera época; id., El militar como posible sujeto pasivo del crimen contra la humanidad. Estudios de Derecho Militar. Núm. 1. Noviembre 2016; id., La interpretación del término «población civil» como elemento del tipo en el crimen contra la humanidad. Revista Penal. Núm. 40. Julio 2017; MACULAN, E., «La Corte Penal Internacional», en GIL GIL, A./MACULAN, E. (Dir.). Derecho Penal Internacional. Dykinson. 2016; id., «Relaciones concursales», en GIL GIL, A./MACULAN, E. (Dir.). Derecho Penal Internacional. Dykinson. 2016; MANSFIELD, L., Crimes against Humanity: Reflections on the Fiftieth Anniversary of Nuremberg and a Forgotten Legacy. Nor. JIL. núm. 64. 1995; MANSKE, G., Verbrechen gegen die Menschlichkeit als Verbrechen an der Menscheit. Berlín: Duncker & Humblot, 2003; MARESMA, L., The Prosecutor v. Tadic. The Appellate Decisión of the ICTY and International Violations of Humanitarian Law as International Crimes. LJIL. Núm. 9. 1996; MARTÍNEZ-CARDÓS RUÍZ, J. L., El concepto de crímenes contra la humanidad. Revista Española de Derecho Militar. N.º 75. 2000; Mc AULIFFE de GUZMÁN, M., The Road from Rome: The Developing Law of Crimes against Humanity. HRQ. 2000. Núm. 22. Vol. II; MENTHON, F., Gerechtichkeit in Namen der Menschlichkeit. Neustadt: Imprimire Nationale. 1946; MESEKE, S., Der Tatbestand der Verbrechen gegen die menchlichkeit nach dem Römischen Statut des Internationalen Strafgerichtshofes. Berlín: Berlíner Wissenschafts. 2004; METTRAUX, G., Crimes Against Humanity in the Jurisprudence of the International Criminal Tribunal for the Former Yugoslavia and for Rwanda. Harvard International Law Journal Vol 43. Número 1. 2002; id., International Crimes and the ad hoc Tribunals. Nueva York: Oxford University Press. 2005; MEYROWITZ, H., La Repression par les tribunaux allemands des crimes contre l'humanité et l'appartenance à une organisation criminelle en application de la loi n° 10 du Conseil de Contrôle allié. Revue International de Droit Comparé. 1961. Vol. IV; MORRIS, V/ SCHARF, M., An Insider's Guide to the International Criminal Tribunal for the Former Yugoslavia. Nueva York: Transnational Publishers. 1995. Vol. I; MURPHY, S., Progress and Jurisprudence of the International Criminal Tribunals for the former Yugoslavia. AJIL. 93. Núm. 1. 1999; OLLÉ SESÉ, M., El crimen de genocidio: génesis y evolución legislativa nacional e internacional. Madrid: Fundación Figbar. Serie Working Papers 1/2015; id., Justicia universal para crímenes internacionales. Madrid: La Ley. 2008; OSTEN, P., The Tokioter Kriegsverbrecherprozess und die japanische Rechtswissenschaft. Berlíner Wissenschafts. Berlín. 2003; PELLA, V., La Codification du Droit Pénal Internaional. Reveu Céntrale de Droit Internacional Public. 1952; id., «Memorandm», en United Nations: Committee on International Criminal Jurisdiction. AJIL. Vol. 46. Núm. 1. Supplement. Official Documents. 1952, págs. 1-11; PÉREZ CABALLERO, J., El elemento político en los crímenes contra la humanidad. Dykinson. Madrid. 2015; id., Defensa del los elementos contextual y político de los crímenes contra la humanidad contra a expansión del tipo al terrorismo internacional. Revista Electrónica de Ciencia Penal y Criminología. Núm. 15. 2013; PICOTTI, L., «Criminally Protected Legal Interests at the International Level after the Rome Statute». En, POLITI, M./ NESSI, G., The Rome Statute of the International Criminal Court. Burlington: Ashgate Publishing Company. 2001; PRITCHARD, J., The International Military Tribunal for the Far East and the Allied National War Trials in Asia. En BASSIOUNI, Ch., International Criminal Law. Trasnational Publishers, Nueva York. 2ª Ed. 1999. VolIII; QUESADA ALCALÁ, C., Corte Penal Internacional y Derecho Interno: El impacto del Estatuto de Roma en la legislación española. Revista Española de Derecho Militar. Núm. 86. 2005; QUINTANO RIPOLLÉS, A., Tratado de Derecho penal internacional e internacional penal. Madrid: Instituto Francisco de Vitoria. Consejo Superior de Investigaciones Científicas. 1957; RADBRUCH, G., Zur Discussion über die Verbrechen gegen die Menschlichkeit. SJZ. 1947; ROBINSON, D., «Crimes against humanity: Reflections on state sovereignty, legal, precision and the dictates of the public conscience», en LATTANZI, F/ SCHABAS, W. (eds.). Essays on the Rome Statute of the

International Criminal Court. Ripa Fagnano Alto: Sirente. 1999. Vol. 1; *id.*, *Defining «Crimes Against Humanity» at the Rome Conference*. AJIL. Núm. 93. 1999; *id.*, «The Elements of Crimes against Humanity» en, LEE, R. et. al (eds.). *The International Criminal Court. Elements of Crimes and Rules of Procedure and Evidence*. Ardsley: Transnational Publishers. 2001; RODRÍGUEZ NÚÑEZ, en LAMARCA PÉREZ, C. (coor). *Delitos y faltas. La parte de especial del Derecho penal*. Madrid: Colex. 2ª ed. 2013; RODRÍGUEZ-VILLASANTE y PRIETO, J. L., *El proceso de aprobación y desarrollo del Estatuto de Roma de la Corte Penal Internacional*. Revista española de Derecho Militar. Núm. 86. 2005; RÖLING, B. V. A./RÜTER C. F., *The Tokyo Judgement. The International Military Tribunal for the Far East*. (29 abril 1946-12 noviembre 1948). University Press Ámsterdam. Ámsterdam. 1977; RÜCKERT, W/ WITSCHEL, G., «Genocide and Crimes Against Humanity in the Elements of Crimes», en, FISCHER/KREß/LÜDER. (eds.). *International and National Prosecution of Crimes Under International Law*. Berlín: Berliner Wissenchafts-Verlag. 2ª. ed. 2004; RUEDA FERNÁNDEZ, C., «Los crímenes contra la humanidad en el Estatuto de la CPI». En *«La criminalización de la barbarie: La corte penal internacional»*. Madrid: Consejo General del Poder Judicial. 2000; *id.*, *Delitos de Derecho Internacional*. Barcelona: Bosch. 2001. pág. 141; SATZGER, H., *Internationales und Europäisches Strafrecht*. Baden-Baden-Nomos. 2005; SCHABAS, W., *An Introduction to the International Criminal Court*. Cambridge: Cambridge University Press. 5ª ed. 2017; SCHWELB, E., *Crimes against Humanity*. BYIL. 23. 1946; SIEBER, U., *The Punishment of Serious Crimes*. Freiburg in Br.: Max Planck Institut. Viol I. 2004; TAMARIT SUMALLA, J. P., en QUINTERO OLIVARES (dir) / MORALES PRATS (Coor). *Comentarios al Código Penal. Tomo III. Parte Especial*. Cizur Menor Thomson-Aranzadi. 5ª Ed. 2008; TAYLORD, T., *Die Nüremberg Prozesse. Kriegsverbrechen und Völkerrecht*. Zurich: ed. Europa. 1950; TRIFFTERER, O., «Völkerstrafrecht im Wandel?». En, en *Festschrift für Hans-Heinrich Jescheck zum 70. Geburtstag*. Berlín: Theo Vogler. 1985; UNWCC. *History of the United Nations War crimes Commission and the development of the laws of war*. Londres: published by his Majesty's Stationery Office. 1948; URIOS MOLINER, S., «Antecedentes históricos de la Corte Penal Internacional» en, GÓMEZ COLOMER, J. L./GONZÁLEZ CUSSAC, J. L./ CARDONA LLORÉNS, J. (Coord.) *La Corte Penal Internacional (un estudio interdisciplinar)*. Valencia: Tirant lo Blanch. 2003; VEST, H., *Humanitätsverbrechen-Herausforderung für das Individualstrafrecht?* ZStW. Núm. 113.2001; VIVES ANTÓN, T. S./ CARBONELL MATEU, J. C., en, VIVES ANTÓN, T. S. et. al. *Derecho Penal. Parte especial*. Tirant lo Blanch: Valencia. 2004; VON WEBER, H., *Das Verbrechen gegen die Menchlihkeit in der Rechtsprechung*. MDR 1949; WARBRICK, C/ROWE, P., *The International Criminal Tribunal for Yugoslavia: The Decision of the Appeal's Chamber on the Interlocutory Appeals on Jurisdiction in the Tadic Case*. The international and Comparative Law Quaterly. Vol. 45. Núm. 3. (Julio 1996); WATTS, A., *The International Law Commission 1949-1998*. Oxford: University Press, 1999. Vol III; WERLE, G. *Menschenrechtssuchtz durch Völkerstrafrecht*. ZStW. Núm. 109. 1997; *id.*, *Tratado de Derecho penal internacional*. Tirant lo Blanch: Valencia. 3ª ed. 2017; WERLE/JESSBERGER, *Principles of International Criminal Law*. Oxford. Ed. 3ª ed. 2014.

JURISPRUDENCIA

TRIBUNALES NACIONALES

- Sentencia de la Audiencia Nacional núm. 16/2005 de 19 de abril. *(Tol 642226)*.
- Sentencia Tribunal Supremo. Sección II. 1 octubre de 2007. *(Tol 1584858)*.
- Auto 8 de octubre de 2008 del Juzgado Central de Instrucción núm. 5. *(Tol 1375692)*.
- Auto del Tribunal Supremo de 28 de marzo de 2012 (núm. Recurso 20380/2009).
- Auto de 9 de julio de 2015 del Juzgado Central de Instrucción núm. 3. *(Tol 5200419)*.
- Auto de 24 de septiembre de 2015. Sección IV Audiencia Nacional. *(Tol 5442056)*.
- Auto 27 de octubre de 2015. Juzgado Central de Instrucción núm. 3. *(Tol 529936)*.

- Auto núm. 155/2016, de 8 de abril de 2016. Sección III de la Audiencia Nacional. *(Tol 5643972).*
- Sentencia de la Audiencia Nacional (Sección III) núm. 5/2017 de 6 de marzo. *(Tol 5993164).*

CORTE PENAL INTERNACIONAL

- *Situation in the Republic of Kenya.* «Decisión Pursuant to Article 15 of the Rome Statute on the Authorization of an Investigation into the Situation in the Republic of Kenya». ICC-01/09-19. 31 de marzo de 2010.
- *Prosecutor vs. Germaine Katanga.* ICC-01/04-01/07. Trial Judgement. 7 de marzo de 2014.
- *Prosecutor vs. Jean Pierre Bemba.* ICC-01/05-01/08. Trial Judgement. 21 de marzo de 2016.

TRIBUNAL PENAL INTERNACIONAL PARA LA EX YUGOSLAVIA

- *Prosecutor vs. Duško Tadić.* IT-94-1. Decision on the Defence Motion for Interlocutory Appeal on Jurisdiction. *2 de octubre de 1995.*
- *Prosecutor vs. Duško Tadić* IT-94-1. T. Trial Judgement. 7 de mayo de 1997. Sentencia Trial Chamber. 7 de mayo de 1997.
- *Prosecutor vs. Duško Tadić* IT-94-1. A. Appeal Chamber Judgement. 15 de julio de 1999.
- *Prosecutor vs. Jelisic.* IT-95-10-T. Trial Judgement. Sentencia de 14 de diciembre de 1999.
- *Prosecutor vs. Blaškić.* IT-95-14. Judgement. Sentencia de 3 de marzo de 2000.
- *Prosecutor vs. Kunarac et al.,* IT-97-25-T. Trial Judgement. 22 de febrero de 2001.
- *Prosecutor vs. Krstić.* IT-98-33-T. Trial Judgement. 2 de agosto de 2001.
- *Prosecutor vs. Kvocka.* IT-98-30/1-T. Trial Judgement. 2 de noviembre de 2001.
- *Prosecutor vs. Krnojelac.* IT-97-25. Trial Judgement. 15 de marzo de 2002.
- *Prosecutor vs. Simić et al.* IT-95-9-T. Trial Judgement. 17 de octubre de 2002.
- *Prosecutor vs. Vasiljević.* IT-98-32-T. Trial Judgement. 29 de noviembre de 2002.
- *Prosecutor vs. Milomir Stakić,* IT-97-24-T. Trial Judgement. 31 de julio de 2003.
- *Prosecutor vs. Kunarac et al.,* IT-97-25-A. Appeal Chamber Judgement. 12 de junio de 2002.
- *Prosecutor vs Naletilic & Martinovic.* IT-98-34-T. Trial Judgement. 31 de marzo de 2003.
- *Prosecutor vs. Blaškić.* IT-95-14-A. Appeal Chamber Judgement. 29 de julio de 2004.
- *Prosecutor vs. Kordic&Cerkez.* IT-95-14/2-T. Trial Judgement. 26 de febrero de 2001.
- *Prosecutor vs. Kordić & Čerkez.* IT-95-14/2-A. Appeal Chamber Judgement. 17 de diciembre de 2004.
- *Prosecutor vs. Limaj et al.,* IT-03-66-T. Trial Judgement. 30 de noviembre de 2005.
- *Prosecutor vs. Stakic.* IT-97-24-A. Appeal Chamber Judgement. 22 de marzo de 2006.
- *Prosecutor vs. Mrkšić.* IT-95-13/1. Trial Judgment. 27 de septiembre de 2007.
- *Prosecutor vs. Martic.* IT-95-11-A. Appeal Chamber Judgement. 8 de octubre de 2008.
- *Prosecutor vs. Mrkšić.* IT-95-13/1.A. Appeal Chamber Judgment. 5 de mayo de 2009.

TRIBUNAL PENAL INTERNACIONAL PARA RUANDA

- *Prosecutor v. Akayesu.* ICTR 96-4. Trial Judgement. 2 de septiembre de 1998.
- *Prosecutor vs. Kayishema & Ruzindana.* ICTR-95-1-C. Trial Judgement. 21 de mayo de 1999.
- *Prosecutor v. Rutaganda.* Núm. ICTR. 96-3. Trial Judgement 6 de diciembre de 1999.
- *Prosecutor v. Akayesu.* Caso Núm. ICTR 96-4-A. Appeal Chamber Judgement. 1 de junio 2001.
- *Prosecutor v. Baglishema.* ICTR-95-1A-T. Trial Judgement. 7 de junio de 2001.
- *Prosecutor v. Kajelijeli.* ICTR-98-44A-Trial Judgement. 1 de diciembre de 2003.
- *Prosecutor Elizaphan and Gérard Ntakirutimana.* ICTR-96-10 & ICTR 96-17-T. TC. Trial Judgement. 21 de febrero de 2003.
- *Prosecutor v. Semanza.* ICTR-97-20-T. Trial Judgement. 15 de mayo de 2003.
- *Prosecutor vs. Netagerura et al.* ICTR-96-44-T. Trial Judgement. 24 de febrero de 2004.

Delitos contra las personas y bienes protegidos en caso de conflicto armado

JOSÉ ALBERTO FERNÁNDEZ RODERA

SUMARIO: I. CONSIDERACIONES GENERALES. II. BIEN JURÍDICO PROTEGIDO. III. EL «PRIUS» TIPOLÓGICO: CONFLICTO ARMADO. IV. LOS SUJETOS ACTIVO Y PASIVO. V. EL TIPO OBJETIVO. CONDUCTAS INCRIMINADAS. 1. Ataques contra la vida, la salud o la integridad de las personas protegidas. 2. Conducción ilícita de las hostilidades. 3. Ataques contra personas protegidas. 4. La pluralidad de conductas previstas en el artículo 612. 5. Protección de determinados bienes en caso de conflicto armado. 6. Tipo residual. 7. Cláusula de agravación. VI. CÓDIGO PENAL MILITAR. VII. BIBLIOGRAFÍA.

Artículo 608

A los efectos de este capítulo, se entenderá por personas protegidas:

1.º Los heridos, enfermos o náufragos y el personal sanitario o religioso, protegidos por el I y II Convenios de Ginebra de 12 de agosto de 1949 o por el Protocolo I Adicional de 8 de junio de 1977.

2.º Los prisioneros de guerra protegidos por el III Convenio de Ginebra de 12 de agosto de 1949 o por el Protocolo I Adicional de 8 de junio de 1977.

3.º La población civil y las personas civiles protegidas por el IV Convenio de Ginebra de 12 de agosto de 1949 o por el Protocolo I Adicional de 8 de junio de 1977.

4.º Las personas fuera de combate y el personal de la Potencia Protectora y de su sustituto protegidos por los Convenios de Ginebra de 12 de agosto de 1949 o por el Protocolo I Adicional de 8 de junio de 1977.

5.º Los parlamentarios y las personas que los acompañen, protegidos por el Convenio II de La Haya de 29 de julio de 1899.

6.º El personal de Naciones Unidas y personal asociado, protegidos por la Convención sobre la Seguridad del Personal de las Naciones Unidas y del Personal A.

7.º Cualquier otra que tenga aquella condición en virtud del Protocolo II Adicional de 8 de junio de 1977 o de cualesquiera otros Tratados internacionales en los que España fuere parte.

Artículo 609

El que, con ocasión de un conflicto armado, maltrate de obra o ponga en grave peligro la vida, la salud o la integridad de cualquier persona protegida, la haga objeto de tortura o tratos inhumanos, incluidos los experimentos biológicos, le cause grandes sufrimientos o la someta a cualquier acto médico que no esté indicado por su estado de salud ni de acuerdo con las normas médicas generalmente reconocidas que la Parte responsable de la actuación aplicaría, en análogas circunstancias médicas, a sus propios nacionales no privados de libertad, será castigado con la pena de prisión de cuatro a ocho años, sin perjuicio de la pena que pueda corresponder por los resultados lesivos producidos.

Artículo 610

El que, con ocasión de un conflicto armado, emplee u ordene emplear métodos o medios de combate prohibidos o destinados a causar sufrimientos innecesarios o males superfluos, así como aquellos concebidos para causar o de los que fundamentalmente quepa prever que causen daños extensos, duraderos y graves al medio ambiente natural, comprometiendo la salud o la supervivencia de la población, u ordene no dar cuartel, será castigado con la pena de prisión de 10 a 15 años, sin perjuicio de la pena que corresponda por los resultados producidos.

Artículo 611

Será castigado con la pena de prisión de diez a quince años, sin perjuicio de la pena que corresponda por los resultados producidos, el que, con ocasión de un conflicto armado:

1.º Realice u ordene realizar ataques indiscriminados o excesivos o haga objeto a la población civil de ataques, represalias o actos o amenazas de violencia cuya finalidad principal sea aterrorizarla.

2.º Destruya o dañe, violando las normas del Derecho Internacional aplicables en los conflictos armados, buque o aeronave no militares de una Parte adversa o neutral, innecesariamente y sin dar tiempo o sin adoptar las medidas necesarias para proveer a la seguridad de las personas y a la conservación de la documentación de a bordo.

3.º Obligue a un prisionero de guerra o persona civil a servir, en cualquier forma, en las Fuerzas Armadas de la Parte adversa, o les prive de su derecho a ser juzgados regular e imparcialmente.

4.º Deporte, traslade de modo forzoso, tome como rehén o detenga o confine ilegalmente a cualquier persona protegida o la utilice para poner ciertos puntos, zonas o fuerzas militares a cubierto de los ataques de la parte adversa.

5.º Traslade y asiente, directa o indirectamente, en territorio ocupado a población de la parte ocupante, para que resida en él de modo permanente.

6.º Realice, ordene realizar o mantenga, respecto de cualquier persona protegida, prácticas de segregación racial y demás prácticas inhumanas y degradantes basadas en otras distinciones de carácter desfavorable, que entrañen un ultraje contra la dignidad personal.

7.º Impida o demore, injustificadamente, la liberación o la repatriación de prisioneros de guerra o de personas civiles.

8.º Declare abolidos, suspendidos o inadmisibles ante un Juez o Tribunal los derechos y acciones de los nacionales de la parte adversa.

9.º Atente contra la libertad sexual de una persona protegida cometiendo actos de violación, esclavitud sexual, prostitución inducida o forzada, embarazo forzado, esterilización forzada o cualquier otra forma de agresión sexual.

Artículo 612

Será castigado con la pena de prisión de tres a siete años, sin perjuicio de la pena que corresponda por los resultados producidos, el que, con ocasión de un conflicto armado:

1.º Viole a sabiendas la protección debida a hospitales, instalaciones, material, unidades y medios de transporte sanitario, campos de prisioneros, zonas y localidades sanitarias y de seguridad, zonas neutralizadas, lugares de internamiento de la población civil, localidades no defendidas y zonas desmilitarizadas, dadas a conocer por los signos o señales distintivos apropiados.

2.º Ejerza violencia sobre el personal sanitario o religioso o integrante de la misión médica, o de las sociedades de socorro o contra el personal habilitado para usar los signos o señales distintivos de los Convenios de Ginebra, de conformidad con el derecho internacional.

3.º Injurie gravemente, prive o no procure el alimento indispensable o la asistencia médica necesaria a cualquier persona protegida o la haga objeto de tratos humillantes o degradantes, omita informarle, sin demora justificada y de modo comprensible, de su situación, imponga castigos colectivos por actos individuales o viole las prescripciones sobre el alojamiento de mujeres y familias o sobre protección especial de mujeres y niños establecidas en los tratados internacionales en los que España fuera parte y, en particular, reclute o aliste a menores de dieciocho años o los utilice para participar directamente en las hostilidades.

4.º Use indebidamente los signos protectores o distintivos, emblemas o señales establecidos y reconocidos en los tratados internacionales en los que España fuere parte, especialmente los signos distintivos de la Cruz Roja, de la Media Luna Roja y del Cristal Rojo.

5.º Utilice indebidamente o de modo pérfido bandera, uniforme, insignia o emblema distintivo de Estados neutrales, de las Naciones Unidas o de otros Estados que no sean partes en el conflicto o de Partes adversas, durante los ataques o para cubrir, favorecer, proteger u obstaculizar operaciones militares, salvo en los casos exceptuados expresamente previstos en los Tratados internacionales en los que España fuere parte.

6.º Utilice indebidamente o de modo pérfido bandera de parlamento o de rendición, atente contra la inviolabilidad o retenga indebidamente a parlamentario o a cualquiera de las personas que lo acompañen, a personal de la Potencia Protectora o su sustituto, o a miembro de la Comisión Internacional de Encuesta.

7.º Despoje de sus efectos a un cadáver, herido, enfermo, náufrago, prisionero de guerra o persona civil internada.

8.º Haga padecer intencionadamente hambre a la población civil como método de guerra, privándola de los bienes indispensables para su supervivencia, incluido el hecho de obstaculizar arbitrariamente los suministros de socorro, realizados de conformidad con los Convenios de Ginebra y sus Protocolos Adicionales.

9.º Viole suspensión de armas, armisticio, capitulación u otro convenio celebrado con la parte adversa.

10.º Dirija intencionadamente ataques contra cualquier miembro del personal de las Naciones Unidas, personal asociado o participante en una misión de paz o de asistencia humanitaria, de conformidad con la Carta de las Naciones Unidas, siempre que tengan derecho a la protección otorgada a personas o bienes civiles, con arreglo al derecho internacional de los conflictos armados, o les amenace con tal ataque para obligar a una persona natural o jurídica a realizar o abstenerse de realizar algún acto.

Artículo 613

1. Será castigado con la pena de prisión de cuatro a seis años el que, con ocasión de un conflicto armado, realice u ordene realizar alguna de las siguientes acciones:

a) Ataque o haga objeto de represalias o actos de hostilidad contra bienes culturales o lugares de culto que constituyen el patrimonio cultural o espiritual de los pueblos, siempre que tales bienes o lugares no estén situados en la inmediata proximidad de un objetivo militar o no sean utilizados en apoyo del esfuerzo militar del adversario y estén debidamente señalizados;

b) Use indebidamente los bienes culturales o lugares de culto referidos en la letra a) en apoyo de una acción militar;

c) Se apropie a gran escala, robe, saquee o realice actos de vandalismo contra los bienes culturales o lugares de culto referidos en la letra a);

d) Ataque o haga objeto de represalias o de actos de hostilidad a bienes de carácter civil de la parte adversa, causando su destrucción, siempre que ello no ofrezca, en las circunstancias del caso, una ventaja militar definida o que tales bienes no contribuyan eficazmente a la acción militar del adversario;

e) Ataque, destruya, sustraiga o inutilice los bienes indispensables para la supervivencia de la población civil, salvo que la parte adversa utilice tales bienes en apoyo directo de una acción militar o exclusivamente como medio de subsistencia para los miembros de sus fuerzas armadas;

f) Ataque o haga objeto de represalias a las obras o instalaciones que contengan fuerzas peligrosas, cuando tales ataques puedan producir la liberación de aquellas fuerzas y causar, en consecuencia, pérdidas importantes en la población civil, salvo que tales obras o instalaciones se utilicen en apoyo regular, importante y directo de operaciones militares y que tales ataques sean el único medio factible de poner fin a tal apoyo;

g) Destruya, dañe o se apodere, sin necesidad militar, de cosas que no le pertenezcan, obligue a otro a entregarlas o realice cualesquiera otros actos de pillaje;

h) Requise, indebida o innecesariamente, bienes muebles o inmuebles en territorio ocupado o destruya buque o aeronave no militares, y su carga, de una parte adversa o neutral o los capture, con infracción de las normas internacionales aplicables a los conflictos armados en la mar;

i) Ataque o realice actos de hostilidad contra las instalaciones, material, unidades, residencia privada o vehículos de cualquier miembro del personal referido en el ordinal 10.° del artículo 612 o amenace con tales ataques o actos de hostilidad para obligar a una persona natural o jurídica a realizar o abstenerse de realizar algún acto.

2. Cuando el ataque, la represalia, el acto de hostilidad o la utilización indebida tengan por objeto bienes culturales o lugares de culto bajo protección especial o a los que se haya conferido protección en virtud de acuerdos especiales, o bienes culturales inmuebles o lugares de culto bajo protección reforzada o sus alrededores inmediatos, se podrá imponer la pena superior en grado.

En los demás supuestos previstos en el apartado anterior de este artículo, se podrá imponer la pena superior en grado cuando se causen destrucciones extensas e importantes en los bienes, obras o instalaciones sobre los que recaigan o en los supuestos de extrema gravedad.

Artículo 614

El que, con ocasión de un conflicto armado, realice u ordene realizar cualesquiera otras infracciones o actos contrarios a las prescripciones de los tratados internacionales en los que España fuere parte y relativos a la conducción de las hostilidades, regulación de los medios y métodos de combate, protección de los heridos, enfermos y náufragos, trato debido a los prisioneros de guerra, protección de las personas civiles y protección de los bienes culturales en caso de conflicto armado, será castigado con la pena de prisión de seis meses a dos años.

Artículo 614 bis

Cuando cualquiera de las conductas contenidas en este capítulo formen parte de un plan o política o se cometan a gran escala, se aplicarán las respectivas penas en su mitad superior.

I. CONSIDERACIONES GENERALES

Desde tiempos pretéritos se ha pretendido atemperar los efectos de la guerra, a través de acuerdos temporales o espaciales (entre los responsables de las partes enfrentadas, por intercesión de terceros, la «tregua de Dios» …) o incluso respetando reglas consuetudinarias a las que tradicionalmente ajustaban su conducta los hombres de armas. Se ha llegado a rastrear (ALÍA PLANA) el origen del Derecho Penal Internacional en el juicio celebrado en 1474 contra el preboste PETER VON HAGENBACH. Pero no es hasta la segunda mitad del siglo XIX cuando se inicia la codificación internacional de normas relativas a la guerra. Recuerda RODRÍGUEZ-VILLASANTE Y PRIETO que la primera norma verdaderamente internacional es la Declaración de París de 1856 (prohibición del corso marítimo) y que la publicación por HENRI DUNANT de «Recuerdo de Solferino» en 1862 dio lugar al nacimiento del «Comité de los Cinco», germen del Comité Internacional de la Cruz Roja.

El gobierno suizo convocó en 1864 una Conferencia Diplomática que culminó en el Convenio de Ginebra de 22 de agosto de ese año, sobre mejora de la suerte de los militares heridos de los ejércitos en campaña. En 1868 se produce la Declaración de San Petersburgo (prohibición de utilización de ciertos proyectiles en tiempo de guerra). Las Conferencias de paz de La Haya, de 1899 y 1907, supusieron el primer gran esfuerzo codificador, aprobando la segunda catorce Convenios sobre Derecho de la Guerra, algunos de ellos relativos a la marítima.

Entre la Primera y la Segunda Guerra Mundial destaca el Protocolo de Ginebra de 17 de junio de 1925 (sobre prohibición del uso en la guerra de gases asfixiantes, tóxicos o similares y de medios bacteriológicos), los Convenios de Ginebra de 27 de julio de 1929 (sobre heridos y enfermos de los ejércitos en campaña y sobre trato de prisioneros de guerra), el tratado de Montreux de 1936 (sobre guerra marítima), el Tratado de Washington de 1922 (sobre submarinos) y la Convención de La Habana de 1928 (sobre neutralidad marítima). Tras la Segunda Guerra Mundial, el 12 de agosto de 1949 se firmaron los cuatro Convenios básicos del moderno Derecho Humanitario: I (sobre heridos y enfermos de las fuerzas armadas en campaña), II (sobre heridos, enfermos y náufragos de las fuerzas armadas en el mar), III (sobre prisioneros de guerra) y IV (protección de civiles en tiempo de guerra). Data del 14 de mayo de 1954 la Convención de La Haya sobre protección de bienes culturales en caso de conflicto armado, con un Protocolo de 26 de marzo de 1999.

Los dos Protocolos Adicionales, de 8 de junio de 1977, complementan y amplían los Convenios de 1949. De 10 de abril de 1972 es el Convenio sobre armas bacteriológicas, y de 10 de diciembre de 1976 es la Convención sobre técnicas de modificación ambiental con fines militares u otros fines hostiles. El 10 de octubre de 1980 se aprobó un Convenio sobre armas convencionales excesivamente nocivas y tres Protocolos sobre diversos tipos de armas. Un IV Protocolo se aprobó en 1995 en Viena, y el 3 de mayo de 1996 se modificó el II en lo relativo a las minas antipersonas, totalmente prohibidas en la Convención de Oslo de 18 de septiembre de 1997. El 13 de enero de 1993 se aprobó en París la Convención sobre desarrollo, producción, almacenamiento y empleo de armas químicas y sobre su destrucción. Es reseñable el Convenio sobre los Derechos del Niño, que data del 20 de noviembre de 1989. El 7 de julio de 2017, la «Conferencia de las Naciones Unidas para negociar un instrumento jurídicamente vinculante que prohíba las armas nucleares y conduzca a su total eliminación» adoptó el Tratado para la Prohibición de la Armas Nucleares, sobre cuya efectividad en el futuro cabe albergar, con LANZ RAGGIO, fundado escepticismo.

En el ámbito procesal son destacables el Estatuto para el enjuiciamiento de los presuntos responsables de las violaciones graves del derecho internacional humanitario cometidas en el territorio de la ex Yugoslavia desde 1991 (25 de mayo de 1993), el Estatuto del Tribunal Penal Internacional para Ruanda (8 de noviembre de 1994), el Estatuto de Roma de la Corte Penal Internacional (17 de julio de 1998), con instrumento de ratificación de 19 de octubre de 2000 (BOE 126/2002, de 27 de mayo) y el Estatuto del Tribunal Especial para Sierra Leona (16 de enero de 2002). De 26 de noviembre de 1968 es la Convención sobre la imprescriptibilidad de los crímenes de guerra y de los crímenes de lesa humanidad y, finalmente, de 9 de diciembre de 1994 es la Convención sobre la Seguridad del Personal de las Naciones Unidas y del Personal Asociado (con instrumento de ratificación de 11 de diciembre de 1997, BOE 124/1999, de 25 de mayo).

Pues bien, con la mejor dogmática, puede concluirse que el contenido del Derecho Penal Internacional deriva de los diferentes tratados internacionales y de la costumbre internacional, y que comprende tanto el control de la guerra como su reglamentación, así como la persecución de las infracciones de las leyes de la guerra y de los delitos comunes de interés internacional. Y, en el tradicional deslinde entre «ius ad bellum» y «ius in bello», corresponde incardinar en la segunda categoría los delitos que ahora nos ocupan, crímenes de guerra que, precisamente, surgen del acervo jurídico internacional, decantado en el largo período expuesto y que cobró plenitud tras la Segunda Guerra Mundial, a cuyo término, recuérdese, los vencedores crearon tribunales (Núremberg, Tokio), de cuestionada competencia, e incluso aplicaron retroactivamente normas penales, como en su momento alertó el propio JIMÉNEZ DE ASÚA y más recientemente ÁLVAREZ GARCÍA. Por fortuna, puede arriesgarse, cuantas objeciones pudieron entonces formularse carecen de virtualidad alguna en el tiempo presente, no solo por la generalizada tipificación de conductas, también por la creación de adecuados instrumentos de enjuiciamiento: Tribunales Internacionales «ad hoc» (Yugoslavia, Ruanda), Corte Penal Internacional, Tribunales puramente nacionales y los llamados tribunales «híbridos» (Sierra Leona, Kosovo, Timor, Bosnia y Herzegovina, Camboya y Líbano) (ALÍA PLANA).

La inclusión de los crímenes de guerra en el Código Penal español de 1995 tiene su origen en la remisión de una propuesta al Gobierno por parte de la Cruz Roja Española, con el fin de incorporar los crímenes de guerra al texto en elaboración, lo que fructificó en los artículos 608 a 614 de la Ley Orgánica 10/1995, de 23 de noviembre. Posteriormente se hizo obligado reformar y completar el tratamiento penal de esas conductas, a la luz del Estatuto de Roma, de la necesidad de protección del personal de Naciones Unidas en el desempeño de sus misiones, de la prohibición de armas inhumanas o indiscriminadas o del reforzamiento de la protección de los bienes culturales, necesidades que alentaron la reforma abordada por la Ley Orgánica 15/2003, de 25 de noviembre. Por su parte, la modificación del Código Penal por la Ley Orgánica 5/2010, de 22 de junio, también afectó a estos preceptos, y obtuvo justificación, según alerta su Preámbulo, en las normas de desarrollo del Estatuto de Roma, en la Convención de 18 de septiembre de 1997 (Tratado de Ottawa), sobre prohibición del empleo, almacenamiento, producción y transferencia de minas antipersonas y sobre su destrucción, en la Convención sobre seguridad del personal de Naciones Unidas y personal asociado, de 9 de diciembre de 1994, en el Segundo Protocolo sobre protección de bienes culturales, de 26 de marzo de 1999, y en el Protocolo Facultativo de la Convención de Derechos del Niño de 1989, de 25 de mayo de 2000, resaltándose asimismo la especial protección penal dispensada a mujeres y niños en conflictos armados.

II. BIEN JURÍDICO PROTEGIDO

En principio, el bien jurídico protegido en los tipos del Capítulo III (delitos contra las personas y bienes protegidos en caso de conflicto armado) es la comunidad internacional (rúbrica del Título XXIV) en modo compartido con los delitos contra el Derecho de gentes, los delitos de genocidio y los delitos de lesa humanidad. Consecuencia llamativa es la posible aplicabilidad del artículo 23 de la Ley Orgánica del Poder Judicial, en lo que al principio de jurisdicción universal respecta (apartado 4a), si bien con la exigencia de perseguibilidad de previa interposición de querella por el agraviado o por el Ministerio Fiscal (apartado 6) y siempre contra españoles o ciudadanos extranjeros que residan habitualmente en España y cuya extradición hubiera sido denegada por las autoridades españolas (apartado 4a). Como afirma PIGNATELLI MECA, de lo que se trata es de proteger la comunidad internacional, integrada por Estados y organizaciones internacionales, por lo que no nos hallamos ante un bien jurídico protegido interno sino internacional, que es objeto de tutela (enjuiciamiento y eventual sanción) en sede nacional.

Ahora bien, lo cierto es que, a la vista de la propia rúbrica del Capítulo III, las conductas tipificadas afectan a bienes jurídicos concretos, bien de carácter personal (protegiéndose la vida, la integridad física y mental, la salud, la dignidad, la libertad, las garantías procesales) o bien de carácter real (protegiéndose, por una parte, bienes cuya finalidad funcional es la protección de personas —transportes sanitarios, zonas o localidades sanitarias y de seguridad, signos distintivos— y, por otra, bienes dignos de protección por su propia naturaleza —bienes culturales, bienes de carácter civil que no constituyan un objetivo militar, buques o aeronaves no militares cuya destrucción o daño no esté justificado, cosas ajenas bajo idénticas condiciones—) (PÉREZ GONZÁLEZ/ABAD CASTELOS). Lo cierto es que bienes jurídicos que por sí mismos gozarían de tutela concreta en tiempo de normalidad son objeto de protección reforzada en época de conflicto armado, en aras a una consideración ligada a la preservación de intereses superiores, los de la propia comunidad internacional, que ha gestado un amplio espectro jurídico al efecto. Por ello no sería técnicamente incorrecto atribuir una naturaleza pluriofensiva a los tipos penales concernidos, en cuanto afectan tanto a bienes jurídicos singulares como a otro de trascendencia y relevancia internacional o universal, el interés de la comunidad internacional en el pleno respeto a las reglas del Derecho Internacional Humanitario, pues de lo que se trata, en definitiva, es de otorgar tutela penal a intereses que se hallan en un plano superior al titular del «ius puniendi» y que, de un modo u otro, afectan a las relaciones internacionales (PIGNATELLI MECA).

En conclusión, con PIGNATELLI MECA, puede hablarse de un bien jurídico supraindividual, cuyo titular es la comunidad internacional, justificándose así el mayor desvalor que el Legislador penal español otorga a la acción, con un tratamiento distinto del resto de ilícitos contemplados en el Libro Segundo del Código Penal, y un régimen de punición agravado, lo que constituye uno de los más importantes «particularismos especificantes» que informan la regulación de la criminalidad de guerra en nuestro Ordenamiento.

III. EL «PRIUS» TIPOLÓGICO: CONFLICTO ARMADO

La situación de conflicto armado es el escenario inexcusable para la posible aplicación de los diferentes tipos del Capítulo, configurándose tal locución, por tanto, como elemento objetivo/normativo común e imprescindible a todos ellos. Aun cuando nuestra Constitución de 1978 y el derogado Código Penal Militar de 1985 emplean la expresión «tiempo de guerra», lo cierto es que «conflicto armado» se empezó a utilizar en los Convenios de Ginebra de 1949, con continuidad en los Protocolos Adicionales de 1977, y también en la Convención de La Haya de 1954 para protección de bienes culturales en caso de conflicto armado, y en las Convenciones de Viena de 1961 y 1963, sobre relaciones diplomáticas y consulares (PÉREZ GONZÁLEZ).

Se ha planteado doctrinalmente cual sea el alcance de «tiempo de guerra» con anterioridad al Código Penal Militar de 1985 (FERNÁNDEZ RODERA, HIGUERA GUIMERÁ...), si bien el artículo 14 de ese texto legal vino a clarificar su sentido y alcance («A los efectos de este Código se entenderá que la locución "en tiempo de guerra" comprende el periodo de tiempo que comienza con la declaración formal de guerra, al ser decretada la movilización para una guerra inminente o con la ruptura generalizada de las hostilidades con potencia extranjera, y termina en el momento en que cesen estas»). Lo cierto es que se llegó a reprochar que tal enunciación respondía a criterios trasnochados, por no incluir modos o medios de guerra o agresión contemporáneos (FERNÁNDEZ RODERA), más, en todo caso, el nuevo Código Penal Militar (Ley Orgánica 14/2015, de 14 de octubre) da profusa carta de naturaleza a la locución «conflicto armado» (artículos 1, 2, 7, 9, 12, 25 a 28, 30, 32, 34 a 37, 42, 44, 51, 52, 54 a 63, 67 a 69, 71 a 74 y 84, e introducción de la expresión, por las Disposiciones Finales Primera y

Segunda, en la Ley Orgánica de la competencia y organización de la Jurisdicción Militar de 1987 y en la Ley Procesal Militar de 1989). Y lo hace en forma amplia y más acorde con la realidad (su Preámbulo justifica la utilización de la expresión en el concepto y terminología empleados por los Convenios de Ginebra de 1949, sus Protocolos Adicionales y la Jurisprudencia en materia de Derecho Internacional Humanitario), pero evitando cuidadosamente su definición, lo que traslada al brumoso territorio de los conceptos jurídicos indeterminados. No obstante, PIGNATELLI MECA, con apoyo en la aseveración de CEREZO MIR relativa a la existencia de elementos normativos que ostentan contornos tan definidos que pueden ser apreciados por el juez con gran seguridad, sostiene que tal sería el supuesto del «conflicto armado».

El conflicto armado puede o no tener naturaleza internacional, incluyendo la confrontación clásica entre dos o más Estados, los enfrentamientos bélicos en el interior de un Estado (siempre que tengan suficiente entidad y excedan de la mera alteración del orden público, en línea con el artículo 1 del Protocolo II Adicional), así como otros casos de enfrentamiento armado (insurrecciones contra la dominación colonial, la ocupación extranjera y los regímenes racistas, según el artículo 1.4 del Protocolo I Adicional). En definitiva, una confrontación civil o interna puede tener cabal inclusión en el concepto de conflicto armado, al igual que se ha sostenido respecto del vocablo «guerra», en cuanto comprensivo de la civil (FERNÁNDEZ RODERA, HERREROS LÓPEZ, VERDROSS).

Y lo que también merece la pena subrayar es que los enfrentamientos incluyen tanto los casos de «guerra declarada» como «cualquier otro conflicto armado que surja entre dos o varias de las Altas Partes contratantes, aunque el estado de guerra no haya sido reconocido por alguna de ellas» (artículo 2 común a los Convenios de 12 de agosto de 1949).

En definitiva, el concepto de conflicto armado deberá integrarse acudiendo a los textos internacionales que vinculan a España y que regulan tanto los conflictos bélicos internacionales como los internos (GIL GIL). Así, a efectos de los capítulos III y IV del Título XXIV del Código Penal se considera conflicto armado, ha de reiterarse, tanto la guerra entre Estados en su sentido clásico, como otros casos de enfrentamiento entre ellos, incluso sin reconocer el estado de guerra, supuestos de ocupación total o parcial del territorio de un Estado, aún sin resistencia militar por parte del ocupado, las luchas contra la dominación colonial u ocupación extranjera, así como las libradas contra regímenes racistas (artículo 1.4 del Protocolo Adicional I), también los enfrentamientos armados en el interior de un Estado entre sus Fuerzas Armadas y unas disidentes o grupos armados organizados con un mando responsable que ejerzan control sobre una parte del territorio que les permita desarrollar operaciones militares sostenidas y concertadas (artículo 1 del Protocolo Adicional II). Se considera asimismo conflicto armado el que tiene lugar dentro de un Estado entre grupos armados organizados aun sin participación de fuerzas estatales (artículo 8.2 f del Estatuto de la Corte Penal Internacional; Sentencia del Tribunal Penal Internacional para la antigua Yugoslavia de 16 de noviembre de 1998, «MUCIC et al».) (WERLE). No serán conflicto armado no internacional las situaciones de tensiones internas y disturbios interiores, tales como motines, algaradas y actos esporádicos de violencia (artículo 1 del Protocolo Adicional II) (MANGAS MARTÍN).

IV. LOS SUJETOS ACTIVO Y PASIVO

En lo relativo al sujeto activo, los preceptos del Capítulo utilizan la expresión «el que» (artículos 609 a 614), lo que da pie a RODRÍGUEZ-VILLASANTE Y PRIETO para sostener estemos ante un «sujeto activo abstracto, común o inespecífico». Ello permite afirmar se trate de delitos comunes desde la perspectiva del sujeto activo, aún a sabiendas de que en el artículo 609 se contempla una previsión específica en lo atinente a actos médicos, si bien con equiparación al maltrato, la tortura o los tratos inhumanos previstos con carácter general en el precepto.

En lo que respecta al espinoso asunto de la responsabilidad de los superiores por los actos de sus subordinados —sin pretender invadir cuanto al respecto se aborda en extenso en otros lugares de este tratado—, el artículo 86.2 del Protocolo I Adicional establece que «el hecho de la infracción de los Convenios o del presente Protocolo haya sido cometido por un subordinado no exime de responsabilidad penal o disciplinaria, según el caso, a sus superiores, si estos sabían o poseían información que les permitiera concluir, en las circunstancias del momento, que ese subordinado estaba cometiendo o iba a cometer tal infracción y si no tomaron todas las medidas factibles que estuvieran a su alcance para impedir o reprimir esa infracción». La norma se cohonesta con el artículo 87 («Deberes de los jefes») y en nuestro Derecho interno, lógicamente, con el artículo 11 (comisión por omisión; posición de garante) del Código Penal. Se han rastreado precedentes o se ha emparentado el artículo 86.2 con los casos «Mayor LITTLETON WALLER Trial», «MÜLLER Trial», «YAMASHITA», «OKW», «Rehenes en territorio ocupado» y «MEDINA/CALLEY» (o «My Lai»), o, más recientemente, en el caso «Abu Ghraib» (ALÍA PLANA, PIGNATELLI MECA, QUINTANO RIPOLLÉS, RODRÍGUEZ-VILLASANTE Y PRIETO).

Un interesante tratamiento de la cuestión se contiene en Sentencia de 8 de junio de 2018 de la Sala de Apelaciones de la Corte Penal Internacional, que revoca la de la Sección III de la Sala de Primera Instancia de 21 de marzo de 2016, que condenó al político congoleño JEAN PIERRE BEMBA a una pena de 18 años de prisión por la comisión de crímenes de guerra (asesinato, violación y saqueo) y crímenes de lesa humanidad (asesinato y violación), cometidos por fuerzas del Movimiento de Liberación del Congo en la República Centroafricana entre el 26 de octubre de 2002 y el 15 de marzo de 2003. La resolución se centra en la valoración de si se adoptaron o no por BEMBA las medidas necesarias para evitar los crímenes de las tropas bajo su mando, justificando la absolución en la irrelevancia de los motivos que le impulsaron a adoptar determinadas decisiones y en la ausencia de atención por el tribunal de instancia a las específicas circunstancias en que el citado se encontraba y sus dificultades para ejercer el mando en lugar muy alejado del de las operaciones. LANZ RAGGIO señala que la Sentencia no supone una interpretación restrictiva del artículo 28 del Estatuto de Roma, antes bien la necesidad del tribunal sentenciador de ponderar razonablemente las circunstancias concurrentes.

Para RODRÍGUEZ-VILLASANTE Y PRIETO, en el enjuiciamiento de los crímenes internacionales, particularmente en el castigo de los crímenes de guerra, la apreciación de la obediencia jerárquica ha sido tradicionalmente rechazada en cuanto eximente, quedando suprimida como causa de exclusión de la pena cuando el subordinado conoce el carácter delictivo de la orden o cuando este es manifiesto y su desconocimiento le sería reprochable. Apostilla PIGNATELLI MECA que la regulación de tal eximente debiera construirse, en todo caso, en sede de error de prohibición del artículo 14 del Código Penal. En cualquier caso, el artículo 410 del Código Penal, que tipifica la desobediencia de autoridades y funcionarios públicos, establece en su apartado 2 que no incurrirán en responsabilidad criminal las autoridades o funcionarios por no dar cumplimiento a un mandato que constituya una infracción manifiesta, clara y terminante de un precepto de Ley o de cualquier otra disposición general. Por su parte, el artículo 33 del Estatuto de la Corte Penal Internacional dispone que la eximente de obediencia jerárquica solo será aplicable en forma excepcional, únicamente a los crímenes de guerra, con concretos requisitos (relación jerárquica, no saber que la orden es ilícita y que esta no sea manifiestamente ilícita), con la particularidad de que «las órdenes para cometer genocidio o crímenes de lesa humanidad son manifiestamente ilícitas».

Lo cierto es que el artículo 616 bis del Código Penal (añadido por la Ley Orgánica 15/2003, de 25 de noviembre) dispone que en ningún caso resultará aplicable lo dispuesto en el artículo 20.7° (eximente de obrar en cumplimiento de un deber o en el ejercicio legítimo de un derecho, oficio o cargo) a quienes cumplan mandatos de cometer o participar en los hechos incluidos en los capítulos II y II bis del título. Lo que supone, tal como razona ÁLVAREZ GARCÍA, quede derogada esa causa de justificación respecto de los delitos de genocidio y de lesa humanidad, no así respecto de los crímenes de guerra o delitos contra las personas y bienes protegidos en caso de conflicto armado (capítulo III) que nos ocupan, lo que le hace preguntarse si están justificados esos diferentes regímenes. Arriesga el autor, con DUFOUR, que sería fruto del consenso en la redacción del artículo 33 del Estatuto de Roma, consecuencia de las reticencias de EEUU a admitir que sus soldados pudieran verse sometidos a proceso por haber obedecido en combate cierto tipo de órdenes.

El artículo 608 determina cual pueda ser el sujeto pasivo, concretando las «personas protegidas» en sus siete ordinales, aunque el 7° supone nos encontremos ante un «numerus apertus» («Cualquiera otra que tenga aquella condición en virtud del Protocolo II Adicional de 8 de junio de 1977 o de cualesquiera otros Tratados internacionales en los que España fuere parte»). La definición de las distintas personas protegidas se efectúa por remisión a los Convenios de 1949 y al Protocolo I Adicional de 1977, en concreto a los artículos 13 y 24 a 26 del Convenio I de 1949, 13, 36 y 37 del II, 4 del III y 4, 13 y 20 del IV, así como al Convenio II de La Haya, de 29 de julio de 1894 y a la Convención sobre la Seguridad del Personal de las Naciones Unidas y del Personal Asociado, de 9 de diciembre de 1994.

En lo relativo al apartado 1° del precepto, «heridos» y «enfermos» serán los militares o civiles precisados de asistencia o cuidados médicos y que se abstengan de todo acto de hostilidad; «náufragos», los militares o civiles en situación de peligro en la mar u otras aguas consecuencia de un infortunio que les afecte y que se abstengan de todo acto de hostilidad; «personal sanitario», personas destinadas permanente o temporalmente en forma exclusiva a fines sanitarios (búsqueda, recogida, transporte, diagnóstico o tratamiento de los heridos, enfermos y náufragos, así como prevención de enfermedades) de las Partes en conflicto o de la Cruz Roja y la Media Luna Roja u otras sociedades nacionales de socorro autorizadas; «personal religioso», militares o civiles, como los capellanes, dedicadas exclusivamente al ejercicio de su ministerio y adscritas a las fuerzas armadas, a las unidades y los medios de transporte sanitarios, o a los organismos de protección civil (artículo 8 del Protocolo Adicional I).

El apartado 2° se refiere a los «prisioneros de guerra», una categoría de personas desde que caen en poder del enemigo hasta su liberación: legítimos beligerantes (han de tener un mando responsable, poseer algún distintivo fijo y visible a distancia, llevar armas a la vista y respetar las leyes y usos de la guerra); población de un territorio no ocupado que al acercarse el enemigo toma espontáneamente las armas sin haber tenido tiempo de organizarse, siempre que lleven las armas a la vista y respeten las leyes y costumbres de la guerra; personas autorizadas a seguir a las fuerzas armadas sin formar parte directa en ellas; equipos de la marina mercante y de la aviación civil y los miembros del personal militar asignados a organismos de protección civil (artículo 4 del III Convenio de Ginebra y artículos 43, 44 y 67.2 del Protocolo Adicional I). También gozan del trato debido a los prisioneros de guerra, las personas detenidas en territorio ocupado por pertenecer a las fuerzas armadas del país ocupado, los internados militares en país neutral y los miembros del personal médico o religioso no combatiente que formen parte de las fuerzas armadas (Comité Internacional de la Cruz Roja, «Normas fundamentales de los Convenios de Ginebra y sus Protocolos Adicionales», 1983).

«Población civil» (apartado 3º) se define, por exclusión, como cualquiera no incluida en el III Convenio y en el Protocolo I en calidad de legítimo beligerante (artículo 50 del Protocolo Adicional I), y también se excluyen las categorías de personas ya protegidas en los Convenios I y II, los nacionales que se encuentren en su territorio y sometidos a su propio gobierno, los súbditos de un Estado que no sea parte en el conflicto o de un cobeligerante que mantengan representación diplomática y los súbditos de países que no sean parte en el Convenio (artículo 4 del IV Convenio). Dentro de la categoría «personas civiles protegidas» se incluyen los apátridas y los refugiados (artículo 73 del protocolo Adicional I), así como los nacionales de Estados neutrales sin representación diplomática (GIL GIL). Un grupo de personas civiles no pierde tal condición si entre ellas se encuentra alguna persona no civil (GIL GIL). Aun cuando el IV Convenio excluye a los espías, saboteadores y personas dedicadas a actividades perjudiciales para el ocupante (artículo 5), se ha abierto paso, apunta GIL GIL, una visión amplia y tuitiva en la dogmática y en la jurisprudencia, en cuanto toda persona debe ser considerada, a efectos del Derecho Humanitario Bélico, bien civil, bien combatiente, bien prisionero o persona fuera de combate, sin que nadie quede privado de protección, en el sentido de que toda persona en poder del enemigo debe ser considerado o prisionero de guerra protegido por el III Convenio, o civil protegido por el IV Convenio (DOMENECH OLMEDAS; Sentencia del Tribunal Penal Internacional para la antigua Yugoslavia «ZEJMIL DELALIC and others»).

Alude el apartado 4º a las «personas fuera de combate» y al «personal de la Potencia Protectora». Las primeras son aquellas que estén en poder de una Parte adversa, exprese su intención de rendirse o sea incapaz de defenderse y se abstenga de todo acto hostil y no intente evadirse, asimilándose a persona fuera de combate al paracaidista durante el descenso, salvo tropas aerotransportadas (artículo 41.2 del Protocolo Adicional I). La segunda categoría es el personal diplomático o consular o los delegados nombrados por un Estado neutral para velar por los intereses de una Parte en conflicto, y por la salvaguardia del respeto a los Convenios (artículos 8 de los Convenios I, II y III, 9 del IV y 2 c) del Protocolo Adicional I).

«Parlamentarios y las personas que los acompañen» (apartado 5º) son los individuos autorizados por uno de los beligerantes para entrar en comunicación con el otro, y que porten una bandera blanca, gozando de inviolabilidad, así como el trompeta, el corneta, el tambor, el abanderado y el intérprete que puedan acompañarle (artículo 32 del Reglamento Anexo al II Convenio de La Haya de 1899, relativo a las leyes y costumbres de la guerra terrestre). En lo atinente a «personal de Naciones Unidas y personal asociado» (apartado 6º) habrá que estar a lo previsto en la Convención sobre la Seguridad del Personal de las Naciones Unidas y del Personal Asociado, de 9 de diciembre de 1994, con instrumento de ratificación de 1997 (BOE de fecha 25 de mayo de 1999).

Como se expresó, la cláusula abierta que entraña el ordinal 7º incluye una remisión al Protocolo II Adicional (que protege a las víctimas de los conflictos armados sin carácter internacional) y a otros tratados de los que España fuera parte, lo que integra, según PLAZA VENTURA, un apartado «residual o completivo».

V. EL TIPO OBJETIVO. CONDUCTAS INCRIMINADAS

1. *Ataques contra la vida, la salud o la integridad de las personas protegidas*

Estas conductas se encuentran tipificadas en el artículo 609, del que es dable sostener sea tributario de los artículos 50 del Convenio I de Ginebra, 51 del II, 130 del III y 147 del IV, 11.1 a 5, 41, 75.2 a) i) a iv) y 85.2 y 3 del Protocolo I Adicional de 1977 y 4.2 a) del Protocolo II Adicional de 1977. Su inciso último («sin perjuicio de la pena que pueda corresponder por los resultados lesivos producidos»), contiene un supuesto de concurso ideal y permite, dada su redacción, aplicar la regla penológica del artículo 77 (PIGNATELLI MECA). Son cinco las conductas previstas, con carácter mixto alternativo (RODRÍGUEZ-VILLASANTE Y PRIETO): maltrato de obra, cualquier acción que ponga en grave peligro la vida, la salud o la integridad de una persona protegida, la tortura y los tratos inhumanos (incluidos los experimentos biológicos), causar grandes sufrimientos a una persona protegida y someterla a cualquier acto médico no indicado por su estado de salud. No previstas las formas imprudentes, caso de producirse no podrían tipificarse como crímenes de guerra y sí, en su caso, como cualquiera de las figuras imprudentes de los tipos generales (homicidios imprudentes, lesiones imprudentes...). Se exige dolo, siendo posible el eventual, dolo que se extiende, como elemento típico que es, al contextual: el autor debe conocer la existencia de un conflicto armado y su relación con la propia conducta (GIL GIL).

2. *Conducción ilícita de las hostilidades*

El artículo 610 hunde sus raíces en el llamado «Derecho de La Haya» y en la Resolución XXVIII de la XX Conferencia Internacional de la Cruz Roja, y se corresponde con los artículos 1, 35.2 y 3, 52 y 55 del Protocolo I Adicional de 1977.

Como bien sostiene PIGNATELLI MECA, el precepto reprime la utilización de métodos o medios de combate no adecuados a las prescripciones internacionales, pues el derecho de las Partes a en un conflicto a elegir los métodos o medios de hacer la guerra no es absoluto o irrestricto, dado que el artículo 35.1 del Protocolo I Adicional establece que «en todo conflicto armado, el derecho de las Partes en conflicto a elegir los métodos o medios de hacer la guerra no es ilimitado». Esto ya lo determinaba el artículo 22 del Reglamento Anejo a las Convenciones de La Haya II (1899) y IV (1907): «los beligerantes no tienen un derecho ilimitado en cuanto a la elección de medios para dañar al enemigo». Se trata de «principios intransgredibles» a que están sujetos todos los Estados, hayan o no ratificado los instrumentos convencionales que los consagran, advierte PÉREZ GONZÁLEZ al hilo del párrafo 70 del Dictamen consultivo de 8 de julio de 1996 del Tribunal Internacional de Justicia.

Contempla el artículo 610 tres conductas: emplear u ordenar emplear métodos o medios de combate prohibidos; métodos o medios de combate destinados a causar sufrimientos innecesarios o males superfluos; métodos o medios de combate concebidos para causar o de los que fundadamente quepa prever que causen daños extensos, duraderos y graves al medio ambiente natural, comprometiendo la salud o la supervivencia de la población.

La primera conlleva una remisión a un nutrido elenco convencional internacional (Convención de San Petersburgo de 1868, Declaraciones de La Haya de 1899, Convenciones VIII y IX de La Haya de 1907, Protocolo de Ginebra de 1925, Convención de 1972, Convención de 1976, Convención de 1980 y sus Protocolos Anejos I a IV, Convención de París de 1993, Convención de Oslo de 1997), relativo a determinados proyectiles, gases, minas submarinas, bombardeo por fuerzas navales, armas bacteriológicas, técnicas de modificación ambiental, armas convencionales excesivamente nocivas o de efectos indiscriminados, armas químicas y minas antipersonal. Ilustrativos botones de muestra en Derecho interno lo constituyen la ley 33/1998, de 5 de octubre, de prohibición total del empleo, almacenamiento, producción y transferencia, destrucción y prohibición de utilizar medios de lanzamiento o dispersión de minas antipersonal, y la Ley 49/1999, de 20 de diciembre, sobre medidas de control de sustancias químicas susceptibles de desvío para la fabricación de armas químicas. Esto respecto de los «medios» y, en cuanto a los «métodos», han de consignarse la «perfidia» («actos que, apelando a la buena fe de un adversario con intención de traicionarla, dan a entender a este que tiene derecho a protección, o que está obligado a concederla, de conformidad con las normas de derecho internacional aplicables a los conflictos armados», según el artículo 37 del Protocolo I Adicional), la orden de no dar cuartel, el ataque al enemigo fuera de combate y los que incidentalmente causen muertos o heridos en la población civil o daños a bienes de carácter civil excesivos, o los destinados a causar sufrimientos innecesarios o males superfluos o daños extensos, duraderos graves al medio ambiente natural, comprometiendo la salud o la supervivencia de la población (PIGNATELLI MECA). «No dar cuartel» ha de relacionarse con el artículo 40 del Protocolo I Adicional («queda prohibido ordenar que no haya supervivientes, amenazar con ello al adversario o conducir las hostilidades en función de tal decisión»), inspirado en el 23 d) del Reglamento Anejo a las Convenciones de La Haya II de 1899 y IV de 1907. Por su parte, «fuera de combate», como ya se expresó, se refiere a toda persona en la que concurra cualquiera de las circunstancias de «que esté en poder de una Parte adversa; que exprese claramente su intención de rendirse; o que esté inconsciente o incapacitada en cualquier otra forma o causa de heridas o de enfermedad, y sea, por consiguiente, incapaz de defenderse; y siempre que, en cualquiera de esos casos, se abstenga de todo acto hostil y no trate de evadirse» (artículo 41.2 del Protocolo I Adicional), incluidos los paracaidistas cuando se lancen desde una aeronave en peligro, pero con exclusión de las tropas aerotransportadas, en cuanto participan en un despliegue ofensivo (artículo 42.1 del mismo Protocolo).

La segunda conducta, una suerte de ensañamiento específico, se refiere a «sufrimientos innecesarios o males superfluos», lo que, en otras palabras, supone ponderar la innecesariedad en el despliegue de la acción. Traslada al principio de proporcionalidad (MASIDE MIRANDA) la generación de «males superfluos» (artículo 57.2 del Protocolo I Adicional). También ha de tenerse en cuenta el llamado «principio de distinción», que apunta al standard mínimo de comportamiento civilizado que es menester procurar (artículo 48 del Protocolo I Adicional, que determina que «los ataques se limitarán estrictamente a los objetivos militares», y 51.4 y 5, que prohíbe los ataques indiscriminados).

Finalmente, la tercera de las conductas sancionadas se ciñe al empleo de métodos o medios de combate que puedan dañar el medio ambiente natural. Según DOMÍNGUEZ MATÉS, la primera gran expresión de preocupación medioambiental acaeció con la guerra de Vietnam, coincidiendo con la primera oleada de «medioambientalismo» a nivel global, culminando en la Conferencia de Estocolmo sobre Medio Ambiente Humano de 1972, siendo su máxima expresión la Convención sobre la prohibición de utilizar técnicas de modificación ambiental con fines militares u otros fines hostiles de 1976 y, por supuesto, los dos Protocolos de Ginebra de 1977. No es de extrañar, añade la autora, que los hechos acaecidos primero en la guerra del Golfo (1990-1991) y, luego, en la campaña de bombardeo aéreo de Kosovo por la OTAN en 1999 abrieran la «caja de Pandora» sobre la cuestión de la adecuación y la aplicación de las normas jurídicas en esta materia (Conferencias de Londres y de Ottawa de 1991, Encuentro de Munich de 1991, reuniones de expertos en el seno del Comité Internacional de la Cruz Roja de 1992 y 1993 y, por último, Conferencia de Washington de 1998).

Al hilo de la exégesis de DOMÍNGUEZ MATÉS de la Convención de 1976 (con instrumento de ratificación de 4 de julio de 1978 y publicación en el BOE de 22 de noviembre de 1978), para decantar un concepto de «técnicas de modificación ambiental» (artículo 2) pueden resaltarse tres cuestiones esenciales en la locución «medio ambiente»: el objeto (la tierra, incluida su flora y fauna, su litosfera, la hidrosfera, la atmósfera y el espacio ultraterrestre), los aspectos a modificar (la dinámica, composición y estructura de la tierra y del espacio ultraterrestre) y la forma (modificación de los procesos naturales). El alcance de la prohibición es el «empleo de técnicas de modificación ambiental», el fundamento estriba en su uso «con fines militares u otros fines hostiles», con la condición de que «tengan efectos vastos, duraderos o graves» y el propósito de «producir destrucciones, daños o perjuicios a otro Estado Parte» (artículos 1, 2 y 9).

Resalta LAÍN CASADO que, según las definiciones que del concepto de medio ambiente proporcionan la Real Academia de la Lengua y la norma internacional ISO 14001, se puede entender el medio ambiente como una fuente de recursos naturales, pues proporciona al ser humano las materias primas y la energía necesarias para la vida y su desarrollo; como soporte de actividades, ya que acoge el conjunto de actividades desarrolladas, y como receptor de efluentes, porque recibe todas las emisiones, vertidos y residuos procedentes de las actividades desarrolladas por el hombre. La XXX Conferencia Internacional de la Cruz Roja y de la Media Luna Roja (Ginebra, 2007) subrayó, entre las mayores amenazas actuales al Derecho Internacional Humanitario y a los derechos humanos, el deterioro ambiental y el cambio climático, y de los principios de la Declaración de Río sobre medio ambiente y desarrollo (1992) se extrae que ha de evitarse que el medio ambiente se convierta en objetivo militar, así como los daños colaterales derivados de las operaciones castrenses, entre ellos, precisamente, los producidos al medio ambiente. Se ha llegado incluso a sugerir en este ámbito la emergencia de un Derecho de naturaleza transversal para la paz, la guerra y la paz luego del conflicto (VERA MONTERO), en el sentido de que los efectos del «ius in bello» se extiendan al tiempo de paz.

Son de imprescindible cita, en relación con la protección del medio ambiente natural, los artículos 35.3 y 55.1 del Protocolo I Adicional de 1977 y la Convención de 10 de diciembre de 1976, instrumentos jurídicos en los que, según GONZÁLEZ BARRAL, no es posible advertir una dualidad en la protección concernida, toda vez que el Protocolo I Adicional protege contra daños causados por cualquier método de combate, medio o arma, y la Convención propende a evitar la utilización de técnicas de modificación medioambiental en cuanto arma.

Por último, el inciso final del artículo 610, obviamente predicable respecto de las tres conductas, introduce una norma de naturaleza concursal. Y cabe apostillar, con GIL GIL, que el tipo no exige ningún resultado ni de lesión ni de peligro concreto, pues el precepto contempla conductas de peligro abstracto y deberá aplicarse en concurso de delitos con los tipos comunes que castigan la comisión dolosa o imprudente de delitos de resultado muerte o lesiones. También cabe la existencia de concurso de delitos con crímenes contra la humanidad que consistan en la realización dolosa de esos resultados, en el caso de que el 610 desplace a los delitos comunes (GIL GIL).

3. Ataques contra personas protegidas

El artículo 611, en nueve ordinales, tipifica conductas de extrema gravedad que afectan a personas que gozan de protección (población civil, prisioneros, grupos étnicos...). Son conductas que siempre han de producirse dolosamente, en coherencia con el artículo 85.3 del Protocolo I Adicional, aunque se ha advertido la posibilidad de comisión imprudente (PIGNATELLI MECA) en las previstas en los apartados segundo y séptimo, en la modalidad de demorar. Las conductas previstas en el citado artículo 85.3 del Protocolo Adicional I además requieren se produzca un resultado consistente, con carácter mixto alternativo (PIGNATELLI MECA), en que «causen la muerte o atenten gravemente a la integridad física o a la salud», esto es, el resultado letal o de lesiones que menoscaben la integridad corporal o la salud física o mental del sujeto pasivo a que se refieren los artículos 138, 147.1, 149 y 150 del Código Penal, y si no es así no operará el principio de jurisdicción universal respecto de las conductas tipificadas en el artículo 611 que traigan causa del artículo 85.3 del protocolo Adicional I.

La reforma del Código Penal acometida por la Ley Orgánica 5 /2010, de 22 de junio, añadió al precepto los apartados 8º y 9º. Respecto del apartado 8º, ha de significarse integra una tipificación que implica la infracción de las garantías judiciales, que se corresponde con la que contempla el artículo 8, 2, b), xiv) del Estatuto de Roma de la Corte Penal Internacional y que se pueden rastrear sus orígenes en el artículo 23 h) del Reglamento Anexo de las Convenciones de La Haya de 1899 y 1907, sobre Leyes y Costumbres de la Guerra Terrestre, considerado Derecho Internacional consuetudinario (FERNÁNDEZ RODERA). Un conocido precedente histórico es la exceptuación del frente oriental a la aplicabilidad de los Convenios internacionales en la Segunda Guerra Mundial, por parte alemana, en particular la llamada «orden de los comisarios» (FERNÁNDEZ RODERA), medidas que tuvieron cierta contestación en el ejército regular (Orden 166 del OKW, de 1941, Orden de 14 de enero de 1942...): «Aquella orden (...) era lo más opuesto al honor militar, y su ejecución no solo habría de redundar en menoscabo de la propia estimación, sino que dañaría también la moral de las tropas» (VON MANSTEIN); «antes de comenzar las hostilidades se transmitió una orden del OKW (que) prescribía que el empleo del Código de Justicia Militar en los casos de excesos contra la población civil y los prisioneros de guerra, ya no era preciso en todas las ocasiones, sino que juzgar estos hechos quedaba al arbitrio de los superiores jerárquicos (...) era muy apropiada para perjudicar la disciplina (...) la orden, también deshonrosa, conocida como "kommissarbefehl" (orden sobre los comisarios) tampoco llegó a conocimiento de mi grupo acorazado» (GUDERIAN).

El apartado 9º, por su parte, en principio propende a la protección de la mujer, tipificando diversos modos de violencia de naturaleza sexual, inspirado en el artículo 8, 2, apartado b), xxii), para los conflictos armados internacionales, y apartado e), vi) para los conflictos armados sin carácter internacional, del Estatuto de

Roma de la Corte Penal Internacional. Pero aunque las víctimas más frecuentes son las mujeres, la redacción del precepto es genérica y no puede descartarse incluya a los hombres («libertad sexual de una persona protegida») (FERNÁNDEZ RODERA). En todo caso, son «las mujeres las que sufren física y psicológicamente y llevan el peso de la vergüenza y del ostracismo social» (ALÍA PLANA). Casos como Chiapas, antigua Yugoslavia, Darfur, Mozambique, Chechenia y un largo etcétera han propiciado la reacción de Naciones Unidas (doc. E/CN.4/1998/54, con la «Declaración sobre la eliminación de la violencia contra la mujer», aprobada en la resolución 48/104 de la Asamblea Nacional el 20 de diciembre de 1990) y su consideración en los Estatutos de los Tribunales de Yugoslavia, Ruanda, Corte Penal Internacional, Sierra Leona, en las Comisiones Judiciales de Kosovo y Timor, en la Cámara Especial para Crímenes de Guerra en la Corte Estatal de Bosnia y Herzegovina y en la jurisprudencia de La Haya y Arusha (ALÍA PLANA). Los casos más relevantes en la materia han sido los que siguen: Tadic, Blaskic, Celebici/Delic, Furundzija, Foca (antigua Yugoslavia), Akayesu y Musema (Ruanda) (ALÍA PLANA). Pero el precepto, ha de insistirse, no agota su aplicabilidad en el sexo femenino (FERNÁNDEZ RODERA), aunque lo cierto es que «la situación de la mujer que se encuentra inmersa en una situación de conflicto armado es realmente preocupante, tanto por el número de mujeres afectadas, como por la diferente tipología de crímenes y aberraciones que se cometen contra ella» (SÁNCHEZ SÁNCHEZ).

En definitiva, con PIGNATELLI MECA, el artículo sanciona los ataques en violación de los principios de distinción o proporcionalidad y ataques, represalias o actos o amenazas de violencia cuyo objeto sea aterrorizar a la población civil; la destrucción o daño de buque o aeronave no militar; obligar a prisionero de guerra o a persona civil a servir en las fuerzas armadas enemigas o privarlos de su derecho a un juicio regular e imparcial, la deportación, traslado forzoso, toma de rehenes y detención ilegal de personas protegidas, el traslado y asentamiento en territorio ocupado de la población del ocupante; realizar o mantener prácticas de segregación racial y demás prácticas inhumanas y degradantes que entrañan un ultraje contra la dignidad personal; e impedir o demorar, injustificadamente, la liberación o repatriación de prisioneros de guerra o personas civiles. A estos supuestos habrán de añadirse los dos introducidos en 2010, ya meritados, y cabe resaltar la correlación con los Protocolos Adicionales I y II, los Convenios de Ginebra III y IV de 1949, el Estatuto de Roma y la Convención Internacional sobre la Eliminación de todas las Formas de Discriminación Racial, de 1965.

4. *La pluralidad de conductas previstas en el artículo 612*

Según PIGNATELLI MECA, el artículo incrimina una «serie heteróclita de conductas», que es, por ello, «una suerte de cajón de sastre». Está relacionado con los Protocolos I y II Adicional, con los Convenios I, II, III y IV de Ginebra, el Reglamento Anejo a las Convenciones de La Haya II de 1899 y IV de 1907, el Estatuto de la Corte Penal Internacional y la Convención sobre los Derechos del Niño de 1989. Contempla un amplio elenco de «medios pérfidos» utilizados en conflicto armado (FERNÁNDEZ RODERA).

Según GIL GIL, el apartado 1º protege una serie de bienes y lugares cuyo ataque supondría a su vez un peligro abstracto para la vida y la salud e integridad física de las personas protegidas, integrando un tipo de mera actividad. Está relacionado con los artículos 8 del Protocolo Adicional I (unidades y medios de transporte sanitarios y signos distintivos), 21 y siguientes del III Convenio de Ginebra (campos de prisioneros), 23 del I Convenio de Ginebra, 14 y 15 del IV Convenio de Ginebra (zonas y localidades sanitarias, de seguridad o neutralizadas), 83 y siguientes del IV Convenio de Ginebra (lugares de internamiento de población civil), 59.2 del Protocolo Adicional I (localidades no defendidas) y 60 del mismo (zonas desmilitarizadas).

Sanciona el apartado 2º el ejercicio de la violencia sobre personal religioso o sanitario o integrantes de misión médica o sociedades de socorro. Es coherente con las prohibiciones internacionales de condenar, castigar o molestar por haber cuidado de heridos o enfermos, o de coaccionar al personal religioso o sanitario para prácticas contrarias a su código deontológico o para forzar a delaciones de enfermos o heridos (artículos 8 y 16 del Protocolo Adicional I, 9 y 10 del Protocolo Adicional II, y 18 del I Convenio de Ginebra).

Supone el apartado 3º la tipificación de conductas que afectan al trato que es menester dispensar a personas protegidas, con especial protección de bienes jurídicos como el honor, la dignidad, la integridad física y la salud, así como los derechos de los detenidos, con prohibición de castigos colectivos por actos individuales y las violaciones de normas sobre alojamiento de mujeres y familias o protección especial de mujeres y niños (artículos 75 a 77 del Protocolo Adicional I, 3 común a los Convenios de Ginebra, 13, 14, 26, 29, 30, 52 y 108 del III Convenio de Ginebra, 82 del IV Convenio de Ginebra y 4 y 5 del Protocolo Adicional II). Como indica GIL GIL, las prescripciones sobre protección de mujeres y niños constituyen un tipo penal en blanco, al que reprocha su posible inconstitucionalidad por no contener siquiera el verbo que defina la conducta típica. La Ley Orgánica 5/2010 añadió al apartado 3º la frase «y, en particular, reclute o aliste a menores de dieciocho años o los utilice para participar directamente en las hostilidades», agregación coherente con el Estatuto de Roma de la Corte Penal Internacional (artículo 8, 2, b, xxvi y e vii) y que también se corresponde con los artículos 1 y 2 del Protocolo Facultativo de la Convención sobre los Derechos del Niño, relativo a la participación de niños en los conflictos armados, de 25 de mayo de 2000, así como con la Convención sobre los Derechos del Niño de Naciones Unidas (20 de noviembre de 1989), yendo más allá que el Protocolo Adicional I (artículo 77) y el Protocolo Adicional II (artículo 4) de los Convenios de Ginebra, que establecen la edad límite en los quince años (FERNÁNDEZ RODERA), al igual que han hecho países como Holanda, Alemania o Argentina.

En la reforma del Código Penal de 2010 también se modificó el apartado 4°, incorporando como signo protector o distintivo el llamado «Cristal Rojo», que deriva de la XXVIII Conferencia Internacional de la Cruz Roja y de la Media Luna Roja (Ginebra, 20-21 de junio de 2006), que adoptó el acuerdo de que el emblema del Protocolo III agregara el denominado «Cristal Rojo», inclusión auspiciada por el Centro de Estudios del Derecho Humanitario de la Cruz Roja Española. Se ha apuntado que, dada la alusión genérica a los tratados internacionales, quizá fuera superflua la referencia a signos concretos y que, de hecho, el Reino de España no había depositado el instrumento de ratificación del Protocolo III (FERNÁNDEZ RODERA). El uso «indebido» de signos sería el que no tuviera por fin identificar los objetos o personas para cuya protección están ideados tales signos (GIL GIL).

El apartado 5° contempla el uso «pérfido o indebido» de elementos (bandera, uniforme, insignia, emblema distintivo) que identifiquen a Estados neutrales, al adversario o a Naciones Unidas, y ello en modo alternativo: bien durante los ataques, bien con un elemento subjetivo del injusto (GIL GIL), la finalidad de cubrir, favorecer, proteger u obstaculizar operaciones militares. Las excepciones a que alude el precepto son determinados usos consuetudinarios que fueron acogidos por el artículo 39.3 del Protocolo Adicional I, así se tolera que un buque de guerra enarbole pabellón neutral o enemigo en algunos casos cuando se prepare para el combate y antes de librarlo, o el espía que vistió uniforme enemigo no puede ser excluido del estatuto de prisionero de guerra si cuando es capturado se ha reintegrado a sus fuerzas armadas y viste de nuevo su uniforme (PIGNATELLI MECA).

El uso «pérfido» o «indebido» de «bandera de parlamento o de rendición» del apartado 6° es tipificado en cuanto conducta torticera, engañosa u hostil. También sanciona la vulneración de la inviolabilidad o libertad deambulatoria («retenga») de las concretas personas que el ordinal señala, en razón a la especial función que ostentan. Según GIL GIL, de producirse algún resultado lesivo deberá apreciarse concurso de delitos.

El apartado 7° castiga actos de despojo de cadáveres, heridos, enfermos, náufragos, prisioneros de guerra o personas civiles internadas, de tal suerte que cabe inferir constituyan verdaderos delitos específicos contra el patrimonio, guiados por un propósito lucrativo, aunque respecto de los cadáveres ha de coincidirse con PIGNATELLI MECA en que también existe un componente relativo al debido respeto a los difuntos.

Los apartados 8°, 9° y 10° han sido introducidos por la Ley Orgánica 5/2010. El 8° responde a una sugerencia del Centro de Estudios de Derecho Internacional

Humanitario de la Cruz Roja («Hacer padecer hambre a la población civil»), por corresponderse con los artículos 54 del Protocolo I, 14 del Protocolo II y 8.2 b) xxv) del Estatuto de Roma de la Corte Penal Internacional (provocación intencionada de la inanición de la población civil como método de hacer la guerra y obstaculizar los suministros de socorro).

El 9º integra una violación de convenios celebrados con la parte adversa en un conflicto y está emparentado con los artículos 35 a 41 de los Reglamentos sobre las Leyes y Costumbres de la Guerra Terrestre, Anexos al II Convenio de La Haya de 1899 y al IV Convenio, también de La Haya, de 1907 (FERNÁNDEZ RODERA). En particular, el armisticio es «una suspensión temporal y convencional de las hostilidades» (MARTÍNEZ MICÓ), permitiendo el estado de guerra mientras rija un tratado o acuerdo de armisticio (VERDROSS). Puede tener alcance general (suspensión de las hostilidades en todos los teatros) o local (entre ciertas facciones de los contendientes y en un sector concreto). Lo que resulta relevante a los efectos considerados es la discriminación entre actos permitidos y actos prohibidos a los beligerantes. Existen varias orientaciones doctrinales: a) Posibilidad, por parte de los beligerantes, de realizar los mismos actos para los que se hallan facultados en tiempo de paz (VATTEL); b) Mantenimiento del «status quo», de suerte que cada beligerante se encuentra al terminar la suspensión de las hostilidades en la misma situación en que se encontraba al principio (THIERS, en 1871); c) Derecho de cada beligerante a consolidar su posición (HEFTER); y d) Libertad de acción, salvo en lo atinente a la destrucción de vidas o bienes (SIEBERT). En todo caso, hay coincidencia en que si se producen violaciones graves o sustanciales del armisticio, existe el derecho a denunciarlo por la Parte afectada, incluso a romper las hostilidades, y, si los incumplimientos no son importantes y no atribuibles a una de las partes, antes bien a particulares, bastará el castigo de los responsables y las indemnizaciones correspondientes (FERNÁNDEZ RODERA).

El ordinal 10º tiene como finalidad proteger las misiones humanitarias. Se inspira en el Estatuto de Roma de la Corte Penal Internacional (artículo 8, 2, apartados b iii y e iii) y en el artículo 9 de la Convención de 9 de diciembre de 1994, sobre Seguridad del Personal de las Naciones Unidas y el Personal asociado.

5. Protección de determinados bienes en caso de conflicto armado

El artículo 613 se funda en la necesidad de armonizar las necesidades militares con consideraciones de humanidad, bajo la perspectiva de que las hostilidades deben realizarse contra objetivos militares, evitando ataques a la población y los bienes civiles (DÍEZ DE VELASCO). La Ley Orgánica 5/2010 plasma una modificación de gran calado, concretamente el apartado 1 se acomoda no solo al Convenio de La Haya de 1954 sobre protección de los bienes culturales en caso de conflicto armado y al artículo 53 del Protocolo Adicional I de 1977, también al segundo Protocolo de la aludida Convención de La Haya, adoptado el 26 de marzo de 1999 y ratificado por España el 6 de julio de 2001. La protección reforzada de bienes culturales se contempla en el apartado a), la incriminación de la requisa ilegal en el b), el saqueo o vandalismo contra los bienes previstos en el apartado a) en el c), los ataques o represalias a bienes civiles en el d), lo mismo a bienes indispensables en el e), también a obras o instalaciones que contengan fuerzas peligrosas en el f), la destrucción de cosas ajenas y el pillaje en el g), la requisa ilícita de buque o aeronave no militar en el h) y los ataques al material del personal referido en el artículo 610,10° en el i). Las nuevas sistemática y redacción perfeccionan las diferentes tipificaciones, en coherencia con el citado Protocolo de 1999 (FERNÁNDEZ RODERA). El apartado 2 del artículo cualifica las conductas previstas en el artículo 15.1 a) y b) del repetido Protocolo de 1999 y el segundo párrafo del apartado 2 recoge y amplía la agravación que hasta la Ley Orgánica 5/2010 contemplaba el artículo 613.

De obligada referencia es la Sentencia dictada por la Corte Penal Internacional el 27 de septiembre de 2016, condenando a nueve años de prisión al yihadista AHMAD AL MAHDI AL FAQI, alias «ABU TURAB», por destrucción de bienes patrimonio de la humanidad en Tombuctú (Mali), condena rebajada como consecuencia de una pluralidad de circunstancias, entre las que destaca la admisión de culpabilidad y el arrepentimiento público del acusado, que fue entregado por las autoridades de Níger y ha sido la primera persona en ser juzgada por crímenes de guerra por destrucción de monumentos protegidos.

El apartado 2 contiene una agravación facultativa, ampliada en la reforma de 2010, para los casos de bienes culturales bajo protección especial, prevista en los artículos 8 a 11 de la Convención de La Haya de 1954 y 11 a 17 de su Reglamento, y caracterizada por una señalización especial, su inscripción en un registro de la UNESCO y una inmunidad casi absoluta salvo causa de «necesidad militar imperativa», regulada en el artículo 11 (GARCÍA LABAJO), los bienes culturales a los que se haya conferido protección en virtud de acuerdos especiales, o bienes bajo protección reforzada, regulada en los artículos 10 y siguientes del II Protocolo de 1999, que exige la inclusión en una Lista internacional, y otorga inmunidad absoluta a dichos bienes salvo utilización indebida por la Parte adversa (GARCÍA LABAJO), o supuestos de destrucciones extensas e importantes o de extrema gravedad, conceptos que deberán ser dotados de contenido por el juez (GIL GIL).

6. Tipo residual

El artículo 614 se trata de una auténtica «cláusula incriminatoria de cierre» que es ley penal en blanco, en cuanto verifica una remisión a las disposiciones del Derecho Internacional en la materia (FERNÁNDEZ RODERA). Es un «tipo de recogida» con expresiones mínimas del principio de legalidad, cuyo tenor, por tanto, resulta cuando menos discutible. La Ley Orgánica 5/2010 introdujo «regulación de los medios y métodos de combate» y «debido» en relación con el trato a otorgar a los prisioneros de guerra. También el tiempo de dos formas verbales («realice u ordene» por «realizare y ordenare»), subyaciendo a la modificación la necesidad de tipificar conductas no previstas en el artículo 610 que entrañen vulneraciones de los Convenios relativos a los medios y modos de combate (Convenciones de 1972, sobre armas bacteriológicas, de 1993, sobre armas químicas, de 1997, sobre minas antipersonales, etc.) (FERNÁNDEZ RODERA).

7. Cláusula de agravación

El artículo 614 bis, frente al que cabe formular similares dudas que respecto del 614, por el problema de legalidad que pudiera conllevar, se introdujo por la Ley Orgánica 15/2003, de 25 de noviembre, y afronta aquellas conductas que deriven de «un plan o política» o «se cometan a gran escala», y su inspiración, qué duda cabe, ha de rastrearse no solo en la última gran conflagración mundial, también en el conflicto librado en la antigua Yugoslavia en las postrimerías del pasado siglo.

Arriesga GIL GIL que, en cuanto a la posible remisión a los delitos comunes, es criticable que la agravación no será de aplicación a los resultados punibles mediante los tipos comunes recogidos en otros títulos del Código, por lo que un crimen de guerra consistente en el homicidio de una persona protegida sin utilizar ninguno de los medios tipificados en los artículos 609 y siguientes, pero realizado en el marco de una política, plan o acción masiva se castigará, «lamentable e incoherentemente» con la pena de homicidio simple, «lo que resulta contrario a la finalidad de la reforma».

VI. CÓDIGO PENAL MILITAR

Dispone el artículo 9.2 a) del Código Penal Militar (Ley Orgánica 14/2015, de 14 de octubre) que tendrán consideración de delitos militares los delitos contra las personas y bienes protegidos en caso de conflicto armado, incluidas las disposiciones comunes, siempre que se perpetraren con abuso de facultades o infracción de los deberes establecidos en la Ley Orgánica 9/2011, de 27 de julio, de derechos y deberes de los miembros de la Fuerzas Armadas o en la Ley Orgánica 11/2007, de 22 de octubre, reguladora de los derechos y deberes de los miembros de la Guardia Civil. Si se cumplen esos requisitos, la consecuencia es que el enjuiciamiento corresponderá a la jurisdicción militar.

Según expone el Preámbulo de la Ley Orgánica 14/2015, la noción de delito militar abarca no solo los definidos específicamente en la parte especial (Libro

Segundo) del Código castrense como delitos militares, sino también aquellas conductas que lesionan bienes jurídicos estricta o esencialmente militares incriminados en la legislación penal común, siempre que sean cualificados por la condición militar del autor y, además, por su especial afección a los intereses, el servicio y a la eficacia de la organización castrense. Añade que a esta concepción obedece la consideración como delitos militares de los delitos de traición y delitos contra las personas y bienes protegidos en caso de conflicto armado, cuando son cometidos por un militar con abuso de las facultades o infracción de los deberes en las normas antes aludidas. Desde otra perspectiva, cabe sostener que el artículo 9.2 del nuevo Código Penal Militar es coherente con la impronta de su texto, más conciso que el precedente de 1985, en cuanto cuajado de remisiones al Código Penal común.

VII. BIBLIOGRAFÍA

ALIA PLANA, M., «Violencia sexual y derecho Internacional», en *Revista Jurídica Militar*, núm. 41, abril 2008; *id.*, «El enjuiciamiento de los crímenes del khmer rouge», en *Revista Jurídica Militar*, núm. 44, septiembre 2008; *id.*, «Derecho Penal Militar y justicia transicional. Juicios granguiñolescos y veraces», en *Revista Jurídica Militar*, núm. 62, abril 2010; *id.*, «De las Ordenanzas de Carlos III a la responsabilidad penal del superior», en *Revista Jurídica Militar*, núm. 86, junio 2012; ALLI TURRILLAS, JUAN CRUZ, «Reflexiones sobre la presencia de la mujer en los Ejércitos desde una perspectiva histórico-jurídica», en *Mujer, Fuerzas Armadas y conflictos bélicos. Una visión panorámica* (Monografías CESEDEN, núm. 78), Madrid 2005; ÁLVAREZ GARCÍA, F. J., «Obediencia y desobediencia al superior en los delitos contra las personas y bienes protegidos en caso de conflicto armado», en *Revista Jurídica Militar*, núm. 50, marzo 2009; *id.*, «Los tribunales penales internacionales», en *La persecución de los actos de piratería en las Costas Somalíes* (obra coordinada por Castillejo Manzanares, R.), Valencia 2011; CEREZO MIR, J., *Curso de Derecho Penal Español*, Madrid 1998; DÍEZ DE VELASCO VALLEJO, M., *Instituciones de Derecho Internacional Público*, Tomo I, Madrid 1983; DOMENECH OLMEDAS, J. L., «La protección del prisionero de guerra», en *Derecho Internacional Humanitario* (Centro de Estudios de Derecho Internacional Humanitario de la Cruz Roja), Valencia 2002; DOMÍNGUEZ MATÉS, R., *La protección del medio ambiente en el Derecho Internacional Humanitario*, Valencia 2005; DUFOUR, G., «¿Existe verdaderamente la defensa de las órdenes superiores?», en *Revista Internacional de la Cruz Roja*, núm. 840, año 2000; FERNÁNDEZ, E. M., GANZENMÜLLER, C., ESCUDERO, J. F., FRIGOLA, J., VENTOLA, F., *Delitos contra el orden público, terrorismo, contra el Estado o la Comunidad Internacional*, Barcelona 1998; FERNÁNDEZ RODERA, J. A., «Las Fuerzas Armadas y el estado de sitio», en *Libertades públicas y Fuerzas Armadas*, Madrid 1985; *id.*, «Comentario al artículo 612.4 del Código Penal», en *Consideraciones a propósito del Proyecto de Ley de 2009 de modificación del CP*, Valencia 2010; *id.*, «Comentario a delitos de lesa humanidad y protección de personas en caso de conflicto armado», en *Comentarios a la Reforma Penal de 2010*, Valencia 2010; *id.*, «Empleo del ciberespacio en la guerra asimétrica», *Grupo de Trabajo* núm. 2 del XXIII Curso de Defensa Nacional, abril 2013; GARCÍA LABAJO, J. M., «La protección de bienes culturales en caso de conflicto armado», en *Revista Española de Derecho Militar*, núm. 65, enero-junio 1995, *id.*, «La protección de bienes culturales en caso de conflicto armado», en *Derecho Internacional Humanitario* (Centro de Estudios de Derecho Internacional Humanitario de la Cruz Roja), Valencia 2002; GIL GIL, A., «Título XXIV. Delitos contra la Comunidad Internacional», en

Comentarios al Código Penal (Director Manuel Gómez Tomillo)», Valladolid 2011; GONZÁLEZ CARRAL, J. C., «La protección del medio ambiente en caso de conflicto armado», en *Revista Española de Derecho Militar* núm. 74, julio-diciembre 1999; *id.*, «La protección del medio ambiente en el Derecho Internacional Humanitario», en *Derecho Internacional Humanitario* (Centro de Estudios de Derecho Internacional Humanitario de la Cruz Roja), Valencia 2002; GONZÁLEZ RUS, J. J., *Delitos contra la Comunidad Internacional*, Madrid 2000; GUDERIAN, H., *Recuerdos de un soldado*, Barcelona 2007; HERREROS LÓPEZ, M., «Torturas en caso de conflicto armado contra prisioneros de guerra», en *Revista Jurídica Militar*, núm. 141, junio 2017; HIGUERA GUIMERÁ, J. F., *La previsión constitucional de la pena de muerte*, Barcelona 1980; MARTÍNEZ MICÓ, G., voz «armisticio» en *Diccionario Jurídico Espasa*, Madrid 2001; MASIDE MIRANDA, L. M., «Cuestiones relativas a la problemática de los métodos y medios de combate en el Protocolo Adicional I», en *Revista Española de Derecho Militar*. Núm. 65, enero-junio 1995; LAÍN CASADO, C., «El medio ambiente como límite al derecho de defensa», en *Revista Jurídica Militar*, núm. 67, octubre 2010; LANZ RAGGIO, M., «El Tratado para la prohibición de las armas nucleares. Un paso adelante en el proceso de eliminación del arma nuclear», en *Revista Jurídica Militar* (Sección Internacional y Política de Defensa), núm. 143, septiembre 2017; *id.*, «El alcance de la responsabilidad del comandante y el caso Bemba», en el mismo medio y Sección, núm. 154, septiembre de 2018; MANGAS MARTÍN, A., *Conflictos armados internos y Derecho internacional humanitario*, Salamanca 1990; OTERO SOLANA, V., «La protección de los heridos, enfermos y náufragos, del personal sanitario y religioso y de los medios auxiliares», en *Derecho Internacional Humanitario* (Centro de Estudios de Derecho Internacional Humanitario de la Cruz Roja), Valencia 2002; PÉREZ GONZÁLEZ, M. y ABAD CASTELOS, M., «Los delitos contra la comunidad internacional en el Código Penal español», *Anuario de la Facultad de Derecho de La Coruña*, 1999; PIGNATELLI MECA, F., «Protección penal de las víctimas de la guerra en el ordenamiento penal español», en *Derecho Internacional Humanitario* (Centro de Estudios de Derecho Internacional Humanitario de la Cruz Roja), Valencia 2002; *id.*, *La sanción de los crímenes de guerra en el Derecho español*, Madrid 2003; PLAZA VENTURA, P., *Los crímenes de guerra. Recepción del Derecho Internacional Humanitario en Derecho Penal Español*, Universidad de Navarra, Pamplona 2000; QUINTANO RIPOLLÉS, A., *Tratado de Derecho Penal Internacional e Internacional Penal*, Madrid 1955; RODRÍGUEZ-VILLASANTE Y PRIETO, J. L., *Delitos contra la Comunidad Internacional*, Madrid 1997; *id.*, *Limitaciones al empleo de medios y métodos de combate: armas convencionales excesivamente dañinas o de efectos indiscriminados* (Centro de Estudios de Derecho Internacional Humanitario de la Cruz Roja), Valencia 2002; *id.*, «La responsabilidad del superior jerárquico en el Derecho Penal Internacional y en el ordenamiento penal español», en *Revista Jurídica Militar*, núm. 76, julio 2011; SAGALÉS BALEA, I., «El privilegio de confidencialidad del Comité Internacional de la Cruz Roja ante la Corte Penal Internacional», en *Revista Jurídica Militar*, núm. 78, octubre 2011; SÁNCHEZ SÁNCHEZ, J. Mª., «Protección de la mujer en los conflictos armados», en *Revista Jurídica Militar*, núm. 48, enero 2009; VERA MONTERO, J. P., «Las normas de protección del medio ambiente en periodo de conflicto armado», en *Revista Jurídica Militar*, núm. 54, julio 2009; VERDROSS, A., *Derecho Internacional Público*, Madrid 1972, VON MANSTEIN, E., *Victorias frustradas*, Barcelona 2007; WERLE, G., *Tratado de Derecho Penal Internacional*, Valencia 2005.

Lección 10ª

La responsabilidad del superior por omisión en el Código Penal español

ANA M. GARROCHO SALCEDO

Artículo 615 bis

1. La autoridad o jefe militar o quien actúe efectivamente como tal que no adoptara las medidas a su alcance para evitar la comisión, por las fuerzas sometidas a su mando o control efectivo, de alguno de los delitos comprendidos en los capítulos II, II bis y III de este título, será castigado con la misma pena que los autores.

2. Si la conducta anterior se realizara por imprudencia grave, la pena será la inferior en uno o dos grados.

3. La autoridad o jefe militar o quien actúe efectivamente como tal que no adoptara las medidas a su alcance para que sean perseguidos los delitos comprendidos en los capítulos II, II bis y III de este título cometidos por las personas sometidas a su mando o control efectivo será castigada con la pena inferior en dos grados a la de los autores.

4. El superior no comprendido en los apartados anteriores que, en el ámbito de su competencia, no adoptara las medidas a su alcance para evitar la comisión por sus subordinados de alguno de los delitos comprendidos en los capítulos II, II bis y III de este título será castigado con la misma pena que los autores.

5. El superior que no adoptara las medidas a su alcance para que sean perseguidos los delitos comprendidos en los capítulos II, II bis y III de este título cometidos por sus subordinados será castigado con la pena inferior en dos grados a la de los autores.

6. El funcionario o autoridad que, sin incurrir en las conductas previstas en los apartados anteriores, y faltando a la obligación de su cargo, dejara de promover la persecución de alguno de los delitos de los comprendidos en los capítulos II, II bis y III de este título de que tenga noticia será castigado con la pena de inhabilitación especial para empleo o cargo público por tiempo de dos a seis años.

I. INTRODUCCIÓN

Tras la ratificación por España del Estatuto de la Corte Penal Internacional (en adelante, ECPI), el 19 de octubre de 2000, se efectuaron una serie de armonizaciones de la ley penal española con el Estatuto de la Corte Penal Internacional. Gracias a la LO 15/2003, de 25 de noviembre, de reforma del Código penal, se incluyeron en nuestra legislación los delitos de lesa humanidad (art. 607 bis CP) y los cometidos contra personas y bienes protegidos en caso de conflicto armado (arts. 608-614 bis CP). Asimismo dicha reforma trajo consigo la inclusión del art. 615 bis del CP sobre la responsabilidad del superior por omisión entre las Disposiciones Comunes de los Capítulos II («Delitos de genocidio»), II bis («Delitos de lesa humanidad») y III («Delitos contra personas y bienes protegidos en caso de conflicto armado»), del Título XXIV sobre los «Delitos contra la Comunidad Internacional». Dicho art. 615 bis CP trae causa directa del art. 28 del ECPI, y adquiere una extraordinaria importancia en el ámbito de la intervención delictiva en crímenes internacionales.

La responsabilidad del superior por omisión no es una novedad introducida en el Estatuto de la Corte penal Internacional en 1998 (art. 28 ECPI), sino que fue un criterio de imputación empleado por los tribunales militares internacionales tras la Segunda Guerra Mundial. Los casos del general japonés, *Yamashita*, así como otros altos mandos del Ejército alemán (*Von Leeb, et al., Von List et al.* etc.,) y japonés (*Hirota, Shigemitsu*, etc.) muestran como ciertas autoridades militares fueron condenados sobre la base de comportamientos omisivos, en relación con las conductas delictivas de sus subordinados.

Así pues, ya en la Jurisprudencia originaria la no evitación de ciertas conductas criminales generaba —cumplidos ciertos requisitos— responsabilidad por omisión de los superiores por los hechos cometidos por su tropa (sobre ello, cfr. *in extenso*, GARROCHO SALCEDO).

Asimismo deben recordarse los arts. 86 y 87 del Protocolo Adicional I a los Convenios de Ginebra, relativo a la protección de víctimas de los conflictos armados internacionales, de 8 de junio de 1977, que positivizaron por primera vez en el Derecho Humanitario convencional ciertos deberes de control y vigilancia a los mandos militares y otros superiores. La responsabilidad del superior fue recogida también en los Estatutos del Tribunal para la antigua Yugoslavia y Ruanda (arts. 7.3 y 6.3 respectivamente), celebrándose varios enjuiciamientos sobre la base de la llamada *superior responsibility* (GARROCHO SALCEDO).

La importancia de la incorporación del art. 615 bis CP al Ordenamiento español es múltiple. Por un lado, porque recoge la posibilidad de imputar por omisión la comisión de crímenes internacionales a los superiores militares y civiles que no evitan los crímenes de sus subordinados (art. 615 bis 1, 2, 4 CP). Por otro lado, porque el art. 615 bis 1, 2, 4 es precepto especial con respecto al art. 11 del CP que regula, con carácter general, la comisión por omisión en los delitos de resultado en España. En ese sentido, el art. 615 bis encuentra cierto paralelismo con algunos delitos de la Parte Especial del Libro II del Código Penal que contemplan de forma *específica* delitos de comisión por omisión, como sucede, por ejemplo, con el art. 176 del CP en relación con la responsabilidad de ciertas autoridades y funcionarios que, faltando a los deberes del cargo, permiten que otros ejecuten actos de tortura o contra la integridad moral. En esos casos, dichas personas son sancionadas con las mismas penas que las impuestas a los autores. Adicionalmente, el art. 615 bis 3 y 5 contiene otros delitos de omisión pura que afectan a los superiores una vez los delitos ya se han consumado. Finalmente, el art. 615 bis 6 CP contempla —de manera absolutamente novedosa— un deber general de todo funcionario o autoridad con competencia para perseguir la comisión de crímenes internacionales. De ese modo, el art. 615 bis CP contempla, pues, *varios delitos de omisión,* de diferente naturaleza y gravedad en los distintos apartados del precepto (TAMARIT SUMALLA).

Antes de evaluar las tres tipologías de delitos de omisión que el art. 615 bis CP recoge, deben efectuarse algunas precisiones en cuanto a los sujetos activos recogidos en la norma.

II. LOS SUJETOS ACTIVOS EN LA RESPONSABILIDAD DEL SUPERIOR *EX* ARTÍCULO 615 BIS CÓDIGO PENAL

La responsabilidad del superior por omisión ha sido una forma tradicional y alternativa a los supuestos de acción para imputar los crímenes cometidos por los subordinados a los jefes y superiores en estructuras jerárquicas, fundamentalmente en el Ejército y en otros grupos armados. Desde su configuración originaria, la responsabilidad del superior ha albergado la responsabilidad de jefes militares y asimilados a estos y también de los jefes no militares (alcaldes, responsables de prefecturas e incluso empresarios). De hecho, hasta las negociaciones en Roma del Estatuto de la Corte Penal Internacional (ECPI) en 1998, el Derecho internacional consuetudinario no distinguía entre «militares» y «civiles», y ambos se agrupaban bajo el paraguas de la responsabilidad del superior o «*superior responsibility*» (GARROCHO SALCEDO).

Durante las negociaciones del ECPI en Roma, la delegación de EEUU propuso distinguir entre la responsabilidad por omisión de los jefes militares de la de los superiores civiles (*United Nations Diplomatic Conferences of Plenipotentiaries on the establishment of an International Criminal Court*, Rome, 15-June-17 July 1998, Official Records (A/CONF.183/13) Vol. II, New York, 2002, pág. 136, paras. 67, 68). Dicha propuesta fue aprobada y finalmente incorporada en el art. 28 del ECPI, y de ella trae causa la redacción actual del art. 615 bis CP.

La delimitación entre los «jefes militares» y aquellos que «actúan, efectivamente, como jefes militares» de quienes son «superiores no militares», es especialmente importante puesto que para los jefes militares y personas a ellos asimilados el art. 615 bis 2 contempla una responsabilidad por *imprudencia grave*, que sin embargo no se prevé para los superiores no militares. Por ello, la delimitación entre ambas categorías es esencial, debido al elemento subjetivo más exigente que se cierne sobre el personal militar.

En todo caso es importante destacar, tal y como lo hace la doctrina (FEIJÓO SÁNCHEZ y GARCÍA DEL BLANCO) y la Jurisprudencia internacional (CPI, Bemba Gombo, Trial Chamber, Judgment, 21 de marzo de 2016, para. 179), que en los casos en los que resulte de aplicación el art. 615 bis CP o el art. 28 ECPI, no tiene por qué tratarse de los superiores directos de aquellos inferiores que ejecutan los crímenes, sino que dicha responsabilidad penal se extiende a toda la cadena de mando, incluyendo a los mandos intermedios y a los altos mandos.

En la medida en que los tribunales españoles no han aplicado aún el art. 615 bis del CP, para poder efectuar una delimitación entre los *jefes militares y asimilados* y los *superiores no militares*, se puede acudir a la doctrina y a la Jurisprudencia incipiente de la Corte Penal Internacional (caso *Bemba Gombo*) que de ello se ha ocupado. A continuación trataremos de esbozar los elementos de distinción fundamentales entre ellos.

1. Las autoridades o jefes militares o quienes actúen efectivamente como jefes militares

El art. 615 bis 1, 2, 3 CP hace alusión a la «autoridad o jefe militar o a quien actúe efectivamente como tal».

La principal duda que se suscita es si el adjetivo *militar* califica solo a los jefes y a quienes actúan como jefes militares *de facto*, o de si este adjetivo también afecta a las «autoridades». En nuestra opinión, el adjetivo «militar» comprende a todos los sujetos mencionados en los tres primeros apartados del art. 615 bis del CP (también MARTÍNEZ ALCAÑIZ y GARCÍA DEL BLANCO).

Desde el punto de vista sintáctico o gramatical pueden defenderse, ciertamente, ambas opciones, de modo que la «autoridad» puede ser considerada militar o civil. Sin embargo, una lectura del precepto que tenga en cuenta el art. 28 del ECPI del que el art. 615 bis CP trae causa, debería distinguir entre la responsabilidad de los jefes militares [art. 28 a) ECPI] de la de los no militares [art. 28 b) ECPI], sin que se regulen de forma conjunta la responsabilidad de las «autoridades civiles» junto con la de los «jefes militares».

Asimismo, el art. 615 bis 1 CP hace referencia a «fuerzas» sometidas a su «mando o control» efectivo, lo cual evoca claramente al ámbito de las milicias o de las Fuerzas Armadas. En contraposición con las «fuerzas», los apartados cuarto y quinto del art. 615 bis CP aluden a los «subordinados», lo que, a nuestro juicio, denota claramente la tajante diferenciación entre los tres primeros apartados, que sistematizan la responsabilidad por omisión del personal militar (autoridades y jefes militares *de iure* y *de facto*), y los apartados cuarto y quinto del art. 615 bis CP que regulan la responsabilidad de los superiores no militares o civiles.

Adicionalmente, la palabra «mando» se asocia generalmente al ámbito militar, y así voces como «alto mando» o «voz de mando» tienen, conforme al DRAE, una clara significación militar. En el Derecho militar español el Real Decreto 96/2009, de 6 de febrero (RCL 2009/253), por el que se aprueban las Reales Ordenanzas para las Fuerzas Armadas, menciona a lo largo de su articulado varias situaciones que aluden a ciertas formas de organización dentro de las Fuerzas Armadas de España, referidas a la «acción de mando», el «ejercicio del mando», el «mando de unidad» o el «apoyo al mando» (entre otros, arts. 24, 53, 55, 66 de las Reales Ordenanzas de las FFAA españolas, Real Decreto 96/2009, de 6 de febrero).

Finalmente, para concluir, podría sostenerse que la imposición de deberes de cuidado de control y vigilancia tiene sentido en relación con las actividades de la tropa, puesto que estas realizan operaciones de riesgo para la vida e integridad física y moral de las personas, que fuera del ámbito militar no comportan el mismo nivel de peligro. En la medida que el art. 615 bis 2 del CP —y el art. 28 a) del ECPI— han restringido la responsabilidad por imprudencia a ciertos supuestos, parece que estos deben delimitarse en función del estatus militar o no militar del superior de que se trate. Por ello, en nuestra opinión, la «autoridad» a la que se refiere el art. 615 bis 1 CP debe ser una autoridad militar. En el caso de España, son *autoridades militares*, entre otros, el Rey, el Presidente del Gobierno y el Ministro de Defensa (art. 3 Código Penal Militar).

Por las razones antedichas entendemos, pues, que los tres primeros apartados del art. 615 bis se circunscriben a jefes que comparten *de iure* o *de facto* el estatus «militar», mientras que los apartados cuarto y quinto regulan la responsabilidad de los superiores no militares.

A continuación debe concretarse qué personas forman parte del personal militar *de iure* (autoridades y jefes militares *de iure*) y quienes, aun no siendo formalmente militares, actúan *de facto* como si lo fuesen (personas que actúan efectivamente como jefe militar).

1.1. Las autoridades y jefes militares *de iure*

La Jurisprudencia de la Corte Penal Internacional (en adelante, CPI) estima que un jefe militar *de iure* es «aquella persona designada formal o legalmente para ejercer la función de mando militar» (CPI, Bemba Gombo, Trial Chamber, Judgment, 21 de marzo de 2016, para. 176), donde normalmente los mandos y sus fuerzas pertenecen a Fuerzas Armadas regulares de un Estado, y comandarán sus fuerzas conforme a las leyes militares nacionales.

Con todo, para efectuar una interpretación de quiénes son esas autoridades y jefes militares *de iure*, deberá acudirse en cada caso a las leyes militares internas, que dispondrán la organización de los Ejércitos, pues ello servirá como delimitación indiciaria de quiénes pertenecen al estamento militar y quiénes no.

De acuerdo al art. 2 del Código Penal Militar son militares: « ...*Quienes al momento de la comisión del delito posean dicha condición, de conformidad con las leyes relativas a la adquisición y pérdida de la misma y, concretamente, con las excepciones que expresamente se determinen en su legislación específica: 1.º Los que mantengan una relación de servicios profesionales con las Fuerzas Armadas o con la Guardia Civil, mientras no pasen a alguna situación administrativa en la que tengan en suspenso su condición militar. 2.º Los reservistas cuando se encuentren activados en las Fuerzas Armadas. 3.º Los alumnos de los centros docentes militares de formación y los aspirantes a la condición de reservistas voluntarios en su periodo de formación militar. 4.º Los alumnos pertenecientes a la enseñanza de formación de la Guardia Civil. 5.º Quienes pasen a tener cualquier asimilación o consideración militar, de conformidad con la Ley Orgánica reguladora de los Estados de Alarma, Excepción o Sitio y normas de desarrollo. 6.º En las situaciones de conflicto armado o estado de sitio, los capitanes, comandantes y miembros de la tripulación de buques o aeronaves no militares que formen parte de un convoy, bajo escolta o dirección militar, así como los prácticos a bordo de buques de guerra y buques de la Guardia Civil. 7.º Los prisioneros de guerra, respecto de los que España fuera potencia detenedora».*

De conformidad con el art. 3 del Código Penal Militar son autoridades militares: «*1.º El Rey, el Presidente del Gobierno, el Ministro de Defensa y quienes les sustituyen en el ejercicio de las atribuciones constitucionales o legales inherentes a sus prerrogativas o funciones. 2.º El Jefe de Estado Mayor de la Defensa, el Subsecretario de Defensa y los Jefes de Estado Mayor del Ejército de Tierra, de la Armada y del Ejército del Aire y el Director General de la Guardia Civil. 3.º Los oficiales generales con mando, jefatura o dirección sobre fuerza, unidad, centro u organismo o que, por razón del cargo o función, tengan atribuida jurisdicción en un lugar o territorio determinado. 4.º Los militares que, en las situaciones de conflicto armado o estado de sitio, ostenten la condición de Jefe de Unidad que opere separadamente, en el espacio a que alcanza la acción militar. 5.º Los Auditores Presidentes y Vocales de los Tribunales Militares, los Fiscales Jurídico Militares y los Jueces Togados Militares. 6.º Mientras permanezcan fuera del territorio nacional, los Comandantes de buques de guerra o de aeronaves militares y los Oficiales destacados para algún servicio en los lugares, aguas o espacios en que deban prestarlo, cuando en ellos no exista autoridad militar y en lo que concierna a la misión militar encomendada. 7.º Los Jefes de Unidades que tomen parte en operaciones en el exterior, impliquen o no el uso de la fuerza, durante la participación de la Unidad en tales operaciones, mientras permanezcan fuera del territorio nacional».*

1.2. Jefes militares *de facto*

En contraposición con los jefes y autoridades militares *de iure*, se encuentran los jefes militares *de facto*, que actúan efectivamente como jefes militares. Dichas personas no pertenecen desde el punto de vista formal al estamento militar, pero, sin embargo, actúan funcionalmente como militares. Por esta razón, desde el plano normativo, el art. 28 a) del ECPI y los tres primeros apartados del art. 615 bis del CP asimilan la responsabilidad de estas personas a la de los jefes y autoridades militares *de iure*.

La Jurisprudencia de la CPI entiende que bajo la categoría de «jefes militares *de facto*» deben incluirse a los mandos militares de fuerzas irregulares no gubernamentales, que se rigen por regulaciones internas, escritas o no. Estos individuos no son ni formal ni legalmente nombrados como jefes militares, pero actúan *efectivamente* como jefes militares de las fuerzas que cometen los crímenes (CPI, Bemba Gombo, Trial Chamber, Judgement, 21 de marzo de 2016, paras. 176-177). En ese sentido, la Sala de Cuestiones Preliminares (SCP) en la Decisión de Confirmación de Cargos contra Bemba Gombo, de 15 de junio de 2009, declaró que los jefes militares *de facto* conforman una categoría más amplia y distinta de los jefes militares, referida a «quienes tienen autoridad y control sobre fuerzas regulares gubernativas, tales como unidades de policía armada y fuerzas irregulares, como grupos rebeldes, unidades paramilitares y movimientos de resistencia armados y milicias, que siguen una estructura de jerarquía militar o una cadena de mandos» (CPI, Decisión de confirmación de cargos contra Bemba Gombo, de 15 de junio de 2009, para. 409).

Con todo, es necesario clarificar en mejor medida qué debe entenderse por «jefes militares *de facto*» para restringir lo máximo posible esta categoría y evitar interpretaciones excesivamente amplias. A este respecto cabe plantearse si los jefes de un grupo terrorista son jefes militares *de facto* o son superiores civiles. Esta delimitación entre jefes militares *de facto* y superiores civiles no es una mera disquisición teórica, sino que resulta especialmente importante, puesto que, como se ha adelantado, la responsabilidad por imprudencia grave solo se ha previsto en el art. 615 bis 2 CP —y en el art. 28 a) del ECPI— para los jefes *militares*, pero no para los superiores *no militares*.

A este respecto conviene tener en cuenta las aportaciones realizadas en este ámbito por la autora alemana Nora KARSTEN. Ella sostiene que la distinción entre jefes militares *de facto* y los superiores civiles proviene de «la naturaleza de la unidad, institución, organización, o entidad en la que la persona ostenta su posición como superior». El punto de distinción que ofrece atiende a «la entidad del grupo u organización» que dirige el superior. Si se trata de una organización de tipo militar el estatus del superior será militar, y si la organización no es militar resultará de aplicación el art. 28 b) ECPI que regula la responsabilidad por omisión de superiores distintos a los militares.

Para apreciar la entidad o el carácter «militar» del grupo u organización cuando se trate de evaluar a los grupos irregulares que actúan como grupos o unidades militares *de facto*, KARSTEN propone examinar si el grupo o unidad *toma parte en un conflicto armado*. Es decir, dicha unidad u organización será «militar» si su propósito es actuar como una parte en el conflicto armado, de modo que el «jefe militar *de facto*» será la persona que se encuentre al mando de dicha organización. En sentido contrario, si la organización o grupo no tiene como objeto participar en un conflicto armado será una organización civil, y sus jefes o superiores serán, consecuentemente, superiores civiles.

Sentado esto, resta por perfilar en mejor medida qué significa «participar en un conflicto armado».

Como es sabido, en Derecho Internacional Humanitario se distingue entre conflictos armados internacionales e internos, donde gracias al «principio de distinción» se diferencia entre los combatientes o las Fuerzas Armadas y los civiles (por todos, HENCKAERTS/ DOSWALD-BECK). La protección dispensada a los civiles durante los conflictos armados para que no sean objeto de ataque, está condicionada a que «no participen directamente en las hostilidades». Por ello, dicha protección no se brindará «mientras dure dicha participación» (arts. 51. 3 y 13 de los Protocolos Adicionales I y II a los Convenios de Ginebra relativo a la protección de las víctimas de conflictos armados internacionales y sin carácter internacional, respectivamente, de 8 de junio de 1977, BOE núm. 177, de 26 de julio 1989).

Dentro de la participación en las hostilidades, se distingue entre la directa o continua y la esporádica. La participación *directa* suele ser entendida como aquellos actos de guerra que, por su naturaleza o finalidad, pueden causar daño real y efectivo al personal o a los equipos de las Fuerzas Armadas enemigas (PICTET/ DE PREUX). Dichos actos de participación directa deben distinguirse de los actos de favorecimiento o esfuerzo de la guerra por parte de la población civil, esporádicos y aislados (PICTET/DE PREUX).

Para poder distinguir a los *civiles* de los *combatientes* cuando ambos participan en las hostilidades, debe atenderse, pues, a si dicha participación es puntual o es continua. Los combatientes se insertan en grupos armados que, de forma continua, participan en las hostilidades (MELZER). Los civiles —a pesar de que se asocien a otros— suelen participar de forma esporádica, y mientras dure dicha participación en hostilidades podrán ser objeto de ataque armado (MELZER).

Atendiendo a los argumentos que se acaban de exponer, y retomando la delimitación que debe efectuarse de los jefes militares *de iure y de facto* y los superiores civiles, puede concluirse lo siguiente:

1) Un jefe militar *de iure* es aquel que ocupa una posición como jefe en virtud de la designación legal o formal que le incorpore al Ejército. En ese sentido su calificación como militar es una cuestión de adscripción a las Fuerzas Armadas a través del Derecho militar nacional.

2) Un jefe militar *de facto* será aquel que, no habiendo sido designado como tal de forma legal, se encuentra al mando de una organización o grupo que toma parte *de forma continua* en un conflicto armado (como, por ejemplo, grupos guerrilleros o paramilitares que combaten en el seno de un conflicto armado).

3) Un superior civil es quien que controla a un grupo u organización que no toma parte en un conflicto armado de forma continuada, como, por ejemplo, ocurre con los delegados del gobierno, los alcaldes y demás autoridades gubernativas, o los comisarios de policía.

A nuestro juicio, pues, no todo líder o jefe de un «grupo armado» debe ser considerado como jefe militar *de facto* a efectos del art. 615 bis 1, 2, 3 CP. Solo cuando dichas fuerzas participen activamente en las hostilidades en función continua de combate en el marco del conflicto armado, podrán ser asemejadas a las Fuerzas Armadas.

En todo caso, las personas que actúan *de facto* como jefes militares en el seno de los conflictos armados, deben tener asignados los mismos deberes de vigilancia y control sobre sus fuerzas que tienen los mandos militares *stricto sensu* sobre las fuerzas armadas a su cargo. Es, por tanto, la dirección de aparatos armados que participan de forma directa y continua en las hostilidades en el seno de un conflicto armado, lo que permite trazar la extensión de la responsabilidad de los jefes militares a esas personas que ejercen, materialmente, como jefes militares.

Los jefes de la mafia, de un grupo terrorista, de un cártel de la droga, o los jefes de escuadrones de la muerte —a pesar de estar armados y de utilizar métodos de terror, violencia extrema, o violaciones sistemáticas de los Derechos Humanos como estrategia comunicativa en sus contactos sociales— no serán jefes militares *de facto*, a menos que, pueda acreditarse que sus subordinados se encuentren participando activamente y de forma continua en las hostilidades en el seno de un conflicto armado (GARROCHO SALCEDO), como ocurre, por ejemplo, en la actualidad con ciertas estructuras de la organización DAESH en Siria e Irak.

2. *Los superiores no militares*

Trazada la delimitación anterior, y al margen de los jefes militares *de iure* que vienen demarcados en atención a la legislación militar interna de cada Estado, los superiores no militares serán todos aquellos superiores que se encuentren controlando a un grupo de personas que no participen de forma continuada en un conflicto armado a efectos del art. 615 bis 4 CP y del propio art. 28 b) ECPI.

Ejemplos de superiores civiles serían un comisario, un director de la policía o de un centro penitenciario, un alcalde, o un ministro. Asimismo, los jefes de bandas terroristas o de escuadrones de la muerte serán superiores civiles, mientras no pueda probarse que sus miembros participan de forma continuada en un conflicto armado. Por ejemplo, los jefes de organizaciones terroristas como ETA en España o el IRA en Irlanda del Norte serían, consecuentemente, superiores civiles, que responderían eventualmente conforme a lo dispuesto en el art. 615 bis 4 y 5 CP, incluso cuando los miembros de estos grupos pudiesen, puntualmente, participar en las hostilidades dentro de un conflicto armado (GARROCHO SALCEDO).

III. LA NATURALEZA JURÍDICA DE LAS OMISIONES PUNIBLES PRESENTES EN EL ARTÍCULO 615 BIS DEL CÓDIGO PENAL

A diferencia de la redacción del art. 28 ECPI, el art. 615 bis CP ha tipificado diversas conductas omisivas de diferente naturaleza y gravedad que dan lugar a delitos de omisión distintos.

El art. 28 ECPI contempla un criterio de imputación de crímenes internacionales a la omisión del superior, atendiendo al carácter de *ultima ratio* del Derecho Penal Internacional en general y a la necesidad de que la Corte Penal Internacional sancione las conductas más graves contra los bienes jurídicos más importantes. Sin embargo en el Código Penal se castigan conductas de muy diversa gravedad, y el art. 615 bis CP ha tipificado omisiones que afectan al superior de muy diferente naturaleza jurídica y lesividad, al igual que lo ha hecho, por ejemplo, el Legislador alemán en los arts. 4, 13 y 14 del *Völkerstrafgesetzbuch* alemán (VStGB).

Así, pues, por un lado el art. 615 bis 1, 2, y 4 CP sanciona los supuestos de omisa evitación dolosa e imprudente de los crímenes de los subordinados a modo de una *comisión por omisión especialmente regulada*. Por otro lado, el art. 615 bis 3 y 5 contempla un delito de *omisión pura de garante* cuando los superiores militares o civiles no persiguen los crímenes cometidos por sus inferiores. Finalmente, el art. 615 bis 6 CP prevé un delito de omisión pura de funcionarios, cuando estos no promueven la persecución de crímenes internacionales *faltando a las obligaciones de su cargo*.

Por su parte, el Código Penal Militar (en adelante, CPM) aprobado por la LO 14/2015, de 14 de octubre, no cuenta con un precepto similar al art. 615 bis CP, y en ese sentido se encuentra ciertamente desfasado. No obstante, el Código Penal Militar contempla dos delitos de omisión pura que quedarán desplazados a favor del art. 615 bis CP común, en virtud del art. 1.3 del CPM, cuando se trate de la responsabilidad de jefes militares por omisión ante la comisión de crímenes de Derecho Penal Internacional. En esos casos la jurisdicción militar aplicará el Código Penal Común, pues el art. 1.3 del CPM dispone que: «cuando a una acción u omisión constitutiva de un delito militar le corresponda en el Código Penal una pena más grave, se aplicará dicho Código por la Jurisdicción Militar», y este es el caso.

Por un lado, el art. 64 CPM establece que «*el militar con mando de fuerza o unidad, Comandante de buque de guerra o aeronave militar que no mantuviere la debida disciplina en las fuerzas a su mando, tolerare a sus subordinados cualquier abuso de autoridad o extralimitaciones de sus facultades o no procediere con la diligencia necesaria para impedir un delito militar será castigado con la pena de tres meses y un día a cuatro años de prisión, pudiendo imponerse, además, la pena de pérdida de empleo o, en su caso, la de inhabilitación absoluta para el mando de buque de guerra o aeronave militar*».

Por otro lado, el art. 80 CPM preceptúa: «*el militar que, obligado a ello, dejase de promover la persecución de delitos de la competencia de la Jurisdicción Militar o que teniendo conocimiento de su comisión no lo pusiere en inmediato conocimiento de sus superiores, o no lo denunciase a autoridad competente, será castigado con la pena de tres meses y un día a un año de prisión*».

A continuación se analizarán cada uno de los tres delitos de omisión contemplados en el art. 615 bis del CP.

IV. EL DEBER ESPECIAL DEL SUPERIOR DE EVITAR LOS CRÍMENES DE LOS SUBORDINADOS

1. Consideraciones generales

Normalmente cuando se hace referencia a la responsabilidad del superior en Derecho Penal Internacional, se piensa en la omisión del superior a la que poder imputar los crímenes internacionales que cometen sus fuerzas o sus subordinados. De hecho, tanto la redacción literal del art. 28 ECPI, como la Jurisprudencia de la CPI aclaran que los superiores responden *por los crímenes cometidos* por los subordinados, y no por otra clase de delitos de omisión pura (CPI, Bemba Gombo, Trial Chamber, Judgment, 21 de marzo de 2016, paras. 173-174).

En relación con el art. 28 del ECPI, razones sistemáticas y de política criminal abonan igualmente la tesis de que la responsabilidad del superior por omisión, contempla un supuesto de *comisión por omisión especialmente regulado*, y no un delito de omisión pura. Así pues, si el art. 28 ECPI contuviese algún delito de omisión pura debería haberse situado su contenido entre las disposiciones del Estatuto de Roma que regulan los tipos de delitos en los arts. 6 a 8 *bis* del ECPI, y no en el art. 28 ECPI junto a las formas de intervención punible en los crímenes, que se contemplan en la parte general del Estatuto de Roma. Por otro lado, parece poco adecuado que la CPI tenga que ocuparse de enjuiciar delitos de menor gravedad como los delitos de omisión pura, puesto que su principal función radica en investigar y juzgar a los máximos responsables de la comisión de los delitos más graves contra los bienes jurídicos más importantes, cuando los Estados no puedan o no quieran efectivamente hacerlo (GARROCHO SALCEDO).

Sin embargo, como hemos afirmado, el CP español —que contempla conductas muy distintas en cuanto a su lesividad— ha ampliado los contornos del art. 28 ECPI en el art. 615 bis y no solo sanciona a los superiores que no evitan los crímenes de los subordinados, a modo de una comisión por omisión específicamente regulada (art. 615 bis 1.2 y 4 CP), sino también otras conductas menos graves de omisa persecución *ex post facto* (art. 615 bis 3 y 5) y el incumplimiento general de cualquier funcionario o autoridad que no persiga crímenes internacionales estando obligado a ello (art. 615 bis 6 CP).

En el apartado siguiente se analizarán las conductas de omisa evitación de los crímenes cuando todavía el superior podía actuar para tratar de impedir que sus subordinados los cometiesen. Posteriormente se examinarán *infra* las otras modalidades delictivas contempladas en el art. 615 bis CP en los epígrafes V y VI respectivamente.

2. *Naturaleza jurídica de la responsabilidad del superior prevista en el artículo 615 bis 1, 2 y 4 Código Penal*

Los apartados 1 y 4 del art. 615 bis CP establecen la responsabilidad de los jefes militares, asimilados, y jefes no militares que *dolosamente* no adopten medidas para evitar la comisión de los crímenes de sus subordinados. En el apartado 2 del art. 615 bis CP, se prevé la responsabilidad por *imprudencia grave* exclusivamente con respecto a las autoridades y jefes militares, *de iure* o *de facto*, por no haber evitado los crímenes de sus fuerzas de forma contraria a su deber de cuidado. Dicha forma de responsabilidad por imprudencia será objeto de análisis *infra* en el apartado 5.

En los supuestos dolosos, el art. 615 bis 1 y 4 CP dispone que la omisa evitación de los superiores debe sancionarse con la misma pena prevista para los autores. Por la penalidad establecida, junto a la redacción del tipo penal, puede afirmarse que lo que contiene dicho precepto es una *comisión por omisión especialmente regulada* (como sucede con el art. 176 CP) que desplaza la aplicación del art. 11 CP por especialidad, en la medida que el art. 11 CP contiene la forma de entender la comisión por omisión de los delitos de resultado en España.

En ese sentido, como expresa FEIJÓO SÁNCHEZ, en los casos de crímenes internacionales, «el art. 615 bis 1.2 y 4 CP ya ha resuelto la cuestión dogmática de partida: la no evitación del delito por el subordinado equivale a su realización». Con ello se quiere subrayar la especialidad que comporta el art. 615 bis 1.2 y 4 CP con respecto al art. 11 CP, que ya en su configuración lleva implícito el reconocimiento de que la no evitación del superior-garante del crimen de sus subordinados, siempre que ello fuese posible, equivale a su realización por vía activa. Sin embargo, es ineludible que la comisión por omisión especialmente regulada en el art. 615 bis 1, 2 y 4 CP cumpla con todas las exigencias de imputación objetiva y subjetiva de la dogmática general de la comisión por omisión. El precepto refuerza simplemente la posibilidad de la construcción de la comisión por omisión cuando se trata de crímenes cometidos por sus inferiores, que no son evitados por parte de los superiores civiles o militares.

En este contexto es muy importante tener en cuenta que la responsabilidad del superior por omisión no es una responsabilidad objetiva por el hecho ajeno o por el cargo, que se derive del mero estatus de superior respecto a sus fuerzas o sus subordinados (cfr. caso Vielmann, también conocido como «Plan operativo Pavo Real/Plan Gavilán», SAN 5/2017, de 6 de marzo, FJº 4º); por el contrario, y como no podía ser de otro modo, la responsabilidad del superior constituye un supuesto de comisión por omisión especialmente regulada pero que debe cumplir con los principios, garantías y límites de cualquier forma de responsabilidad penal por el hecho propio.

3. *Imputación de la conducta y del resultado. Límites a la imputación*

El fundamento material de la responsabilidad por omisión de los superiores en el sentido propuesto en el art. 615 bis 1 y 4 CP, proviene de la defectuosa organización de su ámbito de competencias. En el caso de que los subordinados se propongan cometer los crímenes, o los estén cometiendo, el superior tiene un deber de reconducir las actividades de sus subordinados a un estado inocuo (o, mejor dicho, dentro del riesgo permitido). En caso de no hacerlo, el superior es responsable de los actos lesivos causados por sus inferiores al no haber instado las medidas de evitación que dicho aseguramiento requería. El fundamento de la responsabilidad penal del superior proviene, por tanto, de no haber organizado su esfera de competencias dentro del riesgo permitido, garantizando que terceras personas no resulten dañadas (GARROCHO SALCEDO).

La existencia de mando o autoridad y control efectivo sobre los subordinados conforma un dato estable para, a partir de ahí, poder delimitar el ámbito de organización concreto que el superior administra o gestiona, y del que se deriva eventualmente su responsabilidad penal por omisión. Por ello, el art. 615 bis 1 y 4 CP menciona que los subordinados deben estar sometidos a su «*mando y control efectivo*», cuando se trate de jefes militares *de iure* o *de facto*, y se alude al superior no militar que, en el «*ámbito de sus competencias*», no adoptará las medidas de evitación de los crímenes de sus subordinados. En ambos casos, se subraya la perspectiva material y no meramente formal con la que se conforma la posición de garantía (así, GARCÍA DEL BLANCO).

Por su parte la Jurisprudencia internacional es constante recordando que la prueba de la mera designación formal como superior, no es suficiente para construir la responsabilidad del superior por omisión (Tribunal penal para la antigua Yugoslavia, en adelante, TPIY, *Brđanin*, Trial Chamber, Judgement, de 1 de septiembre de 2004, para. 276; *Blagojević and Jokić*, Trial Chamber, Judgement, de 17 de enero de 2005, para. 791). Lejos de articularse una mera responsabilidad formal o una responsabilidad por el estatus, tanto el art. 615 bis CP como el art. 28 ECPI incorporan una fundamentación material de la responsabilidad omisiva de los superiores, que viene especialmente destacada con la exigencia de que el superior esté ejerciendo el «mando y el control efectivo» sobre sus fuerzas, o que el superior actúe en el «ámbito de sus competencias», debiendo evitar las conductas lesivas de sus subordinados.

Por tanto, lo primero que deberá corroborarse es que el superior —militar o civil— estaba verdaderamente a cargo de sus subordinados cuando aquel tuvo conocimiento de la situación típica de peligro para el bien jurídico, lo que le obligaba a actuar para intentar evitar el delito. Por ello, si no se llegase a probar la existencia de dicho control efectivo del superior sobre los subordinados en el momento de actuar, no podrá deducirse responsabilidad alguna para aquel. Sin la prueba del control y el mando o la autoridad efectiva del superior sobre los inferiores —junto a la prueba de los elementos subjetivos—, no cabrá atribuir responsabilidad por omisión al superior por los delitos cometidos por aquellos.

Los indicios manejados por la Jurisprudencia internacional (CPI y TPIY) para la comprobación del control efectivo del superior hacia sus subordinados son los siguientes:

1) La posición oficial del imputado;

2) Su poder de impartir órdenes;

3) Su capacidad para garantizar el cumplimiento de dichas órdenes;

4) Su posición dentro de la estructura militar y el tipo de tareas asignadas;

5) Su capacidad de impartir órdenes a fuerzas o unidades bajo su mando para involucrase en las hostilidades;

6) Su capacidad de modificar la subordinación de las unidades o modificar la estructura de mando;

7) Su potestad de promocionar, reemplazar, eliminar o sancionar a sus fuerzas;

8) Su autoridad para enviar fuerzas al lugar de las hostilidades y replegar las fuerzas en cualquier momento.

En todo caso, la comprobación de que el superior está ejerciendo el mando/autoridad y control efectivo sobre sus inferiores subraya la concurrencia de una posición de garantía, o, si se prefiere, de un ámbito de organización determinado que administra el superior. A partir de ahí se puede construir la responsabilidad por omisión del superior por los crímenes cometidos por sus subordinados, siempre que, por lo demás, se cumplan los demás criterios de imputación objetiva y subjetiva en los supuestos de comisión por omisión.

El deber de evitar la comisión de los crímenes comienza para el superior cuando los crímenes internacionales de los inferiores han entrado en fase ejecutiva, iniciándose la tentativa (art. 16 CP). Es decir: el deber de actuar del superior surge desde que la conducta del subordinado comporta el inicio de actos ejecutivos. Por ello, el superior deberá actuar para tratar de evitar la consumación de los crímenes a manos de sus inferiores desde el momento en que conoció, o debió haber sabido, que sus subordinados daban inicio a la tentativa. En caso de que el superior no actúe para tratar de evitar la continuación de la ejecución, la omisión de superior será penalmente relevante y, en ese sentido, desde ese momento, podrá ser sancionado por su comportamiento omisivo en grado de tentativa. No obstante, si el crimen del inferior es finalmente consumado, el superior —cumplidos los requisitos de imputación objetiva y subjetiva requeridos— será responsable por omisión del delito consumado por estos.

Por otro lado, el art. 615 bis 1 y 4 del CP establece que, en estos casos de omisa evitación dolosa de los crímenes, el superior (militar o civil) «será castigado con la misma pena que los autores». A mi juicio, la equiparación penológica solo es admisible porque, en realidad, los superiores, en estos casos —y al igual que sucede en el caso de la autoría mediata activa a través de «instrumento» responsable— son *autores* por omisión de los crímenes de los subordinados y no meros partícipes (inductores o cooperadores necesarios). El concreto título de imputación por el que responde el superior, con carácter general, es a título de autor, puesto que la responsabilidad del subordinado no elimina en absoluto la posibilidad de considerarlo autor. La imbricación del ámbito de responsabilidad del superior con el del subordinado posibilita mantener el título de autoría del mando respecto al delito no evitado del inferior (PEÑARANDA RAMOS, MARAVER GÓMEZ y FEIJÓO SÁNCHEZ).

Al igual que ocurre en la autoría mediata en aparatos organizados de poder [regulada en el art. 25.3 a) ECPI, y reconocida en algunos ordenamientos jurídicos del entorno] el superior omitente que no evita el crimen del subordinado es autor del delito, habida cuenta, precisamente, de su facultad de mando o autoridad y control efectivo sobre el inferior. En realidad, la autoría mediata activa, e incluso la coautoría activa, y responsabilidad del superior por omisión son dos reversos de la misma moneda, donde, con carácter general, el superior que no evita el delito del inferior no *participa* en su hecho facilitando o colaborando en él, sino que el crimen es obra suya, puesto que, desde su esfera de competencias, se ha producido un hecho lesivo que puede y debe serle imputado, salvo algunas excepciones, al superior a título de autor (*in extenso*, cfr., GARROCHO SALCEDO).

La razón que fundamenta la autoría es, pues, la competencia directa del superior sobre los subordinados, de manera que el ámbito de organización del superior comprende o incluye el de los subordinados, quienes están sometidos a su mando o dirección. Así pues, cuando el superior decide desestabilizar activamente el foco de peligro, ordenándoles la comisión de un hecho delictivo, o cuando no lo revoca, cuando estos están cometiendo delitos, el superior responde como autor. En ambos casos el superior dirige la organización, tiene capacidad decisoria, puede impartir directrices y ostenta la facultad de organizar libremente su esfera de competencias. El reverso de esa capacidad decisoria y libertad organizativa lo conforma el deber del superior de velar por el «estado de sus asuntos», para que su organización no lesione a los demás. El ámbito de competencias del superior trazará asimismo los eventuales límites a su responsabilidad y, por ello, es preciso que toda autoría del superior se predique respecto a hechos delictivos de los subordinados durante el desempeño de las actividades que les conciernen, dentro de la relación de jerarquía que les vincula.

Así, pues, la estructura de imputación en organizaciones no se aviene a la estructura tradicional de imputación entre sujetos plenamente libres y responsables, cuyas esferas de responsabilidad están perfectamente delimitadas. El «fenómeno organizativo» debe tener un impacto en el tratamiento de la accesoriedad, ya que esta obedece a una intervención libre y responsable de aquel que se sitúa junto al autor para facilitar o coadyuvar en la realización del hecho delictivo. La aportación del partícipe consiste, así, en una facilitación del hecho delictivo de otro, cooperando con el autor o prestando un medio instrumental para que este pueda ejecutar el delito. Sin embargo, la vinculación entre individuos en organizaciones impide que los sucesos delictivos se distancien unos de otros, allí donde se observa una determinada posición de garantía de unos respecto a otros o en relación con el riesgo que causa el resultado (fundamental, MARAVER GÓMEZ y PEÑARANDA RAMOS). Afirmar en estos casos que el jefe que ordena al empleado hacer un vertido radiactivo en un río o atacar una población civil *ha facilitado* o *colaborado* en el hecho delictivo del empleado, pervierte —como es evidente— el sentido de las palabras. El jefe no ha facilitado, ni cooperado en el hecho del inferior, sino que es obra suya y, por ello, su intervención en el hecho lesivo debe ser calificada como una forma de autoría.

A continuación se esbozarán los elementos esenciales que conforman la responsabilidad del superior por los crímenes de los subordinados en comisión por omisión.

1º) En primer lugar debe comprobarse que los crímenes internacionales, consumados o, al menos, en grado de tentativa, son imputables a los subordinados de un determinado jefe militar o superior civil (art. 615 bis CP). Si se tratase de delitos comunes (por ejemplo, de homicidio, violación o detenciones ilegales) la responsabilidad de estos superiores por omisión deberá construirse conforme al art. 11 del CP, puesto que el art. 615 bis presupone que los crímenes cometidos por los inferiores sean constitutivos de genocidio, crímenes de lesa humanidad o crímenes contra personas y bienes protegidos en caso de conflicto armado.

2º) En segundo lugar deberá demostrarse que dicho superior estaba al mando o tenía autoridad sobre los inferiores en el momento de comisión de los hechos. Ello demarcará la posición de garantía del superior y, por consiguiente, su deber de actuar para tratar de evitar los crímenes de sus inferiores.

3º) En tercer lugar deberá probarse que el superior tuvo conocimiento de la situación típica de peligro (riesgo de comisión de los crímenes) y no instó las medidas «a su alcance» para intentar evitarlos. En caso de que el superior no pudiese adoptar medidas de evitación, o cuando estas se mostrasen como inidóneas para evitar el resultado ya desde la perspectiva *ex ante*, no podrá efectuarse una desvaloración de la conducta omisiva del superior omitente. Por ello, cuando el sujeto no tenga capacidad individual de actuar, su omisión —de la clase que sea— no puede considerarse típica atendiendo a la naturaleza imperativa de las normas penales, pues el Ordenamiento jurídico no puede imponer a los individuos la realización de conductas de imposible realización personal (*ad imposibilia nemo tenetur*).

La Jurisprudencia del TPIY ha reconocido de forma constante que el superior solo puede ser responsable si se prueba que tenía la capacidad material (*material ability*) de controlar a los subordinados. (TPIY, *Čelebići*, Trial Chamber, Judgment, paras. 378, 395; *Blaškić*, Trial Chamber, Judgement, para. 335; *Blaškić*, Appeals Chamber, Judgment, para. 72; *Naletilic et al.*, Trial Chamber, Judgment, para. 66 y ss. 394; *Halilović*, Trial Chamber, Judgment, para. 73 y ss.; *Hadzihasanović*, Trial Chamber, Judgment, paras. 86, 88, 122 y ss.; *Mrkšić et al.*, Appeals Chamber, Judgment, paras. 153-155).

En caso de que el superior no tome medidas para evitar los delitos que estaban a su alcance y que estas, desde la perspectiva *ex ante*, se mostrasen como idóneas y razonables para impedir la comisión del crimen, la conducta omisiva del superior ya podrá merecer el reproche como tentativa.

Cuestión distinta es que el superior haya provocado activamente, dolosa o imprudentemente, un estado de incapacidad de actuar que le va a ser reprochado jurídico-penalmente como *omissio libera in causa*, más concretamente *omissio libera in agendo*, o cuando pudiendo haber evitado su estado de inconsciencia o de inimputabilidad o su ausencia de acción, el superior no ha hecho nada para evitarla, en cuyo caso se estará ante un escenario de *omissio libera in omittendo* (SILVA SÁNCHEZ y WEIGEND). Un ejemplo de lo primero sería cuando el superior se embriaga para incapacitarse posteriormente para instar medidas de evitación de eventuales riesgos cognoscibles por el superior que le alertaban de que sus subordinados se disponían a cometer un crimen internacional. Ejemplo de lo segundo sería cuando el superior tolera o no evita que un tercero le inyecte droga intravenosa que le conducirá a un estado de intoxicación, cuando podía haberlo evitado. Atendiendo a las causas de exención de la responsabilidad previstas en el art. 20. 2º CP, no es descartable que se produzcan en la praxis intoxicaciones provocadas por parte de los superiores, para, posteriormente, aducir un supuesto de incapacidad de acción. En esos casos, y atendiendo a lo dispuesto en el art. 20. 2º CP, dicho estado de intoxicación provocado no le eximirá de responsabilidad penal.

Al margen de la intoxicación provocada como *actio* y *omissio libera in causa* regulada específicamente en el art. 20. 2º CP, puede ocurrir que la «incapacidad de actuar» del superior no redunde en la creación de un estado de inimputabilidad, sino de otra situación en la que el sujeto se auto provoque su incapacidad de actuar (como, por ejemplo, aislándose intencionalmente y cortando toda comunicación posible con sus fuerzas). Estos casos deberían entenderse incluidos entre los supuestos de incapacidad de acción provocada a modo de *omissio libera in agendo* o *in omittendo*.

4º) Finalmente, en cuarto lugar, la imputación del resultado requerirá la comprobación de que la conducta de evitación que el superior omitió habría resultado idónea, también *ex post*, para evitar el resultado lesivo producido por sus subordinados. La mayor o menor certitud acerca de la idoneidad de la conducta de evitación debida por el superior, valorada desde el punto de vista *ex post*, es una cuestión de prueba, cuyo valor debe verificarse más allá de toda duda razonable (DOPICO GÓMEZ-ALLER; GARROCHO SALCEDO).

En este punto el Tribunal Supremo alude a la llamada causalidad hipotética (STS 636/2007, de 28 de marzo; STS 459/2013, de 28 de mayo), mientras que la Corte Penal Internacional y una parte de la doctrina (AMBOS, NERLICH o ROBINSON) se han decantado por emplear la *teoría del incremento del riesgo* para medir dicha relación hipotética entre el resultado lesivo producido y la medida de evitación no adoptada por el superior-garante (CPI, Decisión de confirmación de cargos contra Bemba Gombo, de 15 de junio de 2009, para. 425 *in fine*).

En estos casos, la CPI afirma que basta con que la Fiscalía pruebe que «la omisión del superior ha incrementado el riesgo de comisión de los crímenes que se le imputan conforme al art.

28 ECPI», o, si se prefiere, que la acción de evitación indicada del superior habría disminuido el riesgo de realización de los crímenes (Decisión de confirmación de cargos *Bemba Gombo*, de 15 de junio de 2009, para. 425).

Esta teoría comporta una variación de la *teoría del incremento del riesgo* de Roxin, formulada por este autor en el ámbito de la causalidad con respecto a los delitos imprudentes para la resolución de los casos de comportamiento alternativo conforme a Derecho. En aquellos supuestos se trata, pues, de comprobar si el comportamiento imprudente ha aumentado el riesgo de producción del resultado con respecto a la conducta hipotética permitida. En caso de afirmarse dicho incremento del riesgo por parte del comportamiento descuidado, podría procederse a la imputación del resultado al sujeto que actúa imprudentemente. Si la conducta descuidada no aumenta el riesgo de producción del resultado no se podrá imputar el resultado, procediendo en estos casos la absolución del sujeto.

A continuación se analizarán con cierto detenimiento las especificidades que pueden concurrir en los supuestos de omisa evitación *dolosa* de los crímenes de los inferiores (apartados 1 y 4 del art. 615 bis) o *imprudente* (apartado 2 del art. 615 bis CP) con la que pueden actuar los superiores.

4. La responsabilidad de los jefes militares y civiles por no evitar dolosamente los crímenes de los subordinados

El grado de responsabilidad subjetiva más intensa en la responsabilidad del superior viene representada por aquellas situaciones en las que el superior *conoce* la existencia de un peligro cierto y concreto de comisión de los crímenes a manos de sus inferiores, y no realiza ninguna conducta tendente a evitarlo (art. 615 bis 1 y 4 CP). En esos casos de responsabilidad dolosa el art. 615 bis CP prevé la imposición al superior de la misma pena que se imponga a los autores del delito consumado.

Como es sabido, en el ámbito de las omisiones comisivas la prueba del dolo suele prescindir del elemento referido a la «intención», conformándose el dolo con la prueba del «conocimiento» de la obligación de actuar por parte del garante omitente.

Por su parte el Tribunal Supremo viene estimando la presencia de dolo en la comisión por omisión cuando el garante *conoce*: 1) la situación típica de peligro que le obliga a actuar, 2) su capacidad de actuar para tratar de evitar el resultado desvalorado y 3) las circunstancias que fundamentan su posición de garante (SSTS de 30 de junio de 1998 y de 24 de octubre de 1990; STS 1648/1999, de 22 noviembre; STS 1061/2009, de 26 octubre). No obstante, afirma el TS que «habrá que apreciar culpa respecto de la omisión cuando el omitente, por negligencia, es decir, por no emplear el cuidado debido, no tuvo conocimiento de la situación de hecho que genera el deber de actuar o de su capacidad para realizar la acción jurídicamente debida» (STS 459/2013, de 28 de mayo).

El objeto de referencia del conocimiento viene conformado por los crímenes base cometidos por los subordinados y todos los elementos objetivos y subjetivos, generales o específicos de los distintos delitos. Cuando el superior *conoce* el riesgo cierto de comisión o la efectiva comisión de los crímenes, este adquiere conocimiento sobre la situación típica que le obliga a actuar para tratar de evitarlos. Dicho conocimiento, que podrá probarse a través de indicios, servirá también para efectuar el juicio de imputación subjetiva que permite imputarle el crimen cometido por el inferior de forma dolosa. En caso contrario no podrá deducirse responsabilidad penal alguna, salvo que quepa, solo para el caso de los jefes militares, imputarles el crimen por imprudencia grave (*vid. infra* apartado 5).

No obstante, el objeto del conocimiento del superior no se agota en los crímenes base que dolosamente cometen los subordinados, sino que, además, este conocimiento debe existir en relación con las circunstancias que delimitan su posición de garantía, así como el conocimiento de su capacidad de actuar, para poder efectuar el máximo reproche al superior en estas circunstancias. De ese modo, para poder realizar el máximo juicio de reproche subjetivo, el superior debe conocer:

i. Que concurre una situación típica de peligro para los bienes jurídicos, representada por el riesgo concreto de comisión de delitos de genocidio, lesa humanidad o crímenes cometidos con ocasión de un conflicto armado (arts. 607-614 bis CP);

ii. Que ese peligro proviene de «focos de peligro» sometidos a su poder/mando/autoridad y control efectivo, siendo así consciente de la existencia de su posición de garantía, o, lo que es lo mismo, su vinculación con el hecho lesivo, o, en su caso, que ostenta una posición de garantía respecto a la protección de los bienes amenazados que le obliga a asegurar que sus tropas actúen para evitar el riesgo potencial que los amenaza; y.

iii. Que tiene capacidad personal para intentar evitar o neutralizar dichos riesgos para que estos no se conviertan en una lesión al bien jurídico, de modo que su actuación es potencialmente eficaz para conjurar el peligro.

4.1. La prueba del conocimiento

El conocimiento del superior sobre los crímenes base no puede ser presumido y deberá efectuarse a través de la prueba de indicios. La Jurisprudencia internacional ha manejado lo siguientes:

«Número y extensión de actos ilícitos; comisión generalizada de los crímenes; momento o tiempo en el que estos tuvieron lugar; tipo y número de tropas involucradas; medios de comunicación disponibles; *modus operandi* de actos semejantes; extensión y naturaleza de la posición del superior y responsabilidad en la estructura jerárquica; localización temporal y geográfica del superior en el momento de la comisión de los actos o la existencia de una estructura organizada con un sistema de información y supervisión» (CPI, Decisión de confirmación de cargos contra Bemba Gombo, de 15 de junio de 2009, para. 431).

La prueba del conocimiento en el ámbito de los delitos de Derecho Penal Internacional no representa excesivos problemas probatorios, ya que, con carácter general, los crímenes cometidos alcanzan una sistematicidad, gravedad y notoriedad manifiesta, de modo que difícilmente puede negarse su concurrencia.

Asimismo, la restricción típica que opera en los crímenes de guerra y especialmente en los crímenes de lesa humanidad, cuando se exige la existencia de ciertos elementos de contexto, hacen difícil que, desde el primer momento comisivo, se contemplen como «típicas» ciertas actuaciones, puesto que su tipicidad requiere su inserción en un contexto de sistematicidad en el ataque o de generalización que impiden su apreciación desde el momento primero. En cualquier caso, comprobada la concurrencia de los elementos típicos que los diversos delitos requieren conforme al Código Penal, puede construirse la responsabilidad del superior en omisión siempre que el conocimiento de la comisión de los crímenes pueda inferirse de las circunstancias del caso concreto, y para ello los criterios que acaban de esbozarse *supra* pueden servir para su prueba.

En este contexto son especialmente significativos los casos en los que el superior ha tenido conocimiento de la comisión de un crimen por sus subordinados *ex post facto*, tras el cual —una vez se ha tenido conocimiento de una primera secuencia delictiva (por ejemplo, ejecuciones extrajudiciales de presos, operaciones de «limpieza social» o violaciones sistemáticas contra mujeres durante el asedio a una comarca)— el superior ya no podría alegar desconocimiento con respecto a ulteriores episodios delictivos de idéntica tipicidad.

El conocimiento del riesgo de comisión de más crímenes puede ser inferido, nunca presumido, en atención a las circunstancias del caso y en relación con delitos de igual naturaleza. Más complejo es, sin embargo, el escenario donde el superior ha conocido *ex post facto* la realización de unos determinados crímenes y, posteriormente, se ejecutan otros delitos no de idéntica sino de *similar* naturaleza (por ejemplo, malos tratos/tortura) o incluso de *distinta* naturaleza (torturas y violaciones), y conocidos por el superior tras su consumación (TPIY, *Hadzihasanović & Kubura*, Trial Chamber, Judgement, de 15 de marzo de 2006, paras. 114-115; *Krnojelac,* Appeal Chamber, Judgement, de 17 de septiembre de 2003, para. 155).

El conocimiento cierto del superior sobre la comisión de un crimen (por ejemplo, homicidios contra civiles) debería ser suficiente para poder imputar un conocimiento del riesgo posterior con respecto a crímenes de menor gravedad (por ejemplo, torturas). En ese caso, el conocimiento de un riesgo típico de especial intensidad puede servir para alertar al superior de la existencia de riesgos típicos de menor entidad, y con ello perfeccionarse así la prueba del conocimiento en relación con delitos de menor gravedad. Asimismo, cuando el superior conoce que los subordinados han cometido delitos de tortura contra detenidos, puede deducirse o inferirse de ese hecho un conocimiento del superior en torno a posteriores delitos de malos tratos, y a la inversa, en la medida que ambos tipos de delitos están en estrecha relación y su diferencia atiende a una cuestión de grado en la intensidad del ataque contra el bien jurídico protegido.

Sin embargo, podría ser discutible que, a partir de la prueba de un conocimiento cierto del superior sobre la comisión de ciertos crímenes (por ejemplo, violaciones masivas a mujeres), pueda inferirse un conocimiento sobre eventuales delitos de mayor gravedad como, por ejemplo, el homicidio.

En estos supuestos cabrá, en su caso, construir la responsabilidad del superior por omisión a partir de la imprudencia, en la medida que el conocimiento de un riesgo típico es suficiente para poner en alerta al superior, obligándole a tomar medidas precautorias en relación con las conductas de sus fuerzas. En tal caso procede, pues, que el jefe militar inste controles adicionales necesarios que pudieran alertarle en un momento posterior de que sus fuerzas se proponen cometer delitos de mayor gravedad. No obstante, en atención a las circunstancias del caso, y a la prueba del conocimiento cierto del superior sobre un concreto riesgo típico, es posible incluso que, en ocasiones, no sea descartable inferir de las circunstancias un conocimiento de mayor intensidad que posibilite la imputación de los crímenes al superior a título de dolo eventual.

5. La responsabilidad de los jefes militares por no evitar con imprudencia grave los crímenes de los subordinados

5.1. Consideraciones previas

La comisión imprudente de un genocidio, un crimen de lesa humanidad o un crimen de guerra no es el escenario habitual en la práctica, e incluso podría ser técnicamente discutible, atendiendo a la estructura de los tipos penales que los regulan. De hecho, la fenomenología de estos delitos muestra una clara intención de los intervinientes en la realización de estos crímenes, que con altísima frecuencia cuentan con la participación activa y directa de los agentes estatales o cuanto menos con su clara anuencia. De ese modo, la autoría mediata y la coautoría activa y dolosa son las formas de imputación tradicionales en este tipo de crímenes, donde concurre un plan criminal perfectamente delineado y determinado por los jefes de la organización criminal, que será ejecutado por sus miembros (GARROCHO SALCEDO).

No obstante, existe un claro ámbito de actuación en el que es preciso, desde una perspectiva preventiva (GARCÍA EL BLANCO y GARROCHO SALCEDO), la conformación de una responsabilidad por imprudencia de los jefes y superiores en relación con las conductas de sus inferiores ante la comisión de crímenes internacionales: el ámbito de la responsabilidad de los superiores por omisión (art. 615 bis 2 CP). En esos casos, puede tener sentido vincular el «omiso control imprudente» del superior con la «ulterior comisión dolosa» de un crimen por parte de los subordinados. Ciertamente, lo que desde la perspectiva de un comportamiento activo no tiene sentido alguno, sí lo puede adquirir cuando lo que se evalúa es un comportamiento omisivo. Como ya afirmaba entre nosotros QUINTANO RIPOLLÉS en relación con la responsabilidad del superior por omisión: «nada impediría (...) una estimativa culposa, posible en quien no adoptando las medidas cautelares que la prudencia aconseja para prevenir la infracción previsible, la provoca con su conducta negligente».

El derecho consuetudinario internacional encuentra en el caso de los rehenes (*Hostages case*) el antecedente más explícito de la responsabilidad de los superiores por omisión imprudente, en el que se resalta el deber de los mandos militares de mantenerse informados con respecto a la conducta de la tropa (*Trials of War Criminals before Nuernberg Military Tribunals*, vol. XI, Washington, 1950, pág. 1281). También el caso *Roechling* resulta paradigmático a este respecto, donde el tribunal destacó que los superiores tenían un deber de conocer (*duty to know*) aquello que sucedía en su organización, de manera que la ausencia de conocimiento solo podía producirse por la imprudencia (*negligence*) del superior en la adquisición de dicho conocimiento (*Trials of War Criminals before Nuernberg Military Tribunals*, vol. XIV, appendix B, Washington, 1950, pág. 1106).

Esta forma de responsabilidad omisiva por imprudencia no creo que vaya a tener una aplicación significativa en la Jurisprudencia venidera de la CPI, pues ella se encargará de enjuiciar los casos más graves donde se dirimirá la responsabilidad penal más intensa de los máximos responsables. Sin embargo, en Derecho Penal interno, la responsabilidad del jefe o autoridad militar por imprudencia grave puede tener un amplio recorrido, en la medida que los tribunales penales nacionales cuentan con medios materiales mejores para efectuar imputaciones jurídico-penales de diferente gravedad. La responsabilidad del jefe militar o asimilado por imprudencia menos grave y leve son atípicas conforme al CP español.

5.2. La justificación de la inclusión de la responsabilidad por imprudencia de los jefes militares

La realización de actividades de riesgo motiva que el Derecho Penal imponga deberes de cuidado a ciertos agentes en el desarrollo de esas actividades peligrosas. La ejecución de ciertas operaciones militares en el contexto de un conflicto armado, las operaciones especiales de carácter humanitario, o las misiones de combate en el exterior, acarrean, indudablemente, serios riesgos para las personas. Por ello, como señala la doctrina internacional (MARTÍNEZ o ROBINSON), parece muy razonable que los jefes militares tengan impuestos deberes de cuidado de control y vigilancia en relación con las actividades de la tropa, puesto que ellas ejecutan actividades que suponen un elevado riesgo para la vida e integridad física y moral de la población civil y otras personas.

Dicha circunstancia exige que los jefes y mandos militares ultimen las medidas precautorias en relación con las conductas de la tropa. La imposición de ciertos deberes de cuidado en relación a los jefes militares y asimilados (por ejemplo, guerrilleros o milicianos insurgentes que operan en conflictos armados) tiene pleno sentido desde un punto de vista preventivo, atendiendo a la peligrosidad extrema que las operaciones militares y los contextos del conflicto armado pueden significar para las personas y ciertos bienes protegidos en el ámbito de los conflictos armados, y que, por extensión, van a aplicarse también a las operaciones especiales que estas fuerzas pueden tener encomendadas en tiempos de paz (MARTÍNEZ y ROBINSON).

El art. 615 bis CP —al igual que el art. 28 ECPI— no ha previsto un estándar subjetivo de imprudencia con respecto a los jefes no militares (por ejemplo, miembros de la policía, alcaldes, etc.), por lo que estos no se verán afectados por esa eventual forma de responsabilidad imprudente, de menor intensidad en relación con la comisión de crímenes internacionales. No obstante, para estos jefes civiles siempre podrá aplicarse la comisión por omisión prevista en el art. 11 CP en relación con delitos que, como el homicidio o las lesiones (arts. 142 y 152 CP), sí admiten su comisión imprudente.

En esos casos, lo que se reprocha a los jefes militares es haber desconocido aquello que debían conocer al haber incumplido ciertos deberes de cuidado sobre las operaciones de sus tropas, o haber minusvalorado un riesgo de comisión de los crímenes que persistía atendiendo a las circunstancias. Los jefes militares deben, en primer lugar, formar e instruir adecuadamente a la fuerza, y tras ello asegurarse de que el desarrollo de sus operaciones se encuentra dentro del umbral del riesgo permitido, para lo cual es esencial que los jefes militares establezcan sistemas de control, vigilancia e información (FENRICK).

La imposición de dichos deberes de cuidado trae causa —como se ha advertido— del potencial lesivo que sus tropas pueden representar cuando entran en contacto con terceros en el desarrollo de un conflicto armado, o en ciertas actividades de índole humanitaria que realizan las Fuerzas Armadas. Atendiendo, por tanto, a la peligrosidad que las operaciones bélicas (estatales o paraestatales) pueden acarrear para ciertos bienes jurídicos (ROBINSON; GARROCHO SALCEDO), el jefe militar debe organizar las actividades de sus fuerzas de modo que estas no excedan el ámbito del riesgo permitido.

La infracción del deber de cuidado del jefe militar puede provenir de su falta de control general sobre las tropas lo que genera que este desconozca aquello que debía haber conocido, o que subestime o minimice con su falta de cuidado los riesgos que debía conocer, de modo que, a consecuencia de ello, no evita aquello que estaba llamado a impedir, siempre que se compruebe que el cumplimiento del deber de cuidado le hubiera permitido instar la evitación del delito cometido por la tropa. El superior debe responder por su conducta imprudente que ha tenido como resultado la comisión dolosa de los crímenes de sus subordinados. En ese sentido, entre la imprudencia o conducta descuidada del superior y el resultado lesivo cometido por los subordinados, debe mediar una *relación de imputación* que permita vincular la infracción del deber de cuidado al delito cometido —dolosamente— por los inferiores.

De la novedosa técnica legislativa empleada en el art. 615 bis 2 CP para la incriminación de la imprudencia, se deduce que, en estos supuestos, procede efectuar una rebaja de pena en uno o dos grados a la señalada para los autores del delito doloso consumado. Con ello, se reconoce implícitamente que la comisión de crímenes internacionales por imprudencia grave es perfectamente imaginable en supuestos de falta del control debido de la tropa por parte del jefe militar. La penalidad de referencia es la señalada para el delito doloso consumado. Ello da muestra de una particular técnica legislativa desconocida en nuestro código, pero que, sin embargo, mantiene como referencia la penalidad del crimen internacional doloso. A pesar de la técnica legislativa particular que se ha empleado, ella resulta la más idónea, dado que solo, en supuestos de responsabilidad del superior por omisión, es técnicamente posible y conveniente la incriminación por imprudencia de crímenes internacionales.

Recuérdese a este respecto, que el art. 616 del CP ha excluido a la responsabilidad del jefe militar por imprudencia *ex* art. 615 bis 2 CP de los supuestos en los que procede la imposición obligatoria de la pena de *inhabilitación absoluta* de 10 a 20 años, si se trata de funcionarios y autoridades, y de la imposición facultativa de la pena de *inhabilitación especial* para empleo o cargo público de 1 a 10 años si se trata de un particular.

5.3. La delimitación del deber de cuidado de los jefes militares

El apartado 2 del art. 615 bis CP solo ha previsto la responsabilidad por imprudencia grave para los jefes y autoridades militares (*de iure* y *de facto*). De ello se deriva la imposición de ciertos deberes de cuidado de control y vigilancia sobre las operaciones de sus fuerzas, pues solo con respecto a ellos el Código penal prevé la responsabilidad por imprudencia en relación con la comisión de crímenes internacionales. Como es sabido, cuando en el hecho lesivo aparece la intervención de varias personas es preciso acudir al denominado «principio de confianza» para delimitar el deber de cuidado de cada una. El principio de confianza establece que, con carácter general, las personas no tienen deberes de cuidado en relación con las conductas de terceros. Sin embargo, con carácter excepcional este principio queda exceptuado en ocasiones ante la concurrencia de cuatro circunstancias que imposibilitan su apreciación (fundamental, MARAVER GÓMEZ).

> La primera excepción que la doctrina advierte consiste en que no concurra un ámbito de responsabilidad ajeno, es decir, cuando los terceros no sean sujetos responsables (por ejemplo, por tratarse de inimputables o menores de edad) o estos no puedan ser hechos responsables de determinados riesgos. La segunda excepción se contempla cuando el sujeto ostente una relación positiva con el riesgo y tenga deberes de doble aseguramiento. La tercera cuando el sujeto ostente deberes de cuidado frente a la actuación de los terceros derivados de su posición de garantía (relación positiva con terceros). Finalmente, la cuarta excepción cuando existan indicios de comportamiento incorrecto por parte de un tercero.

En el ámbito de la responsabilidad por omisión de los jefes militares hay dos de las anteriores circunstancias que son, especialmente, importantes, y que, por ello, serán objeto de mención más detallada en las líneas sucesivas.

1) La primera es que el jefe militar cuente con indicios concretos de que sus fuerzas van a cometer delitos. En esos casos, con independencia de todo, los jefes militares deben ultimar las medidas precautorias y asegurarse de que sus tropas se comportan correctamente. En atención a la concreción o intensidad de los indicios disponibles en cuanto a la información que trasmiten a los jefes y superiores, podremos imputar la responsabilidad por omisión a título doloso (art. 615 bis 1 y 4 CP) o imprudente, si se trata de jefes militares o asimilados (art. 615 bis 2 CP).

2) La segunda circunstancia especialmente relevante en este ámbito viene representada por aquellas situaciones en las que el sujeto tenga encomendada sobre la base de su posición de garantía, el control y supervisión del comportamiento de sus subordinados, tal y como sucede en la responsabilidad del superior en el art. 615 bis 2 CP, o, en algunos supuestos de coautoría en equipos de trabajo (MARAVER GÓMEZ). En estos casos, el sujeto mantiene deberes reforzados de cuidado o deberes secundarios con respecto al comportamiento de sus subordinados que son, asimismo, *responsables*. El jefe o la autoridad militar no puede invocar sin más la aplicación del principio de confianza para delimitar su deber de cuidado, porque precisamente él ha adquirido una competencia sobre el riesgo que le obliga a velar o supervisar la corrección del comportamiento del subordinado en el desempeño de la gestión del riesgo que este lleva a cabo.

Los deberes secundarios para los jefes militares consisten, en un primer momento, en la adecuada elección y formación de la tropa, cuya infracción genera la llamada «responsabilidad *in eligendo*», y, posteriormente, cuando estos se encuentran realizando operaciones sobre el terreno en la adecuada supervisión y control de las actividades de las mismas. La infracción de estos deberes por parte del garante da lugar a la denominada «responsabilidad *in vigilando*», que en el ámbito de la responsabilidad de los jefes militares y asimilados será de extraordinaria importancia (Caso Hostages, *Trials of War Criminals before Nuernberg Military Tribunals,* vol. XI, Washington, 1950, pág. 1271).

Con respecto al deber general de control de los jefes militares (*de iure* o *de facto*) sobre los comportamientos de la tropa, es donde surgen los problemas de *delegación de funciones* que pueden modular la posición de garante y el deber de cuidado de los jefes militares (FEIJÓO SÁNCHEZ). El jefe militar delegante mantiene con respecto a las conductas delegadas ciertos deberes de control de las mismas, para asegurarse de que las actividades de sus fuerzas se desarrollan dentro del riesgo permitido, como ha reconocido también la Jurisprudencia internacional. El hecho de que el máximo jefe militar haya delegado en los distintos responsables de cada unidad militar la supervisión de las tropas, no le exime de responsabilidad cuando este haya descuidado el seguimiento más o menos asiduo de las actividades de las fuerzas (LASCURAÍN SANCHEZ, FEIJÓO SÁNCHEZ y MARAVER GÓMEZ).

Ciertamente, la existencia de una delegación del superior sobre el control y vigilancia de las tropas en terceras personas exonera al superior de estar *constantemente* ejecutando labores de control, pero no le exonera de un deber genérico de conocer, que le obliga a estar al tanto del estado de sus fuerzas en el desarrollo de sus actividades. Para ello, el jefe o autoridad militar, o quien actúe efectivamente como jefe militar, deberá cumplir con su deber general de control y supervisión sobre el estado de sus tropas, a través del cual el jefe militar mantendrá un seguimiento de las operaciones de sus inferiores. Para ello, el superior militar debe exigir informes periódicos a los delegados para estar al corriente de las acciones de sus fuerzas, y poder intervenir en el supuesto de que el peligro potencial abstracto amenace con convertirse en lesión al bien jurídico.

La delegación de las funciones de control y supervisión de los distintos jefes militares en otros mandos intermedios o inferiores no elimina, por tanto, los deberes de cuidado del jefe militar delegante, sino que los matiza, disminuyendo su intensidad (por ejemplo, DOPICO GÓMEZ-ALLER; MONTANER FERNÁNDEZ). Con todo —y a pesar de la delegación realizada— el jefe militar mantiene los deberes de información sobre las actividades de la tropa, y de supervisión sobre la delegación efectuada para verificar que esta se cumple adecuadamente, ajustándose a los márgenes del riesgo permitido. El jefe militar-delegante no puede descargarse de dichos deberes de supervisión y control residuales, pues la competencia de lo que ocurre en el ámbito de organización que dirige no puede delegarse por completo, sin aseguramientos ulteriores del desempeño efectivo de la tarea delegada de forma correcta.

En cualquier caso, si el jefe militar cumple con esos deberes residuales o secundarios de información y supervisión no podrá ser responsable de cursos lesivos no evitados, pues este habrá cumplido con el deber de cuidado exigible en las circunstancias, procediendo, en tal caso, la absolución (GARROCHO SALCEDO).

No obstante, en el caso de que el superior militar conozca o tenga indicios concretos de la conducta delictiva de la tropa, el mando militar-delegante retoma sus deberes originarios en toda su extensión, debiendo asegurar que la fuerza cumple con corrección sus funciones. En caso de que no adopte todas las medidas de evitación a su alcance, el jefe militar responderá por la no evitación *dolosa* de los crímenes de sus inferiores, al haber contado con un conocimiento de un riesgo concreto. Su responsabilidad será por *imprudencia* si el conocimiento de la situación de riesgo era más vago o impreciso en relación con el crimen que luego se cometió, o si el superior efectuó una valoración inadecuada sobre la situación, o despreció de forma negligente el riesgo concurrente al incumplir los deberes de cuidado. En esos casos, no obstante, pervivirá el reproche jurídico-penal en atención al debido control y vigilancia que el superior debió accionar y no realizó sobre sus fuerzas.

V. EL DEBER ESPECIAL DEL SUPERIOR DE PERSEGUIR LOS CRÍMENES DE LOS SUBORDINADOS *EX POST FACTO*

1. *Clasificación de la omisión punible*

Junto a la omisa evitación dolosa de los superiores militares y civiles, o también imprudente de los jefes militares, los apartados 3 y 5 del art. 615 bis CP contemplan el delito de los superiores por no perseguir la comisión de los crímenes a manos de sus subordinados, una vez estos ya han sido *consumados*. Esta regulación proviene de la propuesta que se promovió en el seno del Grupo de Estudios de Política Criminal en 2001 y que fue finalmente acogida por el Legislador. En estos casos, las medidas de persecución que el superior no adopta son la represión o el castigo y la denuncia ante las autoridades de la comisión de delitos de sus subordinados, como tradicionalmente lo ha entendido el Derecho Penal Internacional.

Este delito contempla un delito doloso que consiste en una *omisión pura de garante o de gravedad intermedia* —en la terminología de SILVA SÁNCHEZ—, que afecta a los jefes militares, asimilados y a los superiores no militares respecto a los hechos de sus inferiores cuando los crímenes ya han sido consumados. La pena prevista en estos casos es la inferior en dos grados a la pena correspondiente por el delito que no se persigue. Nótese que, en el caso de tratarse de ciertas modalidades típicas muy graves, como el homicidio o asesinato genocida o de crímenes de lesa humanidad, la pena por este delito de omisión pura de garante será ciertamente elevada, puesto que la del autor del delito base es prisión permanente revisable, pudiendo llegar, por tanto, a ser la pena de prisión de los superiores militares o civiles de 5 años a 10 años menos 1 día.

En el § 14 VStGB alemán, se sanciona con pena de prisión hasta 5 años el incumplimiento doloso del deber de investigar (*Untersuchung*) o perseguir (*Verfolgung*) los crímenes ante las autoridades competentes *ex post facto*. A este respecto, debe tenerse en cuenta el delito militar previsto en el art. 80 del CPM muy próximo al delito aquí examinado, y que, por tener una pena inferior al previsto en el CP común, quedará desplazado en la práctica cuando se trate de crímenes internacionales en su aplicación por la jurisdicción militar en virtud de lo establecido en el art. 1.3 CPM.

El delito de omisa persecución de los arts. 615 bis 3 y 5 CP es un delito que solo admite su realización dolosa, y que consiste en que el superior no adopta las medidas a su alcance para perseguir los crímenes que sus fuerzas o subordinados han cometido. El deber de perseguir los crímenes cometidos no se asigna a la generalidad, sino exclusivamente a los superiores que conocen los delitos consumados por sus subordinados. En ese sentido se afirma que es un delito de omisión pura de garante, puesto que quien no ostente la condición de jefe militar —*de iure* o *de facto*— o superior no militar no podrá ser sancionado por este delito en relación con los delitos de sus inferiores. Se trata, por tanto, de un delito especial.

En este contexto puede ser pertinente traer a colación la discusión jurisprudencial que se planteaba en el Tribunal penal para la antigua Yugoslavia en relación con aquellas situaciones en las que se producen *alteraciones* en el tiempo en la cadena de mandos (GARROCHO SALCEDO). Ciertamente, para los casos que nos ocupan en relación con el art. 615 bis 3 y 5 del CP, debe convenirse que todo superior *en el ejercicio de su cargo* que no persiga los delitos de sus fuerzas cuando este conoce que cometieron delitos, debe responder por el delito de omisión pura regulado en el art. 615 bis 3 y 5 CP. No es preciso, por tanto, demostrar que el superior estuviese a cargo de esos inferiores o subordinados cuando los hechos se llevaron a cabo, pero sí debe exigirse que el superior esté a cargo cuando surge el deber de perseguir los delitos ya consumados.

El deber de perseguir delitos no es un deber alternativo al deber de evitar (por todos, FARALDO CABANA). Son deberes completamente diferentes que se imponen en momentos distintos de la secuencia delictiva, *ex ante* y *ex post facto*. El superior que adquiere conocimiento de los crímenes una vez estos ya se han consumado sin proyección en el futuro, solo podrá ser sancionado por un delito de omisión pura conforme al art. 615 bis 3 y 5 CP. *A sensu contrario*, si el superior conoció el riesgo de comisión antes de la consumación de los crímenes, lo que procede es que trate de evitarlos, y no que espere a que estos se consumen para después perseguirlos debidamente (GARCÍA DEL BLANCO). Por tanto, este delito de omisión pura de garante solo lo pueden cometer aquellos superiores que no incurran en la responsabilidad del superior por omisión de los apartados 1 y 4 del art. 615 bis, que responderán con la pena de los ejecutores. Ello es así, puesto que existe una relación de consunción entre la menos grave omisa persecución de la comisión del crimen *ex post facto* y la omisa evitación *ex ante facto*, desplazando esta a la omisa persecución *ex post facto,* cuando se evalúe el deber de actuar de un mismo superior con capacidad inicial de evitar la comisión del crimen de sus subordinados. En ese caso, el deber de perseguir *ex post facto* es un acto posterior copenado.

Dentro de ese deber de perseguir la comisión de los crímenes suele distinguirse entre el *deber de reprimir o castigar disciplinariamente* a los subordinados, que también derivará en la apertura de un procedimiento penal, y el *deber de denunciar* ante las autoridades competentes (*v. gr.* ante la policía, órganos judiciales nacionales o la propia CPI) la comisión de los mismos, en caso de que dicha facultad sancionadora no esté al alcance del superior (normalmente se tratará de superiores no militares). En todo caso debe verificarse que el superior contaba con dicha capacidad de actuar para perseguir la comisión del delito, a través de cualquiera de las posibilidades concurrentes, pues si no podía efectuarlo, no podrá responder en modo alguno.

2. *Bien jurídico protegido*

El presupuesto de aplicación de este delito del art. 615 bis 3 y 5 CP exige que los delitos de los inferiores ya se hayan consumado, donde lo que pretende el Legislador es favorecer un escenario de *tolerancia cero* ante la comisión de crímenes internacionales.

La persecución de los crímenes a manos del superior, desde el punto de vista de la prevención especial, compromete la comisión de futuros crímenes, y desde la perspectiva de la prevención general lanza un mensaje a la sociedad de cumplimiento de la legalidad vigente en el seno de las cadenas jerárquicas, y de sanción efectiva de los crímenes internacionales.

El bien jurídico protegido en este delito de omisión pura es pluriofensivo, y parece situarse, de un lado, en la debida contribución a la Justicia que deben, efectivamente, realizar los superiores concernidos en relación con los crímenes de sus subordinados, y, por otro lado, en la necesaria prevención futura de crímenes internacionales por parte de quienes están al frente de grupos jerárquicos, que han cometido crímenes internacionales (en sentido parecido, cfr., WEIGEND respecto al § 14 VStGB). A través de la incriminación de esta conducta, se trata de favorecer un escenario de «tolerancia cero» ante la impunidad, y de fomentar la cultura de la legalidad dentro de las organizaciones, para lo cual el superior debe encargarse de perseguir las infracciones que, desde su esfera, se han producido.

De dicho deber de contribuir a la realización de la Justicia y de prevenir crímenes internacionales, deriva la necesidad de reprimir y castigar los crímenes por parte de quienes se encuentran al mando de dicha organización, y, precisamente por ello, se les impone un deber cualificado de persecución. Dentro de las medidas de persecución imaginables, las primordiales son la *sanción* y *denuncia* de los inferiores; en caso de no disponer de esa facultad de sanción o represión de las infracciones cometidas, deberá *denunciarse* ante las autoridades para que ellas comiencen una investigación penal al respecto.

Este delito de omisa persecución dolosa *ex post facto* no se encuentra recogido en el art. 28 del ECPI. Dicha norma exige que los crímenes «se estén cometiendo o se proponían cometerlos», y no, por tanto, que estos se hubieran cometido. Junto a consideraciones sistemáticas y de política criminal, la dicción literal del art. 28 ECPI aclara que, en la responsabilidad del superior, *ex* art. 28 ECPI, el superior responde «por los crímenes» de los inferiores. Ello respalda ciertamente la tesis de que el art. 28 ECPI contempla exclusivamente un criterio de imputación por omisión de los crímenes internacionales, y no contiene delitos de omisión pura, de menor gravedad, que los delitos sancionados por el Estatuto de la Corte Penal Internacional.

Sin embargo, lo que no tiene sentido que castigue y enjuicie la Corte Penal Internacional no tiene por qué ser inconveniente por parte de los tribunales penales nacionales. Así pues, lo que pretende el precepto contenido en el art. 615 bis 3 y 5 CP es reforzar la investigación y el enjuiciamiento de los crímenes internacionales como forma de romper con la tradicional impunidad con la que estos crímenes se han desarrollado desde antiguo. Por ello, es especialmente importante que las autoridades militares y los superiores civiles españoles tengan en cuenta que la persecución penal de los crímenes internacionales de sus inferiores constituye un deber irrenunciable, que en caso de no cumplirse genera responsabilidad penal por un delito de omisión pura de garante sancionado con la pena inferior en dos grados a la señalada para los delitos cometidos de forma dolosa por sus fuerzas. En otras ocasiones, y satisfechos los elementos de imputación necesarios, el incumplimiento de dicho deber puede incluso derivar en la imputación al superior de los crímenes cometidos por sus subordinados (art. 615 bis 1, 2 y 4 CP), siempre que se trate de incumplimientos de los deberes de evitar la consumación de los crímenes.

3. *Elemento subjetivo y consumación*

El delito previsto de omisa evitación es exclusivamente doloso y puede cometerse con las tres formas de dolo admitidas por la doctrina y la jurisprudencia.

El superior en estos casos debe contar con indicios que le muestren la comisión de crímenes de Derecho Penal Internacional por parte de sus inferiores. Si el superior valorase erróneamente la realidad y no creyese que se trata de uno de los crímenes internacionales sino de un delito común, se produciría un error de tipo. En caso de que este error fuese vencible conduciría a la impunidad respecto al art.

615 bis 3 y 5 CP, pero sería de aplicación entonces el art. 408 CP si el sujeto fuese funcionario público. Si el error fuese invencible se determinará la impunidad de la conducta, tal y como prescribe el art. 14. 1 del CP.

La consumación del delito se produce cuando el superior tiene conocimiento de la situación típica que le obligaba a actuar y este, sin embargo, no adopta medidas para perseguir el delito de sus inferiores. En ese sentido se puede decir que se trata de un delito de mera actividad y no de resultado, y de consumación instantánea. La consumación se produce, por tanto, cuando el superior adquiere conocimiento genérico de la comisión de un crimen internacional por parte de sus subordinados, surgiendo entonces el deber de perseguirlos. Por la estructura de consumación instantánea de este delito es difícilmente imaginable un supuesto de tentativa punible.

4. Concursos

El delito previsto en el art. 615 bis 3 y 5 del CP puede entrar en concurso de leyes a resolver por especialidad con el delito de funcionarios de omisión del deber de perseguir delitos previsto en el art. 408 CP, y con el delito de encubrimiento en la modalidad de elusión de la investigación por parte de autoridades o sus agentes recogido en el art. 451. 3º a) CP. En ambos casos, dicho concurso de leyes debe resolverse a favor del art. 615 bis CP por especialidad, en función de los crímenes internacionales objeto de referencia y de la especialidad en cuanto al sujeto activo que el art. 615 bis 3 y 5 establece.

VI. EL DEBER GENERAL DE LOS FUNCIONARIOS Y DE LAS AUTORIDADES DE PERSECUCIÓN DE CRÍMENES INTERNACIONALES

En último lugar, y de forma subsidiaria a los apartados anteriores, el art. 615 bis 6 CP castiga al funcionario o autoridad (art. 24 CP) que, sin incurrir en las conductas previstas en los apartados anteriores, y faltando a la obligación de su cargo, dejara de promover la persecución de alguno de los delitos de genocidio, crímenes de lesa humanidad o crímenes cometidos contra personas y bienes cometidos con ocasión de un conflicto armado, de los que tenga noticia.

La penalidad prevista es de inhabilitación especial para empleo o cargo público por tiempo de dos a seis años. Recuérdese a este respecto que el art. 616 CP excluye, en estos casos (art. 615 bis 6 CP) y en los supuestos de responsabilidad del jefe militar con imprudencia grave (art. 615 bis 2 CP), la imposición obligatoria a los funcionarios y autoridades de la pena de inhabilitación absoluta de 10 a 20 años establecida para todos los demás supuestos.

Este delito representa una completa novedad respecto a la legislación internacional y nacional de otros Estados, que no contemplan un precepto similar.

Con respecto al bien jurídico protegido por este precepto, lo que pretende tutelarse con la imposición de este deber es que los funcionarios públicos españoles contribuyan a la realización de la Justicia, máxime cuando se trata de crímenes internacionales de trascendencia para toda la Comunidad Internacional.

Se trata de un delito de omisión pura, doloso, de mera actividad y de consumación instantánea. En este caso, ya no se está ante un deber cualificado de los superiores militares o civiles respecto al deber de contribuir a la persecución de crímenes de sus fuerzas, sino de cualquier funcionario público español que deja de promover la persecución de estos crímenes internacionales —cometidos en España o en el extranjero— cuando estaba obligado a ello. Se trata de un delito especial propio, que solo pueden cometer los funcionarios y autoridades que estén obligados a promover la persecución de estos delitos. Entre estas personas, y sin ánimo de exhaustividad, pueden mencionarse a los Jueces y Magistrados del orden penal, los miembros del Ministerio Fiscal y las Fuerzas y Cuerpos de Seguridad del Estado que tienen encomendadas entre sus funciones las de descubrir y perseguir delitos (FARALDO CABANA).

El delito comentado del art. 615 bis 6 CP será de aplicación preferente con respecto al delito de omisión del deber de perseguir delitos del art. 408 CP en virtud del principio de especialidad, atendiendo al tipo de delitos internacionales a los que afecta.

En estos casos, basta con que los funcionarios conozcan de forma genérica los detalles del crimen internacional cometido, pues el tipo afirma que deben tener noticia de ellos, sin que sea necesario que conozcan de forma detallada todos los elementos del delito. Asimismo, son supuestos típicos los casos de persecución *parcial* por parte de funcionarios, donde estos limitan intencionalmente la indagación sobre determinados delitos y posibles responsables excluyendo otros que también conocen (en el mismo sentido con respecto al 408 CP, cfr. PORTILLA CONTRERAS/POMARES CINTAS en este mismo Tratado, tomo III; POZUELO PÉREZ).

El deber de perseguir estos delitos surge desde el momento en que el funcionario adquiere conocimiento de la comisión del crimen internacional dentro del ejercicio de sus actividades profesionales, pues el tipo exige que la conducta omisiva se efectúe *faltando a las obligaciones de su cargo* (cfr. en el mismo sentido y en relación con el art. 408 CP, PORTILLA CONTRERAS/POMARES CINTAS en este mismo Tratado, tomo III). Dicha obligación de perseguir crímenes internacionales surge, en principio, desde el momento en que estos son punibles, es decir, cuando se encuentran en fase de actos preparatorios, punibles de conformidad con el art. 615 CP bajo las formas de conspiración, proposición o provocación, o en fase de tentativa.

Para interpretar adecuadamente el delito del art. 615 bis 6 CP debemos acudir a la regulación del llamado *principio de jurisdicción universal* del art. 23.4 LOPJ en materia de crímenes de Derecho Penal Internacional.

> El art. 23.4 de la LOPJ dispone que: «*Será competente la jurisdicción española para conocer de los hechos cometidos por españoles o extranjeros fuera del territorio nacional susceptibles de tipificarse, según la ley española, como alguno de los siguientes delitos cuando se cumplan las condiciones expresadas: a) Genocidio, lesa humanidad o contra las personas y bienes protegidos en caso de conflicto armado, siempre que el procedimiento se dirija contra un español o contra un ciudadano extranjero que resida habitualmente en España, o contra un extranjero que se encontrara en España y cuya extradición hubiera sido denegada por las autoridades españolas*».

Teniendo en cuenta que la configuración típica del deber de perseguir debe atender a la regulación de la LOPJ en esa materia, caben dos escenarios fundamentales.

Si el crimen internacional se ha cometido en el extranjero por parte de extranjeros, solo la presencia del presunto autor en España permite abrir una investigación por delitos de DPI (art. 23. 4 a) LOPJ), por lo que la tipicidad de una eventual conducta del art. 615 bis 6 CP quedaría circunscrita a la vulneración de esa obligación de perseguir ante la presencia del sujeto activo en España. El enjuiciamiento de los delitos perpetrados fuera de España le corresponde en principio a la Sala de lo penal de la Audiencia Nacional (art. 65. 1° e) LOPJ).

A sensu contrario, si el crimen se ha realizado en España, o ha sido cometido por un nacional español en el extranjero, fundamentalmente por militares en operaciones bélicas o humanitarias en el exterior, los tribunales españoles serían competentes para ejercer la jurisdicción penal sobre él. En estos escenarios de misiones en el exterior del Ejército español (como, por ejemplo, actualmente, en Líbano, Irak, Afganistán, Mali, Somalia, o República Centroafricana, entre otras) es donde esta forma de responsabilidad por omisión puede tener una singular importancia para el enjuiciamiento por parte de los tribunales militares españoles. Asimismo la responsabilidad del superior puede ser un instrumento valioso cuando se dilucide la responsabilidad de jefes no militares o civiles (como por ejemplo, ministros o autoridades públicas) que tengan nacionalidad española y que hayan desempeñado un cargo en el exterior con dicha cualificación (recuérdese a este respecto, el caso de Carlos Vielmann, de nacionalidad española, antiguo Ministro de Gobernación de Guatemala, enjuiciado y absuelto, en principio, por el asesinato de varios presos por la SAN 5/2017, de 6 de marzo).

VII. BIBLIOGRAFÍA

AMBOS, K., «La responsabilidad del superior en el Derecho penal internacional», en *Anuario de Derecho penal y Ciencias Penales*, vol. LII, 1999; DOPICO GÓMEZ-ALLER, J., *Omisión e injerencia en Derecho penal*, Valencia, 2006; *id.*, «Del riesgo al resultado. Homicidio y lesiones imprudentes en la construcción», en POZUELO PÉREZ, L. (coord.) *Derecho penal de la Construcción. Aspectos urbanísticos, inmobiliarios y de seguridad en el trabajo*, 1ª ed., Granada, 2006; FEIJÓO SÁNCHEZ, B., *Derecho penal de la empresa e imputación objetiva*, Madrid, 2007; *id.*, «Responsabilidad penal del superior», en MOLINA FERNÁNDEZ, F. (Coord.), *Memento penal Francis Lefebvre*, Madrid, 2017; FENRICK, W., «Article 28-Responsibility of Commanders and other Superiors», en TRIFFTERER (ed). *Commentary on the Rome Statute*, Baden-Baden, 1999; GARCÍA DEL BLANCO, V., «La responsabilidad del superior jerárquico en Derecho penal español», en GIL GIL, A. (dir.) *Intervención delictiva y Derecho penal internacional. Reglas de atribución de la responsabilidad en crímenes internacionales*, Madrid, 2013; GARROCHO SALCEDO, A. M., *La responsabilidad del superior por omisión en Derecho penal internacional*, Cizur Menor, 2016; *id.*, «La responsabilidad por omisión del superior. Reflexiones al hilo de la decisión de confirmación de cargos contra Jean Pierre Bemba Gombo», en GIL GIL, A. (dir.) *Intervención delictiva y Derecho penal internacional. Reglas de atribución de la responsabilidad en crímenes internacionales*, Madrid, 2013; *id.*, «La responsabilidad del superior por omisión. Capítulo X», en GIL GIL/MACULAN (dirs.) *Derecho penal internacional*, Madrid, 2016; *id.*, «Imprudencia y Derecho penal internacional. Algunas consideraciones sobre su previsión en el Estatuto de la Corte Penal Internacional», en *Revista Electrónica de Ciencia Penal y Criminología*, nº 19, 2017; GÓMEZ BENÍTEZ, J. M., «La parte general del Estatuto de la corte penal internacional», en *Actualidad penal*, nº 41, 2003; HENCKAERTS, J. M./ DOSWALD-BECK, L., *El Derecho internacional humanitario consuetudinario. Vol I: Normas* (trad. Serrano García), Buenos Aires, 2007; KARSTEN, N., «Distinguishing Military and Non-military Superiors. Reflections on the Bemba Case at the ICC», en *Journal of International Criminal Justice*, núm. 7, 2009; *id.*, *Die Strafrechtliche Verantwortlichkeit des nicht-militärischen Vorgesetzten, Eine Rechtvergleichende Untersuchung zu Artikel 28 IStGH- Statut*, Berlín, 2010; LASCURAÍN SÁNCHEZ, J. A., *Los delitos de omisión: Fundamento de los deberes de garantía*, Madrid, 2002; MARAVER GÓMEZ, M., *El principio de confianza en Derecho penal. Un estudio sobre la aplicación del principio de autorresponsabilidad en la teoría de la imputación objetiva*, Cizur Menor, 2009; MARTÍNEZ, J. S., «Understanding *mens rea* in command responsibility. From Yamashita to Blaškić and Beyond», *Journal of International Criminal Justice*, 5, 2007; MARTÍNEZ ALCAÑIZ, A., «La responsabilidad del superior militar. Especial referencia al Ordenamiento jurídico español», en GIL GIL, A. (dir.) *Intervención delictiva y Derecho penal internacional. Reglas de atribución de la responsabilidad en crímenes internacionales*, Madrid, 2013; MELZER, N., *Guía para la interpretación de la noción de participación directa en las hostilidades según el Derecho internacional humanitario*, Comité Internacional de la Cruz Roja, Ginebra, 2010; METTRAUX, G., *The law of command responsibility*, Oxford, 2009; MONTANER FERNÁNDEZ, R., *Gestión empresarial y atribución de responsabilidad penal. A propósito de la gestión medioambiental*, Atelier, Barcelona, 2008. NERLICH, V., «Superior Responsibility under Article 28 ICC Statute. For What Exactly is the Superior Held Responsible?», en *Journal of International Criminal Justice*, 5, 2007, págs. 665-682. PICTET, J./DE PREUX, J., «Art. 51 y 13 PAI y II», en SANDOZ, Y/SWINARSKI, CH. /ZIMMERMANN, B. (eds.), *Commentary on the additional Protocols* of 8 June 1977 to the Geneva Conventions of 12 August 1949, Martinus Nijhoff Publishers, Ginebra, 1987. PORTILLA CONTRERAS, G./POMARES CINTAS, E., «Delitos de abandono de destino y de la omisión del deber de perseguir delitos», en ÁLVAREZ GARCÍA, F. J. (dir.) *Tratado de Derecho penal español. Parte especial. III. Delitos contra las Administraciones Pública y de Justicia*, Valencia, 2013; POZUELO PÉREZ, L., «Abandono de destino y omisión de perseguir delitos», en MOLINA FERNÁNDEZ, F. (coord.), *Memento penal Francis Lefebvre*, Madrid, 2017; QUINTANO RIPOLLÉS, A., *Tratado de Derecho penal internacional e internacio-*

nal penal, Vol. I, Madrid, Consejo Superior de Investigaciones Científicas. Instituto «Francisco de Vitoria», 1955; ROBINSON, D., «How command responsibility got so complicated: a culpability contradiction, its obfuscation, and a simple solution», en *Melbourne Journal International Law*, vol. 13, 2012; *id.*, «A justification of command responsibility» en *Criminal Law Forum*, 2017; ROXIN, C., «Pflichtwidrigkeit und Erfolg bei fahrlässigen Delikten», en *Zeitschrift für die gesamte Strafrechtswissenschaft*, 74, 1962; *id.*, *Derecho penal, Parte general, Tomo I, Fundamentos. La estructura de la teoría del delito* (trad. Luzón Peña/Díaz y García Conlledo/De Vicente Remesal), Madrid, 1997, reimpr. 2006; SILVA SÁNCHEZ, J. M., *El delito de omisión. Concepto y sistema*, Barcelona, 1986; TAMARIT SUMALLA, J. M., «Disposiciones comunes», en QUINTERO OLI-VARES, G. (dir.) *Comentarios a la Parte Especial del Derecho penal*, 10º ed., Pamplona, 2016; WEIGEND, T., «§ 14 VStGB», en *Münchener Kommentar Zum Strafgesetzbuch. Nebenstrafrecht III. Völkerstrafrecht*. Band 8, 2º Ed., München, 2013.

Lección 11ª
Delitos de piratería

MYRIAM CABRERA MARTÍN

SUMARIO: I. CONSIDERACIONES GENERALES. II. NORMATIVA INTERNACIONAL. 1. Convenios relativos a la seguridad marítima. 2. Convenios relativos a la seguridad aérea. 3. Otras resoluciones de carácter internacional. III. ANTECEDENTES LEGISLATIVOS. IV. DELITO DE PIRATERÍA (ART. 616 TER). 1. Bien jurídico protegido. 2. Sujetos activo y pasivo. 3. Objeto material. 4. Medios comisivos: violencia, intimidación o engaño. 5. Conducta típica. 5.1. Apoderamiento, daño o destrucción de aeronaves, embarcaciones o plataformas marinas. 5.2. Atentado contra personas, cargamento o bienes. 6. Lugar de comisión. 7. Elemento subjetivo. 8. Iter Criminis. 9. Justificación. 10. Concursos. V. DELITO DE RESISTENCIA Y DESOBEDIENCIA (ART. 616 QUÁTER). 1. Bien jurídico protegido. 2. Sujetos activo y pasivo. 3. Conducta típica. 4. Elemento subjetivo. 5. Concursos. VI. PENAS. VII. RESPONSABILIDAD CIVIL. VIII. CUESTIONES DE JURISDICCIÓN. IX. BIBLIOGRAFÍA.

Artículo 616 ter

El que con violencia, intimidación o engaño, se apodere, dañe o destruya una aeronave, buque u otro tipo de embarcación o plataforma en el mar, o bien atente contra las personas, cargamento o bienes que se hallaren a bordo de las mismas, será castigado como reo del delito de piratería con la pena de prisión de diez a quince años.

En todo caso, la pena prevista en este artículo se impondrá sin perjuicio de las que correspondan por los delitos cometidos.

Artículo 616 quáter

1. El que con ocasión de la prevención o persecución de los hechos previstos en el artículo anterior, se resistiere o desobedeciere a un buque de guerra o aeronave militar u otro buque o aeronave que lleve signos claros y sea identificable como buque o aeronave al servicio del Estado español y esté autorizado a tal fin, será castigado con la pena de prisión de uno a tres años.

2. Si en la conducta anterior se empleare fuerza o violencia se impondrá la pena de diez a quince años de prisión.

3. En todo caso, las penas previstas en este artículo se impondrán sin perjuicio de las que correspondan por los delitos cometidos.

I. CONSIDERACIONES GENERALES

La piratería está catalogada como uno de los crímenes más antiguos de Derecho Internacional (OPPENHEIM, CHEHTMAN). El grave riesgo que supone para las personas y bienes, tanto en los mares como en los espacios costeros, y su perjudicial efecto para el desarrollo del comercio y de los transportes entre los pueblos explica la constante preocupación de la Comunidad Internacional por su erradicación y por la salvaguarda de la navegación marítima y aérea. España ha sido un país que históricamente ha sufrido los nefastos efectos de la piratería, fundamentalmente en su época dorada, entre los siglos XV y XVII. Ello ha quedado reflejado en una regulación penal en la que el delito de piratería ha sido una constante hasta 1995, año en el que se aprobó el actual Código Penal que, en su redacción inicial, no tenía referencia alguna a la piratería, por considerarse que constituía un fenómeno criminal ya superado. Nada más lejos de la realidad, la piratería, en nuevos entornos, con distintas motivaciones, y con renovados medios de actuación sigue constituyendo una lacra para la seguridad de los espacios marítimos y aéreos en muchos lugares del mundo, afectando a los intereses de todos los países. De la importancia actual del fenómeno da cuenta el número de incidentes reportados a la Organización Marítima Internacional (OMI), de los que a modo de muestra citaremos los correspondientes a los once últimos años: 278 (2007), 303 (2008), 408 (2009), 489 (2010), 570 (2011), 351 (2012), 303 (2013), 291 (2014), 303 (2015), 221 (2016) y 200 (2017). Si nos circunscribimos a nuestro país, según la misma fuente, entre los años 1997 y 2012, trece incidentes tuvieron por objeto un barco español (asimismo preocupantes son los datos referentes a los incidentes de piratería que reflejan los informes anuales y trimestrales del *International Maritime Bureau*). Precisamente fueron dos de estos hechos —los secuestros de los barcos españoles Playa de Bakio y Alakrana en el Océano Índico— los que sirvieron de detonante para la introducción en el Código Penal del delito de piratería como, por otro lado, correspondía en virtud de los compromisos internacionales asumidos por España. Asimismo, estos incidentes y otros similares sufridos por embarcaciones de otros países determinaron que en el seno de la Unión Europea se pusiera en marcha la Operación Atalanta para la prevención y persecución de la piratería en las costas de Somalia, que empeña a buques de nuestra Armada con un considerable costo para el Estado.

Los esfuerzos realizados, tanto desde el punto de vista legislativo como de vigilancia, han surtido efecto a juzgar por la reducción de casos de piratería en las costas somalíes (se puede observar en la siguiente secuencia de datos referente a los incidentes ocurridos en los últimos once años: 21 [2007], 16 [2008], 45 [2009], 39 [2010], 23 [2011], 11 [2012], 11 [2013], 1 [2014], 2 [2015], 2 [2016] y 6 [2017]), pero resultan insuficientes dado lo extenso de las zonas afectadas, la falta de efectivos y la capacidad de los piratas para desplazarse a nuevas áreas de operación (IBÁÑEZ GÓMEZ/ESTEBAN).

Por lo que se refiere a la regulación introducida en el Código Penal, objeto de estudio de este Capítulo, cabe afirmar que toma distancia de sus antecedentes históricos y también del concepto tradicional de piratería del Derecho Internacional. No obstante, se encuentra en la línea señalada por los Convenios Internacionales en materia de seguridad de la navegación marítima y aérea, que dan cuenta de la evolución del fenómeno de la piratería y de su complejidad. En este sentido, ha de tenerse en cuenta que la piratería constituye un riesgo ancestral en constante evolución, fuertemente vinculado a la delincuencia organizada, con problemas de delimitación con otros fenómenos delictivos y que afecta a toda la Comunidad Internacional, al tiempo que se encuentra condicionado por la regulación interna de los Estados y por su capacidad y voluntad para perseguirla. Esta especial complejidad que presenta en la actualidad la piratería ha determinado que el análisis de los correspondientes preceptos del Código Penal vaya precedido de una somera exposición de la normativa internacional sobre la materia, así como de los antecedentes en nuestro Ordenamiento, a fin de estar en mejor disposición para valorar el sentido y la oportunidad de la regulación vigente.

II. NORMATIVA INTERNACIONAL

En este apartado se hará referencia a los principales instrumentos internacionales de lucha contra la piratería y otras conductas afines. En relación con la piratería marítima se analizarán las previsiones al respecto del Convenio sobre Alta Mar (hecho en Ginebra el 29 de abril de 1958 y ratificado por España el 7 de diciembre de 1971); del Convenio de las Naciones Unidas sobre el Derecho del Mar (hecho en Montego Bay el 10 de diciembre de 1982 y ratificado por España el 20 de diciembre de 1996); y del Convenio para la represión de actos ilícitos contra la seguridad de la navegación marítima (hecho en Roma el 10 de marzo de 1988 y modificado en Londres mediante Texto refundido de 14 de octubre de 2005, ratificado por España el 31 de marzo de 2008).

En relación con la *piratería* aérea y otras conductas afines se analizarán los correspondientes preceptos del Convenio sobre infracciones y ciertos otros actos cometidos a bordo de aeronaves (hecho en Tokio el 14 de septiembre de 1963 y ratificado por España el 25 de agosto de 1969); del Convenio para la represión del apoderamiento ilícito de aeronaves (hecho en La Haya el 16 de diciembre de 1970 y ratificado por España el 6 de octubre de 1972); del Convenio para la represión de actos ilícitos contra la seguridad de la aviación civil (hecho en Montreal el 23 de septiembre de 1971 y ratificado el 6 de octubre de 1972); y del Convenio para la represión de actos ilícitos relacionados con la aviación civil internacional y su Protocolo complementario para la represión del apoderamiento ilícito de aeronaves (hechos en Beijing el 10 de septiembre de 2010 y pendientes de ratificación por

España). En cualquier caso, es preciso tener en cuenta que la expresión *piratería* solamente aparece en el Convenio sobre Derecho del Mar, que también se refiere a las aeronaves. Los Convenios relativos a la seguridad aérea no utilizan el término piratería para hacer referencia a las infracciones en ellos contenidas.

En todos los Convenios, además de establecerse la ilicitud de determinadas conductas, cuando no la obligación de considerarlas delictivas en los Ordenamientos nacionales de los Estados Parte, se recogen disposiciones para facilitar su persecución y enjuiciamiento. No obstante, a estas disposiciones se hará referencia en el apartado correspondiente a las cuestiones de jurisdicción.

1. Convenios relativos a la seguridad marítima

Convenio sobre Alta Mar de 1958 (en adelante, Convenio de Ginebra). Este Convenio cuenta con una definición de piratería, en virtud de la cual, *constituyen actos de piratería los enumerados a continuación: 1) todo acto ilegal de violencia, de detención o de depredación cometido con un propósito personal por la tripulación o los pasajeros de un buque privado o de una aeronave privada, y dirigido: a) contra un buque o una aeronave en alta mar o contra personas o bienes a bordo de ellos; b) contra un buque o una aeronave, personas o bienes situados en un lugar no sometido a la jurisdicción de ningún Estado; 2) todo acto de participación voluntaria en la utilización de un buque o de una aeronave, cuando el que lo cometa tenga conocimiento de hechos que den a dicho buque o aeronave el carácter de buque o aeronave pirata; 3) toda acción que tenga por objeto incitar o ayudar intencionalmente a cometer los actos definidos en los párrafos 1 y 2 de este artículo* (artículo 15). Aunque se parte de la base de que los actos de piratería han de provenir de buques o aeronaves privados, se asimilan a los mismos los *perpetrados por un buque de guerra o un buque del Estado o una aeronave del Estado cuya tripulación se haya amotinado y apoderado del buque o de la aeronave* (artículo 16).

La descripción de los actos de piratería que aparece en el Convenio sobre Alta Mar se reprodujo en el Convenio de Naciones Unidas sobre Derecho del Mar. Si bien los aspectos fundamentales de la definición serán abordados en relación con dicho Convenio, parece adecuado en este punto llamar la atención acerca de cómo los actos de piratería se entienden circunscritos a un espacio muy concreto: alta mar y los lugares no sometidos a la jurisdicción de ningún Estado. Teniendo en cuenta que, a los efectos del Convenio de Alta Mar, se considera tal la parte del mar no perteneciente al mar territorial ni a las aguas interiores de un Estado, cabe deducir que también se brinda el tratamiento de alta mar a la zona de influencia económica, quedando excluidos del ámbito del Convenio únicamente los actos cometidos dentro de las doce millas del mar territorial de un Estado o en sus aguas interiores.

Convenio sobre el Derecho del Mar de 1982 (también conocido como Convenio de Montego Bay, Convenio de Jamaica, UNCLOS o CONVEMAR, en adelante nos referiremos a él como Convenio de Montego Bay). Tal y como se ha indicado, este Convenio reproduce prácticamente con exactitud la descripción de *actos de piratería* contenida en el Convenio de Ginebra (artículos 101-102). Si bien ambos Convenios tratan sobre Derecho del Mar, el Convenio de Montego Bay se refiere tanto a la piratería marítima como a la aérea, otorgando el mismo tratamiento a los actos ilegales cometidos contra un buque que a los cometidos contra una aeronave. Los dos Convenios operan con un concepto restringido de piratería, atendiendo a las especificaciones que establecen en relación con el sujeto activo del delito, el objeto material, el lugar de comisión y la intencionalidad del autor.

En relación con el sujeto activo del delito, se hace referencia a la tripulación o pasajeros de un buque o aeronave privados, si bien excepcionalmente se consideran actos de piratería los perpetrados por la tripulación de un buque o aeronave oficiales, siempre que se haya amotinado y apoderado de dicho buque o aeronave. La utilización de un sustantivo colectivo —*tripulación*— y la referencia a los *pasajeros* en plural, ha llevado a algunos autores a concluir que el delito de piratería tiene carácter plurisubjetivo (FERNÁNDEZ HERNÁNDEZ, FAKHOURI GÓMEZ y LÓPEZ LORCA). Por nuestra parte consideramos que, si bien en la mayor parte de los casos los actos de piratería efectivamente los llevará a cabo una pluralidad de personas, ello no resulta una exigencia que se derive necesariamente de la definición contenida en los Convenios, atendiendo a que en la descripción de conductas típicas a menudo se recurre a expresiones tales como *los que* sin que ello implique en todo caso la exigencia de un autor plural. Lo que sí resulta inexcusable es que el autor de la conducta pertenezca a la tripulación o sea pasajero del buque o aeronave; de ahí la configuración de la piratería como un delito especial.

El posible lugar de comisión del delito queda circunscrito a alta mar u otro lugar no sometido a la jurisdicción de ningún Estado. Se evidencia que la preocupación del Convenio es que no queden impunes los hechos cometidos fuera del espacio de soberanía de los Estados, como resulta lógico en un Tratado Internacional que, como tal, está llamado a salvaguardar los intereses de la Comunidad Internacional. En consecuencia, quedan fuera del ámbito del Convenio los actos ilícitos llevados a cabo mientras el buque o aeronave se encuentra en tierra, en aguas interiores, en aguas territoriales o en el espacio aéreo de un Estado.

En relación con el objeto material del delito, este puede ser un buque o aeronave —siempre que se encuentre en alta mar o en espacio no sometido a la jurisdicción de ningún Estado—, o bien las personas o bienes que se encuentren *a bordo*. En la medida en que los sujetos activos han de ser tripulantes o pasajeros de un buque o aeronave privados, que dirijan la conducta contra un buque o aeronave que se encuentre en alta mar o en espacio no sometido a la soberanía de ningún Estado, se viene entendiendo que la piratería requiere de la presencia de dos embarcaciones o aeronaves: aquella de la que parte la conducta y aquella sobre la que recae. De este modo, quedarían al margen del concepto de piratería que se establece en el Convenio, los actos realizados por tripulantes o pasajeros de la propia nave afectada.

Es cierto que, tanto en el Convenio de Ginebra, como en el Convenio de Montego Bay (artículos 16 y 102, respectivamente) se asimilan a los actos cometidos por un buque o aeronave privados los actos de piratería definidos en los respectivos Convenios, perpetrados por un buque de guerra, un buque de Estado o una aeronave de Estado cuya tripulación se haya amotinado y apoderado del buque o de la aeronave. A partir de esta asimilación, autores como OPPENHEIM consideran que también constituyen actos de piratería aquellos en los que la tripulación o los pasajeros se amotinan y se adueñan del buque, público o privado, y de las mercancías en provecho propio. Considera el autor que el simple acto de violencia por parte de la tripulación o de los pasajeros no constituye en sí mismo delito de piratería (por ejemplo, si la tripulación asesina al capitán del barco y el buque prosigue normalmente su travesía, supuesto en el que habrá delito de homicidio, pero no de piratería). Sin embargo, considera piratería la sublevación dirigida no solo contra el capitán, sino también contra el buque, con el propósito de apoderarse de él y de las mercancías, utilizándolos en provecho propio (OPPENHEIM). Por nuestra parte estimamos que, conforme a los Convenios de Ginebra y de Montego Bay, este último acto tampoco sería constitutivo de piratería, por cuanto en el texto de los Convenios el amotinamiento solamente implica una excepción al hecho de que el buque o aeronave pirata hayan de ser privados, en la medida en que admiten que también pueda ser considerado pirata un buque o aeronave oficial cuya tripulación se haya amotinado y apoderado de él. Pero entendemos que el amotinamiento no exime de los demás requisitos del concepto de piratería y, en particular, de que se lleven a cabo actos de violencia, detención o depredación contra otro buque o aeronave. En consecuencia, la exigencia de los dos buques o aeronaves persistiría en estos casos.

La conducta típica habrá de concretarse en actos de *violencia, detención* o *depredación.* En el ámbito de este delito, consideramos que el término *violencia* permite abarcar, no solo los actos de acometimiento físico contra las personas que se encuentran a bordo, sino también los actos de violencia o fuerza ejercidos sobre el propio buque o la aeronave. Para llegar a esta conclusión partimos del significado de la voz *violencia,* así como también de su equivalente en lengua inglesa *violence,* término utilizado en la versión original del Convenio. Atendiendo a los significados que según el Diccionario de la RAE tienen los términos *violencia, violentar* y *violento,* constituiría *violencia* la acción de aplicar medios que impliquen el uso de fuerza física o moral a cosas o personas para vencer su resistencia. Por lo que respecta a la expresión inglesa, el Oxford Dictionary define *violence* como comportamiento que implica una fuerza física destinada a herir, dañar o matar a alguien o algo (*behaviour involving physical force intended to hurt, damage, or kill someone or something*) y, en su acepción legal, como ejercicio ilegal de fuerza física o de intimidación por la exhibición de tal fuerza (*the unlawful exercise of physical force or intimidation by the exhibition of such force*); por su parte, el Merriam-Webster Dictionary la define como el uso de la fuerza física para herir, abusar, dañar o destruir (*the use of physical force so as to enjure, abuse, damage or destroy*). Como se puede apreciar, ninguna de las acepciones circunscribe la violencia a actos ejercidos sobre las personas, sino que hace referencia a conductas que también pueden recaer sobre objetos.

La detención supone *impedir que algo o alguien siga adelante* (RAE), por lo que de nuevo la conducta podrá recaer sobre personas y también sobre cosas que sean susceptibles de desplazarse en el espacio físico. En consecuencia, consideramos que podrán ser objeto material de la detención los buques o aeronaves, cuando se les impida el movimiento, y las personas a bordo, cuando se les prive de su libertad ambulatoria. Por lo que se refiere a la *depredación*, esta supone *robo o saqueo con violencia y destrozo* (RAE). El robo implica un acto de apropiación realizado sobre un bien mueble, mediante empleo de violencia sobre las personas o fuerza sobre las cosas. En la medida en que los buques y aeronaves son bienes muebles, la conducta de robo puede recaer directamente sobre ellos y/o sobre los bienes que se encuentran a bordo. El *saqueo*, que también integra la conducta de depredación, supone la entrada *en una plaza o lugar robando cuanto se halla*. En consecuencia, implica actos de apropiación en relación con los bienes que se encuentran en el lugar de los hechos, esto es, sobre los bienes que se encuentren a bordo del buque o de la aeronave. El hecho de que el término *depredación* en todo caso haga referencia a conductas de apropiación, entendemos que refuerza la interpretación que hemos mantenido, acerca de que el concepto de violencia que utiliza el Convenio abarca también los actos de fuerza sobre las cosas, pues de otro modo el concepto tradicional de piratería no cubriría los supuestos de causación de daños o destrucción llevados a cabo sin finalidad de apropiación. Además de las indicadas conductas de violencia, detención y depredación, se considera ilícita la participación voluntaria en la utilización de buques o aeronaves piratas, la incitación a la piratería y la facilitación intencionada de cualquiera de los actos mencionados.

En todo caso, el concepto de piratería del Convenio de Montego Bay (del mismo modo el del Convenio de Ginebra) requiere que el sujeto activo lleve a cabo la conducta con un propósito personal. La exigencia de esta específica intencionalidad personal se ha asociado al requerimiento de ánimo de lucro (*animus furandi*) y se ha utilizado para negar la consideración de actos de piratería a los llevados a cabo con finalidad política, terrorista o a los guiados por un interés de carácter colectivo. Por nuestra parte, nos posicionamos con el sector doctrinal que interpreta que la confusa formulación del elemento subjetivo presente en el Convenio de Montego Bay no resulta suficiente para excluir todo propósito que no sea económico. Por ello, consideramos que en el concepto de piratería contenido en los Convenios cabría la búsqueda de un fin personal que no sea el lucrativo, como podría ser la venganza (PORTILLA CONTRERAS), quedando excluidos únicamente aquellos que evidencien un interés colectivo, como sería el de protesta contra la política de un Estado o contra el deterioro del medioambiente (LÓPEZ LORCA, RODRÍGUEZ-VILLASANTE Y PRIETO y FERNÁNDEZ RODERA). Probablemente, la exigencia de que el propósito sea personal obedezca a la intención de dejar al margen los actos de contenido político, dadas las dificultades que siempre han existido para establecer una definición de terrorismo. Por otro lado, la salvedad de los supuestos que entrañen la búsqueda de un interés colectivo también puede constituir una reminiscencia del pasado, cuando se excluían de la consideración de piratería los actos de corso, entendiéndose por corso *la empresa naval de un particular contra los enemigos de su Estado, realizada con el permiso y bajo la autoridad de la potencia beligerante, con el exclusivo objeto de causar pérdidas al comercio enemigo y entorpecer al neutral que se relacione con dichos enemigos* (AZCÁRRAGA); bien es cierto que en la fecha de aprobación de los Convenios de Ginebra y de Montego Bay el corso llevaba ya mucho tiempo abolido (el corso quedó abolido por la Declaración de París de 1856, si bien España no se adhirió a la misma hasta 1908; acerca de los actos de corso y de su delimitación con la piratería, *vid. infra* apartado III).

Convenio para la represión de actos ilícitos contra la seguridad de la navegación marítima de 1988 (en adelante, Convenio SUA). En virtud de este Convenio, comete delito toda persona que *ilícita e intencionadamente: a) se apodere de un buque o ejerza el control del mismo mediante violencia, amenaza de violencia o cualquier otra forma de intimidación; b) realice algún acto de violencia contra una persona que se halle a bordo de un buque, si dicho acto puede poner en peligro la navegación segura de ese buque; c) destruya un buque o cause daños a un buque o a su carga que puedan poner en peligro la navegación segura de ese buque; d) coloque o haga colocar en un buque, por cualquier medio, un artefacto o una sustancia que pueda destruir el buque, o causar daños al buque o a su carga que pongan o puedan poner en peligro la navegación segura del buque; e) destruya o cause daños importantes en las instalaciones y servicios de navegación marítima o entorpezca gravemente su funcionamiento, si cualquiera de tales actos puede poner en peligro la navegación segura de un buque; f) difunda información a sabiendas esa persona de que es falsa, poniendo en peligro la navegación segura de un buque.* El Convenio considera que *también comete delito toda persona que amenace con cometer, formulando o no una condición, de conformidad con lo dispuesto en la legislación interna, con ánimo de obligar a una persona física o* *jurídica a ejecutar un acto o a abstenerse de ejecutarlo, cualquiera de los delitos enunciados en los párrafos 1 b), 1 c) y 1 e), si la amenaza puede poner en peligro la navegación segura del buque de que se trate* (artículo 3).

Frente a la Convención de Montego Bay, el Convenio SUA no abarca los actos ilícitos llevados a cabo sobre aeronaves, centrándose exclusivamente en la protección de la seguridad marítima. El objeto material de los actos ilícitos se amplía para abarcar no solo los buques, el cargamento y las personas a bordo, sino también las instalaciones y servicios de navegación marítima (*v. gr.* los puertos) y las plataformas fijas (incluidas a través del Protocolo para la represión de actos ilícitos contra la seguridad de las plataformas fijas emplazadas en la plataforma continental, hecho en Londres el 14 de octubre de 2005 y ratificado por España el 31 de marzo de 2008). No obstante, con respecto a los buques se establece una restricción que excluye la aplicación del Convenio en relación con los *de guerra; los buques propiedad de un Estado, o utilizados por este, cuando estén destinados a servir como unidades navales auxiliares o a fines de índole aduanera o policial;* y *los buques que hayan sido retirados de la navegación o desarmados* (artículo 2). Por lo que se refiere a las plataformas fijas, se entiende por tal *una isla artificial, instalación o estructura sujeta de manera permanente al fondo marino con fines de exploración o explotación de los recursos u otros fines de índole económica.*

Los actos ilícitos que se consideran delictivos pueden consistir en el apoderamiento de un buque con violencia o intimidación; la toma de control sobre un buque o plataforma fija con violencia o intimidación; el ejercicio de violencia sobre personas que se encuentren a bordo; la causación de daño o destrucción en un buque, en una plataforma o en el cargamento; la causación de daño, destrucción o grave entorpecimiento del funcionamiento de instalaciones y servicios de navegación marítima; la colocación de artefactos o sustancias destructivas en buque o plataforma fija; la difusión de información falsa a un buque; y la amenaza de cometer los anteriores actos de violencia sobre las personas o de daño o destrucción de buques, plataformas o instalaciones marítimas. Para la consideración de cualquiera de las anteriores conductas como actos delictivos se exige, en todo caso, la idoneidad para poner en peligro la navegación marítima segura. En palabras del Preámbulo del Convenio SUA, lo que se pretende es luchar contra determinados actos *que comprometen la seguridad de las personas y de los bienes, afectan gravemente a la explotación de los servicios marítimos y socavan la confianza de los pueblos del mundo en la seguridad de la navegación marítima.*

Atendiendo a que el eje en torno al cual se estructura el Convenio SUA es la salvaguarda de la seguridad marítima, resulta lógico que incrimine cualquier conducta atentatoria contra la misma, con independencia de que se produzca o no en alta mar y de la finalidad perseguida por los autores. La cuestión que se suscita es si con ello se está ampliando el ámbito de la piratería con respecto a los Convenios de Ginebra y de Montego Bay, o si lo que se pretende es, manteniendo el concepto estricto de piratería, extender la incriminación a otro tipo de conductas que también atentan contra la seguridad marítima. En relación con esta cuestión ha de tenerse en cuenta que el Convenio SUA no hace mención de la piratería y que su finalidad primordial era dar cobertura a los supuestos de terrorismo, como se deduce del propio Preámbulo, donde queda expresamente reflejada la preocupación existente por la escalada mundial del terrorismo en todas sus formas y la necesidad específica de enfrentar *el problema del terrorismo a bordo de barcos o contra estos.*

Con respecto al lugar de comisión, el Convenio SUA no se circunscribe a las conductas llevadas a cabo en alta mar o en lugar no sometido a la jurisdicción de ningún Estado, pero sí requiere un elemento internacional que se concreta en la exigencia de que el buque sobre el que recaiga la conducta esté navegando, o su plan de navegación prevea navegar, *hacia aguas situadas más allá del límite exterior del mar territorial de un solo Estado, o más allá de los límites laterales de su mar territorial con Estados adyacentes, a través de ellas o procedente de las mismas* (artículo 4). En consecuencia, resulta necesaria la implicación de aguas que excedan de las territoriales de un solo Estado.

2. *Convenios relativos a la seguridad aérea*

Convenio sobre infracciones y ciertos otros actos cometidos a bordo de aeronaves de 1963 (en adelante Convenio de Tokio). Este Convenio tiene como ámbito de aplicación *las infracciones cometidas y los actos ejecutados por una persona a bordo de cualquier aeronave (...) mientras se halle en vuelo, en la superficie de alta mar o en la de cualquier otra zona situada fuera del territorio de un Estado* (artículo 1), y se refiere específicamente a la conducta de quien, *mediante violencia o intimidación, cometa a bordo cualquier acto ilícito de apoderamiento, interferencia o ejercicio de control sobre una aeronave en vuelo, o esté a punto de cometer tales actos* (artículo 11).

Tal y como ha indicado, ni en este ni en los sucesivos Convenios en materia de seguridad aérea se menciona el término *piratería*, pero se incriminan conductas próximas, que bien podrían encuadrarse en un concepto amplio de la misma. El Convenio de Tokio se circunscribe a los actos llevados a cabo, con violencia o intimidación, por una persona que se encuentre *a bordo* de la aeronave; de ahí la primera diferencia con el concepto estricto de piratería, que requiere que el ataque provenga de otra aeronave. Se exige, además, que la aeronave se encuentre *en vuelo*, considerándose que una aeronave está en vuelo *desde el momento en que se cierren todas las puertas externas después del embarque hasta el momento en que se abra cualquiera de dichas puertas para el desembarque; en caso de aterrizaje forzoso, se considerará que el vuelo continúa hasta que las autoridades competentes se hagan cargo de la aeronave y de las personas y bienes a bordo* (artículo

1). Las conductas típicas que se regulan son las de apoderamiento, interferencia o ejercicio de control sobre la aeronave y se extiende la punición a la tentativa, en la medida en que también se hace referencia a *quien esté a punto de cometer un acto ilícito de apoderamiento, interferencia o ejercicio de control sobre una aeronave.* En lo que se refiere al lugar de comisión, el Convenio de Tokio sí se aproxima a las prescripciones que, en materia de piratería, contiene el de Montego Bay, pues requiere que la conducta se lleve a cabo sobre la superficie de alta mar o de cualquier zona situada fuera del territorio de un Estado (artículo 1.2).

Convenio para la represión del apoderamiento ilícito de aeronaves de 1970 (en adelante, Convenio de La Haya). Conforme a este Convenio, comete delito *toda persona que, a bordo de una aeronave en vuelo: a) ilícitamente, mediante violencia, amenaza de violencia o cualquier otra forma de intimidación, se apodere de tal aeronave, ejerza el control de la misma, o intente cometer cualquiera de tales actos; b) sea cómplice de la persona que cometa o intente cometer cualquiera de tales actos* (artículo 1).

En coherencia con el nombre del Convenio, la conducta típica del delito que en él se recoge consiste en apoderarse de una aeronave o tomar el control sobre ella. Se exige empleo de violencia o intimidación y se extiende la consideración de delito a la tentativa y a la complicidad. Este Convenio también se circunscribe a infracciones cometidas *a bordo* de una aeronave *en vuelo*, por lo que quedan fuera de su ámbito de aplicación los actos de toma de control de la aeronave que se lleven a cabo desde el exterior de la misma, así como los actos de apoderamiento de una aeronave que se encuentre en tierra y sin disposición de vuelo. En relación con el objeto material del delito, quedan excluidas *las aeronaves utilizadas en servicios militares, de Aduanas o de Policía.* Por lo que se refiere al lugar de comisión, este ya no se circunscribe al espacio sobre alta mar u otra zona no perteneciente al territorio de un Estado, pero se sigue exigiendo un elemento internacional, como corresponde a un Convenio de esta naturaleza. En este sentido, las disposiciones del Convenio solo serán aplicables si el lugar de despegue o el de aterrizaje real de la aeronave, a bordo de la cual se cometa el delito, está situado fuera del territorio del Estado de su matrícula, ya se trate de una aeronave en vuelo internacional, ya en vuelo interno (artículo 3.3).

Convenio para la represión de actos ilícitos para la seguridad de la aviación civil de 1971 (en adelante, Convenio de Montreal). En este Convenio se considera delito la conducta del que *ilícita e intencionadamente: a) realice contra una persona a bordo de una aeronave en vuelo actos de violencia que, por su naturaleza, constituyan un peligro para la seguridad de la aeronave; b) destruya una aeronave en servicio o le cause daños que la incapaciten para el vuelo o que, por su naturaleza, constituyan un peligro para la seguridad de la aeronave en vuelo; c) coloque o haga colocar en una aeronave en servicio, por cualquier medio, un artefacto o sustancia capaz de destruir tal aeronave o de causarle daños que la incapaciten* *para el vuelo o que, por su naturaleza, constituyan un peligro para la seguridad de la aeronave en vuelo; d) destruya o dañe las instalaciones o servicios de la navegación aérea o perturbe su funcionamiento, si tales actos, por su naturaleza, constituyen un peligro para la seguridad de las aeronaves en vuelo, e) comunique, a sabiendas, informes falsos, poniendo con ello en peligro la seguridad de una aeronave en vuelo* (artículo 1).

Dejando a salvo las conductas de apoderamiento y de toma de control sobre una aeronave, que no aparecen recogidas en este Convenio, sino en el de Apoderamiento ilícito de aeronaves, el resto de actos ilícitos coincide básicamente con los previstos en el Convenio SUA en relación con la seguridad marítima, exigiéndose en todo caso que las conductas constituyan un peligro para la seguridad de las aeronaves en vuelo. Se requiere también, según los casos, que la aeronave se encuentre en vuelo o en servicio. Como el significado de la expresión *en vuelo* ya ha sido precisado, baste decir que se considera que una aeronave está *en servicio desde que el personal de tierra o la tripulación comienza las operaciones previas a un determinado vuelo hasta veinticuatro horas después de cualquier aterrizaje* (artículo 2). Del mismo modo que en el Convenio de la Haya, se extiende la punición a la tentativa y a la complicidad.

En el ámbito del Convenio de Montreal las conductas no necesariamente tienen que provenir de una persona que se encuentre a bordo, sino que pueden tener su origen en el exterior de la aeronave. También en este caso se exige un elemento internacional en relación con el lugar de comisión, que viene determinado por el hecho de que el lugar de despegue o de aterrizaje esté situado fuera del Estado de matrícula o de que el delito se cometa en Estado distinto del de la matrícula de la aeronave (artículo 4).

Convenio para la represión de actos ilícitos relacionados con la aviación civil internacional y Protocolo complementario para la represión del apoderamiento ilícito de aeronaves de 2010 (en adelante, Convenio y Protocolo de Beijing). El Convenio añade a las conductas que ya contemplaba el de Montreal, algunas fundamentalmente destinadas a sancionar el empleo de aeronaves civiles como armas contra las personas, así como el transporte y la utilización de armas NBQ contra o a bordo de aeronaves civiles. Además, tipifica los ataques cibernéticos dirigidos contra las instalaciones de navegación aérea. La responsabilidad penal se extiende a los instigadores y organizadores del delito, así como a los que, a sabiendas, ayuden al autor a evadir la investigación, el enjuiciamiento o la pena, y a los que amenacen de una forma verosímil con la comisión de los indicados delitos. Por su parte el Protocolo supone la ampliación del Convenio de La Haya de 1970, ya que abarca otras formas de apoderamiento ilícito de aeronaves, incluidas las que utilizan medios tecnológicos.

3. Otras resoluciones de carácter internacional

Además de los Convenios, en el ámbito internacional se han aprobado otros documentos destinados a prevenir y perseguir la piratería en aquellas zonas del mundo donde todavía constituye un grave problema para la seguridad. En este sentido, el Consejo de Seguridad de Naciones Unidas, preocupado por la amenaza que los actos de piratería y robo a mano armada en el mar cometidos contra buques representan para la situación de Somalia y otros Estados de la región, así como para la navegación internacional y la seguridad de las rutas comerciales, ha aprobado varias Resoluciones, particularmente las resoluciones 1814 (2008), 1816 (2008), 1838 (2008), 1844 (2008), 1846 (2008), 1851 (2008), 1897 (2009), 1918 (2010), 1950 (2010), 1976 (2011), 2015 (2011) y 2020 (2011). En estas resoluciones se exhorta a los Estados a tipificar la piratería en sus legislaciones internas y a considerar la posibilidad de enjuiciar a los presuntos piratas capturados y encarcelar a los convictos, teniendo en cuenta las dificultades que presentan los países de la zona para someter a los responsables a la acción de la justicia.

Las resoluciones del Consejo de Seguridad de Naciones Unidas toman como punto de partida el concepto de piratería contenido en el Convenio de Montego Bay y, ante el alcance restringido del mismo, utilizan la expresión *robo a mano armada en el mar* para hacer referencia a aquellos actos que, siendo sustancialmente coincidentes con los de piratería, no pueden considerarse tal por haberse producido en aguas territoriales de un Estado. La expresión fue acuñada por la Organización Marítima Internacional (OMI), en su Resolución A.922 (22), de 29 de noviembre de 2001, para abarcar *cualesquiera actos ilícitos de violencia o detención, o cualesquiera actos de depredación, que no sean actos de piratería* [en los términos del Convenio de Montego Bay] *dirigidos contra un buque o contra personas o bienes a bordo de este dentro de la jurisdicción de un Estado.* En cualquier caso, se trata de una terminología artificiosa y poco precisa. En primer lugar, porque no se ve razón para denominar y tratar de forma diferenciada actos sustancialmente idénticos, solo en razón del lugar en el que se producen, máxime cuando el hecho de que el delito se cometa en las aguas territoriales de un Estado no siempre es garantía de que efectivamente vaya a ser perseguido por dicho Estado, como ocurre en las aguas ribereñas de *Estados fallidos*, como es el caso de Somalia. En segundo lugar, porque no todos los actos de piratería tienen que ser armados, ni que concretarse en un robo. En consecuencia, resultaría más adecuado cambiar por otra más idónea la expresión *robo a mano armada* o, lo que nos parece preferible, revisar el concepto internacional de piratería a fin de que permita dar cobertura a las actuales manifestaciones del fenómeno (a favor de una revisión del concepto internacional de piratería, SOBRINO HEREDIA, URBINA e IGLESIAS BANIELA).

Atendiendo a las indicadas resoluciones, en el marco de la Unión Europea se aprobó la Acción Común 2008/851/PESC del Consejo, de 10 de noviembre de 2008, por la que se emprendió una operación militar de la Unión Europea destinada a contribuir a la disuasión, la prevención y la represión de los actos de piratería y de robo a mano armada frente a las costas de Somalia. Esta Operación, denominada *Atalanta*, se inició en 2008 y en la actualidad tiene prorrogado su mandato hasta diciembre de 2018.

III. ANTECEDENTES LEGISLATIVOS

El delito de piratería siempre se ha sancionado en España con penas severas, consistentes en largas privaciones de libertad e incluso la pena de muerte. No en vano, los buques españoles destinados al tráfico colonial, así como las ciudades costeras, fueron objetivo preferente de piratas y corsarios entre los siglos XV y XVII. En este apartado se va a centrar la atención en la regulación contenida en los Códigos Penales y en las leyes penales especiales, si bien se hará también referencia a las Partidas y a la Novísima Recopilación, así como al Libro del Consulado del Mar del Reino de Aragón (acerca de los antecedentes históricos del delito de piratería, LÓPEZ LORCA, RODRÍGUEZ NÚÑEZ y MARTOS NÚÑEZ).

En las Partidas se menciona la piratería en el ámbito de los hurtos, constituyendo los piratas, a quienes se hace referencia como *cursarios*, una excepción a la regla general de no aplicación de las penas de muerte o de mutilación en los hurtos. De este modo, en la Ley XVIII, Título XIV, Partida VII se hace mención de quien *fuesse ladron conoscido, que manifiestamente tuviesse caminos, o que robasse otros en la mar con navios armados, a quié dizen cursarios*, añadiendo que *aquien fuere provado que fizo furto en alguna destas maneras debe morir porende, el e quantos dieren ayuda e consejo atales ladrones*.

El Libro del Consulado del Mar es un compendio de leyes y costumbres marítimas del Siglo XIV, destinado a regular las relaciones entre los sujetos intervinientes en el tráfico marítimo. Se trata de una regulación de carácter eminentemente mercantil, aunque también recoge disposiciones sancionadoras y procedimentales. Con respecto a la piratería, ha de decirse que no la aborda como hecho punible, si bien se contempla la imposición de la sanción de veinte sueldos al marinero que, recibida noticia de galeras u otros barcos enemigos o corsarios, y habiendo sido requerido para ello, no defienda la nave (Capítulos del Rey D. Pedro IV de Aragón, sobre actos y hechos marítimos; acerca de las previsiones penales y procesales contenidas en estos Capítulos, SERNA VALLEJO). En el Libro del Consulado del Mar también se hace referencia a la piratería en cuanto que riesgo frecuente en las empresas marítimas. En este sentido, se establece que, en caso de *mercancía apresada*, el patrón *nada deberá darles* [a los marineros] *por sus soldadas, sino en razón de lo que él ganare por fletes* y se añade que *la razón de esto es porque de invasión de piratas nadie está libre* (Título IV, Capítulo 231). Asimismo, el Libro contiene un Título específico (Título XII) referido a las *averías causadas á una nave mercante por insulto de baxeles enemigos ó de corsarios.* Resulta muy elocuente que comience advirtiendo que *si un baxel armado, al salir o al volver de su corso, o en la navegación, se encuentra con alguna nave mercante, y el buque y la carga que lleva es de nación enemiga, sobre esto nada hay que declarar porque no hay quien ignore cómo se debe proceder, pues sobre este caso no es menester establecer razón alguna.* No obstante, a partir de ahí admite diferencias de trato, atendiendo a si la nave apresada es de nación amiga y la mercadería de enemigos o a si la nave es de enemigos y el cargamento de amigos (Capítulo 275).

La Novísima Recopilación declaraba de buena presa las embarcaciones de piratas. Además, determinaba que se tuviera por piratas a los cabos u oficiales de embarcaciones armadas en guerra carentes de *patente legítima de Príncipe, República o Estado que tenga facultad de expedirla, que pelearen con otra bandera que la del príncipe o Estado de quien fuere su patente, o que la tuvieren de distintos Príncipes o Estados* (Tomo III Libro VI Título VIII). Aunque la Novísima Recopilación no definía la piratería, ni establecía las características que proporcionaban a una embarcación la consideración de pirata, de su regulación cabe deducir que el hecho de navegar en embarcación armada y sin autorización legítima de gobierno alguno no resultaba suficiente para ser considerado pirata; cuestión distinta es que se ordenara tratar como si tales fuesen a los oficiales de estas embarcaciones (GROIZARD).

Por lo que se refiere a la codificación, corresponde decir que el delito de piratería ha estado presente en todos los Códigos Penales españoles, salvo en la versión inicial del de 1995. En el Código Penal de 1822 el artículo 268 sancionaba a *los piratas y los que en el mar ó en las costas ó puertos robaren ó se apropiaren algunos efectos de buque estrangero que haya naufragado ó arribado con averías.* El delito se encontraba ubicado entre los contrarios al *Ius Gentium* y vinculado, tanto en la descripción de la conducta típica como en el establecimiento de penas, a los delitos de robo, hasta el punto de que la pena señalada para los piratas —trabajos perpetuos— aparece en el ámbito de los delitos de robo (artículo 730 TERCERO).

El Código Penal de 1848 sancionaba, asimismo entre los delitos contra el Derecho de gentes, *el delito de piratería cometido contra españoles o súbditos de otra nación que no se halle en guerra con España* (artículo 156), señalando pena de cadena temporal en su grado máximo (doce a veinte años) a la de muerte. En consecuencia, este Código circunscribía el ámbito de los sujetos pasivos de la acción a los españoles y a los nacionales de países no beligerantes, guardando silencio en relación con nacionales de países en guerra con España. Ello suponía dejar impunes determinados actos de piratería llevados a cabo sobre civiles de otro Estado, aun cuando los autores carecieran de cualquier tipo de patente o autorización del gobierno. El Código preveía tipos agravados, sancionados con pena de cadena perpetua a muerte, en relación con las siguientes circunstancias:

1°. Siempre que hubieren apresado alguna embarcación al abordaje ó haciéndola fuego. 2°. Siempre que el delito fuere acompañado de homicidio o de alguna de las lesiones designadas en los artículos 341 y 342. 3°. Siempre que fuere acompañado de cualquiera de los atentados contra la honestidad, señalados en el capítulo 11 del título X de este libro. 4°. Siempre que los piratas hayan dejado algunas personas sin medios de salvarse. 5°. En todo caso el capitán o patrón piratas (artículo 157); asimismo sancionaba al que *entregare a piratas la embarcación a cuyo bordo fuere* (artículo 158) y, como cómplice, al que *residiendo en los dominios españoles traficase con piratas conocidos* (artículo 159).*

En relación con la restricción de la punición de los actos de piratería únicamente a los cometidos contra españoles o nacionales de países no beligerantes, señalaba PACHECO, comentarista del Código Penal de 1848: *Cuando la piratería se ha ejercido en daño de extranjeros que son, o que eran entonces, enemigos nuestros, la ley ha callado, y no ha querido reconocer como delito semejante acción. Los motivos de esto son evidentes: no hemos de ir nosotros a asegurar los mares en provecho de nuestros enemigos; no hemos de ir a castigar los males y perjuicios que hubieren venido sobre ellos. (...) limita la ley su sanción a los actos que nos damnifican a nosotros propios, o a quienes están con nosotros en natural y pacífica armonía.* En el mismo sentido GROIZARD, comentarista del Código Penal de 1870, afirmaba que, *si España hubiera inspirado esta parte de su legislación en el espíritu humanitario y cristiano que en toda ella resplandece, hubiera dado armas poderosas á nuestros enemigos, que aun así han tenido siempre medios de abusar de nuestro carácter caballeresco.*

En el Código de 1870 la piratería pasó a estar regulada en un Capítulo específico entre los delitos contra la seguridad exterior de Estado, del mismo modo que en los siguientes Códigos Penales hasta la desaparición del delito en el Código Penal de 1995. Al margen de esta circunstancia, el Código de 1870 únicamente añadía al anterior la punición, con pena de presidio mayor (de seis años y un día a doce años), de los actos de piratería cometidos *contra súbditos no beligerantes de otra nación que se halle en guerra con España* (artículos 155-156), subsanando el silencio del Código Penal anterior en relación con estos supuestos. La pena general para la piratería contra españoles o súbditos de otra nación que no se hallara en guerra con España era de cadena temporal (doce años y un día a veinte años) a cadena perpetua. Para los tipos agravados era de cadena perpetua a muerte en el segundo caso y de cadena temporal a perpetua en el primero.

El Código Penal de 1928, a diferencia de los anteriores, precisaba el significado de piratería al señalar que cometían este delito los que, *sin autorización o patente de Gobierno que tenga facultad de expedirla, o con abuso de patente legítima o llevando patentes de varios Estados, dirijan, manden o tripulen uno o más barcos armados o con tripulación armada que recorran los mares, ejerciendo en ellos, en sus costas ó en otras embarcaciones, robos o violencias.*

El concepto de piratería contenido en el Código Penal de 1928 se configuraba en torno a los siguientes elementos: i) sujeto activo del delito había de ser la tripulación —no los pasajeros— de un barco; ii) la conducta típica podía tener lugar, en palabras del texto legal, *en los mares, en sus costas o en otras embarcaciones*, por lo que no se excluía su comisión en aguas territoriales y no era requisito indispensable la presencia de dos barcos; iii) la conducta típica debía consistir en robar o en ejercer violencia; iv) se requería que los autores o los buques desde los que se realizara el ataque se encontraran armados, exigencia que no aparece en el ámbito internacional, por más que criminológicamente suela ser habitual el empleo de armas en la comisión del delito; v) se había de actuar sin autorización o patente del Gobierno; y vi) se establecían diferencias de pena atendiendo a los sujetos pasivos de la acción, según fueran españoles, nacionales de otra nación que no estuviera en guerra con España o nacionales no beligerantes de otra nación que estuviera en guerra con España. Como se puede apreciar, en el concepto de piratería contenido en el Código Penal de 1928 destacan dos elementos específicos de la regulación nacional, que no tienen parangón en el concepto de piratería característico del Derecho Internacional consuetudinario, después recogido en las Convenciones de Ginebra y de Montego Bay. Por un lado, la ausencia de autorización o patente del gobierno, en clara referencia al corso y, por otro lado, la diferenciación en el tratamiento penológico en atención a quien sea el sujeto pasivo de la acción.

Ha de recordarse que el corso ha sido definido como *la empresa naval de un particular contra los enemigos de su Estado, realizada con el permiso y bajo la autoridad de la potencia beligerante, con el objeto de causar pérdidas al comercio enemigo y entorpecer al neutral que se relacione con dichos enemigos* (AZCÁRRAGA). En consecuencia, se trataba de campañas que realizaban algunos buques privados, con autorización de sus gobiernos, para perseguir o atacar embarcaciones enemigas (MARTÍNEZ ALCAÑIZ). El corsario tenía licencia para actuar en tiempos de guerra —aunque también se admitía que lo hiciera en actos de represalia llevados a cabo en tiempos de paz—, bajo la bandera del Estado que le había dado la autorización, con sometimiento a las leyes, usos y costumbres de la guerra marítima, y sin excederse del contenido de la autorización de su gobierno. Esta autorización, denominada *la patente de corso*, concedía al buque y a la tripulación el carácter de beligerante y la posibilidad de ejercer el derecho de captura sobre barcos enemigos (AZCÁRRAGA y CORRALES ELIZONDO). En consecuencia, el ejercicio de hostilidades hacia buques del pabellón de la potencia enemiga se consideraba legal, siempre que no se diera extralimitación en el ejercicio del derecho concedido a través de la patente. Los piratas, en cambio, a pesar de realizar *de facto* conductas de similar contenido material, no se sometían a ninguna ley y eran considerados *ladrones del mar y enemigos de la humanidad* (*hostis humani generis*). En cualquier caso, en muchas épocas las fronteras entre el corso y la piratería, dada su permeabilidad, se fundieron y confundieron (AZCÁRRAGA). En el ámbito internacional el corso se declaró formalmente abolido en 1856, adhiriéndose España a esa declaración en 1908. Por ello, el hecho de que el Código Penal de 1928 aludiera a él años después de su abolición formal, sorprende y resulta indicativo de la relevancia que tuvo en nuestro país.

Dejando al margen la inclusión de una definición del concepto de piratería, la regulación del Código Penal de 1928 era similar a la de los Códigos anteriores, si bien introducía la sanción del que *se apodere de un barco español sobornando a la tripulación o por cualquier otro medio ilegítimo* y de los que *desde el mar, desde el aire o desde tierra ocasionen, con señales falsas o por otro medio doloso, el naufragio o la varada de un buque con el propósito de robarlo o de atentar contra las personas que se encuentren a bordo.* También de forma novedosa establecía que las prescripciones relativas a la piratería marítima serían aplicables igualmente cuando en la comisión de los delitos se utilizaren aeronaves como medio o los hechos se realizaren contra ellas (artículos 245-252). La pena prevista era de dieciocho a treinta años de reclusión para los actos de piratería cometidos contra españoles o súbditos de naciones que no estuvieran en guerra con España, y de cuatro a doce años de reclusión para los cometidos contra súbditos no beligerantes de naciones en guerra con España. En el caso de los tipos agravados la pena pasaba a ser de reclusión de veinticuatro años a muerte. El delito de entrega de embarcación a piratas tenía pena de reclusión de veinticuatro años a muerte si lo cometía el capitán o patrón y de reclusión de diez a veinticuatro años en otro caso. La pena del delito de apoderamiento mediante soborno a la tripulación era de reclusión de diez a veinte años para el tipo básico y de catorce a veinticuatro años para el agravado. Por lo que se refiere al delito de realización de señales falsas con propósito de robo o atentado contra las personas, la pena era de reclusión de seis a doce años, y la superior inmediata, salvo que el Código previera mayores penas para los hechos, si el ulterior acto pretendido efectivamente hubiera tenido lugar.

El Código Penal de 1932 volvió a la regulación establecida en el Código Penal de 1870 (artículos 142-143). La pena general para la piratería contra españoles o súbditos de otra nación que no se hallara en guerra con España era de reclusión menor (doce años y un día a veinte años) a reclusión mayor en su grado mínimo (veinte años y un día a veintitrés años y cuatro meses). Para los tipos agravados era de reclusión mayor (veinte años y un día a treinta años), en el primer caso, y de reclusión menor (doce años y un día a veinte años) a reclusión mayor en su grado mínimo (veinte años y un día a veintitrés años y cuatro meses), en el segundo caso. La regulación del Código Penal de 1932 se mantuvo en el Código Penal de 1944, pero reintroduciéndose la extensión del delito a las conductas llevadas a cabo *contra aviones, aeronaves o aparatos similares, o utilizando tales medios* (artículos 138-139). La pena prevista para los tipos agravados de piratería también se modificó, pasando a ser de reclusión mayor a muerte en el caso de súbditos españoles o de naciones que no estén en guerra con España y de reclusión mayor en el caso de súbditos no beligerantes de naciones en guerra.

El Código Penal de 1973 prácticamente reprodujo la tipificación anterior, si bien consideramos adecuado transcribir el contenido de sus preceptos por tratarse del antecedente inmediatamente previo a la legislación vigente. El artículo 138 establecía lo siguiente: *El delito de piratería cometido contra españoles o súbditos de otra nación que no se halle en guerra contra España, será castigado con la pena de reclusión mayor* (de veinte años y un día a treinta años). *Cuando el delito se cometiere contra súbditos no beligerantes de una nación que se halle en guerra con España, será castigado con la pena de presidio mayor* (de seis años y un día a doce años). Por su parte, el artículo 139, en su última redacción, preceptuaba lo siguiente: *Incurrirán en la pena de reclusión mayor en su grado máximo* (de veintiséis años, ocho meses y un día a treinta años) *los que cometan los delitos de que trata el párrafo primero del artículo anterior, y en la pena de reclusión mayor los que cometan los delitos de que habla el párrafo segundo del mismo artículo: 1°. Siempre que hubieren apresado alguna embarcación al abordaje o haciéndola fuego. 2°. Siempre que el delito fuere acompañado de asesinato u homicidio o de alguna de las lesiones a que se refieren los artículos 418, 419 y 421. 3°. Siempre que fuere acompañado de cualquiera de los atentados contra la libertad sexual señalados en el capítulo I, título IX, de este libro. 4ª Siempre que los piratas hayan dejado a alguna persona sin medio de salvarse. 5°. En todo caso, el jefe, capitán o patrón pirata. Las penas señaladas en este artículo y en el anterior son aplicables a los delitos que se cometieren contra aviones, aeronaves o aparatos similares o utilizando tales medios para la realización de aquellos.*

El Código Penal de 1995, en su versión inicial, no contenía el delito de piratería. En palabras de la Exposición de motivos, se pretendía afrontar *la antinomia existente entre el principio de intervención mínima y las crecientes necesidades de tutela en una sociedad cada vez más compleja, (...) eliminando figuras delictivas que han perdido su razón de ser*. Todo parece indicar que entre esas figuras que se entendió que con el tiempo habían *perdido su razón de ser* se encontraba la piratería. El problema es que, con ello, España desatendía los compromisos derivados de su ratificación del Convenio de Montego Bay y quedaba carente de sentido el artículo 23.4 LOPJ, el cual atribuía a los Tribunales españoles competencia para conocer de un delito —el de piratería—, que había dejado de estar tipificado en la legislación interna. Por otro lado, no deja de resultar paradójico que la decisión de eliminar del Código Penal el delito de piratería se adoptara en un momento en el que ya existían datos indicativos de un resurgir de este fenómeno criminal en el ámbito internacional (IGLESIAS BANIELA). Así, situándonos en el entorno de la elaboración y entrada en vigor del Código Penal de 1995, llama la atención que la Organización Marítima Internacional (OMI) diera cuenta de 6 incidentes de piratería o robo a mano armada en el año en 1994, de 137 en 1995 y de 233 en 1996.

La piratería se dio prácticamente por desaparecida en el siglo XIX, pero resurgió con fuerza a partir de medidos de los años ochenta. Se han señalado como posibles causas de este renacer, el final de la Guerra Fría, la globalización y la liberalización de los mercados, pues sus consecuencias de aumento del comercio mundial y disminución de la vigilancia de los mares supusieron un aliciente para los nuevos piratas (PERYROTEO PORTELA).

Fue la LO 5/2010, de 22 de junio, de modificación del Código Penal, la que re-introdujo el delito de piratería con la formulación con la que se encuentra vigente y que será objeto de análisis en los siguientes apartados. El delito se incluyó en un Capítulo específico, dentro del Título dedicado a los delitos contra la Comunidad Internacional. La razón de ser de esta reforma, según el Preámbulo de la LO 5/2010 *radica en la necesidad de dar respuesta a la problemática de los eventuales actos ilícitos contra la seguridad de la navegación marítima y aérea, y se conforma recogiendo los postulados del Convenio de Montego Bay de 10 de diciembre de 1982 sobre el Derecho del mar y de la Convención sobre la navegación marítima firmada en Roma el 10 de marzo de 1988.*

Hasta aquí el recorrido por el tratamiento que ha recibido la piratería en los distintos Códigos Penales, pero el delito de piratería también ha merecido la atención de las leyes penales especiales relativas a la Marina Mercante, a la Navegación Aérea y al Derecho Penal Militar. En este sentido, la Ley Penal y Disciplinaria de la Marina Mercante, de 22 de diciembre de 1955, entre los delitos contra el derecho de gentes y las leyes y usos internacionales, contenía el delito de piratería (artículos 9-12). Para esta Ley constituían piratería los *actos de depredación y violencia contra las personas realizados en el mar o desde él por individuos de la dotación de un buque que se han colocado fuera de la jurisdicción de todo Estado perteneciente a la comunidad internacional y lo emplean indistintamente contra súbditos de uno u otro país sin tener comisión alguna legítima de guerra.* Asimismo, consideraba reos del delito de piratería *a)* *a los individuos de la dotación de un buque y personas embarcadas en él que faciliten a los de otro el apoderamiento con violencia del primero o el despojo, daño o lesión de las personas que se hallaren a bordo; b) a los que desde el mar o desde tierra ocasionen, con señales falsas o por otros medios dolosos, el naufragio, varada o encallamiento de un buque con el propósito de atentar contra las personas o cosas que se hallaren a bordo.* Además, establecía las mismas penas para los supuestos en los que las conductas se cometieran en *el mar o desde él contra aeronaves o aparatos similares,* y contemplaba tipos agravados equivalentes a los previstos para el delito de piratería en los diferentes Códigos Penales. Las penas señaladas eran de reclusión mayor (veinte años y un día a treinta años) a muerte, para los tipos agravados, y de reclusión menor (doce años y un día a veinte años) a reclusión mayor para los demás casos. La Ley Penal y Disciplinaria de la Marina Mercante fue derogada en 1992, por lo que a partir de ese momento y hasta su desaparición con la entrada en vigor del Código Penal de 1995, la piratería marítima pasó a estar tipificada solo en el Código Penal.

Por su parte, la Ley 209/1964 Penal y Procesal de Navegación Aérea, de 24 de diciembre (en adelante LPPNA), también contempla infracciones penales relacionadas con la piratería. Así, el artículo 39 sanciona con pena de reclusión mayor (veinte años y un día a treinta años) al que *se apodere con violencia o intimida-*

ción de una aeronave, de personas o cosas que se hallen a bordo, en circunstancias de lugar y tiempo que imposibiliten la protección de un Estado, y prevé tipos agravados, sancionados con la pena de reclusión mayor en su grado máximo (de veintiséis años, ocho meses y un día a treinta años), para los supuestos en los que el medio violento empleado para la aprehensión de la aeronave la ponga en peligro de siniestro o en los que se haya dejado a alguna persona sin medios de salvarse. Según el artículo 40, *serán castigados con las mismas penas señaladas en el artículo anterior, según los casos: 1.º Los que con violencia o intimidación se apoderen de la aeronave en que vuelen o faciliten a otros su apoderamiento. 2.º Los que desde el aire, tierra o mar, y por cualquier medio, provoquen la caída, pérdida, incendio, aterrizaje o amaraje de una aeronave, con el propósito de apoderarse de ella o de atentar contra las personas o cosas que se encuentren a bordo* (ampliamente sobre estos delitos, LÓPEZ LORCA y FARALDO CABANA).

Por lo que respecta al Derecho Penal Militar se va a hacer referencia al Código Penal de la Marina de Guerra, de 24 de agosto de 1888; al Código de Justicia Militar, de 17 de julio de 1945; a la LO 13/1985, de 9 de diciembre, del Código Penal Militar y a la LO 14/2015, de 14 de octubre, del Código Penal Militar. En ninguno de estos Códigos aparece recogido como tal el delito de piratería, si bien algunas figuras delictivas guardan cierta relación con el mismo. En este sentido, el Código Penal de la Marina de Guerra, en el marco de los delitos contra la seguridad del Estado, en el Capítulo referente a los delitos contra el Derecho de gentes, tipificaba la conducta del *marino que sin motivo justificado o sin autorización competente ejecutare actos de manifiesta hostilidad contra una nación extranjera o violare tregua, armisticio, capitulación u otro convenio celebrado con el enemigo* (califica este delito del Código Penal de la Marina de Guerra como de piratería, CORRALES ELIZONDO). La pena establecida era de reclusión militar desde doce años y un día a muerte, siempre que de resultas de la conducta *sobreviniere una declaración de guerra o se produjeren violencia o represalias* y de prisión militar menor desde seis meses y un día a seis años en otro caso (artículo 126).

El Código de Justicia Militar contenía un precepto similar entre los delitos contra la seguridad de la Patria, dentro del Capítulo referido a los delitos contra el derecho de gentes, devastación y saqueo. En el mismo Capítulo incluía un delito más específicamente vinculado con la piratería, por cuanto suponía la sanción, con pena de reclusión (doce años y un día a treinta años) a muerte, del militar o agregado a los Ejércitos que sin orden expresa de sus Jefes incendiara o destruyera buques, aeronaves, edificios u *otras* propiedades, saqueara a los habitantes de pueblos o caseríos o cometiera actos de violencia en las personas (artículo 280). Por otro lado, el Código de Justicia Militar hacía mención expresa de la piratería al atribuir a la jurisdicción militar la competencia para conocer de los procedimientos que se instruyeran contra cualquier persona por este delito (artículo 6. 9º).

El Código Penal Militar de 1985 no recogía propiamente la piratería, si bien incriminaba actos que podrían considerarse tal, en el ámbito de los delitos contra las Leyes y usos de la guerra (MARTÍNEZ NÚÑEZ y DÍAZ Y GARCÍA CON-LLEDO). Así, sancionaba con pena de diez a veinticinco años de prisión al militar que, violando las prescripciones de los Convenios Internacionales ratificados por España relativos a la navegación en tiempos de guerra, destruyere innecesaria-mente un buque no beligerante, enemigo o neutral, sin dar tiempo suficiente para poner a salvo la tripulación y pasaje (artículo 71); con pena de tres a quince años de prisión al militar que saqueare a los habitantes de poblaciones enemigas o, sin exigirlo las necesidades de la guerra, incendiare, destruyere, o dañare gravemente edificios, buques, aeronaves u otras propiedades enemigas no militares (artículo 73); y con pena de seis meses a seis años al militar que capturare o destruyere bu-que mercante o aeronave comercial, con infracción de las normas sobre el derecho de presa (artículo 74).

Por lo que se refiere al vigente Código Penal Militar de 2015, su aprobación obedeció a la intención del legislador de remarcar su carácter de ley penal espe-cial, llamada a acoger en su articulado delitos exclusivamente castrenses, que no tienen cabida en el texto común o que, aun teniéndola, requieren alguna previsión singular que justifique su incorporación a la ley militar (*vid.* Preámbulo de la LO 14/2015, de 14 de octubre, del Código Penal Militar). Por ello, los anteriormente denominados *delitos contra las Leyes y usos de la guerra* han desaparecido de la legislación penal militar, en la medida en que las conductas que sancionaban se encuentran tipificadas en los artículos 609 y siguientes del Código Penal común, en el ámbito de los delitos contra las personas y bienes protegidos en caso de conflicto armado. Teniendo en cuenta la citada autolimitación del Código Penal Militar resulta lógico que tampoco contenga referencia alguna a la piratería, en la medida en que también se encuentra recogida como delito autónomo en las disposiciones del Derecho Penal común.

Como se puede apreciar, la tipificación del delito de piratería ha sido una constante en nuestra legislación penal, con la mencionada excepción del Código Penal de 1995 en su redacción inicial. Lo que no resulta evidente a partir de los textos legales es el alcance del concepto de piratería en la legislación interna. Ha de tenerse en cuenta que, de los Códigos Penales, únicamente el de 1928 contenía una definición de la piratería, ya que los Códigos Penales previos y, del mismo modo, los ulteriores hasta el de 1995, se referían a los *piratas* y a la *piratería*, pero sin mayor explicación de los términos, por lo que el delito se encontraba regulado por normas penales absolutamente en blanco (RODRÍGUEZ NÚÑEZ), que no respetaban las exigencias mínimas del principio de taxatividad (LÓPEZ LORCA). Tal y como se ha indicado, el Código Penal de 1928 sí establecía los elementos del delito, pero con un alcance que no se correspondía con el del con-cepto de piratería característico del Derecho Internacional.

Por lo que se refiere a las leyes penales especiales, el concepto de piratería que recoge la Ley de la Marina Mercante se aproxima más al concepto internacional, aunque manteniendo la alusión al corso, propia de nuestra legislación interna (LÓPEZ LORCA). El acercamiento al concepto internacional de piratería se aprecia fundamentalmente en la conducta típica, que pasa a concretarse en actos de depredación y de violencia, así como en el hecho de que los autores deban ser miembros de la *dotación de un buque* que se hayan colocado *fuera de la jurisdicción de todo Estado*. En la misma línea, aunque sin hacer referencia al término *piratería*, en la LPPNA se demanda que la conducta se lleve a cabo *en circunstancias de lugar y tiempo que imposibiliten la protección de un Estado*.

IV. DELITO DE PIRATERÍA (ART. 616 TER)

1. *Bien jurídico protegido*

A la regulación del delito de piratería se destina el Capítulo V del Título XXIV del Libro II del Código Penal. La ubicación del delito de piratería dentro del Título referido a los Delitos contra la Comunidad Internacional nos indica que la voluntad del legislador al tipificar la conducta fue la protección de un interés colectivo que afecta a la Comunidad Internacional. Se puede mantener que, con carácter general, los delitos contra la Comunidad Internacional se encuentran destinados a la salvaguarda de la paz, la seguridad y el bienestar de la humanidad. En el caso del delito de piratería el bien jurídico protegido se concretaría en la seguridad de la navegación marítima y aérea, como condición necesaria para el mantenimiento de la seguridad internacional.

Esta perspectiva internacional del bien jurídico se hace más patente en la regulación del delito de piratería contenida en el Convenio de Montego Bay, donde se exige que la conducta se lleve a cabo en alta mar o en territorio que no se encuentre bajo la soberanía de ningún Estado. También en el ámbito de los Convenios destinados a prevenir, respectivamente, los actos ilícitos contra la navegación marítima y la aérea, se requiere que los actos delictivos se cometan mediando algún elemento internacional, ya sea la diferencia entre el Estado en el que se haya cometido el delito y el de la matrícula, ya sea el traspaso o la previsión de paso a aguas internacionales o a aguas de otro Estado. El vigente Código Penal no recoge ninguno de los indicados elementos en relación con la piratería. Sin embargo, la ubicación del delito en el Título XXIV parece suficientemente indicativa de que, con independencia de la nacionalidad de los autores, del pabellón o matrícula del buque o aeronave y de que la conducta haya tenido lugar en o sobre aguas internacionales, en territorio marítimo o aéreo de otro Estado o en territorio marítimo o aéreo español, en cualquier caso habrá de exigirse que tenga aptitud para afectar a la seguridad de la navegación y no solo a intereses particulares de las personas afectadas. En este sentido nuestro Código Penal se encuentra en la línea del Convenio SUA, que sitúa el eje de las conductas cuya tipificación propugna en la afectación a la seguridad de la navegación de los buques afectados, aun a costa de extender las conductas típicas más allá de las que tradicionalmente se habían estimado constitutivas de piratería.

La consideración de que es la seguridad de la navegación marítima y aérea —en cuanto que bien jurídico colectivo y de relevancia internacional— el interés protegido por el delito de piratería contenido en el artículo 616 ter del Código Penal, permite explicar la cláusula concursal introducida por el legislador en el precepto, y que obliga a imponer la pena prevista para el delito de piratería, *sin perjuicio de las que correspondan por los delitos cometidos*. De esta forma, a través del concurso de delitos se abarca, no solo el desvalor que supone el ataque a la seguridad de la navegación, sino también el que implica la lesión de bienes jurídicos individuales en que se pueda concretar el acto de piratería (en este sentido, la STS 1387/2011, 12-12, relativa al *caso Alakrana*, establece que *el nuevo tipo penal de piratería es un delito contra la comunidad internacional mediante el que se protege la seguridad del tráfico marítimo y aéreo, bien jurídico supraindividual distinto de los bienes individuales que se tutelan en los tipos penales por los que han sido condenados los recurrentes en la sentencia de instancia* [se refiere a los delitos de detención ilegal, robo con violencia y contra la integridad moral]; asimismo acerca del carácter supraindividual del bien jurídico protegido, STS 313/2014, 2-4).

Por este motivo estimamos que, en aquellos casos en los que haya tenido lugar alguna de las conductas tipificadas en el artículo 616 ter CP, sin que se aprecie idoneidad para que quede afectada la seguridad de la navegación marítima o aérea, no cabrá calificar los hechos como de piratería. Ello supone concebir el delito de piratería como de peligro abstracto hipotético e interpretar la aptitud de la conducta para lesionar la seguridad de la navegación marítima o aérea como un elemento del tipo. Esta opción parece preferible, teniendo en cuenta que la amplitud con la que se perfila el delito de piratería en el Código Penal genera numerosas zonas de confluencia con otros delitos, que es preciso delimitar (a favor de una interpretación restrictiva en el sentido de exigir que los actos tengan cierta significación y que se cometan en el contexto propio del delito de piratería, TAMARIT SUMALLA).

2. Sujetos activo y pasivo

El delito de piratería contenido en el artículo 616 ter CP es un delito común, por cuanto no precisa de ningún requisito específico para que alguien pueda ser considerado autor del mismo. Frente al Convenio de Montego Bay, que exige que los sujetos activos sean tripulantes o pasajeros de una embarcación o aeronave privadas y que lleven a cabo la conducta sobre otra embarcación o aeronave, ninguna de estas circunstancias se configura como elemento del delito en el artículo 616 ter CP. De este modo, los autores pueden encontrarse en la propia embarcación afectada o proceder del exterior; y no necesariamente tienen que ser tripulantes o pasajeros de una embarcación o aeronave, por lo que cabría que actuaran desde tierra.

Tampoco se excluye de la comisión del delito a los buques de guerra u oficiales, por cuanto el precepto no contiene ninguna previsión al respecto, lo que sí ocurre en los Convenios Internacionales sobre la materia. Además, el hecho de que el Código Penal Militar se encuentre circunscrito a los delitos castrenses y de que no se haya incluido en él el delito de piratería corrobora la voluntad del Legislador de que los actos de piratería que pudieran llevarse a cabo desde un buque o aeronave militar u oficial sean sancionados conforme al Derecho Penal común. En cualquier caso, habrá de valorarse la posibilidad de que las conductas procedentes de este tipo de buques o aeronaves, dependiendo de las circunstancias, deban ser sancionadas conforme a otros delitos contra la Comunidad Internacional, como es el caso de los delitos contra las personas y bienes protegidos en caso de conflicto armado. En relación con esta cuestión resulta interesante el Auto de la Audiencia Nacional de 10 de junio de 2015, referente al abordaje llevado a cabo el 31 de mayo de 2010 por buques de guerra de la Armada israelí en aguas internacionales contra seis barcos de la llamada *Flotilla de la Libertad*, que se dirigía a Gaza para llevar ayuda humanitaria con setecientas cincuenta personas a bordo, entre ellas tres españolas, y que se saldó con la muerte de nueve personas, decenas de heridos, la detención de los pasajeros en Israel y su posterior expulsión a Turquía. Los hechos habían sido calificados por las acusaciones como constitutivos de un delito de lesa humanidad y de un delito contra las personas y bienes protegidos en caso de conflicto armado; no obstante, se planteó su calificación alternativa como delito de piratería o contra la seguridad de la navegación marítima, a fin de facilitar su persecución por parte de los Tribunales españoles, conforme al artículo 23.4.d) de la LOPJ. El Tribunal entendió que la calificación como piratería no resultaba posible porque los hechos se habían llevado a cabo desde buques de guerra. En cualquier caso, ha de tenerse en cuenta que lo que se dilucidaba en el Auto no era tanto si la conducta encajaba o no en el delito de piratería del artículo 616 ter CP, cuanto si se podían aplicar las prescripciones relativas al alcance de la jurisdicción contenidas en los Convenios internacionales sobre la materia —particularmente en el Convenio SUA—, siendo así que dicho Convenio efectivamente excluye de su ámbito de aplicación a los buques de guerra y a los buques de un Estado que se utilicen como unidades navales auxiliares o con fines aduaneros o policiales.

Por otro lado, la mención que en el artículo 616 ter CP se hace del sujeto activo del delito en singular —*el que*— disipa toda duda acerca de la posible consideración de este delito como plurisubjetivo. Aunque en el plano internacional efectivamente se ha defendido que el delito de piratería es plurisubjetivo, y por más que en la práctica los actos de piratería se suelan llevar a cabo por parte de una pluralidad de personas, ello no resulta una exigencia del tipo.

Por lo que se refiere al sujeto pasivo del delito, en la medida en que se parte de la consideración de que el bien jurídico protegido es la seguridad de la navegación marítima y aérea en el marco de la Comunidad Internacional, sujeto pasivo del delito será la Comunidad Internacional en su conjunto. En relación con esta figura delictiva se da la particularidad de la falta de coincidencia entre el sujeto pasivo del delito y el sujeto pasivo de la acción, que se puede concretar en las personas que se encuentran en la embarcación o aeronave objeto del ataque, o en las personas que, no estando a bordo, sufran la violencia o intimidación demandadas por el tipo (exige sujeto pasivo plurisubjetivo, FAKHOURI GÓMEZ).

3. Objeto material

De la literalidad del texto legal se desprende que el delito de piratería, dependiendo de si tiene lugar en el ámbito marítimo o en el aéreo y de la modalidad de conducta típica en la que se concrete, puede recaer sobre alguno de los siguientes objetos materiales que se procede a definir, respetando el orden con el que aparecen en el artículo 616 ter CP.

Aeronave. Según el artículo 11 de la Ley 48/1960, de 21 de julio, de Navegación Aérea (en adelante, LNA), *se entiende por aeronave: a) Toda construcción apta para el transporte de personas o cosas capaz de moverse en la atmósfera merced a las reacciones del aire, sea o no más ligera que este y tenga o no órganos motopropulsores. b) Cualquier máquina pilotada por control remoto que pueda sustentarse en la atmósfera por reacciones del aire que no sean las reacciones del mismo contra la superficie de la tierra.* En conclusión, el concepto de *aeronave* permite abarcar, tanto los aparatos a motor como los planeadores, los tripulados y los pilotados por control remoto, como sería el caso de los drones. Cuestión diferente es la desigual capacidad que tengan los actos llevados a cabo sobre los distintos tipos de aeronave para afectar a la seguridad de la navegación aérea internacional y que, en la interpretación que hemos hecho de la piratería como un delito de aptitud, va a resultar determinante a la hora de decidir acerca de la tipicidad de la conducta. Por ello entendemos que ha de tratarse de aeronaves que posean autonomía suficiente para volar en el espacio aéreo internacional o para alcanzar el espacio aéreo de otro Estado. Por este motivo, quedarían fuera del tipo penal de piratería los disparos realizados contra un globo aerostático que realizara un vuelo dentro del mismo Estado y que no tuviera autonomía para desplazarse más de cinco kilómetros, pues más allá del ataque contra las personas y contra la propiedad que supondría el acto, difícilmente cabrá sostener que la conducta constituya un riesgo para la navegación aérea, y mucho menos que tenga relevancia internacional (recuérdese que el delito de piratería se encuentra regulado entre los delitos contra la Comunidad Internacional y que el bien jurídico protegido que busca proteger es la seguridad de la navegación).

Buque. Según el artículo 56 de la Ley 14/2014, de 24 de julio, de Navegación Marítima (en adelante, Ley de Navegación Marítima), *se entiende por buque todo vehículo con estructura y capacidad para navegar por el mar y para transportar personas o cosas, que cuente con cubierta corrida y de eslora igual o superior a veinticuatro metros*. En la misma línea, y a los efectos del tipo cualificado del delito de tráfico de drogas previsto en el artículo 370.3 CP, el Acuerdo del Pleno no Jurisdiccional de la Sala Segunda del Tribunal Supremo, de 25 de noviembre de 2008, dejó establecido que el término *buque* se refiere a *aquellas embarcaciones con propulsión propia o eólica y, al menos, una cubierta, con cierta capacidad de carga e idónea para realizar travesías de entidad*. Este criterio fue utilizado para excluir de la consideración de *buque* a las embarcaciones semirrígidas (*vid*. STS 895/2008, 16-12); no obstante, la extensión del tipo cualificado de tráfico de drogas a los supuestos de utilización de este tipo de lanchas se produjo a través de la reforma del Código Penal operada por la LO 5/2010, que introdujo en el artículo 370.3 CP el término más amplio de *embarcación*.

Frente a los Convenios de Ginebra y de Montego Bay, que exigen que los buques o aeronaves sobre los que recaigan los actos de piratería tengan carácter privado, el Código Penal no requiere esta circunstancia; de hecho ya los Tribunales han tenido ocasión de aplicar el artículo 616 ter CP en relación con un supuesto en el que varios nacionales somalíes intentaron el abordaje y efectuaron disparos contra el buque de la Armada Patiño, que participaba en el dispositivo de la Operación Atalanta (STS 313/2014, 2-4).

Otro tipo de embarcación. El legislador ha querido extender el ámbito del objeto material del delito de piratería a otro tipo de embarcaciones distintas de los buques. Teniendo en cuenta que, según el Diccionario de la RAE *embarcación* es todo *vehículo capaz de navegar por el agua propulsado por remo, vela o motor*, la cuestión a dilucidar es si tiene sentido otorgar el mismo tratamiento a las conductas llevadas a cabo sobre un buque —entendido en los términos indicados— que a los actos llevados a cabo sobre una lancha motora o, llevando el ejemplo al extremo, sobre un barco de remos o sobre una piragua. Este dilema también se plantea en relación con la interpretación del tipo cualificado de tráfico de drogas contenido en el artículo 370.3 CP, en el que, del mismo modo, se equipara el tratamiento que reciben *buques, embarcaciones* y *aeronaves*. En relación con el delito de tráfico de drogas, los Tribunales han acudido a la interpretación teleológica del precepto para determinar el posible alcance de su aplicación. En palabras del Tribunal Supremo, lo que el legislador quiere sancionar en el tipo cualificado de extrema gravedad del artículo 370.3 CP *es la utilización de medios* *de transporte marítimo con la finalidad concreta de realizar con mayores facilidades el traslado de las sustancias estupefacientes o psicotrópicas, con las ventajas que proporciona la utilización privada de estos medios de locomoción a efectos de facilitar el éxito de la consumación del delito y asegurar la impunidad*, pensando fundamentalmente en el caso de las embarcaciones semirrígidas (por todas, STS 220/2012, 21-3).

En el caso del delito de piratería, aunque una interpretación sistemática nos conduciría a dar al termino *embarcación* el mismo alcance que en los otros preceptos del Código Penal, resultaría más adecuada una interpretación restrictiva, atendiendo al bien jurídico protegido y a la consecuente necesidad de que la conducta sea apta para afectar a la seguridad de la navegación marítima en el marco de la Comunidad Internacional. Por ello, nos parece preferible tomar como referencia la Ley de Navegación Marítima que, en su artículo 57, establece que *se entiende por embarcación el vehículo que carezca de cubierta corrida y el de eslora inferior a veinticuatro metros, siempre que, en uno y otro caso, no sea calificado reglamentariamente como unidad menor en atención a sus características de propulsión o de utilización.* No se trataría tanto de concebir el delito como una norma penal en blanco, con la consiguiente remisión a lo que en su momento prevean los reglamentos en relación con las *unidades menores*, cuanto de establecer diferenciaciones que permitan descartar del ámbito de aplicación del precepto aquellas embarcaciones que, por su destino y/o características de propulsión, no sean idóneas para navegar en alta mar o para alcanzar las aguas territoriales de otro Estado, cuestión que también hemos considerado determinante en relación con las aeronaves.

Plataforma marítima: El Convenio SUA tomaba como punto de partida un concepto amplio de *buque*, que permitía abarcar los actos ilícitos realizados, no solo sobre *buques* en sentido estricto, sino también sobre cualquier artefacto flotante, incluidas las plataformas no fijas. En este sentido, en el Convenio se considera *buque toda nave del tipo que sea, no sujeta de manera permanente al fondo marino, incluidos vehículos de sustentación dinámica, sumergibles o cualquier otro artefacto flotante* (artículo 1). La exclusión de las plataformas fijas de su ámbito de aplicación motivó que posteriormente se aprobara el Protocolo de 2008 para la represión de actos ilícitos contra la seguridad de las plataformas fijas emplazadas en la plataforma continental, en el que se considera que una *plataforma fija es una isla artificial, instalación o estructura sujeta de manera permanente al fondo marino con fines de exploración o explotación de los recursos u otros fines de índole económica.* En términos similares define la plataforma fija el artículo 59 de la Ley de Navegación Marítima, como *toda estructura o instalación susceptible de realizar operaciones de explotación de los recursos naturales marítimos o de destinarse a cualesquiera otras actividades, emplazada sobre el lecho del mar, fondeada o apoyada en él.*

El artículo 616 ter CP, al establecer los elementos del delito de piratería, se refiere de manera genérica a las plataformas en el mar. En la medida en que no precisa si se refiere a las fijas o a las flotantes, en principio, permitiría abarcar ambas modalidades. En relación con la inclusión de las plataformas fijas, mantiene una postura crítica LÓPEZ LORCA por entender que carece de justificación que una reforma destinada a colmar la laguna legal existente en relación a los actos ilícitos contra la seguridad de la navegación marítima incorpore *un objeto que se caracteriza, fundamentalmente, por estar unido al fondo marino y no experimentar movimiento alguno de navegabilidad en el mar*; considera la autora que, en relación con las plataformas fijas lo que tiene sentido proteger es la seguridad de las mismas, no la seguridad de la navegación. Por nuestra parte consideramos que, si bien este argumento no se encuentra carente de razón, también en los ataques a las plataformas fondeadas en el mar se puede poner en riesgo la seguridad de la navegación por cuanto el daño, destrucción, toma de control u ocupación sobre las mismas genera situaciones de inseguridad, no solo para las propias plataformas sino también para el resto de embarcaciones que intervienen en la navegación. Además, hay plataformas fijas que, si bien están diseñadas fundamentalmente para estar ancladas en el mar, también son susceptibles de desplazamiento. En cualquier caso, el ataque a las plataformas, ya sean fijas o flotantes, genera un indudable riesgo para la seguridad de los espacios marinos.

Personas, cargamento o bienes que se hallaren a bordo. En relación con las personas, estaríamos a un tiempo ante el objeto material del delito y ante el sujeto pasivo de la acción. Se exige que las personas se encuentren *a bordo*, de tal modo que el mero acto de atentar contra un pasajero en tierra, salvo que ello constituya la violencia o intimidación destinada a consumar un acto de apoderamiento, daño o destrucción del buque o aeronave, no sería constitutivo del delito de piratería del artículo 616 ter CP.

Por lo que se refiere al *cargamento*, según el Diccionario de la RAE, se trata del *conjunto de mercancías que carga una embarcación*. En la medida en que también es preciso que se encuentre a bordo, tampoco integrarían el delito de piratería los actos de destrucción del cargamento que se produzcan mientras este se encuentre en el muelle. Conjuntamente con las personas y el cargamento, se hace referencia a los *bienes*, siempre que, del mismo modo, se encuentren *a bordo*. En este caso estamos ante un concepto más amplio que el de *cargamento*, que permite dar cabida a las pertenencias de los pasajeros y de la tripulación, así como a los víveres, a los enseres y a los dispositivos de salvamento de la embarcación o aeronave.

4. Medios comisivos: violencia, intimidación o engaño

En el artículo 616 ter CP se sanciona al que *con violencia, intimidación o engaño*, se apodere, dañe o destruya una aeronave, un buque u otro tipo de embarcación o plataforma en el mar, o bien atente contra las personas, cargamento o bienes a bordo. Como en muchos de los tipos penales en los que la redacción se compone de varias locuciones, surge la duda acerca de si el requisito de que la acción se lleve a cabo *con violencia, intimidación o engaño*, afecta solo a las conductas que aparecen en primer lugar —las que tienen por objeto material a embarcaciones, aeronaves y plataformas—, o bien a todas las previstas en el precepto. Por nuestra parte consideramos que la ubicación de los medios comisivos al comienzo de la descripción típica es especialmente indicativa de que se requiere su presencia en relación con todas las modalidades de conducta contenidas en el artículo (FAKHOURI GÓMEZ y DÍAZ MORGADO).

Por razones de coherencia sistemática, resulta lógico entender que, en el ámbito del delito de piratería, las expresiones *violencia, intimidación* y *engaño* han de tener el mismo significado que en el resto de preceptos del Código Penal en los que también se contemplan estos medios comisivos. La indicada interpretación sistemática nos conduce a un concepto estricto de *violencia*, que implica acometimiento físico o ejercicio de algún tipo de fuerza física sobre las personas, quedando excluidos los supuestos de *fuerza sobre las cosas*. Esta interpretación resulta reforzada por el hecho de que, en el mismo Capítulo en el que se encuentra el delito de piratería, en el artículo 616 quáter, se haga referencia de manera diferenciada a la *fuerza* y a la *violencia*, de lo cual parece deducirse que la *fuerza sobre las cosas* no se encuentra incluida en el término *violencia*. El ejercicio de fuerza física que requiere la violencia se puede concretar de diferentes formas, tales como golpes, empujones, forcejeos, colocación de ataduras y, muy frecuentemente en el ámbito de la piratería, el empleo de armas contra las personas.

Quedan al margen del precepto los supuestos de la denominada *sumisión química*, que supone la anulación de la voluntad de la víctima a través del suministro de narcóticos u otras sustancias de efectos similares. Aunque se ha discutido acerca de su inclusión en el concepto de *violencia* y ha habido sentencias que, en relación con el robo, han asimilado la sumisión química a la violencia física (STS 2442/1992, 16-11), lo cierto es que, a partir de la reforma penal de 2010, en el ámbito de los delitos sexuales la sumisión química no se considera un supuesto de ejercicio de violencia, consideración que habrá que extender al resto de preceptos en los que se plantee este dilema.

Por lo que se refiere a la intimidación en cuanto medio comisivo del delito, consiste en el anuncio de un mal, racional, fundado, posible y de suficiente entidad como para incidir de una manera determinante en el proceso de toma de decisiones del sujeto pasivo de la misma, doblegando su voluntad. En consecuencia, es preciso que la acción intimidatoria sea adecuada para afectar a la toma de decisiones del destinatario y para torcer su voluntad en el sentido pretendido. Para valorar esta idoneidad habrá que atender a las circunstancias particulares del caso y a las características de la víctima. Teniendo en cuenta que el delito de piratería se comete en un medio —el marítimo o el aéreo— que ya de por sí entraña especiales riesgos y dificulta las posibilidades de respuesta de la víctima, el efecto intimidatorio será más fácil de conseguir (piénsese en quien amenaza con estrellar una aeronave o con lanzar a una persona al mar). Por otro lado, en el ámbito de la piratería resulta frecuente el empleo de armas, incluso de guerra, por lo que la mera exhibición de las mismas puede resultar suficiente para completar este elemento del tipo.

En lo que respecta al engaño, ha de tenerse en cuenta que, si bien a lo largo del Código Penal es frecuente la mención alternativa de la violencia y la intimidación como elementos constitutivos de diferentes figuras delictivas, la equiparación penológica del engaño no resulta tan común. Atendiendo a la diferente capacidad lesiva del engaño con respecto a la violencia y a la intimidación, lo normal es que las conductas llevadas a cabo con tal medio comisivo tengan señalada menor pena que las violentas o intimidatorias. Sin embargo, hay delitos en los que aparecen situados al mismo nivel los tres medios comisivos, a pesar de la quiebra que ello pueda suponer para el principio de proporcionalidad de las penas; este es el caso del delito de piratería que estamos analizando.

El engaño implica una falta de verdad en lo que se dice o hace, que conduce al engañado a tener una representación errónea de la realidad. Si bien la actuación mediante violencia o intimidación ha sido prácticamente una constante en las infracciones contra la seguridad de la navegación marítima y aérea previstas en los Convenios Internacionales sobre la materia, no ocurre lo mismo con el engaño que, como tal, no aparece mencionado. No obstante, tanto en el Convenio SUA como en el de Montreal se sancionan conductas que tienen como eje un engaño: difundir, a sabiendas, información falsa, poniendo con ello en peligro la navegación segura. En nuestra legislación histórica también se recogía una modalidad similar de conducta típica en el Código Penal de 1928 y en la Ley Penal y Disciplinaria de la Marina Mercante, pues en ambos casos se sancionaba a quien, con señales falsas, ocasionara el naufragio o la varada de un buque con el propósito de robarlo o de atentar contra las personas o bienes que se encontraran a bordo. En la todavía vigente Ley Penal y Procesal de Navegación Aérea también se sanciona la conducta del que provoque la caída, pérdida, incendio, aterrizaje o amaraje de una aeronave con el fin de apoderarse de ella o de atentar contra las personas o bienes que se encuentren en su interior, si bien no se especifican los medios utilizados para lograrlo. La difusión de información falsa con vistas a provocar el naufragio o la destrucción de una embarcación o de una aeronave también pueden constituir supuestos de piratería conforme al artículo 616 ter CP; no obstante, se nos ocurren otros ejemplos de comisión engañosa del delito, como puede ser el caso de quienes, simulando constituir la tripulación de un buque oficial destinado a la prevención y persecución de la piratería, logran que se les permita acceder a un buque y, en el supuesto ejercicio del derecho de visita previsto por la legislación internacional, toman el control sobre el mismo (TAMARIT SUMALLA pone el ejemplo de quienes consiguen aproximarse a un buque bajo bandera supuesta o fingiendo estado de necesidad).

En relación con el delito que analizamos, consideramos que no resulta preciso que el uso de la violencia, la intimidación o el engaño tengan un carácter previo e instrumental con respecto a los actos de piratería, bastando que acompañen a la comisión de los mismos (adviértase que en el supuesto de destrucción de un buque mediante el uso de explosivos, el propio hecho supone, al tiempo, ejercicio de violencia sobre las personas que se encuentran a bordo). Mientras que en otros preceptos del Código Penal, para la descripción de la conducta típica, se ha recurrido a términos que pueden resultar indicativos del carácter instrumental de la violencia o intimidación, como es el caso de las agresiones sexuales, lo cierto es que la literalidad del artículo 616 ter permite ambas interpretaciones. O bien entender que la violencia, la intimidación y el engaño han de ser previas e instrumentales con respecto a los distintos actos de piratería, esto es, que habrá de acreditarse que los actos de apoderamiento, daño o destrucción no se hubieran podido llevar a cabo sin la concurrencia de tales medios; o bien considerar suficiente que la violencia, la intimidación o el engaño formen parte o acompañen a la actividad, sin necesidad de que sean causales con respecto a ella. Teniendo en cuenta la evolución del delito de piratería en nuestro Derecho interno y en el Derecho Internacional, consideramos más adecuado optar por esta segunda interpretación, ya que la intención que parece haber guiado esta evolución es la de que, al menos los actos de violencia contra las personas, puedan dar lugar a la consideración de la conducta como pirata, sin necesidad de que constituyan el medio necesario para cometer ulteriores actos de apoderamiento o destrucción sobre la nave o los bienes a bordo. Precisamente una de las críticas que se realizó a la regulación histórica de la piratería en Las Partidas (trasladable a la regulación contenida en el Código Penal de 1822) fue que circunscribiera el concepto a los actos de robo; frente a ello, se abogaba por un concepto menos estricto que centrara la atención más en la protección de las personas que de la propiedad y en el que tanto el robo como otras violencias formaran el fondo de la acción justiciable (GROIZARD).

Asimismo, atendiendo al tenor literal del artículo 616 ter CP, la violencia, la intimidación o el engaño no necesariamente han de recaer sobre quienes se encuentren *a bordo*, pues esta precisión solo la establece el precepto en relación con la conducta típica consistente en *atentar contra*. De ahí que, en principio, quepa calificar como de piratería el acto del que, mediante violencia ejercida sobre quien posee el control remoto de una aeronave no pilotada, logra hacerse con el mando de la misma. En cualquier caso, del alcance que se le dé al resto de elementos del delito —y particularmente de si se admite el apoderamiento a distancia— dependerá que efectivamente quepa subsumir estos supuestos en el delito.

5. Conducta típica

El delito de piratería adopta la forma de un tipo mixto alternativo con hasta cuatro modalidades de conducta típica. En primer lugar se encuentran aquellas conductas que han de recaer sobre aeronave, buque, embarcación o plataforma marítima —apoderarse, dañar o destruir— y, en segundo lugar, la conducta típica que puede recaer sobre las personas, el cargamento o los bienes a bordo —atentar—. A ambos grupos de conductas se hará referencia de manera separada en los siguientes epígrafes.

5.1. Apoderamiento, daño o destrucción de aeronaves, embarcaciones o plataformas marinas

Apoderarse. Según el Diccionario de la RAE *apoderarse* significa *hacerse dueño de algo, ocuparlo* o *ponerlo bajo su poder*. En los delitos patrimoniales el apoderamiento constituye la conducta nuclear del delito de robo e implica un comportamiento, por parte del sujeto activo del delito, que produce el traslado físico de un bien mueble ajeno desde la esfera de dominio del dueño al ámbito de disponibilidad patrimonial del sujeto activo, todo ello con ánimo de incorporar el objeto al patrimonio propio. En relación con las aeronaves, buques y otras embarcaciones, en la medida en que tienen la consideración de bienes muebles resultaría posible entender en igual sentido el acto de apoderamiento (FERNÁNDEZ HERNÁNDEZ y GARCÍA ALFARAZ), no así en relación con las plataformas fijas, en la medida en que su sistema de anclaje no las haga susceptibles de aprehensión y traslado.

En cualquier caso, atendiendo a cuál es el bien jurídico protegido en el delito de piratería, a las particularidades de su objeto material y a la normativa internacional sobre la materia, parece preferible interpretar el término *apoderamiento* en un sentido más amplio que abarque los supuestos de toma de control sobre el objeto, sin que sea preciso que el apoderamiento se realice con ánimo de apropiación definitiva, exigencia que se deriva en el robo del requerimiento de ánimo de lucro asociado al *animus rem sibi habendi* (TAMARIT SUMALLA, FAKHOURI GÓMEZ y LÓPEZ LORCA, quien exige que para la toma de control se venza la voluntad del capitán o comandante). Este es el sentido que se le suele dar al término *apoderamiento* cuando va asociado a buques o aeronaves, el que parece más acorde con el Derecho Internacional (teniendo en cuenta que en los Convenios Internacionales se equipara el tratamiento del *apoderamiento* y de la *toma de control*) y también el que posee en el artículo 573.1 CP, que sanciona el apoderamiento *de aeronaves, buques u otros medios de transporte colectivo o de mercancías* en el ámbito de los delitos de terrorismo.

Más discutible resulta determinar si el apoderamiento ha de ir asociado a un acto de abordaje o aprehensión física, o si cabe admitir cualquier supuesto de toma de control a distancia sobre la nave, siempre que ello se haya conseguido mediante el uso de violencia, intimidación o engaño sobre personas que se encuentren a bordo o fuera de la nave. Ello permitiría incluir los casos en los que desde tierra o desde otra embarcación o aeronave se intimide o se proporcione información falsa al capitán, a efectos de que siga las instrucciones del sujeto activo. Lo que no permitiría abarcar este tipo penal son los casos en los que el control sobre el buque, la plataforma marina o la aeronave se haya conseguido mediante el mero *hackeo* de su sistema informático, no asociado a ningún acto de violencia, intimidación o engaño sobre personas.

Dañar. Por *dañar* se entiende *causar detrimento, perjuicio o menoscabo* al objeto, en este caso, la aeronave, el buque, la embarcación o la plataforma marina. En relación con las aeronaves, el Convenio de Montreal solo se refiere a la causación de daños que las incapaciten para el vuelo o que, por su naturaleza, constituyan un peligro para la seguridad de la aeronave en vuelo, pero un requerimiento de este tipo no aparece en el resto de Convenios ni cabe deducirlo del texto del artículo 616 ter. De hecho, el propio precepto distingue entre la conducta consistente en *destruir* —que abarcaría los casos de inutilización— y la consistente en *dañar*, que incluiría los demás supuestos de menoscabo. En este sentido se ha pronunciado la STS 313/2014, 2-4 en el caso referente al buque de la Armada Patiño al señalar que *de la redacción del precepto no se infiere que el tipo objetivo de la infracción exija que el buque quede inservible para el cometido que le es propio porque no solo se pena el apoderamiento o la destrucción, sino también la causación de daños, independientemente de que el menoscabo causado sea total o parcial*. Añade el Tribunal que *requerir para la consumación del tipo que la acción esté dirigida al apoderamiento del buque o que este quede inservible, cuando estas exigencias no están previstas expresamente, supondría ir más allá de los límites marcados por el principio de legalidad, olvidando la interpretación gramatical primaria de la norma, sin causa que lo justifique*. Con esta sentencia el Tribunal Supremo casó y anuló parcialmente la SAN 64/2013, 30-10, que mantenía un criterio divergente sobre esta cuestión; consideraba la Audiencia Nacional que *el término «dañar» en lo que a la conducta típica se refiere se conjuga con acciones que implican desposesión (...), bien destrucción, es decir sin posibilidad de ser destinado a su fin principal*. En conclusión «dañar» *(...) exige indefectiblemente que el buque o aeronave, bien sea sustraído a la posesión de sus legítimos titulares, bien devenga inservible para el cometido que le es inherente*. Lo que sí habrá que requerir, en línea con los Convenios Internacionales referentes a la seguridad de la navegación marítima y de la aviación civil, y atendiendo al bien jurídico protegido por el delito, es la idoneidad de la conducta para generar un riesgo para la seguridad de la navegación.

Destruir: Según el Diccionario de la RAE, *destruir* es *reducir a pedazos o a cenizas algo material, u ocasionarle un grave daño*. Este es el sentido que también se le ha de dar en el ámbito del delito de piratería. En cualquier caso, el hecho de que la destrucción del objeto sea total o parcial no resulta relevante por cuanto al mismo tiempo se sanciona la conducta consistente en *dañar* que, tal y como se ha indicado, no implica la inutilización del objeto material del delito, sino solo su menoscabo.

5.2. Atentado contra personas, cargamento o bienes

Según el Diccionario de la RAE, *atentar* significa *emprender o ejecutar algo ilegal o ilícito* y también *cometer agresión contra la vida o la integridad física o moral de alguien*; además, en sentido jurídico-penal *atentar* implica agredir o, con intimidación grave o violencia, oponer resistencia grave a la autoridad, a sus agentes o funcionarios públicos, o acometerlos, cuando se hallen en el ejercicio de las funciones de sus cargos o con ocasión de ellas (artículo 550 CP). En el ámbito del delito de piratería contenido en el artículo 616 ter CP, resulta evidente que el término *atentar* no ha de interpretarse conforme al artículo 550 CP, sino en un sentido más genérico, en la medida en que la conducta típica consistente en *atentar* no solo se pone en relación con las personas, sino también con el cargamento y los bienes que se encuentren a bordo. Además, en el Capítulo del Código Penal referente a la piratería, el artículo que recoge un delito próximo al de atentado es el del artículo 616 quáter, que se analizará *infra*.

Teniendo en cuenta que la acepción del término *atentar* que lo asocia a la agresión contra la vida o la integridad física o moral de una persona, tampoco es susceptible de referirse al cargamento o a los bienes, la opción que queda es interpretar la expresión *atentar* como sinónima *de ejecución de un acto ilícito* contra el objeto material del delito, ya sean personas o bienes. No obstante, se habrá de exigir que el acto ilícito sea por sí mismo constitutivo de delito, a fin de garantizar un mínimo de lesividad en la conducta. Este es efectivamente el significado que el Tribunal Supremo ha atribuido al verbo *atentar* en el ámbito del delito de piratería. Así, la mencionada STS 313/2014, 2-4, afirma que debe otorgarse al verbo *atentar* su significado vulgar, y no equipararlo necesariamente al que se deriva de los artículos 550 y concordantes del Código Penal, pues *poco o nada tienen que ver estas últimas infracciones penales con las conductas penadas en el artículo 616 ter, donde no es el principio de autoridad el protegido, sino la seguridad en el tráfico marítimo y aéreo*. Añade la sentencia que *ello explicaría que se pueda atentar contra cualquier buque o aeronave, pública o privada; y no solo contra las personas, sino también contra el cargamento o los bienes; lo que responde al significado del verbo atentar como equivalente a ejecutar o emprender alguna cosa ilegal o ilícita, significado más amplio que el estrictamente penal dirigido contra las personas*. En cualquier caso, el recurso a la acepción amplia del término *atentar* no está exento de críticas, dada su falta de taxatividad (adviértase que este problema también se aprecia en otras figuras delictivas en relación con las cuales el legislador ha recurrido al verbo *atentar* para describir la conducta típica, como es el caso de los delitos contra la libertad sexual y contra la integridad moral).

En relación con la conducta consistente en atentar contra los bienes, resulta cuestionable la calificación de los hechos en el caso de que, encontrándose el buque en el mar, un pasajero realice un robo con violencia o intimidación sobre otro. Entendemos que, aunque la literalidad del precepto permitiría integrar estos supuestos en el ámbito del delito de piratería, una interpretación teleológica y sistemática del texto legal obligaría a restringir el alcance del tipo y a no considerar piratería lo que no pasa de ser un robo común, sin capacidad para afectar a la seguridad del tráfico marítimo ni de lesionar un interés relevante de la Comunidad Internacional (LÓPEZ LORCA).

6. *Lugar de comisión*

En el marco de los Convenios de Ginebra y de Montego Bay solo se consideran actos de piratería los cometidos en alta mar o en un lugar no sometido a la jurisdicción de ningún Estado. En el Convenio SUA se requiere que el buque sobre el que recaiga la conducta esté navegando, o su plan de navegación prevea navegar, *hacia aguas situadas más allá del límite exterior del mar territorial de un solo Estado, o más allá de los límites laterales de su mar territorial con Estados adyacentes, a través de ellas o procedente de las mismas*. Por lo que se refiere a los Convenios relativos a la seguridad aérea, el Convenio de la Haya resulta aplicable cuando el lugar de despegue o el de aterrizaje real de la aeronave a bordo de la cual se cometa el delito esté situado fuera del Estado de su matrícula, mientras que el Convenio de Montreal, además de en este caso, se aplica a los supuestos en los que el delito se cometa en Estado distinto del de la matrícula.

El artículo 616 ter CP, en cambio, no contiene ninguna de las anteriores especificaciones. Aunque hay autores que consideran necesario que la conducta tenga lugar en alta mar o en lugar no sujeto a la jurisdicción de ningún Estado, a fin de respetar el concepto estricto de piratería procedente del Derecho Internacional consuetudinario y del que parte el Convenio de Montego Bay (RODRÍGUEZ NÚÑEZ), lo cierto es que no parece que el Legislador español pretendiera establecer en el artículo 616 ter una norma penal en blanco que tomara como complemento las disposiciones del citado Convenio. El legislador no ha optado por el sistema de fórmula abierta presente en la práctica totalidad de los anteriores Códigos Penales, en los que se hacía referencia a la piratería sin definir el concepto. El artículo 616 ter sí establece los elementos del tipo, aunque de forma no coincidente con los que caracterizan al concepto tradicional de piratería en el ámbito del Derecho Internacional. Todo parece indicar que se han querido superar las limitaciones de dicho concepto, adaptándolo a las actuales manifestaciones del fenómeno y eliminando la artificiosa distinción que se venía haciendo entre los actos de piratería en sentido estricto y los actos de robo a mano armada en el mar. De hecho, el Preámbulo de la LO 5/2010, que introdujo en el vigente Código Penal el delito de piratería, expresamente llama la atención acerca de cómo la pretensión de la reforma es dar respuesta a los actos ilícitos contra la seguridad de la navegación marítima y aérea, recogiendo los postulados, no solo del Convenio de Montego Bay, sino también del Convenio SUA, que contiene un mayor número de infracciones.

Por otro lado, ha de tenerse en cuenta que, en el ámbito de los Convenios Internacionales, constituye una preocupación prioritaria evitar la impunidad de determinados actos especialmente lesivos para los intereses de la Comunidad Internacional, razón por la cual resulta lógico que se centre la atención en aquellos hechos con una mayor repercusión internacional o en relación con los cuales resulte más precisa la cooperación interestatal. Tal sería el caso de los delitos cometidos en lugares no sometidos a la jurisdicción de los Estados, a fin de facilitar que alguno asuma la competencia para perseguirlos. No hay que olvidar, sin embargo, que el Derecho Internacional posee un carácter de mínimos, por lo que nada impide que un Estado decida ir más allá de lo que le exigen sus compromisos internacionales en la persecución de un determinado fenómeno delictivo. De alguna manera esto es lo que ha ocurrido en relación con el delito de piratería (en sentido parecido, diferenciando entre el plano internacional y el nacional, en cuanto al alcance y las finalidades a la hora de regular la piratería, OPPENHEIM y FERNÁNDEZ HERNÁNDEZ). El problema es que, con la loable intención de favorecer la lucha contra este ilícito en sus distintas manifestaciones, se ha configurado el delito en unos términos muy amplios, que dificultan su delimitación con otras figuras delictivas en relación con las cuales hay importantes coincidencias en lo que a la conducta típica se refiere, pero diferencias sustanciales en materia de penas, lo cual exige la realización de un especial esfuerzo a la hora de explicar cuál es el plus de injusto que reside en el delito de piratería.

Una posibilidad de restringir el ámbito de aplicación del delito y de justificar ese mayor desvalor que supone la piratería en relación con otros ilícitos, podría venir determinado por la locución adverbial *en el mar*, empleada en el precepto. Cabe considerar que la misma únicamente se refiere al término *plataformas*, pero en ese caso hubiera sido preferible acompañar el sustantivo con los adjetivos *marinas* o *marítimas*. La otra opción es entender que la expresión es indicativa de que todas las conductas han de acontecer *en el mar* (RODRÍGUEZ NÚÑEZ e IBÁÑEZ GÓMEZ). De este modo quedarían al margen del delito de piratería los hechos ocurridos en aguas interiores de un Estado, así como los que tengan lugar mientras la embarcación se encuentre en el puerto, ya que, si bien los barcos atracados propiamente se encuentran en el mar, entendemos preferible interpretar la locución en un sentido más restringido y funcional, de manera que *en el mar* resulte equivalente a *en medio del mar*. De este modo, se explicaría el mayor contenido de injusto que se deriva de actuaciones que tienen lugar en un entorno que dificulta las posibilidades de defensa frente al delito y de persecución del mismo, al tiempo que alteran el tráfico marítimo o aéreo y ponen en riesgo su seguridad.

El obstáculo difícilmente salvable que presenta esta interpretación de la expresión *en el mar*, viene determinado por la mención que se hace en el precepto de las *aeronaves* pues, si bien tiene lógica exigir que los buques, las embarcaciones y las plataformas se encuentren en el mar cuando tenga lugar la conducta, no ocurre lo mismo en relación con las aeronaves, que solo en circunstancias excepcionales de accidente, derribo o amerizaje estarán en el mar. La propuesta que se ha realizado en el sentido de interpretar la expresión *en el mar* como equivalente a *sobre el mar* tampoco resulta satisfactoria pues excluiría los supuestos en los que las aeronaves sobrevolasen espacio terrestre y no marino (considera que la referencia al *mar* ha de incluir tanto la zona acuática como la aérea, RODRÍGUEZ NÚÑEZ). Lo que tendría sentido sería restringir el alcance del tipo penal a los casos en los que las aeronaves se encontraran *en vuelo*, como se hace en varios de los Convenios Internacionales sobre la materia, pero lo cierto es que no es eso lo que dice el artículo 616 ter CP. Por nuestra parte, consideramos que la exigencia de que la conducta típica tenga lugar mientras las embarcaciones estén *en el mar* o las aeronaves se encuentren *en vuelo* no solo cabe deducirla del requerimiento del tipo de que la conducta tenga lugar *en el mar*, sino que resulta conforme a una interpretación teleológica de la norma, en virtud de la cual se circunscribiría el alcance del tipo a aquellas conductas con mayor capacidad para poner en riesgo la seguridad de la navegación, en cuanto que bien jurídico protegido.

7. *Elemento subjetivo*

El delito de piratería es un delito doloso, por lo que los responsables del mismo habrán de cumplir con los correspondientes requisitos de conciencia y de voluntad en relación con los elementos objetivos del tipo. No se exige, como elemento subjetivo específico del delito de piratería, que el sujeto activo se mueva por un interés personal, requisito que sí es característico del concepto internacional de piratería y que, como tal, aparece en los Convenios de Ginebra y de Montego Bay. Este propósito personal se solía asociar al ánimo de lucro para excluir la calificación como piratería en relación con hechos motivados por finalidad política u otro tipo de intereses de carácter colectivo. No obstante, la formulación del indicado elemento subjetivo resultaba confusa y no parecía suficiente para excluir los propósitos que no fueran económicos, siempre que fueran privados, como sería el caso de la venganza (sobre esta cuestión, *vid supra* II.1).

La regulación vigente, al no requerir la presencia de un elemento intencional específico, permite dar cabida a cualquier finalidad, sea o no personal, sea o no lucrativa, incluidas las finalidades terroristas y reivindicativas. No obstante, atendiendo al principio de especialidad, nos parece que cuando los hechos puedan subsumirse en los delitos de terrorismo y concurra alguna de las finalidades contenidas en el artículo 573.1 CP, habrán de ser los delitos de terrorismo los que se apliquen (GARCÍA ALFARAZ y FAKHAURI GÓMEZ; para FERNÁNDEZ HERNÁNDEZ la exigencia de la persecución de un provecho propio debería constituir el elemento diferenciador con respecto a los delitos de terrorismo). En la STS 1387/2011, 12-12, referente al caso del buque Alakrana, se planteó la posibilidad de condenar actos de piratería por la vía de los delitos de terrorismo, pero en el caso particular se negó tal posibilidad por ausencia del elemento subjetivo correspondiente, al no haber quedado acreditado que los acusados hubieran intervenido en acciones reiteradas y sistemáticas encaminadas a generar terror. Señala la sentencia que *si bien es cierto que las familias de los marinos mercantes que trabajan en la zona se hallan lógicamente afectadas, alarmadas y atemorizadas por los actos de piratería que se perpetran con cierta asiduidad en la zona del Océano Índico, ello no quiere decir que se haya subvertido el orden constitucional ni tampoco que se haya alterado la paz pública en un grado que permita hablar de una conducta terrorista.* De todos modos, en la sentencia no se abordó la cuestión del problema concursal que se puede plantear entre los delitos de terrorismo y el de piratería, por cuanto en el momento de los hechos aún no se había modificado el Código Penal para introducir el delito de piratería.

En relación con las acciones con propósito reivindicativo y de protesta, resulta de interés el Auto de la Audiencia Nacional de 26 de febrero de 2016, relativo a un supuesto de intento de abordaje por parte de varias embarcaciones de GREENPEACE a un buque de la compañía REPSOL, en protesta por las prospecciones petrolíferas en Canarias y desoyendo las órdenes del buque de la Armada que intervino en el incidente. Atendiendo a que el propósito que movía a los activistas no era personal sino de protesta y de defensa de lo que consideraban intereses colectivos, estos hechos no podrían ser considerados como de piratería conforme al Derecho Internacional, por la ausencia del propósito personal; sin embargo, ante la Audiencia Nacional se planteó la posible responsabilidad penal de los activistas por el delito de desobediencia previsto en el artículo 616 quáter CP en relación con la piratería. Finalmente se acordó el sobreseimiento de la causa por la falta de algunos de los elementos exigidos por dicho delito de desobediencia, pero no porque se negara de plano la posibilidad de calificar los hechos como piratería.

8. *Iter Criminis*

Como se ha señalado en el apartado correspondiente, el delito del artículo 616 ter CP se configura como un tipo mixto alternativo con varias modalidades de conducta típica. En el primer inciso se recogen las conductas típicas consistentes en apoderarse, dañar o destruir una aeronave, buque, embarcación o plataforma marina, conformándose el delito como de resultado. En el segundo inciso la conducta típica consiste en atentar contra las personas, cargamento o bienes que se encuentren a bordo, configurándose el delito como de simple actividad. En el primer caso, para la consumación del delito será preciso que el sujeto activo efectivamente tome el control sobre el objeto, esto es, logre situarse en una posición que le permita decidir sobre su destino; o bien cause menoscabo o destruya el objeto. Por ello, los actos dirigidos a conseguir dicho resultado que no concluyan con la toma de control, el menoscabo o la destrucción de la aeronave, embarcación o plataforma quedarán en fase de tentativa, salvo que los actos de ejecución ya realizados constituyan por sí mismos el atentado contra las personas, cargamento o bienes al que se refiere el segundo inciso, en cuyo caso el delito se habrá consumado por esa vía. Esto es lo que ocurrió en el caso resuelto por la STS 134/2016, 24-2, en el que los disparos disuasorios realizados por el personal de seguridad del buque Atunero Izurdia impidieron el abordaje de los piratas, si bien el Tribunal consideró que el delito se había consumado, dado que en el curso de los hechos los piratas habían abierto fuego contra el barco pesquero. La sentencia argumenta en el siguiente sentido: *la existencia de un primer acercamiento en el que los procesados, a bordo del esquife, abrieron fuego contra el barco pesquero colma plenamente las exigencias del tipo descrito en el artículo,* pues *existió una acción violenta, gravemente intimidatoria contra las personas que integraban la tripulación del atunero, lo que impide hablar de tentativa de delito. En este caso, ya fuera el atentado contra las personas o bienes simplemente instrumental para la ejecución del acto de destrucción o apoderamiento, ya fuera el fin único perseguido por los piratas, el delito quedaría consumado* (en el mismo sentido se pronuncia la STS 313/2014, 2-4).

En lo que respecta a los actos preparatorios, el artículo 615 CP contempla la sanción de la provocación, la conspiración y la proposición para la ejecución de los delitos previstos en los Capítulos anteriores del Título XXIV, por lo que no afecta al delito de piratería, que se encuentra en el Capítulo siguiente (considera, en cambio, que no hay obstáculo para sancionar los actos preparatorios en relación con los delitos de piratería, PORTILLA CONTRERAS). El Consejo Fiscal, en su Informe sobre el Anteproyecto de Ley Orgánica que dio origen a la reforma penal de 2010, manifestó sus reservas en relación con esta cuestión y propuso alterar el orden de los capítulos, a fin de que también afectara a la piratería la extensión de la punición a la provocación, la conspiración y la proposición para cometer el delito, modificación que finalmente no se llevó a cabo (a favor de la tipificación de los actos preparatorios, FERNÁNDEZ RODERA y FERNÁNDEZ HERNÁNDEZ). La sanción de estos actos preparatorios previos a la ejecución del delito podría resultar útil en la persecución de la piratería, en la medida en que en no pocas ocasiones los buques que intervienen en las operaciones de prevención y lucha contra la piratería localizan embarcaciones con armamento y otros materiales indicativos de su actividad delictiva pero, ante la imposibilidad de relacionarlos con un incidente concreto, se limitan a desarmar a los presuntos piratas y a ponerlos en libertad (MARÍN CASTÁN). Bien es cierto que a las limitaciones que presentan los ordenamientos jurídicos internos para perseguir estos actos se unen otras razones prácticas, jurídicas y económicas que explican las reticencias de los distintos Estados a la hora de detener y juzgar a los piratas, máxime en los casos en los que no exista ningún punto de conexión con el país y los hechos hayan ocurrido lejos de sus fronteras (a algunos de estos problemas se hará referencia en el apartado relativo a Cuestiones de jurisdicción).

En los Convenios de Ginebra y de Montego Bay se insta a sancionar todo acto de participación voluntaria en la utilización de un buque o de una aeronave, cuando el que lo cometa tenga conocimiento de hechos que den a dicho buque o aeronave el carácter de buque o aeronave pirata, así como toda acción que tenga por objeto incitar o ayudar intencionadamente a cometer los actos previstos en el Convenio. Por su parte, el Convenio de Tokio extiende la sanción a quien esté a punto de cometer los actos delictivos, mientras que los Convenios de La Haya y de Montreal instan a sancionar también la tentativa. Como se puede apreciar, todos los Convenios propugnan un adelantamiento de la intervención penal a fases previas a la de consumación del delito, pero no se manifiestan expresamente acerca de la sanción de la conspiración y la provocación, salvo en el caso del Convenio de Beijing, que extiende la responsabilidad penal a los instigadores y organizadores del delito.

9. Justificación

La gravedad y las circunstancias propias del delito de piratería en nuestro Derecho histórico y en el Derecho Internacional Público hacían que resultara difícil concebir supuestos en los que la conducta típica se encontrara justificada. Cabría mencionar las acciones de los corsarios como posible caso de ejercicio legítimo del derecho otorgado por la patente, pero lo cierto es que, en la regulación penal histórica, la ausencia de autorización del gobierno, habilitando para el ejercicio del corso, se configuraba a modo de elemento negativo del tipo, de manera que, habiendo patente, la conducta directamente no se consideraba constitutiva de piratería (se refiere al corso como supuesto de justificación, DÍAZ Y GARCÍA CONLLEDO). En la actualidad persiste la posibilidad de que se pueda recurrir a las causas de justificación de ejercicio legítimo de un derecho o de cumplimiento de un deber en el caso de actos llevados a cabo con ocasión de conflictos armados, siempre que las actuaciones se mantengan en el marco de las leyes y costumbres de la guerra y, en particular, de las exigencias del Derecho Penal Humanitario, bien es cierto que, de no darse esta circunstancia, normalmente lo que habrá que apreciar será un delito contra las personas y bienes protegidos en caso de conflicto armado. También cabe imaginar supuestos de ejercicio legítimo de un derecho y de cumplimiento de un deber en la práctica de detenciones de buques o aeronaves en el marco de operaciones de persecución de determinados delitos, como pueden ser los relativos a tráficos ilícitos (personas, drogas, armas) o los propios de piratería.

En relación con la legítima defensa, en ocasiones se señala como una de las causas de la piratería en Somalia, la conducta ilegal de algunos buques que, aprovechando la situación de inestabilidad y desgobierno de la zona, realizan prácticas de pesca ilegal y de vertidos contaminantes, esquilmando los recursos naturales de los que vivían los pescadores de las poblaciones costeras (IBÁÑEZ GÓMEZ/ ESTEBAN, URBINA, FERNÁNDEZ FADÓN y GARCÍA ALFARAZ). Si bien estos hechos están contrastados y resulta cierto que los tripulantes de las embarcaciones piratas en muchos casos son antiguos pescadores de la zona, no cabe sustentar que la piratería constituya un legítimo ejercicio de defensa de sus derechos, toda vez que esta causa de justificación se encuentra destinada a proteger bienes y derechos de titularidad individual, entre los cuales no cabe situar los recursos pesqueros ni el medioambiente; todo ello al margen de que en estos casos tampoco se cumpla con el resto de requisitos de la legítima defensa, por faltar la inmediatez y racionalidad de la respuesta.

Otro supuesto que cabría mencionar, teniendo en cuenta el amplio alcance que se le ha dado al delito de piratería en el vigente artículo 616 ter CP, es el del derribo de un buque o aeronave cuando está siendo utilizado como arma terrorista. En los casos en los que el derribo de un buque o aeronave que constituye una amenaza real, grave e inminente para la vida de personas solo afecte a los secuestradores o terroristas, cabría apreciar la causa de justificación de legítima defensa (MARTÍNEZ CANTÓN). Este supuesto fue analizado por la sentencia del Tribunal Constitucional alemán de 15 de febrero de 2006, que tuvo que pronunciarse acerca de la constitucionalidad de la Ley de Seguridad Aérea aprobada en Alemania el 11 de enero de 2005 (LuftSiG). En dicha Ley se admitía el derribo mediante fuerza armada de una aeronave, cuando se pudiera concluir que iba a ser utilizada para atentar contra la vida de seres humanos y esa intervención militar constituyera el único medio de hacer frente a ese peligro actual. El Tribunal Constitucional alemán declaró inconstitucional este punto de la Ley por cuanto, si bien consideraba admisible el derribo en los casos en los que el avión estuviera ocupado única y exclusivamente por terroristas, lo consideró incompatible con la protección constitucional del derecho a la vida cuando la acción conllevara también la muerte de los pasajeros y de la tripulación, cuyas vidas resultaban igualmente dignas de protección que las de las personas cuya muerte se pretendía evitar (CANO PAÑOS). En este último supuesto no se estaría ante una legítima defensa, al no ir dirigida la acción exclusivamente hacia los agresores, pero cabría plantear la posibilidad de apreciar estado de necesidad. Teniendo en cuenta la imponderabilidad entre vidas humanas que impide recurrir a criterios cuantitativos o cualitativos, tales como el número de personas afectadas o la esperanza de vida, para determinar qué vidas resultan más dignas de protección, concluimos que efectivamente no sería admisible la aplicación del estado de necesidad como causa de justificación en un supuesto en el que la conducta típica se concreta en el ataque doloso a vidas humanas inocentes, así como en un ataque a la dignidad de las personas que son utilizadas como instrumento para salvar la vida de otras. No obstante, una vez rechazada la posibilidad de justificar la conducta, consideramos que no se debe cerrar la posibilidad de apreciación del estado de necesidad como causa de exculpación en casos extremos de esta naturaleza, en los que los bienes jurídicos protegidos afectados se encuentran al mismo nivel, cuando pueda acreditarse que no existía opción razonable de salvación posible para las vidas que en última instancia resulten sacrificadas (particularmente crítico con la opción de la exculpación y favorable a la justificación, argumentando el principio de evitación de masacres y catástrofes masivas como limitador del principio general que impide la ponderación de vidas humanas, SÁNCHEZ DAFAUCE).

Continuando con el estado de necesidad, menos problemática resulta la resolución de aquellos supuestos en los que se argumente la falta de recursos económicos con objeto de justificar la conducta típica. No parece que en estos casos la causa de justificación alegada pueda prosperar, por varios motivos. En primer lugar, la dificultad para demostrar en estos casos la existencia de un mal real, grave e inminente, y, más aún, para acreditar que los responsables de los hechos agotaron todos los recursos que en la esfera personal, profesional, social y familiar se podían utilizar para conjurar el mal. Por otro lado, los cuantiosos beneficios económicos que reporta la piratería, particularmente cuando se asocia con el secuestro de la tripulación y/o el pasaje para cobrar un rescate, desmontan cualquier posibilidad de sostener que el destino de la conducta típica era satisfacer las necesidades más perentorias de los responsables (LÓPEZ LORCA).

En relación con el estado de necesidad basado en una situación de riesgo vital puede resultar de interés mencionar el caso resuelto por la STS 825/1996, 7-11, por tratarse de un supuesto de piratería aérea en el que los autores fueron condenados por el delito de apoderamiento ilícito de aeronaves previsto en el artículo 40.1 de la LPPNA. Los hechos fueron los siguientes: Tres nacionales argelinos, sumidos en un estado de temor por la grave crisis social y política de su país, creyéndose gravemente amenazados por grupos radicales islamistas y temiendo por su vida, con el único propósito de abandonar Argelia y salvarse, el día 13 de noviembre de 1994 se hicieron con el control de un avión de *Air Algerie*, con veinticinco pasajeros a bordo y cuatro tripulantes, obligando al comandante a modificar la ruta para aterrizar en el aeropuerto de Madrid. Para vencer la resistencia del comandante los luego condenados simularon un artefacto explosivo, amenazando a todos con hacer explotar el avión. Una vez en Madrid y persuadidos de que no iban a ser devueltos a Argelia, se entregaron a las autoridades españolas sin resistencia. En la sentencia se negó la aplicación de la eximente de estado de necesidad que solicitaba la defensa, por no haber quedado acreditado que los inculpados se encontraran en una situación de verdadera e inaplazable necesidad de causar el mal ejecutado, ya que no se pudo demostrar la amenaza de un daño o peligro efectivo, real, inminente y grave y, sobre todo que ese mal no se pudiera evitar de otro modo.

Finalmente, consideramos pertinente abordar brevemente, aunque se trate de una cuestión más específicamente relacionada con el delito de secuestro, el tratamiento que se le deba dar a los mediadores que, en relación con supuestos de piratería con secuestro y petición de rescate, intervengan en las negociaciones y en el cobro de dicho rescate, favoreciendo con ello la liberación de los rehenes, pero también el enriquecimiento de los piratas o, en su caso, de la organización criminal que se encuentre detrás. Con ocasión de la proliferación de actos de piratería en el Golfo de Adén y en otras zonas del planeta, los medios de comunicación en numerosas ocasiones han informado de la existencia de despachos de abogados en Londres y en Dubai que prestan sus servicios como negociadores en casos de secuestro llevados a cabo por piratas. La cuestión a dilucidar en este punto es si la intervención de estos abogados, o incluso de los gobiernos, que objetivamente favorece el propósito de los piratas de cobrar un rescate, podría ser típica como forma de participación en el delito o de colaboración con asociación, grupo u organización criminal, y si es así, valorar la posibilidad de justificar la conducta alegando estado de necesidad.

Esta cuestión ha sido objeto de atención en nuestro país en relación con intermediarios en secuestros, diferenciándose entre el tratamiento de los negociadores que actúan por cuenta y en nombre de los responsables del secuestro, en cuyo caso la intermediación se ha sancionado como forma de complicidad o como cooperación necesaria (STS 645/2015, 30-10); y los intermediarios que actúan a instancias de los familiares del secuestrado, en cuyo caso se admite la apreciación del estado de necesidad, siempre que el sujeto actúe movido por el propósito principal de evitar o hacer cesar un mal, y no con la intención primordial de ayudar a conseguir el rescate a quien hubiera proyectado y dirigido el secuestro (STS 2021/1994, 17-11). De este modo, habría que descartar cualquier posibilidad de justificar la conducta en aquellos casos en los que los intermediarios formen parte de la organización que ha promovido el secuestro y también cuando actúen como interlocutores al servicio de los responsables del hecho; sin embargo, cuando su intervención se realice a instancias de los familiares de la víctima y se aprecie una actuación tendente a favorecer su liberación, consideramos que no se debería exigir responsabilidad penal, aun cuando pueda mediar cobro de honorarios por los servicios prestados, acto que puede parecer rechazable desde el punto de vista deontológico, pero insuficiente para desvirtuar la presencia del elemento subjetivo que reclama el estado de necesidad (GIMBERNAT ORDEIG considera que para que el autor pueda ampararse en la eximente, basta que conozca la existencia objetiva de una situación de necesidad, resultando indiferente que su móvil haya sido el de salvar el bien jurídico de mayor entidad o únicamente el de enriquecerse). Más exigentes en relación con el elemento subjetivo o *animus conservationis*, en los casos de concurrencia de móviles, resultan las SSTS de 5 de diciembre de 1994 y de 20 de marzo de 1991 al afirmar que *si se enturbia dicho ánimo por otros móviles puede dar lugar a eliminar la eximente*.

10. *Concursos*

El segundo párrafo del artículo 616 ter CP contiene una cláusula concursal en virtud de la cual el delito de piratería no absorberá, sino que entrará en concurso con los diferentes delitos en los que se hayan concretado los actos de piratería. Los Tribunales y la mayoría de la doctrina vienen entendiendo que se trata de un supuesto de concurso real y justifican la solución del concurso de delitos a partir de la consideración de que el delito de piratería protege un bien jurídico supraindividual, mientras que los otros delitos serían los que salvaguardarían los bienes jurídicos de carácter individual afectados (SSTS 1387/2011, 12-12; 313/2014, 2-4; y 134/2016, 24-2; en la primera de estas sentencias, referida al caso Alakrana, la defensa de los acusados solicitó la aplicación retroactiva del tipo penal de piratería, que en el momento de los hechos no se encontraba aún en el CP, por entender que les resultaba más favorable que ser penados conforme a los delitos de asociación ilícita, detención ilegal, robo con violencia y contra la integridad moral por los que se les había condenado en instancia; el Tribunal Supremo desestimó la pretensión, clarificando que el delito de piratería no absorbe los delitos ejecutados contra los bienes personales de las víctimas, sino que en su caso, entraría en concurso real con ellos, razón por la cual su aplicación retroactiva en ningún caso les resultaba favorable).

En consecuencia, corresponderá hacer concurso real entre el delito de piratería y los delitos de lesiones, homicidio, contra la libertad o contra la integridad moral cometidos sobre las personas que se encuentran a bordo de la aeronave, embarcación o plataforma, así como con los delitos patrimoniales de hurto, robo o daños cometidos sobre los bienes que asimismo se encuentren a bordo. En cambio, el concurso habrá de ser de leyes —no de delitos— con aquellos delitos cuya conducta típica coincida sustancialmente con la propia del tipo penal de piratería;

tal sería el caso de los daños que recaigan sobre la aeronave o embarcación, de las amenazas (obsérvese que la intimidación constituye uno de los modos comisivos del delito de piratería) o del maltrato de obra en que se haya concretado la violencia descrita en el tipo (en este sentido, en el caso resuelto por la STS 134/2016, 24-2 se condenó por piratería y por pertenencia a grupo criminal, pero no por amenazas ni por tentativa de delito contra la vida o contra la salud, a pesar de haberse efectuado disparos contra la cubierta del buque, que no se concretaron en resultado lesivo alguno; del mismo modo en la STS 313/2014, 2-4, se condenó por piratería, por pertenencia a organización criminal y por tenencia y depósito de armas de guerra, pero no por delito de daños, a pesar de que el casco del buque sufrió el impacto de varios disparos).

En los casos de piratería también resulta común que concurran los elementos del delito de pertenencia a organización o grupo criminal previsto en el artículo 570 bis CP, tratándose la piratería de un fenómeno delictivo fuertemente vinculado a la delincuencia organizada. Siendo ello así, sorprende que, en el marco del delito de piratería, el legislador no haya previsto un tipo agravado para los supuestos de organización delictiva, como sí ha hecho en relación con otros delitos a lo largo del Código Penal. Por ello, la solución más adecuada para estos casos será apreciar un concurso de delitos. En la STS 134/2016, 24-2, se sancionó por un delito de pertenencia a grupo criminal además de por piratería, en razón de que los autores pertenecían a *un colectivo armado que hace de la piratería su medio de vida, que localiza su actividad criminal en un espacio geográfico muy determinado —frente a las costas de Somalia—, que selecciona sus objetivos conforme a una metodología que se repite en uno y otro caso, que emplea armas de alto poder destructivo, telecomunicaciones de última generación, medios de escalo para el abordaje, motores fuera borda y, en fin, un grupo en el que están perfectamente distribuidos los espacios funcionales de cada integrante.*

Particular atención merece en el apartado referente a los concursos la relación que deba establecerse entre la piratería y el terrorismo. En el artículo 573 CP se considera delito de terrorismo la comisión de cualquier delito grave contra la vida o la integridad física, la libertad, la integridad moral, la libertad e indemnidad sexuales, el patrimonio, los recursos naturales o el medio ambiente, la salud pública, de riesgo catastrófico, incendio, contra la Corona, de atentado y tenencia, tráfico y depósito de armas, municiones o explosivos, previstos en el presente Código, y el apoderamiento de aeronaves, buques u otros medios de transporte colectivo o de mercancías, cuando se lleven a cabo con cualquiera de las siguientes finalidades: subvertir el orden constitucional; suprimir o desestabilizar gravemente el funcionamiento de las instituciones políticas o de las estructuras económicas o sociales del Estado; obligar a los poderes públicos a realizar un acto o a abstenerse de hacerlo; alterar gravemente la paz pública; desestabilizar gravemente el funcionamiento de una organización internacional; o provocar un estado de terror en la población o en una parte de ella.

En el supuesto de que los actos de piratería coincidan con los tipificados en el Capítulo referente al terrorismo —tal sería el caso del apoderamiento de aeronaves o buques—, siempre que se cometan con alguno de los fines previstos en el artículo 573 CP, nos parece que la solución más adecuada es la del concurso de leyes, a resolver por especialidad a favor de los delitos de terrorismo, máxime teniendo en cuenta que la amplitud de términos con la que en la legislación vigente se ha configurado el elemento subjetivo de los delitos de terrorismo, permite concluir que en los mismos ya se estaría desvalorando el riesgo para la seguridad de la navegación, característico de los actos de piratería. En relación con las demás conductas —destruir o dañar una aeronave, embarcación o plataforma marina, y atentar contra las personas o bienes a bordo— caben tres opciones: i) aplicar conjuntamente los delitos de terrorismo y de piratería; ii) considerar que se está ante un concurso de leyes a resolver a favor de la aplicación de los delitos de terrorismo; iii) considerar que estamos ante un concurso de leyes a resolver a favor de la aplicación del delito de piratería en concurso real con los delitos en los que se hayan concretado los actos de piratería realizados.

La primera opción entendemos que podría conducir a una vulneración del principio de *non bis in ídem*, si se parte de que los delitos de terrorismo desvaloran el riesgo para la seguridad colectiva, en el marco de la cual se puede considerar incluida la seguridad de la navegación marítima y aérea. En consecuencia, parece preferible la opción por el concurso de leyes, que en este caso se resolvería por alternatividad, teniendo en cuenta que ambas modalidades tienen sus particularidades —v.gr., la piratería, el objeto material del delito; el terrorismo la finalidad— y no se puede decir que una sea especificación de la otra. Asimismo, ha de tenerse en cuenta que hacer primar en todo caso los delitos de terrorismo puede resultar beneficioso para el penado, puesto que, dependiendo de los supuestos, las penas resultantes de la aplicación de los delitos de terrorismo pueden ser inferiores a las correspondientes al concurso real de delitos entre el de piratería y los otros delitos que haya conllevado su comisión, y viceversa (considera que la relación entre piratería y terrorismo es de especialidad a favor de este último, FAKHOURI GÓMEZ).

Finalmente, resulta preciso abordar la relación concursal existente entre el delito de piratería del artículo 616 ter del Código Penal y los delitos previstos en los artículos 39 y 40 de la LPPNA. En este caso nos encontramos ante un concurso de leyes que se plantea entre el Código Penal y una ley penal especial (en opinión de MUÑOZ CONDE, los correspondientes delitos de la LPPNA deben considerarse derogados por el nuevo delito de piratería). Para la resolución del concurso de leyes el artículo 3 de la LPPNA establece lo siguiente: *Cuando los hechos perseguidos sean susceptibles de calificación con arreglo a dos o más preceptos de esta*

Ley o de otras, el Tribunal podrá aplicar aquel que asigne mayor pena al delito o faltas cometidos; por lo que parece acudir al principio de alternatividad, pero aplicado de manera facultativa. En el Código Penal es el artículo 8 el que regula el concurso de leyes. Según este artículo, *los hechos susceptibles de ser calificados con arreglo a dos o más preceptos de este Código (...) se castigarán observando las siguientes reglas*, y establece los criterios de especialidad, subsidiariedad, consunción y, en defecto de los anteriores, de alternatividad. Aunque el artículo 8 CP, atendiendo a su literalidad, se encuentra dirigido a resolver los concursos de leyes planteados entre preceptos del propio Código, lo cierto es que, en virtud del artículo 9 CP las disposiciones del Título Preliminar —dentro del cual se encuentra el artículo 8— *se aplicarán a los delitos que se hallen penados por leyes especiales*, mientras que las restantes disposiciones del Código *se aplicarán como supletorias en lo no previsto expresamente por aquellas*. En consecuencia, consideramos que el precepto aplicable habrá de ser el artículo 8 CP por tratarse de ley penal posterior que deroga las disposiciones sobre la misma materia que se opongan a lo por ella dispuesto (aplican alternatividad en virtud del artículo 3 LPPNA, NICOLÁS JIMÉNEZ, FERNÁNDEZ HERNÁNDEZ y FARALDO CABANA; a favor del principio de alternatividad por el artículo 8.4 CP, RODRÍGUEZ NÚÑEZ). En aplicación del artículo 8 CP, consideramos que, por especialidad, las disposiciones de la LPPNA deberán desplazar a las del Código Penal en los supuestos de concurso de normas. En cualquier caso, lo adecuado sería evitar la duplicidad normativa, lo cual se podría lograr derogando la preconstitucional LPPNA e incluyendo un Capítulo específico en el Código Penal destinado a los delitos contra la seguridad de la Navegación marítima y aérea (a favor de la derogación, FERNÁNDEZ HERNÁNDEZ). Si se sigue prefiriendo la regulación especial, lo que correspondería es actualizar la LPPNA y eliminar del artículo 616 ter del CP la referencia a las aeronaves, cuyo tratamiento se abordaría en la correspondiente ley especial.

V. DELITO DE RESISTENCIA Y DESOBEDIENCIA (ART. 616 QUÁTER)

1. *Bien jurídico protegido*

El delito contenido en el artículo 616 quáter CP se trata de un delito de resistencia y desobediencia, regulado conjuntamente con la piratería debido a que se encuentra destinado a salvaguardar las funciones de prevención y persecución de la misma. De hecho, la rúbrica del Capítulo V del Título XXIV del Libro II del Código Penal se refiere al Delito de piratería, en singular (LÓPEZ LORCA), lo cual denota que el delito del artículo 616 quáter está relacionado con la piratería pero no es de piratería (PORTILLA CONTRERAS y FERNÁNDEZ HERNÁNDEZ).

El bien jurídico protegido por el delito es el correcto ejercicio de las competencias de policía y jurisdicción atribuidas a los Estados en el marco del Derecho Internacional, a los fines de prevención y persecución de la piratería (LÓPEZ LORCA, 2015). En el Preámbulo del Convenio de Montego Bay se reconoce *la conveniencia de establecer, con el debido respeto de la soberanía de todos los Estados, un orden jurídico para los mares y océanos, que facilite la comunicación internacional y promueva los usos con fines pacíficos de los mares y océanos, la utilización equitativa y eficiente de sus recursos, el estudio, la protección y la preservación del medio marino y la conservación de sus recursos vivos.* Para la salvaguarda de ese orden jurídico y, en particular, de las condiciones necesarias para una navegación segura, tanto en el ámbito marítimo como en el aéreo, entendemos que el legislador ha incluido este tipo penal, a pesar de que ninguno de los Convenios Internacionales contiene una infracción de esta naturaleza.

Con este fin los artículos 105 a 111 del Convenio de Montego Bay y el artículo 8 bis del Convenio SUA establecen las condiciones para que los buques de los Estados puedan ejercer los derechos de visita, persecución y apresamiento de embarcaciones piratas o en relación con las cuales existan sospechas razonables de que se dedican a la piratería, regulación a la que se remite el artículo 48 de la Ley de Navegación Marítima. Se trata de mecanismos establecidos por el Derecho Internacional para atajar el fenómeno criminal de la piratería y otras conductas afines, mecanismos cuya eficacia se ha querido reforzar a través de la punición de la desobediencia a las órdenes dictadas conforme al marco jurídico internacional. De ahí que se pueda decir que el delito previsto en el artículo 616 quáter CP es instrumental respecto a la salvaguarda de la seguridad de la navegación, bien jurídico protegido en el artículo 616 ter.

2. Sujetos activo y pasivo

El delito contenido en el artículo 616 quáter CP constituye un delito especial en la medida en que solo podrá ser sujeto activo del mismo la persona que haya recibido la orden y tenga capacidad y posibilidad de adoptar la decisión de acatarla o de desobedecerla. De ahí que en el ya citado Auto de la Audiencia Nacional, de 26 de febrero de 2016, se acordara el sobreseimiento de la causa en relación con una activista de GREENPEACE investigada por un posible delito del artículo 616 quáter CP, argumentándose que ella no fue la destinataria directa de las órdenes de la autoridad competente y que no tuvo capacidad de obedecer o de impedir la conducta prohibida, dado que no comandaba ni pilotaba las embarcaciones, ni tenía posición en la cadena de mando, limitándose su participación a ocupar una de las lanchas.

Sujeto pasivo del delito cabe decir que es la Comunidad Internacional, atendiendo a que, en virtud del Derecho Internacional, la obligación de prevenir y reprimir la piratería recae en todos los Estados. En cambio, sujetos pasivos de la acción serán los que hayan dado la orden desobedecida y quienes ejecuten la acción contra la que se resiste el sujeto activo del delito. En todo caso ha de tratarse de la tripulación *de un buque de guerra o aeronave militar u otro buque o aeronave que lleve signos claros y sea identificable como buque o aeronave al servicio del Estado español*, para la prevención o persecución de la piratería. Esta delimitación del ámbito en el cual ha de actuar el sujeto pasivo de la acción, guarda un claro paralelismo con lo establecido por el artículo 107 del Convenio de Montego Bay, en virtud del cual *solo los buques de guerra o las aeronaves militares, u otros buques o aeronaves que lleven signos claros y sean identificables como buques o aeronaves al servicio de un gobierno y estén autorizados a tal fin, podrán llevar a cabo apresamientos por causa de piratería.*

Para los efectos del Convenio de Montego Bay, se entiende por buque de guerra *todo buque perteneciente a las fuerzas armadas de un Estado, que lleve los signos exteriores distintivos de los buques de guerra de su nacionalidad, que se encuentre bajo el mando de un oficial debidamente designado por el gobierno de ese Estado cuyo nombre aparezca en el correspondiente escalafón de oficiales o su equivalente, y cuya dotación esté sometida a la disciplina de las fuerzas armadas regulares* (artículo 29). En términos similares, la Ley de Navegación Marítima establece que *son buques de guerra los buques de Estado adscritos a las Fuerzas Armadas, que lleven los signos exteriores distintivos de los buques de guerra de su nacionalidad y que se encuentren bajo el mando de un oficial debidamente designado por el Gobierno de su Estado, cuyo nombre esté inscrito en el escalafón de oficiales o en un documento equivalente y cuya dotación esté sometida a la disciplina de las Fuerzas Armadas regulares* (artículo 3.2). Por lo que se refiere a las aeronaves militares, según la Ley 48/1960, de 21 de julio, de Navegación Aérea, son tales *las que tengan como misión la defensa nacional o estén mandadas por un militar comisionado al efecto* (artículo 14 1º).

Una cuestión que no queda clara en el Código Penal es si la expresión *al servicio del Estado español* que figura en el precepto, se refiere únicamente a los buques y aeronaves no militares, o a todos. La precisión se incluyó en la norma a propuesta del Consejo Fiscal que, en su Informe al Anteproyecto de Ley Orgánica que dio origen a la reforma penal de 2010, recomendaba exigir, en el caso de buques o aeronaves *no militares*, que llevaran signos claros para la identificación, y que apareciera en el Código Penal la expresión *al servicio del Estado español*. En consecuencia, parece que esta exigencia en principio solo estaba pensada para los buques o aeronaves no militares. Así lo interpretó la SAN 1/2015, 2-2, en un supuesto en el que el delito de piratería se cometió contra un buque atunero español, pero los actos de desobediencia se produjeron frente a un buque de la marina de los Países Bajos, que fue el que procedió al apresamiento; a pesar de ello, se condenó también por el delito del artículo 616 quáter (la sentencia fue casada por la STS 134/2016, 24-2, pero no en relación a esta cuestión, que ni siquiera fue objeto de recurso). En cambio, en su Auto de 26 de febrero de 2016, la Audiencia Nacional realiza una interpretación más restrictiva, cuando afirma que se trata de un delito dirigido a la protección del *ejercicio por parte de las autoridades españolas de las labores de persecución y prevención de la piratería*, así como que es elemento del tipo penal *la existencia de un requerimiento por parte de la autoridad española competente que ejerza en el caso concreto las funciones de policía, (...) y que esa orden sea inequívocamente emitida por buque o aeronave al servicio del Estado español* (consideran requisito del tipo que los buques o aeronaves sean españoles, FERNÁNDEZ HERNÁNDEZ, TAMARIT SUMALLA, VÁZQUEZ GONZÁLEZ, DÍAZ MORGADO, FAKHOURI GÓMEZ, NICOLÁS JIMÉNEZ y LÓPEZ LORCA).

3. Conducta típica

La conducta típica sancionada en el artículo 616 quáter CP constituye un supuesto de resistencia y desobediencia a la autoridad, como los penados en los artículos 550, 554 y 556 CP, pero al que se le da un tratamiento específico por su vinculación con el delito de piratería recogido en el artículo 616 ter (SAN 1/2015, 2-2). En consecuencia, los conceptos de resistencia y de desobediencia han de ser interpretados en los mismos términos que en el artículo 556 CP.

La desobediencia implica la falta de acatamiento de una orden concreta, directa y expresamente dirigida al sujeto activo del delito. El delito se consumará con el incumplimiento del mandato, una vez que se ha producido la recepción del mismo. La resistencia supone una conducta objetivamente más grave, por cuanto implica la oposición u obstaculización a la ejecución de la orden emitida. En el ámbito de los delitos contra el orden público se realizan distinciones dependiendo de la gravedad de las conductas, así como del carácter activo o pasivo de la resistencia. El artículo 616 quáter no realiza estas diferenciaciones, sino que se refiere a la desobediencia y a la resistencia sin más adjetivos. No obstante, atendiendo a que la desobediencia leve ha dejado de ser típica tras la reforma penal de 2015, lo coherente es que también queden al margen del delito del artículo 616 quáter aquellos supuestos en los que la falta de repetición del mandato y/o la falta de persistencia o tenacidad en el incumplimiento, permitan calificar la desobediencia como leve. Por lo que se refiere a la resistencia, el precepto albergará tanto la resistencia activa como la pasiva y, del mismo modo, la grave y la no grave, si bien los casos más severos de empleo de violencia o fuerza podrán ir al tipo cualificado previsto en el apartado segundo del precepto.

En conclusión, la conducta típica prevista en el artículo 616 quáter CP requiere de la concurrencia de los siguientes elementos objetivos: i) una orden concreta y expresa; ii) que esa orden sea inequívocamente emitida desde un buque o aeronave al servicio del Estado español (aunque una interpretación más laxa del tipo penal limita la exigencia de actuación al servicio del Estado español a los buques o aeronaves no militares); iii) que la nave o aeronave se encuentre debidamente identificada como tal; iv) que la nave o aeronave esté expresamente autorizada para la prevención y persecución de los actos de piratería; y v) que los destinatarios de la orden la desobedezcan o se resistan a su ejecución. Por lo que se refiere a la orden, en cuanto que primer elemento del delito, consideramos que ha de estar legítimamente emitida, esto es, ha de cumplir con los correspondientes requisitos de competencia y de forma, de tal manera que en los casos de extralimitación no se podrá decir que la orden sea válida y, en consecuencia, tampoco que la conducta de quien la desobedezca sea típica (LÓPEZ LORCA). Asimismo, cuando la orden sea clara, manifiesta, notoria y terminantemente contraria a Derecho tampoco surgirá la obligación de obedecer y la conducta devendrá atípica (ÁLVAREZ GARCÍA).

El apartado 2 del artículo 616 quáter contiene un tipo cualificado previsto para los supuestos en los que la conducta se lleve a cabo mediante el empleo de fuerza o violencia, lo que supone una elevación sustancial de las penas con respecto a las del tipo básico. De entrada, la interpretación de este apartado plantea la duda acerca de qué haya de entenderse por fuerza o violencia. El significado del término *violencia* es más fácil de determinar por cuanto resulta frecuente su utilización en otros preceptos de Código Penal —entre ellos el propio artículo 616 ter— para hacer referencia a la fuerza física ejercida sobre las personas. Más dudas suscita el término *fuerza*, que en este caso no se encuentra expresamente referido a las cosas, como ocurre en otros artículos del Código Penal (FAKHOURI GÓMEZ). Por nuestra parte consideramos que la interpretación más adecuada pasa por considerar *fuerza* a la ejercida efectivamente sobre las cosas, pero en los términos del delito de piratería, esto es, la dirigida a causar un menoscabo en la nave o aeronave (FERNÁNDEZ HERNÁNDEZ y GARCÍA ALFARAZ), o en el cargamento o bienes a bordo, siempre que la finalidad pretendida no sea otra que oponer resistencia a la ejecución de la orden dada. De este modo, cuando el ejercicio de violencia sobre las personas o la causación de daños sobre la nave, la aeronave o los bienes a bordo no tenga otro objeto que expresar la desobediencia y resistencia a la ejecución de una orden legítimamente emitida en los términos establecidos en el apartado 1 del artículo, se deberá aplicar el delito del artículo 616 quáter 2 y no el delito de piratería del artículo 616 ter. A partir de esta explicación resulta más fácil justificar la exacerbación de penas que se produce en el tipo agravado de desobediencia y resistencia, por cuanto estaría destinado a sancionar hechos de una gravedad objetiva equivalente a los previstos en el delito de piratería del artículo anterior. En cualquier caso, hubiera sido deseable una mayor precisión en relación con el término *fuerza*, máxime teniendo en cuenta las importantes consecuencias penológicas de esta modalidad delictiva.

4. Elemento subjetivo

Se trata de un delito doloso en relación con el cual no se prevé la comisión imprudente. En consecuencia, el sujeto activo habrá de cumplir con los correspondientes requisitos de conocimiento y voluntad en relación con los elementos objetivos del tipo. Es por ello que tendrá que realizar la conducta siendo conocedor de la orden emitida y de que esta procede de un buque o aeronave al servicio del Estado español y destinado a la prevención y persecución de la piratería. De ahí la importancia de que la nave o aeronave lleve signos claros que la distingan como tal. En caso de que el sujeto activo desconozca el sentido de los distintivos o no los vea, habrá que concluir que se está ante un error de tipo determinante de la atipicidad de la conducta con independencia de la vencibilidad o invencibilidad del error, dado que no hay tipo imprudente por el que sancionar en caso de error vencible (considera que también habrá error de tipo cuando el buque no lleve signos claros de identificación, PORTILLA CONTRERAS). Cuando los destinatarios de la orden sí se percaten de las señales del buque español y reconozcan sus distintivos, pero no sean conscientes de la obligación de acatar sus mandatos, se estará más bien ante un supuesto de error de prohibición a tratar en sede de culpabilidad. Ha de tenerse en cuenta que, en un delito de las características del que estamos analizando, resulta previsible la frecuente alegación de supuestos de error, atendiendo a que se trata de una conducta que no se encuentra tipificada en otros ordenamientos y dado lo anómalo que puede resultar que se establezcan deberes de obediencia por parte de la tripulación de una nave o aeronave privadas a las autoridades de un Estado distinto del de su nacionalidad y del de su matrícula (LÓPEZ LORCA) y que tampoco ejerza su soberanía sobre las aguas o el espacio aéreo en el que se esté llevando a cabo la conducta. De ahí la importancia de que los buques y aeronaves encargados de la prevención y persecución de la piratería operen debidamente identificados, con sus dispositivos bien visibles, y de que se publiciten adecuadamente las operaciones de ámbito nacional, regional o internacional que se emprendan para los indicados fines; particularmente en nuestro entorno, la Operación Atalanta.

5. Concursos

El apartado tercero del artículo 616 quáter CP cuenta con una cláusula concursal similar a la contenida en el artículo 616 ter, en virtud de la cual las penas previstas para el delito de resistencia o desobediencia se impondrán sin perjuicio de las que correspondan por los delitos cometidos. Ello implica la necesidad de hacer concurso con los delitos en los que se haya concretado el empleo de fuerza o de violencia del tipo cualificado, con el delito de piratería del artículo 616 ter y con los delitos en los que se hayan concretado los actos de piratería. En el caso resuelto por la STS 134/2016, 24-2, efectivamente se sancionó por un delito de piratería del artículo 616 ter, por un delito *de piratería* del artículo 616 quáter y por un delito de pertenencia a grupo criminal del artículo 570 bis. Sin embargo, en el caso del buque de la Armada Patiño, la SAN 64/2013, 30-10, condenó únicamente por delito de piratería del artículo 616 ter, delito de pertenencia a organización criminal y delito de tenencia y depósito de armas de guerra, pero no por un delito de desobediencia del artículo 616 quáter, a pesar de que la embarcación pirata, tras intentar abordar al buque de la Armada y efectuar varios disparos contra él, se dio a la fuga teniendo que ser perseguida y localizada horas después por el mismo buque, que se vio obligado a abrir fuego para conseguir que el esquife se detuviera tras una primera orden a la que hizo caso omiso (la STS 313/2014, 2-4, casó parcialmente la sentencia de la Audiencia Nacional, pero no entró a valorar este extremo, que no fue objeto de recurso).

Por lo que se refiere a los delitos genéricos de atentado, resistencia y desobediencia a la autoridad, previstos en los artículos 550 y siguientes del Código Penal, entendemos que la relación con el delito del artículo 616 quáter no será de concurso de delitos sino de concurso de leyes a resolver mediante la aplicación del principio de especialidad a favor de este último (TAMARIT SUMALLA, NICOLÁS JIMÉNEZ y RODRÍGUEZ NÚÑEZ.

VI. PENAS

El artículo 616 ter CP prevé una pena de prisión de diez a quince años para el delito de piratería, pena sumamente elevada si se compara con las previstas para otros delitos objetivamente más graves como pueden ser los de genocidio o los de lesa humanidad, máxime si se tiene en cuenta que la pena señalada para el delito de piratería se habrá de imponer sin perjuicio de las que correspondan por los demás delitos cometidos, con los que entrará en concurso real (LÓPEZ LORCA).

Por lo que se refiere al delito del artículo 616 quáter CP, la pena del tipo básico es de prisión de uno a tres años, más elevada que las previstas para el delito de resistencia y desobediencia del artículo 556, pero similar a la del delito de atentado del artículo 550. Lo que carece de toda justificación, dada su absoluta desproporción, es el establecimiento de una pena de prisión de diez a quince años de duración para el tipo cualificado por empleo de fuerza o violencia (PORTILLA CONTRERAS, RODRÍGUEZ NÚÑEZ, GARCÍA ALFARAZ y LÓPEZ LORCA), desproporción que se agudiza más si cabe con la cláusula concursal que impone hacer concurso con el resto de delitos cometidos.

VII. RESPONSABILIDAD CIVIL

La piratería tiene unos costes para las compañías privadas y para la Comunidad Internacional que se cifran en miles de millones de euros al año (BOWDEN). Entre los costes económicos cabe mencionar los de atención médica y psicológica a las víctimas, los correspondientes a los días en los que estas se encuentren en situación de baja, la pérdida o daño de buques o aeronaves, la pérdida de la carga y otros bienes a bordo, los rescates y otros gastos dirigidos al pago de los mismos en los casos de secuestro, el incremento de las primas de los seguros para las compañías, los derivados de la inmovilización de los buques o aeronaves, los ocasionados por la realización de rutas más largas para evitar zonas especialmente amenazadas, los de seguridad privada de los buques, los de mantenimiento de la flota destinada a la prevención y persecución de la piratería, así como las pérdidas en el comercio marítimo (REYES CAMACHO y VICENTE ÁLVAREZ). A estos costes económicos hay que unir los personales, que se traducen en pérdida de vidas, en menoscabos a la salud y en el daño moral ocasionado a las víctimas directas y a sus familias.

No todos estos costes constituyen conceptos resarcibles en virtud de la responsabilidad civil derivada del delito de piratería. Únicamente lo serán aquellos que provengan de una manera directa del concreto hecho delictivo al cual vaya asociada la correspondiente responsabilidad civil. Por ello, no podrán integrar las bases para el cálculo de la responsabilidad civil los costes de las operaciones militares puestas en marcha por los Estados, ni las medidas de seguridad privada que adopten los buques o aeronaves en previsión de futuros ataques, ni las pérdidas macroeconómicas del comercio marítimo, ni el incremento de las primas de los seguros de piratería que no traiga causa del hecho delictivo concreto del que se derive la responsabilidad civil.

En particular, para la determinación de las bases de la responsabilidad civil, se habrán de tener en cuenta los daños materiales y morales experimentados por las víctimas directas de los atentados en los que se concreten los actos de piratería y, en su caso, por los familiares (daños derivados de la muerte, gastos de atención médica y psicológica, tiempo que hayan estado imposibilitadas para la realización de sus actividades habituales). Asimismo, se integrará en la responsabilidad civil la reparación o, según corresponda, la indemnización por daños y perjuicios derivada de la pérdida o deterioro del buque o aeronave, la pérdida o deterioro de la carga, la pérdida o deterioro de otros bienes que se encontraran a bordo del buque o aeronave, el incremento de la prima del seguro acordado como consecuencia del concreto hecho delictivo y el lucro cesante por los días en los que el buque o aeronave se encuentre detenido o inmovilizado. A esto cabría añadir, en los casos de secuestro, la cuantía del rescate y los gastos derivados de las operaciones realizadas para hacer efectivo el pago del mismo (integra en la responsabilidad civil derivada de un delito de secuestro la cuantía del rescate, incrementada con el interés del dinero calculado desde la fecha del pago, la SAN 30/2017, 20-12).

Teniendo en cuenta que las pólizas de los seguros contratados por los buques y aeronaves que circulan por las zonas afectadas suelen incluir dentro de su cobertura los daños derivados de actos de piratería, procede recordar que las aseguradoras serán responsables civiles directas conforme al artículo 117 CP.

VIII. CUESTIONES DE JURISDICCIÓN

Una de las principales preocupaciones de la Comunidad Internacional en relación con la piratería ha sido la de evitar que quede impune, ya sea por falta de una legislación penal adecuada, ya lo sea por ausencia de una jurisdicción con capacidad y voluntad para perseguir y enjuiciar a los responsables. Por ello, los Convenios Internacionales, al tiempo que instan a los Estados a tipificar como delito la piratería y otras conductas afines, incluyen disposiciones que promueven la asunción de competencia por parte de los Estados para perseguir los delitos de piratería, no solo dentro de su espacio de soberanía, sino también en aquellos lugares que se encuentran fuera de cualquier jurisdicción, todo ello a fin de evitar ámbitos de impunidad.

Varios son los argumentos que se han dado para defender la persecución extraterritorial de la piratería; entre ellos, la ausencia o escasez de control gubernamental en sus áreas de operación, argumento válido cuando los hechos ocurren en alta mar y también cuando tienen lugar en aguas territoriales de estados fallidos; la atrocidad del crimen, argumento difícilmente asumible, máxime cuando se pone en relación con un concepto de piratería tan amplio como el que recoge nuestro Código Penal; y el interés de los individuos de los distintos Estados y de la Comunidad Internacional de que siempre haya un sistema de Derecho Penal en vigor, que evite que estos actos queden impunes, fundamento que permitiría justificar la persecución extraterritorial tanto del delito de piratería como del resto de crímenes internacionales (CHEHTMAN).

Valga en este punto hacer mención de lo que en relación con esta materia establecen aquellos Convenios que, según el Preámbulo de la LO 5/2010 de reforma del Código Penal, sirvieron de base al legislador para tipificar la piratería. El Convenio de Montego Bay, plasmando el Derecho Internacional consuetudinario, reconoce a todos los Estados capacidad para realizar apresamientos en alta mar y en lugares no sometidos a la soberanía de ningún Estado, así como para juzgar y sancionar a los piratas que sean detenidos (artículo 105). Siguiendo al Convenio de Montego Bay y basándose en la aceptación de Somalia en lo que se refiere al ejercicio de su jurisdicción por Estados miembros o por terceros países, la Acción Común de la UE relativa a la Operación Atalanta establece que las personas que hayan cometido o que se sospeche que han cometido actos de piratería y que sean capturadas y retenidas en aguas territoriales de Somalia o en alta mar, sean entregadas a las autoridades competentes del Estado miembro o del tercer Estado que participe en la operación del pabellón enarbolado por el buque que haya realizado la captura, o si dicho Estado no puede o no desea ejercer su jurisdicción, a un Estado miembro o a un tercer Estado que desee ejercer la misma. Por su parte, el Convenio SUA impone a los Estados la adopción de las medidas necesarias para establecer su jurisdicción en relación con los delitos cometidos contra un buque o a bordo de un buque que enarbole el pabellón del Estado; en el territorio del Estado; o por un nacional del Estado; asimismo en los casos en los que el presunto delincuente se halle en el territorio de un Estado que no conceda su extradición. De forma complementaria admite que los Estados puedan establecer su jurisdicción en los supuestos en los que el delito sea cometido por una persona apátrida cuya residencia habitual se encuentre en ese Estado; o cuando un nacional resulte aprehendido, amenazado, lesionado o muerto durante la comisión del delito; o el delito sea cometido en un intento de obligar al Estado a hacer o no hacer alguna cosa (artículo 6).

Por lo que se refiere a nuestra legislación interna, hasta la reforma operada por la LO 1/2009, de 3 de noviembre, se podía decir que el artículo 23.4 LOPJ acogía el principio de justicia universal en relación con ciertos delitos de especial relevancia, dentro de los cuales se encontraban los de piratería y apoderamiento ilícito de aeronaves. Sin embargo, esta generosa atribución de competencia a los Tribunales españoles se enfrentaba a la paradoja de que, a partir de la entrada en vigor del Código Penal de 1995, el Ordenamiento español carecía de un delito de piratería, dejando al margen los que, en materia de *piratería aérea,* contenía la LPPNA. De este modo, los Tribunales españoles teóricamente tenían competencia para perseguir un delito que en la práctica no podían aplicar, por no encontrarse tipificado en la legislación interna, situación que no se solucionó hasta la introducción del delito de piratería en el Código Penal a través de la LO 5/2010.

Previamente, la citada LO 1/2009 ya había modificado el artículo 23.4 de la LOPJ, restringiendo su ámbito de aplicación, de tal manera que prácticamente hizo desaparecer la jurisdicción universal, al condicionar la posibilidad de perseguir los delitos para los que antes se contemplaba, a la existencia de algún punto de conexión con nuestro país (presencia de los presuntos responsables en España, víctimas españolas), así como al principio de subsidiariedad (en todo caso resultaba preciso que en otro país competente o en el seno de un Tribunal internacional no se hubiera iniciado procedimiento para la investigación y persecución efectiva de los hechos). En el caso del Atunero Izurdia la Audiencia Nacional fundamentó el vínculo de conexión con España en el principio de nacionalidad pasiva, por ser el pesquero atacado de bandera española, al igual que parte de su tripulación (SAN 1/2015, 2-2). Previamente, en el caso del Alakrana, la competencia se había sustentado, no en el apartado 4 del artículo 23 LOPJ, sino en el apartado 1, por haberse cometido el delito a bordo de un buque español; si bien ha de tenerse en cuenta que, en el momento de los hechos, el delito de piratería marítima no se encontraba vigente en España, por lo que la condena fue por los delitos comunes en los que se concretaron los actos de piratería (STS 1387/2011, 12-12 y SAN 10/2011, 3-5).

La regulación actual de la competencia de los Tribunales españoles en relación con los delitos de piratería y apoderamiento ilícito de aeronaves obedece a la reforma de la LOPJ efectuada por la LO 1/2014, de 13 de marzo, relativa a la justicia universal. Conforme al artículo 23.4.d) LOPJ, la jurisdicción española será competente para conocer de los hechos cometidos por españoles o extranjeros fuera del territorio nacional susceptibles de tipificarse como *delitos de piratería y delitos contra la seguridad de la navegación marítima que se cometan en los espacios marinos, en los supuestos previstos en los tratados ratificados por España o en actos normativos de una Organización Internacional de la que España sea parte.* Conforme al apartado f) del mismo artículo, la jurisdicción española será competente para conocer de los delitos contenidos en el Convenio de La Haya, siempre que el delito haya sido cometido por un ciudadano español; o se haya cometido contra una aeronave que navegue bajo pabellón español. Conforme al apartado g) también serán competentes para conocer de los delitos contenidos en el Convenio de Montreal y en su Protocolo complementario, en los supuestos autorizados por el mismo.

Como se puede apreciar, en relación con el delito de piratería se produce una completa remisión a lo que establezcan los tratados internacionales y otros actos normativos suscritos por España. Si bien en principio pudiera parecer que ello supone ampliar la jurisdicción española en relación con estos delitos, lo cierto es que los tratados internacionales, por razones obvias, no suelen establecer el principio de justicia universal como obligatorio para los Estados y, cuando son ambiciosos en la fijación de criterios de aplicación extraterritorial, los suelen contemplar como de aplicación facultativa (GÓMEZ RIVERO). Así, en el Convenio SUA solo se impone a los Estados asumir la jurisdicción, en virtud del principio de territorialidad, extendido a los buques y aeronaves de ese Estado; en virtud del principio de nacionalidad activa; y en virtud del principio *aut dedere aut iudicare,* mientras que el resto de criterios solo se establecen como dispositivos. Del mismo modo, el criterio del Estado de apresamiento en el que se basan el Convenio de Montego Bay y la Acción Común de la Unión Europea también está previsto como facultativo para los Estados. Por nuestra parte, consideramos que la remisión efectuada por el artículo 23.4.d) LOPJ perdería su sentido si se limitara a los escasos criterios que el Derecho Internacional prevé como vinculantes y esta es también la interpretación que hace la STS 592/2014, 24-7, cuando afirma, en relación con el artículo 23.4.d) LOPJ, que *basta que los tratados internacionales permitan tal atribución para que mediante un acto legislativo del Estado* concernido como es nuestro caso, mediante la LO 1/2014, pueda proclamarse que ostenta jurisdicción facultada por los referidos instrumentos internacionales (crítica con esta sentencia, MARTÍNEZ GUERRA). No obstante, hubiera sido conveniente la utilización por parte del legislador español de una fórmula más precisa que permitiera expresamente la aplicación de cualquiera de los criterios contemplados en los tratados internacionales.

En todo caso, al margen de cuestiones de jurisdicción, existen otras razones prácticas, logísticas y jurídicas por las que los Estados se muestran reacios a juzgar a los responsables de actos de piratería en los casos en los que no se haya visto afectado un interés particular del Estado en cuestión (IBÁÑEZ GÓMEZ). Entre esos motivos cabe mencionar, sin ánimo de exhaustividad, los largos y costosos traslados desde el lugar de comisión hasta el país de enjuiciamiento, la disminución de efectivos de vigilancia durante el traslado de los detenidos, la dificultad para cumplir con los plazos procesales de puesta a disposición de la autoridad judicial o de asistencia letrada (MARÍN CASTÁN), la dificultad para la obtención de pruebas y la falta de regulación para sancionar los actos preparatorios. Precisamente en relación con las detenciones realizadas en espacios marinos alejados del territorio español, dadas las particularidades que presentan y la falta de previsión legal que existía al respecto, la LO 13/2015, de 5 de octubre, de modificación de la Ley de Enjuiciamiento Criminal, proporciona una regla específica en virtud de la cual, a los detenidos por la presunta comisión de los delitos contemplados en el artículo 23.4 LOPJ —dentro de los que se encuentra el de piratería— les serán aplicados los derechos reconocidos por la Ley a los detenidos *en la medida que resulten compatibles con los medios personales y materiales existentes a bordo del buque o aeronave que practique la detención, debiendo ser puestos en libertad o a disposición de la autoridad judicial competente tan pronto como sea posible, sin que pueda exceder del plazo máximo de setenta y dos horas. La puesta a disposición judicial podrá realizarse por los medios telemáticos de los que disponga el buque o aeronave, cuando por razón de la distancia o su situación de aislamiento no sea posible llevar a los detenidos a presencia física de la autoridad judicial dentro del indicado plazo* (artículo 520 ter LECrim).

En cualquier caso, sea por un motivo o por otro, se aprecia renuncia por parte de los Estados implicados en operaciones internacionales contra la piratería a investigar y juzgar a los sospechosos de haber cometido estos delitos cuando los incidentes en los que se encuentren implicados no afectan de una manera directa a sus intereses estatales. De ahí que por parte de la Unión Europea se decidiera llegar a acuerdos con Kenia, Tanzania, Seychelles y Mauricio con el objeto de que los piratas apresados en el marco de la Operación Atalanta pudieran ser entregados para ser juzgados en dichos países, y de ahí también que, en muchos casos, los buques destinados a la prevención y persecución de la piratería se conformen con desarmar a los piratas y ponerlos en libertad (BARRADA FERREIRÓS).

En relación con la entrega de sospechosos de piratería a Kenia y a otros países de la zona para que sean juzgados allí, ha de decirse que constituye una práctica inaceptable desde la perspectiva de la salvaguarda de los Derechos Humanos y de las garantías del justiciable. En este sentido, desde varios ámbitos se han denunciado las condiciones en las que los sospechosos permanecen detenidos o son juzgados en Kenia, un país del que no son nacionales y que, en la mayor parte de los casos, no tiene ningún punto de conexión con el hecho cometido. Así, se habla del hacinamiento y de las condiciones de vida en las cárceles, de las dificultades para investigar los hechos y aportar pruebas, de la falta de recursos para la defensa y de los retrasos en la Administración de Justicia, entre otras dificultades con las que se encuentran los acusados de piratería y sus defensas. Consideramos que la Unión Europea, atendiendo a su compromiso con la Democracia y con la defensa de los Derechos Humanos no puede conformarse con el establecimiento de cláusulas de salvaguarda en los acuerdos a los que llegue con terceros Estados (los acuerdos alcanzados con Kenia, Tanzania, Mauricio y Seychelles efectivamente incluyen cláusulas en virtud de las cuales estos Estados se comprometen a no aplicar la pena de muerte y a garantizar una serie de derechos a los sospechosos de piratería que les sean entregados; *vid*. Decisión 2009/293/PESC del Consejo, de 26 de febrero de 2009). Más allá de ello, deberá acreditarse que aquellos que hayan sido detenidos por Fuerzas Militares bajo Mando de la Unión Europea sean juzgados por países miembros o, al menos, por países con respecto a los cuales existan garantías de que poseen sistemas jurídicos y estándares equiparables de protección de los derechos humanos y de las garantías del justiciable. Ello implicaría que, si se acuerda la entrega a terceros Estados, decisión ya de por sí discutible, se establezcan mecanismos eficaces de comprobación que, con carácter previo a la entrega, permitan determinar la capacidad y disposición del Estado para cumplir con los términos del acuerdo y que, con posterioridad, acrediten la efectiva implementación de los mismos. Teniendo en cuenta que no solo los informes de las organizaciones no gubernamentales, sino los propios de Naciones Unidas en relación con Kenia, muestran su preocupación por las denuncias de hacinamiento, falta de servicios de salud adecuados, violencia, torturas y malos tratos en las prisiones y otros lugares de detención, las dificultades de acceso a la asistencia jurídica y la falta de respeto en la práctica de los derechos del detenido (*vid*. Observaciones finales del Comité de Derechos Humanos de 31 de agosto de 2012 y del Comité contra la Tortura de 19 de junio de 2013), resulta aún más escandalosa la dejación que se ha hecho en relación a tantas personas, detenidas en el marco de la Operación Atalanta, de cuyos derechos y destino la Unión Europea era garante. En cualquier caso, Kenia ya ha denunciado su acuerdo con la Unión Europea, alegando para su negativa a recibir nuevos piratas problemas de seguridad interna, de ralentización de su sistema de justicia y de insuficiencia de la ayuda prestada por parte de la Unión Europea, teniendo en cuenta las dificultades y los costes de la responsabilidad que había asumido.

Por otro lado, el Tribunal de Justicia de la Unión Europea ha tenido ocasión de pronunciarse sobre los acuerdos alcanzados con Mauricio y con Tanzania, en sendas sentencias de 24 de junio de 2014, Asunto C-658/11, y de 14 de junio de 2016, Asunto C-263/14. La cuestión discutida era de naturaleza fundamentalmente procedimental, en particular si los acuerdos debían encuadrarse en la PESC, o si también debían tomar como base jurídica la dimensión exterior del espacio de libertad, seguridad y justicia, dado su contenido relativo a la cooperación judicial y policial, en cuyo caso se habría omitido el trámite preceptivo de aprobación por el Parlamento. El Tribunal de Justicia consideró que la finalidad de los acuerdos resultaba indicativa de su preponderante vinculación a la PESC, por lo que no resultaba precisa la aprobación del Parlamento, aunque sí la obligación de que este fuera informado durante las fases de celebración de los acuerdos, obligación que no se atendió, por lo que se hurtó al Parlamento el ejercicio del control democrático sobre los mismos. No obstante, la eficacia práctica de las resoluciones del Tribunal se podría decir que es casi nula, por cuanto, a fin de no obstaculizar las operaciones ya realizadas, se acordó mantener indefinidamente los efectos de la Decisión que sirvió de base a la conclusión de los acuerdos (con una visión crítica en relación con la resolución del Tribunal de Justicia, por haber basado su decisión en la finalidad general de los acuerdos, más que en su contenido material, GARCÍA ANDRADE).

Preocupados por la complejidad de la situación y conscientes de la dificultad que entraña buscar una solución adecuada, particularmente en el caso de Somalia, en el seno del Consejo de Seguridad de Naciones Unidas se barajan distintas alternativas tendentes a facilitar el enjuiciamiento de los actos de piratería, bien sea por parte de tribunales de países de la zona, bien sea por un tribunal internacional, bien sea por parte de tribunales mixtos (Informe S/2010/394, de 26 de julio de 2010; también acerca de las diferentes opciones RODRÍGUEZ-VILLA-SANTE Y PRIETO). En cualquier caso, la solución al problema no parece que deba ser exclusivamente policial y judicial, sino que también habrá que articular soluciones políticas y de cooperación al desarrollo que contribuyan a la estabilización de la zona y proporcionen alternativas de sustento a las personas que han encontrado en la piratería y otras formas de delincuencia organizada su medio de vida (GARCÍA ALFARAZ).

IX. BIBLIOGRAFÍA

ÁLVAREZ GARCÍA, F. J., «Los delitos de desobediencia al superior», en F. J. ÁLVAREZ GARCÍA (dir.) *Tratado de Derecho Penal Español. Parte especial T. III*, Valencia, 2013; AZCÁRRAGA DE BUSTAMANTE, J. L. DE., *El corso marítimo*, Madrid, 1950; id., *Derecho Internacional Marítimo*, Barcelona, 1970; BARRADA FERREIRÓS, A., «Las sentencias de la Audiencia Nacional y el Tribunal Supremo sobre el caso "Alakrana"», *Documento Marco 09/2012*, Instituto Español de Estudios Estratégicos; id., «El talón de Aquiles de Atalanta: El enjuiciamiento y encarcelamiento de los piratas», *Documento Marco 01/2011*, Instituto Español de Estudios Estratégicos; BOWDEN, A. (coord.) *Informe «El coste económico de la piratería marítima»*, One Earth Foundation, 2010; CANO PAÑOS, M. A., «Caso de la *Luftsicherheitsgesetz*», en P. SÁNCHEZ-OSTIZ GUTIÉRREZ (coord.) *Casos que hicieron doctrina en Derecho Penal*, Madrid, 2011; CASTILLEJO MANZANARES, R. (coord.). *La persecución de los actos de piratería en las Costas Somalíes*, Valencia, 2011; CHEHTMAN, A., *Fundamentación filosófica de la justicia penal extraterritorial*, Madrid, 2013; CORRALES ELIZONDO, A., «Regulación legal del corso y la piratería marítimas», en *XXIX Jornadas de Historia Marítima. Piratería y corso en la Edad Moderna. Cuadernos monográficos del Instituto de Historia y Cultura Naval*, núm. 46, Madrid, 2004; DÍAZ Y GARCÍA CONLLEDO, M., Voz «Piratería», en D. M., LUZÓN PEÑA *Enciclopedia Penal Básica*, Granada, 2002; DÍAZ MORGADO, C., «Delito de piratería», en M. CORCOY BIDASOLO y S. MIR PUIG (dirs.) *Comentarios al Código Penal*, Valencia, 2015; ESCRICHE, J., *Diccionario razonado de Legislación y Jurisprudencia*, Madrid, 1876; FAKHOURI GÓMEZ, Y., «El nuevo delito de piratería», en J. M. SILVA SÁNCHEZ (dir.) *El nuevo Código Penal. Comentarios a la reforma*, Las Rozas, 2012; FARALDO CABANA, P., «Los delitos aeronáuticos», en P. FARALDO CABANA (dir.) *Comentarios a la legislación penal especial*, Valladolid, 2012; id., «Sobre la doble (y confusa) regulación de la piratería aérea en el Derecho Penal español», *Diario La Ley*, núm. 7843, 2012; FERNÁNDEZ

FADÓN, F., «Piratería en Somalia: "mares fallidos" y consideraciones de Historia marítima», *Documento de Trabajo núm. 10*, Real Instituto Elcano, 2009; FERNÁNDEZ HERNÁNDEZ, A., «Consideraciones jurídico penales acerca de la piratería marítima», en *Revista de Derecho Penal*, núm. 26, 2009; *id.*, «Delito de piratería», en F. J. ÁLVAREZ GARCÍA, F. J. y J. L. GONZÁLEZ CUSSAC (dirs.) *Comentarios a la Reforma Penal de 2010*, Valencia, 2010; *id.*, «Piratería: 616 ter y 616 quáter PCP», en F. J. ÁLVAREZ GARCÍA y J. L. GONZÁLEZ CUSSAC (dirs.) *Consideraciones a propósito del proyecto de ley de 2009 de modificación del Código Penal*, Valencia, 2010; FERNÁNDEZ RODERA, J. A. «Piratería: 616 ter, 616 quáter y 616 quinquies PCP», en F. J. ÁLVAREZ GARCÍA y J. L. GONZÁLEZ CUSSAC (dirs.) *Consideraciones a propósito del proyecto de ley de 2009 de modificación del Código Penal*, Valencia, 2010; GARCÍA ALFARAZ, A. I. «Apuntes para una reflexión sobre el delito de piratería», en L. ZÚÑIGA RODRÍGUEZ, M. C. GORJÓN BARRANCO y J. FERNÁNDEZ GARCÍA, J. (coords.) *La reforma penal de 2010*, Salamanca, 2011; GARCÍA ANDRADE, P., «La base jurídica de la celebración de acuerdos internacionales por parte de la UE: entre la PESC y la dimensión exterior del espacio de libertad, seguridad y justicia. Comentario a la Sentencia del Tribunal de Justicia de 14 de junio de 2016, Asunto C-263/14, Parlamento c. Consejo», en *Revista General de Derecho Europeo*, núm. 41, 2017; GIMBERNAT ORDEIG, E., «Piratas sin pata de palo», en *Diario El Mundo*, 24 de noviembre de 2009; GÓMEZ RIVERO. M. C., «Artículo 616 ter y Artículo 616 quáter», en M. GÓMEZ TOMILLO y A. M. JAVATO MARTÍN (dirs.) *Comentarios Prácticos al Código Penal*, Cizur Menor, 2015; GROIZARD Y GÓMEZ DE LA SERNA, A., *El Código Penal de 1870 concordado y comentado T. III*, Madrid, 1911; IBÁÑEZ GÓMEZ, F., «Obstáculos legales a la represión de la piratería marítima: el caso de Somalia», en *Revista CIDOB d'afers internacionals*, núm. 99, 2012; IBÁÑEZ GÓMEZ, F. y ESTEBAN, M. A., «Análisis de los ataques piratas somalíes en el Océano Índico (2005-2011): Evolución y *modus operandi*», en *Revista del Instituto Español de Estudios Estratégicos*, núm. 1, 2013; IGLESIAS BANIELA, S., «El Derecho Internacional y la Piratería en la Mar: un reto para la Comunidad Internacional en el caso de Somalia», *Ponencia en el marco de las Jornadas sobre seguridad marítima organizadas por el Instituto de Estudios Marítimos*, A Coruña, 2012; LÓPEZ LORCA, B., *La piratería y otros delitos contra la seguridad de la navegación marítima*, Valencia, 2015; *id.*, «Los delitos contra la seguridad aérea en la reforma penal del año 2010», en *Revista Electrónica de Ciencia Penal y Criminología*, núm. 17-16, 2015; MARÍN CASTÁN, F., «Marco jurídico de la seguridad marítima», en *Cuadernos de Estrategia*, núm. 140, 2008; *id.*, «El tratamiento jurídico de la piratería marítima en el ordenamiento jurídico español», *Documento Marco 02/2011*, Instituto Español de Estudios Estratégicos; MARTÍNEZ ALCAÑIZ, A., «Cuestiones jurídicas sobre piratería en la mar», en *Revista General de Marina*, vol. 256, núm. 3, 2009; MARTÍNEZ CANTÓN, S., *La ponderación en el estado de necesidad*, León, 2006; MARTÍNEZ GUERRA, A., «Narcobarcos e interpretación de Convenios Internacionales», en *Diario La Ley*, núm. 8427, 2014; MUÑOZ CONDE, F., *Derecho Penal. Parte Especial*, Valencia, 2015; MARTOS NÚÑEZ, J. A., Voz «Piratería», en *Nueva Enciclopedia Jurídica T. XIX*, Barcelona, 1989; NICOLÁS JIMÉNEZ, P., «Delito de piratería», en C. M. ROMEO CASABONA, E. SOLA RECHE y M. A. BOLDOVA PASAMAR (coords.) *Derecho Penal Parte Especial*, Granada, 2016; OPPENHEIM, L., *Derecho Internacional Público T. I*, vol. II, Barcelona, 1961; PACHECO, J. F., *El Código Penal concordado y comentado T. II*, Madrid, 1881; PERYROTEO PORTELA QUEDES, H., «La vuelta de la piratería marítima» (trad. F. de la Guardia Salvetti), en *Revista General de Marina*, vol. 256, núm. 3, 2009; PORTILLA CONTRERAS, G., «Delito de piratería (arts. 616 ter y 616 quáter)», en G. QUINTERO OLIVARES (dir.) *La Reforma Penal de 2010*, Cizur Menor, 2010; PUEYO LOSA, J. y BRITO, W. (dirs.) *La gobernanza de los mares y océanos. Nuevas realidades, nuevos desafíos*, Santiago de Compostela, 2012; REYES CAMACHO, J. A., *Análisis del Impacto del Fenómeno de la Piratería Marítima en el Comercio Marítimo Internacional de la Región del Mar de China (2006-2008)*, Bogotá, 2012; RODRÍGUEZ NÚÑEZ, A., «El delito de piratería», en *Anuario de Derecho Penal y Ciencias Penales*, vol. L, 1997; *id.*, «El nuevo delito de piratería. Breves reflexiones», en F. J. ÁLVAREZ GARCÍA *et al.* (coords.) *Libro homenaje al Prof. Luis Rodríguez Ramos*, Valencia, 2013; *id.*, «El delito de piratería. Antecedentes y reforma del Código Penal por Ley Orgánica 5/2010», en *Revista de Derecho Penal y Criminología*, Extraordinario, núm. 1, 2013; *id.*, «Delito de piratería», en C. LAMARCA PÉREZ (Coord.) *Delitos. La parte especial del Derecho Penal*, Madrid, 2016; RODRÍGUEZ-VILLASANTE Y PRIETO, J. L., «Aspectos jurídico-penales del crimen internacional de piratería», en R. CASTILLEJO MANZANARES (coord.) *La persecución de los actos de piratería en las Costas Somalíes*, Valencia, 2011; *id.*, La represión del crimen internacional de piratería; una laguna imperdonable de nuestro Código Penal y, ¿por qué no?, un crimen de la competencia de la Corte Penal Internacional, en *Revista Española de Derecho Militar*, núm. 93, 2009; SÁNCHEZ DAFAUCE, M., *Sobre el estado de necesidad existencial*, Valencia, 2016; *id.*, «El abatimiento de un avión secuestrado», en *InDret*, núm. 4, 2014; SERNA VALLEJO, M., «Las previsiones penales y procesales marítimas de los *Capitols del Rei en Pere* de 1340 incluidos en el *Llibre del Consolat de Mar*», en ARÍZAGA BOLUMBURU, B. *et al* (Edts.) *Mundos Medievales. Espacios, sociedades y poder (Homenaje al Prof. José Ángel García de Cortázar y Ruiz de Aguirre) T. II*, Santander, 2012; SOBRINO HEREDIA, J. M., «La piratería marítima: un crimen internacional y un galimatías nacional», en *Revista Electrónica de Estudios Internacionales*, 2009; *id.*, «Piratería y terrorismo en el mar», *Cursos de Derecho Internacional y Relaciones Internacionales de Vitoria-Gasteiz*, núm. 1, 2008; TAMARIT SUMALLA, J. M., «Delito de piratería», en G. QUINTERO OLIVARES (dir.) *Comentarios a la Parte Especial del Derecho penal*, Cizur Menor, 2016; URBINA, J. J. «Estados fallidos y proliferación de actos contra la seguridad de la navegación marítima en las aguas somalíes: papel del estado ribereño e importancia de la cooperación internacional», en *Revista Española de Relaciones Internacionales*, núm. 2, 2010; VÁZQUEZ GONZÁLEZ, C., «Delito de piratería», en A. SERRANO GÓMEZ *et al. Derecho Penal Parte Especial*, Madrid, 2016; VICENTE ÁLVAREZ, F. J., *Seguridad marítima y piratería*, Trabajos de Estudio e Investigación Premios Defensa, Madrid, 2013.

Los tribunales españoles y la persecución de los delitos de genocidio, lesa humanidad y crímenes de guerra

AMPARO MARTÍNEZ GUERRA

I. PLANTEAMIENTO

La jurisdicción de los Jueces y Tribunales españoles para la persecución y el enjuiciamiento de los delitos de genocidio, lesa humanidad y contra bienes protegidos en conflicto armado (en adelante, crímenes de guerra) contenidos en los arts. 607 y ss. del CP se rige por lo dispuesto en el art. 23, apartados 1, 2, 3, 4, 5 y 6 LOPJ. De acuerdo con el art. 88 LOPJ, la instrucción de dichas causas corresponderá a los Juzgados Centrales de Instrucción (JJCCII) de la Audiencia Nacional (AN) y su enjuiciamiento a la Sala de lo Penal del mismo órgano (art. 65.1 [e]).

Sin perjuicio de las aclaraciones pertinentes al respecto, este estudio se centra exclusivamente en la jurisdicción en materia de delitos internacionales *puros* (genocidio, lesa humanidad y crímenes de guerra). No se ocupa del análisis de otros tipos penales que, desde la redacción originaria del art. 23 LOPJ o a consecuencia de reformas posteriores, se incluyen actualmente en su articulado aunque algunos de ellos presenten elementos internacionales o transnacionales (piratería, terrorismo, trata de seres humanos, corrupción entre particulares o en transacciones comerciales internacionales...).

El análisis de la perseguibilidad de los delitos internacionales se aborda en dos fases. La primera de ellas se centra en el estudio y exposición del contenido y alcance del art. 23 LOPJ, con especial atención a las modificaciones sufridas por el principio de jurisdicción universal regulado en el apartado 4 y a sus consecuencias en los procedimientos judiciales en curso. La segunda fase se dedica al papel de los Tribunales Penales Internacionales (TTPPII) en la persecución de los delitos. De esta manera, se analiza el funcionamiento del principio de subsidiariedad introducido por el Legislador en la reforma de la LO 1/2009, de 3-11, *complementaria de la Ley de reforma de la legislación procesal para la implementación de la nueva Oficina judicial, por la que se modifica la Ley Orgánica 6/1985, de 1-7, del Poder Judicial (Tol 1631667)* y reforzado en la Ley Orgánica 1/2014, de 13-3, *de modificación de la Ley orgánica 6/1985, de 1-7 del Poder Judicial, relativa a la justicia universal (Tol 4132399).*

II. JURISDICCIÓN DE LOS TRIBUNALES ESPAÑOLES EN MATERIA DE DELITOS INTERNACIONALES

1. Cuestiones generales

El enjuiciamiento y la persecución de los delitos internacionales puros se regula en el art. 23 de la LOPJ. El precepto establece los criterios de atribución de la jurisdicción de los Jueces y Tribunales españoles en términos muy similares a los países de nuestro entorno. Con carácter general, suelen clasificarse en dos grandes grupos: *persecución territorial* (art. 23.1 LOPJ) y *extraterritorial* (arts. 23.2, 3, 4, 5 y 6 LOPJ). La redacción del artículo no contempla la personalidad pasiva (nacionalidad de la víctima), si bien es cierto que esta ha cobrado especial protagonismo en la reforma de la LO 1/2014, de 13-3, al utilizarse como criterio delimitador del principio de jurisdicción universal (DEL CARPIO DELGADO).

En términos generales se puede afirmar que, salvo el contenido en el apartado 4 del art. 23 LOPJ, el resto de criterios de atribución de la jurisdicción apenas ha sufrido variaciones desde la aprobación de la LOPJ en 1985. La Exposición de Motivos (EM) de esta ley no ofrecía explicación alguna acerca del criterio o modelo seguido por el Legislador español en este aspecto. Por el contrario, se limitaba básicamente a justificar la necesidad de adaptar la estructura y funcionamiento del Poder Judicial a los preceptos constitucionales y, con ello, derogar toda la normativa existente que no cumplía con el principio de reserva de Ley Orgánica. Entre otras, la *Ley Provisional sobre Organización del Poder Judicial*, de 18-9 de 1870, la *Ley Adicional a la Orgánica del Poder Judicial*, de 14-10 de 1882 y la *Ley de Bases para la Reforma Municipal*, de 9-7 de 1944.

2. Principio de territorialidad (art. 23.1 LOPJ)

El art. 23.1 LOPJ establece que *«en el orden penal corresponderá a la jurisdicción española el conocimiento de las causas por delitos y faltas cometidos en territorio español o cometidos a bordo de buques o aeronaves españoles, sin perjuicio de lo previsto en los tratados internacionales en los que España sea parte»*. Asimismo, el art. 8.1 Código Civil (CC) determina que *«las leyes penales, de policía y de seguridad pública obligan a todos los que se hallen en territorio español»*.

La aplicación del principio de territorialidad fue defendido por el JCI n° 5 de la AN en su Auto de 16-10 de 2008 *(Tol 4807679)*. En aquel, el Magistrado calificaba los hechos de *delitos de lesa humanidad* en conexión (art. 17 LECrim) con un delito contra los Altos Organismos de la Nación y forma de Gobierno de la Nación tipificado en el CP de 27-10 de 1932. El Magistrado mantenía que las desapariciones forzosas, en el contexto de crímenes contra la humanidad, tenían su origen en la insurrección armada del 18-7 de 1936 y su finalidad era la eliminación de personas que ostentaban responsabilidades en los Altos Organismos del Estado (art. 65.1 a) y 88 de la LOPJ *(Tol 268267)*. En contra de esta calificación jurídica se mostró parte de la doctrina, para quien se abusaba de la conexidad delictiva (entre otros TAMARIT SUMALLA, 2010).

El criterio de territorialidad también ha permitido al JCI n° 5 de la AN abrir una investigación sobre la posible comisión de un delito de genocidio cometido en el Sahára, con arreglo a lo establecido en el art. 137 bis CP de 1944 y tipificado actualmente en el art. 607 CP [Auto del JCI n° 5 de la AN, de 9-4 de 2015, sumario 1/2015 *(Tol 4807679)* y Auto de 22-5 de 2015 *(Tol 5186291)*]. El delito de genocidio que se imputa se estima cometido entre 1975 y 1991, fechas marcadas por la ocupación del Sáhara Occidental por Marruecos y la fecha de alto el fuego entre este y el Frente Polisario. Así lo entiende el Magistrado al considerar, entre otras, las disposiciones del *Tratado de París, Convenio entre España y Francia para la delimitación de las posesiones de ambos países en la costa del Sahara y en la del Golfo de Guinea*, firmado el 27-6 de 1900 (1901); las del *Decreto de 21-8 de 1956 por el que se dispone el cambio de denominación de la Dirección General de Marruecos y Colonias* (1956); los artículos primero y segundo del Decreto de 10-1 de 1958 *por el que se reorganiza el Gobierno General del Africa Occidental Española* (1958); el artículo único de la Ley 40/1975, de 19-11, de *Descolonización del Sáhara* (1975) y, finalmente, la Resolución de la Asamblea General de la ONU 3292, de 13-12 de 1974 (*Cuestión del Sáhara Español*). En esta última se reconoce la calidad de *potencia administradora* de España (apartado 2).

3. Principio de personalidad activa (art. 23.2 LOPJ)

El principio de personalidad activa (23.2 LOPJ) permite perseguir los delitos internacionales cometidos fuera de territorio nacional por nacionales españoles o extranjeros que hubieran adquirido la nacionalidad española con posterioridad a la comisión del hecho. Se exigen además tres requisitos adicionales, uno de ellos, modificado por la Ley Orgánica 11/1999, de 30-4, *de modificación del Título VIII del Libro II del Código Penal, aprobado por Ley Orgánica 10/1995, de 23-11 (Tol 150844)*.

La redacción originaria del precepto, contenida en la LO 1/1985, de 1-7 *del Poder Judicial (Tol 268267)* exigía: a) que el hecho fuera punible en el lugar de ejecución; b) que el agraviado o el Ministerio Fiscal denunciase o interpusiera querella ante los Tribunales españoles y c) que el delincuente no hubiera sido absuelto, indultado o penado en el extranjero, o en este último supuesto, que no hubiese cumplido condena. Si de esa condena se hubiese cumplido una parte, esta se tendría en cuenta para rebajar de forma proporcional la que pudiera corresponderle. La LO 11/1999 de 30-4 *(Tol 163598)* vino consagrar el principio de primacía del Derecho Internacional sobre el interno, conforme a la *Convención de Viena sobre el Derecho de los Tratados*, de 23-5 de 1969 *(Tol 163598)*. Aunque el art. 23.2 LOPJ continuaba exigiendo la doble incriminación de la conducta, ampliaba las opciones para satisfacer este requisito permitiendo que esta doble incriminación se diera también *«en virtud de Tratado internacional o de un acto normativo de una organización internacional de la que España fuera parte»*. Esta formulación permite desde entonces a los Jueces y Tribunales españoles sortear el obstáculo de la ausencia de trasposición del tipo penal al Derecho nacional por parte del estado territorial. Adicionalmente, de acuerdo con el art. 27 de la *Convención de Viena (Tol 163598)* se establece la imposibilidad de invocar disposiciones de Derecho interno como justificación del incumplimiento de las obligaciones derivadas del tratado con la única excepción del supuesto previsto en el art. 46 *(nulidad de los tratados)*.

4. *Principio de protección (art. 23.3 LOPJ)*

El tercer criterio de atribución de la jurisdicción extraterritorial a Jueces y Tribunales es el principio de protección. Su razón de ser se encuentra en la existencia de intereses específicos merecedores de protección por parte del Estado, bien porque atentan contra su funcionamiento o sus instituciones más elementales, bien porque son cometidos por sus funcionarios públicos en el ejercicio de funciones públicas. Así, establece el art. 23.3 LOPJ que *«conocerá la jurisdicción española de los hechos cometidos por españoles o extranjeros fuera del territorio nacional cuando sean susceptibles de tipificarse, según la ley penal española, como alguno de los siguientes delitos: a) De traición y contra la paz o la independencia del Estado; b) Contra el titular de la Corona, su Consorte, su Sucesor o el Regente; c) Rebelión y sedición; d) Falsificación de la firma o estampilla reales, del sello del Estado, de las firmas de los Ministros y de los sellos públicos u oficiales; e)*

Falsificación de moneda española y su expedición; f) Cualquier otra falsificación que perjudique directamente al crédito o intereses del Estado, e introducción o expedición de lo falsificado; g) Atentado contra autoridades o funcionarios públicos españoles; h) Los perpetrados en el ejercicio de sus funciones por funcionarios públicos españoles residentes en el extranjero y los delitos contra la Administración Pública española; i) Los relativos al control de cambios».

Por lo que respecta a los delitos internacionales puros entendemos que la única posibilidad de atribuir la jurisdicción a los Tribunales españoles la ofrece el apartado h) del art. 23.3 LOPJ, es decir, cuando esos delitos sean competidos por funcionarios públicos españoles residentes en el extranjero y lo hagan en el ejercicio de sus funciones (en el mismo sentido, GIL GIL, 2005). Este último aspecto (cometerlos o no en el ejercicio de funciones públicas) determinaría su persecución conforme a este principio o al de personalidad activa (art. 23.2 CP). Es preciso recordar aquí que, mientras que en el primer caso, y de acuerdo con la redacción del art. 23.3 LOPJ, el principio de tipicidad tiene que satisfacerse únicamente conforme a la ley penal española («...*cuando sean susceptibles de tipificarse, según la ley penal española...*»), en el segundo (principio de personalidad activa) se exige, además de los requisitos de perseguibilidad impuestos por las letras b) y c) del art. 23.2 LOPJ, una *doble incriminación* vía Ordenamiento Jurídico penal del país territorial, Convenio o Tratado internacional o acto normativo de Organización Internacional [art. 23.2 a) LOPJ] De esta forma, se busca satisfacer el primer requisito en los procesos de extradición.

5. Principio de jurisdicción universal o Justicia Universal (art. 23.4 LOPJ)

La jurisdicción universal se define como un criterio de atribución de jurisdicción penal basado exclusivamente en la *naturaleza del delito* (BASSIOUNI). Esa naturaleza es «*el vínculo legitimador entre el autor de la conducta y la persecución del Estado*» (CASSESE, 2009). Este principio constituye, con los de nacionalidad activa, pasiva y de protección, el conjunto de criterios que permiten a los tribunales de los Estados soberanos ejercer su jurisdicción sobre hechos delictivos cometidos fuera de su territorio. Esta posibilidad se contempla porque, como afirmara la Corte Internacional de Justicia en 1927 (*Asunto Lotus: Francia c. Turquía*), «*la territorialidad del Derecho penal no es un principio absoluto del Derecho internacional*». Por esta razón, «*los efectos de actos dirigidos en contra de los intereses más elevados de la comunidad internacional no quedan limitados al territorio interno del Estado en el que se cometen: los crímenes de derecho internacional no son asuntos internos y no rigen respecto de ellos los límites que el derecho internacional sienta a la expansión del poder punitivo del Estado, sobre todo en el marco del principio de no injerencia*» (WERLE).

La evolución del principio de jurisdicción universal se caracteriza por una rápida expansión durante la segunda mitad del S. XX (GARCÍA SÁNCHEZ). Los efectos de la Segunda Guerra Mundial, de los Tribunales de Nuremberg y Tokio y del proceso codificador en el seno de la ONU tienen como consecuencia a una asunción, al menos formal, de las responsabilidades de los Estados en la persecución de los delitos internacionales (SÁNCHEZ LEGIDO, RODRÍGUEZ YAGÜE, LLOBET ANGLÍ). La problemática se sitúa en el decálogo de nuevos delitos perseguibles mediante jurisdicción universal. Si hasta entonces su aplicación se había limitado básicamente a la persecución de la piratería y el comercio de esclavos (MORRIS), a partir de entonces se plantea su extensión a delitos que presuponen o requieren la participación del Estado o, al menos, de sus autoridades o funcionarios (CASSESE, 2009).

La aplicación del principio de jurisdicción universal a delitos de genocidio, lesa humanidad y crímenes de guerra conlleva la extensión extraterritorial de la ley penal al territorio de otro Estado soberano y no únicamente al alta mar como se había planteado hasta entonces. Una de la primeras consecuencias de la nueva formulación es la necesaria reinterpretación del *principio de no intervención* reconocido en los textos internacionales, que deja de ser *absoluto* y se condiciona al cumplimiento de las responsabilidades en materia de DDHH por parte del Estado territorial. Así lo ha estableció, por ejemplo, la Corte Internacional de Justicia en la interpretación del *Convenio para la Prevención y Sanción del Delito de Genocidio (Tol 117700)* de 9-12 de 1948 que realizó su fallo *Case Concerning the Application of the Convention on the Prevention and Punishment of the Crime of Genocide, Bosnia and Herzegovina v. Serbia and Montenegro*, de 27-2, de 2007.

La interpretación del alcance del principio de jurisdicción universal en delitos internacionales puros se caracteriza por no ser pacífica, especialmente a lo largo de la última década. Ello se debe fundamentalmente a modificaciones introducidas por los legisladores nacionales motivadas por hitos históricos, políticos o jurídicos. De entre los últimos destaca la creación de los TTPPII *ad hoc* para la Antigua Yugoslavia y Ruanda y de la Corte Penal Internacional (CPI). Las reformas, llevadas a cabo muchas veces para implementar el contenido de normativa internacional (BUTLER), se han caracterizado por intentar reducir el alcance de la jurisdicción universal y exigir requisitos adicionales a la naturaleza del delito para tratar de invertir el principio de preferencia de la jurisdicción de los tribunales nacionales. Esta tendencia fue especialmente acusada a partir de 2002. Como se verá a continuación, las modificaciones del art. 23.4 LOPJ no han sido ajenas a ella porque las reformas en países del entorno (Bélgica, Reino Unido) propiciaron, como es lógico, que las víctimas de estos delitos buscasen un foro alternativo en el que plantear sus reclamaciones.

5.1. Formulación pura o absoluta (1985-2009)

La redacción originaria del art. 23 de la LO 1/1985, de 1-7 *del Poder Judicial (Tol 268267)* consagró el principio de jurisdicción universal puro o absoluto en el Ordenamiento Jurídico español. El precepto permitía la persecución de delitos que hubieran sido cometidos fuera de territorio español independientemente de que sus autores tuvieran nacionalidad española o extranjera. El único requisito que imponía la ley era que los hechos fueran susceptibles de tipicarse, según la ley penal española, como alguno de los delitos contenidos en su apartado 4. Esos delitos eran: a) genocidio; b) terrorismo; c) piratería y apoderamiento ilícito de naves; d) falsificación de moneda extranjera; e) los relativos a la prostitución; f) tráfico ilegal de drogas psicotrópicas, tóxicas y estupefacientes; g) y cualquier otro que, según los tratados o convenios internacionales, debiera ser perseguido en España. Adicionalmente, el apartado 5 condicionaba el ejercicio de la jurisdicción de los tribunales española a la inexistencia de cosa juzgada (art. 23.2 c) «*Que el delincuente no haya sido absuelto, indultado o penado en el extranjero, o en este último caso, no haya cumplido la condena. Si solo la hubiera cumplido en parte, se le tendrá en cuenta para rebajarle proporcionalmente la que le corresponda*». Este requisito era también aplicable a los delitos perseguibles por aplicación del principio de personalidad activa conforme al art. 23.2 LOPJ.

Hasta la reforma de 2009 (VID INFRA), las modificaciones que sufrió el art. 23.4 LOPJ se limitaron única y exclusivamente a añadir nuevos delitos al articulado. Mediante la LO 11/1999, de 30-4, *de modificación del Título VIII del Libro II del Código Penal, aprobado por Ley Orgánica 10/1995, de 23-11 (Tol 150844)* se incluyeron los delitos de corrupción de menores e incapaces.

La EM de la Ley señaló que la reforma del precepto, realizada vía disposición final de la ley, venía a «*aplicar el principio de universalidad a los delitos de corrupción de menores e incapaces, por considerarlos en el actual momento histórico al menos de tanta transcendencia internacional como los delitos relativos a la prostitución, al responder unos y otros a la categoría internacional de delitos de explotación de seres humanos, renunciando, además al principio de la doble incriminación cuando no resulte necesario en virtud de un tratado internacional o de un acto normativo de una organización internacional de la que España sea parte*». Esos delitos se incorporaron al Ordenamiento Jurídico penal por la necesaria trasposición de diversas Decisiones Marco relativas a la prevención y la lucha contra la trata de seres humanos y a la explotación sexual de menores (entre otras, la *Acción Común 96/700/JAI del Consejo, de 29-11 de 1996, sobre la base del artículo K.3 del Tratado de la Unión Europea, por la que se establece un programa de estímulo e intercambio destinado a los responsables de la acción contra la trata de seres humanos y la explotación sexual de los niños, de 12-12-1996*). Con ello, el Legislador ponía de manifiesto una vez más la confusión sobre la naturaleza y la configuración del delito de trata de seres humanos, que no sería formalmente incorporado al CP español hasta la reforma de la Ley Orgánica 5/2010, de 22-6, *por la que se modifica la Ley Orgánica 10/1995, de 23-11, del Código Penal (Tol 1867500)*.

Años más tarde, la LO 3/2005, de 8-7, *de modificación de la Ley Orgánica 6/1985, de 1-7, del Poder Judicial, para perseguir extraterritorialmente la práctica de la mutilación genital femenina (Tol 652970)* incorporó una nueva letra g) que incluyó los delitos relativos a la mutilación genital femenina, siempre que los responsables se encontrasen en España. El artículo 23.4 g) volvería a ser modificado años después por la LO 13/2007, de 19-11, *para la persecución extraterritorial del tráfico ilegal o la inmigración clandestina de personas (Tol 1173842)* para incluir el delito de tráfico ilegal o inmigración clandestina de personas fueren o no trabajadores.

Las modificaciones en materia de delitos perseguibles por esas tres reformas fueron importantes por varias razones. En primer lugar, porque se inició una práctica que continuaría con las reformas posteriores consistente en incluir ilícitos que, conforme a los tratados internacionales, no exigen persecución mediante jurisdicción universal. En segundo lugar, porque como puede observarse en caso del delito de ablación genital, el Legislador abrió la puerta a establecer requisitos adicionales para el ejercicio de la jurisdicción en función del delito. Así, la inclusión de este delito en la lista del art. 23.4 LOPJ llevó aparejada la necesidad de que para su persecución *«los presuntos responsables se encuentren en España»*, algo que no se exigió cuando apenas dos años después el Legislador incluyó el delito de inmigración clandestina o tráfico ilegal de inmigrantes y/o trabajadores en el art. 23.4 LOPJ.

El delito de mutilación o ablación genital se introdujo en el Código Penal mediante la LO 11/2003, de 29-9 *(Tol 306322)*. La EM de esta ley mantenía, entre otras cosas, que la creación de este nuevo ilícito como una modalidad del delito de lesiones (art. 149.2 CP) venía a responder a *«la existencia de formas delictivas contrarias a nuestro ordenamiento jurídico»*. La razón por la que el Legislador incluyó este delito en el decálogo de infracciones perseguibles conforme al art. 23.4 LOPJ tuvo más que ver con cuestiones de índole práctica que de naturaleza del bien jurídico protegido. La reforma pretendía atribuir jurisdicción de los tribunales españoles para perseguir estos ilícitos cuando, habiendo sido cometidos por personas que se encontraban en nuestro país, su perpetración había tenido lugar en el extranjero, *«como sucede en la mayor parte de los casos, aprovechando viajes o estancias en los países de origen»* (EM LO 3/2005, de 28-7 *(Tol 652970)*. Por el contrario, la EM de LO 13/2007, de 19-11 *(Tol 1173842)* establecía que la redacción del art. 23.4 LOPJ *«permitía conocer a los Tribunales independientemente del lugar de comisión y sin consideración a vínculo alguno de nacionalidad activa o pasiva en base a que afecta a bienes jurídicos de los que es titular la comunidad internacional en su conjunto»*. La defensa del principio de jurisdicción universal absoluto o puro casaba bien en ese momento con el interés de España por perseguir estos delitos cometidos por nacionales o extranjeros en territorio extranjero (*«...este sería el supuesto concreto de la patera o de los cayucos interceptados antes de llegar a costas españolas... a la vista del inabarcable flujo migratorio en nuestro país»*).

Por lo que respecta a los delitos internacionales puros o de primer grado (OLLÉ SESÉ), la redacción original del art. 23.4 LOPJ se caracterizaba por permitir su persecución sin necesidad de acreditar ningún tipo de *vínculo o conexión* con España (expresión utilizada posteriormente por TS y acogida por el Legislador) o requisito específico. Es importante señalar que tanto la redacción original de 1985 como las reformas llevadas a cabo en 1999, 2005 y 2007 continuaron sin incluir formalmente los delitos de lesa humanidad y crímenes de guerra. Su persecución se realizaba gracias a la cláusula general «...*y cualquier otro que, según los tratados y convenios internacionales, deba ser perseguido en España*».

En materia de persecución de delitos internacionales puros la práctica de los tribunales españoles se caracterizaba por una interpretación literal del principio (BAUCELLS LLADÓS / HAVA GARCÍA), limitado únicamente por la existencia de *cosa juzgada* por remisión a la letra c) del apartado 2 del art. 23 LOPJ (MANJÓN-CABEZA OLMEDA). La concesión de amnistías, indultos o la aprobación de leyes de punto final no era equiparable a cosa juzgada y así lo estableció la Sala de lo Penal de la AN en sus Autos de 4 *(Tol 208886)* y 5-11 de 1998 *(Tol 368132)* con respecto leyes chilenas y argentinas aprobadas en 1978, 1986 y 1987. El Pleno entendió que dichas normas, con independencia que pudieran ser consideradas contrarias al *ius cogens* internacional, debían ser calificadas como «*normas despenalizadoras por razón de conveniencia política, de modo que su aplicación no se incardina en el caso del imputado absuelto o indultado en el extranjero (letra c del apartado dos del artículo 23 de la Ley Orgánica del Poder Judicial), sino en el caso de conducta no punible en virtud de norma despenalizadora posterior en el país de ejecución del delito (letra a del mismo apartado dos del artículo 23 de la Ley citada), lo que ninguna virtualidad tiene en los casos de extraterritorialidad de la jurisdicción de España por aplicación de los principios de protección y de persecución universal, visto lo dispuesto en el apartado cinco del tan repetido artículo 23 de la Ley Orgánica del Poder Judicial*».

El Decreto-Ley 2.191 de 19-4 de 1978, de la Junta del Gobierno de la República de Chile procedía a amnistiar a «*todas las personas que, en calidad de autores, cómplices o encubridores hayan incurrido en hechos delictuosos, durante la vigencia de la situación de Estado de Sitio, comprendida entre el 11-9 de 1973 y el 10-3 de 1978, siempre que no se encuentren actualmente sometidas a proceso o condenadas*» (art. 1°). También amnistiaba a aquellas que «*a la fecha de vigencia del presente decreto ley se encuentren condenadas por tribunales militares, con posterioridad al 11 de septiembre de 1973*». Por su parte, las leyes argentinas 23.492, de 24-12 de 1986 (*Punto y Final*) y 23.521 de 8-6 de 1987, *de Obediencia Debida*, hacían lo propio con los delitos tipificados en la Ley 23.049, de 9-2 de 1984, que modificó el Código de Justicia Militar Argentino y atribuyó el conocimiento de esas causas a los tribunales militares.

La interpretación jurisprudencial del art. 23.4 LOPJ cambia con el Auto del Pleno de la Sala de lo Penal de la AN de 13-12 de 2000 (caso Guatemala) y la posterior confirmación de este por el TS. El primero de los pronunciamientos declaró el archivo *provisional* de las actuaciones seguidas por el JCI n° 1 de la AN por *litispendencia*, al entender que, conforme al *Convenio para la Prevención* y *Sanción del delito de Genocidio*, la jurisdicción penal española era subsidiaria cuando los hechos estuvieran siendo investigados por el estado territorial. A juicio de la Sala eso estaba ocurriendo en Guatemala con el establecimiento de la *Comisión para el Esclarecimiento Histórico* (CEH) y la *Ley de Reconciliación Nacional* de 18-12 de 1996. No podía, por tanto, activarse la jurisdicción de los Tribunales españoles por *inactividad* de los guatemaltecos al haber transcurrido poco más de diez meses desde la entrega de los trabajos de la CEH (25-2 de 1999) y la presentación de la denuncia en el JCI nº 1 de la AN (2-12 de 1999) a la que no acompañaba «...*resolución judicial de Guatemala que la rechace*» (FJ. Cuarto).

El Auto también entendía que el caso guatemalteco no podía equipararse a los casos argentino y chileno porque que el art. 8 de la *Ley de Reconciliación Nacional* (Decreto 145-96), de 18-12 no eximía de responsabilidad penal por delitos internacionales cometidos en el marco del conflicto. Así lo establecía expresamente su art. 8 al declarar que «*la extinción de la responsabilidad penal a que se refiere esta ley, no será aplicable a los delitos de genocidio, tortura y desaparición forzada, así como aquellos delitos que sean imprescriptibles o que no admitan la extinción de la responsabilidad penal, de conformidad con el derecho interno o los tratados internacionales ratificados por Guatemala*». Sin embargo, sí que lo hacía con respecto a los delitos políticos, para los que el art. 2 decretaba la abstención del ejercicio de la acción penal por parte del Ministerio Fiscal y el sobreseimiento definitivo por la autoridad judicial. Un argumento similar mantuvo poco después la STS 712/2003, de 20-5 *(Tol 274553)*, caso Perú, al entender que «*... para la admisión de la querella resulta exigible, en esta materia, lo mismo que se exige en relación con los hechos supuestamente constitutivos del delito universal. La aportación de indicios serios y razonables de que los graves crímenes denunciados no han sido hasta la fecha perseguidos de modo efectivo por la jurisdicción territorial, por las razones que sean, sin que ello implique juicio peyorativo alguno sobre los condicionamientos políticos, sociales o materiales que han determinado dicha impunidad de facto. Sin embargo, en el caso actual, existen datos, como expresa sucintamente el auto impugnado, en el sentido de que el cambio político acontecido en el Perú ha determinado la iniciación de procesos penales contra varios de los querellados, alguno de los cuales se encuentra o ha encontrado en prisión y otros, muy relevantes, en situación de rebeldía. En consecuencia no puede aceptarse que concurra en el* <u>momento actual</u> *la necesidad de intervención de la jurisdicción española en virtud del principio de jurisdicción universal, por lo que el recurso debe ser desestimado*» (FJ. Sexto).

La confirmación ese auto en casación [STS 327/2003, de 25-2 (**Tol** *306047*)] y la interpretación *sui generis* del precepto por el TS marcó el camino de futuras reformas del art. 23.4 LOPJ y el enfrentamiento con el TC. Los aspectos esenciales de dicha sentencia pueden resumirse en cuarto.

En primer lugar, que no existía vulneración del derecho a la tutela judicial efectiva (art. 24.2 CE) al declarar falta de competencia por insuficiencia probatoria de la inactividad de los Tribunales guatemaltecos en la investigación de los mismos hechos. El TS no aceptó como documentos probatorios ni las Diligencias Previas, ni los Informes de la CEH ni el *Informe para la Recuperación de la Memoria Histórica* (REMHI). Tampoco los catorce informes de la *Misión de Verificación de las Naciones Unidas en Guatemala* (MINUGUA) ni los de la Comisión Interamericana de Derechos Humanos (CIDH) (FJ. Cuarto). En todos ellos se advertía de la ausencia de investigaciones en materia de violaciones de derechos humanos y de la indefensión de las víctimas ante una Administración de Justicia débil.

El informe final de la MINUGUA de 15-11 de 2004 reconoció expresamente que de todos *«los compromisos suscritos por las partes en el AGDH, el de actuar con firmeza contra la impunidad, ha sido, sin lugar a dudas, el que ha presentado mayores dificultades para concretarse (apartado 72). Las evaluaciones de la Misión relativas a su cumplimiento y las recomendaciones para promoverlo, ocuparon decenas de páginas de informes, suplementos, comunicados de prensa, estudios de situación e informes temáticos. Desde sus primeros informes sobre derechos humanos, la Misión ha venido llamando la atención sobre el fenómeno de la impunidad, señalando que representa el mayor obstáculo para la vigencia efectiva de los derechos humanos en Guatemala. 73. El balance de este compromiso es desalentador. Pese a los esfuerzos desplegados en aras de fortalecer el sistema de administración de justicia, al concluir el trabajo de la Misión es posible concluir que no existe proporcionalidad entre esa inversión y los resultados obtenidos. La impunidad continúa siendo un fenómeno sistemático y transversal y pese a los cambios de los que ha dado cuenta en diversos informes, la población continúa percibiendo un estado de indefensión e impunidad. 74. La debilidad de las instituciones encargadas de la investigación, persecución y sanción del delito y de la preservación de las garantías constitucionales se continúan manifestando tanto en la Policía Nacional Civil, como en el Organismo Judicial y el Ministerio Público».* Finalmente, y sin ningún tipo de ambages la MINUGUA manifestó que *«<u>la impunidad no solo afecta a los casos de violaciones a los derechos humanos que ocurrieron durante la permanencia de la Misión en el país. Existe además un cúmulo de impunidad que se arrastra desde el pasado y que se refiere a las decenas de miles de casos de violaciones a los derechos humanos, actos de genocidio y crímenes de lesa humanidad que se cometieron durante el enfrentamiento armado interno y que no han sido objeto de investigación y sanción.</u> Un informe temático publicado en septiembre de 2000 dio cuenta de los procesos de exhumación realizados entre 1997 y 2000 en el país y un informe de verificación presentado en noviembre de 2004 reveló el estado de los procesos judiciales abiertos en estos casos»* (apartado 75). En el mismo sentido se manifestó la CIDH en su Informe *Justicia e inclusión social: desafíos de la Democracia en Guatemala* (2003) y previamente en su *Quinto Informe sobre la situación de los Derechos Humanos* (2001). Una década después, en 2012, la titular del Juzgado Primero de Mayor Riesgo inició un procedimiento penal contra Efraín Ríos Montt por delitos de genocidio y lesa humanidad. El acusado había disfrutado de inmunidad judicial desde el año 2000 hasta ese mismo año y fue condenado a una pena de ochenta años de prisión por el Tribunal A de Mayor Riesgo el 10 de mayo de 2013. Apenas diez días después, el 20 de mayo de 2013, la Corte de Constitucionalidad de Guatemala anuló el fallo, al entender que no se había esperado a resolver el incidente de recusación planteado por la defensa. Cuatro años después, en 2016, el Tribunal A de Mayor Riesgo inició un nuevo procedimiento penal contra Ríos Montt, que fue suspendido hasta finales 2017 y archivado meses después por el fallecimiento del acusado el 1 de abril de 2018. Pese a los resultados, el procedimiento penal constituye un hito en la persecución de delitos internacionales cometidos por ex jefes de Estado, como es el caso.

El Alto Tribunal, descartó la interpretación del principio de *subsidiariedad* realizada por la Sala de lo Penal de la AN. Sin embargo, admitió expresamente que ese principio no estaba consagrado en el *Convenio para la sanción y pre-*

vención del Genocidio de 1948 *(Tol 117700)* y que exigir a los tribunales de un Estado soberano que se pronuncien sobre el funcionamiento de la administración de justicia de otro podría tener importantes consecuencias en el ámbito diplomático. Es el Gobierno quien dirige la política exterior y debe acudir, en su caso, a los organismos de las organizaciones internacionales de las que forma parte para solicitar las medidas que estime adecuadas en materia de cumplimiento de los Convenios. Este razonamiento debería haber cobrado especial relevancia en la tramitación de la reforma de la LO 1/2014, concretamente con la inclusión de los apartados segundo, tercero y cuarto del art. 23.5 b) (*vid. infra*).

El principio de subsidiariedad «...*además de no estar consagrado expresa o implícitamente en el Convenio para la Prevención y Sanción del Genocidio no resulta satisfactorio en la forma en que ha sido aplicado por el Tribunal de instancia. Determinar cuándo procede intervenir de modo subsidiario para el enjuiciamiento de unos concretos hechos basándose en la inactividad, real o aparente, de la jurisdicción del lugar, implica un juicio de los órganos jurisdiccionales de un Estado acerca de la capacidad de administrar justicia que tienen los correspondientes órganos del mismo carácter de otro Estado soberano. En primer lugar, en este caso, de un Estado soberano con el que España mantiene relaciones diplomáticas normalizadas. Una declaración de esta clase, que puede tener extraordinaria importancia en el ámbito de las relaciones internacionales, no corresponde a los Tribunales del Estado. El artículo 97 de la Constitución Española dispone que el Gobierno dirige la política exterior, y no puede ignorarse la repercusión que en ese ámbito puede provocar una tal declaración. Por otro lado, el artículo VIII del Convenio para la represión y sanción del delito de genocidio determina el procedimiento que deben seguir las partes contratantes en estos casos. Dispone este artículo que "toda Parte contratante puede recurrir a los órganos competentes de las Naciones Unidas a fin de que estos tomen, conforme a la Carta de las Naciones Unidas, las medidas que juzguen apropiadas para la prevención y la represión de actos de genocidio o de cualquiera de los otros actos enumerados en el artículo III", actuación que no correspondería hacer efectiva a los órganos de la jurisdicción española. Sin embargo, esta previsión, que obliga a España como parte del Convenio, permite una reacción en el ámbito internacional tendente a evitar la impunidad de esta clase de conductas*» (FJ. Sexto).

En segundo lugar, realizó una reinterpretación del alcance del art. 23.4 LOPJ, precepto al que previamente calificó de «*tan general*» (FJ. Octavo), y condicionó su aplicación extraterritorial a la existencia de intereses estatales y a una conexión o *elemento legitimador*. Para ello, el TS acudió a la regulación de convenios internacionales tales como las Convenciones *sobre la prevención y el castigo de delitos contra personas internacionalmente protegidas, inclusive los agentes diplomáticos*, ambos de 14-12 de 1973 *(Tol 1278719)*; el *Convenio para la represión del apoderamiento ilícito de aeronaves*, de 16-12 de 1970 *(Tol 153804)* o el *Convenio para la represión de actos ilícitos contra la seguridad de la aviación civil internacional*, de 23-9 de 1971 *(Tol 137104)*. Así, consideró que «...*una parte importante de la doctrina y algunos Tribunales nacionales se han inclinado por reconocer la relevancia que a estos efectos pudiera tener la existencia de una conexión con un interés nacional como elemento legitimador, en el marco del principio de justicia universal, modulando su extensión con arreglo a criterios de racionalidad y con respeto al principio de no intervención. En estos casos podría apreciarse una relevancia mínima del interés nacional cuando el hecho con el que se conecte alcance una significación equivalente a la reconocida a otros hechos que, según la ley interna y los tratados, dan lugar a la aplicación de los demás criterios de atribución extraterritorial de la jurisdicción penal»* (FJ. Décimo).

En tercer lugar, el TS extendió el vínculo de conexión de esos textos a la persecución de los delitos internacionales puros de acuerdo con el principio de jurisdicción universal. Lo hizo aludiendo a un *«criterio razonable de autorrestricción para evitar la proliferación de procedimientos relativos a delitos y lugares totalmente extraños y/o alejados, así como un desgaste excesivo de los órganos jurisdiccionales nacionales cuya competencia se reclama. Pero únicamente será así si se aplica estrictamente como criterio de exclusión del exceso o abuso del derecho, no si se aplica como un modo de derogar en la práctica el principio de jurisdicción universal convirtiendo la excepción en regla. Se trata de una restricción que no aparece expresamente establecida en la ley, pero que puede ser asumida como emanación de los principios del Derecho Penal Internacional, y aplicada como criterio de razonabilidad en la interpretación de la normativa competencial»* (FJ. Undécimo).

En cuarto lugar, y para restringir todavía más el alcance de la nueva interpretación, el TS limitó ese vínculo legitimador a aquellos delitos en los que realmente concurriera de manera directa y que se utilizase *«...como base para afirmar la atribución de jurisdicción y no de otros delitos, aunque aparezcan relacionados con él, pues solo así se justifica dicha atribución jurisdiccional. En este sentido, la existencia de una conexión en relación con un delito o delitos determinados no autoriza a extender la jurisdicción a otros diferentes, en los que tal conexión no se aprecie»* (FJ. Décimo).

El fallo del TS fue recurrido en amparo ante el TC quien, en su sentencia 237/2005 de 26-9 *(Tol 709540)*, anuló aquel y el Auto del Pleno de la AN de 13-12 de 2000 y ordenó retrotraer las actuaciones al momento inmediatamente anterior a este último. La vulneración del derecho fundamental a la tutela judicial efectiva (art. 24.1 CE) se produjo por una interpretación errónea y restrictiva de los límites de aplicación del art. 23.4 LOPJ. A juicio del TC, la vulneración del derecho fundamental era clara porque el art. 23.4 LOPJ *«consagra, en principio, un alcance muy amplio al principio de jurisdicción universal, puesto que la única limitación expresa que introduce respecto de ella es la de cosa juzgada; esto es, que el delincuente no haya sido absuelto, indultado o penado en el extranjero. En otras palabras, desde una interpretación apegada al sentido literal del precepto, así como también desde la voluntas legislatoris, es obligado concluir que la Ley Orgánica del Poder Judicial instaura una principio de jurisdicción universal absoluto, es decir, sin sometimiento a criterios restrictivos de corrección o procedibili-*

dad, y sin ordenación jerárquica con respecto al resto de las reglas de atribución competencial, puesto que, a diferencia del resto de los criterios, el de justicia universal se configura a partir de la particular naturaleza de los delitos objeto de persecución» (FJ tercero).

La interpretación que había realizado la AN del principio de subsidiariedad fue «enormemente restrictiva» al exigir a los denunciantes *«una acreditación plena de la imposibilidad legal o de la prolongada inactividad judicial, hasta el punto de venir a exigir la prueba del rechazo efectivo de la denuncia por los Tribunales guatemaltecos»* (FJ. Cuarto). A ello hay que añadir que el Convenio de Genocidio ni prohíbe a los Estados firmantes perseguir este delito conforme al principio de jurisdicción universal ni, cuando lo hacen, condiciona esta persecución a la existencia de «*vínculos de conexión*» (FJ. Sexto). Por ejemplo, *«la presencia del presunto autor en territorio español es un requisito insoslayable para el enjuiciamiento y eventual condena, dada la inexistencia de los juicios in absentia en nuestra legislación (exceptuando supuestos no relevantes en el caso). Debido a ello institutos jurídicos como la extradición constituyen piezas fundamentales para una efectiva consecución de la finalidad de la jurisdicción universal: la persecución y sanción de crímenes que, por sus características, afectan a toda la comunidad internacional. Pero tal conclusión no puede llevar a erigir esa circunstancia en requisito sine qua non para el ejercicio de la competencia judicial y la apertura del proceso máxime cuando de así proceder se sometería el acceso a la jurisdicción universal a una restricción de hondo calado no contemplada en la ley; restricción que, por lo demás, resultaría contradictoria con el fundamento y los fines inherentes a la institución»* (FJ. Séptimo). Tampoco podía aceptarse la exigencia de presencia de víctimas españolas o de otros intereses relevantes porque hacerlo constituye una *«reformulación genérica del llamado principio real, de protección o de defensa. …esta interpretación… desborda los cauces de lo constitucionalmente admisible desde el marco que establece el derecho a la tutela judicial efectiva consagrado en el art. 24.1 CE, en la medida en que supone una reducción contra legem a partir de criterios correctores que ni siquiera implícitamente pueden considerarse presentes en la ley y que además se muestran palmariamente contrarios a la finalidad que inspira la institución»* (FJ. Octavo).

En definitiva, el TC mantuvo que *«la forzada e infundada exégesis a que el Tribunal Supremo somete el precepto, supone una restricción ilegítima del derecho fundamental, por cuanto vulnera la exigencia de que los órganos judiciales, al interpretar los requisitos procesales legalmente previstos, tengan presente la ratio de la norma con el fin de evitar que los meros formalismos o entendimientos no razonables de las normas procesales impidan un enjuiciamiento del fondo del asunto, vulnerando las exigencias del principio de proporcionalidad»* (FJ. Octavo). Y concluye que *«el exacerbado rigorismo con que tales criterios son aplicados por el Alto Tribunal redunda en la incompatibilidad de sus pronun-*

ciamientos con el derecho a la tutela judicial efectiva en su vertiente de acceso a la jurisdicción, puesto que exige que la conexión con intereses nacionales deba apreciarse en relación directa con el delito que se toma como base para afirmar la atribución de la jurisdicción, excluyendo expresamente la posibilidad de interpretaciones más laxas (y, con ello, más acordes con el principio pro actione) de dicho criterio como la de vincular la conexión con intereses nacionales de otros delitos conectados con aquel, o bien, más genéricamente, con el contexto que rodea a los mismos (FJ. Noveno)».

Apenas seis meses antes de la sentencia del TC en el caso Guatemala, el TS volvió a pronunciarse en el mismo sentido en su fallo 345/2005, de 18-3 *(Tol 619673)*, caso Falun Gong. Mediante esta resolución, el TS declaró no haber lugar al recurso de casación interpuesto contra el Auto de la Sala de lo Penal de la AN de 11-3 de 2004, que desestimaba el recurso de apelación contra el del JCI n° 2 de 20-11 de 2003. Este último auto inadmitió a trámite la querella interpuesta por delitos de genocidio y torturas cometidos en China, al aplicar su propia jurisprudencia en el caso Guatemala y exigir punto de conexión relevante o que los presuntos responsables se encontraran en España. Con respecto al primero de los requisitos, el TS consideró que no concurría, puesto que las posibles víctimas españolas solo lo eran respecto de «...*un eventual delito de detención ilegal o, incluso, otro de amenazas, pero no* (sic) *de genocidio ni de torturas, y por otra parte, ni los querellados se encuentran a disposición de la Justicia de nuestro país, ni es fácil que lo estén nunca* (sic), *al no existir Convenio de Extradición entre España y China, es el del todo razonable y suficiente el que las resoluciones de instancia no aludan más que a estos argumentos, sin necesidad de entrar en otros, irrelevantes a partir de unos tales pronunciamientos, a la hora de resolver acerca de la admisión de la querella*» (FJ. Primero).

El fallo del TS tuvo como respuesta la STC 227/2007, de 22-10 *(Tol 1173762)* en la que este último reiteró la interpretación *amplia o absoluta* del art. 23.4 LOPJ (FFJJ. Cuarto y Quinto) mantenida en el caso Guatemala y declaró la nulidad del Auto de la Sala de lo Penal de la AN y de la sentencia de TS. La decisión del TC escenificó un enfrentamiento entre ambos Tribunales, que el Legislador resolvería a favor del TS con las reformas de las LLOO 1/2009 y 1/2014.

5.2. La reforma de la LO 1/2009, de 3 de noviembre

La reforma del art. 23.4 LOPJ que se llevó a cabo en 2009, al contrario que las precedentes, no se limitó a incluir delitos al articulado. La modificación, resultado final de una intensa discusión en el *Debate sobre el Estado de la Nación* de ese mismo año, consagró el cambio del modelo existente que se había iniciado años antes con la aprobación de la LO 18/2003, de 10-12, *de Cooperación con la Corte Penal Internacional (Tol 324219)*.

Como literalmente se recogía en la EM de la LO 1/2009, de 4 de noviembre *«se realiza un cambio en el tratamiento de lo que ha venido en llamarse "jurisdicción universal", a través de la modificación del art. 23.4 de la Ley Orgánica del Poder Judicial para, de un lado, incorporar tipos de delitos que no estaban incluidos y cuya persecución viene amparada en los convenios y costumbre del derecho internacional, como son los de lesa humanidad y crímenes de guerra. De otros lado, la reforma permite adaptar y clarificar el precepto de acuerdo con el principio de subsidiariedad y la doctrina emanada del Tribunal Constitucional y la jurisprudencia del Tribunal Supremo».* Los ejes de actuación fueron por tanto tres: la incorporación de delitos, la asunción de la postura mantenida por el TS en su enfrentamiento con el TC y la materialización del principio de subsidiariedad. Por lo que se refiere a este último aspecto, será preciso atender también a la LO 18/2003, de 11-12 de Cooperación con la CPI *(Tol 324219)*, concretamente a su artículo 7 *(vid. infra)*.

Con respecto a la incorporación de nuevos delitos, se incluyeron finalmente los de lesa humanidad aunque no se hizo lo propio con los crímenes de guerra. Para su enjuiciamiento habría que continuar acudiendo a la cláusula final de remisión a los tratados internacionales. A todo ello habría que sumar la eliminación del delito de falsificación de moneda extranjera que, en su caso y de ser posible, podría perseguirse a través del art. 23.3 f) LOPJ. Pero, sin lugar a dudas, la modificación más importante y de mayor calado fue la consagración de la exigencia del *vínculo de conexión* y del principio de subsidiariedad. El primer párrafo del art. 23.4 LOPJ pasó a establecer lo siguiente:

> *«Sin perjuicio de lo que pudieran disponer los tratados y convenios internacionales suscritos por España, para que puedan conocer los Tribunales españoles de los anteriores delitos deberá quedar acreditado que sus presuntos responsables se encuentran en España o que existen víctimas de nacionalidad española, o constatarse algún vínculo de conexión relevante con España y, en todo caso, que en otro país competente o en el seno de un Tribunal internacional no se ha iniciado procedimiento que suponga una investigación y una persecución efectiva, en su caso, de tales hechos punibles».*

El Legislador asumió la *creación* jurisprudencial del TS y materializó la exigencia de que los presuntos responsables se encontrasen en España o de que existiesen víctimas de nacionalidad española o que se constatase *algún vínculo de conexión relevante* con España. De esta manera, la jurisdicción universal *absoluta o pura* contenida en el Ordenamiento Jurídico se convirtió en una jurisdicción universal *condicionada*.

La exigencia de que los presuntos responsables se encuentren en territorio del Estado que ejerce la jurisdicción para poder iniciar una investigación es un requisito debatido ampliamente por la doctrina internacionalista en el marco de la llamada jurisdicción universal *in absentia*. Como apuntara acertadamente EL ZE-YDI, el término puede tener tres posibles interpretaciones: la primera referida a la posibilidad de celebrar un juicio sin la presencia del acusado (*trials in absentia*); la segunda, la de iniciar un procedimiento en ausencia del presunto responsable y, la tercera, referida a la práctica de la *abductio* o rapto, para poner al presunto responsable a disposición del tribunal (i.e. caso Eichmann). Descartando esta última por las evidentes dudas sobre su legalidad, entendemos que la discusión debe limitarse a las dos primeras acepciones y concluir que el ejercicio de la jurisdicción universal en la fase de investigación e instrucción no requiere presencia del acusado en territorio del Estado, ya que para ello se configuran los mecanismos de cooperación jurídica internacional [STC 237/2005 de 26-9 *(Tol 709540)*].

La *horizontalidad* que informa el ejercicio del principio de jurisdicción universal por parte de los tribunales de un Estado frente a la posible comisión de delitos en el territorio de otro Estado, impone a aquellos respetar las inmunidades de Derecho Internacional de conformidad con la máxima *«par in parem non habet imperium»*. La inmunidad procesal deberá ser respetada mientras el presunto responsable se encuentre en el cargo, pero no debe impedir la apertura de una investigación penal (EL ZEYDI, RABINOVIC). Como señalara la Corte de Justicia Internacional en su sentencia *República Democrática del Congo c. Bélgica*, de 14-2 de 2002, el respeto de las inmunidades no implica impunidad frente a la comisión de cualquier crimen, dado que esta es de naturaleza procesal y la responsabilidad penal es una cuestión de Derecho sustantivo. La primera puede impedir la persecución de los delitos cometidos durante un periodo de tiempo, pero no exonerar de toda responsabilidad penal a quien la disfruta (BUERGENTHAL). En consecuencia, el ejercicio de la jurisdicción penal por parte de los tribunales de un Estado con arreglo a estos principios y dentro de esos límites no constituye una injerencia en el ámbito de soberanía de otro, que tiene la obligación de garantizar el acceso a la justicia a las víctimas de delitos internacionales.

La exigencia de víctimas de nacionalidad española es un requisito adicional que se identifica con principio de *personalidad pasiva* no acogido de manera autónoma en nuestro Ordenamiento Jurídico y que nada tiene que ver con el de jurisdicción universal. En este sentido lo entendió también el TC al considerar que *«... la restricción basada en la nacionalidad de las víctimas incorpora un requisito añadido no contemplado en la ley, que además tampoco puede ser teológicamente fundado por cuanto, en particular con relación al genocidio, contradice la propia naturaleza del delito y la aspiración compartida de su persecución universal, la cual prácticamente queda cercenada por su base. Según dispone el art. 607 del Código penal (CP) el tipo legal del genocidio se caracteriza por la pertenencia de la víctima o víctimas a un grupo nacional, étnico, racial o religioso, así como porque los actos realizados tienen la finalidad específica de la destrucción de dicho grupo, precisamente en atención a sus vínculos de pertenencia. La exégesis manejada por la Sentencia del Tribunal Supremo implicaría, en consecuencia, que el delito de genocidio solo sería relevante para los Tribunales españoles cuando la víctima fuera de nacionalidad española y, además, cuando la conducta viniera motivada por la finalidad de destruir el grupo nacional español. La inverosimilitud de tal posibilidad ha de ser muestra suficiente de que no era esa la finalidad que el Legislador perseguía con la introducción de la jurisdicción universal en el art. 23.4 LOPJ, y de que no puede ser una interpretación acorde con el fundamento objetivo de la institución»* [STC 237/2005, de 26-9 *(Tol 709540)*].

La existencia de *algún vínculo de conexión relevante*, término tan amplio como interpretable, tampoco es requisito para el ejercicio de la jurisdicción universal, ya que se olvida de la naturaleza del delito. Esta fue la postura mantenida también por el TC, al considerar que el TS confundía los principios de protección (art. 23.3 LOPJ) y de jurisdicción universal (art. 23.4 LOPJ).

«Por todo ello la exigencia de un vínculo o conexión entre los hechos y un valor o interés del Estado que ejerce jurisdicción puede constituir un razonable criterio de autorrestricción para evitar la proliferación de procesos por delitos totalmente extraños o alejados, pero siempre como criterio de exclusión del exceso o abuso de derecho, no como medio de derogar en la práctica el principio de jurisdicción universal, convirtiendo la excepción en regla a partir de la aplicación del principio de personalidad pasiva, que no existe en nuestro Ordenamiento, o de defensa, que se recoge separadamente en el art. 23.3 LOPJ. El enunciado criterio de razonabilidad puede permitir denegar el ejercicio abusivo de la jurisdicción con el fin de evitar un efecto excesivamente expansivo de este tipo de procedimientos y la inefectividad de la intervención, pero, al entender ese nexo común de modo tan restrictivo como lo hace la mayoría del Tribunal, se suprime en la práctica su ejercicio. En todo caso si en algún supuesto concurren criterios de conexión es en este, hasta el punto de que "difícilmente se volverá a repetir en la historia de la jurisdicción española un supuesto en el que existan tan plurales vínculos con un delito de genocidio étnico". Constata a tal efecto la minoría discrepante la existencia de vínculos culturales, históricos, lingüísticos, jurídicos y de toda índole con Guatemala, lo que impide aplicar el "criterio razonable de exclusión" antes explicado y avala la mayor efectividad de la intervención jurisdiccional, a lo que se añade la existencia de un número relevante de víctimas españolas, no del genocidio (pues no pertenecen al grupo étnico), pero sí de actos de represalia o de los propios actos genocidas dirigidos contra la población maya, y en fin, el asalto a la Embajada de España, que "no puede constituir un ejemplo más claro de afectación a los intereses de nuestro país"» [STC 237/2005, de 26-9 *(Tol 709540)*].

Finalmente, la nueva redacción del artículo vino a apuntalar la inversión del modelo de persecución de delitos internacionales creado por la CPI. El artículo estableció una subsidiariedad reforzada que impedía conocer a la jurisdicción española cuando un país competente o un Tribunal internacional hubiese iniciado un procedimiento que supusiera una investigación efectiva de los hechos. Si la investigación se hubiera iniciado, el precepto ordenaba al juez sobreseer provisionalmente las actuaciones cuando tuviera constancia de ello. Entre las cuestiones más problemáticas destacaban quién debía acreditar la concurrencia de los requisitos y, sobre todo, cómo debía evaluarse la existencia de procedimientos efectivos llevados a cabo por otros Estados sobre los mismos hechos. Como acertadamente señaló COMELLAS AGUIRREZÁBAL, la aceptación de la prioridad del Estado territorial no era una novedad, ya que en la práctica era un criterio aceptado por lo Tribunales españoles. Lo verdaderamente novedoso fue la incorporación de otros posibles criterios a través de la fórmula «*otro país competente*».

5.3. La reforma de la LO 1/2014, de 13 de marzo

La reforma de la LO 1/2014, de 13-3 presentó grandes similitudes en la forma, en la finalidad y en el contenido con su predecesora. Por lo que se refiere a la forma, se tramitó como Proposición de Ley Orgánica (PLO) presentada por el Grupo Parlamentario Popular el 24 de enero de 2014. El mecanismo permitió acelerar los tiempos y sustraer su contenido del debate político e institucional al prescindir de los informes del CGPJ, el Consejo Fiscal y el Consejo de Estado (MARTINEZ GUERRA, 2014). En cuanto a la finalidad pueden identificarse una *formal* y otra *real*.

La finalidad formal se deduce de la EM de la LO 1/2014 y de los escasísimos debates mantenidos durante la tramitación parlamentaria. En la primera se alude a la necesidad de atender a «*los compromisos derivados de la ratificación por España el 19 de octubre de 2000 del Estatuto de la Corte Penal Internacional, como instrumento esencial en la lucha por un orden internacional más justo basado en la protección de los derechos humanos*». Además, la reforma «*... delimita con carácter negativo la competencia de los Tribunales españoles, <u>definiendo con claridad el principio de subsidiariedad</u>*». El Legislador reconoce abiertamente su intención de restringir el alcance del principio de jurisdicción universal para adecuarlo al contenido de las obligaciones internacionales suscritas en materia de persecución de delitos internacionales porque «*la extensión de la jurisdicción nacional fuera de las propias fronteras (...) debe quedar circunscrita a los ámbitos que, previstos por el derecho internacional, deban ser asumidos por España en cumplimiento de los compromisos internacionales adquiridos y debe venir legitimada y justificada por la existencia de un tratado internacional que lo prevea o lo autorice el consenso de la Comunidad internacional*». Por su parte, en la tramitación parlamentaria de la PLO el Diputado Castillo Calvín, llegó a mantener que la finalidad de la reforma era la mejora de la persecución de los crímenes internacionales. El parlamentario consideraba que, «*sin perjuicio de los argumentos expuestos hasta este momento, me gustaría dejar muy claro que la regulación proyectada ni limita ni restringe la competencia extraterritorial de los tribunales españoles sobre la base del principio de justicia universal ni crea espacios de impunidad para nadie, sino que muy al contrario permitirá que estos crímenes, sin crear falsas expectativas, puedan ser perseguidos y juzgados de manera más efectiva y eficaz que antes. Así* *que, si lo que queremos es que la justicia, concretamente la justicia universal, no quede en una mera declaración de principios, si queremos superar un sistema que se limita a promover una especie de justicia quijotesca que, buscando remediar las injusticias, no consigue resultado alguno, estaremos obligados a mejorar nuestra regulación para garantizar que la teoría y la práctica sean efectivas. Y eso es lo que se pretende con esta iniciativa»* (Diario de Sesiones, BOCG X Legislatura, nº 174, Pleno y Diputación Permanente, de 11-2). Lo que se buscaba por tanto, era acabar con el principio de jurisdicción universal ya restringido «por el bien de las víctimas» (CHINCHÓN ÁLVAREZ, 2014).

La finalidad *real* de la reforma era restringir el alcance del principio de jurisdicción universal en delitos que presentaban importantes elementos políticos y que habían vuelto a plantear conflictos diplomáticos, especialmente con China por la orden internacional de detención librada contra el ex presidente Chino Jiang Zemin mediante el Auto del JCI nº 2 de la AN de 10 de febrero de 2014. Ese objetivo, perseguido también por las reformas llevadas a cabo en países de nuestro entorno, se puede observar claramente en la reforma del principio jurisdicción en la legislación británica de la *Police Reform and Social Responsibility Act*, 2011. Por ello, y para limitar la actuación de los tribunales españoles en la investigación y persecución de los delitos internacionales, la LO 1/2014 aumentó el número de delitos perseguibles, añadió requisitos específicos para su persecución, exigió presentación de querella por parte del agraviado o del Mº F y reforzó una interpretación errónea principio de subsidiariedad.

Por lo que se refiere al aumento de los delitos perseguibles mediante el principio de jurisdicción universal, el Legislador español consideró que la ampliación de la lista venía a satisfacer las exigencias impuestas por Tratados y Convenios Internacionales de los que España era parte. La modificación incluyó en el art. 23.4 LOPJ delitos regulados en el Convenio del Consejo de Europa de 11-5 de 2011 *sobre prevención y lucha contra la violencia contra la mujer y la violencia doméstica (Tol 4356390)*; en el del Consejo de Europa de 28-10 de 2011, *sobre falsificación de productos médicos y otros que supongan una amenaza para la salud pública (Tol 5559683)* y los delitos de corrupción entre particulares o los cometidos en las transacciones económicas internacionales contenidos en el de la OCDE, de *lucha contra la corrupción de agentes públicos extranjeros en las transacciones comerciales internacionales*, de 17-12 de 1997 *(Tol 1050996)*. Sin embargo, estos convenios no exigen aplicación del principio de jurisdicción universal por parte de los Estados miembros sino de los de *territorialidad* y de *personalidad activa* (GARROCHO SALCEDO / MARTÍNEZ GUERRA). Por ejemplo, el art. 4 del Convenio de la OCDE *de lucha contra la corrupción de agentes públicos extranjeros en las transacciones comerciales internacionales* establece que los Estados deberán ejercer su jurisdicción sobre los delitos cometidos en todo o en parte en su *territorio* (apartado 1) y que extenderán la jurisdicción de sus tribunales nacionales para perseguir los delitos cometidos por *sus nacionales* en el extranjero (apartado 2). Las mismas cláusulas de perseguibilidad se establecen en el *Convenio del Consejo de Europa de prevención y lucha contra la violencia contra la mujer* (art. 44.1) y en el de falsificación de productos médicos (art. 10.1).

La creación de un régimen diferenciado de persecución de delitos se consiguió a través de la introducción de requisitos específicos en cada uno de ellos sin un *criterio jurídico o técnico* que lo justificase. En términos generales se puede afirmar que se crearon tres regímenes diferentes de persecución que descansan en la existencia (o ausencia) de víctimas de nacionalidad española y en la exigencia o no de requisitos adicionales. El primero solo exige la existencia de víctimas españolas (o con residencia habitual en España) como uno más de los diferentes criterios que permiten investigar y perseguir los delitos en España. Es el más amplio y se aplica en casos de delitos de terrorismo (art. 23.4 [e]), de violencia contra las mujeres y doméstica (art. 23.4. [l]), contra la libertad e indemnidad sexual cometidos contra menores de edad (art. 23.4. [k]), trata de seres humanos (art. 23.4. [m]) y falsificación de productos médicos (art. 23.4 [o]). El segundo, más restrictivo que el anterior, exige la existencia de víctimas de nacionalidad española y que «*la persona a la que se impute la comisión del delito se encuentre en territorio español*». Solo concurriendo ambos (o siendo el autor nacional español) los Tribunales españoles podrán actuar. Este régimen se aplica a la investigación y persecución de los delitos de tortura (art. 23.4. [b]) y desaparición forzada (art. 23.4. [c]). El último y más restrictivo de todos, solo atribuye la jurisdicción a los Tribunales españoles «*cuando el procedimiento se dirija contra un español, o contra un extranjero que resida habitualmente en España, o contra un extranjero que se encontrara en España y cuya extradición hubiera sido denegada por las autoridades españolas*» (art. 23.4 [a]). La exigencia de estancia en territorio español se reserva para dar cumplimiento a la obligación *aut dedere aut iudicare* de forma que, en el caso de presuntos autores de nacionalidad extranjera, se exige que residan habitualmente en nuestro país. No se prevé ningún otro criterio de atribución de la jurisdicción como ocurre en los casos de delitos de tráfico de drogas (art. 23.4 [i]) y apoderamiento ilícito de naves (art. 23.4 [f]) en los que no se exige siquiera existencia de víctimas españolas como criterio alternativo. Curiosamente, el modelo más restrictivo de todos es el que se aplica a los delitos de genocidio, lesa humanidad y crímenes de guerra, ilícitos problemáticos desde el punto de vista político y diplomático.

Para limitar todavía más el alcance del principio de jurisdicción universal, la reforma añadió la exigencia de presentación de querella previa por parte del M° F o del agraviado a través del nuevo apartado 6 del artículo 23. El precepto es de aplicación exclusiva a los delitos perseguibles mediante el *principio de protección* y el *principio de jurisdicción universal*. El resultado de esta modificación fue la eliminación de la acusación popular de los procedimientos por delitos internacionales y la posible vulneración del derecho fundamental a la tutela judicial efectiva. Es a través del ejercicio de la acusación popular como el particular *«actúa en interés de la sociedad viniendo a asumir dentro del proceso penal un papel similar al Ministerio Fiscal»* ... siendo característica esencial de esta institución el que *«cualquier ciudadano por el mero hecho de estar en la plenitud del goce de sus derechos, puede ejercitarla, sin que tenga que alegar en el proceso la vulneración de algún derecho, interés o bien jurídico protegido que se encuentre dentro de su esfera patrimonial o moral... Por ello, en el momento actual, se defiende por la doctrina, que la acción popular puede asumir un importante papel en la persecución de aquellos delitos que pueden infringir un bien perteneciente a la esfera o patrimonio social, con respecto a los cuales se ha podido observar un escaso celo por parte del Ministerio Fiscal a la hora de ejercitar la acción y sostener la acusación penal»* [STS 323/2013, de 23-4 *(Tol 3671156)*]. Ese escaso celo en la persecución de determinados delitos por parte del Ministerio Público se convierte en una oposición frontal cuando se trata delitos de genocidio, lesa humanidad y crímenes de guerra (MARTÍNEZ GUERRA, 2014).

La LO 1/2014 reprodujo parte del contenido de la reforma del principio de jurisdicción universal que se llevó a cabo en Reino Unido en 2011. La modificación de la sección 1 de la *Magistrate's Courts Act* (1980) por la *Police Reform and Social Responsibility Act* de 2011 (c. 13) no otorga el monopolio del ejercicio de la acción penal al Ministerio Público pero sí que lo condiciona al consentimiento del *Director of Public Prosecutor* cuando el procedimiento se haya iniciado a instancia de parte. Para que los Tribunales británicos puedan dictar órdenes de arresto por delitos cometidos fuera de territorio británico, la norma exige el consentimiento previo del máximo representante del *Crown Prosecution Service* conforme al apartado 153 de la ley (*Restrictions on issue of arrest warrants in private prosecutions. Explanatory Notes, 153, 427)*, concretamente en las subsecciones 4A, 4B, 4C y 4D. Por su parte, el *Code Test for Crown Prosecutions* obliga al Ministerio Público a ponderar la probabilidad de conseguir una sentencia condenatoria con las pruebas disponibles y a determinar si el ejercicio de la acción penal lo es *«en interés de la justicia»* (parágrafos 4.5 y 4.7). Este aspecto abre la puerta a poder valorar el impacto que los procedimientos tendrían, por ejemplo, en el ámbito diplomático (LANGER).

Finalmente, la reforma condicionó la actuación de los Jueces y Tribunales españoles a la existencia de Tribunales penales internacionales (art. 23.5 a) LOPJ) y de procedimientos judiciales abiertos en otros Estados por la comisión de los mismos delitos (art. 23.5 b) LOPJ). A juicio del Legislador, ello obliga a replantear el alcance del principio de jurisdicción universal, subordinando la actuación de la jurisdicción española (*vid infra*. III. TRIBUNALES PENALES INTERNACIONALES Y TRIBUNALES NACIONALES).

La LO 1/2014 distingue entre procedimientos abiertos por Tribunales internacionales constituidos conforme a Tratados y Convenios y aquellos iniciados por el Estado territorial o el de cuya nacionalidad ostentara *«la persona a (sic) que se impute su comisión»*. Si el procedimiento lo inicia un Tribunal internacional no se exige condición adicional alguna. La actual redacción del art. 23 LOPJ prohíbe el ejercicio de la jurisdicción *ab initio* («*no serán perseguibles*»). Tampoco cuando el Estado territorial haya iniciado un procedimiento y la persona a la que se le imputen los hechos no se encuentre en territorio español (art. 23.5. b) 1 LOPJ) o encontrándose, se haya puesto en marcha un proceso de extradición al Estado territorial, al de la nacionalidad de las víctimas a un Tribunal Internacional (art. 23.5 b) 2 LOPJ). El procedimiento de extradición no contempla la entrega al país cuya nacionalidad ostenta el presunto autor (a pesar de que es este uno de los que puede haber abierto el procedimiento) si es diferente del territorial o del de las víctimas. La excepción al apartado b) del art. 23.5 LOPJ se establece si el Estado que «*ejerce la jurisdicción no está dispuesto a llevar a cabo la investigación o no puede realmente hacerlo*». Para valorar la naturaleza y finalidad de esa investigación, la LO 1/2014 crea un trámite de verificación que encomienda a la Sala Segunda del TS y que es similar al establecido en el art. 17 ECPI, apartado 2 a), b) y c). Dicho precepto regula las cuestiones de inadmisibilidad y debe ser interpretado en relación con el parágrafo 10 del Preámbulo (subsidiariedad y complementariedad de la jurisdicción) tal y como dispone su apartado 1.

El art. 17 ECPI establece un mecanismo para evaluar si los procedimientos abiertos por los Estados pretenden investigar y enjuiciar a los presuntos responsables conforme a estándares internacionalmente reconocidos o, si por el contrario, se abren con la finalidad de evitar el inicio de procedimientos por parte de la CPI. De ahí que la utilización del término «*genuinely*» en la versión oficial del ER deba ser traducida por *auténtica, honesta, sincera*. Y todo ello porque en estos casos se asume que, o bien existe un procedimiento en curso llevado a cabo por el Estado o se inicia uno con la finalidad de provocar una impugnación de la jurisdicción de la CPI (*challenge of jurisdiction*). El mecanismo del art. 17 ECPI ha sido utilizado en casos concretos relativos a las situaciones en Uganda, Kenia y Libia. Su uso requiere no solo medidas de carácter diplomático y político, sino también de importantes despliegues sobre el terreno de grupos y equipos de trabajo de organizaciones internacionales y no gubernamentales que facilitan información a los Magistrados de la CPI (AMBOS, BURKE-WHITE / KAPLAN, STAHN / SLUITER).

En el caso que nos ocupa, la reforma atribuye al TS la valoración de la investigación desarrollada por el Estado, previa exposición razonada del Juez o Tribunal. Los parámetros a los que debe atender el Alto Tribunal en esa valoración están recogidos en los apartados segundo a), b) y c) y tercero del art. 23.5 LOPJ:

> «*A fin de determinar si hay o no disposición a actuar en un asunto determinado, se examinará, teniendo en cuenta los principios de un proceso con las debidas garantías reconocidos por el Derecho Internacional, si se da una o varias de las siguientes circunstancias, según el caso:*
> *a) Que el juicio ya haya estado o esté en marcha o que la decisión nacional haya sido adoptada con el propósito de sustraer a la persona de que se trate de su responsabilidad penal.*
> *b) Que haya habido una demora injustificada en el juicio que, dadas las circunstancias, sea incompatible con la intención de hacer comparecer a la persona de que se trate ante la justicia.*

c) Que el proceso no haya sido o no esté siendo sustanciado de manera indepen-diente o imparcial y haya sido o esté siendo sustanciado de forma en que, dadas las circunstancias, sea incompatible con la intención de hacer comparecer a la persona de que se trate ante la justicia.

A fin de determinar la incapacidad para investigar o enjuiciar en un asunto determinado, se examinará si el Estado, debido al colapso total o sustancial de su administración nacional de justicia o al hecho de que carece de ella, no puede hacer comparecer al acusado, no dispone de las pruebas y los testimonios necesarios o no está por otras razones en condiciones de llevar a cabo el juicio».

La dificultad que entraña un juicio de esta naturaleza ya fue advertida por la STS 327/2003, de 25-2 *(Tol 306047)*. En primer lugar porque un examen de estas características puede provocar conflictos de naturaleza diplomática. En segundo lugar porque, desde el punto de vista técnico, tanto el Tribunal de instancia como el TS carecen de los instrumentos necesarios para valorar la naturaleza de las investigaciones realizadas por el Poder Judicial de otro Estado soberano (GARRO-CHO SALCEDO / MARTÍNEZ GUERRA).

Finalmente, la Disposición Transitoria Única (DTU) de la LO 1/2014 obliga al Juez a sobreseer todas las causas que se estén tramitando en el momento de entrada en vigor de la reforma en tanto en cuanto no quede acreditado el cumplimiento de los requisitos establecidos en ella. Este precepto ilógico desde el punto de vista jurídico, impide al juez acreditar concurrencia de los nuevos requisitos. Así lo entendió el JCI de la AN n° 6 en su Auto de 31-3 de 2014 al mantener que *«...la Disposición Transitoria, salvo que se pretenda perpetuar una contradic-ción en términos, pues la "acreditación del cumplimiento de los requisitos" que impone el legislador no puede hacerse en el seno de una causa sobreseída, debe entenderse como que las causas se sobreseerán si no cumplen los requisitos. Es decir, que conforme a la lógica de las secuencias de los actos procesales, para no vaciar al Juez de su función constitucional exclusiva de juzgar (art. 117 CE), pri-mero se debe comprobar la concurrencia o no de los requisitos legales —que es el juzgar—, y solo después, adoptar la decisión oportuna conforme a los designios de la norma».*

5.4. El impacto de las reformas en los procedimientos judiciales en curso

Las reformas de las LLOO 1/2009, de 3-11 *(Tol 1631667)* y 1/2014, de 13-03 *(Tol 4132399)* tuvieron un impacto desigual en los procedimientos en curso.

La aprobación de la reforma del año 2009 coincidió con el archivo de las diligencias contra un ex ministro Israelí y otros militares por un ataque llevado a cabo en Gaza en el que fallecieron catorce civiles y un líder de Hamás. El ATS de 4-3, de 2010 *(Tol 3477179)* confirmó el de la Sala de lo Penal de la AN de 9-7, de 2009, que mantuvo la falta de jurisdicción de los Tribunales españoles por *litis pendencia*, al existir procedimientos penales abiertos por los mismos hechos en Israel.

«La jurisprudencia de la propia Audiencia Nacional, del Tribunal Constitucional y de este Tribunal Supremo sobre la ausencia de carácter absoluto del principio de jurisdicción universal, sobre que es generalmente prioritario el criterio de subsidiariedad sobre el de concurrencia y la necesidad de que se module todo ello en cada caso concreto. Y tras ello se dice que existe una amplia y exhaustiva documentación sobre procedimientos penales y civiles acerca del supuesto de autos, aludiendo la resolución impugnada al Caso Selección de Objetivos Terroristas (TSJ 769/02), sentencia del Tribunal Supremo constituido en TSJ, de 14-12-06, mencionado por sus consecuencias en el caso, como revisión judicial de la legalidad de la política del gobierno israelí sobre selección de objetivos terroristas. Y sobre estas premisas se constata la existencia de investigación militar de campo, con resultados remitidos al Fiscal General Militar y querellas recibidas por el Fiscal General del Estado, investigación interna que finalizó en archivo por la Fiscalía de Israel. Se señala que en la actualidad pende proceso penal, Caso Shehadeh (TSJ 8794 /03) cuyos hitos procedimentales relevantes se describen, interrumpido hasta el dictado de la sentencia anterior; las partes consintieron la creación de una Comisión independiente de investigación de los hechos, que lleva a cabo su cometido bajo revisión judicial de sus decisiones. Finalmente, añade en su análisis la Audiencia Nacional que han existido y existen procedimientos civiles para reclamación de compensaciones económicas instados algunos por querellantes de este proceso. Concluyendo el Auto recurrido que ha habido real y verdadera actuación para comprobar una posible comisión delictiva, y existe litis pendencia. En este sentido se añade que poner en duda la imparcialidad y separación orgánica y funcional de las Fiscalías y la Comisión de Investigación respecto de Poder Ejecutivo supone ignorar la evidencia de la existencia de un Estado Social y Democrático de Derecho por lo que no puede albergarse —como sugiere el recurso— incertidumbre acerca del ejercicio de las acciones penales procedentes si se descubren conductas criminalmente relevantes. Se invoca asimismo la teoría de la ubicuidad en relación con la competencia de las autoridades judiciales israelíes para investigar y enjuiciar en su caso los hechos como lo corrobora el hecho antes aludido de que los propios querellantes inicialmente plantearon sus reclamaciones penales y civiles ante órganos del poder judicial israelí.

Es palmario que el Auto por el que la Audiencia acordó el archivo de las actuaciones ofrece una respuesta fundada, razonada y en modo alguno vulneradora del derecho fundamental que invocan los recurrentes» (FJ. Segundo).

La reforma de la LO 1/2014 afectó a un mayor número de procedimientos que la anterior. Las primeras actuaciones judiciales se caracterizaron por la negativa de algunos JJCCII de la AN a archivar y por cuestionar el mandato contenido en la DTU, especialmente en casos en los que seguía pendiente la práctica de diligencias de investigación (entre otros, Auto JCI AN n° 6 de 31-3 de 2014). En algunos asuntos, la negativa fue acompañada de la reiteración de comisiones rogatorias a autoridades judiciales extranjeras. Los primeros autos cuestionaron los requisitos exigidos por la reforma para la persecución de algunos delitos internacionales y la aplicación de la cláusula contenida en la letra p) del art. 23.4 LOPJ.

El Auto del JCI n° 5, de 15-4 de 2014 (caso Guantánamo) afirmaba que: «*nos encontraría-mos ante una evidente colisión entre la regulación según derecho interno de norma habilitado-ra de la extensión de la jurisdicción penal, y las obligaciones contraídas por España en virtud de los Tratados internacionales previamente ratificados y que integran nuestro ordenamiento jurídico, de manera que el legislador español habría sometido la institución y la extensión de la jurisdicción española para el conocimiento y persecución de los hechos como los que constituyen objeto de las presentes actuaciones —actos de tortura y crímenes de guerra— al cumplimiento de presupuestos y condicionantes que, amén de suponer una restricción a la obligación de persecución asumida internacionalmente por España frente a las graves violacio-nes de derechos humanos y el derecho internacional humanitario, al objeto de evitar situacio-nes de impunidad en tales casos, no resultan en absoluto exigidos por dichos Tratados, y que tampoco se compadecen con el espíritu que según la Exposición de Motivos de la LO 1/2014 inspiraría dicha reforma legal, cuando se señala que la extensión de la jurisdicción nacional fuera de las propias fronteras, adentrándose en el ámbito de la soberanía de otro Estado, debe quedar circunscrita a los ámbitos que, previstos por el derecho Internacional, deba ser asumi-dos por España en cumplimiento de los compromisos internacionales adquiridos: la extensión de la jurisdicción española más allá de los límites territoriales españoles debe venir legitimada y justificada por la existencia de un tratado internacional que lo prevea o autorice (...)*». En el mismo sentido se pronunciaron los Autos de los JJCCII n° 1 de 17-3 (caso *Couso*) y de 20-5 (caso *Guatemala*), al apuntar la vulneración del *control de convencionalidad* del art. 10.2 CE y declarar la inaplicación de la DTU.

A pesar de ello, desde la entrada en vigor de la reforma de la LO 1/2014 y hasta la fecha, en la actuación de los Tribunales se pueden identificar tres líneas de actuación claras: el archivo y sobreseimiento de los procedimientos por no cumplir con los nuevos requisitos exigidos por la ley; el archivo provisional de alguno de ellos hasta que se acredite el cumplimiento de las nuevas exigencias y la continuación aquellos en los que existen víctimas españolas o se produce *ausencia de persecución efectiva* en el estado territorial.

Dentro del primer grupo se encuentran los casos *Tíbet, Falun Gong, Holo-causto* y *Guantánamo*. En el asunto *Tíbet*, el JCI n° 2 de la AN procedió, median-te Auto de 25-3 de 2014, a la conclusión del sumario y a su elevación a la Sala de lo Penal de la AN. En su resolución de 2-7 de 2014, el Pleno decretó el archivo de la causa y el alzamiento de las medidas cautelares, asumiendo el razonamiento del TS en sus sentencias 327/2003 de 25-2 y 319/2004, de 8-3, sobre la necesidad de la concurrencia de un *punto de conexión* para el ejercicio extraterritorial de la jurisdicción y la existencia de TTPPII. El Pleno resaltó además la «*ausencia de norma internacional que obligue a los Estados a incorporar el principio de juris-dicción universal*», al ser esta materia, concretamente el establecimiento de sus lí-mites, «*una cuestión de política criminal que compete al legislador*». Sin entrar en mayor discusión, el órgano procedió al archivo porque ni los querellados tenían nacionalidad española ni los presuntos responsables se encontraban en territorio español, no apreciando razones que justificasen el planteamiento de una cuestión de inconstitucionalidad. La resolución contó con el voto particular de los Magistrados de Prada Solaesa, Sáez Valcárcel y Díaz Delgado, quienes entendieron que aquella debió plantearse al vulnerar el derecho a la igualdad (art. 14 CE) y a la tutela judicial efectiva (art. 24 CE). La STS 296/2015, de 6-5 *(Tol 5001812)* confirmó el archivo de la causa recordando en su parte dispositiva todos y cada uno de los argumentos que había venido manteniendo en su interpretación jurisprudencial. No obstante, es significativo que el TS reconociese *ex post*, basándose en el Derecho consuetudinario, que el modelo de jurisdicción universal anterior a la reforma era puro o absoluto (FJ Vigésimo veintidós) y que la reforma ha acogido una *«modalidad muy restrictiva de jurisdicción universal»* (FJ Trigésimo). En el mismo sentido se volvió a pronunciar en su fallo 297/2015, de 8-5 *(Tol 5175684)* en el caso Falun Gong. En él, admitió *«el carácter retroactivo de la reforma al considerar que, a pesar de estar ante una ley de carácter procesal, tiene efectos sobre las personas querelladas y ello excluye la jurisdicción de los Tribunales españoles sobre los hechos que pudieran imputarse a dichas personas, por lo que es una norma que favorece al reo y que, en consecuencia, debe producir efectos retroactivos. La búsqueda de la impunidad en los delitos internacionales de especial gravedad, o en otras materias como el terrorismo o la criminalidad organizada, no puede conducir, en absoluto, a la vulneración de las garantías esenciales del proceso, entre las que se encuentra, de modo muy destacado, el principio de legalidad. Estas garantías no son, como se ha llegado a decir en alguna resolución, escollos que hay que superar o bordear en la persecución inquisitorial de la Justicia por cualquier medio, sino por el contrario, constituyen los auténticos pilares de nuestra civilización, que no se pueden desvirtuar o trivializar por muy relevante que se considere el delito perseguido. Porque en el proceso el fin nunca justifica los medios»* (FJ. Décimo tercero).

El Auto de la Sala de lo Penal de la AN de 15-12 de 2014 (caso Holocausto) procedió al sobreseimiento y archivo del procedimiento por los presuntos delitos cometidos en los campos de concentración de Mauthausen, Sachenhausen y Flosenburg, con los votos particulares de los Magistrados Sáenz Valcárcel, de Prada Solaesa, Díez Delgado y Bayarri. Mediante Auto del TS de 18-4 de 2016 *(Tol 5700015)* se deja sin efecto el auto de sobreseimiento y archivo de la AN para que se complete la investigación certificando el fallecimiento de varios querellados. Sin embargo, lo más llamativo del pronunciamiento se encuentra contenido en su Fundamento Jurídico tercero. En él, el Alto Tribunal llega a afirmar que *«la nueva regulación del principio de justicia universal con respecto a los delitos de genocidio, lesa humanidad y crímenes de guerra ha procedido a una restricción tan sustancial del derecho de los ciudadanos españoles víctimas de tales delitos en el extranjero, que excluye de forma extrema su acceso a la jurisdicción para defender sus derechos dentro del territorio español, dadas las escasísimas posibilidades de que uno de los presuntos autores resida habitualmente en España».* Y continúa diciendo: *«la gran contradicción sustancial de la reforma queda eviden-*

ciada en el hecho de que mientras que los delitos más graves del Derecho penal internacional (lesa humanidad, genocidio y crímenes de guerra) son desplazados fuera de la competencia de la jurisdicción española, excepto para los supuestos de rarísimas excepciones anteriormente expuestas; en cambio, sí cabría encuadrar en el ámbito de nuestra jurisdicción los delitos de segundo grado del Derecho Penal internacional, aunque también con unas restricciones que no se daban en la Ley Orgánica 1/2009, y mucho menos en la 6/1985. Como dato significativo a destacar debe subrayarse que el criterio de la nacionalidad española de la víctima (principio de personalidad pasiva), que ha quedado excluido para los delitos más graves o de primer grado, sí se admite como vínculo para la aplicación de la jurisdicción española para algunos de los graves delitos del segundo nivel: contra la integridad moral, desaparición forzada, trata de seres humanos, terrorismo, contra la libertad e indemnidad sexual, falsificación de productos médicos y delitos que supongan una amenaza para la salud pública. Ahora bien, se exige a mayores que el imputado se encuentre en territorio español, requisito que solo se excluye en los cuatro últimos delitos que se acaban de citar». Finalmente, en el caso Guantánamo también confirma la decisión de la AN en su STS 869/2016, de 18-11 *(Tol 5887586)* al no darse los requisitos de nacionalidad activa requeridos en la persecución del delito de torturas.

La existencia de víctimas españolas ha supuesto el sobreseimiento provisional de varios procesos. La STS 797/2016, de 25-1 *(Tol 5856615)*, caso Couso confirma la decisión de la Sección Tercera de la AN de no promover la cuestión de inconstitucionalidad, quedando el auto sobreseído hasta que no se acrediten cumplidos los requisitos establecidos por la reforma. También en su fallo 551/2015, de 24-9 *(Tol 5503186)*, caso Ruanda, el TS procede a confirmar el Auto de la Sección Tercera de la AN de 27-5 de 2015, que resuelve el recurso de súplica presentado contra el Auto de 28-1 de 2015 que decretó el sobreseimiento definitivo de la causa. En su sentencia, el TS cambia la calificación de definitiva a provisional de acuerdo con la DTU, hasta que no se acredite que alguno de los sujetos responsables se encuentra en territorio español. El sobreseimiento previsto por la reforma es, a juicio del TS, una *«modalidad autónoma y específica de sobreseimiento que exige unas condiciones determinadas, que posee un fundamento concreto, la falta de jurisdicción, y que tiene unos efectos similares al sobreseimiento provisional, pues, una vez archivado el procedimiento, si en algún momento posterior se constata que concurren los requisitos para activar la jurisdicción española en el delito enjuiciado, por ejemplo la presencia de los acusados en territorio español, el sobreseimiento quedará sin efecto, y el procedimiento debe reiniciarse»* (FJ. Cuarto). Del mismo modo, en el *caso Flotilla de la Libertad*, el Auto del JCI nº 5 de la AN, de 10-6 de 2015 *(Tol 5165692)* archivó provisionalmente el procedimiento, comunicó a los querellantes la posibilidad de acudir a la CPI y remitió las actuaciones al Ministerio de Justicia para que estimara, en su caso, la conveniencia de actuar conforme al art. 7.1 de la LO 18/2003, de Cooperación con la CPI *(Tol 324219)* También dio traslado a los Cuerpos y Fuerzas de Seguridad del Estado para que informaran al Juzgado si cualquiera de los querellados, entre ellos el Primer Ministro Israelí Benjamín Netanyahu, se encontraran en España.

Para finalizar, la ausencia de persecución efectiva ha permitido mantener abierto el procedimiento por el asesinato del jesuíta español Ignacio Ellacuría en la Universidad Centroamericana José Simeón Cañas (UCA) en El Salvador en 1989. De acuerdo con el art. 23.5 LOPJ, el Auto de JCI nº 6, de 31-3 de 2014 elevó informe razonado al TS para comprobar la *«ausencia de persecución efectiva»* de los procedimientos penales y de otra naturaleza abiertos en El Salvador y solicitó pronunciamiento sobre el proceso penal seguido contra el coronel Guillermo Alfredo Benavides. Este fue condenado en 1991 a 30 años de prisión por homicidio y conspiración para cometer actos de terrorismo. Tras el cumplimiento de apenas un año de condena fue indultado en aplicación de la *Ley de Amnistía General para la Consolidación de la Paz* (Decreto Legislativo 486, de 20 de marzo, Diario Oficial nº 56, Tomo 318, de 22 de marzo de 1993). En su Auto de 20-4 de 2015, la Sala de lo Penal del TS *(Tol 4902943)* afirmó la jurisdicción de los Tribunales españoles al considerar que *«existen indicios serios y razonables de que el proceso penal desarrollado en su día en El Salvador en el que se investigaron y juzgaron los hechos objeto del Sumario nº 97/2010, del Juzgado Central de Instrucción nº 6 de la Audiencia Nacional, no garantizó el castigo efectivo de los responsables sino que, por el contrario, pudo tratar de sustraerlos de la acción de la justicia»* (FJ. Tercero).

La Ley de Amnistía General de 1993 fue declarada inconstitucional por la sentencia de 13 de julio de 2016 de la Sala de lo Constitucional de la Corte Suprema de Justicia (CSJ) de El Salvador (proceso 44-2013 /145-2013). La Ley, que se aprobó días después de la publicación del Informe de la Comisión de la Verdad, «De la locura a la Esperanza: la guerra de los doce años en El Salvador», de 15 de marzo de 1993, establecía, en su art. 1 una *«amnistía amplia, absoluta e incondicional a favor de todas las personas que en cualquier forma hayan participado en la comisión de delitos políticos, comunes conexos con estos y en delitos comunes cometidos por un número de personas que no baje de veinte antes del primero de enero de mil novecientos noventa y dos, ya sea que contra dichas personas se hubiere dictado sentencia, se haya iniciado o no procedimiento por los mismos delitos, concediéndose esta gracia a todas las personas que hayan participado como autores inmediatos, mediatos o cómplices en los hechos delictivos antes referidos. La gracia de la amnistía se extiende a las personas a las que se refiere el artículo 6 de la Ley de Reconciliación Nacional, contenida en el Decreto Legislativo Número 147, de fecha veintitrés de enero de mil novecientos noventa y dos y publicado en el Diario Oficial Número 14 Tomo 314 de la misma fecha».*

En su fallo de 2016, la Corte Suprema salvadoreña reproduce de manera expresa el parágrafo 296 de la Sentencia de la Corte Interamericana de Derechos Humanos (SCIDH) de 25 de octubre de 2012, caso *Masacres de El Mozote y Lugares Aledaños vs. El Salvador* (Fondo, Reparaciones y Costas) en la que se afirma que: *«La Ley de Amnistía general para la consolidación de la paz ha tenido como consecuencia la instauración y perpetuación de una situación de impunidad debido a la falta de investigación, persecución, captura, enjuiciamiento y sanción de los presuntos responsables de los hechos, incumpliendo asimismo los artículos 1.1 y 2 de la Convención Americana, referida esta última norma a la obligación de adecuar el derecho interno a lo previsto en ella. Dada su manifiesta incompatibilidad con la Convención Americana, las disposiciones de la Ley de Amnistía General para la consolidación de la paz que impiden la investigación y la sanción de las graves violaciones de derechos humanos sucedidas en el presente caso carecen de efectos jurídicos y, en consecuencia, no pueden seguir representando un obstáculo para investigación de los hechos en el presente caso y la identificación, juzgamiento y el castigo de los responsables, ni puede tener igual o similar impacto respecto de otros casos de graves violaciones de derechos humanos reconocidos en la Convención Americana que pueden haber ocurrido durante el conflicto armando en El Salvador».* Como medida adicional, la sentencia declara la *reviviscencia* de la *Ley de Reconciliación Nacional* (Decreto Legislativo nº 147, de 23-1, de 1992). Como consecuencia de la declaración de inconstitucionalidad de la *Ley de Amnistía*, el 23-9, de 2016, la Corte Suprema ordenó el cese de la detención de Benavides como medida cautelar dentro del procedimiento de extradición iniciado a instancia del JCI nº 6 de la AN. El fallo decretó la puesta a disposición del detenido de las autoridades competentes para el cumplimiento de la condena de prisión de treinta años impuesta en 1991 (Sentencia Corte Suprema de Justicia. Ref. 23-S-2016). Sin embargo, dejó en libertad a otros cuatro militares, de un total de diecisiete, que habían sido reclamados por la AN. Esta decisión fue confirmada por la Sala de lo Constitucional de la CSJ de El Salvador el 17 de agosto de 2017. Finalmente, el 29 de noviembre de 2017, Estados Unidos procedió a extraditar a España a Inocente Orlando Montano Morales por su presunta participación en el asesinato de Ignacio Ellacuría. La extradición, autorizada por el Departamento de Estado Norteamericano el 20 de octubre de 2017, se produjo como consecuencia de la confirmación por la Sala de Apelación del Cuarto Circuito y el Tribunal Supremo de la decisión del Magistrado del Distrito Este de Carolina del Norte de 4 de febrero de 2016.

También la *ausencia de persecución efectiva*, junto con la existencia de víctima española y la calificación de los delitos como actos terroristas, permite a los Tribunales españoles continuar con la investigación del asesinato del diplomático español Carmelo Soria (Autos JCI de la AN nº 5, de 23-5, de 2015 *(Tol 431655)*; de 26-5 de 2015 *(Tol 5003109)* y Auto del TS de 8-4 de 2015). Así lo ha establecido el ATS de 20-10, de 2015 *(Tol 5548004)* que apoya íntegramente la tesis del Magistrado instructor y entiende que hay indicios suficientes para «*inferir la falta de voluntad de otro Estado para investigar los hechos delictivos. Y es que no puede llegarse a otra convicción, una vez apreciada la escasa entidad y relevancia de las diligencias practicadas por la justicia chilena en los dos últimos años de investigación, cuando se reabrió el procedimiento penal por cuarta vez, después de haber transcurrido 37 años desde la perpetración de los hechos delictivos*» (FJ Tercero).

El diplomático español Carmelo Luis Soria Espinoza, funcionario de la Comisión Económica para América Latina y Caribe (CEPAL), fue secuestrado, torturado y asesinado en Santiago de Chile el 14 de julio de 1976. Su asesinato se atribuyó a miembros de la DINA (Dirección de Inteligencia Nacional), concretamente de la Brigada Mulchen. El 20 agosto de 2015, la Corte Suprema de Chile ordenó procesar a quince miembros de la DINA como presuntos responsables de la muerte de Soria. En su decisión de 16-6 de 2016 (rol 19624-2016) solicitó a los Estados Unidos de los América la extradición de Armando Fernández Larios (nacionalidad chilena), Michael Vernon Townley Welch (nacionalidad norteamericana) y Virgilio Paz Romero (nacionalidad cubana) como coautores de un delito de homicidio calificado y otro de asociación ilícita.

Tras la entrada en vigor de la reforma de la LO 1/2014 se iniciaron algunos procedimientos por la posible comisión de delitos de terrorismo cometidos fuera de territorio nacional. Entre ellos destacan los procedimientos abiertos por el JCI n.º 4, caso Boko Haram, y el JCI núm. 6, caso Siria. En el primero, y a instancias del Mº F, el Juzgado abrió diligencias contra el líder del grupo Boko Haram por presuntos delitos de pertenencia a grupo terrorista en conexión con delitos de lesa humanidad cometidos en la ciudad nigeriana de Ganye. En este caso concreto, existe una víctima de nacionalidad española y el Magistrado ha corroborado la inexistencia de procedimientos abiertos por los mismos hechos en Nigeria, en otros Estados o en el seno de un TPI [Auto de la AN JCI nº. 4 de 27-5 de 2015 *(Tol 5005141)*]. En el segundo, se admitió a trámite una querella por posibles delitos de tortura, terrorismo, lesa humanidad y crímenes de guerra cometidos contra un ciudadano sirio en territorio sirio (Auto JCI nº 6, de 27-3, de 2017). Se certifica también la ausencia de procedimiento abierto ante la CPI, a pesar del requerimiento realizado por la Alta Comisionada de Naciones Unidas para los Derechos Humanos el 18-3, de 2013. Lo verdaderamente interesante de esta resolución es la interpretación del concepto *víctima* que asume el Magistrado y que permite afirmar la jurisdicción de los Tribunales españoles. Atendiendo a la Ley 4/2015, de 27-4 del *Estatuto de la Víctima (Tol 4840867)* se reconoce como tal a la hermana de la víctima directa del delito. La Ley, en su art. 2 b) 2º, considera *«víctima indirecta»* en los casos de muerte o desaparición de una persona que haya sido causada por un delito, a los parientes en línea colateral hasta el tercer grado. En caso de no existir, a todos los parientes en línea recta y a sus hermanos. Por su parte, el art. 11 a) establece que *«toda víctima»* tiene derecho a ejercer la acción penal y civil conforme a los establecido en la LECRIM, sin perjuicio de las excepciones que puedan existir. El auto, fue recurrido por el MF y confirmado mediante Auto 37/2017, de 27-7, de la Sala de lo Penal de la AN. En la resolución el Tribunal, con el voto particular de los magistrados de Prada Solaesa, Sáez Valcárcel, Bayarri, Fernández Pardo y Díez Delgado, declara que *«la interpretación propugnada por querellante comportaría una extensión desmesura e injustificada de la jurisdicción, contraria a la finalidad perseguida por la reforma legal»* (FJ. Cuarto).

5.5. Cuestiones constitucionales y propuestas de modificación

La aprobación de la reforma de la LO 1/2014 supuso la presentación de un recurso de inconstitucionalidad por más de cincuenta diputados de Grupo Parlamentario Socialista. El recurso, admitido a trámite por providencia del 22-7 de 2014 (Nº 3754-2014) y pendiente de resolución, se articula entorno a tres cuestiones ya apuntadas.

La primera, la vulneración del principio de interdicción de la arbitrariedad (art. 9.3 CE) e igualdad (art. 14 CE) al no «*reconocer la capacidad de víctima para instar la persecución del delito*». Los recurrentes entienden que, con esta nueva regulación, los delitos se «*equiparan a delitos privados como la injuria y la calumnia*». También se vulnera el principio de igualdad porque se establecen regímenes de persecución distintos en función de los ilícitos, llegando a negar la tutela judicial a las víctimas de nacionalidad española de delitos de genocidio, lesa humanidad y crímenes de guerra. La segunda, la vulneración del principio de seguridad jurídica de la norma (art. 9.3 CE) que, desde su entrada en vigor, ha provocado pronunciamientos diversos y dispares por parte de los Tribunales en función del presunto delito cometido (*vid. supra*). Para finalizar, la vulneración del derecho a la participación de los ciudadanos en la Administración de Justicia (art. 125 CE) por establecer una «*restricción constitucional injustificada*» al eliminar de estos procesos a la Acusación Popular y exigir la previa presentación de denuncia o querella del agraviado o del Ministerio Fiscal. Con fecha de 9-1 de 2017 el TC también admitió a trámite el recurso de amparo contra la STS 296/2015, de 6-5 *(Tol 5001812)*, que confirmó el sobreseimiento y archivo de la causa decretado por el Auto de la Sala de lo Penal de la AN de 2-7 de 2014. El recurso fue presentado por el *Comité de Apoyo al Tíbet* (CAT) y los querellantes Thubet Wangchen y la Fundación *Casa del Tíbet*.

Por lo que respecta a las propuestas de modificación del precepto, se han planteado tres proposiciones de LO de diverso alcance que plantean revertir la reforma y retomar los modelos de 2009 y de 1985. La primera fue presentada por el Grupo Parlamentario de Esquerra Republicana. La PLO plantea, en primer lugar, eliminar los requisitos específicos y los vínculos de conexión de introducidos por las reformas de 2009 y 2014. En segundo lugar, revertir la subsidiariedad de la jurisdicción española suprimiendo los preceptos relativos a la existencia de procedimientos abiertos en otros Estados o en Tribunales Internacionales. Sin embargo, la propuesta mantiene los delitos introducidos por la reforma de 2014 que no requieren jurisdicción universal, salvo los de constitución y financiación o integración en grupo u organización criminal y los cometidos en el seno de estas, actualmente en art. 23.4 j) LOPJ (Congreso de los Diputados, *Proposición de Ley Orgánica de modificación de la Ley Orgánica 6/1985, de 1 de julio, del Poder Judicial, relativa a la mejora de la Justicia Universal*, BOCCGG Núm. 18-1, de 9-9 de 2016).

La segunda propuesta, de 9 de septiembre de 2016, fue presentada por el Grupo Parlamentario Socialista y planteaba una vuelta al modelo de la LO 1/2009 aunque manteniendo también los delitos incluidos por la reforma de 2014 a excepción de la constitución y financiación de grupo u organización criminal. Del mismo modo, suprimía del articulado los delitos de desaparición forzosa (entendemos que por considerarlos una modalidad de lesa humanidad tras la reforma del art. 607 bis 6° CP). Con respecto a los delitos internacionales, la EM de la PLO, estimaba que la reforma de 2014 estableció «*limitaciones desorbitadas, negando la tutela a las víctimas, incluso las de nacionalidad española, en supuestos en que han sido gravemente vulnerados sus derechos humanos, dándoles un trato de peor condición que a cualquier otro español víctima de otros delitos igualmente graves pero de menor entidad, por la exigencia del requisito de que la persona a la que se impute la comisión del hecho delictivo se encuentre en España*» (Congreso de los Diputados, *Proposición de Ley Orgánica de modificación de la Ley Orgánica 6/1985, de 1 de julio, del Poder Judicial, relativa a la Justicia Universal*, BOCCGG Núm. 26-1, de 9-9 de 2016).

La tercera propuesta, presentada por el Grupo Parlamentario Vasco (EAJ-PNV) el 17-2 de 2017, únicamente eliminaba las condiciones de perseguibilidad para cada uno de los delitos, si bien mantenía la dualidad con respecto a los de piratería, terrorismo, tráfico ilegal de drogas tóxicas, estupefacientes o sustancias psicotrópicas, trata de seres humanos, contra los derechos de los ciudadanos extranjeros y delitos contra la seguridad marítima que se cometieran en los espacios marinos (art. 23.4 d) LOPJ). Igualmente atribuía al Juez o Tribunal competente el trámite de verificación de la autenticidad e imparcialidad del proceso llevado a cabo por otro los Tribunales de otro Estado (Congreso de los Diputados, *Proposición de Ley Orgánica de modificación de la Ley Orgánica 6/1985, de 1 de julio, del Poder Judicial, relativa a la Justicia Universal*, BOCCGG Núm. 88-1, de 1 de febrero de 2017).

III. TRIBUNALES PENALES INTERNACIONALES Y TRIBUNALES NACIONALES

1. *Cuestiones generales*

La creación de los Tribunales Penales Internacionales (TTPPII) *ad hoc* para la Antigua Yugoslavia (TPIY) y para Ruanda (TPIR) en 1993 y 1994 y de la Corte Penal Internacional (CPI) en 2002, obliga a replantear el alcance de la jurisdicción de los Tribunales nacionales y, con ello, el del principio de jurisdicción universal. El estudio de ambos modelos es requisito indispensable no solo para comprender las limitaciones impuestas por los primeros a los segundos y resolver correctamente los posibles conflictos jurisdiccionales, sino también para valorar los efectos de las reformas del art. 23.4 LOPJ aprobadas en 2009 y 2014. Si algo tuvieron en común estas modificaciones fue su alusión constante a la necesidad de ajustar el contenido del artículo a la actuación de los TTPPII, especialmente a la de la CPI.

Para poder valorar la adecuación y los efectos de esas reformas a los principios de Derecho Internacional y al funcionamiento de los TTPPII, en los siguientes epígrafes se exponen los dos modelos de Tribunales Penales utilizados hasta la fecha y su interacción con la jurisdicción penal española a través de las leyes de cooperación aprobadas al efecto. En la exposición no se incluyen los modelos *híbridos* creados en el caso del Tribunal Penal Internacional para el Líbano y las Salas Especiales de Camboya y Sierra Leona por tratarse de Tribunales *nacionales internacionalizados*.

2. El modelo de los Tribunales Penales Internacionales ad hoc. Planteamiento general

Los TTPPII *ad hoc* para la antigua Yugoslavia (TPIY) y Ruanda (TPIR) fueron la respuesta de la Comunidad Internacional a las atrocidades cometidas en el marco de dos conflictos internacionales de gran magnitud acaecidos durante los años noventa del siglo pasado. Desde el punto de vista jurídico constituyen dos experimentos únicos de depuración de responsabilidades penales por la comisión de delitos internacionales que, desde su creación, trataron de marcar distancia con los precedentes de Nuremberg y Tokio.

Las críticas al establecimiento y funcionamiento de los Tribunales de Nuremberg y Tokio, creados tras la finalización de la Segunda Guerra Mundial han sido constantes a lo largo del s. XX. En primer lugar, por su establecimiento *ex post* como parte (anexos) de acuerdos entre las partes vencedoras, el *Acuerdo de Londres* (1945) en el caso de Nuremberg y el *Decreto del General Mac Arthur* de 19 de enero de 1946 en el de Tokio. En segundo lugar, por la particular interpretación del principio de legalidad interna y el papel conferido a la costumbre internacional. En tercer lugar, por el carácter absolutamente selectivo y, por tanto parcial, de los hechos e individuos enjuiciados. Finalmente, por las deficientes garantías procesales que abarcaron desde la vulneración del derecho fundamental al recurso efectivo en el proceso penal hasta la falta de parcialidad objetiva del juzgador (entre otros, CASSESE, WERLE).

El mecanismo de creación de los TTPPII *ad hoc* condicionó no solo su funcionamiento sino el ejercicio de su jurisdicción y la cooperación de los Estados. Ambos fueron creados por resoluciones del Consejo de Seguridad de Naciones Unidas (CSNU) a través del mecanismo de seguridad colectiva previsto en el Capítulo VII de la Carta *(Tol 137092)*, concretamente en sus arts. 39 y ss. El primero de ellos, el TPIY, por resolución S/RES/827, de 25-5 1993 *(Tol 137092)* y el segundo, el TPIR, por resolución S/RES/955 de 8-11 de 1994 *(Tol 146279)*. En este caso, se satisficieron en gran parte, las exigencias derivadas del principio de legalidad penal, ya que el proceso de codificación iniciado por la ONU tras la finalización de la Segunda Guerra Mundial, había cristalizado en la aprobación del *Convenio para la Prevención y Sanción del Genocidio (Tol 117700)* y en los *Convenios de Ginebra* de 1949 *(Tol 157414)* y sus *Protocolos Facultativos* de 1977 *(Tol 157414; Tol 4370727)* y 2005. Sin embargo, no consiguieron evitar el carácter selectivo y de las implicaciones políticas ínsitas al propio mecanismo de creación. En palabras de ESCOBAR HERNÁNDEZ, ambos tribunales ejercen jurisdicciones especiales y temporales, *«que no pueden mantenerse indefinidamente sin afectar muy negativamente al modelo de jurisdicción arbitrado por el Consejo de Seguridad y sin perjudicar igualmente, en forma muy grave, al principio de eficacia que debe inspirar la actuación de toda institución al servicio de la justicia»*.

Las características esenciales de los TTPPII *ad hoc* pueden resumirse en tres. En primer lugar, su naturaleza temporal, ya que el ejercicio de su jurisdicción está limitado en el tiempo, si bien en el caso del TPIY no figura en la resolución En segundo lugar, el carácter preferente de la misma frente a la que pudieran ejercer los tribunales nacionales. En tercer lugar, la cooperación obligatoria de todos los Estados miembros de la ONU en la investigación, el enjuiciamiento de los delitos y en la ejecución de sentencias, aunque en este último caso, se ha procedido mediante la firma de acuerdos específicos con algunos Estados *(vid. infra)*.

El ejercicio de la jurisdicción del TPIY está limitado a los delitos cometidos en el territorio de la ex Yugoslavia a partir de 1991, de conformidad con lo dispuesto en el Estatuto contenido en el anexo de la resolución (art. 1 S/RES/827, de 25-5 de 1993). Por su parte, la del TPIR se extiende desde el 1 de enero al 31-12 de 1994 (art. 7 S/RES/955 de 8-11 de 1994). Pese a reconocer la jurisdicción concurrente de los tribunales de los estados territoriales, ambas resoluciones establecen el carácter preferente de la jurisdicción internacional sobre la que pudieran ejercer los nacionales y la obligación de estos últimos de remitir las actuaciones a aquel en cualquier fase del procedimiento (arts. 9.2 y 8.1 de las citadas resoluciones).

La cooperación se regula en los arts. 28 y 29 de los Estatutos (TPIY y TPIR, respectivamente). Estos preceptos establecen un mecanismo obligatorio en la investigación y el enjuiciamiento de las personas *«acusadas de haber cometido graves violaciones de derecho internacional humanitario»*. Del mismo modo, determina que los Estados deberán atender sin demora alguna las peticiones de asistencia que reciban y cumplir con las resoluciones de los Tribunales relativas a identificación, localización y entrega de personas; deposición de testigos y presentación de pruebas, tramitación de documentos y entrega o traslado de los acusados para ponerlos a disposición del Tribunal. Los posibles conflictos entre el cumplimiento de las obligaciones derivadas de la cooperación de los Estados con el Tribunal y entre aquellos y otros Estados deberán resolverse de acuerdo con lo establecido en el art. 103 de la Carta ONU *(Tol 137092)*, que establece la prevalencia de las obligaciones derivadas de la Carta frente a otro tipo de acuerdos internacionales (piénsese por ejemplo en acuerdos de carácter bilateral o incluso en normas de

Derecho Internacional como el reconocimiento y respeto de inmunidades procesales).

Por lo que respecta al cumplimiento de sentencias impuestas por los Tribunales, los arts. 27 y 26 de los Estatutos establecen un mecanismo de cooperación voluntario en virtud de la disponibilidad de los Estados. Para ello prevén la elaboración de una lista de países que hayan comunicado al CSNU su voluntad de aceptar a los condenados para cumplir condena en sus establecimientos penitenciarios. Al tratarse de sentencias impuestas por tribunales *ad hoc*, es decir temporales y llamados a disolverse, los Estatutos permiten que la pena se cumpla con arreglo a la legislación del país receptor e incluso la concesión de indultos o conmutaciones de pena, siempre bajo la supervisión de los TTPPII (arts. 28 y 27). No prevé sin embargo, cómo proceder en aquellos casos en los que la condena se prolongue más allá de la vida del propio tribunal.

Hasta la fecha, los países que han firmado acuerdos para el cumplimiento de sentencias con el TPIY son: Albania (19-9, de 2008), Polonia (18-9, de 2008), Eslovaquia (7-4, de 2008), Estonia (11-2, de 2008), Ucrania (7-8, de 2008), Bélgica (2-5, de 2007), Reino Unido (11-3, de 2007), Dinamarca (4-6, de 2002), España (28-3, de 2000), Francia (25-2, de 2000) Suecia (23-2, de 1999), Austria (23-7, de 1999), Noruega (24-4, de 1998), Finlandia (7-5, de 1997), Italia (6-2, de 1997). Alemania ha firmado cinco acuerdos *ad hoc* aceptando el cumplimiento de sentencia de cinco condenados: *Dordevic* (28-7, de 2014), *Tarčulovski* (16-6, de 2011) *Galić* (16-12, de 2008), *Kunarac* (14-11, de 2002) y *Tadić* (17-10, de 2000). Con respecto a los acuerdos firmados con el TPIR son los siguientes: Senegal (22-9, de 2010), Ruanda (4-3 de 2008), Suecia (27-4, de 2004), Italia (17-3, de 2004), Francia (14-3, de 2004), Swazilandia (30-8, de 2000), Benin (26-8, de 1999) y Mali (12-2, de 1999).

2.1. El *Mecanismo residual* o de conclusión de los TTPPII

El proceso de conclusión o cierre de los TTPPII *ad hoc* empezó a plantearse de manera informal años después de su creación. Sin embargo, no sería hasta la aprobación de las resoluciones S/RES/ 1503 (2003) de 28-8 y 1534 (2004) de 26-5 cuando el CSNU empezase urgir a los Estados una mayor cooperación en la detención y entrega de las personas requeridas por los TTPPII *ad hoc* como paso necesario para articular mecanismos de finalización e incluso de continuación de aquellos (PITTMAN). Por ello, mediante resolución S/RES/1966 (2010) de 22-12, el CSNU creó el *Mecanismo Internacional Residual de Tribunales*, conocido en un primer momento como «*Estrategia de conclusión*» (en adelante, el Mecanismo), llamado a finalizar los procedimientos en curso y a resolver los recursos de apelación de las sentencias dictadas por los TTPPII *ad hoc* (art. 1 del Estatuto del Mecanismo anexo a la resolución). Esta medida se sumó a la estrategia de remisión de procedimientos a tribunales nacionales puesta en marcha años antes a través del *Outreach Program o Programa de Compromiso con la Comunidad* de los TTPPII, previsto la regla 10 de las *Reglas de Procedimiento y Prueba*.

En el marco de ese programa de compromiso se crearon, por ejemplo, las *Salas Especiales para Crímenes de Guerra* en Bosnia Herzegovina y en el *Tribunal de Distrito de Belgrado* (Serbia) en 2005. Estos órganos han resuelto recursos de apelación e incluso han iniciado procedimientos en base a la prueba practicada en fase de investigación por los TTPPII *ad hoc* (POCAR). La puesta en marcha de estos procedimientos no ha supuesto una desvinculación automática o una falta de supervisión por parte de los organismos internacionales, ya que es la Fiscalía de los TTPPII, ahora del *Mecanismo Residual*, quien se encarga de la supervisión en colaboración con Organización para la Seguridad y la Cooperación en Europa (OSCE).

La resolución S/RES/1966 (2010) de 22-12 creó un órgano con una «*estructura pequeña, de carácter transitorio y cuyas funciones irán disminuyendo con el paso del tiempo*». El CSNU estableció un periodo de funcionamiento del Mecanismo de cuatro años desde su puesta en marcha, prorrogable bianualmente en función de las necesidades específicas. El Mecanismo consta de dos divisiones que han venido funcionando de manera paralela a los tribunales desde el 1-7 de 2012 en el caso del TPIR (cerrado el 31-12 de 2015) y desde el 1-7 de 2013 en el del TPIY, cerrado a 31-12 de 2017.

Con respecto a los Estados, la resolución del CSNU estableció su obligación de cooperar con el Mecanismo en los términos establecidos en ella y en el Estatuto, reproduciendo el sistema creado al efecto para los TTPPII (Art. 28 Estatuto. *Cooperación y asistencia judicial*). El contenido de la cooperación comprende igualmente la localización, la identificación y la entrega de personas; las deposiciones de testigos, la presentación de pruebas, la localización de fugitivos...Entiende ESCOBAR HERNÁNDEZ que, en este aspecto, el Mecanismo «*se beneficia, además, de la continuidad de los acuerdos internacionales y contratos celebrados en su día con las Naciones Unidas en relación con los Tribunales ad hoc*». Los incumplimientos de los Estados en materia de cooperación se remiten al CSNU para que sea este quien determine, en su caso, la sanción aplicable. Se utiliza de nuevo, el cauce previsto en los Estatutos de los TTPPII (Véase, por ejemplo, *Appeals Chamber. Decision on Turkeýs non-compliance with its obligation to cooperate with the Mechanism. Prosecutor v. Agustin Ngirabatware*, de 6-3 de 2017).

Por lo que se refiere al ejercicio de la jurisdicción, entiende ESCOBAR HERNÁNDEZ que nos encontramos ante «*nueva jurisdicción internacional que sustituye y sucede a los Tribunales ad hoc*», que se asienta en «*aplicación de un principio de continuidad anclado en la necesidad de asegurar el efectivo enjuiciamiento de los crímenes cometidos en la Antigua Yugoslavia y Ruanda*». Por ello, el art. 7 del Estatuto establece el carácter preferente (art. 5.2) del Mecanismo en caso de conflicto jurisdiccional, si bien reconoce la jurisdicción concurrente de ambos (art. 5.1), hecho este que se diferencia de la regulación de la jurisdicción de los TTPPII. En aquellos procedimientos en los que el acusado sea alguno de los sujetos previstos en el art. 1.2 del Estatuto (máximos responsables de los delitos cometidos), se faculta al Mecanismo (podrá) a «*pedir oficialmente a los tribunales nacionales que convengan en la competencia del Mecanismo de conformidad con el presente Estatuto y las Reglas de Procedimiento y Prueba del Mecanismo»*. Además, el art. 6 del Estatuto permite al Mecanismo remitir a las autoridades nacionales procedimientos contra personas que no sean dirigentes del más alto nivel (arts. 1.2 y 6.1 Estatuto) y por delitos contra la Administración de Justicia (arts. 1.4 y 6.1). Será la propia Sala de Primera Instancia del Mecanismo la que determine la remisión a las autoridades nacionales en *«cuyo territorio se ha cometido el delito* [art. 6.2 i)], en el que *haya sido detenido el acusado»* (art. 6.2.ii) o *«que tenga jurisdicción y esté dispuesto y adecuadamente para aceptar dicha causa, de manera que dichas autoridades puedan inmediatamente remitir la causa al tribunal que corresponda para proceder al enjuiciamiento en ese Estado»* [art. 6.2 iii)]. El propio precepto determina el cauce a seguir para la remisión, pero también otro paralelo que, en su caso, permitiría su revocación (art. 6.5). El Mecanismo establece *«un cuidado equilibrio entre el interés de favorecer la remisión de las causas de segundo orden a las jurisdicciones nacionales y la necesidad de preservar la primacía de una jurisdicción internacional creada por el Consejo de Seguridad en el marco del capítulo VII de la Carta»* (ESCOBAR HERNÁNDEZ).

Para procedimientos iniciados y/o planteados antes de la entrada en funcionamiento del Mecanismo será necesario atender a lo establecido en los *Arreglos de transición* del Estatuto. En ellos se configura un sistema de reparto de competencias entre el Mecanismo Residual y los TTPPII *ad hoc* durante la coexistencia de ambas instituciones (ESCOBAR HERNÁNDEZ). En algunos casos habrá de tenerse en cuenta la fecha de detención de los sujetos. El Estatuto no prevé el inicio de nuevas investigaciones por parte del Mecanismo, reflejo sin duda de la voluntad del CSNU de finalizar con los procedimientos y de las dificultades de orden financiero y político a las que se enfrenta la institución (ACQUAVIVA).

2.2. La interacción de los TTPPII con la jurisdicción penal española

Las relaciones entre los TTPPII *ad hoc* y los tribunales españoles se rigen, además de por las citadas resoluciones del CSNU, por las dos Leyes Orgánicas de Cooperación (LLOO) y, en el caso del TPIY, por un acuerdo específico de cumplimiento de sentencias entre el tribunal y España. En el caso concreto del Mecanismo Residual, no existe hasta la fecha normativa de desarrollo de ámbito nacional, algo que sería deseable aunque la doctrina entiende que pueden aplicarse o extenderse las disposiciones relativas a los TTPPII (ESCOBAR HERNÁNDEZ).

Sobre la necesidad de desarrollo de ley orgánica para la ejecución del contenido de las resoluciones adoptadas por el CSNU, se pronunció expresamente el Consejo de Estado en su *Consulta sobre la introducción en el Derecho Interno Español de la Resolución 827 del Consejo de Seguridad de las Naciones Unidas sobre el Tribunal Penal Internacional para el castigo de los crímenes internacionales en la antigua Yugoslavia* (núm. 984), de 9-9 de 1993.

Según el criterio del órgano consultivo y lo dispuesto en los arts. 93, segundo párrafo y 96.1 CE, la incorporación de las resoluciones de Organizaciones Internacionales al Ordenamiento Jurídico español se produce en los mismos términos que para los tratados internacionales, es decir, «*una vez que se han perfeccionado en la esfera internacional*» y se publican en el BOE. Sin embargo, la ejecución del contenido de la misma sí requiere, a juicio del Consejo de Estado, la adopción de una norma de carácter orgánico que «*recoja todos los elementos de la Resolución 827 (1993), y del Estatuto del Tribunal Internacional, que resulten necesarios para asegurar que la Resolución se hace cumplir por los Juzgados y los Tribunales españoles. Tal norma debería ser una ley, ya que recaería sobre materia procesal y de extradición. Y, por otra parte, procedería que, a la par que dicha ley, se publicara la Resolución de referencia y el Estatuto del Tribunal Internacional que por su medio se aprueba*».

La *verticalidad* en el diseño del sistema y el carácter preferente de la jurisdicción de los TTPPII *ad hoc* se observa claramente en las LLOO de cooperación aprobadas por el Legislador español. El art. 4 de la LO 15/1994, de 1 de junio *para la cooperación con el Tribunal Internacional para el enjuiciamiento de los presuntos responsables de violaciones graves del Derecho Internacional Humanitario cometidas en el territorio de la Ex-Yugoslavia (Tol 756649)* establece la necesaria inhibición del juez o tribunal a favor del TPIY una vez recibido el requerimiento por parte este (art. 4.2). En el mismo sentido, el art. 4, apartados 2 y 4, de la LO 4/1998, de 1-7, *para la Cooperación con el Tribunal Internacional para Ruanda*, de 2 de julio de 1998 *(Tol 146279)*. Los tribunales españoles pueden ejercer su jurisdicción ordinaria o militar de acuerdo con sus normas orgánicas o procesales en tanto en cuanto no sean requeridos por los TTPPII *ad hoc* (arts. 4.1). En caso de serlo, suspenderán el procedimiento y remitirán lo actuado a la Audiencia Nacional para que dicte la inhibición a favor del Tribunal Internacional. En el caso de la jurisdicción militar, este trámite se realizará a través del Tribunal Militar Central (arts. 4.2). Las LLOO establecen la prohibición específica dirigida a Jueces y Tribunales de plantear conflicto jurisdiccional alguno con los TTPPII (arts. 4.4).

En materia de cooperación de las instituciones españolas con los TTPPII *ad hoc*, los arts. 1 de las LLOO 15/1994, de 1-6 *(Tol 756649)* y 4/1998, de 1-7 *(Tol 146279)* establecen la obligación de *cooperación plena* de España con ambos organismos. El contenido de la cooperación debe entenderse referido a las funciones de auxilio judicial de los arts. 28 y 29 de los Estatutos y a la detención y entrega a los Tribunales de las personas que se hallen en territorio español y contra las que se hubiere dictado orden de detención por las Salas de Primera Instancia de los TTPPII *ad hoc* (arts. 6 LLOO 15/1994, de 1-6 y 4/1998, de 1-7). También abarcará la necesaria concesión de inmunidad e inviolabilidad de las personas en tránsito para comparecer ante los Tribunales (arts. 7.3 de ambas LLOO). La cooperación en materia de cumplimento de penas se regula en los arts. 8 comunes a ambas LLOO. En estos se establece la posibilidad de que España realice una declaración afirmativa al respecto según se establece en los Estatutos de los Tribunales, especificando el procedimiento establecido al efecto para el cumplimiento de esta obligación y los límites de la misma, así como la obligación de los Jueces de Vigilancia Penitenciaria de informar a la Audiencia Nacional y al Ministerio de Justicia sobre cualquier incidencia significativa que pudiera producirse (arts. 8.1 y 2 LLOO). Los apartados 3 comunes a ambas leyes establecen la necesaria consulta a los TTPPII *ad hoc* en aquellos casos en los que el Ministerio de Justicia pudiera iniciar un procedimiento de indulto o conmutación de la pena, decisión que no podrá ser tomada sin la correspondiente autorización de aquellos.

A diferencia del carácter obligatorio que informa la cooperación de los Estados con los TTPPII en materia de auxilio judicial, el cumplimiento de las sentencias, como ya se ha expuesto (VID. SUPRA), se rige por la declaración expresa realizada por el Estado de acuerdo con lo establecido en los Estatutos y con el acuerdo específico firmado entre el Estado y Naciones Unidas. En el caso concreto de España, solo se realizó declaración al efecto con respecto al cumplimiento de sentencias impuestas por el TPIY. El *Acuerdo entre el Reino de España y las Naciones Unidas sobre la ejecución de condenas impuestas por el Tribunal Penal Internacional para la ex Yugoslavia*, hecho en La Haya, el 28-3 de 2000, regula el procedimiento de ejecución de las sentencias impuestas por este Tribunal en España.

Los aspectos más importantes de ese acuerdo son los relativos a la aplicación de la legislación española en la ejecución de la sentencia (art. 3.3), la supervisión de la misma, encargada a una Comisión Paritaria creada al efecto (art. 4) y, sobre todo, la limitación impuesta por España en el art. 3.2 del acuerdo. Según este precepto, «*España solo examinará la ejecución de una condena impuesta por el Tribunal Internacional en los casos en los que la duración de la misma no exceda del máximo más elevado previsto para cualquier delito con arreglo a la legislación española*». Hasta la fecha, las personas sentenciadas por el TPIY que han cumplido condena en España han sido cinco y máxima pena impuesta y cumplida en nuestro país ha sido de 18 años.

En definitiva, no han existido hasta la fecha conflictos jurisdiccionales entre los TTPPII *ad hoc* y los Tribunales españoles dada la preferencia de los primeros debido a su mecanismo de creación.

3. La Corte Penal Internacional: nuevo modelo. Alcance y significado

3.1. Cuestiones generales

La aprobación del *Estatuto de Roma para el establecimiento de la Corte Penal Internacional* el 17 de julio de 1998 y su posterior entrada en vigor el 1-7 de 2002 constituye un hito en el reconocimiento formal de la Justicia Universal. La naturaleza de la Corte Penal Internacional (CPI) difiere notablemente de la de los TTPPII *ad hoc* para la Antigua Yugoslavia y Ruanda y, con ello, su funcionamiento, su sistema de cooperación y el mecanismo de cumplimiento de sentencias.

Al contrario que los tribunales *ad hoc* previos, la CPI no nace de una resolución del CSNU. Se trata de una institución creada mediante un tratado de carácter multilateral y que tiene personalidad jurídica propia. Nace con voluntad de permanencia y no como respuesta a una situación concreta de amenaza o quebrantamiento de la paz o actos de agresión. No obstante, su independencia del CSNU no es absoluta y la solución a la que se llegó en la *Conferencia de Roma* de 1998 tiene importantes repercusiones en su funcionamiento. Las prerrogativas concedidas al CSNU permiten a este, a través de resoluciones del Capítulo VII de la Carta ONU, estar presente en aspectos muy importantes del funcionamiento de la institución.

En materia de investigación, el CSNU puede remitir situaciones a la CPI de acuerdo con lo establecido en el art. 13 b) ECPI. Esta última podrá ejercer su competencia sobre los delitos contenidos en el art. 5 ECPI si *«El Consejo de Seguridad, actuando con arreglo a lo dispuesto en el Capítulo VII de la Carta de las Naciones Unidas, remite al Fiscal una situación en que parezca haberse cometido uno o varios de esos crímenes»*. El reverso de esta prerrogativa es la facultad conferida también al CSNU, más conocida como *«derecho de veto»*, de paralizar las investigaciones o los procedimientos de la CPI por un periodo de 12 meses renovable. Así se establece en el art. 16 ECPI al determinar que... *«en caso de que el Consejo de Seguridad, de conformidad con una resolución aprobada con arreglo a lo dispuesto en el Capítulo VII de la Carta de las Naciones Unidas, pida a la Corte que no inicie o que suspenda por un plazo de doce meses la investigación o el enjuiciamiento que haya iniciado, la Corte procederá a esa suspensión; la petición podrá ser renovada por el Consejo de Seguridad en las mismas condiciones»*. El mecanismo utilizado para crear los TTPPII *ad hoc* sirve aquí para iniciar investigaciones pero también para paralizarlas al constituir, en un caso y en el contrario, amenazas para la paz o quebrantamiento de las mismas. Ambas actuaciones, adoptadas en virtud del art. 41 de la Carta ONU, pueden suponer importantes distorsiones en el funcionamiento de la institución pero, sobre todo, en la problemática interpretación del principio *«en interés de la justicia»*, utilizado por el ECPI (EL ZEYDI 2002, BERMAN).

La especial relación entre la CPI y el CSNU tiene como consecuencia la constitución de varios sistemas de cooperación entre instituciones. La obligación del cumplimiento de las resoluciones emanadas de la CPI tendrá mayor o menor alcance según la forma de iniciación del procedimiento. Si este se inició conforme al art. 13 b) ECPI, la especial naturaleza de la resolución descansará en el art. 25 de la Carta ONU y por tanto creará obligaciones de cooperación para Estados parte y no parte del ECPI. Así lo determina el precepto al establecer que *«los miembros de las Naciones Unidas convienen en aceptar y cumplir las decisiones del Consejo de Seguridad de acuerdo con esta Carta»*. El posible conflicto entre esta obligación y otras derivadas de acuerdos y convenios entre Estados ni siquiera es oponible para justificar un incumplimiento del contenido de las resoluciones del CSNU. Claramente lo determina la Carta ONU cuando, en su art. 103, establece que *«en caso de conflicto entre las obligaciones contraídas por los Miembros de las Naciones Unidas en virtud de la presente Carta y sus obligaciones contraídas en virtud de cualquier otro convenio internacional, prevalecerán las obligaciones impuestas por la presente Carta»*. Los incumplimientos de cooperación por parte de los Estados se remitirán a la Asamblea de Estados Partes [art. 112.2 f)] ECPI o al CSNU [art. 87.5 b) ECPI] atendiendo a la forma de iniciación del procedimiento.

Finalmente, los Estados Parte cooperan con la CPI en la ejecución de las sentencias dictadas por este. El sistema, regulado en la Parte X del ECPI (arts. 103 a 111), descansa en el carácter voluntario de esta cooperación. Siguiendo el precedente de los TTPPII *ad hoc*, la CPI elegirá el país de cumplimiento de la condena de entre una lista de Estados que hayan comunicado previamente a esta su voluntad de acoger las personas condenadas (art. 103.1 a) ECPI). Los términos de cumplimiento de la sentencia los establece la CPI, sin que exista posibilidad alguna de que el país de cumplimiento los modifique unilateralmente (art. 105.1 ECPI). La revisión o reducción de las condenas es competencia exclusiva de la CPI (art. 110 ECPI). Actualmente, la CPI tiene firmados acuerdos de cooperación para el cumplimiento de sentencias con Suecia (24-3 de 2017), Noruega (7-7 de 2016), Colombia (17-5, de 2011), Bélgica (8-12, de 2014), Serbia (20-1, de 2011), Dinamarca (1-6, de 2010), Finlandia (1-6, de 2010), Reino Unido e Irlanda del Norte (8-11 de 2007) y Austria (27-10, de 2005).

En el caso concreto de España, las obligaciones relativas a la cooperación con la CPI se regulan en la LO 18/2003, de 10-12, *de Cooperación con la Corte Penal Internacional (Tol 324219)*. Aunque la mayoría del articulado se ocupa de regular los posibles conflictos de jurisdicción entre los Tribunales españoles y la CPI (*vid. infra*), en el texto se regulan también las modalidades de cooperación *pasiva* (art. 2) y *activa* (art. 3) de los Tribunales españoles con la CPI, sobre cuya adecuación al ECPI el Consejo de Estado se pronunció en los siguientes términos: *«Dado, por otra parte que los aludidos términos de cooperación "pasiva" y "activa" no vienen exigidos por el Estatuto, entiende este Consejo que convendría desecharlos y buscar una fórmula alternativa más expresiva que la "cooperación pasiva", cual podría ser la de cooperación plena a que alude el mencionado artículo 86 del Estatuto y tratar unilateralmente la cooperación con la Corte Penal Internacional en un único artículo de la proyectada legislación, que refundiese los actuales 2 y 3 del Anteproyecto»* (Dictamen 639/2003, de 12-6, relativo al *Anteproyecto de Ley Orgánica de cooperación con la Corte Penal Internacional*).

En los arts. 11 a 21 se regulan los procedimientos de detención y libertad provisional (arts. 11 y 12); las entregas (art. 13) tanto simplificadas (art. 15) como temporales (art. 18) a la CPI de personas detenidas en España (arts. 13 y 15); la solicitud de órdenes de comparecencia (art. 14); las actuaciones posteriores a la entrega cuando se produzcan solicitudes concurrentes (art. 19) y otras formas de cooperación previstas fundamentalmente en el art. 93 ECPI (art. 20).

Para finalizar, y por lo que respecta a la cooperación en materia de cumplimiento de sentencias dictadas por la CPI, es preciso atender a la Disposición Adicional Única de la LO 6/2000 *(Tol 144812)*. En ella se establece que *«a efectos de la previsión en el apartado b) del artículo 103 del Estatuto, se autoriza la formulación de la siguiente declaración: España declara que, en su momento, estará dispuesta a recibir a personas condenadas por la Corte Penal Internacional, a condición de que la pena impuesta no exceda del máximo más elevado previsto para cualquier delito con arreglo a la legislación española»*.

La declaración, que junto con el artículo único de la LO 6/2000, de 4-10, *por la que se autoriza la ratificación por España del Estatuto de la Corte Penal Internacional (Tol 144812)* constituye todo el contenido dispositivo de la norma, viene a satisfacer el requisito establecido en el art. 103 ECPI. Todo el desarrollo normativo de esta modalidad de cooperación se completa con los art. 22 y 23 de la LO 18/2003, de Cooperación de 11-12 *(Tol 324219)*, en los que se regulan la ejecución de las penas en España y otras medidas de reparación. La ausencia de un acuerdo específico sobre la materia entre España y la CPI y la redacción del art. 22.1 de la Ley de Cooperación parecen apostar por un sistema *ad hoc* del que solo se regulan sus principios generales y sus límites (MARTÍNEZ GUERRA, 2018). Por ello, el precepto faculta al Ministerio de Justicia a trasladar a la CPI las condiciones impuestas por España para aceptar o denegar el traslado de un condenado a pena privativa de libertad, de *«conformidad con el acuerdo que eventualmente se celebre entre España y la Corte y con la disposición única de la Ley Orgánica 6/2000, de 4 de octubre...»*.

Con respecto a los límites, el Legislador volvió a optar por la misma fórmula *pragmática* (VAN ZYL SMIT) utilizada en las LLOO de cooperación con los TTPPII *ad hoc*. El propio Consejo de Estado remitió a su Dictamen 1374/1999, de 22-7, sobre el *Expediente relativo al Estatuto de Roma que instituye la Corte Penal Internacional,* para fundamentar la adecuación de la pena de reclusión a perpetuidad del art. 77 ECPI con el art. 25.2 CE. La adecuación constitucional del precepto internacional se produce, a juicio del órgano consultivo, por dos razones. En primer lugar, porque la imposición del cumplimiento de la pena es discrecional por parte de la CPI, que puede elegir el país de cumplimiento de la misma teniendo en cuenta *«otros factores relativos a las circunstancias del crimen o del condenado, o a la ejecución eficaz de la pena, según procedan en la designación del Estado de ejecución»* (art. 103.3 e) ECPI). En segundo lugar porque el mecanismo de reducción de las penas previsto en el art. 110 ECPI *«cuya revisión —que en todo caso deberá plantearse a los 25 años de prisión en caso de cadena perpetua y podrá volverse a suscitar— denota una posición de principio tendente a la limitación temporal de las penas (cabe recordar que en diversos ordenamientos la reclusión perpetua coexiste con el beneficio de la libertad condicional, son colisionar, por tanto, con una ejecución de la pena orientada a la reeducación y reinserción social)».* Este razonamiento ha sido de nuevo acogido por el Consejo de Estado para apoyar la constitucionalidad de la prisión perpetua revisable introducida en nuestro Código Penal en 2015 (Dictamen 358/2013, de 27-6, asunto: *Anteproyecto de ley orgánica por la que se modifica la Ley Orgánica 10/1995, de 23 de noviembre, del Código Penal).*

3.2. Subsidiariedad y complementariedad de la Corte Penal Internacional en el ejercicio de la jurisdicción

En el sistema diseñado por el ECPI, la CPI ejercerá su jurisdicción de manera complementaria a los Estados. Así se establece en los párrafos sexto y décimo de su Preámbulo cuando recuerda el deber *«de todo Estado de ejercer su jurisdicción penal contra los responsables de crímenes internacionales»* y cuando destaca que la CPI *«será complementaria a las jurisdicciones penales nacionales».* De manera clara e irrefutable lo hace también en su art. 1: *«La Corte será una institución permanente, está facultada para ejercer su jurisdicción sobre personas respecto de los crímenes más graves de trascendencia internacional de conformidad con el presente Estatuto y tendrá carácter complementario de las jurisdicciones penales nacionales».*

La jurisdicción de la CPI, además de ser *complementaria* respecto de la de los Estados Parte, es limitada. Desde el punto de vista material solo abarca los delitos de genocidio, los crímenes de guerra, de lesa humanidad y el crimen de agresión (arts. 5 a 8 bis ECPI), este último perseguible desde el 17 de julio de 2018. No se ocupa de la investigación y persecución de la piratería marítima, la trata de seres humanos, el tráfico ilícito de drogas tóxicas y estupefacientes etc. ni por supuesto de todos aquellos que el Legislador español ha procedido a incorporar al art. 23.4 LOPJ. Desde el punto de vista espacial, la CPI solo podrá conocer de los delitos cometidos en el territorio de los Estados Parte. Con respecto a los no Parte, lo hará exclusivamente cuando el CSNU remita a la Fiscalía una situación conforme al art. 13 b) ER o cuando un Estado no Parte acepte la competencia de la CPI para *un delito* en concreto (art. 12.3 ECPI). Desde el punto de vista temporal, se encuentra limitada en el tiempo a los delitos cometidos tras la entrada en vigor del ECPI, es decir, con posterioridad al 1 de julio de 2002 si el Estado lo firmó y ratificó antes de su entrada en vigor. Si lo hizo con posterioridad, la CPI podrá ejercer su jurisdicción con respecto al mismo o a sus nacionales tras la entrada en vigor del ECPI para él. Con respecto al crimen de agresión contenido en el art. 8 bis ECPI existen reglas específicas para su persecución contenidas en los arts. 15 *bis* y *ter.*

Los Estados Parte del ECPI, incluida España, tienen por tanto jurisdicción *preferente* por aplicación de los principios de atribución de la jurisdicción que tengan establecidos en sus ordenamientos jurídicos (territorialidad, personalidad activa y pasiva, protección y jurisdicción universal). Al contrario que los TTPPII previos que ejercían su jurisdicción de manera obligatoria y exclusiva (Tokio y Nuremberg) o preferente y excluyente (TPIY y TPYR), la CPI la ejerce de manera obligatoria pero complementaria (TRIFFTERER / AMBOS). La fórmula elegida obedeció a la necesidad de salvaguardar y respetar el principio de soberanía de los Estados (STIGEN).

La única excepción que prevé el ECPI es la relativa a la persecución y enjuiciamiento de los delitos contra la Administración de Justicia de la CPI. El art. 70.4 b) ECPI establece la competencia de la CPI para delegar o no en el Estado Parte territorial en el que se han cometido o en aquel cuya nacionalidad ostenta el presunto autor de los hechos (entre otras, en *Prosecutor v. Thomas Lubanga Dyilo. Prosecution's observations on article 70 of the Rome Statute*, 11-4, de 2011 y en *La Chambre Préliminaire II, Situation en Republique Centroafricaine*, 20-11, de 2013). Los criterios a valorar en la decisión están contenidos en la regla 162 RPP *(ejercicio de la jurisdicción)*. La sub-regla 1 permite a la CPI, antes de decidir si ha de ejercer su jurisdicción, *«consultar con los Estados Partes que puedan tener jurisdicción respecto del delito»* para determinar si el Estado Parte, aun siendo el territorial o del que es nacional el acusado, quiere y/o puede asumir la investigación y enjuiciamiento. Para ello, deberá examinar los siguientes extremos: *a) La posibilidad y eficacia del enjuiciamiento en un Estado Parte; b) La gravedad de un delito; c) La posibilidad de acumular cargos presentados con arreglo al artículo 70 con cargos presentados con arreglo a los artículos 5 a 8; d) La necesidad de agilizar el procedimiento; e) Los vínculos con una investigación o un juicio en curso ante la Corte; y f) Consideraciones de prueba* ((sub-regla 2). La trasposición de estos tipos a nuestro Ordenamiento Jurídico penal se realizó mediante la Disposición Adicional Segunda de la *LO 18/2003 de Cooperación con la Corte Penal Internacional* (MARTÍNEZ GUERRA, 2013).

La complementariedad de la actuación de la CPI se examina conforme a los estándares de los arts. 17 y 19 ECPI. Este precepto establece la inadmisibilidad del asunto cuando un Estado que tenga jurisdicción sobre el mismo se encuentre conociendo, salvo que no pueda o no desee hacerlo, que la finalidad del mismo sea garantizar la impunidad de los presuntos responsables, que exista cosa juzgada o que el asunto no sea de gravedad suficiente para justificar la actuación de la CPI [art. 17.1 a), b), c), d)]. El elemento esencial es la interpretación del término *jurisdicción*, que puede plantear varias opciones. La primera, entender que esa jurisdicción debe venir establecida internacionalmente (STIGEN) y que por tanto, hay que acudir a los tratados para determinar cuándo su ejercicio es obligatorio. La segunda opción atiende al ejercicio de la jurisdicción de acuerdo con la ley nacional, ya que puede incluir, entre otros, los criterios de territorialidad, personalidad activa y pasiva, principio de protección y jurisdicción universal (HALL / NTANDA / VENTURA). Esta opción nos parece más acertada, dado que los tratados internacionales establecen estándares mínimos de persecución que no impiden a los Estados adoptar criterios de atribución de la jurisdicción penal adicionales (RODRÍGUEZ YAGÜE, OLLÉ SESÉ, 2006).

La complejidad interpretativa en este punto vendrá reforzada por la necesaria evaluación de la *complementariedad* mediante la veracidad o autenticidad de las investigaciones o procesos que pueda estar llevando a cabo un Estado, y de los que se pueda sospechar que se realizan con la finalidad de impedir investigaciones internacionales y/o proteger a sus propios nacionales. Este aspecto deberá ser examinado mediante la aplicación del test de complementariedad, entendido como un *proceso permanente* no exento de polémica y de cierta *«injerencia judicial»* (AMBOS) porque de lo que se trata es de que la CPI proceda a evaluar el funcionamiento de la Justicia de un Estado soberano. La complejidad y la polémica serán mayores porque, tras la reforma de la LO 1/2014, es el TS español quien debe pronunciarse sobre la veracidad y la legitimidad de los procesos judiciales iniciados en otro Estado soberano.

4. La inversión del modelo: el art. 7 de la LO 18/2003, de 10 de diciembre, de Cooperación con la Corte Penal Internacional

La aprobación de la LO 18/2003, de 10-12, de *Cooperación con la Corte Penal Internacional (Tol 324219)* vino a consagrar la inversión del modelo creado por el ECPI de 1998 y a crear una situación procesal «curiosa» y «desconcertante» (DÍAZ PITA). Formalmente, su aprobación no supuso una modificación del art. 23.4 LOPJ pero sí marcó el camino de la reforma de 2009 y también del enfrentamiento entre el TS y el TC.

Las constantes recomendaciones y alusiones a la reforma del art. 23.4 LOPJ se observan en el Informe del CGPJ al *Anteproyecto de Ley Orgánica de Cooperación con la Corte Penal Internacional,* de 5-12, de 2002. Así, por ejemplo, se mantenía que *«la amplitud con la que se establece este principio en el art. 23.4 LOPJ, en la regulación vigente y sin perjuicio de una eventual reforma de futuro, debe ser matizada, pues en caso contrario puede conducir a una exagerada aplicación de la jurisdicción de los Tribunales españoles».* También que *«por todo ello, estima el Consejo, que, sin perjuicio de una eventual reforma del art. 23 LOPJ, debería determinarse en el Anteproyecto cuándo el delito debe estimarse cometido en el territorio español, toda vez que esta cuestión requiere la oportuna clarificación legal».*

La LO 18/2003, de Cooperación de 10-12, se aprobó casi un año y medio después de la entrada en vigor del ECPI y vino a regular con muy poco acierto los aspectos procesales y procedimentales de la cooperación entre España y la CPI. La norma se estructura en cuatro grandes bloques: objeto y fuentes (art. 1), sistemas, órganos y mecanismos de cooperación (arts. 2-6; 11-22 y 24-25), activación de la jurisdicción (arts. 7-10) y ejecución de penas y medidas de reparación (arts. 22-23). A los efectos del ejercicio de la jurisdicción son especialmente relevantes la designación de las autoridades competentes para la comunicación y consultas con la CPI (arts. 4 y 6) y los aspectos relativos al ejercicio de la jurisdicción (arts. 7 y 8). Su estudio permite comprender el carácter eminentemente político de los mecanismos de activación.

Los arts. 7 y 8 de la Ley regulan *la solicitud para iniciar una investigación por el Fiscal de la Corte* y *el requerimiento de inhibición al Fiscal de la Corte,* respectivamente. El primero de ellos reconoce al Gobierno la facultad en exclusiva para presentar una situación a la Fiscalía de la CPI de conformidad con lo establecido en los arts. 13 a) y 14 ECPI. También la de plantear a la Sala de Cuestiones Preliminares que reconsidere su decisión de no proceder con la investigación cuando el asunto lo haya remitido el propio Estado o el CSNU (art. 7.1 ECPI), según lo establecido en el art. 53.1 y 2 ECPI:

> *Artículo 53. Inicio de una investigación.*
> *1. El fiscal, después de evaluar la información de que disponga, iniciará una investigación, a menos que determine que no existe fundamento razonable para proceder a ella con arreglo al presente Estatuto. Al decidir si ha de iniciar una investigación, el fiscal tendrá en cuenta si:*
> *a) La información de que dispone constituye fundamento razonable para creer que se ha cometido o se está cometiendo un crimen de la competencia de la Corte.*
> *b) La causa es o sería admisible de conformidad con el artículo 17.*
> *c) Existen razones sustanciales para creer que, aun teniendo en cuenta la gravedad del crimen y los intereses de las víctimas, una investigación no redundaría en interés de la justicia.*
> *El Fiscal, si determinare que no hay fundamento razonable para proceder a la investigación y la determinación se basare únicamente en el apartado c), lo comunicará a la Sala de Cuestiones Preliminares.*
> *2. Si, tras la investigación, el fiscal llega a la conclusión de que no hay fundamento suficiente para el enjuiciamiento, ya que:*
> *a) No existe una base suficiente de hecho o de derecho para pedir una orden de detención o de comparecencia de conformidad con el artículo 58;*
> *b) La causa es inadmisible de conformidad con el artículo 17, o.*
> *c) El enjuiciamiento no redundaría en interés de la justicia, teniendo en cuenta todas las circunstancias, entre ellas la gravedad del crimen, los intereses de las víctimas y la edad o enfermedad del presunto autor y su participación en el presunto crimen; notificará su conclusión motivada a la Sala de Cuestiones Preliminares y al Estado que haya remitido el asunto de conformidad con el artículo 14 o al Consejo de Seguridad si se trata de un caso previsto en el párrafo b) del artículo 13.*

El art. 7.1 de la Ley de Cooperación articula el trámite mediante el cual el Estado español, de conformidad con art. 14 ECPI, puede remitir *situaciones* a la CPI. Este mecanismo de iniciación de los procedimientos exige como único requisito que el Estado remitente sea parte de la CPI (MARCHESI / CHAITIDOU). El mecanismo presenta un elemento que condiciona el alcance de las posibles investigaciones: el órgano que puede ejercer en exclusiva esta facultad es político, ya que se permite al Gobierno mediante acuerdo del Consejo de Ministros y a propuesta de Ministro de Asuntos Exteriores y del Ministro de Justicia. Es decir, tal y como establece la propia EM de la Ley, se configura «*como una competencia exclusiva del Gobierno en razón a las diversas variables de política exterior que deben ser ponderadas por el órgano constitucionalmente responsable de la política exterior*».

Esa circunstancia y la problemática añadida se puso de relieve de manera reiterada durante la tramitación parlamentaria de la norma. Destaca por su claridad y su planteamiento la justificación de la enmienda nº 15 al art. 7.1 del Grupo Parlamentario Mixto (Ponente Begoña Lasagabaster Olazábal). En ella se llegaba a afirmar que esa competencia en exclusiva resultaba contradictoria con «*los principios y fines que están en la base de la Corte Penal Internacional*» porque «*la universalidad de la justicia penal ante delitos contra la comunidad internacional no puede quedar en manos de decisiones políticas*». Permitir únicamente al Gobierno plantear denuncias ante la CPI frustraría el derecho fundamental a la tutela judicial efectiva «*si las víctimas de los citados delitos viesen impedido su acceso rápido y eficaz a la Corte por la intermediación de los intereses de política exterior del Gobierno del momento*». Terminaba la parlamentaria entendiendo que «*el Ministerio de Justicia debiera ser mero transmisor de las denuncias o querellas admitidas por los Tribunales españoles, sin que deba realizar ponderación alguna de carácter político. ¿Cómo se podría justificar que un posible delito de genocidio pueda quedar impune por conveniencias políticas coyunturales del Gobierno español?*» (Congreso de los Diputados, *Enmiendas e índice de enmiendas al articulado. Proyecto de Ley Orgánica de Cooperación con la Corte Penal Internacional*, BOCCGG nº 156-98, VIII Legislatura, de 19-9, de 2003). El mismo razonamiento se mantenía en las enmiendas del Grupo Parlamentario Mixto en el Senado (Inmaculada de Boneta y Piedra) que consideraba lógico que el Poder Judicial estuviera habilitado para «*recoger las denuncias de los particulares y, considerándolas admisibles, presentarlas ante el Fiscal de la Corte Penal*» (Senado, *Enmiendas. Proyecto de Ley Orgánica de Cooperación con la Corte Penal Internacional*, BOCG nº 159, VII Legislatura, de 31-10, de 2009). En el mismo sentido se pronunció el Consejo de Estado, apuntando la necesidad de que el precepto se redactara en términos más genéricos porque la redacción no incluía «*algunas posibilidades existentes al respecto, como es la de presentar denuncias ante los servicios policiales*» (Dictamen del Consejo de Estado 639/2003, de 12-6, asunto: *Anteproyecto de Ley Orgánica de cooperación con la Corte Penal Internacional*).

El apartado 2 del art. 7 supuso la inversión del modelo diseñado por el ECPI y aceptado con la LO 6/2000, de 4-10 *(Tol 144812)*. El precepto establece la obligada abstención del órgano judicial, del Ministerio Fiscal o de cualquier departamento ministerial cuando se presentare denuncia o querella «*en relación con hechos sucedidos en otros Estados, cuyos presuntos autores no sean nacionales españoles y para cuyo enjuiciamiento pudiera ser competente la Corte, dichos órganos se abstendrán de todo procedimiento, limitándose a informar al denunciante, querellante o solicitante de la posibilidad de acudir directamente al Fiscal de la Corte, que podrá, en su caso, iniciar una investigación, sin perjuicio de adoptar si fuera necesario, las primeras dilogencias urgentes para las que pudieran tener competencia. En iguales circunstancias, los órganos judiciales y el Ministerio Fiscal se abstendrán de proceder de oficio».* Este precepto plantea problemas interpretativos evidentes que pueden resumirse en dos. El primero, si su redacción supone una modificación del alcance del art. 23.4 LOPJ. El segundo, qué debe entenderse por *Estados* y cuándo debe estimarse que la CPI tiene competencia.

Por lo que respecta al primero, ya el CGPJ apuntaba en su informe sobre el Anteproyecto de la Ley de Cooperación que su redacción *matizaba* el alcance del art. 23 LOPJ: «*Este precepto* (art. 7.2) *tiene el carácter orgánico, a tenor de la Disposición final segunda, lo que resultaba necesario si se tiene en cuenta que este principio matiza el principio de persecución universal y la competencia en materia penal de los Tribunales penales españoles que de modo general se contiene en el artículo 23 LOPJ, suponiendo una restricción de la extraterritorialidad de la ley penal española. La jurisdicción es una cuestión de soberanía nacional, es la autoatribución por cada Estado de la potestad de juzgar y hacer ejecutar lo juzgado, y el proyecto que ahora se informa supone una cesión de soberanía con relación a la extensión de la jurisdicción atribuida en el art. 23 LOPJ».* El CGPJ estableció que «*la competencia de la Corte es subsidiaria solo en el caso de que los órganos españoles tengan jurisdicción porque el delito sea cometido por españoles, hipótesis contempladas en los apartados 1 y 2 del artículo 23 LOPJ».* En el resto de los casos estimaba que la CPI tiene jurisdicción preferente en relación a otras jurisdicciones nacionales. La justificación que ofreció el órgano consultivo es que la aplicación extraterritorial de la ley puede suponer un conflicto de jurisdicción con el Estado territorial y que, por lo tanto, debe ser la CPI la que actúe en esos casos (*Anteproyecto de Ley Orgánica de Cooperación con la Corte Penal Internacional,* de 5-12, de 2002). Sin embargo, la redacción del art. 7.2 de la Ley de Cooperación, al contrario que sus homólogos en las LLOO de cooperación con los TTIIPP de Yugoslavia y Ruanda no regula el conflicto de jurisdicciones, sino que lo excluye *ab initio,* es decir, se evita la concurrencia (RODRÍGUEZ YAGÜE). De ahí que el texto ordene a los órganos judiciales, Ministerio Fiscal y otros organismos abstenerse en caso de recibir denuncias o querellas, pero también de actuar de oficio ante la *notitia criminis.*

Para concluir si el precepto restringe o no el alcance del art. 23.4 LOPJ es necesario atender a las tres condiciones que impiden la apertura de investigaciones por parte de los Tribunales españoles: 1) que los hechos hayan ocurrido en otros Estados, 2) que los presuntos responsables de *esos* hechos no sean nacionales españoles y 3) que para su enjuiciamiento pudiera ser competente la CPI. Por lo que se refiere al territorio y al presunto autor es importante determinar qué debe entenderse por *Estado*. A juicio del Consejo de Estado debe ser *Estado Parte* del ECPI y, por ello, los apartados 2 y 3 del art. 7 deben aplicarse cuando estos no actúen ante la comisión de delitos en sus respectivos territorios y sea competente la CPI (Dictamen 639/2003, de 12-06. Asunto: *Anteproyecto de Ley Orgánica de cooperación con la Corte Penal Internacional*). A *sensu contrario*, los Tribunales españoles podrían actuar cuando el delito se cometiera en un Estado no parte de la CPI, como por ejemplo en el caso de los presuntos delitos de genocidio y torturas cometidos en Tíbet. También cuando a pesar de serlo, los delitos se hubieren cometido antes de la entrada en vigor del ECPI (1-7 de 2002) o de la entrada en vigor para el Estado Parte si su ratificación fue posterior. La duda que surgiría entonces sería si *a priori*, y dada la existencia del mecanismo de remisión de *situaciones* por parte del CSNU (art. 13 b) ECPI) la CPI pudiera ser competente para cualquier situación. Entendemos que, asumiendo el concepto de *Estado* dado por el Consejo de Estado, la respuesta debe ser negativa porque la redacción de art. 7.2 de la Ley de Cooperación establece de manera copulativa territorio (de Estado Parte), nacionalidad no española y competencia de la CPI. De no ser así, la jurisdicción de los Tribunales españoles se excluiría siempre y en todos esos casos porque *a priori* la CPI podría ser competente para conocer de los delitos cometidos en Estados no Parte por remisión del CSNU (por ejemplo, Libia y Sudán).

Además de lo expuesto se plantearía una dificultad añadida para determinar el ejercicio de la jurisdicción por los Tribunales españoles que ya ha sido apuntada anteriormente: el art. 7.2 establece «hechos» sucedidos en otros Estados y el sistema de remisión del art. 14 ECPI determina «situaciones». El mecanismo previsto por el ECPI permite a los Estados remitir *situaciones* y a la Fiscalía de la CPI, previa apertura de investigaciones para determinar los *hechos* objeto de investigación. El tenor literal del art. 7.2 de la Ley de Cooperación prohíbe la actuación de los Tribunales españoles en relación con los *hechos sucedidos en otros Estados,* pero estos solos podrán ser identificados tras la apertura de una o varias investigaciones por la Fiscalía de la CPI, siempre que previamente esta hubiera admitido el asunto. Como se observa, la redacción del precepto no puede ser más desacertada.

Finalmente, es necesario atender a la posibilidad que ofrece el art. 7.3 de la Ley de Cooperación que determina que «*no obstante, si el Fiscal de la Corte no acordara la apertura de la investigación o la Corte acordara la inadmisibilidad del asunto, la denuncia, querella o solicitud, podrá ser presentada nuevamente ante los órganos correspondientes*». El precepto, aunque incluido en el Anteproyecto de Ley, se eliminó del articulado por recomendación del Consejo de Estado, que entendía que no se correspondía con «*el sentido y la construcción del ER*». Y ello era así porque, a juicio del órgano consultivo «*...admitir esta posibilidad* *supondría minimizar y desconocer el significado general que los Estados Parte han querido voluntariamente dar a la Corte Penal Internacional al instaurarla y aceptar su jurisdicción para conocer ciertos los delitos que no se hayan investigado o no puedan serlo en sus jurisdicciones nacionales»* (Dictamen 639/2003, de 12 de junio. Asunto: *Anteproyecto de Ley Orgánica de cooperación con la Corte Penal Internacional*).

Durante la tramitación parlamentaria se aceptó la enmienda nº 34 del Grupo Parlamentario de Izquierda Unida que proponía su adición en los términos previstos al entender que su eliminación suponía «*abrir una puerta a la impunidad una puerta a la impunidad de los responsables de los delitos mencionados en los casos en los que la Corte no pudiera juzgarlos»* (*Enmiendas e índice de enmiendas al articulado. Proyecto de Ley Orgánica de Cooperación con la Corte Penal Internacional*, BOCG nº 156-98, VIII Legislatura, de 19 de septiembre de 2003). La inclusión permite, por tanto, plantear la cuestión ante los tribunales nacionales cuando por ejemplo la CPI declare su inadmisibilidad por entender que el asunto no reviste *gravedad suficiente* (art. 17.1 d) ECPI). Pero, sobre todo, en el caso en el Fiscal de la CPI, de acuerdo con lo establecido en el art. 15. 3 ECPI llegare a la conclusión de que no existe fundamento suficiente para abrir una investigación si «*existen razones sustanciales para creer que, aun teniendo en cuenta la gravedad del crimen y los intereses de las víctimas, una investigación no redundaría en interés de la justicia»* (art. 53.1 b) ECPI). Los conceptos *gravedad suficiente* e *interés de la víctima* fueron ampliamente discutidos durante la redacción del ECPI y su inclusión causó preocupación en algunas delegaciones. En primer lugar, porque todos los delitos competencia de la CPI son *per se* muy graves. En segundo lugar, porque se asume explícitamente pueden existir otros factores que prevalezcan frente al interés de las víctimas. Por ello, y en caso de no revestir suficiente gravedad para la CPI, deberán investigarse y perseguirse por los Estados Parte (BERGSMO / KRUGER/ BEKOU).

IV. BIBLIOGRAFÍA

ALCAIDE FERNÁNDEZ, J., «La complementariedad de la Corte Penal Internacional y los Tribunales Nacionales: ¿tiempos de "ingeniería jurisdiccional"?», en CARRILLO SALCEDO, J. A., *La criminalización de la barbarie: la Corte Penal Internacional*, Madrid, Consejo General del Poder Judicial, 2000, págs. 383-434; AMBOS, K., «El test de complementariedad de la Corte Penal Internacional (artículo 17 Estatuto de Roma). Un análisis sistemático de la compleja relación entre jurisdicciones nacionales y la Corte Penal Internacional», en *Indret, Revista para el Análisis del Derecho*, 2/2010, págs. 1-47; ACQUAVIVA, G., «Was a Residual Mechanism for International Criminal Tribunals Really Necessary Current Events: The Residual Mechanism: Bringing the Work of the Ad Hoc International Criminal Tribunals to Completion», en *Journal of International Criminal Justice*, 2011, 9, nº 4, págs. 789-796; BAUCELLS LLADÓS, J. / HAVA GARCÍA, E., «Posibilidades y límites del principio de Justicia Universal: el caso Acteal», en *Revista de Derecho Penal y Criminología*,

2007, n° 19, págs. 119-171; BERMAN, F., «The relationship between the International Criminal Court and the Security Council», en ELLIS, M. S. / GOLDSTONE, R. J. (eds), *The International Criminal Court: challenges to achieving justice and accountability in the 21st Century*, New York, The International Debate Education Association, 2008, págs. 274-281; BERGSMO M. / KRUGER, P. / BEKOU, O., «Part. 5. Investigations and prosecutions», en TRIFFTERER, O. / AMBOS, K. A., *The Rome Statute of the International Criminal Court. A commentary, Third Edition*, München/ Oxford, Baden Baden, C. H. Beck, Hart, Nomos, 2016, págs. 1365-1569; BULTER, A. H., «The growing support for Universal Jurisdiction in national legislation» en MACEDO, S., *The Princeton Principles on Universal Jurisdiction*, New Jersey, Princeton University, 2004, págs. 67-76; *id.*, *Universal Jurisdiction. National Courts and the prosecution of seripus crimes under International Law*, Philadephia, Pennsylvania, University of Pennsylvania Press, 2004; CABRERA PADRÓN, C., «Comentario crítico a la posición de la Audiencia Nacional sobre la reforma de la justicia universal: liberación de narcotraficantes», en *Diario La Ley*, 2014, n° 8333, págs. 1-5; *id.*, «Comentarios a la sentencia del Tribunal Supremo sobre la reforma de la Justicia Universal», en *Diario La Ley*, n° 8396, 2014, págs. 1-4; CASSESE, A., *The Oxford Companion to International Criminal Justice*, New York, Oxford University Press, 2009; *id.*, *International Criminal Law, second edition*, New York, Oxford University Press, 2008; CHEHTMAN, A., *The philosophical foundations of extraterritorial punishment*, Oxford, Oxford University Press, 2010; CHINCHÓN ÁLVAREZ, J., «La jurisdicción universal absoluta que el Tribunal Constitucional amparaba», en ALGUACIL GONZÁLEZ-AURIOLES, J. / GUTIÉRREZ GUTIÉRREZ, I (coord.) *Constitución: norma y realidad. Teoría constitucional para Antonio López Pina*, Madrid, Marcial Pons, 2014, págs. 311-318; *id.*, «Del intento por acabar con la jurisdicción universal para el bien de las víctimas y del Derecho Internacional: examen crítico de la Ley Orgánica 1/2014, de 13 de marzo, de modificación de la Ley Orgánica 6/1985, de 1 de julio, del Poder Judicial, relativa a la justicia universal», en *Revista de Derecho Penal y Criminología*, 2014, n° 5, págs. 161-176; *id.*, «Jurisprudencia española en materia de Derecho internacional público —Comentarios de sentencias— Caso del genocidio del Tíbet. ¿Hacia una nueva reforma exprés de la jurisdicción universal?: Autos de la Audiencia Nacional (Sala de lo Penal, Sección 4ª), de 9 de octubre de 2013 (ROJ: SAN 246/13) y de 18 de noviembre de 2012 (ROJ: SAN 270/13)» en *Revista Española de Derecho Internacional*, 2014, págs. 212-217; *id.*, «A propósito del proceso de reforma del art. 23.4 de la Ley Orgánica del Poder Judicial (mayo-noviembre de 2009): de los motivos a las consecuencias para el principio de jurisdicción universal», en *Revista de Derecho de Extremadura*, 2009, 6, págs. 13-31; *id.*, «La prisión permanente revisable. Un análisis del argumento internacional», en *Revista de Derecho Penal y Criminologíañ*, n° 18, 3ª Época, 2018, págs. 83-138; *id.*, «Análisis formal y material de la reforma del principio de jurisdicción universal en la legislación española: de la *abrogación de facto* a la *derogación de iure*», en *Diario La Ley*, 2009, n° 7211, págs. 1-10; COMELLAS AGUIRREZÁBAL, M. T., «La jurisdicción universal en España tras la reforma de 2009», en *Anuario Español de Derecho Internacional*, 2010, n° 16, págs. 61-110; DEL CARPIO DELGADO, J., «El principio de justicia universal en España tras la reforma de 2009», en *Diario La Ley*, 2009, n° 7309, págs. 1-31; DENIS, C., «Critical Overview of the Residual Functions of the Mechanism and its Date of Commencement (Including Transitional Arrangements) Current Events: The Residual Mechanism: Bringing the Work of the Ad Hoc International Criminal Tribunals to Completion», en *Journal of International Criminal Justice* 9, 2011, núm. 4, págs. 819-837; DÍAZ PITA, P., «Concurrencia de jurisdicciones entre los Tribunales Penales Españoles y la Corte Penal Internacional: los arts. 8 y 9 de la Ley Orgánica de Cooperación con la Corte Penal Internacional», en *Revista Electrónica de Estudios Internacionales*, 2005, n° 9, págs. 1-11; EL ZEIDY, M., «The United States dropped the atomic bomb of article 16 of the ICC Statute: Security Council power of deferrals and resolution 1422», en *Vanderbilt Journal of Transitional Law*, 2002, núm. 35, págs. 1503-1544; *id.*, «Universal jurisdiction in abstentia: is it a legally valid option for repressing heinous crimes», en *Oxford Univesity Comparative Forum*, 2003, n°. 4, págs. 1-26; ESCOBAR HERNÁNDEZ, C., «El fin de la estrategia de conclusión de los Tribunales para la Antigua Yugoslavia y para Ruanda: el "mecanismo residual internacional"», en PÉREZ GONZÁ-

LEZ, M. / AZNAR GÓMEZ, M. J., et al. (ed.), *Estudios de Derecho Internacional y de Derecho Europeo en Homenaje al profesor Manuel Pérez González*, Vol. 1, 2012 (Tomo I), págs. 539-560; FEIJÓO SÁNCHEZ, B., «El principio de justicia universal en el Derecho penal español tras la reforma mediante la LO 1/2009. Comentario crítico al Auto del Pleno de la Sala de lo Penal de la Audiencia Nacional de 27 de octubre de 2010 ("Caso Tíbet") y al voto particular que formulan tres Magistrados», en *In Dret*, 1/2011, págs. 1-48; GARCÍA SÁNCHEZ, B., *Límites a la ley penal en el espacio*, Barcelona, Atelier, 2004; GARROCHO SALCEDO A. M. / MARTÍNEZ GUERRA, A., «Informe sobre la Proposición de Ley Orgánica de modificación de la Ley Orgánica 6/85, de 1 de julio, del Poder Judicial, relativa a la Justicia Universal», en ÁLVAREZ GARCÍA, J (Dir.) / ANTÓN BOIX, J. R. (coord.), *Informe de la Sección de Derechos Humanos del Ilustre Colegio de Abogados de Madrid sobre los Proyectos de Reforma del Código Penal, Ley de Seguridad Privada y LO del Poder Judicial (Jurisdicción Universal)*, Valencia, Tirant lo Blanch reformas, 2014, págs. 176-193; GIL GIL, A. / MACULÁN, E., *Derecho penal internacional*, Madrid, Dykinson, 2016; *id.*, «Capítulo 8. Jurisprudencia española sobre crímenes internacionales», en ALMQVIST, J. / ESPÓSITO MASSICCI, C. (Coord.) *Justicia transicional en Iberoamérica*, Madrid, Centro de Estudios Políticos y Constitucionales, 2009, págs. 181-208; *id.*, «Principio de legalidad y crímenes internacionales. Luces y sombreas en la sentencia del Tribunal Supremo en el caso Scilingo», en CUERDA RIEZU A. R. / JIMÉNES GARCÍA, F. (Coord.) *Nuevos desafíos del Derecho penal internacional: terrorismo, crímenes internacionales y derechos fundamentales*, Madrid, Dykinson, 2009, págs. 391-410; *id.*, «Jurisdicción de los Tribunales españoles sobre genocidio, crímenes contra la humanidad y crímenes de guerra: premio "J. F. Querol y Lombardero del Ministerio de Defensa"», en *Revista española de Derecho militar*, 2006, nº. 87, págs. 55-88; *id.*, «La sentencia de la Audiencia Nacional en el caso Scilingo», en *Revista electrónica de Ciencia Penal y Criminología*, 2005, nº 7, págs. 1-18; *id.*, «Tribunales penales internacionales», en *Revista de Derecho Penal y Criminología*, 2000, nº extra 1, págs. 35-58; HALL, C. K. / NTANDA, D. D. / VENTURA, M. J., «Article 19. Challenges to the jurisdiction of the Court or the admissibility of the case», en TRIFFTERER, O. / AMBOS, K., A., *The Rome Statute of the International Criminal Court. A commentary*, *Third Edition*, München / Oxford, Baden Baden, C. H. Beck, Hart, Nomos, 2016, págs. 849-898; LANGER, M., «The diplomacy of Universal Jurisdiction: the political branches and the transnational prosecution of international crimes», en *American Journal of International Law*, 2011, núm. 105, págs. 1-55; LÓPEZ MARTÍN, A. G., «La codificación del Derecho internacional en el umbral del siglo XXI: luces y sombras en la labor de la CDI», en *Anuario hispano-luso-americano de derecho internacional*, 2001 Vol. X. págs. 367-390; LLOBET ANGLÍ, M., «El alcance del principio de jurisdicción universal según el Tribunal Constitucional», en *Indret, Revista para el Análisis del Derecho*, 2006, núm. 4, págs. 1-21; MANJÓN-CABEZA OLEMDA, A., «Alcance de la jurisdicción universal española tras la modificación operada por la LO 1/2009, de 3 de noviembre», en CASTILLEJO MANZANARES, R., *La persecución de los actos de piratería en las Costas Somalíes*, Valencia, Tirant lo Blanch, 2011; MARCHESI, A. / CHAITIDOU, E., «Referral of a situation by a State Party», en TRIFFTERER, O. / AMBOS, K. A., *The Rome Statute of the International Criminal Court. A commentary*, *Third Edition*, München/Oxford, Baden Baden, C. H. Beck, Hart, Nomos, 2016 págs. 703-724; MARTÍNEZ GUERRA, A., «La persecución extraterritorial de los delitos de terrorismo: otra víctima de la "nueva" Jurisdicción Universal», en *Diario La Ley*, 2015, nº 8561, págs. 1-13; *id.*, «Narcobarcos e interpretación de Convenios Internacionales: la STS 592/2014. de 24 de julio», en *Diario La Ley*, 2014, nº 8427, págs. 1-9; *id.*, «La reforma de la molesta Jurisdicción Universal y sus primeras consecuencias», en *Eunomia: Revista en Cultura de la Legalidad*, 2014, nº 7, págs. 117-142; *id.*, «Delitos contra la Administración de Justicia de la CPI», en ÁLVAREZ GARCÍA, F. J., *Tratado de Derecho penal español. Parte Especial. III. Delitos contra las Administraciones Pública y de Justicia*, Valencia, Tirant lo Blanch, 2013; *id.*, «Delitos contra la Comunidad Internacional», en DOPICO GÓMEZ ALLER, J. / ÁLVAREZ GARCÍA, F. J. (dir.), *Estudio crítico sobre el Anteproyecto de Reforma Penal de 2012*, Valencia, Tirant lo Blanch, 2013, págs. 985-989; MORRIS, M. H., «Universal Jurisdiction in a divided world: Conference remarks», en *New England Law Review*,

2001, n° 35, 2, págs. 337-361; O'KEEFE, R., «Universal Jurisdiction. Clarifying the basic concept», en *Journal of International Criminal Justice*, 2004, 2, págs. 735-760; OLLÉ SESÉ, M., *Justicia Universal para crímenes internacionales*, Madrid, Tirant lo Blanch, 2008; *id.*, «Crímenes contra la humanidad y jurisdicción universal», en *La Ley Penal: revista de Derecho penal, procesal y penitenciario*, 2006, n° 25, págs. 5-20; PÉREZ ALONSO, E., «Las ultimas reformas del principio de justicia universal legalizadoras de la "jurisprudencia creativa" del Tribunal Supremo», en *Estudios Penales y Criminológicos*, vol. XXXII, 2012, págs. 131-196; PÉREZ GONZÁLEZ, C., «Jurisdicción Universal y enjuiciamiento de los crímenes de guerra: ¿qué obligaciones impone el Derecho Internacional Público?» en PÉREZ GONZÁLEZ, C. / ESCUDERO ALDAY, R., *La responsabilidad penal por la comisión de Crímenes de guerra: el Caso Palestina*, Cizur Menor, Aranzadi, 2009; PHILIPPE, X., «The principles of universal jurisdiction and complementarity: how do the principles intermesh?», en *International Review of the Red Cross*, 2006, vol. 88, num. 862, págs. 373-398; PITTMAN, T. W., «Road to the Establishment of the International Residual Mechanism for Criminal Tribunals: From Completion to Continuation, The Current Events: The Residual Mechanism: Bringing the Work of the Ad Hoc International Criminal Tribunals to Completion», en *Journal of International Criminal Justice*, 2011, 9, núm. 4, págs. 797-817; RABINOVIC, R., «Universal jurisdiction in abstentia», en *Fordham International Law*, 2004, vol. 28, 2, págs. 500-530; SHARON, A. W. / SCHABAS, W. A. / EL ZEIDY, M. M., «Article 17. Issues of admissibility», en TRIFFTERER, O. / AMBOS, K. A., *The Rome Statute of the International Criminal Court. A commentary, Third Edition*, München/Oxford, Baden Baden, C. H. Beck, Hart, Nomos, 2016, págs. 781-831; SÁNCHEZ LEGIDO, A., «El fin del modelo español de jurisdicción universal», en *Revista Electrónica de Estudios Internacionales*, 2014, n° 27, págs. 1-40; *id.*, *Jurisdicción universal penal y Derecho internacional*, Valencia, Tirant lo Blanch, 2004; SÁNCHEZ-PACHECO ESTRADA, C., «La jurisprudencia española en aplicación del principio de Jurisdicción Universal. El caso de la represión en Argentina», en *Jueces para la Democracia*, 2008, n° 61, págs. 101-117; *id.*, «Tratamiento del exterminio de grupos políticos a la luz del caso Scilingo» en *Jueces para la Democracia*, 2006, n° 55, págs. 48-58; STAHN, C. / SLUITER, G., *The emerging practice of the International Criminal Court*, Leiden, Boston, Martinus Nijhoff Publishers, 2009; TAMARIT SUMALLA, J., *Justicia transicional, justicia penal y justicia universal*, Barcelona, 2010; TRIFFTERER, O. / AMBOS, K. A., *The Rome Statute of the International Criminal Court. A commentary, Third Edition*, München / Oxford, Baden Baden, C. H. Beck, Hart, Nomos, 2016; VAN ZYL SMIT, D., «International imprisonment», en *International and Comparative Law Quarterly*, 2005, 57, págs. 357-386; WERLE, G., *Tratado de Derecho penal internacional, 2ª Edición*, Valencia, Tirant lo Blanch, 2011.

REFERENCIAS LEGALES

- Ley 4/2015, de 27 de abril, *del Estatuto de la víctima del delito*, BOE núm. 101, de 28-4 *(Tol 4840867)*.
- Ley Orgánica 1/2015, de 30 de marzo, *por la que se modifica la Ley Orgánica 10/1995, de 23 de noviembre, del Código Penal*, BOE núm. 77, de 31-3 *(Tol 4788288)*.
- Ley Orgánica 2/2015, de 30 de marzo, *por la que se modifica la Ley Orgánica 10/1985, de 23 de noviembre, del Código Penal en materia de delitos del terrorismo*, BOE núm. 77, de 31-3 *(Tol 4788308)*.
- Ley Orgánica 1/2014, de 13 de marzo, *de modificación de la Ley Orgánica 6/1985, de 1 de julio del Poder Judicial, relativa a la justicia universal*, BOE núm. 63, de 14-3 *(Tol 4132399)*.
- Resolución de 19 de septiembre de 2011, de la Secretaría General Técnica, *por la que se publican las Reglas de Procedimiento y Prueba de la Corte Penal Internacional*, BOE núm. 231, de 26-9 *(Tol 2231254)*.
- Ley Orgánica 5/2010, de 22-6, *por la que se modifica la Ley Orgánica 10/1995, de 23 de noviembre, del Código Penal (Tol 1867500)*.

- Ley Orgánica 1/2009, de 3 de noviembre, *complementaria de la Ley de reforma de la legislación procesal para la implementación de la nueva Oficina judicial, por la que se modifica la Ley Orgánica 6/1985, de 1 de julio, del Poder Judicial*, BOE núm. 266, de 4-9 de 2009 *(Tol 1631667)*.
- Instrumento de Ratificación del *Acuerdo sobre Privilegios e Inmunidades de la Corte Penal Internacional*, hecho en Nueva York 9 de septiembre de 2002, BOE núm. 294, de 7-12 de 2009.
- Ley Orgánica 13/2007, de 19 de noviembre, *para la persecución extraterritorial del tráfico ilegal o la inmigración clandestina de personas*, BOE núm. 278, de 20-11 de 2007 *(Tol 1173842)*.
- Ley Orgánica 3/2005, de 8 de julio, *de modificación de la Ley Orgánica 6/1985, de 1 de julio, del Poder Judicial, para perseguir extraterritorialmente la práctica de la mutilación genital femenina*, BOE núm. 163, de 9-7 de 2005 *(Tol 652970)*.
- Ley Orgánica 18/2003, de 10 de diciembre, *de Cooperación con la Corte Penal Internacional*, BOE núm. 296, de 11-12 de 2003 *(Tol 324219)*.
- Ley Orgánica 15/2003, de 25 de noviembre, *por la que se modifica la Ley Orgánica 10/1995, de 23 de noviembre, del Código Penal*, BOE núm. 283, de 26-11 de 2003 *(Tol 228956)*.
- Ley Orgánica 11/2003, de 29 de septiembre, *de medidas concretas en materia de seguridad ciudadana, violencia doméstica e integración de los extranjeros*, BOE núm. 234, de 30-9 de 2003 *(Tol 306322)*.
- *Estatuto de Roma de la Corte Penal Internacional* A/CONF.183/9, aprobado 17-7 de 1998, en vigor desde 01-7 de 2002.
- *Reglas de Procedimiento y Prueba ICC-ASP/1/3 (Part. II-A), aprobadas el 09.09.2002, en vigor desde el 09.09.2002*, BOE núm. 231, de 26-9 de 2011.
- Resolución de 26 de febrero de 2001, de la Secretaría General Técnica, *por la que se publica la Resolución 1329 (2000), de 30 de noviembre, del Consejo de Seguridad de Naciones Unidas, por la que se reforman los Estatutos de los Tribunales Penales Internacionales para la Antigua Yugoslavia y Ruanda (Resolución 827 (1993), de 25 de mayo*, BOE núm. 281, de 24-11 de 1993, y núm. 19, de 22-1 de 1994, y Resolución 955 (1994), de 8-11, BOE núm. 123, de 24-5 de 1995.
- Instrumento de Ratificación del *Estatuto de Roma de la Corte Penal Internacional*, hecho en Roma el 17 de julio de 1998, BOE núm. 126 de 27-5 de 2002.
- Ley Orgánica 6/2000, de 4 de octubre *por la que se autoriza la ratificación por España del Estatuto de la Corte Penal Internacional*, BOE núm. 239, de 5-10 de 2000 *(Tol 144812)*.
- Ley Orgánica 11/1999, de 30 de abril, *de modificación del Título VIII del Libro II del Código Penal, aprobado por Ley Orgánica 10/1995, de 23 de noviembre*, BOE núm. 104, de 1-5 de 1999 *(Tol 150844)*.
- Ley Orgánica 4/1998, de 1 de julio, *para la Cooperación con el Tribunal Internacional para Ruanda*, BOE, núm. 157, de 2-7 de 1998 *(Tol 146279)*.
- Ley Orgánica 15/1994, de 1 de junio, *para la cooperación con el Tribunal Internacional para el enjuiciamiento de los presuntos responsables de violaciones graves del Derecho Internacional Humanitario cometidas en el territorio de la Ex-Yugoslavia*, BOE núm. 131, de 2-6 de 1994 *(Tol 756649)*.
- Resolución de 19 de octubre de 1993, de la Secretaría General Técnica, por la que se publica la Resolución 927 (1993), de 25 de mayo, *del Consejo de Seguridad de Naciones Unidas creando un Tribunal Internacional para el castigo de los crímenes internacionales perpetrados en la antigua Yugoslavia* y documento anejo, BOE núm. 281, de 24-11 *(Tol 137092)*.
- Resolución de 10 de mayo de 1995, de la Secretaría General Técnica, por la que se publica la Resolución 955 (1994), de 8 de noviembre de 1994, *del Consejo de Seguridad de Naciones Unidas creando un Tribunal Internacional para el enjuiciamiento de los crímenes internacionales perpetrados en Ruanda*, BOE núm. 123, de 24-5 *(Tol 146279)*.
- Corrección de errores de la Ley Orgánica 6/1985, de 1 de julio, *del Poder Judicial*, BOE núm. 264, de 4-11 de 1985.

- Ley Orgánica 6/1985, de 1 de julio, *del Poder Judicial*, BOE núm. 157, de 2-7 de 1985 *(Tol 268267)*.
- Ley 40/1975, de 19 de noviembre, de *Descolonización del Sáhara*, BOE, núm. 278 de 20-11 de 1975.
- Organización de las Naciones Unidas, Asamblea General, *«Cuestión del Sáhara Español»*, Resolución de la Asamblea General 3292 (XX), de 13-12 de 1974.
- Instrumento de adhesión de 2 de mayo de 1972, *del Convenio de Viena sobre el Derecho de los Tratados*, adoptado en Viena el 23-5 de 1969.
- *Convenio para la Prevención y Sanción del Delito de Genocidio*, de 9-12 de 1948 *(Tol 117700)*.
- *Código Penal español de 27 de octubre de 1932: Ley de Bases de 8 de septiembre para la reforma del de 1870 y orden de 11 de noviembre de 1932 sobre el cumplimiento de penas.*
- *Ley Provisional sobre Organización del Poder Judicial*, de 18-9 de 1870.
- *Ley Adicional a la Orgánica del Poder Judicial*, de 14 -10 de 1882.
- *Ley de Bases para la Reforma Municipal*, de 9 de julio de 1944, BOE, núm. 203, de 21 de julio de 1944.
- Tratado de París, Convenio de entre España y Francia *para la delimitación de las posesiones de ambos países en la costa del Sahara y en la del Golfo de Guinea*, firmado el 27 de junio de 1900, La Gaceta de 30-3 de 1901.
- Decreto de 21 de agosto de 1956 *por el que se dispone el cambio de denominación de la Dirección General de Marruecos y Colonias*, BOE núm. 263 de 19-9 de 1956.
- Decreto de 10 de enero de 1958 *por el que se reorganiza el Gobierno General del África Occidental Española*, Boletín Oficial el Ministerio del Aire, núm. 7 de 16-1 de 1958.

TRATADOS Y CONVENIOS INTERNACIONALES

- Instrumento de ratificación del Convenio del Consejo de Europa *sobre la falsificación de productos médicos y delitos similares que supongan una amenaza para la salud pública*, hecho en Moscú el 28 de octubre de 2011, BOE núm. 286, de 30-11 de 2015 *(Tol 5569683)*.
- Convenio del Consejo de Europa *sobre prevención y lucha contra la violencia contra la mujer y la violencia doméstica*, hecho en Estambul el 11-5 de 2011, BOE núm. 137, de 6-6 de 2014 *(Tol 4356390)*.
- Instrumento de ratificación del Convenio *de lucha contra la corrupción de Agentes Públicos extranjeros en las transacciones comerciales internacionales*, hecho en París el 17 de diciembre de 1997, BOE núm. 46, de 22-2 de 2002 *(Tol 1050996)*.
- *Carta de las Naciones Unidas*, BOE núm. 275, de 16 de noviembre de 1990 y corrección de errores BOE núm. 285, de 28-11 de 1990 *(Tol 137092)*.
- Convenio para la *prevención y sanción del genocidio*, aprobado por la Asamblea general de Naciones Unidas, de 9 de diciembre de 1948, BOE, núm. 34, de 78 de febrero de 1969 *(Tol 117700)*.

ACUERDOS SOBRE EL CUMPLIMIENTO DE SENTENCIAS CON LOS TRIBUNALES PENALES INTERNACIONALES

TRIBUNAL PENAL INTERNACIONAL PARA LA ANTIGUA YUGOSLAVIA

- *Agreement between the Government of the Republic of Albania and the United Nations on the enforcement of sentences of the International Criminal Tribunal for the Former Yugoslavia*, September 19, 2008.
- *Agreement between the Government of the Republic of Poland and the United Nations on the enforcement of sentences of the International Criminal Tribunal for the Former Yugoslavia*, September 18, 2008.

- *Agreement between the Slovak Republic of Eslovaquia and the United Nations on the enforcement of sentences imposed by the International Criminal Tribunal for the Former Yugoslavia,* April 7, 2008.
- *Agreement between the Government of the Republic of Estonia and the United Nations on the enforcement of sentences of the International Criminal Tribunal for the Former Yugoslavia,* February 11, 2008.
- *Agreement between the United Nations and Government of the Kingdom of Belgium on the enforcement of sentences handed down by the International Criminal Tribunal for the Former Yugoslavia,* May 2, 2007.
- *Agreement between the United Nations and Ukraine on the enforcement of sentences pronunced by the International Criminal Tribunal for the Former Yugoslavia,* August 7, 2008.
- *Agreement between the United Nations and the Portuguese Republic on the enforcement of sentences of the International Criminal Tribunal for the Former Yugoslavia,* December 19, 2007.
- *Agreement between the United Nations and Government of the United Kingdom of Great Britain and Northern Ireland on the enforcement of sentences of the International Criminal Tribunal for the Former Yugoslavia,* March 11, 2007.
- *Agreement between the United Nations and the Kingdom of Denmark on the enforcement of sentences of the International Criminal Tribunal for the Former Yugoslavia,* June 4, 2002.
- *Acuerdo entre el Reino de España y las Naciones Unidas sobre la ejecución de condenas impuestas por el Tribunal Penal Internacional para la ex Yugoslavia,* hecho en La Haya, March 28, 2000.
- *Agreement between the United Nations and the Government of the French Republic on the enforcement of sentences of the International Criminal Tribunal for the Former Yugoslavia,* February 25, 2000.
- *Agreement between the United Nations and the Government of Sweden on the enforcement of sentences of the International Criminal Tribunal for the Former Yugoslavia,* February 23, 1999.
- *Agreement between the United Nations and the Federal Government of Austria on the enforcement of sentences of the International Criminal Tribunal for the Former Yugoslavia,* July 23, 1999.
- *Agreement between the United Nations and the Government of Norway on the enforcement of sentences of the International Criminal Tribunal for the Former Yugoslavia,* April 24, 1998.
- *Agreement between the United Nations and the Government of Finland on the enforcement of sentences of the International Criminal Tribunal for the Former Yugoslavia,* May 7, 1997.
- *Agreement between the United Nations and the Government of the Italian Republic on the enforcement of sentences of the International Criminal Tribunal for the Former Yugoslavia,* February 6, 1997.

ALEMANIA. ACUERDOS *AD HOC*

- *Agreement between the Mechanism for the International Criminal Tribunal and the Federal Republic of Germany concerning the conditions under which Mr. Dordevic's prison sentence shall be enforced,* July 28, 2014.
- *Agreement between the Federal Republic of Germany and the International Criminal Tribunal for the Former Yugoslavia concerning the conditions under which Mr. Tarčulovski prison sentence shall be enforced,* June 16, 2011.
- *Agreement between the Federal Republic of Germany and the International Criminal Tribunal for the Former Yugoslavia concerning the conditions under which Mr. Galić prison sentence shall be enforced,* December 16, 2008.
- *Agreement between the Federal Republic of Germany and the International Criminal Tribunal for the Former Yugoslavia concerning the conditions under which Mr. Kunarac prison sentence shall be enforced,* November 14, 2002.

- *Agreement between the Federal Republic of Germany and the International Criminal Tribunal for the Former Yugoslavia concerning the conditions under which Mr. Tadić prison sentence shall be enforced*, October 17, 2000.

TRIBUNAL PENAL INTERNACIONAL PARA RUANDA

- *Agreement between the Government of the Republic of Senegal and the United Nations on the enforcement of sentences pronunced by the International Criminal Tribunal for Rwanda*, November 22, 2010.
- *Agreement between the Government of the Republic of Rwanda and the United Nations on the enforcement of sentences pronunced by the International Criminal Tribunal for Rwanda*, March 4, 2008.
- *Agreement between the Government of Sweden and the United Nations on the enforcement of sentences pronunced by the International Criminal Tribunal for for Rwanda*, April 27, 2004.
- *Agreement between the Italian Republic and the United Nations on the enforcement of sentences pronunced by the International Criminal Tribunal for Rwanda*, March 17, 2004.
- *Accord entre le Gouvernement de la République Française et L'Organisation des Nations Unies concernant l'executions des peines prononcées par le Tribunal Pénal Internacional pour le Rwanda*, Mars 14, 2004.
- *Agreement between the Kingdom of Swaziland and the United Nations on the enforcement of sentences pronunced by the International Criminal Tribunal for Rwanda*, August 30, 2000.
- *Agreement between the Government of the Republic of Benin and the United Nations on the enforcement of sentences pronunced by the International Criminal Tribunal for Rwanda*, August 26, 1999.
- *Agreement between the Government of the Republic of Mali and the United Nations on the enforcement of sentences pronunced by the International Criminal Tribunal for Rwanda*, February 12, 1999.

ACUERDOS CON LA CORTE PENAL INTERNACIONAL

- ICC-PRES/20-02-17 *Agreement between the International Criminal Court and the Government of Sweden on the Enforcement of Sentences of the International Criminal Court*, 24 March, 2017.
- ICC-PRES/18-02-16 *Agreement between the International Criminal Court and Kingdom of Norway on the Enforcement of Sentences of the International Criminal Court*, July 7, 2016.
- *Acuerdo entre la República de Colombia y la Corte Penal Internacional sobre de la ejecución de las penas*, mayo 17, 2011.
- ICC-PRES/16-03-14 *Agreement between the International Criminal Court and the Government of the Kingdom of Belgium on the Enforcement of Sentences of the International Criminal Court*, Dec 8, 2014.
- ICC-PRES/12-02-12 *Agreement between the International Criminal Court and the Kingdom of Denmark on the Enforcement of Sentences of the International Criminal Court*, June 1, 2010.
- ICC-PRES/07-01-11 *Agreement between the International Criminal Court and the Republic of Finland on the Enforcement of Sentences of the International Criminal Court*, June 1, 2010.
- ICC-PRES/09-03-11 *Agreement between the International Criminal Court and the Republic of Serbia on the Enforcement of Sentences of the International Criminal*, January 20, 2011.
- ICC-PRES/04-01-07 *Agreement between the Government of the United Kingdom of the Great Britain and the North of Ireland and the International Criminal Court on the Enforcement of Sentences of the International Criminal Court*, November 8, 2007.
- ICC-PRES-A103-AT-5 *Agreement between the International Criminal Court and the Federal Government of Austria on the Enforcement of Sentences of the International Criminal Court*, October 10, 2005.

ACUERDOS *AD HOC*

- *Agreement between the Government of the Democratic Republic of Congo and the International Criminal Court on the enforcement of Sentence imposed by the International Criminal Court* imposed on Mr. Thomas Lubanga Dyilo November 24, 2015.

DICTÁMENES DEL CONSEJO DE ESTADO

- Dictamen del Consejo de Estado 358/2013, de 27-6. Asunto: *Anteproyecto de ley orgánica por la que se modifica la Ley Orgánica 10/1995, de 23 de noviembre, del Código Penal.*
- Dictamen del Consejo de Estado 639/2003, de 12-6. Asunto: *Anteproyecto de Ley Orgánica de cooperación con la Corte Penal Internacional.*
- Dictamen del Consejo de Estado 991/2003, de 24-4. Asunto: *Acuerdo sobre Privilegios e Inmunidades de la Corte Penal Internacional.*
- Dictamen del Consejo de Estado 1374/1999, de 22-7. Asunto: *Expediente relativo al Estatuto de Roma que instituye la Corte Penal Internacional.*
- *Consulta sobre la introducción en el Derecho Interno Español de la Resolución 827 del Consejo de Seguridad de las Naciones Unidas sobre el Tribunal Penal Internacional para el castigo de los crímenes internacionales en la antigua Yugoslavia* (núm. 984), de 9-9 de 1993.

INFORMES DEL CONSEJO GENERAL DEL PODER JUDICIAL.

- Informe al Anteproyecto de *Ley Orgánica de Cooperación con la Corte Penal Internacional,* de 15-1 de 2003.

OTROS DOCUMENTOS

NACIONALES

- *Toma en consideración de Proposiciones de Ley. Del Grupo Parlamentario Popular en el Congreso, Orgánica de modificación de la Ley Orgánica 6/1985, de 1 de julio, del Poder Judicial, relativa a la justicia universal,* BOCG, Congreso de los Diputados, serie B, núm. 157-1, de 24 de enero, de 2014 (Número de expediente 122/000136), Diario de Sesiones del Congreso de los Diputados X Legislatura, nº 174, Pleno y Diputación Permanente, de 11-2 de 2014.
- Senado, *Enmiendas.* Proyecto de Ley Orgánica de Cooperación con la Corte Penal Internacional, BOCCGG nº 159, VII Legislatura, de 31-10 de 2009.
- *Informe de la Ponencia.* Proyecto de Ley Orgánica de Cooperación con la Corte Penal Internacional, BOCCGG nº 156-9, VIII Legislatura, de 20-9 de 2003.
- Congreso de los Diputados, *Enmiendas e índice de enmiendas al articulado.* Proyecto de Ley Orgánica de Cooperación con la Corte Penal Internacional, BOCCGG nº 156-98, VII Legislatura, de 19-9 de 2003.

INTERNACIONALES Y EXTRANJEROS

- Comisión Interamericana de Derechos Humanos, *Quinto Informe sobre la situación de los Derechos Humanos en Guatemala,* de 6-4 de 2001 (OEA/Ser.L/V/II.118, Doc. 21 rev.).

GUATEMALA

- Asesoría Jurídica, *Informe final de la Misión de Verificación de las Naciones Unidas en Guatemala* (MINUGUA) de 15-11 de 2004.
- Comisión Interamericana de Derechos Humanos, *Justicia e inclusión social: desafíos de la democracia en Guatemala,* de 20-12 de 2003 (OEA/Ser.L/V/II.118, Doc. 5 rev).

EL SALVADOR

- Sentencia Corte Suprema de Justicia, de 23 de septiembre de 2016 (Ref. 23-S-2016).
- Sala de lo Constitucional de la Corte Suprema de Justicia de El Salvador, de 13 de julio de 2016 (Proceso 44-2013 /145-2013).
- Sentencia de la Corte Interamericana de Derechos Humanos de 25 de octubre de 2012, caso *Masacres de El Mozote y Lugares Aledaños vs. El Salvador* (Fondo, Reparaciones y Costas).
- Comisión de la Verdad para El Salvador, «De la locura a la Esperanza: la guerra de los doce años en El Salvador», de 15 de marzo de 1993.
- *Ley de Amnistía General para la Consolidación de la Paz,* Decreto Legislativo 486, de 20 de marzo, Diario Oficial nº 56, Tomo 318, de 22 de marzo de 1993.
- *Ley de Reconciliación Nacional,* Decreto Legislativo Número 147, de 23 de enero de 1992 Diario Oficial Número 14 Tomo 314.